CB068875

William Shakespeare
Teatro completo

BIBLIOTECA
UNIVERSAL

**WILLIAM SHAKESPEARE
Teatro completo em
três volumes**

VOLUME 1
Tragédias e Comédias
sombrias

VOLUME 2
Comédias e Romances

VOLUME 3
Peças históricas

Primeira página do *First Folio* de
Comedies, Histories & Tragedies,
publicado de acordo com
True Originall Copies, 1623.

Mr. WILLIAM
SHAKESPEARES
COMEDIES,
HISTORIES, &
TRAGEDIES.

Published according to the True Originall Copies.

LONDON
Printed by Isaac Iaggard, and Ed. Blount. 1623.

William Shakespeare
Teatro completo

VOLUME 3
Peças históricas

Tradução
Barbara Heliodora

Editora
Nova
Aguilar

SUMÁRIO

Nota introdutória
11 Liana de Camargo Leão

Cronologia conjectural das peças de Shakespeare
13 Liana de Camargo Leão

16 ## Genealogia dos monarcas ingleses

Peças históricas

- 21 Rei João
- 117 Henrique IV – parte 1
- 231 Henrique IV – parte 2
- 357 Henrique V
- 479 Henrique VI – parte 1
- 587 Henrique VI – parte 2
- 711 Henrique VI – parte 3
- 833 Henrique VIII
- 953 Ricardo II
- 1055 Ricardo III
- 1209 Eduardo III

Nota introdutória
Liana de Camargo Leão

Em suas aulas, conferências e escritos sobre William Shakespeare, Barbara Heliodora costumava dizer que o dramaturgo tivera um longo caso de amor com a humanidade; o mesmo pode ser dito da tradutora, que manteve com o poeta um caso de amor de mais de setenta anos.

O gosto por Shakespeare herdou da mãe, a poetisa e também tradutora Anna Amélia de Queiroz Carneiro de Mendonça. Barbara gostava de lembrar que a belíssima tradução de *Hamlet*, de Anna Amélia, havia sido feita, em 1960, em resposta a um pedido seu, para que fosse utilizada em um curso no Conservatório Nacional de Teatro. Na ocasião, ela necessitava de uma tradução adequada ao palco e que trouxesse para o português o tom, o ritmo e a música do original, sem hermetismos ou exagerada erudição.

Alguns anos mais tarde, novamente atendendo a outro pedido da filha, Anna Amélia traduziu *Ricardo III*, contido neste volume. As demais traduções aqui incluídas e que compõem o terceiro e último volume do *Teatro Completo* de William Shakespeare são de autoria da própria Barbara.

Das onze peças aqui apresentadas, sete são traduções inéditas, quais sejam, *Ricardo II*, as três partes de *Henrique VI*, *Rei João*, *Henrique VIII* e *Eduardo III*, esta última traduzida cerca de um ano antes do falecimento da tradutora. Era um projeto longamente acalentado por Barbara ver reunidas todas as suas traduções de Shakespeare, o que em parte conseguiu, com a publicação, em 2006, dos volumes I e II das *Obras Completas* de William Shakespeare.

Ficou faltando, entretanto, um terceiro volume que contemplaria as peças históricas, talvez as mais caras à tradutora. Indica-o seu doutoramento pela Universidade de São Paulo, em 1977, em que abordou justamente o gênero histórico, tendo o trabalho sido posteriormente publicado com o título *A expressão dramática do homem político em Shakespeare*. Qualificado como "sólido e brilhante" por Antonio Candido, sobre ele o professor escreveu: "Não é frequente na crítica brasileira um livro que valha ao mesmo tempo, como este, pela segurança da erudição e o brilho da imaginação crítica, isto é, a capacidade de levantar hipóteses ao mesmo tempo pertinentes e engenhosas, mostrando que o trabalho de investigação sobre o texto permite renovar as leituras correntes". (prefácio, p. 13). Era um projeto de Barbara traduzir a tese para o inglês, como lhe haviam solicitado, ao longo dos anos, diversos pesquisadores estrangeiros.

Infelizmente, Barbara não viveu para realizar esse intento; felizmente, entretanto, sua outra ambição, a de ver publicadas todas as peças históricas, ela teve conhecimento pouco antes de ser realizada. Em meados de 2014, quando aceitei o convite para auxiliá-la na revisão e na preparação da presente edição, acreditava que minha função seria tão somente a de leitora informada. Em abril de 2015, quando cortada essa fonte de inesgotável vigor e fecundidade intelectual, coube-me a missão de concluir a tarefa, o que me trouxe, nos meses seguintes, o estranho conforto de com Barbara manter um diálogo permanente.

Sobre sua mesa de trabalho, encontrava-se a peça *The Two Noble Kinsmen (Os dois nobres primos)*, que então relia com a intenção, quem sabe, de traduzir.

Ficam registradas aqui a nossa profunda admiração e nossa eterna saudade de quem tão profundamente amou o teatro e seu maior poeta.

*****

Para a revisão das peças, necessitei, em diferentes ocasiões, do auxílio inestimável do professor Caetano Galindo. Consultei, em outros momentos, a Dra. Ligia Negri e a Dra. Marlene Soares dos Santos. Aos três, os meus sinceros agradecimentos.

Cronologia conjectural das peças de Shakespeare
LIANA DE CAMARGO LEÃO

Estabelecer a ordem e as datas em que foram escritas as peças de Shakespeare tem sido uma preocupação constante desde os primeiros editores de William Shakespeare até hoje. Em 1778, o importante editor Edmond Malone, em seu ensaio pioneiro "An Attempt to Ascertain the Order in which the Plays attributed to Shakespeare were written" ("Uma tentativa de estabelecer a ordem na qual as peças atribuídas a Shakespeare foram escritas"), propõe uma primeira cronologia para as peças, à qual todas as posteriores são devedoras. Um século e meio depois, em 1930, E.K. Chambers publica "The Problem of Chronology" ("O problema da cronologia") em seu estudo seminal *William Shakespeare: A Study of Facts and Problems* (*William Shakespeare: um estudo de fatos e problemas*), retomando e avançando as pesquisas de Malone: das 36 peças listadas no *Fólio*, Chambers concorda com a data estabelecida por Malone para 14 peças.

Para datar as peças, os editores recorrem, se existentes, às primeiras publicações *in quarto* bem como ao livro *Palladis Tamia* (1598), de Francis Meres, que indica Shakespeare como o autor de doze peças — *Os dois cavalheiros de Verona*, *A comédia dos erros*, *Trabalhos de amor perdidos*, *Sonho de uma noite de verão*, *O mercador de Veneza*, *Ricardo II*, *Ricardo III*, *Henrique IV parte 1*, *Rei João*, *Titus Andronicus*, *Romeu e Julieta* e uma peça perdida, *Trabalhos de amor recompensados* —, todas, portanto, escritas antes de 1598.

Os editores recorrem, também, a referências a eventos históricos mencionados nas peças; a documentos tais como cartas e diários, em especial os diários do empresário teatral Philip Henslowe, que cobrem o período de 1592 a 1609, os diários do suíço Thomas Platter, que visitou Londres em 1599, e os do advogado John Manningham, que cobrem o período de 1602 a 1603; a registros de publicação de edições *in quarto* bem como a registros de montagens, todas estas constituindo-se como referências externas aos textos. Além disso, os próprios textos oferecem elementos para auxiliar na tarefa de datar as peças: as análises de estilística, de léxico, de percentual de prosa e verso e de versos brancos e rimados, padrões rítmicos e de pausas, percentual de coloquialismos, entre outros. Estes estudos baseiam-se em estatísticas de modo que, recentemente, graças ao uso de programas de computador, muito têm avançado. Entretanto, qualquer cronologia para as peças permanece, ainda, conjectural.

Além da ordem em que as peças foram escritas, é sempre de interesse apresentar também as datas em que foram pela primeira vez publicadas. Dezessete das peças foram publicadas apenas no *Primeiro Fólio* (1623), o que nos dá a dimensão da importância do trabalho de organização dos textos feito por John Heminges e Henry Condell, atores e amigos de Shakespeare, sem o qual estes textos estariam para sempre perdidos.

A cronologia conjectural e as datas da primeira publicação são as que encontramos nas introduções a cada uma das peças e nos diversos artigos, livros e conferências proferidas por Barbara Heliodora, cabendo-nos apenas completar as informações faltantes; preferimos adotar, nestes casos, um espectro de tempo mais amplo. Cremos, assim, oferecer ao leitor uma visão geral da trajetória de Shakespeare como dramaturgo.

Coube-nos preparar os textos de sete traduções inéditas de Barbara Heliodora: *Henrique VI parte 1, Henrique VI parte 2, Henrique VI parte 3, Ricardo II, Henrique VIII, Rei João* e *Eduardo III*, esta a última peça traduzida por ela.

Título em português (*Título em inglês*)	Data provável de composição	Data da 1ª publicação
Os dois cavalheiros de Verona (*The Two Gentlemen of Verona*)	1591-1592	1623
A megera domada (*The Taming of the Shrew*)	1591-1592	1623
Henrique VI, parte 2 (*Henry VI, part 2*)	1591-1592	1594
Henrique VI, parte 3 (*Henry VI, part 3*)	1591-1592	1595
Henrique VI, parte 1 (*Henry VI, part 1*)	1591-1592	1623
Titus Andronicus (*Titus Andronicus*)	1592-1593	1594
Eduardo III (*Edward III*)	1592-1593	
Ricardo III (*Richard III*)	1592-1593	1597
A comédia dos erros (*The Comedy of Errors*)	1594	1623
Trabalhos de amor perdidos (*Love's Labour's Lost*)	1594-1596	1598
Ricardo II (*Richard II*)	1594-1596	1597
Romeu e Julieta (*Romeo and Juliet*)	1594-1596	1597
Sonho de uma noite de verão (*A Midsummer Night's Dream*)	1594-1595	1600
Rei João (*King John*)	1595-1596	1623
O mercador de Veneza (*The Merchant of Venice*)	1596-1597	1600
Henrique IV, parte 1 (*Henry IV, part 1*)	1596-1597	1598
As alegres comadres de Windsor (*The Merry Wives of Windsor*)	1597-1598	1602
Henrique IV, parte 2 (*Henry IV, part 2*)	1597-1598	1600
Muito barulho por nada (*Much Ado About Nothing*)	1598	1600
Henrique V (*Henry V*)	1599	1600
Júlio César (*Julius Caesar*)	1599	1623
Como quiserem (*As You Like It*)	1599	1623
Hamlet (*Hamlet, Prince of Denmark*)	1600-1601	1603
Noite de Reis (*Twelfth Night*)	1600-1601	1623
Troilus e Créssida (*Troilus and Cressida*)	1601-1602	1609

Otelo (Othello)	1601-1603	1622
Medida por medida (Measure for Measure)	1604	1623
Bom é o que acaba bem (All's Well That Ends Well)	1605-1607	1623
Rei Lear (King Lear)	1605-1606	1608
Macbeth (Macbeth)	1606-1607	1623
Antônio e Cleópatra (Antony and Cleopatra)	1607-1608	1623
Péricles (Pericles)	1607-1608	1609
Coriolano (Coriolanus)	1608	1623
Timon de Atenas (Timon of Athens)	1606-1609	1623
Conto de inverno (The Winter's Tale)	1609-1611	1623
Cimbeline (Cymbeline, King of Britain)	1610	1623
A tempestade (The Tempest)	1610-1611	1623
Henrique VIII (Henry VIII)	1612-1613	1623
Os dois parentes nobres (The Two Noble Kinsmen)*	1613-1614	1634
PEÇAS PERDIDAS		
Trabalhos de amor recompensados (Love's Labour's Won)	1595-1597	
Cardenio (Cardenio)	1612-1613	

*A peça não foi, infelizmente, traduzida por Barbara Heliodora; encontrava-se, entretanto, sobre sua mesa de trabalho quando ela faleceu.

GENEALOGIA DOS MONARCAS INGLESES

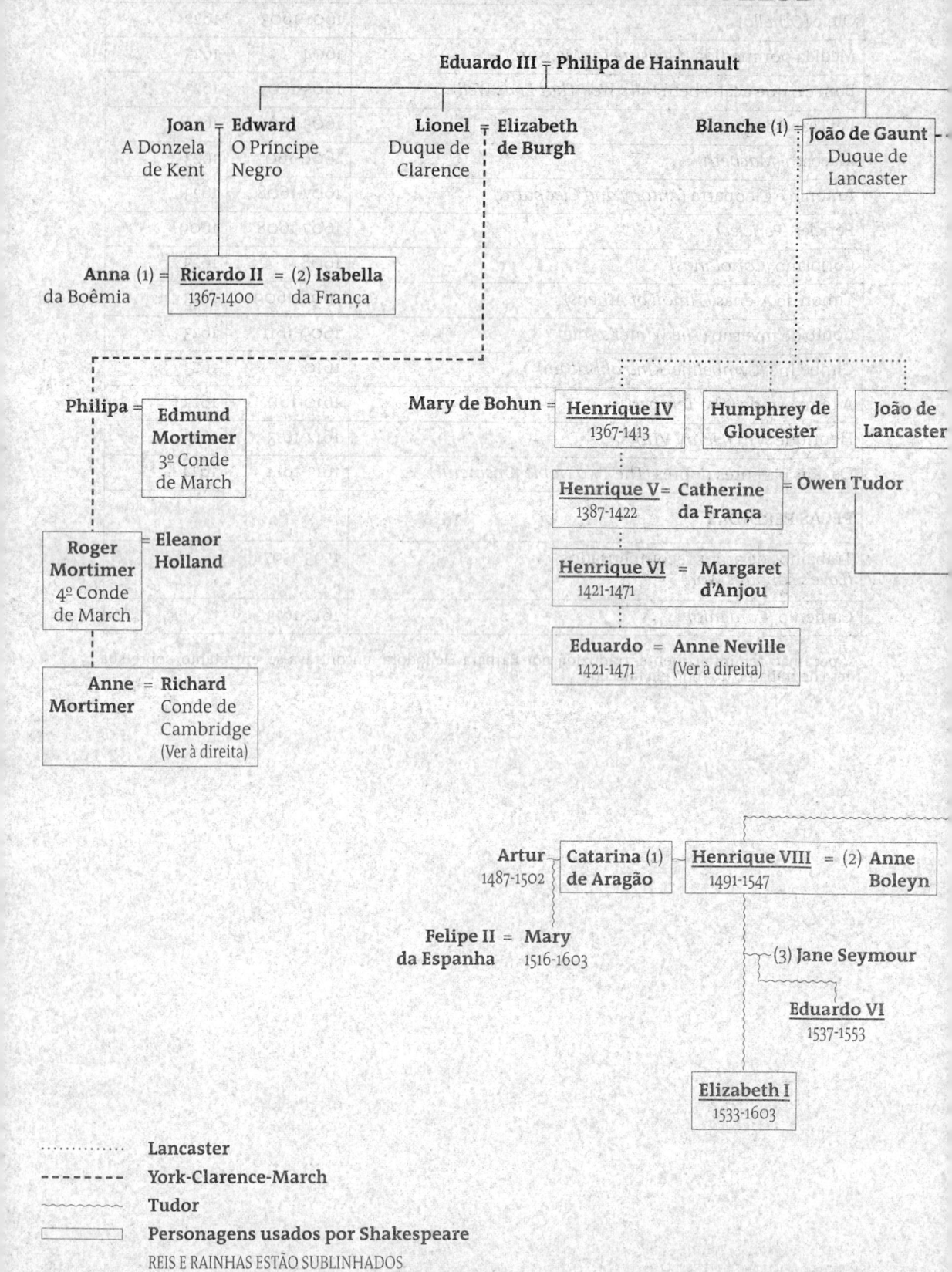

Eduardo III = Philipa de Hainnault

- Joan (A Donzela de Kent) = Edward (O Príncipe Negro)
- Lionel Duque de Clarence = Elizabeth de Burgh
- Blanche (1) = João de Gaunt Duque de Lancaster

Anna da Boêmia (1) = Ricardo II (1367-1400) = (2) Isabella da França

Philipa = Edmund Mortimer, 3º Conde de March

Roger Mortimer, 4º Conde de March = Eleanor Holland

Anne Mortimer = Richard, Conde de Cambridge (Ver à direita)

Mary de Bohun = Henrique IV (1367-1413) | Humphrey de Gloucester | João de Lancaster

Henrique V (1387-1422) = Catherine da França = Owen Tudor

Henrique VI (1421-1471) = Margaret d'Anjou

Eduardo (1421-1471) = Anne Neville (Ver à direita)

Artur (1487-1502) — Catarina de Aragão (1) — Henrique VIII (1491-1547) = (2) Anne Boleyn

Felipe II da Espanha = Mary (1516-1603)

(3) Jane Seymour

Eduardo VI (1537-1553)

Elizabeth I (1533-1603)

- .... Lancaster
- - - - - - York-Clarence-March
- ~~~~~~ Tudor
- ▭ Personagens usados por Shakespeare

REIS E RAINHAS ESTÃO SUBLINHADOS

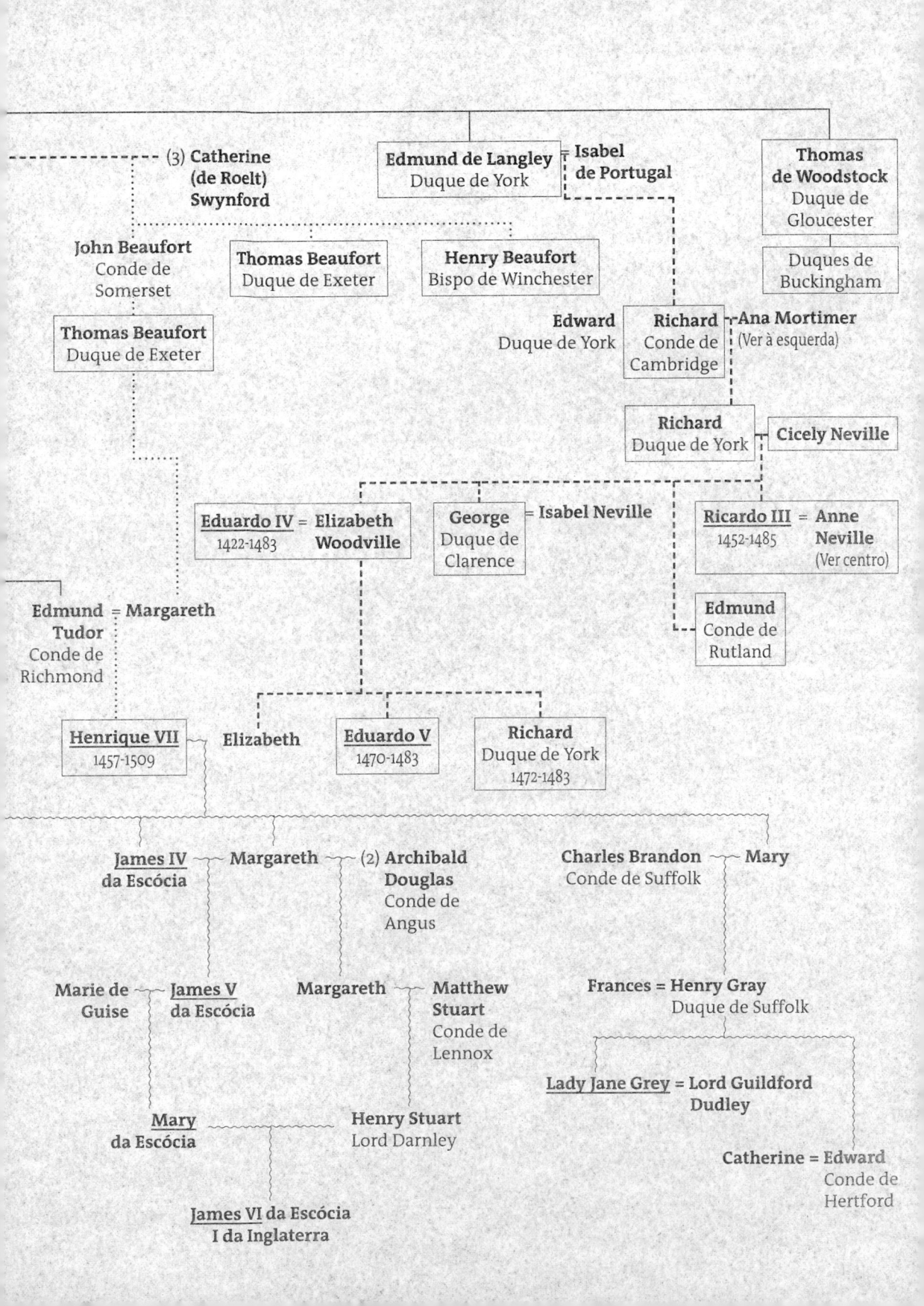

```
                                    ┌─────────────────┬──────────────┬──────────────────┐
              (3) Catherine      Edmund de Langley   Isabel      Thomas
                 (de Roelt)       Duque de York    de Portugal  de Woodstock
                  Swynford                                       Duque de
                                                                 Gloucester

   John Beaufort    Thomas Beaufort   Henry Beaufort                    Duques de
   Conde de         Duque de Exeter   Bispo de Winchester               Buckingham
   Somerset
                                         Edward      Richard    — Ana Mortimer
   Thomas Beaufort                       Duque de York  Conde de   (Ver à esquerda)
   Duque de Exeter                                   Cambridge

                                                    Richard       Cicely Neville
                                                    Duque de York

                 Eduardo IV = Elizabeth   George    = Isabel Neville   Ricardo III = Anne
                 1422-1483   Woodville    Duque de                     1452-1485    Neville
                                          Clarence                                  (Ver centro)

   Edmund = Margareth                                              Edmund
   Tudor                                                           Conde de
   Conde de                                                        Rutland
   Richmond

    Henrique VII   Elizabeth   Eduardo V    Richard
    1457-1509                  1470-1483    Duque de York
                                            1472-1483
```

John Beaufort — Conde de Somerset
Thomas Beaufort — Duque de Exeter
Henry Beaufort — Bispo de Winchester
Thomas Beaufort — Duque de Exeter
Edward — Duque de York
Richard — Conde de Cambridge
Ana Mortimer (Ver à esquerda)
Richard — Duque de York
Cicely Neville

James IV da Escócia — **Margareth** — (2) **Archibald Douglas** Conde de Angus   **Charles Brandon** Conde de Suffolk — **Mary**

Marie de Guise — **James V** da Escócia   **Margareth** — **Matthew Stuart** Conde de Lennox   **Frances** = **Henry Gray** Duque de Suffolk

Mary da Escócia ─── **Henry Stuart** Lord Darnley   **Lady Jane Grey** = **Lord Guildford Dudley**

                                                                     Catherine = **Edward** Conde de Hertford

James VI da Escócia I da Inglaterra

Peças históricas

Rei João

Introdução
BARBARA HELIODORA

Uma das duas únicas peças de William Shakespeare na qual não aparece uma única linha de prosa — a outra sendo a belíssima e lírica *Ricardo II* — esta *Vida e morte do rei João* cria problemas desde seu aparecimento, em função da publicação, em 1591, de uma peça intitulada *O perturbado reino de João, rei da Inglaterra*, atribuída a Shakespeare, que cobre o mesmo período alcançado pela que aparece no famoso *Primeiro Fólio* de 1623, e foi incontestavelmente escrita por ele. A teoria mais antiga e consagrada afirma que Shakespeare usou o *Perturbado reino* como sua inspiração, o que situaria o texto entre 1594 e 1597; mais recentemente, no entanto, os competentes E. A. J. Honigmann e J. Dover Wilson sugerem que a peça tenha sido escrita em 1590-91, já que aparece no texto um verso muito próximo de outro, escrito por Thomas Kyd em sua *Tragédia espanhola*, de 1589, enquanto aparecem no texto possíveis alusões da anônima *Solimon e Perseda*, também de 1589. Os defensores da data anterior alegam ser o *Perturbado reino* um "mau quarto", ou seja, uma imitação não autorizada do *Rei João*, e não o contrário, como afirma a teoria mais conhecida e aceita.

Muito embora ambas as peças cubram todo o reino de João, a anônima é uma obra violentamente anticatólica, e a de Shakespeare atenua bastante esse aspecto, cortando episódios, como um grande monólogo de um monge, em Swinstead, no qual ele manifesta sua intenção de matar o rei, como vingança por haver ele saqueado vários mosteiros, ou a em que outro monge, oficial provador da comida do rei, bebe ele mesmo parte do vinho envenenado que mata João, a fim de dar a impressão de que a morte seria uma missão religiosa a ser cumprida. Um episódio como esse, é claro, poderia sugerir ao público inglês as atividades do jesuíta Henry Garnet, que supostamente voltara de Roma em 1598 com a garantia do Papa de indulgência plenária a quem assassinasse a protestante Elizabeth I.

A ação da peça dá grande ênfase à falsidade e hipocrisia de João, sendo que é fácil seguir a transição entre o início, no qual suas alianças e manipulações para ficar com o trono que por direito caberia a seu sobrinho Artur, filho de seu irmão mais velho Geoffrey, que seria o herdeiro, uma vez morto sem filhos o rei Ricardo Coração de Leão. A sordidez do trato entre João e Felipe, rei da França, que supostamente apoiava o menino, é motivo de uma das duas mais famosas falas da peça. Acertado abertamente como um negócio o casamento de Blanche, a sobrinha do rei inglês, com o filho do rei francês, o comentário é preciso:

> Oh lucro, que és a distorção do mundo,
> Do mundo que, de si, foi bem pesado
> E feito pra rolar em terra plana,
> Até que o ganho, essa tara vil,
> Esse dono da estrada, o grande lucro,
> O fez perder o senso da isenção,
> Da direção, do curso, do objetivo.
> Pois essa mesma tara de ganância,

> Palavra cafetina que corrompe,
> Lançada ao caprichoso rei francês,
> O fez negar o auxílio prometido
> A uma guerra honrosa e acertada,
> Por uma paz selada em sordidez...

Quem fala é Felipe, o Bastardo, filho ilegítimo de Ricardo Coração de Leão, que é tido por muitos como uma espécie de herói alternativo da obra, símbolo do idealismo e do patriotismo inglês. Uma leitura mais atenciosa, no entanto, nos apresenta o Bastardo como um observador irônico, que acaba sua bela fala citada acima com a admissão de que só fala mal do ganho porque este ainda não o tentou. Nada disso tira a importância da figura do Bastardo, a mais viva em toda a ação. E por certo a figura de João é igualmente diminuída pela dignidade da Constance, a mãe de Artur, assim como pelas comoventes cenas que acabam resultando na morte do jovem príncipe.

Rei João é, sem dúvida, de todas as peças históricas a mais desiludida e, de certo modo, a mais moderna, exatamente por seu objetivo reconhecimento da vida como ela é, e não como deveria ser, mesmo que ao preço de não chegar a conquistar o público, que por certo não sente qualquer vontade de se identificar com o corrupto quadro que lhe é apresentado.

Para o público moderno é possível que o aspecto mais surpreendente de *Rei João*, em uma peça que é uma varredura de todo o seu reinado, é a total ausência de qualquer mínima referência à assinatura da *Magna Carta*, o documento arrancado pela nobreza a esse rei que lhes parecia tão corrupto em seu fisiologismo político. Não há dúvida de que o famosíssimo documento fica longe de ser, como creem alguns, a constituição inglesa; mas não há dúvida de que alguns dos pensamentos nele incluídos são a semente do processo democrático da Grã-Bretanha.

Como a maioria dos ingleses que viveram no reinado de Elizabeth I, William Shakespeare tinha grande orgulho de seu país, já que o viu subir para o nível de nação de primeira linha pelas mãos de sua rainha. Esse patriotismo, expressando o repúdio à vergonhosa corrupção de João, é que provoca, e que leva o Bastardo, no final da peça, a expressar sua alegria pela recuperação dos nobres ingleses que, em função dos crimes do rei, se haviam aliado a Luís, o delfim de França, que tenta, por meio de uma invasão, conquistar para si a coroa inglesa:

> Nunca foi a Inglaterra e nem será
> Pisada por um pé conquistador,
> Senão com alguma ajuda dela mesma.
> Agora que esses príncipes voltaram,
> Volta os três cantos do mundo em armas,
> Os enfrentamos! Nada nos traz mal,
> Sendo a Inglaterra a si mesma leal!

Rei João pode não ter tantos atrativos poéticos quanto algumas das outras peças históricas, mas seu amadurecimento de visão é incontestável.

LISTA DE PERSONAGENS

Rei João
Príncipe Henrique, filho do rei
Artur, duque da Bretanha, sobrinho do rei
Conde de Salisbury
Conde de Pembroke
Conde de Essex
Lord Bigot
Robert Faulconbridge, filho de Sir Robert Faulconbridge
Felipe, O Bastardo, seu meio-irmão
Hubert, um cidadão de Angiers
James Gurney, servo de Lady Faulconbridge
Peter de Pomfret, um profeta
Felipe, rei da França
Luís, o Delfim
Limoges, duque da Áustria
Melun, um nobre francês
Chatillon, embaixador da França junto ao Rei João
Cardeal Pandulfo, legado do Papa
Rainha Eleanor, mãe do Rei João
Constance, mãe de Artur
Blanche, de Espanha, sobrinha do Rei João
Lady Faulconbridge, viúva de Sir Robert
Lordes, xerife, arautos, oficiais, soldados, mensageiros e outros servidores.

A ação: parte na Inglaterra e parte na França.

ATO 1

CENA 1
A corte da Inglaterra, uma sala no castelo do Rei João.

(Entram o Rei João, a Rainha Eleanor, Pembroke, Essex, Salisbury, e servidores, com Chatillon da França.)

REI JOÃO

Que quer conosco a França, Chatillon?

CHATILLON

Após saudá-lo, o rei da França diz,
Nesta minha pessoa, à majestade,
Majestade emprestada, da Inglaterra.

ELEANOR

5   Começa mal, "majestade emprestada"!

REI JOÃO

Silêncio, boa mãe; ouça a embaixada.

CHATILLON

Felipe da França, procurador
Do filho de seu finado irmão Geoffrey,
Artur Plantageneta, pela lei
10   Reclama pr'ele a Ilha e os territórios
De Irlanda, Poictier, Anjou, Touraine, Maine,
Desejando que deponha a espada
Com que usurpou esses títulos todos,
E às mãos do jovem Artur os devolva,
15   Que é seu sobrinho e real soberano.

REI JOÃO

E o que acontece, se não concordamos?

CHATILLON

O orgulhoso terror de sangue e guerra,
Pra resgatar seus direitos tomados.

REI JOÃO

Guerra por guerra, sangue por sangue,
20   Controle por controle, respondemos.

CHATILLON
Por minha boca o desafia o rei,
Pois tal medida tem minha embaixada.

REI JOÃO
A ele leve a minha, e parta em paz.
Chegue qual raio até os olhos de França,
25 Pois, antes que o informe, estarei lá:
Hão de ouvir o trovão de meus canhões.
Vá-se! Seja a trompa da nossa ira
E o triste presságio de sua queda.
Que ele receba honroso passe livre:
30 Dê as ordens, Pembroke; e adeus, Chatillon.

(Saem CHATILLON e PEMBROKE.)

ELEANOR
Como é, meu filho! Eu não lhe disse sempre
Que a ambiciosa Constance não descansa
Enquanto não puser em fogo a França,
E mais o mundo, apoiando o seu filho?
35 Tudo isso se evitava e acertava
Com termos de amorosa cortesia,
Que agora o poder desses dois reinos
Vão arbitrar com argumentos sangrentos.

REI JOÃO
Direito e possessões lutam por nós.

ELEANOR
40 A fortes possessões mais que o direito,
Ou tudo sairá mal pra nós dois:
Minha consciência sopra em seu ouvido
O que só Deus e o senhor hão de ouvir.

(Entra um XERIFE[1]).

ESSEX
Senhor, a mais estranha das controvérsias,
45 Vinda do campo pra seu julgamento,
Eu acabo de ouvir: devo admiti-los?

---

[1] "Sheriff" deriva de "shire reeve"; o cargo remonta à Inglaterra Anglo-saxã quando o país foi dividido em regiões administrativas e com autonomia judicial denominadas "leets" e "shires". O xerife era o oficial representante do rei. Com a conquista normanda, a importância do xerife cresceu, e ele passou a ser responsável pelas prisões e pelas cortes judiciais, podendo prender e condenar. No século XIII a autoridade do xerife diminuiu, e na época de Shakespeare é ainda mais reduzida. O personagem do xerife aparece, em geral, nas peças históricas de Shakespeare e sua principal função é prender os adversários do rei. (N. E.)

Rei João

Que se aproximem.
Nossas abadias e priorados
Pagam a expedição.

(Entram Robert Faulconbridge e Felipe, seu irmão Bastardo.)

Quem são, senhores?

Bastardo

Eu sou seu fiel súdito, fidalgo, nascido
Em Northamptonshire, filho mais velho,
Eu suponho, de Robert Faulconbridge.
Soldado que, pela mão generosa
De *Coeur-de-lion*, foi feito cavaleiro no campo.

Rei João

E o senhor?

Robert

O filho e herdeiro do dito Faulconbridge.

Rei João

Ele o mais velho e o senhor o herdeiro?
Não tiveram, então, a mesma mãe?

Bastardo

Por certo a mesma mãe, meu grande Rei;
Isso é sabido e, pensava, um só pai:
Mas, quanto à certeza dessa verdade,
Eu o refiro ao céu e à minha mãe;
Todo filho de homem tem tal dúvida.

Eleanor

Que é isso, grosseiro que envergonha a mãe
E assim lhe fere a honra, em tom jocoso.

Bastardo

Eu, senhora? Não há razões pra isso;
A causa é do meu irmão, não minha;
E se ele o provar, inda me priva
De ao menos quinhentas libras ao ano;
Que Deus lhe salve a honra e as minhas terras!

Rei João

Um rapaz franco e bom. Sendo o mais moço,
Quer ele reclamar a sua herança?

BASTARDO

    Não sei — talvez só pra ficar com as terras —
    Já antes me acusou de bastardia!
75   Porém, se fui gerado bem ou mal,
    Só a cabeça da minha mãe sabe;
    Mas que eu fui bem gerado, meu senhor,
    Eu abençoo os ossos que o fizeram!
    Julgue o senhor, comparando nós dois.
80   Se o velho Sir Robert gerou ambos.
    Foi nosso pai, e esse filho o assemelha,
    Meu velho pai, Sir Robert; de joelhos
    Dou graças por não parecer consigo!

REI JOÃO

    O céu nos deixa aqui à solta um louco!

ELEANOR

85   Tem traços de Coração de Leão;
    Tem também o seu modo de falar.
    Não vê algumas marcas de meu filho
    No aspecto geral desse rapaz?

REI JOÃO

    Eu já o olhei bem de alto a baixo,
90   E é igual a Ricardo. Fale, jovem;
    Por que reclama essas terras do irmão?

BASTARDO

    Por ter a meia cara[2] igual ao pai!
    Por um perfil já quer a terra toda;
    Esse perfil leva as quinhentas libras!

ROBERT

95   Meu bom senhor, em vida de meu pai,
    Seu irmão muita vez o empregou...

BASTARDO

    Só isso não lhe dá as minhas terras:
    Conte como empregou a minha mãe.

ROBERT

    E certa vez mandou-o em embaixada
100   A Alemanha, p'ra com o imperador,
    Tratar de altas questões daquele tempo.

---

2 Meia cara: expressão comum na época para designar o perfil. (N.T.)

            O rei tomou a vantagem da ausência
            Para ficar na casa de meu pai,
            Onde, coro em dizê-lo, ele se impôs.
105   Mas verdade é verdade: muitas léguas
            Havia entre o meu pai e a minha mãe,
            Segundo ouvi meu próprio pai dizer,
            Ao ser gerado esse robusto jovem.
            E em seu leito de morte, em testamento,
110   Deixou pra mim as terras e jurou
            Não ser dele o filho de minha mãe;
            Pois se fosse, teria vindo ao mundo
            Catorze semanas antes do tempo.
            Meu bom senhor, dê-me o que é meu, a terra
115   De meu pai, como era o desejo dele.

    Rei João

            Meu rapaz, o seu irmão é legítimo,
            Sua mãe o gerou quando casada,
            E, se ela lhe foi falsa, a culpa é dela;
            É um risco a que se expõe todo marido
120   Que toma esposa. Diga: se o meu mano
            Que, como diz, lutou pra ter tal filho,
            Por que seu pai diria o filho dele?
            Seu pai podia ocultar, e para sempre,
            Do mundo esse bezerro de sua vaca,
125   É verdade; fosse ele do meu mano,
            Meu mano não podia reclamá-lo,
            Nem seu pai, recusá-lo; conclusão:
            Sua mãe gerou o herdeiro de seu pai;
            E esse herdeiro terá de ter suas terras.

    Robert

130   Não tem força o desejo de meu pai,
            De deserdar quem não era seu filho?

    Bastardo

            Nem mais força pra me deserdar, homem,
            Do que foi seu desejo me gerar.

    Eleanor

            Preferes antes ser um Faulconbridge,
135   Qual teu irmão, e gozar de tua terra,
            Ou só suposto filho de Ricardo,
            Senhor de tua presença, mas sem terra?

    Bastardo

            Tivesse o mano o meu aspecto, lady,

                    Eu, o dele, como tinha Sir Robert;
140   Como rebenques fossem as minhas pernas,
                    De enguia, os braços, e o rosto tão magro
                    Que eu não pudesse usar rosa[3] na orelha
                    Sem que ouvisse "Lá vai três *farthings* falsos!";
                    Se, com o aspecto, viesse a sua terra,
145   Por nada eu mudaria o meu lugar
                    E dava tudo pra ter esse rosto:
                    De modo algum queria ser Sir Knob.[4]

    ELEANOR
                    Gosto de ti: rejeitas tua fortuna,
                    Dás a ele tua terra e me segues?
150   Sou soldado, de partida pra França.

    BASTARDO
                    Irmão, fica com a terra, que eu me arrisco.
                    Teu rosto conseguiu quinhentas libras,
                    Mas cinco *pence* é demais pra vendê-lo.
                    Senhora, hei de segui-la até a morte.

    ELEANOR
155   Não, vou mandar-te antes de mim pra lá.[5]

    BASTARDO
                    Camponês deixa passar seus melhores.

    REI JOÃO
                    Como é o seu nome?

    BASTARDO
                    Felipe, senhor; é o nome que me deram,
                    Filho mais velho da mulher de Robert.

    REI JOÃO
160   Teu nome agora é de quem te deu forma:
                    De joelhos, Felipe e, maior, levanta;
                    De pé Sir Richard, e Plantageneta.

    BASTARDO
                    Aperta aqui a mão, irmão materno.

---

[3] "Rosa" passou a ser o apelido de três tipos de moedas, nas quais a efígie da rainha aparecia com uma rosa atrás da orelha, a fim de serem diferenciadas de outras muito parecidas, mas de valor diferentes. (N. T.)

[4] "Knob" pode ser simplesmente o apelido de Roberto, mas há toda uma série de segundos sentidos de natureza sexual ao longo da fala, e é possível que este seja mais um, desconhecido hoje em dia. (N. T.)

[5] Há dúvidas quanto à intenção de Eleanor: seria a que ele morresse antes dela, ou apenas uma indefinição a respeito da situação do rapaz, pois marchar antes ou depois do nobre a quem se serve tem significado importante na estrutura social. (N. T.)

>   Eu tenho a honra, tu o chão paterno.
> 165 E abençoada a hora, noite ou dia,
>   Em que — longe Sir Robert — eu nascia!

ELEANOR
>   Esse é o espírito Plantageneta!
>   Richard, sou tua avó. Trata-me assim.

BASTARDO
>   Por acaso e não direito; e daí?
> 170 Um passo errado, longe do direito,
>   Entra pela janela, sai de susto;
>   Quem não ousa de dia, pula à noite,
>   Feito é feito; mal feito não importa.
>   Perto ou longe, o alvo foi bem mirado;
> 175 Eu sou eu, não importa como gerado.

REI JOÃO
>   Vai, Faulconbridge; já tens o que querias;
>   E este sem terras tuas terras te há dado.
>   Vamos, senhora e Richard; temos pressa
>   Pra França, que a necessidade é essa.

BASTARDO
> 180 Adeus, irmão: vai com felicidade!
>   Gerado foste com honestidade!

(Saem todos menos o BASTARDO.)

>   Um pé na honra a mais do que já tinha,
>   Mas menos um monte de pés de terra.
>   Posso fazer qualquer Joana "lady".
> 185 "Bom dia, Sir Richard!"[6], "Com Deus, rapaz!"
>   E se o seu nome é George, chamo de Peter;
>   Honras de nome novo esquecem nomes:
>   É muito respeitoso e sociável
>   Pra novas conversões. Se um viajante
> 190 Usar palito junto a mim, à mesa,
>   Com minha pança fidalga já farta,
>   Chupando os dentes, provoco a conversa
>   Do campônio palitado: "Senhor!" —
>   E, pousando o cotovelo, começo:
> 195 "Peço-lhe" — falou aí a Pergunta[7];

---

[6] Phillip Faulconbridge, o bastardo, é sagrado cavaleiro e recebe o nome de Sir Richard Plantagenet quando o Rei João concorda que ele é mesmo filho de seu irmão Ricardo Coração de Leão. (N. T.)
[7] Nos livros de alfabetização da época, muita coisa era ensinada em termos de "Pergunta" e "Resposta". (N. T.)

```
            E a Resposta vem, como a-b-c:
            "Senhor", diz a Resposta, "Às suas ordens;
            Ao seu dispor, senhor, ao seu serviço."
            "Não, senhor", diz Pergunta; "Eu ao seu:"
200         E assim, antes que a Resposta saiba
            Que quer a Pergunta, fora saudá-la,
            E conversa de Alpes e Apeninos,
            Dos Pirineus e até do rio Pó,
            Com isso chega ao fim nossa ceia.⁸
205         Isso é pra sociedade consagrada,
            Que serve pra ascendentes como eu;
            Pois é filho bastardo de seu tempo
            Que ainda não tem jeito de elegância;
            Que é só o que eu sou, queira ou não queira.
210         E não é só na roupa e no brasão,
            Na forma exterior, ou atributos,⁹
            Mas por tendência interna pra emitir
            Esse doce veneno tão em moda.
            Que eu não, aprenderei para enganar,
215         Mas, sim, para evitar ser enganado;
            Pois vai cobrir meu caminho para o alto.
            Quem chega assim, em trajes de montar?
            Mulher-correio? Não terá marido
            Pra tocar o clarim pr'anunciá-la?

                    (Entram LADY FAULCONBRIDGE e JAMES GURNEY.)

220         É minha mãe. — Que há, minha senhora?
            Por que, com tanta pressa, vem à corte?

    LADY F.
            Onde está o moleque teu irmão
            Que fere a minha honra lá e cá?

    BASTARDO
            Meu irmão Robert? Filho de Sir Robert?
225         O poderoso gigante Colbrand?¹⁰
            É o filho de Sir Robert a quem busca?

    LADY F.
            O filho de Sir Robert! Irreverente!
            Está fazendo pouco de Sir Robert?
            É filho de Sir Robert, como tu.
```

---

8 Todo esse diálogo imaginário é uma irônica autocrítica do Bastardo, que se reconhece como estando ainda ao nível do a-b-c na viagem da ascensão social. (N. T.)
9 Nos "atributos" que o identificam, em seu brasão, constará sempre a *bar sinister*, da bastardia. (N. T.)
10 Famoso gigante do romance medieval sobre Guy of Warwick. (N. E.)

BASTARDO

230   James Gurney, pode dar-nos sua licença?

GURNEY

         Com prazer, Philip.

BASTARDO

                      É nome de pardal![11]
         Brincam com nomes! Depois conto mais.

                                              (Sai GURNEY.)

         Senhora, não sou filho de Sir Robert:
         Se ele comesse a parte dele em mim
235   Na Sexta-feira Santa, não pecava:
         Poderia Sir Robert — bem, confesse —
         Gerar... a mim? Sir Robert não podia.
         Sua obra é conhecida; e então, mãe,
         A quem sou devedor destes meus membros?
240   Sir Robert nunca fez pernas assim.

LADY F.

         Andaste conspirando com teu mano,
         Mesmo lucrando se me defendesse?
         Mas de onde vem tal deboche, calhorda?

BASTARDO

         Cavaleiro, mamãe; um Basilisco:[12]
245   Calma! Fui tocado! Neste ombro aqui.
         Ora, mãe, não sou filho de Sir Robert:
         Abri mão de Sir Robert e da terra;
         Foram-se nome e legitimidade.
         Diga-me, boa mãe, quem foi meu pai?
250   Um bom sujeito, espero; quem foi ele?

LADY F.

         Tu te negaste a ser um Faulconbridge?

BASTARDO

         Com a mesma força que nego o diabo.

LADY F.

         Foi Ricardo Coração de Leão;

---

[11] Philip seria nome muito comum, assim como era comum o pardal entre as aves. (N. T.)
[12] A figura de um cavaleiro (*knight*) Basilisco, fanfarrão e covarde, aparece em *Soliman and Perseda*, uma peça da época. (N. T.)

>   Fui seduzida longa e fortemente,
> 255   Pra aceitá-lo no leito conjugal.
>   Céus! Não leves a mal a minha culpa
>   Tu, que nasceste dessa cara ofensa,
>   Que tão forte quebrou minha defesa!

Bastardo
>   Por essa luz, gerado eu de novo,
> 260   Senhora, eu não pedia um pai melhor.
>   Certos pecados gozam privilégios,
>   Como esse seu; a falta não foi tola.
>   Era dever ceder seu coração,
>   Um tributo de súdito ao amor,
> 265   Contra cujo poderio sem par,
>   Nem o feroz leão ousou lutar,
>   Nem preservar o próprio coração.[13]
>   Quem rouba de um leão seu coração,
>   Rouba o de uma mulher. Ai, minha mãe,
> 270   De coração lhe agradeço meu pai!
>   E quem ousar dizer que agiu mal
>   Ao ter-me, eu mando para o inferno o tal!
>   Venha a minha família conhecer;
>   Quando gerou-me Ricardo, dirão,
> 275   Não foi pecado ele assim proceder;
>   Se alguém disser que sim, eu direi não!

(Saem.)

---

[13] Uma das muitas histórias explicando o nome atribuído a Ricardo é ter ele, desarmado, enfrentado um leão cujo coração e pulmões arrancou com a própria mão. (N. T.)

ATO 2

CENA 1
França. Diante de Angiers.

(Entram, por um lado, o Arquiduque da Áustria e suas forças; pelo outro Felipe, rei de França, Luís, Constance, Artur, e séquito.)

Luís

Bem-vindo, nobre Áustria, frente a Angiers.

Rei Felipe

Artur, o criador de sua linhagem,
Que roubou do leão seu coração,
E em Palestina lutou guerras santas,
Deve a esse Duque sua precoce tumba:[14]
E, pra exculpar-se ante a posteridade,
A nosso pedido junta-se a nós,
A abanar a bandeira em sua causa
E para condenar a usurpação
De seu tio anormal, o João inglês:
Abrace-o, ame-o, dê-lhe as boas vindas.

Artur

Deus lhe perdoe a morte de Ricardo
Coração de leão, se ajuda o filho,
Sombreando as asas de guerra dos outros:
De mãos vazias dou-lhe as boas vindas,
Mas com o amor no coração:
Bem-vindo, Duque, ante as portas de Angiers.

Luís

Nobre jovem, quem não vê os seus direitos?

Áustria

Pouso em seu rosto este beijo sincero,
Que sela, por amor, um compromisso:
Jamais retornarei eu a meu lar
Até que Angiers e seu direito em França,
Junto com aquela costa branca e pálida,[15]
Que repele, com o pé, marés raivosas,

---

14 Shakespeare reduz a um só dois inimigos de Ricardo: Leopoldo, Duque da Áustria, e Widomar, Visconde de Limoges. Algumas das fontes consultadas pelo poeta cometiam o mesmo erro. (N. T.)
15 A referência é aos famosos rochedos brancos de Dover. (N. E.)

25   E protege de estranhos seus ilhéus;
                Até que a Inglaterra, que o mar cerca,
                Com muralhas de água, protegida
                E segura contra ataques estrangeiros;
                Até que o ponto extremo do ocidente
30   O chame de seu rei; até tal dia
                Eu não penso no lar, mas sim em armas.

        CONSTANCE
                Tem gratidão da mãe e da viúva
                Até que sua forte mão dê forças
                Pra que Artur recompense o seu amor!

        ÁUSTRIA
35   Têm paz do céu os que tomam da espada
                Para guerra tão justa e caridosa.

        REI FELIPE
                Às armas; nossos canhões voltam-se
                Contra a dura cidade resistente.
                Chamem os generais mais competentes,
40   Pra que indiquem os postos vantajosos:
                Aqui deixamos nossos reais ossos,
                Ou vadeamos em sangue francês
                Até 'star submetida a esse menino.

        CONSTANCE
                Espere até a resposta da embaixada,
45   Pra não sangrar à toa a sua espada:
                Chatillon pode trazer da Inglaterra,
                Em paz, o direito que causa a guerra,
                Fazendo-nos pagar por cada gota
                Que a pressa fez jorrar em seu engano.

                        (Entra CHATILLON.)
        REI FELIPE
50   veja, senhora, que por seu desejo
                Vem nosso mensageiro, Chatillon!
                Revele em breve o que diz a Inglaterra.
                Em pausa fria ouçamos Chatillon.

        CHATILLON
                Deixem de lado cerco tão mesquinho,
55   E usem as forças pra maior tarefa.
                Impaciente com sua justa causa,

           Se arma a Inglaterra; ventos contrários,
           Que me retardaram, deram-lhe tempo
           Para aportar comigo as suas tropas.
60   Marcham com pressa para esta cidade.
           Com grandes forças, homens confiantes.
           Vem com ele Ate,[16] a rainha-mãe,
           Que o estimula a uma luta sangrenta;
           Vem também Blanche de Espanha, sua sobrinha;
65   Mais um bastardo do finado rei,[17]
           E todos os inquietos do país;
           Voluntários fogosos, que não pensam,
           Com rosto de moça e fogo de dragão,
           Que venderem fortunas e suas casas,
70   Pra carregar nas costas o que tinham
           E arriscar aqui novas fortunas;
           Em resumo, melhor grupo de bravos
           Que naus inglesas para aqui trouxeram,
           Jamais boiou sobre as inchadas ondas
75   Pr'ofender e ferir a cristandade.

           (Ouve-se o rufar de tambores.)

           O rufar de seus míseros tambores
           Poda o argumento. Eles 'stão aí,
           Para conversa ou luta; 'stejam prontos.

   Rei Felipe
           Como é inesperada essa incursão!

   Áustria
80   E tanto quanto é inesperada,
           Devemos despertar nossas defesas.
           Em condições assim cresce a coragem:
           Pois que sejam bem-vindos; 'stamos prontos.

           (Entram o Rei João, Eleanor, Blanche, o Bastardo, nobres e tropas.)

   Rei João
           Paz à França, se a França a paz permite
85   A nossa justa entrada em nossas terras;
           Se não, que sangre a França e suba ao céu
           A paz, e nós, como agentes de Deus,
           Puniremos o que baniu a Sua paz.

---
16 Filha de Zeus, que este expulsou do Olimpo, para trazer mal aos homens. (N. T.)
17 Ignorando os acontecimentos do Ato 1, esta é a primeira vez que a presença do Bastardo, bem como sua identificação, aparecem no texto. (N. T.)

REI FELIPE

        Paz à Inglaterra, se voltar sem guerra
90   Da França pra Inglaterra, e viva em paz.
        Amamos a Inglaterra e, pr' o bem dela,
        Suamos sob o peso de armaduras.
        É pra ser labor teu a nossa luta;
        Porém, como não tens amor à pátria,
95   Vieste solapar seu rei legal,
        Cortando a linha da posteridade,
        Intimidando a infância e violando
        A pura virgindade da coroa.
        Este é o rosto de teu mano Geoffrey;
100   Geofffrey moldou esses olhos e cenho;
        Em resumo, ele tem a dimensão
        Que em Geoffrey morreu; e a mão do tempo
        Há de expandi-lo em volume esplêndido.
        Esse Geoffrey foi teu irmão mais velho;
105   Este, seu filho; a Inglaterra é direito
        De Geoffrey, e do filho que ele teve.
        Por Deus, como ousas tu dizer-te rei,
        Se sangue vivo pulsa nessas têmporas,
        E a ele dá a coroa que tomaste?

REI JOÃO

110   E quem à França concede a embaixada
        De exigir que eu responda tais artigos?

REI FELIPE

        O juiz supremo que faz bem pensar
        Até a fera com muito poder
        Sobre as marcas e as manchas do direito.
115   Ele me fez guardião do menino:
        Por ordem sua é que embargo o teu erro,
        E com sua ajuda espero punir-te[18]

REI JOÃO

        Sinto, mas usurpas autoridade.

REI FELIPE

        Com perdão se eu derrubo usurpação.

ELEANOR

120   França, a quem chamas de usurpador?

---

[18] A punição é para o erro, não para a pessoa. (N. T.)

CONSTANCE
    Respondo eu: teu filho usurpador.

ELEANOR
    Insolente! Queres rei teu bastardo
    Pra, rainha, mandares neste mundo!

CONSTANCE
    Meu leito foi tão fiel a teu filho
125   Quanto o teu a teu marido. O menino
    Mais se parece a seu pai Geoffrey
    Quanto tu e João; são tão iguais
    Quanto água e chuva, o demo e sua mãe.
    O meu filho bastardo! Pois duvido
130   Que seu pai fosse assim tão bem gerado:
    Não é possível, se tu foste a mãe.

ELEANOR
    Boa mãe essa, que mancha o teu pai.

CONSTANCE
    Boa avó, filho, essa que o quer roubar.

ÁUSTRIA
    Paz!

BASTARDO
    Olha quem grita!

ÁUSTRIA
               Quem és tu, demo?

BASTARDO
135   É quem fará diabruras consigo,
    E arranca-lhe a pele,[19] se o vê sozinho.
    O senhor é a lebre do provérbio,
    Cuja bravura insulta leões mortos.
    Arranco-lhe a pele, se o pego de jeito;
140   Cuidado, moleque, eu juro, eu juro.

BLANCHE
    Como cai bem a pele do leão
    Em quem despiu o leão de tal traje!

---

[19] Áustria usava uma pele de leão, como rezam as lendas sobre Ricardo Coração de Leão. E ao referir-se a uma lebre no verso seguinte, o Bastardo acusa Áustria de covarde. (N. T.)

BASTARDO

    Ela fica tão bem nos ombros dele
    Quanto os sapatos de Alcides[20] num asno:
145   Mas eu lhe tiro essa carga das costas,
    Ou ponho outra que lhe parte os ombros.

ÁUSTRIA

    Que fanfarrão nos deixa agora surdos
    Com fartura de fôlego supérfluo?

REI FELIPE

    Luís, resolva o que se faz agora.

LUÍS

150   Fêmeas e tolos, chega de falar.

REI FELIPE

    Rei João, eis a questão: Inglaterra,
    Irlanda, Anjou, Touraine e Maine, de si
    Reclamo aqui por direito de Artur.
    Deles abdica e depõe as armas?

REI JOÃO

155   Antes a vida. O desafio, França.
    Artur da Bretanha, toma-me a mão;
    E por meu grande amor tu terás mais
    Que promete a covarde mão de França:
    Submete-te, menino.

ELEANOR

              Vem com a avó.

CONSTANCE

160   Vai, menino, vai com a tua avó;
    Dá à avó o reino, que a vovó
    Dá uma ameixa, uma cereja e um figo:
    Avó boa é isso.

ARTUR

              Paz, minha mãe!

    Queria estar deitado em minha tumba:
165   Não valho o nó que só por mim ataram.

---

[20] Um dos muitos nomes de Hércules. Há várias versões sobre o uso de seus sapatos. (N. T.)

ELEANOR
>É de vergonha da mãe que ele chora.

CONSTANCE
>Vergonha é tua, chore ele ou não.
>Erros da avó, não vergonhas da mãe,
>Molham seus olhos com celestes pérolas
>Que os céus receberão quais penitências;
>Co'essas contas de cristal ele os paga
>Pra ter Justiça e pra ser vingado.

ELEANOR
>Difamadora vil de céu e terra!

CONSTANCE
>Ofensora maior de céu e terra!
>Não fales de calúnia; tu e os teus
>Usurpam domínios, rendas, direitos
>Do menino oprimido; primogênito
>Do teu mais velho, infeliz só em ti:
>Teus recados perseguem a criança;
>O cânone da lei cai sobre ele,
>Por ser só a segunda geração
>Após teu útero pecaminoso.

REI JOÃO
>Chega bruxa.

CONSTANCE
>Eu só afirmo que além
>De ele pagar pelo pecado dela,
>Foi Deus quem a fez pecar, e a sua praga
>Salta o filho, e o neto paga por ela
>Com a praga dela; seu pecado o fere;
>Sua praga, punidora do pecado,
>Pune tudo na imagem do menino
>Por causa dela; que a praga a leve![21]

ELEANOR
>Desaforada sonsa, eu tenho a prova:
>Testamento que te deserda o filho.

CONSTANCE
>E quem duvida? É testamento vil;
>Testamento de mulher; de avó podre!

---

[21] A palavra *"plague"* é usada em vários sentidos; tradicionalmente ela era usada como punição divina, mas também como doença, referindo-se à peste bubônica que assolava a Europa. (N. E.)

REI FELIPE
    Calma, senhora! Mostre mais controle:
    Calha mal nesta hora ameaçar
    Com tais repetições desafinadas.
    Que um corneteiro conclame às muralhas
    Os cidadãos de Angiers; que eles nos digam
    Se é Artur ou João que reconhecem.

(Clarinada. Ao alto, na muralha, entra HUBERT.)

HUBERT
    Quem é que nos alerta pr'as muralhas?

REI FELIPE
    França, pela Inglaterra.

REI JOÃO
                    A Inglaterra.
    Homens de Angiers, queridos súditos.

REI FELIPE
    Caros súditos de Artur, em Angiers
    Foram chamados pra conversa amável...

REI JOÃO
    Pra nosso ganho, ouçam-nos primeiro.
    As bandeiras de França que aqui voam
    Ante os olhos e mentes da cidade,
    Só marcharam pra pô-los em perigo.
    Os canhões, transbordantes de ira,
    Estão já montados para cuspir
    Contra os seus muros balas de ferro.
    Todo o preparo pra sangrento cerco
    E ações implacáveis dos franceses
    Confortam[22] seus portões, olhos que piscam.
    E não fora nós chegarmos a essas pedras
    Adormecidas que envolvem sua cintura,
    Pela força de sua artilharia
    A esta altura, de suas bases fixas,
    Já as teriam arrasado e imposto o caos,
    Com sangue penetrando a sua paz.
    Porém ao ver que nós, seu rei legítimo,
    Com grande esforço e com marchas forçadas,

---

[22] O termo "confortar" tem sido discutido, mas via de regra tem sido aceito como exemplo claro do uso da ironia por João. A alternativa oferecida com maior frequência é "confrontam". (N. T.)

　　　　　　Trouxemos contrapeso às suas portas,
225　　　　Para não ser arranhada a cidade,
　　　　　　Os franceses já querem conversar.
　　　　　　E ora em lugar de balas flamejantes,
　　　　　　Mandadas pr'abalar suas muralhas,
　　　　　　Acenam só palavras de fumaça,
230　　　　Para que ouvissem apenas erros falsos.
　　　　　　Aceitem-nos quais são, bons cidadãos,
　　　　　　E recebam-nos seu rei, cuja coragem
　　　　　　Nesta emergência agiu com rapidez
　　　　　　E pede abrigo dentro da cidade.

　　　Rei Felipe
235　　　　E depois que eu falar, responda a ambos.
　　　　　　Olhe esta destra, cuja proteção
　　　　　　Fez jura divina pelo direito
　　　　　　De quem o tem, este Plantageneta,
　　　　　　Filho do irmão mais velho desse homem,
240　　　　Rei dele e de tudo que hoje goza.
　　　　　　Por este injustiçado é que, guerreiros,
　　　　　　Marchamos sobre os campos da cidade,
　　　　　　Porém sem sermos mais seus inimigos
　　　　　　Do que nos força um benéfico zelo
245　　　　Só pelo alívio da infância oprimida
　　　　　　Que a religião ordena. Paguem, então,
　　　　　　O que em verdade o dever lhe pede,
　　　　　　A quem manda o direito, o jovem príncipe:
　　　　　　Nossas armas, ursos com focinheiras,
250　　　　A não ser pelo aspecto, não ofendem;
　　　　　　Nossos canhões atiram sem malícia
　　　　　　Apenas contra o céu invulnerável;
　　　　　　E em retirada ilesa e abençoada,
　　　　　　Com espadas limpas e elmos sem marcas,
255　　　　Levaremos pra casa o mesmo sangue
　　　　　　Trazido pra manchar sua cidade,
　　　　　　Deixando em paz seus filhos e mulheres.
　　　　　　Mas se, tolos, recusam esta oferta,
　　　　　　Não são paredes rotundas e velhas
260　　　　Que hão de impedir a mensagem guerreira,
　　　　　　Mesmo que esses ingleses e suas tropas
　　　　　　Guardassem toda essa circunferência.
　　　　　　Diga: a cidade nos chama senhor
　　　　　　Em nome de quem a desafiamos?
265　　　　Ou devemos expressar nossa raiva,
　　　　　　Tomar posse caminhando em sangue?

HUBERT

Nós somos súditos do rei inglês:
Em seu nome guardamos a cidade.

REI JOÃO

Reconheça-me rei, deixe-me entrar.

HUBERT

270 Não posso; mas ao que provar que é rei
Nós seremos leais: até então
Nós trancamos as portas contra o mundo.

REI JOÃO

Não mostra o rei a coroa da Inglaterra?
E, se não, hei de trazer testemunhas,
275 Trinta mil corações em tudo ingleses...

BASTARDO

Bastardos e tudo...

REI JOÃO

Que provam com suas vidas nosso título.

REI FELIPE

E outros tantos de sangue igual ao deles...

BASTARDO

Alguns bastardos também.

REI FELIPE

280 Que, frente a frente, negam seu reclamo.

HEBERT

Até que saibam quem tem mais direito,
Pelo direito, renegamos ambos.

REI JOÃO

Que Deus perdoe os pecados das almas
Dos que, para sua morada eterna,
285 Antes da noite cair, correrão
Pra luta horrenda do rei deste reino!

REI FELIPE

Amém! Montem, cavaleiros! Às armas!

BASTARDO

São Jorge, que trucidou o dragão,

                    E desde então cavalga nas tavernas,[23]
290   Faça-nos lutar bem. (*Para* Áustria.) 'Stivesse em casa,
                    Na sua toca, e com a sua leoa,[24]
                    Punha cabeça de boi na sua pele,
                    E o fazia um monstro.

Áustria

>   Agora, chega!

Bastardo

>   Trema: o que ouve é o leão rugindo![25]

Rei João
295   Subamos à planície; e lá armemos
                    Da melhor forma os nossos regimentos.

Bastardo

>   Rápido, então, pra ter o melhor campo.

Rei Felipe

>   Assim será; e na outra colina
>   Tomemos posição. Deus e o direito!

(Saem, por pontos diferentes, o Rei João *e* Rei Felipe *etc. Aqui, após as evoluções, entra o* Arauto da França, *com* corneteiros, *para os portões.).*

Arauto francês
300   Homens de Angiers, abram bem seus portões,
                    E admitam Artur, duque da Bretanha,
                    Que hoje, pela mão da França, abriu
                    Caminho pra pranto de mães inglesas,
                    Cujos filhos coalharão chão sangrento.
305   Maridos de viúva hão de jazer
                    Friamente abraçando a terra pálida;
                    E a vitória, com pouca perda, brinca
                    Com as dançantes bandeiras francesas,
                    Que aqui perto se mostram, em triunfo,
310   Para entrar em conquista, e proclamar
                    Artur rei da Inglaterra e dos senhores.

(Entra o Arauto inglês, *com* corneteiros.*)*

---

23 As tavernas eram identificadas por placas ilustrando seu nome, e São Jorge era dos mais comuns. (N. E.)
24 A ofensa é dupla: não só fica implícita a condição de corno, como "lioness", leoa, era um dos termos usados para prostituta. (N. T.)
25 A intenção é a de fazer Felipe, o Bastardo, aparecer como a reencarnação de Ricardo Coração de Leão. (N. E.)

ARAUTO INGLÊS
    Cantem seus sinos, homens de Angiers,
    Eis aí João, seu rei e da Inglaterra,
    Que comanda este dia de malícia.
315   As armas que daqui foram em prata
    Voltam douradas com o sangue francês;
    Nenhuma pluma de brasão inglês
    Foi removida por lança francesa;
    Voltam nas mesmas mãos as nossas cores
320   Que as ostentavam quando nós marchamos;
    Qual grupo de felizes caçadores,
    Chegam, com rubras mãos, bravos ingleses
    Tingidos com a matança de inimigos:
    Abram suas portas para os vencedores.

HUBERT
325   Arautos, de nossas torres nós vimos,
    Do início ao fim, do avanço à retirada,
    Ambas as suas tropas; e a igualdade
    Nem por olhos de lince é distinguida:
    Sangue comprou mais sangue; golpe, golpe;
330   Igualaram-se as forças e os poderes;
    Ambos iguais, e a ambos amamos.
    Um tem de ser maior, e enquanto pesam,
    Nós negamos a ambos a cidade.

(Voltam, por um lado, o REI JOÃO, ELEANOR, BLANCHE, o BASTARDO, lordes e tropas; pelo outro, o REI FELIPE, LUÍS, ÁUSTRIA e TROPAS.)

REI JOÃO
    França, queres perder inda mais sangue?
335   Há de nosso direito inda correr,
    Cujo fluxo, irado com obstáculos,
    Transbordando do leito há de encharcar,
    Fora do curso, as bordas que o limitam,
    Se não deixares sua água de prata
340   Correr em paz até o oceano.

REI FELIPE
    Não perdeste, Inglaterra, uma só gota
    De sangue menos do que nós na França;
    Até mais. E por esta mão que reina,
    Pelas terras deste clima, eu ora juro
345   Que antes de depormos justas armas,
    Derrotaremos quem com elas lutam,

Ou teremos mais um morto real,
Honrando a lista das perdas da guerra,
Ligando a morte a nomes de reis.

BASTARDO

350 Majestade! Que alto vai tua glória
Quando se inflamam os sangues de reis!
E agora a morte forra de aço a goela;
Usa espadas marciais quais dente e presa,
Faz gato e rato com a carne dos homens,
355 Ignorando as diferenças dos reis.
Por que se encaram com real espanto?
Gritem "Às armas!" reis; voltem ao campo,
Com potências iguais, bravura em chamas!
Que a derrota de um então confirme
360 A paz do outro; até lá, sangue e morte!

REI JOÃO

Que lado admitem ora os habitantes?

REI FELIPE

Pela Inglaterra: Quem é o seu rei?

HUBERT

O da Inglaterra, sabendo qual é.

REI FELIPE

Nós, que defendemos o seu direito.

REI JOÃO

365 Nós, que representamos a nós mesmos,
Aqui mostramos posse de nós mesmos,[26]
Senhor de nossa presença, e de Angiers.

HUBERT

Poder mais alto do que nosso o nega;
E até não haver dúvidas fechamos,
370 Com antigo escrúpulo, os portões travados:
São reis de nosso medo, até que o medo
Suma, deposto por quem é seu rei.

BASTARDO

Pelo céu, reis, que a cambada de Angiers

---

26 A "posse" da própria pessoa é uma referência feudal; Artur, não tendo "posse de si mesmo", não é senhor de sua presença. (N.T.)

	Dos dois debocha e, firme nas muralhas,
375	Olha e aponta, como em um teatro,
	Suas grandes cenas e atos de morte.
	Sejam guiadas por mim, majestades:
	Como fizeram os amotinados
	De Jerusalém, planejem, amigos,
380	O maior mal a fazer à cidade.
	De leste a oeste, França e Inglaterra
	Montem os seus canhões ferozes,
	Até que o seu clamor cale e destrua
	Até os ossos a cidade abusada.
385	Devem brincar, sem pausa, com a ralé,
	Até que, desolados, sem defesa,
	Fiquem tão nus quanto é o próprio ar.
	Isso feito, separem o que uniram,
	Separem novamente suas bandeiras;
390	Ponham-se face a face, ponta a ponta;
	E, num instante a fortuna há de escolher
	Um dos dois lados como seu eleito,
	E a esse, feliz, dará o dia,
	E o beijará, com vitória gloriosa.
395	Não lhes agradam meus conselhos loucos?
	Não sentem neles sabor de política?[27]

Rei João
	Pois, pelo céu que nos cobre as cabeças,
	Gosto. Juntemos nossas forças, França,
	E arrasemos Angiers até o chão;
400	Pra, só depois, saber quem é rei dela.

Bastardo
	E se tens mesmo o estofo de reis,
	E és ofendido por essa vilazinha,
	Abre a boca de tua artilharia,
	E nós,[28] as nossas, contra essas paredes;
405	E quando a tivermos arrasado,
	Desafiamos um ao outro e, em luta,
	Conquistamos pra nós céu ou inferno.

Rei Felipe
	Que seja assim; por onde assaltarás?

---
27 O termo "política" tinha sempre implicações de politicagem ou conspiração, graças à fama da obra de Maquiavel. (N. T.)
28 O Bastardo não só usa para si o plural real, como é ele, de fato, quem assume o comando da situação. (N. E.)

REI JOÃO
>Nossa destruição virá do oeste
>Pr'o seio da cidade.

ÁUSTRIA
>   Eu, do norte.

REI FELIPE
>   Nosso trovão, do sul
>Trará chuva de balas à cidade.

BASTARDO
>*(À parte.)* Plano prudente! Entre norte e sul
>Áustria e França atiram-se nas goelas:
>Estimulo a ideia. Avante! Vamos!

HUBERT
>Escutem-me, grandes reis, um momento,
>E eu lhes mostrarei paz e concórdia;
>Ganhem sem golpe ou sangue esta cidade;
>Deixem que os vivos morram em seus leitos,
>Em lugar de sacrificá-los no campo:
>Não partam! Ouçam-me, reis poderosos!

REI JOÃO
>Pois fale; estamos prontos para ouvir.

HUBERT
>Essa filha da Espanha, Lady Blanche,
>É próxima à Inglaterra; veja a idade
>De Luís, o Delfim, e a da donzela:
>Se o amor fogoso procura a beleza,
>Onde, senão em Blanche, a encontraria?
>Se o amor zeloso procura a virtude,
>Onde, senão em Blanche, a encontraria?
>Se, ambicioso, busca berço igual,
>Não é em Blanche que corre um sangue tal?
>A virtude, a beleza e o berço dela
>Tem também, todas, o jovem Delfim.
>Se ele não é completo, nem é ela;
>E nada falta a ela, se há falta,
>Senão a falta de ela não ser ele.
>Ele é metade de um abençoado,
>Que há de ser completado só por ela;

E ela, bela excelência dividida,
Cuja completa perfeição 'stá nele.
440 Essas duas correntes de prata, se unidas,
Glorificam as margens que as abraçam;
E duas praias, da corrente unida,
Hão de ser, reis, a controlar o fluxo
Desses dois príncipes, se assim os casam.
445 Tal união fará bem mais que golpes
A essas portas trancadas; pois tal jogo,
Muito mais do que o ímpeto da pólvora,
Há de abrir bem a boca da passagem
Para dar-lhes entrada. Sem o acerto,
450 O mar revolto não será mais surdo,
O leão mais ousado, pedra e rocha
Mais firmes, não, nem mesmo a própria morte,
Terá metade da resolução
Que nós, pra defender-nos.

BASTARDO
                              E um tropeço
455 Que faz se sacudir de sua mortalha
A carcaça da morte! Boca assim
Que cospe guerras, montanhas e mares,
Trata leões ferozes com o carinho
De meninotas com seus cachorrinhos!
460 Que artilheiro gerou sangue tão fértil?
É canhão que queima, fumega e explode;
Saem da sua língua chicotadas;
Açoita nosso ouvido; e suas palavras
São mais fortes que os murros da França.
465 Raios! Nunca fiquei tão sem palavras
Des'que chamei de pai o do meu mano.

ELEANOR
Filho, ouve a proposta, acerta a boda;
Dá à tua sobrinha um dote grande;
Pois com tal união se amarra um nó
470 Que te assegura essa coroa incerta,
E impede que esse broto amadureça
O botão que promete fruta forte.
Vejo que cedem os olhos de França;
Vê como conversam: insiste agora,
475 Quando as almas são alvo da ambição,
Para que o zelo, agora derretido,

Com petições, piedades e remorsos,
Não volte a congelar-se no que era.

HUBERT
Por que não dão resposta as majestades
Ao que propõe a cidade em perigo?

REI FELIPE
Que fale a Inglaterra; foi primeira
A falar à cidade; o que diz ela?

REI JOÃO
Se o Delfim teu filho, aqui presente,
Pode, em tão belo livro, ler "Eu amo",
O dote dela será de uma rainha:
Pois Anjou, com Touraine, Maine, Poictiers,
E tudo o mais deste lado do mar —
Exceto esta cidade que cercamos —
Que é de nossa coroa e dignidade,
Doura o leito nupcial e a enriquece
Em títulos, honrarias, promoções,
Quanto ela em dons, em beleza e em berço
É par para as princesas deste mundo.

REI FELIPE
O que dizes, menino? Olha a dama.

LUÍS
Que sim, senhor; e que em seus olhos vejo
Maravilha, ou milagre inesperado,
Minha sombra refletida em seu olhar;
O que, apenas sombra de seu filho,
Torna-se sol e faz do filho sombra:
Confesso que jamais amara, eu mesmo,
Até eu encontrar-me assim fixado,
Desenhado na tela de seus olhos.

(Segreda ao ouvido de BLANCHE.)

BASTARDO
(À parte.)
Desenhado na tela de seus olhos!
Pendendo de seu cenho bem franzido!
E num quartel do coração se vê

Como traidor do amor: é uma pena
Ver pendendo e quartelado[29] aparecer
Em amor tal um vil canalha desses!

BLANCHE

(Para Luís.)
A vontade de meu tio é a minha:
510 Se ele vê em si algo que gosta,
O que ele fez, e que o faz gostar,
Posso transpor para a minha vontade;
Ou, se prefere, pra dizer mais claro,
Mudo, com pouco esforço, em meu amor.
515 Não direi mais pra agradá-lo, senhor,
Que o que vejo merece ser amado,
Ou seja, que em si eu nada vejo,
Mesmo pensando com mesquinharia,
Que eu julgasse merecer meu ódio.

REI JOÃO

520 Que dizem, jovens? O que diz, sobrinha?

BLANCHE

Que ela por dever tem de fazer
O que, em seu saber, concederá.

REI JOÃO

Que dizes, Delfim: hás de amar a dama?

LUÍS

Não; pergunte se eu posso não amá-la?
525 Pois a amo sem fingimento algum.

REI JOÃO

Concedo então Volquessen, Touraine, Maine,
Poictiers e Anjou, e as cinco províncias
Vão com ela para ti; e mais ainda,
Trinta mil marcos em moeda inglesa.
530 Felipe de França, se isso o agrada,
Mande darem-se as mãos seu filho e filha.

REI FELIPE

Agrada muito; juntem as mãos, meus jovens.

---

[29] É impossível encontrar um equivalente exato do sentido duplo do comentário: "*hang*" é tanto pendurar quanto enforcar, "*drawn*", além de desenhado, também é estripado, enquanto "*quartered*" tanto é "quartelado" no sentido heráldico de um quarto de um brasão, quando esquartejado, sendo "*hanged, drawn and quartered*" expressão tradicional que além do significado literal, é usada também para descrever qualquer grande derrota pessoal em alguma atividade. (N. T.)

ÁUSTRIA
E os lábios também, pois estou certo
De que o fiz, quando fiz minha jura.

REI FELIPE
535 Homens de Angiers, abram agora as portas,
Admitindo os amigos que fizeram;
Pois na capela de Santa Maria,
Será em pouco tempo celebrado
O casamento em seu solene rito.
540 Não 'stá aqui, entre nós, Lady Constance?
Eu sei que não, pois para a nova boda
Sua presença seria grande obstáculo.
Onde está, com seu filho?
Que alguém diga.

LUÍS
Desesperada, na tenda real.

REI FELIPE
545 E juro que, com o trato que fizemos,
Não serve pra curar sua tristeza.
Irmão inglês, como hei de contentar
A viúva? Por seu direito vimos;
E, sabe Deus, mudamos de atitude,
550 Com vantagem pra nós.

REI JOÃO
Pra tudo há cura;
Fazemos Artur, duque da Bretanha,
Conde de Richmond e, ainda, senhor
Desta cidade. Chame Lady Constance;
Que um mensageiro lhe peça para vir
555 À nossa festa: eu confio que havemos
De fazer-lhe a vontade, não de todo,
Mas a que, em parte ao menos, a satisfaça,
Pra podermos calar os seus reclamos.
Vamos então, com pressa e sem preparo,
560 Celebrar essa pompa inesperada.

(Saem todos menos o BASTARDO.)

BASTARDO
Louco mundo, loucos reis, louco arranjo!
João, para tirar tudo de Artur,
Não se importa de abrir mão de uma parte.

    E França, a quem a consciência armou,
565 Que aqui trouxe zelo e caridade,
    Qual soldado de Deus, com um cochicho
    Daquele vira-casaca, o diabo,
    O cafetão que todo dia quebra
    Palavra e jura, e todo dia ganha
570 De rei, pobre, velho, jovem, donzela,
    E estas, que não têm nada a perder
    Senão serem "donzelas", as rouba disso,
    Esse homem de cara limpa, esse bom lucro,
    Oh lucro, que és a distorção do mundo,
575 Do mundo que, de si, foi bem pesado
    E feito pra rolar em terra plana,
    Até que o ganho, que essa tara vil,
    Esse dono da estrada, o grande lucro,
    O fez perder o senso da isenção,
580 Da direção, do curso, do objetivo.
    Pois essa mesma tara de ganância,
    Palavra cafetina que corrompe,
    Lançada ao caprichoso rei francês,
    O fez negar o auxílio prometido
585 A uma guerra honrosa e acertada,
    Por uma paz selada em sordidez.
    Por que insulto eu todo esse lucro?
    Só porque ele não me quis, ainda,
    E não por poder eu fechar a mão
590 Se os seus anjos[30] buscarem minha palma;
    Só porque minha mão, sem ser tentada,
    Como o mendigo insulta quem é rico.
    Pois enquanto mendigo eu bradarei
    Que o maior dos pecados é a riqueza;
595 E, quando rico, eu digo, virtuoso,
    Que não há vício igual à mendicância.
    Se um rei quebra a palavra pra lucrar,
    O ganho é o deus a quem eu hei de adorar.

(Sai.)

CENA 2
(Entram Constance, Artur e Salisbury.)

Constance
  Foi se casar! Foram jurar a paz!

---

30 "Anjo" era uma moeda de alto valor, na Inglaterra, assim chamada pela imagem nela impressa. (N. E.)

Amigos, falso sangue e falso sangue!
Luís ganha Blanche, e Blanche, as províncias?
Não pode ser; compreendeste mal;
Pensa bem, e conta tudo de novo.
Não pode ser; só tu dizes assim.
Confio que não possa confiar,
Pois tua palavra é o sopro de um qualquer;
Crê que não creio em ti, que és só homem;
Tenho a palavra de um rei que te contesta.
Serás punido porque assim me assustas,
Pois 'stou doente, sujeita a temores,
Oprimida por males, assustada,
Viúva, sem marido, só com medos,
Sendo mulher, nascida pra ter medos;
Mesmo que agora digas que brincavas,
Meus sentimentos não admitem tratos,
Pois este dia inteiro andei tremendo.
Que dizes, sacudindo essa cabeça?
Por que olhas meu filho com tristeza?
Que quer dizer tua mão sobre o teu peito?
Por que teus olhos pingam triste goma,
Qual rio que transborda suas margens?
Esses sinais confirmam tuas palavras?
Fala de novo; não a história toda.
Com uma palavra diz se era verdade.

SALISBURY
Tão verdade quanto sei que as julgas falsas,
E dão a ti motivo para crê-las.

CONSTANCE
Se me levas a crer em tal tristeza,
Faz tal tristeza me levar à morte,
E deixa crença e vida se enfrentarem
Como a fúria de dois desesperados,
Que caem, mortos, ao primeiro choque.
Casar Luís com Blanche! E tu, menino?
França e Inglaterra amigas, que me resta?
Homem, vai embora; eu nem posso ver-te.
Essa notícia o torna muito feio.

SALISBURY
Que outro mal fiz eu, boa senhora,
Além de dizer alto o que outros fazem?

Constance

40 Um mal que é em si tão hediondo
Que torna mau quem quer que dele fale.

Artur

Imploro que se resigne, senhora.

Constance

Se tu que o pedes fosses peçonhento,
Feio, uma ofensa ao útero materno,
45 Recoberto de manchas e defeitos,
Capenga, tolo, torto e anormal,
Malhado com verrugas ofensivas,
Não me importava e até me resignava,
Não te amaria, então: não, e nem tu
50 Merecerias teu berço ou coroa.
Porém, és belo e, quando nasceste,
Foste grande por fado e natureza:
De dons podes gabar-te mais que um lírio,
Ou rosa em botão. Porém a fortuna
55 Foi corrompida e se afastou de ti;
Com teu tio, é de hora em hora adúltera,
Sua mão de ouro escolheu a França
Pra acabar com o respeito ao soberano,
Prostituiu sua majestade à deles.
60 A França é puta do fado e de João,
Fado cáften, João usurpador!
Diz aqui, França não quebrou a jura?
Mata-o com fala, ou então vai-te embora,
E deixa aqui as dores que só eu
65 Preciso suportar.

Salisbury

Perdão, senhora,
Sem levá-la, eu não posso ver os reis.

Constance

Podes e vais; eu não irei contigo:
Eu mando a minha dor ser orgulhosa,
Pois a dor tem orgulho e curva o dono.
70 A mim e ao nível desta grande dor,
Que a mim venham reis; ela é tão grande
Que ninguém, a não ser a terra firme,

Pode sustentá-la: co' ela aqui fico;
É meu trono; aqui recebo eu reis.

*(Ela se atira no chão. Sai S*ALISBURY*.)*

ATO 3

CENA 1
O pavilhão do rei da França.

(Constance e Artur, sentados. Entram o Rei João, o Rei Felipe, Luís, Blanche, Eleanor, o Bastardo, Áustria, Salisbury e séquito.)

Rei Felipe
    Verdade, filha; este dia abençoado
    Há de ser sempre festivo na França:
    Pra dar solenidade ao dia, o sol
    Segue o curso radioso e, alquimista,
5   Transforma, com seu olho precioso,
    Barro terreno em ouro que rebrilha:
    O giro anual que nos traz este dia,
    Nunca o verá sem vê-lo dia santo.

Constance
    Um dia de pecado, nunca santo! *(Levanta-se.)*
10   Que mereceu o dia? O que fez ele
    Pra ser marcado com letras douradas
    Entre as altas marés do calendário?
    Antes tirar tal dia da semana,
    Que é de vergonha, opressão e perjúrio.
15   Ou, se o tempo para, que esposas prenhes
    Não nasçam suas cargas nesse dia,
    Pra que não tenham fados inimigos:
    Que em outros dias não haja naufrágios,
    Que sejam firmes tratos de outros dias;
20   Que acabe mal o feito neste dia:
    E a própria fé se mude em falsidade!

Rei Felipe
    Pelo céu, senhora, não tem causa
    Pra maldizer o que hoje se tratou:
    Não lhe empenhei a minha majestade?

Constance
25   Só me enganou com vil imitação
    De aspecto majestoso que, testada,
    Mostrou-se sem valor; quebrou a jura!
    Armou-se pra espalhar sangue inimigo,
    Mas reforça com o seu o sangue dele.
30   O calor do vigor e olhar da guerra

　　　　　　Esfriou com amizade e paz borrada
　　　　　　E a nós oprimiu um tal tratado.
　　　　　　Armem-se os céus contra esses reis perjuros!
　　　　　　Pr'esta viúva, céu, seja marido!
35　　　　　Não deixe as horas do dia maldito
　　　　　　Findar em paz o dia; antes do ocaso
　　　　　　Que haja discórdia entre os reis perjuros!
　　　　　　Ouçam-me! Ouçam-me!

　　Áustria
　　　　　　　　　　　Paz, Lady Constance!

　　Constance
　　　　　　Guerra, não paz! A paz pra mim é guerra.
40　　　　　Limoges! Áustria![31] Por que envergonhar
　　　　　　Sua herança sangrenta:[32] vil, covarde!
　　　　　　Bem pequeno valor, grande em vileza!
　　　　　　Sempre forte, do lado que for forte!
　　　　　　Campeão da fortuna que não luta
45　　　　　Senão quando está perto a caprichosa,
　　　　　　Pra dar-lhe segurança. E, mais, perjuro,
　　　　　　Bajulador dos grandes. Mas que tolo,
　　　　　　Que ruge e pisoteia com deboche
　　　　　　Minha causa! Bicho de sangue frio,
50　　　　　Não soou qual trovão por meu partido,
　　　　　　Jurando que eu dependesse sempre
　　　　　　De sua estrela, sua força e seu fado,
　　　　　　E agora passa pr'os meus inimigos?
　　　　　　Tire a pele de leão por vergonha,
55　　　　　E cubra sua traição com a de um bezerro.

　　Áustria
　　　　　　Se algum homem me falasse assim!

　　Bastardo
　　　　　　E cubra sua traição com a de um bezerro.

　　Áustria
　　　　　　Não o ousarias tu, vilão, por tua vida!

　　Bastardo
　　　　　　E cubra sua traição com a de um bezerro.

31　Ricardo Coração de Leão morreu no cerco de Limoges, e um romance em verso foi a fonte em que Shakespeare encontrou essa confusão de atribuir ao duque da Áustria o nome de Limoges. (N. T.)
32　A referência é à pele de leão usada por Ricardo. (N. T.)

REI JOÃO
60   Não gosto disto. Esqueces quem és.

           (Entra PANDULFO.)

REI FELIPE
           Chegou o santo legado papal.

PANDULFO
           Salve, ungidos legados do céu!
           Minha santa missão é ao rei João.
           Eu, Pandulfo, cardeal de Milão.
65   E aqui legado do papa Inocente,
           Em nome dele, e pela fé, indago
           Por que desdenha a santa mãe igreja
           Com tal capricho e, à força, impede
           Stephen Langton, eleito cardeal
70   Da Cantuária, de ter sua sé:
           Isso, em nome do nosso dito pai,
           Papa Inocêncio, venho perguntar-lhe.

REI JOÃO
           Que terreno poder pode indagar
           O livre hálito de um rei ungido?
75   Não podes, cardeal, citar um nome
           Tão sem méritos, leve, tão ridículo,
           Pra pedir-me resposta, que o do papa.
           Diz-lhe isso; e, da boca da Inglaterra,
           Acresça que nenhum padre italiano
80   Cobra aqui dízimos, ou toca sinos;[33]
           Onde, sob Deus, nós somos a cabeça,
           Também sob Ele, esta soberania
           Onde reinamos, sustentamos sós,
           Sem ajuda de qualquer mão mortal:
85   Diz ao papa que não há reverência
           A ele e à autoridade que ele usurpa.

REI FELIPE
           Irmão inglês, assim 'stá blasfemando.

REI JOÃO
           Embora junto com outros reis cristãos
           Dê ouvido a esse padre intrometido,

---
[33] Esse tom radicalmente protestante remete à peça sobre o rei João escrita pelo bispo Bale, o único a passar para a igreja criada por Henrique VIII. O rei João teve conflitos graves com a Igreja Católica, mas não foi de modo algum um precursor do protestantismo, como fica claramente sugerido em Bale. (N. T.)

90 Temendo a danação que a prata compra,
    E por vil ouro, escória, ou até pó
    Compre de um homem seu perdão corrupto,
    Que nessa venda, venda um perdão seu,³⁴
    Todos concordam que os guie esse engano,
95 E cobrem de dinheiro bruxarias,
    Enquanto eu, só eu, me ponho contra
    O papa, e chamo de inimigos seus amigos.

PANDULFO
    Pelo poder legítimo que tenho,
    O senhor 'stá maldito e excomungado:
100 E abençoados os que se revoltam
    Contra a obediência a um herege;
    E há de ser chamado meritório,
    Canonizado e adorado qual santo,
    O que roubar, por meios secretíssimos,
105 A sua odienta vida.

CONSTANCE
            Legal seja
    Que eu possa, como Roma, maldizê-lo!
    E diga amém, meu bom pai cardeal,
    Às minhas pragas;³⁵ pois sem os meus males
    Não há língua que o possa maldizê-lo.

PANDULFO
110 Pra minha maldição, senhora, há leis!

CONSTANCE
    Para as minhas também; se a lei nos falta,
    Que agir sem limites seja a lei!
    A lei não dá o reino a esse meu filho,
    Pois quem lhe toma o reino faz a lei;
115 Então, se a lei já erra por princípio,
    Como pode negar-me as maldições?

PANDULFO
    Felipe, sob risco de ser maldito,
    Não dê a mão a esse arqui-herege;
    Levante a França contra sua cabeça,
120 Se ele não se submeter a Roma.

---

34 A frase já foi interpretada de suas maneiras: 1) vende seu perdão, não o de Deus; 2) vende com isso o seu próprio perdão. (N. T.)
35 A Igreja Anglicana havia um ritual, a cominação, realizado quatro vezes ao ano, no qual o ministro recitava maldições e o povo respondia "Amém". Constance inverte a situação, assumindo ela o papel do sacerdote. (N. T.)

ELEANOR
>France, 'stá pálido? Não solte a mão.

CONSTANCE
>Alerta, demo; se França desiste,
>E larga a mão, o inferno perde um' alma.

ÁUSTRIA
>Rei Felipe, ouça o cardeal.

BASTARDO
>Cobre com pele de bezerro o traidor.[36]

125

ÁUSTRIA
>Tenho de engolir esses nomes, calhorda,
>Porque...

BASTARDO
>Suas calças os comportam bem.

REI JOÃO
>Felipe, o que dizes ao cardeal?

CONSTANCE
>E o que pode, senão o que diz ele?

130

LUÍS
>Pense bem, pai, pois a diferença
>É comprar grande maldição de Roma,
>Ou ter a perda da amizade inglesa:
>Deixe a menor.

BLANCHE
>   A maldição de Roma.

CONSTANCE
>Fique firme, Luís. O demo o tenta aqui
>Na forma de uma noiva inviolada.

135

BLANCHE
>A Lady Constance não fala por fé,
>Mas por necessidade.

---

36 Após a bula de excomunhão de João o papa passou a ser chamado de Touro ("bull" tanto é bula quanto touro), e seus aliados talvez tenham sido apelidados de vitelas. (N. T.)

CONSTANCE
                    E se a me der,
            Que só pode viver morrendo a fé,
140   Necessidade que implica o princípio
            Que só por sua morte vive a fé.
            Sendo ela pisoteada, cresce a fé:
            Meu abandono pisoteia a fé!

REI JOÃO
            O rei 'stá afetado, e não responde.

CONSTANCE
145   Resposta boa é afastar-se dele!

ÁUSTRIA
            Isso, Felipe; nada mais de dúvidas.

BASTARDO
            Agarre-se à sua pele, meu palhaço,

REI FELIPE
            Estou perplexo, e não sei o que diga.

PANDULFO
            Dizer o quê, sem ficar mais perplexo,
150   Quando for excomungado e maldito?

REI FELIPE
            Bom reverendo, sou pessoa sua,
            E diga então a qual dos dois se entrega.
            Essa real mão e a minha 'stão unidas,
            Como ligadas 'stão as nossas almas
155   Ligadas, como em matrimônio juntas,
            Com a força de votos religiosos.
            O alento que às palavras deu seu som
            Foi de profunda fé, paz e amizade
            De nossos reinos e reais pessoas.
160   Logo antes desse trato, apenas antes,
            Mal tendo tempo pra lavar as mãos,
            Para apertá-las em símbolo de paz,
            Deus sabe 'stavam elas maculadas,
            Pelo pincel de sangue que a vingança
165   Usava pra pintar iras de reis.
            Devem tais mãos, há tão pouco lavadas,
            Recém-unidas pelo amor de ambos,
            Desligar esse aperto e o novo acordo?

          Brincar assim com a fé? Brinca com os céus
170   O que nos faz crianças inconstantes,
          Que, brincando, separam palma e palma,
          Perjuram-se e, ao leito nupcial
          Que ri com a paz, trazem tropa sangrenta,
          E criam caos na fronte, ora tranquila,
175   Da real sinceridade. Ai, Senhor,
          Reverendo meu pai, não o permita!
          Que a sua graça invente, ordene e imponha
          A doce ordem, e com a sua bênção
          O agradamos, porém ficando amigos.

     PANDULFO
180   Tudo fica sem forma e em desordem
          Não sendo oposto ao amor de Inglaterra.
          Arme-se, então! Defenda a nossa igreja,
          Ou deixe a mãe igreja bafejar
          Materna maldição no filho infiel.
185   França, é melhor ter pela língua a serpe,
          Leão ferido por pata mortal,
          Melhor tigre faminto pela presa,
          Do que ficar em paz com a mão que aperta.

     REI FELIPE
          Posso negar a mão, mas não a fé.

     PANDULFO
190   Faz sua fé inimiga da fé,
          Como guerra civil de jura e jura,
          E sua língua contra sua língua.
          Prefira o voto e o dever que deve ao céu,
          Que é o de ser campeão de sua igreja.
195   Já que essa jura é jura contra si,
          E, sendo assim, não poderá cumpri-la,
          Pois o que foi jurado com verdade,
          Não é errado feito com verdade,
          E nem não feito, se fazer é mau,
200   Manda a verdade que não seja feito.
          Melhor pr'o ato de objetivo errado
          É novo erro, e embora indireto,
          O indireto se torna assim direto;
          Mentira cura mentira, como o fogo
205   Esfria as veias do recém-queimado.[37]
          Pelo que juras contra juras agora,

---

37 Na realidade, o ditado diz que "um fogo expulsa outro". (N. T.)

       Fazendo imprecação guarda de jura.
       Religião é o que sustenta as juras;
       E a sua jura é contra a religião:
210   Contra a blasfêmia agora está temendo
       Jurar — e juras nunca perjuradas —
       E, de outro modo, que adianta jurar?
       Mas jura agora só pra perjurar,
       Pois perjurando é que mantém sua jura.
215   Votos novos, então, contra o primeiro
       São atos de revolta contra si.
       Melhor conquista nunca há de fazer
       Que armar seu lado mais constante e nobre
       Contra essas sugestões desatinadas:
220   Por esse lado melhor vêm nossas preces
       Se concordar. Porém, se não, reflita
       No perigo de nossa maldição,
       Tão pesada que não há de livrar-se,
       Pra morrer, desesperado, sob seu peso.

   ÁUSTRIA
225   E pura rebelião!

   BASTARDO
                     É tudo em vão?
       Nem pele de bezerro o faz calar-se?

   LUÍS
       Pai, às armas!

   BLANCHE
                     Contra suas próprias núpcias?
       Contra o sangue com o qual vem de casar-se?
       Vai celebrar nossa boda com mortos?
230   Trompas urrando e tambores rufando,
       Uivos do inferno marcam nossa pompa?
       Marido, ouça-me! E como é novo
       "Marido" em minha boca! Por tal nome,
       Que antes de agora eu nunca pronunciara,
235   E de joelhos peço, não se arme
       Contra meu tio.

   CONSTANCE
                     Ah, nos meus joelhos,
       Calejados com o uso, eu peço e rogo
       Ao Delfim virtuoso, não altere
       O destino ditado pelos céus!

BLANCHE

240   Vejo assim seu amor: que razão pode
       Lhe ser mais cara que o nome de esposa?

CONSTANCE

       A que sustenta o que a ele sustenta,
       A sua honra: Luís, sua honra!

LUÍS

       Por que fica tão fria a majestade
245   Quando assuntos tão fortes o provocam.

PANDULFO

       Sobre ele eu lanço a minha maldição.

REI FELIPE

       Não há por quê. Da Inglaterra eu me afasto.

CONSTANCE

       Volta a si a banida majestade!

ELEANOR

       Revolta vil da inconstância francesa!

REI JOÃO

250   Em uma hora França chora est'hora.

BASTARDO

       O sino do sacristão marca a hora;
       Se é isso o que ele quer, a França chora.

BLANCHE

       O sangue cobre o sol, adeus, bom dia!
       E eu, com qual dos lados devo ir?
255   Sou de ambos; cada mão com uma tropa;
       E em sua ira, agarrada a ambos,
       Eles giram e eu sou desmembrada.
       Marido, não posso orar por vitória,
       Tio, tenho de orar para que perca;
260   Pai, não posso desejar-lhe a fortuna;
       Avó, não posso insuflar seus desejos:
       Ganhe quem ganhe, com esse lado eu perco;
       Sou derrotada antes da partida.

LUÍS

       É comigo, senhora, sua fortuna.

BLANCHE
265   E onde está a fortuna eu perco a vida.

REI JOÃO
           Primo, vá reunir as nossas forças,

                                                    (Sai o BASTARDO.)

           França, eu queimo, com uma ira em chamas;
           Cujo calor impõe a condição:
           Nada o atenua, a não ser o sangue,
270   O sangue de maior valor na França.

REI FELIPE
           Sua ira há de queimá-lo, e de torná-lo
           Em cinzas, antes que nosso sangue a apague:
           Pense em si, no perigo que o ameaça.

REI JOÃO
           Não mais que quem fala. Agora, à caça!

                                                    (Saem.)

CENA 2
Uma planície perto de Angiers.

(Fanfarras, evoluções. Entra o BASTARDO, com a cabeça de ÁUSTRIA.)

BASTARDO
           Por minha vida, o dia 'stá esquentando;
           Paira no céu algum demônio aéreo
           E chove mal. A cabeça é de Áustria

           (Entram o REI JOÃO, ARTUR e HUBERT.)

           Enquanto Felipe respira.

REI JOÃO
5   Olhe o menino, Hubert. Felipe, rápido:
           Minha mãe, atacada em nossa tenda,
           Eu temo presa.

BASTARDO
                          Senhor, eu a salvei;
           Sua Alteza está salva; não se aflija:
           Mas vamos, amo; muito pouco esforço
10   Conclui, feliz, esta nossa tarefa.

                                                    (Saem.)

(Fanfarras, evoluções. Voltam o Rei João, Artur, o Bastardo, Hubert, com Eleanor e nobres.)

REI JOÃO

(Para Eleanor.) Assim seja. Sua Graça fica aqui'
Com forte guarda. *(Para Artur.)* Primo, não fique triste:
Sua avó o ama; e seu tio será
Tão caro a você quanto foi seu pai.

ARTUR

15 Isso mata a minha mãe de tristeza!

REI JOÃO

(Para o Bastardo.) Primo, vá pr' Inglaterrra! Vá na frente
E, antes de chegarmos, tome os sacos
Que guardam os abades; anjos presos
Sejam libertos; gorduras da paz
20 São agora alimento dos famintos.
Use ao máximo a nossa autoridade.

BASTARDO

Nem por excomunhão eu dou pra trás
Se ouro e prata me puxam para a frente.
Eu deixo Sua Alteza. Avó, eu rezo —
25 Se alguma vez me lembrar de ser santo —
Por sua segurança; e a mão eu beijo.

ELEANOR

Adeus, meu caro primo.

REI JOÃO

      Primo, adeus.

(Sai o Bastardo.)

ELEANOR

Venha aqui, priminho. Uma palavra.

(Ela leva Artur para um lado.)

REI JOÃO

Venha cá, Hubert. Ah, meu doce Hubert,
30 Quanto lhe devemos! Dentro da carne
Há uma alma que o vê como credor,
E pretende esse amor pagar com lucro.
Ah, amigo, a sua jura voluntária
Vive aqui neste peito, e em alto preço.

Dê-me a sua mão. Tinha algo a dizer,
Mas deixo pra momento mais sonoro.
Pelo céu, Hubert, quase me envergonho
De dizer até que ponto eu o respeito.

HUBERT
Sou devedor a Sua Majestade.

REI JOÃO
Amigo, inda não tem causa pra tanto,
Mas terá; e com tempo, mesmo lento,
Hei de ter meios de lhe fazer bem.
Tinha algo a dizer, mas deixe estar.
O sol está no céu, o dia brilha,
E o servem os prazeres deste mundo
Demais sensual e cheio de ornamentos
Pra dar-me ouvidos: se sinos noturnos
Com sua língua de ferro e sua boca de bronze
Dobrassem na lenta passagem da noite;
Estivéssemos nós num cemitério,
E o senhor coberto por mil erros;
Ou se o orgulho da melancolia,
Tornasse grosso, com o calor, seu sangue,
Que de outro modo desliza nas veias,
Trazendo um riso idiota ao olho humano
E esticando bochechas com alegria,
Paixão odiosa pr'os meus objetivos;
Ou se pudesse ver-me sem seus olhos,
Ouvir-me sem ouvidos, responder-me
Sem língua, utilizando só conceitos,
Sem olhos, ouvidos, palavras duras;
Então, esquecendo a vigília do dia,
Derramaria em seu peito o que penso.
Não o farei. Mas, mesmo assim, o amo.
E penso, juro, que me ama também.

HUBERT
Tanto que se me pede pra fazer
Algo que o ato me levasse à morte,
Pelo céu, o faria.

REI JOÃO
                    E o não sei eu?
Bom Hubert, Hubert, Hubert, volte os olhos
Pr' esse menino; e eu lhe digo, amigo,
Que ele é uma serpente em meu caminho;

       Em toda parte que pisa o meu pé
       O vejo em minha frente: compreendeu?
       É quem o guarda.

HUBERT

                 E eu hei de guardá-lo
75   Para que nunca ofenda Sua Alteza.

REI JOÃO

       Morte.

HUBERT

          Senhor?

REI JOÃO

             Uma cova.

HUBERT

              Não vive.

REI JOÃO

                   Basta.
       Estou contente e, Hubert, eu o amo.
       Não digo o que pensei pr' o seu futuro;
       Lembre-se. Passe muito bem, senhora;
80   Mandarei tropas pra Sua Majestade.

ELEANOR

       Siga com a minha bênção!

REI JOÃO

                Vá, meu primo,
       Pr'a Inglaterra. Hubert será seu guarda,
       Cumprindo o seu dever. Pra Calais, vamos!

(Saem.)

CENA 3
O pavilhão do rei da França.

(Entram o REI FELIPE, LUÍS, PANDULFO e séquito.)

REI FELIPE

       Por uma tempestade no oceano
       Toda uma armada é derrotada
       Espalhada, e perdeu a unidade.

PANDULFO
> Coragem e fé! Tudo há de ir bem.

REI FELIPE
> Como irá bem o que tem ido mal?
> Derrotados assim? Perdida Angiers?
> Artur capturado? Bons amigos mortos?
> Não foi pra casa o sangrento Inglaterra,
> Vendo a resistência dos franceses?

LUÍS
> O que ganhou, ele fortificou:
> Com tanta pressa e tão bem pensada,
> Tanta ordem em causa tão feroz,
> Não tem exemplo; quem jamais ouviu
> Falar de ação parecida com essa?

REI FELIPE
> Suportaria melhor o aplauso a eles,
> Se soubesse explicar nossa vergonha.

(Entra CONSTANCE.)

> Vejam quem chega! A tumba de uma alma,
> Retendo, a contragosto, o eterno espírito,
> Na vil prisão do alento perturbado.
> Peço que venha comigo, senhora.

CONSTANCE
> Nisso é que resultou a sua paz!

REI FELIPE
> Paciência e esperança, boa Constance!

CONSTANCE
> Não! Desafio conselhos e alívio,
> Senão aqueles do alívio final:
> Morte! Morte amistosa, morte bela!
> Odor pútrido, podridão sadia!
> Levanta-te do leito da tua noite,
> Ódio e horror de tudo o que prospera,
> E beijarei teus ossos detestáveis,
> Pondo meus olhos nas vazias órbitas,
> Botando anéis de vermes nestes dedos,
> Parando a respiração com pó nojento,
> Ser verme de carniça como tu:

Vem! Se rir pra mim, eu digo que é sorriso,
E dou-te um beijo. Amante da miséria,
Vem a mim!

Rei Felipe

Oh beleza aflita, paz!

Constance

Não com fôlego, ainda, pra chorar:
Quero a língua na boca do trovão!
Minha paixão abalaria o mundo;
Pra despertar a horrenda anatomia[38]
Que não escuta a fraca voz da dama,
E desdenha as tolas invocações.

Pandulfo

A senhora diz loucuras, e não dor.

Constance

É demais santo pra me desmentir!
Louca, não. O meu cabelo é que arranco.
Meu nome é Constance; sou mulher de Geoffrey.
Artur é meu filho, e ele 'stá perdido!
Não 'stou louca. Quem dera aos céus que sim!
Então me esqueceria de mim mesma:
Se pudesse, quanta dor esquecia!
Ensine-me a ciência da loucura,
E será cardeal canonizado.
Sem ser louca, e sensível à dor,
Meu raciocínio me produz razão
E modo pr' escapar do sofrimento,
E ensina-me a matar ou a enforcar-me;
Sendo louca, eu esquecia meu filho,
Ou o pensava boneca de trapos.
Não sou louca; e eu sinto muito bem
A praga de cada calamidade.

Rei Felipe

Ate essas tranças. Quanto amor eu noto
Na imensa multidão de seus cabelos!
Salpicados com alguns pingos de prata,
E a cada pingo mil fios amigos
Se prendem em solidária dor,
Qual amantes fiéis e inseparáveis,
Que ficam juntos na calamidade.

---

38 Expressão corrente para expressar o esqueleto da morte. (N. T.)

CONSTANCE
   À Inglaterra, se quer.³⁹

REI FELIPE
        Prenda os cabelos.

CONSTANCE
   Posso fazê-lo. Mas por que motivo?
70   Soltei-os do que os prende, e gritei
   "Que as mãos pudessem redimir meu filho
   Como aos cabelos deram liberdade!".
   Agora invejo sua liberdade,
   E vou prendê-los em suas amarras,
75   Porque meu pobre filho é prisioneiro.
   Meu pai cardeal, eu o ouvi dizer
   Que no céu conhecemos os amigos;
   Se é verdade, eu revejo o meu menino;
   Des'que nasceu Caim, o primogênito,
80   Ao que só desde ontem respirava,
   Não veio ao mundo menino tão lindo.
   O cancro-dor vai comer meu botão,
   Banir da face sua beleza inata,
   Fazê-lo parecer fantasma oco,
85   Pálido e frágil como um calafrio,
   E irá morrer; mas quando for pr'o céu,
   E eu o encontrar na corte celeste,
   Não o conhecerei: portanto, nunca
   Eu tornarei a ver meu belo Artur.

PANDULFO
90   Crias da dor um aspecto hediondo.

CONSTANCE
   Só fala assim quem nunca teve um filho.

REI FELIPE
   Gostas tanto da dor quanto do filho.

CONSTANCE
   A dor toma o lugar do filho ausente,
   Deita em seu leito, passeia comigo,
95   Usa sua beleza, fala como ele,

---

39 Essa frase, "To England, if you will", é um dos problemas mais discutidos da peça: a frase parece sem nexo, e tem sido bastante bem recebida a teoria de que Constance responderia com essas palavras à fala de Felipe, no início da cena, "Peço que venha comigo, senhora". Outros alegam que o raciocínio dela segue caminho independente dos acontecimentos, mas que a fala pode vir a qualquer momento porque para Constance a luta contra João é sempre o único pensamento que a norteia. (N. T.)

Recheia as vestimentas com suas formas;
Não são motivos pr'eu amar a dor?
Passem bem; tendo perda igual à minha,
Falaria eu melhor pra seu consolo.
100 Não posso eu ter ordem na cabeça
Quando o espírito está desordenado.
Ai! Meu menino, meu Artur meu filho!
Minha vida, minha alegria e mundo!
Que consola a viúva e cura a dor!

(Sai.)

REI FELIPE
105 Temo o seu desespero, e vou segui-la.

(Sai.)

LUÍS
Nada no mundo me traz alegria:
A vida tem tédio de conto sabido
A irritar um ouvido sonolento;
Vergonha amarga coalha a doce vida,
110 E só a enche de amarga vergonha.

PANDULFO
Antes da cura de doença grave,
Logo antes da cura e da saúde,
Vem forte crise; é o mal que se despede,
E guardou para o fim sua pior dor.
115 O que perdeu, com a perda deste dia?

LUÍS
Todo dia de glória e alegria.

PANDULFO
Assim seria, se tivesse ganho.
Quando a fortuna quer premiar os homens,
Lança neles olhar ameaçador.
120 É estranho ver o quanto perdeu João,
Com isto que ele julga ter ganhado:
Não lhe dói Artur ser seu prisioneiro?

LUÍS
O tanto quanto disso ele se gaba.

PANDULFO
São muito jovens sua mente e sangue.

125	Ouça-me agora falar qual profeta;
	O próprio alento com o qual eu falo,
	Além do pó, varre a palha e a pedra
	Do caminho que leva em linha reta
	Seu pé ao trono inglês; anote, então.
130	João prendeu Artur; e é impossível
	Que enquanto correr sangue no menino,
	O deslocado João tenha uma hora,
	Um minuto, um respiro de repouso.
	Cetro arrancado com mão de desordem,
135	É perdido com o caos que o conquistou;
	Quem pisa um chão que é escorregadio,
	Usa a vileza pra se sustentar.
	Com João de pé, Artur tem de cair;
	E assim será, pois tem de ser assim.

LUÍS

140	Qual é meu ganho, com a queda de Artur?

PANDULFO

Pelo direito de Blanche, sua esposa,
Pode buscar o que buscava Artur.

LUÍS

E perder vida e tudo, como Artur.

PANDULFO

	Como estás verde pr'este velho mundo!
145	João arma trama; mas os tempos te ajudam;
	Quem se protege com sangue legítimo,
	Só terá proteção falsa e sangrenta.
	Esse ato mal nascido esfria os peitos
	Do povo dele, e congela o seu zelo,
150	E qualquer mínima oportunidade
	De ferir o seu reino é até benquista;
	Nem relâmpago que exale no céu,
	Nem ato natural, nem dia aziago,
	Nem ventinho, nem fato corriqueiro,
155	Que não seja entortado da verdade,
	Dito sinal, prodígio ou meteoro,
	Presságio, aborto, língua celestial,
	Prenúncio de vingança contra João.

LUÍS

	Talvez ele não toque na vida de Artur
160	E o guarde apenas como prisioneiro.

PANDULFO

    Senhor, se tem notícia de sua chegada,
    Se o pobre Artur ainda não se foi,
    Com a nova, morre; e então os corações
    De todo o povo vão se revoltar,
165 Beijando os lábios de qualquer mudança,
    E achando sérias causas pra levante
    Nos dedos ensanguentados de João.
    Já vejo começada essa baderna:
    E o que trabalha mais em seu favor
170 Do que o qu'eu disse! Faulconbridge Bastardo,
    'Stá na Inglaterra assaltando a igreja,
    Ferindo a caridade; se uns franceses,
    Armados, lá 'stivessem, chamariam
    Dez mil ingleses para o lado deles,
175 Como um monte de neve, quando rola,
    Vira logo montanha. Meu Delfim,
    Venha comigo ao rei; é assombroso
    O que se faz com o descontentamento,
    Quando as almas transbordam de ofendidas.
180 Vá pra Inglaterra; eu afio o rei.

LUÍS

    Motivo forte ato estranho há de dar:
    Se disser sim, não pode o rei negar.

(Saem.)

ATO 4

CENA 1
Sala em um Castelo. Carvões queimam em um braseiro.

(Entram Hubert e Carrascos.)

HUBERT

    Esquentem-me esses ferros. Escondam-se
    Nas cortinas. Quando o meu pé bater
    No peito do chão, avancem depressa
    E atem o rapaz que está comigo,
5   Com força, à cadeira; cuidado, alerta.

1º CARRASCO

    'Spero que o feito seja autorizado.

HUBERT

    Mas quanto escrúpulo! É só fazer.

(Os carrascos saem.)

    Rapaz, vem cá; tenho algo a dizer-te.

(Entra Artur.)

ARTUR

    Bom dia.

HUBERT

10   O mesmo, meu pequeno príncipe.

ARTUR

    Pequeno príncipe com grande título,
    Pra ser maior que príncipe. Está triste.

HUBERT

    Sim, já fui mais alegre.

ARTUR

                    Deus me acuda!
    Pois penso que só eu devo estar triste:
15   Porém lembro que, estando em França,
    Havia jovens tristes como a noite
    Mas só de pose. Pela fé cristã,

Se fora da prisão fosse eu pastor,
Eu ficaria alegre como o dia;
E até aqui também, se não temesse
Meu tio planejar fazer-me mal.
Ele tem medo de mim, e eu dele.
É minha culpa ser filho de Geoffrey?
Não é, não; e eu só pediria ao céu
Ser teu filho, des'que me amasses, Hubert.

HUBERT

(À parte.) Essa conversa, assim, tão inocente,
Desperta-me a piedade, que está morta:
Devo ser seco e acabar tudo, logo.

ARTUR

Está doente, Hubert? Está pálido.
Eu bem queria vê-lo hoje doente,
Para cuidar-te pela noite inteira.
Sei que te amo mais que amas a mim.

HUBERT

(À parte.) Suas palavras conquistam o meu peito,
Lê, jovem Artur. *(Mostra-lhe um papel.)*
(À parte.) Que catarro tolo!
Que expulsa assim a tortura pra fora!
Sem pressa, cai minha resolução
Pelos olhos, lágrimas de mulher.
Não podes ler? Não é bonita a letra?

ARTUR

É bonita demais pr' ato tão vil.
Vais queimar meus dois olhos co'esses ferros?

HUBERT

Eu preciso, menino.

ARTUR

               E vais?

HUBERT

               Vou.

ARTUR

Não tem pena? Doendo-lhe a cabeça
Amarrei o meu lenço em tuas têmporas,
O meu melhor, que me deu uma princesa.

E a ti jamais eu o pedi de volta.
Com esta mão sustentei-a, à meia noite,
E velando cada, hora por minuto,
Volta e meia na dor te encorajava.
50 Dizendo "O que te falta?", "Aonde dói?",
"O que pode o amor fazer por ti?".
Muito filho de pobre nem ligava,
E nem dava uma palavra de carinho;
Porém, doente, te cuidou um príncipe.
55 Podes pensar que foi amor hipócrita,
E o dizeres matreiro; pois que o digas.
Se praz ao céu que tu a mim maltrates,
Então, o faça. Arrancar-me os olhos?
Esses olhos que jamais sequer te olharam
60 Com o cenho franzido.

HUBERT

      Eu o jurei,
E hei de queimá-los com o ferro em brasa.

ARTUR

Só nesta idade de ferro alguém o faz!
O próprio ferro, mesmo rubro, em brasa,
Chegando perto, me bebia as lágrimas,
65 E esfriava a sua indignação
No próprio corpo da minha inocência;
E depois se desfazia em ferrugem,
Só pra evitar ferir estes meus olhos.
És acaso mais rijo do que o ferro?
70 E se um anjo me tivesse dito
Que Hubert ia acabar com os meus olhos,
Eu não acreditava — só se Hubert
Me dissesse.

HUBERT

      Avancem! *(Bate com o pé.)*
Cumpram as ordens.

ARTUR

75 Salva-me, Hubert! Meus olhos já queimam
Só com o olhar desses homens sangrentos.

HUBERT

Deem-me o ferro, e prendam-no com à corda.

ARTUR

Ai, ai, tem de ser assim tão brutal?

            Não vou lutar. Fico imóvel qual pedra.
80   Pelos céus peço, Hubert, não me amarrem!
            Ouça, Hubert, manda os dois embora,
            Eu ficarei igual a um carneirinho;
            Eu não mexo, não recuo e nem falo,
            E nem olho zangado para o ferro:
85   Manda os homens embora; eu te perdoo
            Toda tortura a que me sujeitar.

HUBERT
            Vão; fiquem lá dentro; eu fico com ele.

1º CARRASCO
            Fico alegre em me afastar do ato.

                                         (Saem os CARRASCOS.*)*

ARTUR
            Ai, ai, eu enxotei o meu amigo!
90   Tinha ar feroz, mas um bom coração:
            Manda-o voltar, pra que a compaixão dele
            Dê vida à tua.

HUBERT
                        Menino, prepare-se.

ARTUR
            Não há remédio?

HUBERT
                        Só perder seus olhos.

ARTUR
            Oh céus! Se tivesse: um cisco, nesses seus,
95   Um grão, um pó de areia ou um cabelo,
            Pra irritar esse precioso sentido!
            Sentindo que o pequeno ali se expande,
            Veria o horror do seu intento.

HUBERT
            Qual foi tua promessa? Cala a boca.

ARTUR
100   Hubert, o que diz um par de línguas
            Diz pouco, pra salvar um par de olhos:
            Não me cale a língua, não a cale, Hubert!

               Ou corta a língua, se preferes, Hubert,
               Para eu ficar com os olhos! Poupa os olhos,
105   Nem que seja pra ver-te, e só a ti!
               Eu garanto que o instrumento está frio,
               E não me quer magoar.

    HUBERT
                              Eu o esquento.

    ARTUR
               Mas, não; o fogo está morto de dor,
               Criado para o bem, por ser usado
110   Pra mal imerecido; veja ali:
               Não há malícia no carvão que queima;
               O hálito do céu o apagou,
               E espalhou cinzas de arrependimento.

    HUBERT
               Mas o meu o revive, menino.

    ARTUR
115   E se o fizer, vai fazê-lo corar
               E brilhar de vergonha, com o que faz.
               Talvez queime os seus olhos com fagulhas,
               E, como cão obrigado a brigar,
               Ataque o amo que o instiga a isso.
120   Coisas que deve usar pra me ferir
               Recusam a tarefa; só a si falta
               A piedade que está em ferro e fogo —
               Mas criaturas piedosas esquecem!

    HUBERT
               Vive e vê; não tocarei teus olhos
125   Por todo o ouro que teu tio deve.
               Mas eu jurei que o faria, menino,
               Que os queimaria com esse ferro aí.

    ARTUR
               Agora parece Hubert! Nesse tempo,
               Esteve disfarçado.

    HUBERT
                              Paz. Adeus.
130   Teu tio terá novas de tua morte.
               Aos espias darei notícias falsas.
               Menino lindo, dorme em segurança,

> Pois nem pela riqueza deste mundo
> Hubert o ferirá.

ARTUR

> Céus! lhe sou grato!

HUBERT

135 Silêncio; chega. É só me acompanhar:
> Por ti, muito perigo hei de passar.

(Saem.)

CENA 2
A corte da Inglaterra.

(Entram o REI JOÃO, PEMBROKE, SALISBURY e outros NOBRES.)

REI JOÃO

> De volta aqui, de novo coroado,
> E visto, espero, com olhar alegre.

PEMBROKE

> Esse "de novo", afora o seu prazer,
> Já foi supérfluo; já foi coroado,
5 E a realeza jamais o deixou,
> Ninguém foi maculado com revolta;
> Nenhuma ideia perturbava a terra,
> Com desejo de mudança ou melhora.

SALISBURY

> Portanto, ter agora pompa dupla,
10 Cantar um título já rico antes,
> Dourar o ouro, ou pintar o lírio,
> Verter perfume sobre a violeta,
> Alisar gelo ou dar nova cor
> Ao arco-íris, ou, à luz de vela,
15 Buscar belezas pr' enfeitar o céu,
> É desperdício, ou excesso ridículo.

PEMBROKE

> A não ser pra atender o seu prazer,
> O ato é repetir velhas histórias,
> E, ao repetir-se, torna-se problema,
20 Sendo feito em momento indesejado.

SALISBURY

> Pois nele um rosto antigo e conhecido

　　　　　Vê alterada a sua velha forma;
　　　　　E, qual vento que ronda, para a vela
　　　　　Faz mudar o andar do pensamento,
25　　　　Assusta e faz tremer a reflexão,
　　　　　Torna suspeita e doente a verdade,
　　　　　Quando se veste um manto assim tão novo.

　　PEMBROKE
　　　　　Quem procura fazer melhor que bem,
　　　　　Macula a competência com avareza;
30　　　　E muitas vezes perdoar um erro,
　　　　　Torna o erro mais grave, com o perdão,
　　　　　Como o remendo em racha pequenina
　　　　　Desacredita mais, ao escondê-la,
　　　　　Do que o defeito nunca remendado.

　　SALISBURY
35　　　　Assim, antes desta coroação,
　　　　　O aconselhamos; no entanto, Sua Alteza
　　　　　Não quis ouvir-nos; mas 'stamos contentes,
　　　　　Já que no todo e em tudo o desejado
　　　　　Estanca ante o que quer Sua Majestade.

　　REI JOÃO
40　　　　Razões para esta dupla coroação
　　　　　Já lhes contei; e creio sejam fortes;
　　　　　E mais, mais forte que meu medo menor
　　　　　Eu os informarei; agora indago
　　　　　O que de errado querem reformar,
45　　　　Com que boa vontade eu hei de ouvir
　　　　　E conceder tudo aquilo que querem.[40]

　　PEMBROKE
　　　　　Então eu, como a língua destes todos,
　　　　　Para expressar o que lhes vai no peito,
　　　　　Por mim e eles, porém mais que tudo
50　　　　Por sua segurança, a que nós todos
　　　　　Mais buscamos, com calor imploramos
　　　　　A libertação de Artur que, assim preso,
　　　　　Cria murmúrios de insatisfação,
　　　　　Que geram perigosa conclusão:
55　　　　Se o que tem preso por direito é seu,
　　　　　Por que temores que, dizem, conduzem
　　　　　Ao caminho do mal; se aprisiona

---

[40] Este é o único momento em que temos ao menos uma sugestão de referência à Magna Carta (1215), que hoje é lembrada como o único grande ato de João. A Magna Carta, ou *Grande Carta das liberdades, ou concórdia entre o rei João e os barões para a outorga das liberdades da Igreja e do rei Inglês*, como explica o título completo, restringia o poder do monarca ao criar um comitê de 25 barões com poderes para alterar as decisões reais. (N. E.)

          Seu bom sobrinho, sufoca-lhe os dias
          Com bárbara ignorância, e nega ao jovem
60   Os proveitos de bem exercitar-se?[41]
          Que os inimigos de hoje não vejam
          Nisso motivos, seja o nosso preito,
          Como indagou, a liberdade dele;
          Pois, pra nosso ganho, não mais pedimos
65   Que o que nosso bem, que de si vem,
          Conta como seu bem tal liberdade.

          *(Entra H*UBERT*.)*

REI JOÃO
          Que seja; e entrego a sua juventude
          Ao seu governo. Hubert, quais as novas?

          (Leva-o para um lado.)

PEMBROKE
          Esse era o encarregado da matança;
70   Mostrou a ordem a um amigo meu.
          A imagem de um pecado mais que horrível
          'Stá em seus olhos; seu aspecto sombrio
          Revela um peito perturbado e inquieto;
          E temo acreditar que já está feito
75   O que temíamos que ele cumprisse.

SALISBURY
          A cor do rei parece ir e vir
          Entre seu objetivo e a consciência,
          Como arautos entre tropas na batalha:
          Sua paixão 'stá madura, e ora explode.

PEMBROKE
80   E quando ela explodir, o resultado
          É a corrupção que mata um doce jovem.

REI JOÃO
          Ninguém segura a forte mão da morte:
          Senhores, mesmo que eu queira atendê-los,
          A causa que me pedem já está morta:
85   Artur, diz ele, faleceu à noite.

SALISBURY
          Temíamos que não tivesse cura.

---

[41] "Exercitar-se", para o autor e seu público, incluiria não só atividades físicas como todos os aspectos da educação de um nobre. (N. T.)

Pembroke
Sabíamos que estava pra morrer,
Antes que ele soubesse estar doente:
Aqui ou longe, isto há de ter resposta.

Rei João
90 Por que me lançam olhares solenes?
Pensam que eu possa cortar o destino?⁴²

Salisbury
Isso é óbvia traição, e vergonha
Que um grande assim o ousasse:
Que tenha sorte igual! E, assim, adeus.

Pembroke
95 Espere, Lord Salisbury; vou consigo,
Pra descobrir o que herdou a criança,
O seu pequeno reino, a sua cova.
O sangue que era o dono desta ilha
Cabe em três pés.⁴³ Assim vai mal o mundo!
100 Não se pode aturá-lo: com isso estouram
Em pouco tempo as nossas dores, creio.

(Saem os nobres.*)*

Rei João
Queimam de indignação. *(Entra um* mensageiro.*)* Me arrependo:
Não é seguro o que é fundado em sangue,
Ninguém faz vida com a morte de outros.

(Para o Mensageiro.)

105 Que olhar assustador. Onde está
O sangue que habitava nessas faces?
Só tempestade limpa um céu tão negro.
Chova suas novas: como vai a França?

Mensageiro
Da França pra Inglaterra. Eu nunca vi
110 Tanta tropa pra ação no exterior
Ser recrutada no corpo de uma terra.
Foi copiada sua velocidade;
Quando o avisaram que se preparavam
Tivemos já notícias que chegaram.

---

42 Entre os Fados, Átropos corta o fio da vida. (N.E.)
43 A cova normal teria seis pés; a referência lembra à plateia que se tratava de um menino. (N. E.)

REI JOÃO

115 Andou bebendo a nossa inteligência?
Ou dormindo? Que fez a minha mãe,
Que um tal exército nascesse em França
Sem ela saber?

MENSAGEIRO

Senhor, seus ouvidos
'Stão tapados com o pó. Sua nobre mãe
120 Morreu em primeiro de abril, e mais,
Lady Constance morreu, enlouquecida,
Três dias antes; porém isto só de língua
Acaso ouvida; não sei se é verdade.

REI JOÃO

Que parem sua pressa tais eventos!
125 Façam um acordo comigo que aplaque
Meus nobres descontentes! Morta a mãe!
Que caos nas minhas possessões em França!
E quem conduz essa tropa francesa
Que diz, como verdade, aqui estarem?

MENSAGEIRO
130 O Delfim.

(Entram o BASTARDO e PETER DE POMFRET.)

REI JOÃO

O senhor me deixou tonto
Com essas más novas. E o que diz o mundo
De suas andanças?⁴⁴ Não venha entupir-me
A cabeça com más novas; 'stá cheia.

BASTARDO

Mas se tem medo de ouvir o pior,
135 Caia na sua cabeça o não ouvido.

REI JOÃO

Paciência, primo; mas fiquei perturbado
Com essa maré; porém eu já respiro
Sobre as ondas, e posso dar ouvidos
A qualquer língua, diga o que disser.

BASTARDO
140 Como me dei, andando junto ao clero,

---

44 Há dúvidas sobre a quem o rei de dirige, a tendência mais geral é que se dirija ao Bastardo. (N. T.)

A soma do que trouxe expressará.
Mas o quanto eu andei por esta terra,
Vi o povo com ideias muito estranhas;
Ouvindo boatos, sonhando tolices,
145 Temendo muito, sem saber a quê.
E há um profeta, que eu trouxe comigo,
Vindo das ruas de Pomfret, que encontrei
Com centenas aos montes a segui-lo;
Cantando, em versos rudes e agressivos,
150 Que antes do meio-dia da Ascensão
Sua Alteza entregaria sua coroa.

REI JOÃO

Sonhador tolo, por que fez isso?

PETER

Porque previ que a verdade dava nisso.

REI JOÃO

Hubert, leve-o embora, pra prisão:
155 E no dia, ao meio-dia, como diz
Que entrego a coroa, o enforque.
Deixe-o bem guardado, e volte aqui,
Pois devo usá-lo.

(Saem HUBERT e PETER.)

Meu querido primo,
Ouviu dizer, por aí, que eles chegaram?

BASTARDO

160 Os franceses? Só ouço falar nisso.
E encontrei Lord Bigot e Lord Safsbury,
De olhos rubros como fogo novo,
E outros também, querendo achar a tumba
De Artur que, dizem, foi morto esta noite
165 Por sua sugestão.

REI JOÃO

Meu bom parente, vá,
E infiltre-se na companhia deles.
Sei como ter de volta o amor deles;
Se os trouxer aqui.

BASTARDO

Vou procurá-los.

REI JOÃO

        Depressa: com o pé direito, pra sorte![45]
170   Não quero súditos por inimigos,
        Se estrangeiros assustam-me as cidades
        Com grande pompa de forte invasão!
        Use nos pés as asas de Mercúrio,
        E voe, pra voltar, qual pensamento!

BASTARDO

175   Os eventos ensinam-me a apressar-me.

(Sai.)

REI JOÃO

        Falou como um nobre corajoso.
        Vá atrás dele; pois talvez precise
        De um mensageiro entre eu e os nobres;
        Seja ele.

MENSAGEIRO

            De coração, senhor.

(Sai.)

REI JOÃO

180   Minha mãe morta!

(Volta HUBERT.)

HUBERT

        Ouvi que a noite teve cinco luas:
        Quatro fixas, a quinta circulando
        Em torno às outras, uma maravilha.

REI JOÃO

        Cinco luas?

HUBERT

            Os velhos, pelas ruas,
185   Faziam profecias de perigo:
        Todos já sabem da morte de Artur.
        Ao falar dele, abanam as cabeças,
        Segredam aos ouvidos uns dos outros;

---

[45] "Best foot forward", "o melhor pé para a frente", popular até hoje na língua inglesa como expressão de encorajamento, já era expressiva e de uso comum na época; mas apesar de talvez compreensível, não soa bem em português. (N. T.)

Quem fala agarra o punho de quem ouve.
E o que ouve mostra horrível reação,
Franzindo o cenho, arregalando os olhos.
Vi um ferreiro com o martelo assim,
Com o ferro esfriando na bigorna,
De boca aberta ouvindo o alfaiate;
Com tesoura e medidor na mão, este,
Ainda de chinelos que, com a pressa,
Tinha enfiado com os pés trocados,
Contava que milhares de franceses
Bem armados, 'stavam no campo, em Kent;
Outro artesão, magrela e muito sujo,
Cortou-o pra falar de Artur morto.

REI JOÃO

Por que procura possuir-me com tais medos?
Por que só fala da morte de Artur?
Sua mão o matou; tinha eu motivos
Pra isso; o senhor o matou sem eles.

HUBERT

Sem eles? Não fui eu incitado por Milord?

REI JOÃO

É maldição dos reis ser atendido
Por quem pensa que mau humor é ordem
Pra entrar na casa sangrenta da vida,
E, num cochilo da autoridade,
Compreender a lei, e decifrar
O olhar da perigosa majestade,
Lançado por humor, sem reflexão.

HUBERT

Tenho sua letra e selo pr'o que fiz.

REI JOÃO

Quando contas finais de céu e terra
Forem feitas, essa letra e esse selo
Testemunham pra minha danação!
Por vezes, ver os meios para o mal
Faz atos maus! Se não 'stivesse aqui,
Homem marcado pela natureza,
Já destinado a um ato de vergonha,
Essa morte jamais me ocorreria;
Mas, olhando o seu aspecto odioso,
Vendo-o propenso ao sangue e a vilania,

225 Disposto a ser usado pra perigos
Eu mal lhe falei da morte de Artur
E o senhor, só pra agradar um rei,
Não se importou em destruir um príncipe.

    Hubert

Meu senhor...

    Rei João

230 Mostrasse sua cabeça hesitação,
Quando mal mencionei meu objetivo,
Ou se me olhasse o rosto sem o crer,
Ou me pedindo que falasse claro,
A vergonha me emudeceria,
235 E o seu medo criava medo em mim.
Porém, compreendeu os meus sinais,
E com sinais consignou o meu pecado.
Porém seu coração consentiu logo,
E em consequência fez a sua mão
240 Esse feito, que as línguas evitaram.
Pra longe de meus olhos, ora e sempre!
Deixam-me os nobres, o estado é atacado
Em seus portões, por tropas estrangeiras:
Sim, no corpo desta terra em carne,[46]
245 No reino, e o que contém de sangue e hálito,
Reinam conflito e tumulto civil
Entre minha consciência e a morte dele.

    Hubert

Arme-se contra os outros inimigos,
Eu trago a paz entre si e sua alma.
250 O jovem Artur vive! A minha mão
Não 'stá manchada por seu rubro sangue,
E nem jamais penetrou neste peito
A vil ação de uma ideia mortífera;
Caluniou com esta forma a natureza,
255 Que, sendo horrível no exterior,
É capa de uma mente bem mais justa
Do que a que mata um menino inocente.

    Rei João

Artur vive? Pois corra até os nobres,
Jogue essa nova sobre a ira deles,
260 Para domar a sua obediência!
Desculpe o que falou minha paixão

---

46 A "terra em carne" é o próprio rei. (N. T.)

Do seu aspecto; cegava-me a ira,
E olhos imaginários, de sangue,
Mostraram-no mais feio do que é.
265 Não responda, mas traga à minha sala,
Bem depressa esses nobres irados.
Eu peço devagar; mas vá com pressa!

(Saem.)

CENA 3
Diante do castelo.
(Entra Artur, nas paredes.[47])

ARTUR
O muro é alto, mas eu vou saltar.
Bom solo, tem pena, não me machuques!
Poucos ou ninguém me conhecem, e esse
Meu traje de grumete me disfarça.
5 Tenho medo, porém vou me arriscar.
Se chego embaixo, sem nada quebrado,
Pra fugir posso a muito recorrer:
Ou vou e morro, ou fico pra morrer.

(Ele salta, e por um momento fica desfalecido.)

Serve o meu tio a pedra desgraçada,
10 Vai pro céu, alma; pra terra a ossada.

(Ele morre.)
(Entram PEMBROKE, SALISBURY e BIGOT.)

SALISBURY
Vou encontrá-lo em Saint Edmundsbury:
É nossa segurança, e abraçaremos
A boa oferta em tempos perigosos.

PEMBROKE
Quem trouxe essa carta do cardeal?

SALISBURY
15 O conde Melun, nobre lorde da França;
Que do amor do Delfim aos meus ouvidos
Deu maior força do que é dito nela.

---

[47] Essa rúbrica, que é da época, indica que Artur apareceria no palco superior. (N. T.)

BIGOT
    Amanhã de manhã o encontremos.

SALISBURY
    Ou já partimos; pois serão ainda
    Dois bons dias de marcha, pra encontrá-lo.

(Entra o BASTARDO.)

BASTARDO
    Eis-nos de novo, lordes descontrolados!
    O rei requer sua presença imediata.

SALISBURY
    O rei já se desfez de todos nós:
    Nós não forramos seu manchado manto
    Com nossas honras, nem seguimos pés
    Que marcaram com sangue seu caminho.
    Volte e o informe. Sabemos o pior.

BASTARDO
    Mas é melhor ouvir boas palavras.

SALISBURY
    Nós pensamos co'as dores, não co'as mentes.

BASTARDO
    Porém não há razão pra sua dor;
    E a razão é o melhor para esta hora.

PEMBROKE
    Senhor, a impaciência tem privilégios.

BASTARDO
    Para ferir seu amo, não a outros.

SALISBURY
    Eis a prisão. *(Vê ARTUR.)* Quem é que jaz aí?

PEMBROKE
    Enfeita a morte a beleza de um príncipe?
    Não há na terra onde esconder tal feito.

SALISBURY
    O assassinato, odiando o próprio ato,
    O deixa à vista, pra pedir vingança.

BIGOT
        Ou, condenando tal beleza à tumba,
40   Viu-a principesca demais pra tumba.

SALISBURY
        Sir Richard, o que pensa agora?
        Já viu, ou leu, ou ouviu, ou pode admitir,
        Ou só quase admitir, vendo o que vê?
        Era possível, sem ver esse objeto,
45   Imaginar um outro tal? Isso é o auge,
        O topo, a crista, ou a crista das cristas,[48]
        Do brasão do assassínio: a mais sangrenta
        Vergonha selvagem, o golpe mais vil,
        Que o olho tingido da ira, ou que a raiva
50   Fixasse bem no pranto da piedade.

PEMBROKE
        Todo assassínio de antes esse apaga:
        E este, único e inigualável,
        Concederá santidade e pureza
        Aos pecados do tempo, não nascidos;
55   Fará brinquedo de qualquer sangria
        Se comparada a este ato vil.

BASTARDO
        Foi um trabalho maldito e sangrento
        Ato maldito de uma mão pesada,
        Se mão pesada é que o executou.

SALISBURY
60   Se mão pesada é que o executou!
        Tínhamos pista do que ia haver:
        Isso é obra da torpe mão de Hubert,
        Mas são do rei o projeto e o objetivo,
        A quem minh'alma proíbe obediência,
65   Ajoelhado ante a doce ruína,
        Soprando, a essa excelência agora muda,
        O incenso de uma jura, jura santa,
        De não provar os prazeres do mundo,
        Não infectar-me com nenhum deleite,
70   Não gozar do conforto ou da inércia
        Até fazer a glória desta mão,
        Com a honra do ritual da vingança.

---

[48] Era raro que fossem usadas cristas em elmos ou escudos; "crista das cristas" é uma impossibilidade. (N. T.)

PEMBROKE E BIGOT
>Nossas almas piedosas o confirmam.

(Entra Hubert.)

HUBERT
>Milords, com pressa venho procurá-los:
>Artur vive, e o rei manda buscá-los.

SALISBURY
>Não cora a ousadia ante a morte?
>Fora, vilão odioso; saia, saia!

HUBERT
>Não sou vilão.

SALISBURY
>Devo roubar a lei?

(Puxa a espada.)

BASTARDO
>Sua espada brilha; torne-a a seu lugar.

SALISBURY
>Só quando embainhá-la no assassino.

HUBERT
>Pra trás, Lord Salisbury; pra trás, eu digo.
>Minha espada tem fio como a sua.
>Não quero que de si se esqueça, lord,
>Nem tente-me o perigo da defesa;
>Pra que em sua ira não se esqueça
>De seu valor ou de sua nobreza.

BIGOT
>Lixo! Ousa desafiar assim um nobre?

HUBERT
>Certo que não; mas ouso defender
>Minha inocência ante um imperador.

SALISBURY
>É um assassino.

HUBERT
>Não há de prová-lo:

Não o sou. A língua que o diz é falsa,
Não diz verdade e, nesse caso, mente.

PEMBROKE
Despedace-o!

BASTARDO
            E eu insisto: paz!

SALISBURY
Afaste-se, ou o firo, Faulconbridge.

BASTARDO
95   Melhor seria ferir o demônio:
Se me fechar o cenho, ou der um passo,
Se, por pressa raivosa me ofender,
Eu o mato. Guarde a sua espada,
Ou o trituro e seu atiçador
100 De modo que acredite eu vir do inferno.

BIGOT
O que fará, famoso Faulconbridge?
Apoiar um vilão e assassino?

HUBERT
Eu não o sou.

BIGOT
E quem matou o príncipe?

HUBERT
105 Faz uma hora que eu o deixei bem.
Eu o honrava, amava, e chorarei
Toda a vida por ter perdido a dele.

SALISBURY
Não confie no pranto do matreiro,
Pois este nunca falta à vilania;
110 E ele, muito acostumado a ela,
Faz parecer ter rios de remorso.
Venham comigo todos que odeiam
O odor nojento de um abatedouro;
O cheiro do pecado me sufoca.

BIGOT
115 Vamos pra Bury, encontrar o Delfim!

PEMBROKE
    Lá, diga ao rei, pode nos procurar.

(Saem os NOBRES.)

BASTARDO
    Que mundo bom! Sabia desta obra?
    Para além da piedade sem limites
    Se executou esse feito de morte,
120   Está danado, Hubert.

HUBERT
    Senhor, ouça-me...

BASTARDO
    Deixe-me dizê-lo;
    'Stá negro de danado; nada há tão negro;
    'Stá tão danado quanto Lúcifer;
125   Não há demo no inferno assim tão feio,
    Quanto há de ser, se matou o menino.

HUBERT
    Por minh' alma...

BASTARDO
              Se sequer concordou
    Com ato tão cruel, perca a esperança;
    Se falta corda, o mais fino dos fios
130   Jamais nascido do útero da aranha
    Servirá pra esganá-lo; junco é tronco
    Para enforcá-lo; se quer afogar-se,
    Ponha um pouco d'água numa colher,
    Que ela basta, como o oceano todo,
135   Pra sufocar tamanha vilania.

HUBERT
    Se ato, acordo ou pensamento mal
    For culpado de roubar o último alento
    Que dava vida a esse lindo barro,
    Que o inferno seja pouco para mim!
140   Eu o deixei bem.

BASTARDO
              Pois pegue-o nos braços.
    Fico perplexo, creio, e até me perco
    Entre perigo e espinhos deste mundo.
    Como lhe é fácil arcar com a Inglaterra

            Nesse pedaço morto da realeza!⁴⁹
145   Direito, vida e verdade do reino
            Foram pro céu; e resta à Inglaterra
            Lutar e destroçar, pegar com os dentes
            O título sem dono deste estado.
            Pelos ossos da majestade, hoje,
150   O cão da guerra sacode sua cabeça
            E rosna contra o olhar doce da paz:
            Tropas e descontentes desta terra
            Em uma linha criam confusão,
            Como o corvo, sobre o animal ferido,
155   Olhando os restos da pompa arrasada.
            Feliz daquele cuja capa e cinto
            Resistem à procela. Leve essa criança
            E me siga depressa: vou até o rei.
            Mil assuntos de peso a mão encerra,
160   E o céu franze o seu cenho para a terra.

                                                            (Saem.)

---

49 O gesto prova a inocência de Hubert, pois as vítimas sangravam ao serem carregadas por seus assassinos. (N. E.)

ATO 5

CENA 1
A costa da Inglaterra.

(Entram o Rei João, Pandulfo e séquito.)

Rei João

    Eu entreguei, então, em suas mãos
    Meu círculo de glória. *(Entrega a Pandulfo a coroa.)*

Pandulfo

              Então retome *(Devolve-lhe a coroa.)*
    Das minhas mãos, e como se do papa,
    Seu poder e grandeza soberanos.

Rei João

5   Agora cumpra a sua santa palavra
    E use o santo poder contra os franceses,
    Para impedir sua marcha, antes que a fúria
    Torne em revolta a nossa indignação;
    O povo luta contra a obediência,
10   E jura lealdade, com amor,
    A sangue e realeza estrangeiros.
    Essa maré de humores perturbados
    Só cabe a si repor em ordem certa:
    Depressa; tão doente está o tempo,
15   Que é preciso dar remédio logo,
    Pra que a doença não fique incurável.

Pandulfo

    Fui eu que fomentei a tempestade,
    Por sua teimosia ante o papa;
    Mas como converteu-se docemente
20   A minha língua há de impedir a guerra,
    E de trazer bom tempo para o reino.
    Neste dia da Ascensão, lembre sempre,
    Por sua jura de serviço ao papa,
    Farei depor as armas os franceses.

(Sai.)

Rei João

25   Da Ascensão? Pois não disse o profeta
    Que antes deste dia, ao meio-dia,

Eu perderia a coroa? E eu a perdi;
Pensava eu que seria por força
Porém, graças a Deus, foi voluntário.

(Entra o Bastardo.)

BASTARDO

30 O Kent todo cedeu; e só resiste
O castelo de Dover. Até Londres
Foi boa anfitriã para os franceses;
Seus nobres não o ouvem, antes partem
E oferecem serviço ao inimigo.
35 Perplexos, correm de um lugar a outro
Os seus amigos, poucos e incertos.

REI JOÃO

Não voltaram para mim os nobres
Ao saber que Artur inda está vivo?

BASTARDO

Encontraram-no morto em uma rua,
40 Casca vazia onde a joia da vida
Por qualquer mão foi roubada e levada.

REI JOÃO

O vilão Hubert me disse que vivia.

BASTARDO

Por minh'alma que, eu soubesse, vivia.
Mas por que fica triste e abatido?
45 Seja ora grande, em ato e pensamento;
Não deixe o mundo ver que assim o medo
Governa o aspecto dos olhos reais!
Alerta como o tempo, dê fogo ao fogo,
Ameace quem o faz, e encare, altivo,
50 O presunçoso horror; olhos mesquinhos,
Que imitam o porte dos grandes,
Por seu exemplo serão também grandes,
Com o espírito de quem não tem medo.
Avante, e brilhe como o deus da guerra
55 Quando este assume sua forma de campo:
Mostre ousadia, confiança altaneira!
Como? Eles buscam o leão na toca
E lá o assustam? Lá o fazem tremer?
Que isso não seja dito! Vá depressa,
60 Pro perigo ficar longe das portas,
E o enfrente sem que chegue perto!

REI JOÃO

    Esteve aqui o legado do papa,
    Com quem eu firmei uma boa paz;
    E ele prometeu-me dispersar
65   As tropas do Delfim.

BASTARDO

                    Inglório acordo!
    Devemos, a quem pisa em nossa terra,
    Mandar ordens corteses, concessões,
    Parlamentar armistícios rasteiros
    Com invasores? Um menino imberbe,
70   Galeto de cetim, nos desafia,
    Engorda o espírito com a nossa terra,
    Embandeirando o ar sem mais respeito,
    Sem limites? Às armas, meu senhor, às armas!
    O cardeal talvez não ganhe a paz;
75   E se ganhar, que ao menos seja dito
    Que estávamos prontos pra defesa.

REI JOÃO

    Eu lhe entrego o comando, no presente.

BASTARDO

    Vamos partir, com garbo corajoso,
    Pois o nosso inimigo é orgulhoso.

                                      (Saem.)

CENA 2
O acampamento do Delfim em St. Edmundsbury.

(Entram, armados, LUÍS, SALISBURY, MELUN, PEMBROKE, BIGOT e tropas.)

LUÍS

    Milord Melun, que isto seja escrito,
    E bem guardado pra nossa lembrança:
    Devolva o original aos mesmos nobres;
    Pra que ante nossas ordens, ora escritas,
5   Eles e nós, ao relê-las nos lembremos
    Por que recebemos o sacramento,
    Firmando nossa fé e unidade.[50]

SALISBURY

    De nosso lado não será quebrado.

---

50 Shakespeare mistura aqui a peregrinação a Sr. Edmund e o desembarque de Luís. Embora a fonte (*As crônicas de Holinshed*) não mencione documento, a passagem pode ser referência à Magna Carta, assinada mais tarde, reconhecendo os direitos dos nobres antes repudiados pelo rei. (N. T.)

          Nobre Delfim, embora aqui juremos
10   Nosso zelo e fé, não solicitados,
          As suas regras, acredite, príncipe,
          Não me alegro que tempos tão difíceis
          Venham ser remendados pelas armas,
          E curem cancro de uma só ferida
15   Fazendo muitas. Dói a minha alma
          Ter de puxar o aço do meu lado
          Para fazer viúvas! Longe, onde
          O salvamento honrado e a defesa
          Gritam e clamam o nome de Salisbury!
20   Porém, o tempo está tão infectado,
          Que pra atender e curar o direito,
          Só podemos usar as próprias mãos
          Da injustiça dura e do mal tonto.
          E não é uma tristeza, amigos,
25   Que somos, todos, filhos desta ilha,
          Aqui nasçamos pra ver esta hora;
          E ao lado de estrangeiros nós marchemos
          Sobre seu doce peito, e aumentemos
          O exército inimigo — paro e choro
30   Sobre a mancha desta causa errada —
          Para agradar gente de terra longínqua,
          E seguir cores que desconhecemos?
          Aqui? Pudesse a nação mudar-se,
          Pras águas de Netuno, que a abraçam,
35   Não permitissem que se conhecesse —
          E a levasse, incapaz, pra terra estranha,
          Onde essas hostes cristãs misturassem
          Maligno sangue e veias de união,
          Sem o gastar em tola inimizade!

     Luís
40   Isso mostra temperamento nobre;
          E a luta de emoções dentro do peito,
          Faz terremoto dessa sua nobreza.
          Mas que nobre combate já lutou
          Entre a necessidade e as convicções!
45   Permita-me limpar o nobre orvalho,
          Que em prata escorre pelas suas faces:
          Pranto de dama me amolece o peito,
          Sendo essa inundação já rotineira;
          Mas a queda de gotas tão viris,
50   Jorro que vem da procela da alma,
          Me espanta os olhos e mais os assusta
          Do que se eu visse a abóboda do céu

        Marcada por meteoros em fogo.
        Olha pro alto, nobre Salisbury,
55   Com o coração arrasa a tempestade:
        Mostra essa água aos olhos infantis
        Que não viram em fúria o grande mundo,
        Só encontraram a fortuna em festa,
        Com sangue quente, humor e mexericos.
60   Vamos; sua mão vai penetrar tão fundo
        Na rica bolsa da prosperidade
        Quanto Luís; e assim todos os nobres,
        Que ligam seus tendões de força aos meus.

        (Entra PANDULFO.)

        E agora, penso, nos falou um anjo:
65   Vejam como o legado vem depressa,
        Para nos garantir que a mão do céu,
        E nossa ação se unem em direito
        Com sopro santo.

PANDULFO
                Delfim de França!
        Eis as novas: João conciliou-se
70   Com Roma; retornou seu espírito,
        Afastado da Santa Madre Igreja,
        De Roma, sua grande Sé e metrópole.
        Recolham ameaças e bandeiras,
        Domem o espírito da livre guerra,
75   Pra que, como leão criado a leite,
        Ela fique deitada aos pés da paz,
        E só no aspecto mostre-se malévola.

LUÍS
        Perdão, Sua Graça, mas não me retiro:
        Não se brinca com nobre como eu,
80   Ser feito secundário no comando,
        Apenas serviçal e instrumento
        De qual reino que haja neste mundo.
        O senhor reviveu brasas de guerra
        Entre este reino em crise e eu mesmo,
85   Insuflou este fogo com razões;
        Não se pode apagar as altas chamas
        Com o sopro fraco que acendeu o fogo.
        O senhor ensinou-me o que é direito,
        Mostrou-me os interesses desta terra,
90   Fincou a empresa no meu coração;

E agora vem dizer-me que João
Fez paz com Roma? E essa paz me importa?
Eu, pela honra de meu casamento,
Depois de Artur, vem pra mim esta terra;
Já meio ganha, eu devo recuar?
Sou escravo de Roma? Que dinheiro
Ou munição chegou a nós de Roma,
Pra apoiar esta ação? Não fui eu quem
Arcou com os custos? Pois quem, senão eu,
E aqueles que apoiam meu reclamo,
Aqui suaram pra manter a guerra?
Não ouvi eu gritarem os ilhéus
"*Vive le roi*", nas cidades em que entrei?
Não tenho eu a melhor mão pro jogo
Em que ganho a coroa sem problemas?
E agora devo entregar o conquistado?
Por minh'alma, isso ninguém dirá.

PANDULFO
Só vê a superfície dessa causa.

LUÍS
Por dentro ou fora, não vou recuar
Até que seja honrada a proposta
Quanto à promessa de minha esperança,
Antes que eu entrasse nesta guerra,
E reunisse esses homens fogosos,
Pra que ganhassem conquistas e fama
Nas bocarras da morte e do perigo.

(Ouve-se uma clarinada.)

Que forte trompa nos conclama agora?

(Entra o BASTARDO, com auxiliares.)

BASTARDO
Segundo as cortesias deste mundo
Dê-me audiência; fui mandado falar:
Santo Milord de Milão, do rei venho
Para saber o que alcançou por ele;
Segundo sua resposta, saberei
Os limites que terá a minha língua.

PANDULFO
O Delfim é teimoso e cabeçudo,

Não concorda em ceder a meus pedidos;
125 E se recusa a dar repouso às armas.

BASTARDO
Por todo o sangue que soprou a fúria,
Falou bem. E assim diz o rei inglês;
Pois sua realeza fala em mim:
O rei 'stá pronto, e tem motivos para —
130 Dessa postura rude de macaco,
Essa farra com faces disfarçadas,
O imberbe abuso de quase-meninos,
Sorrir apenas; e está preparado
Para açoitar guerra anã de pigmeus,
135 E expulsá-los de seus territórios.
A mão que, às suas portas, teve força
Para, à pancada, fazê-los esconder-se,
Afundar como balde em poço oculto,
Encolher-se no lixo dos estábulos,
140 Deitar-se quais leões em suas caixas,
Abraçar porcos, tremer e sacudir
Se cacarejam os galos gauleses,
Só por pensá-lo ingleses armados;
Ficará fraca aqui essa mão forte,
145 Que os castigou em seus próprios salões?
Saibam que o rei galante está armado:
Como a águia em seu ninho nas alturas
Mergulha no que avança sobre o ninho.
Aos senhores, ingratos revoltosos,
150 Neros sangrentos, a ferir o ventre
De sua mãe Inglaterra, se envergonhem.
Pois suas próprias damas e donzelas,
Como amazonas seguem os tambores,
Trocam dedais por manoplas de ferro,
155 As agulhas por lanças, e ora tendem
A trocar coração por sangue e força.

LUÍS
Basta de bravata; olhe para a paz;
De boca é melhor que nós; pois passe bem,
Nosso tempo é precioso, e não perdido
160 Com fanfarrões assim.

PANDULFO
                Deixe que eu fale.

BASTARDO
Não, falo eu.

Luís

    E eu não ouço um ou outro.
    Tambor, bata; e que a língua da guerra
    Diga nosso alvo, e porque aqui estamos.

Bastardo

165   Seus tambores, batidos, vão gritar,
    Como os senhores, batidos.
    Comecem um eco, com a batida dos tambores,
    E, bem à mão, está pronto um tambor
    Pra reboar tão alto quanto o seu.
170   Bata mais um, e um outro soará
    Tão alto, arranhando o ouvido do céu,
    Zombando de trovão de boca; à mão,[51]
    Sem confiar no legado hesitante,
    A quem usou por gozo, sem precisar,
175   Está João, guerreiro; que traz em sua fronte
    Uma caveira, cujo encargo hoje
    É banquetear-se com mil franceses.

Luís

    Avante! Tambores! Para o perigo à frente!

Bastardo

    E haverão de encontrá-lo, certamente.

(Saem.)

CENA 3
O campo de batalha.

(Fanfarra. Entram Rei João e Hubert.)

Rei João

    Como está nosso dia? Diga, Hubert.

Hubert

    Temo que mal. E como está Sua Alteza?

Rei João

    A febre que há tempos me incomoda
    Me pesa; o coração está doente!

(Entra um Mensageiro.)

---

51 A insistência de Shakespeare em citar separadamente várias partes do corpo tem o objetivo de criar, no conjunto, a imagem da desagregação do reino. (N. T.)

MENSAGEIRO

    Senhor, seu parente Faulconbridge
    Deseja que Sua Alteza deixe o campo
    E lhe mande dizer por onde vai.

REI JOÃO

    Diga-lhe que pra Swinstead, pra abadia.

MENSAGEIRO

    Anime-se; o grande suprimento.
    Que era esperado aqui pelo Delfim,
    Perdeu-se, há três noites, em Goodwin Sands.
    Richard teve a notícia agora há pouco:
    Os franceses 'stão frios, e recuam.

REI JOÃO

    Ai, essa febre tirana me queima,
    Não me deixa saudar as boas novas.
    Vamos pra Swinstead; na minha liteira:
    A fraqueza me invade; desfaleço.

(Saem.)

CENA 4
Outro ponto do campo.
(Entram SALISBURY, PEMBROKE e BIGOT.)

SALISBURY

    O rei tem mais amigos que eu pensava.

PEMBROKE

    De novo, esquentemos esses franceses:
    Se eles fracassam, também fracassamos.

SALISBURY

    O maldito diabo, Faulconbridge,
    Contra tudo, ganha o dia sozinho.

PEMBROKE

    O rei, doente, dizem, sai do campo.

    (Entra MELUN, ferido.)

MELUN

    Levem-me até os revoltosos ingleses.

SALISURY
>Quando felizes, era outro o nome.

PEMBROKE
>É o conde Melun.

SALISBURY
>Ferido de morte.

MELUN
>Fujam, nobres ingleses; 'stão traídos.
>Saiam do olho da rebelião,
>Voltem ao lar da fé abandonada.
>Busquem seu rei e caiam a seus pés,
>Pois se os franceses ganham este dia,
>Luís quer compensar o seu trabalho
>Cortando suas cabeças. Jurou isso,
>E eu com ele, e muitos outros mais,
>Sobre o altar de St. Edmundsbury;
>No mesmo altar em que jurou a si
>Cara amizade e um amor eterno.

SALISBURY
>É possível? Isso é mesmo verdade?

MELUN
>Meu olhar não entrevê a horrenda morte,
>Retendo um pouquinho de vida
>Que, sangrando, faz como forma em cera
>Que desfigura a forma, junto ao fogo?
>O que me faria enganar, no mundo,
>Quando o engano, pra mim, não tem mais uso?
>Por que ser falso, já que é verdade
>Que morro, pra viver na eternidade?
>Repito: se é Luís quem ganha o dia,
>Ele é traidor, se é que esses seus olhos
>Poderão ver dia nascer no leste:
>Inda esta noite, com contágio negro,
>Já fumega em torno à crista áurea
>Do sol velho, cansado e desgastado.
>Pois nesta noite o seu alento expira,
>Pagando a multa da odiada traição
>Com a multa traiçoeira de suas vidas,
>Se, com sua ajuda, Luís ganha o dia.
>Recomendem-me a Hubert, com o rei;
>Pois o amor dele, e também a lembrança

De meu avô também ter sido inglês,
Me levaram a confessar tudo isso.
Em paga, eu peço, levem-me daqui,
Longe do ronco e barulho do campo,
Par' onde eu possa, antes do fim, pensar
Em paz, e separar corpo da alma
Com desejos devotos, contemplando.

SALISBURY
Nós o cremos; e maldita a minha alma
Se eu não amo o benefício e a forma
Desta bela ocasião, graças à qual
Não pisaremos os passos da fuga,
Mas, qual enchente agora já em baixa,
Nos curvamos aos limites deixados,
Escorrendo, com calma e obediência,
Até nosso oceano, o rei João.
Meu braço o ajuda a ir-se daqui;
Pois sinto os cruéis golpes da morte
Em seu olho. Avante, amigos, corramos
Pro feliz novo dia que buscamos!

(Saem, carregando MELUN.)

CENA 5
O acampamento francês.

(Entram LUÍS e seu SÉQUITO.)

LUÍS
O sol, parece, custava a se pôr,
Sempre corando o céu do ocidente,
Quando os ingleses cederam terreno,
Em retirada. Com bravura saímos
Com uma gratuita salva de tiros,
Finda a sangria, dando boa-noite,
Recolhendo as bandeiras já rasgadas,
Os últimos no campo, quase os donos!

(Entra um MENSAGEIRO.)

MENSAGEIRO
Onde está o Delfim?

LUÍS
Aqui. O que há?

MENSAGEIRO
O conde Melum 'stá morto; e os ingleses,
Persuadidos por ele, nos deixaram;
Os suprimentos que tanto esperávamos
Perderam-se, com a nau, em Goodwin Sands.

Luís
Malditos seu coração e suas novas!
Não pensei ficar tão triste esta noite
Quanto isso me deixou. Quem foi que disse
Que o rei João fugira, uma hora antes
De a noite separar as nossas tropas?

MENSAGEIRO
Seja quem for, é verdade, Milord.

Luís
Fiquem firmes e alertas esta noite:
O dia não levanta antes de mim,
Para enfrentar as lutas de amanhã.

(Saem.)

CENA 6
Um local aberto nos arredores da abadia de Swinstead.

(Entram o BASTARDO e HUBERT, de pontos diversos.)

HUBERT
Quem vem lá? Depressa ou eu atiro.

BASTARDO
Amigo, de onde é?

HUBERT
Do lado inglês.

BASTARDO
Pr'onde está indo?

HUBERT
O que lhe importa? *(Pausa.)* Não posso indagar
Os seus negócios, como faz dos meus?

BASTARDO
Creio que é Hubert.

HUBERT

      Pensou muito acertado:
  Arrisco eu tudo, porém creio bem
  Que seja amigo; fala bem a língua.
  Quem é?

BASTARDO

      Quem quiser; e se lhe agradar
  Pode tomar-me por amigo a ponto
  De pensar-me sendo Plantageneta.

HUBERT

  Má lembrança! O senhor e sua noite[52]
  Me envergonharam. Perdão, soldado,
  Que qualquer som saído de sua boca
  Escapasse ao que o ouvido conhece.

BASTARDO

  Vamos, sem cumprimentos, quais as novas?

HUBERT

  Eu tenho andado pela fronte da noite
  A procurá-lo.

BASTARDO

     Depressa, o que foi?

HUBERT

  Doce senhor, novas bem para a noite,
  Negras, assustadoras, e horríveis.

BASTARDO

  Mostre-me o cerne dessas novas más:
  Não sou mulher, não desmaio com isso.

HUBERT

  Temo que um monge envenenasse o rei:
  Deixei-o quase mudo, e afastei-me
  Para que pudesse, informado do mal,
  Melhor armar-se para o inesperado,
  Só na calma saber o que se deu.

BASTARDO

  Como o tomou? Quem era o provador?

---

52 Era uma espécie de insulto corrente na época; para ênfase, a noite era sem fim. (N. T.)

HUBERT
>Um monge — eu digo, um convicto vilão,
>Cujas tripas se arrebentaram logo:
>O rei, que ainda fala, talvez viva.

BASTARDO
>Quem cuida agora de Sua Majestade?

HUBERT
>Não soube ainda? Os lordes todos voltaram,
>Na companhia do príncipe Henrique,
>A cujo pedido o rei perdoou todos,
>Estando todos com Sua Majestade.

BASTARDO
>Que o céu retenha a sua indignação,
>E não nos tente a mais do que podemos!
>Saiba que metade da minha tropa
>Foi levada, esta noite, na maré;
>Os baixios de Lincoln as comeram;
>Eu, bem montado, quase não escapo.
>Vamos, conduza-me até o rei;
>Temo que morra antes de eu chegar.

(Saem.)

CENA 7
O pomar da Abadia de Swinstead.

(Entram o Príncipe Henrique, Salisbury e Bigot.)

PRÍNCIPE HENRIQUE
>É tarde; a vida de seu sangue todo
>'Stá corrompida, e seu puro cérebro,
>Que cremos ser a morada da alma,
>Por inúteis comentários que faz,
>Prenunciam o fim do que é mortal.

(Entra Pembroke.)

PEMBROKE
>Sua Alteza falou, e acredita
>Que se o trouxerem para o céu aberto,
>Seria aliviada a queimadura
>Do vil veneno que o atacou.

PRÍNCIPE HENRIQUE

  Que ele seja trazido pro pomar.
  Inda está furioso?

PEMBROKE

     'Stá mais paciente
  Do quando o deixou, e até cantou.

PRÍNCIPE HENRIQUE

  Vaidade da doença! O mal extremo,
  Sendo contínuo, não se sente mais.
  A morte marca as partes exteriores,
  Mas as deixa invisíveis e ora cerca
  A mente, a qual ela espeta e fere
  Com legiões de estranhas fantasias,
  Que atacando esses últimos redutos,
  Se perdem. É estranho a morte cantar.
  Sou o filhote do cisne que desmaia,
  Cantando o hino de sua própria morte,
  E com seu órgão de tubos embala
  Corpo e alma para o repouso eterno.

SALISBUTY

  Anime-se, príncipe, pois nasceu
  Para dar forma ao não digerido
  Que ele deixa tão disforme e rude.

(Entram serviçais, com BIGOT, trazendo o REI JOÃO na cadeira.)

REI JOÃO

  Agora, sim, minh' alma tem espaço;
  Não partia por portas nem janelas.
  Tenho verão tão quente no meu peito
  Que as entranhas já se tornaram pó:
  Sou rabisco que a pena desenhou
  Em pergaminho, e contra esse fogo
  Me encolho.

PRÍNCIPE HENRIQUE

  Majestade, como passa?

REI JOÃO

  Envenenado, mal. Abandonado:
  E ninguém aqui pede ao inverno
  Que me meta mão gelada na goela,
  Nem deixa que os rios do reino

40 Corram no meu peito; nem pede ao norte
Que mande ventos beijarem-me os lábios,
E me embalem com o frio. Peço pouco,
Conforto frio; mas são tão avaros,
E tão ingratos, que a mim o negam.

Príncipe Henrique
45 Quem dera tivera força o meu pranto
Pra aliviá-lo!

Rei João
O sal que tem é quente.
Há um inferno em mim; e lá o veneno
É como um demônio que tiraniza
O meu sangue maldito, irresgatável.

(Entra o Bastardo.)

Bastardo
50 'Stou escaldado com ação violenta,
E com pressa pra ver Sua Majestade!

Rei João
Ah, primo, veio pra fechar meus olhos:
Queimou-se o engenho do meu coração,
E as cordas pra que eu velejasse a vida
55 São ora só um fio de cabelo;
No coração só resta uma corda,
Que só resiste até ouvir suas novas.
Depois, tudo o que vê é apenas barro,
Molde de realeza destruída.

Bastardo
60 O Delfim se prepara para vir,
Onde Deus sabe como o enfrentaremos;
Numa noite muito da minha tropa
Num momento propício para manobra,
Nos baixios, sem a atenção devida,
65 Foi devorada pelo inesperado.

(O Rei morre.)

Salisbury
Disse novas mortais a ouvidos mortos.
Senhor! Há pouco um rei, e agora isto.

Príncipe Henrique
Assim hei de viver, assim findar.

Rei João Ato 5 Cena 7

                    Que garantia, esperança, há no mundo
70   Se o que era há pouco um rei, agora é barro?

    BASTARDO
                    Então partiu? Eu só fico pra trás
                    Pra cumprir a tarefa de vingá-lo.
                    Depois minh'alma há de esperá-lo no céu,
                    Para, como na terra o servir sempre.
75   Então, estrelas em suas esferas,
                    Onde suas tropas? É hora de provar
                    Suas fés, retornando já comigo
                    Para expulsar destruição e vergonha
                    Dos portões desta nossa fraca ilha.
80   Busquemos, pra não sermos buscados;
                    O Delfim cisca os nossos calcanhares.

    SALISBURY
                    Não sabe, eu vejo, tanto quanto nós:
                    O cardeal Pandulfo ora repousa,
                    Chegado há meia hora do Delfim,
85   De quem nos traz ofertas tais de paz
                    Que podemos firmar com honra e respeito,
                    A fim de terminar logo com a guerra.

    BASTARDO
                    Ele há de querê-lo se nos vir
                    Bem preparados pra nos defender.

    SALISBURY
90   De certo modo isso já está feito,
                    Pois despachou já muitas carruagens
                    Pra beira-mar, entregando os acertos
                    Para que o cardeal os negocie:
                    Com quem o senhor, eu e outros lordes,
95   Se concordar, sentamos esta tarde
                    A fim de dar final feliz a tudo.

    BASTARDO
                    Que assim seja; e o senhor, meu nobre príncipe,
                    Com outros príncipes que o possam fazer,
                    Prepare os funerais do rei seu pai.

    PRÍNCIPE HENRIQUE
100   Seu corpo será enterrado em Worcester;
                    É o seu desejo.

BASTARDO
> Pois assim será.
> E com alegria poderá ostentar
> Por berço o posto e a glória desta terra!
> A quem, com humildade e ajoelhado,
> Aqui dedico meu fiel serviço
> E verdadeira sujeição, pra sempre.

SALISBURY
> E igual prova de amor aqui nós damos,
> Que para sempre há de durar, sem mácula.

PRÍNCIPE HENRIQUE
> Tenho alma delicada que agradece,
> Mas não sei como, a não ser com lágrimas.

BASTARDO
> Demos ao tempo só dor necessária,
> Pois as tristezas já pagamos antes.
> Nunca foi a Inglaterra e nem será
> Pisada por um pé conquistador,
> Senão com alguma ajuda dela mesma.
> Agora que esses príncipes voltaram,
> Volta os três cantos do mundo em armas,
> Os enfrentamos! Nada nos traz mal,
> Sendo a Inglaterra a si mesma leal!

(Saem.)

Henrique IV

Parte 1

INTRODUÇÃO
Barbara Heliodora

Para aqueles que gostam de encontrar problemas e mistérios nas obras de William Shakespeare, um dos grandes favoritos vem do fato de não se saber se ele resolveu de início escrever duas partes da mesma peça, ou se a segunda nasceu como consequência do sucesso da primeira. O esplendor da ascensão da Inglaterra ao nível de grande potência europeia nas duas últimas décadas do século XVI e o carisma de Elizabeth I tornavam os ingleses entusiasticamente patriotas e despertavam neles a curiosidade a respeito do passado, do caminho percorrido até chegarem onde se encontravam.

Shakespeare, que logo no início da carreira, com as três partes de *Henrique VI* e com *Ricardo III* havia analisado a luta pelo poder do período da Guerra das Rosas, volta agora, três anos mais tarde, e já bem mais experiente, à história da Inglaterra, analisando desta vez como o poder afeta aqueles que o detêm, e como isso se reflete na qualidade do governante. Em *Ricardo II*, que abre a segunda tetralogia, fica em jogo o conceito do direito divino dos reis, enquanto a ação propõe a seguinte indagação: O que é melhor, o mau rei legítimo ou o bom rei usurpador? Escrevendo em um período de severa censura política, só o talento de um Shakespeare consegue caminhar pelo fio da navalha, expressar reais reflexões dessa natureza e ainda chegar ao palco.

Se o usurpador Henrique IV foi sem dúvida um bom governante, no sentido shakespeariano de submeter seus interesses pessoais aos do bem-estar e da harmonia da comunidade governada, boa parte do interesse das duas peças que levam o seu nome é dedicada a seu filho Hal, o Príncipe de Gales, futuro Henrique V. Eram parte da tradição do país histórias dos abusos e dúbias aventuras do jovem príncipe que, com a morte do pai, se transformaria miraculosamente no melhor dos reis, o mais admirado e cultuado, em todo o passado. A juventude do estroina, no entanto, tinha de ser inserida no quadro do reino de seu pai, e como acontece em todas as suas peças, Shakespeare usou a liberdade formal característica do teatro elisabetano para encontrar a dramaturgia que melhor serviria como instrumento para expressar o objetivo essencial da obra.

Conhecedor da herança teatral da Idade Média, Shakespeare reconheceu na forma da Moralidade a mais elaborada e desenvolvida das criadas pelo teatro religioso, que foi um dos principais caminhos para a tragédia no processo de secularização do teatro. Em todas as Moralidades mais consagradas (como *O castelo da perseverança* ou *Todomundo*) a ação é caracterizada pelo conflito frontal entre o Bem e o Mal pela posse da alma do homem; no conflituoso processo de formação e transformação Hal/Henrique V, Shakespeare identificou exatamente um conflito semelhante aos que marcaram aquelas obras: Hal (tomado como Todomundo) seria a "alma" disputada entre o Bem (o Rei Henrique IV e sua grave noção de responsabilidade) e o Mal (os companheiros de farra de Hal, principalmente Falstaff, que o tentam para as alegrias da irresponsabilidade). Como todas as Moralidades foram necessariamente histórias exemplares, é claro que a vitória do Bem com o advento do Hal reformado — além do mais já conhecido — era implícita.

A necessidade de criar os dois mundos opostos, o do Rei e o de Falstaff, na realidade levou William Shakespeare a fazer sua mais original e decisiva contribuição dramatúrgica para o teatro elisabetano: desde o início de sua carreira ele já adentrara por praticamente todos os gêneros criados por seus antecessores imediatos, contentando-se com aprimorá-los a todos; mas aqui, para fazer o conflito Bem/Mal chegar com clareza à plateia, Shakespeare alterna cenas passadas na corte com cenas passadas em tavernas, e até mesmo em uma estrada durante um assalto. Para nós, hoje, isso é perfeitamente rotineiro, digamos; mas nessas duas partes de *Henrique IV*, pela primeira vez na história do drama universal, um reino é retratado não só por meio de seus governos e suas camadas dominantes mas também por meio de classes baixas, vigaristas, prostitutas e assaltantes. Em algumas peças históricas ou pseudo-históricas escritas pouco antes de Shakespeare começar a atuar, é possível, na verdade, encontrar algumas cenas de alívio cômico, assim como antes, nas Moralidades, o Diabo (sempre perdedor) adquirira características cômicas. Nessas peças, no entanto, o objetivo era unicamente o do alívio, o de fazer rir, muitas vezes com comicidade de pastelão; mas em Shakespeare, as cenas com Falstaff e companhia são apresentadas como um desejo de Hal de conhecer os vários aspectos da vida do reino antes de assumir a coroa, tornando-se portanto parte integrante da trama principal.

O estabelecimento da data de composição das peças de Shakespeare é sempre resultado de estudos, tradições e deduções. No caso de *Henrique IV Parte 1*, os dados são bastante sólidos: ela foi escrita depois de estar pronto o *Ricardo II*, que tudo indica ser de 1595; segundo a tradição, *As alegres comadres de Windsor* foi escrita logo depois, por haver a Rainha Elizabeth I afirmado que "gostaria de ver Falstaff apaixonado", e a comédia é do início de 1597. Para finalizar, a peça é mencionada por Francis Meres em seu *Palladis tamia*, de outubro de 1598. O resultado é concordarem todos que *Henrique IV Parte 1* seja de 1596. Para escrevê-la, como no caso das outras peças históricas inglesas, Shakespeare recorreu a Raphael Holinshed (*Chronicles of England, Scotland and Ireland*, 1587), Edward Hall (*The Union of the two Noble and Illustrious Families of Lancaster and York*, 1548), possivelmente Samuel Daniel (o poema épico *The First Four Books of The Civil Wars Between the Two Houses of Lancaster and York*, 1595) e, para as piores aventuras de Hal, a peça anônima *The Famous Victories of Henry V*. Foi nesta última, também, que ele encontrou o nome Sir John Oldcastle, que foi o dado inicialmente ao gorducho companheiro de Hal. Lord Cobham, descendente de Oldcastle, bravo guerreiro e não frequentador de tavernas, protestou e Shakespeare mudou o nome. Shakespeare achou nos livros de história um covarde chamado Sir John Falstolfe, mudou-o um pouco e rebatizou o desencaminhador do príncipe, mas esqueceu de apagar um trecho no qual Hal o chama "*my old lord of the castle*".

Falstaff, um dos mais famosos personagens da vasta galeria shakespeariana, é herdeiro direto do universo das alegóricas Moralidades: no *Todomundo* seu nome é precisamente "Boas Companhias", sempre pronto a acompanhar Todomundo em suas farras, mas se recusando a fazê-lo quando este tem de morrer e prestar contas do que fez no mundo. Um outro nome igualmente alegórico que o mesmo tipo de personagem teve foi o de "Vício", e apesar de, com a passagem do tempo, a força de vida do personagem, a autenticidade de sua picardia terem tornado Falstaff um considerável favorito de muitos estudiosos, que não perdoam Hal por afastá-lo de si ao ser coroado, todo o público elisabetano o reconheceria como o mau elemento que era, e desde o início já esperava seu destino de condenação. Esse mesmo público, por outro lado, apreciaria — e muito — a capacidade de Shakespeare para individualizar o que antes fora apenas um tipo; e muito embora nenhum de seus companheiros atinja o mesmo nível de vida própria ou carisma, eles dão vida ao submundo que o Príncipe de Gales frequenta, para grande desgosto da corte.

O conjunto das duas peças sobre *Henrique IV* apresenta mais ação guerreira do que qualquer outra de suas obras, sobretudo na Parte 1 que mostra a rebelião chefiada por Hotspur, a primeira de três que efetivamente houve contra a coroa. A ação começa no final de 1402 e termina com a batalha de Shrewsbury, em 1403, mas é preciso sempre lembrar que Shakespeare escreve teatro, e não história da Inglaterra, de modo que, embora ele jamais conteste frontalmente qualquer fato histórico significativo, ele manipula tudo o que quer, no intuito de criar a ação dramática apta a transmitir o que ele tem em mente. Para Henrique IV, que tirara do trono o primo Ricardo II justamente por ser irresponsável e mau governante, não poderia haver maior sofrimento e vergonha do que ter o seu filho mais velho, herdeiro do trono, entregue aos maiores desmandos. Shakespeare faz de Henrique IV um homem sempre preocupado em agir com correção, a fim de justificar sua presença no trono; o mais interessante na elaboração do personagem do rei, no entanto, é o fato de Shakespeare conseguir transmitir, apesar da censura, sua aprovação da usurpação como ato político, reservando as tintas mais fortes para a culpa pela morte de Ricardo II, a qual por muito tempo se acreditou ter ele ordenado.

Para salientar o aspecto irresponsável do herdeiro, Shakespeare usa na peça, como claro contraste, o jovem Henry Percy, guerreiro apaixonado, ao qual dá o nome Hotspur; o rei chega mesmo a expressar o desejo de que os dois houvessem sido trocados ao nascer, para ter um filho admirado e respeitado; historicamente, no entanto, Henry Percy era mais velho do que o próprio Henrique IV. Ao fazer tal modificação, o objetivo de Shakespeare foi além do estabelecimento de um confronto bem/mal entre dois jovens: Hal e Hotspur representam duas posições contrastantes: enquanto o revoltoso Percy tem uma visão totalmente medieval de glória individual, de orgulho guerreiro puro e simples, Hal, com sua preocupação com os vários aspectos da vida no reino, sua humildade ao desculpar-se diante do pai ou ao desafiar Hotspur para combate singular (a fim de poupar vidas), e sua indiferença à glória ao não reclamar para si a vitória sobre Hotspur, é apresentado como alguém de uma mentalidade mais moderna, como já sendo a promessa do bom governante que o país todo admirava.

Vale a pena salientar alguns detalhes no modo de Shakespeare trabalhar para inserir na ação sua reflexão sobre os governantes e o poder: No *Ricardo II*, o rei Henrique IV, então Henry Bolingbroke, é sempre apresentado de tal modo que pareça realmente que as circunstâncias, e nunca a ambição, o levem até o trono, enquanto por outro lado o apoio a ele, como a desaprovação ao comportamento do rei Ricardo são amplos, quando não gerais: o movimento fica caracterizado como atendendo a um anseio nacional. Já aqui, no levante dos Percys, Shakespeare faz o movimento parecer apenas produto dos interesses de uma facção, usando para isso alguns caminhos que podemos identificar: os nomes dos revoltosos são poucos, sempre os mesmos: os Percys, pai e filho, Glendower e seu genro Mortimer, o arcebispo de York;

ninguém mais é mencionado. Dentro desse próprio grupo a unidade não é absoluta: o Percy pai (conde de Northumberland), acovardado, inventa uma conveniente doença na hora da batalha, não querendo ficar tão comprometido aos olhos do rei. Já seu irmão Worcester é um intrigante, desonesto ao transmitir a mensagem de paz do rei, por medo de não merecer realmente perdão para sua própria reputação como rebelde. Dentre os rebeldes, o que mais merece a simpatia de Shakespeare é o próprio Hotspur, cujo delírio guerreiro é um tanto atenuado por seu carinho, mesmo que relutante, em relação a sua mulher Kate, bem como por sua divertida impaciência com Owen Glendower e as preocupações deste com poderes sobrenaturais.

Os papéis femininos são poucos, como convém tanto às tramas guerreiras quanto à ausência de atrizes no teatro elisabetano; e a natureza de composição de tais papéis fica bem sublinhada com a presença da filha de Glendower, casada com Mortimer, que não sabe falar inglês (e nem ele galês). Mais interessantes, é claro, são as duas mulheres do universo da taverna, Mistress Quickly [Dona Rápida] e Doll Tearsheet [Dona Rasgalençol], ambas revelando nos próprios nomes suas longas carreiras na prostituição, e ambas donas de uma desencantada objetividade que a vida lhes ensinou (mesmo que não as tenha derrotado).

Nesta Parte 1, o que Shakespeare apresenta é mais a formação de Hal em suas obrigações de cidadania e de guerreiro, enquanto Falstaff aqui tem mais do antigo "Boas Companhias", e seus pecados são mais divertidos; mesmo assim é preciso notar que Hal faz devolver o dinheiro do assalto no qual toma parte, mesmo que indiretamente.

Na cena em que os integrantes do partido dos Percys revelam suas posições egoístas e pouco patrióticas repartindo entre si a Grã-Bretanha, em que Hal e Falstaff "representam" um diálogo entre o Rei e seu herdeiro, no efetivo diálogo entre Henrique IV e Hal, e nos comportamentos de todos na batalha final fica muito bem marcado o objetivo de Shakespeare na elaboração da peça: ele não escreve a história da Inglaterra, mas se serve dela para refletir sobre temas a respeito dos quais é provável que acreditasse que os ingleses em geral deveriam eles mesmos refletir.

LISTA DE PERSONAGENS

Rei Henrique IV

Henrique, príncipe de Gales ⎫
Lord John de Lancaster ⎭ filhos do rei

Lord Mowbray
Conde Marechal
Conde de Westmoreland
Sir Walter Blunt
Thomas Percy, conde de Worcester
Henry Percy, conde de Northumberland

Henry Percy, chamado de Hotspur ⎬ seu filho

Edmund Mortimer, conde de March
Archibald, conde de Douglas
Owen Glendower
Sir Richard Vernon
Richard Scroop, arcebispo de York
Sir John Falstaff
Poins
Peto
Bardolph
Gadshill

Lady Percy ⎬ esposa de Hotspur e irmã de Mortimer

Lady Mortimer ⎬ filha de Glendower e esposa de Mortimer

Misstress Quickly, taverneira
Misstress Doll Tearsheet
Nobres, oficiais, xerife, vinheteiro, copeiro, aprendiz de garçom, dois carroceiros, taverneira, mensageiros, viajantes e criados.

ATO 1

CENA 1

(Entram o Rei, Lord John de Lancaster, o Conde de Westmoreland, Sir Walter Blunt e outros.)

Rei

Mesmo assim abalado por cuidados,
Na paz precária encontro ainda alento
Para arfar no clamor de novas lutas,
Que irão nascer em areias longínquas.
5   Nunca mais este solo tão sedento
Terá nos lábios sangue de seus filhos,
Nem há mais a guerra de arar seus campos,
Nem ferir flores com patas armadas
De hostil tropel. Os olhos inimigos
10 Que quais coriscos em céus perturbados
De uma só natureza e igual substância
Se enfrentaram há pouco em luta interna,
E em matança civil furiosa e estreita,
Agora, em filas mutuamente iguais,
15 Marcham num rumo só, sem mais se opor
A amigos, parentes e aliados.
O fio da guerra, meio sem bainha,
Não corta mais seu amo. E então, amigos,
Até o sepulcro distante de Cristo —
20 De quem, portando a cruz, somos soldados
Já convocados e engajados em luta —
Em breve levaremos tropa inglesa,
De armas moldadas no ventre materno,
Pra expulsar os pagãos dos santos campos
25 Cujas terras pisaram pés benditos,
Pregados, ora faz catorze séculos
Na amarga cruz, em nosso benefício.
Há doze meses que o resolvemos,
Desnecessário é repetir que iremos.
30 Não por isso aqui estamos. Quero ouvir
De sua voz, gentil primo Westmoreland,
O decidido ontem no Conselho
Pr'adiantar esse caro projeto.

Westmoreland

Senhor, levando em conta a sua pressa,
35 Muitos detalhes foram resolvidos

    Ontem à noite quando, para obstá-la,
    Nos chegaram de Gales más notícias,
    Sendo a pior que o nobre Mortimer —
    Ao comandar os seus homens de Hereford,
40   Contra o feroz e irregular Glendower —
    Caiu nas rudes mãos desse galês,
    Esquartejados mil de seus soldados,
    Cujos corpos sofreram tais abusos,
    E neles feitas tais transformações,
45   Por mulheres galesas que não podem
    Sequer serem narradas sem vergonha.

  HENRIQUE
    Parece então que as novas dessa luta
    Quebram meus planos para a Terra Santa.

  WESTMORELAND
    Dessa e de outra o fizeram, meu bom amo,
50   Pois novas mais incertas e mal vindas
    Nos chegaram do norte e assim diziam:
    No próprio dia de Santa Cruz, Hotspur,
    Que é o jovem Percy, e o valente Archibald,
    Esse escocês tão bravo e experiente,
55   Enfrentaram-se em Holmedon, passando
    Ali uma hora triste e sanguinária —
    Segundo disparava a artilharia
    E caminhava tudo, vêm as novas;
    Pois quem as trouxe, em meio do calor,
60   E no auge da contenda, cavalgou
    E incerto se acabou de um modo ou outro.

  HENRIQUE
    Eis um amigo caro e dedicado,
    Sir Walter Blunt, que apenas se apeou,
    Manchado com os tons das várias terras
65   Entre esta nossa sede e Holmedon,
    E nos traz novas suaves e bem-vindas.
    O conde Douglas já foi derrotado;
    Dez mil soldados, nobres escoceses,
    Viu Sir Walter banhados em seu sangue
70   Em Holmedon. Foram presos por Hotspur
    Mordake, conde de Fife, e o primogênito
    Do vencido Douglas; condes de Athol,
    De Murray, de Angus e Menteith.
    Não será esse um butim bem honroso?
75   Um grande prêmio? Que diz, primo?

WESTMORELAND

                      Ah, sim;
É uma conquista pra gabar um príncipe.

HENRIQUE

    E assim me deixa triste e faz pecar,
    Por invejar Milord Northumberland,
    Só por ser pai de um filho abençoado,
80   Filho que vive na boca da honra,
    Em meio ao bosque a planta mais altiva,
    Que é da Fortuna favorito e orgulho —
    Enquanto eu, ao vê-lo elogiado,
    Vejo o caos e a desonra a macular
85   A fronte do meu Harry. Quem me dera
    Que alguma fada, à noite, confundisse
    No berço e em cueiros os meninos,
    Chamando o meu de Percy, o seu Plantageneta!
    Teria eu seu Harry, ele o meu.
90   Mas esqueçamos dele. Que acha, primo,
    Do orgulho desse Percy? Os prisioneiros
    Que ele capturou nessa aventura,
    Retém ele por seus, e ainda me diz
    Que só me entrega Mordake, conde Fife.

WESTMORELAND

95   Isso é ideia do tio. Isso é Worcester,
    Malévolo em tudo com o senhor;
    Ele o faz estufar-se, e arrepiar
    Sua crista de jovem contra si.

HENRIQUE

    Mandei buscá-lo pra que me responda,
100   E em função disso temos de esquecer
    Nosso alto alvo de Jerusalém:
    Primo, na quarta que vem reunimos
    Nosso Conselho em Windsor; diga aos lordes.
    Mas volte logo para aqui, comigo,
105   Pois há mais, a ser dito e a ser feito,
    Do que se possa expressar, agora, em raiva.

WESTMORELAND

    Assim farei, senhor.

                      (Saem.)

CENA 2

(Entram o Príncipe de Gales e Sir John Falstaff.)

FALSTAFF

Então Hal, que hora do dia temos, rapaz?

PRÍNCIPE

Você está tão obtuso por beber grapa velha, se desabotoar depois da ceia e dormir em bancos de tarde, que se esqueceu de perguntar o que quer mesmo saber. Que diabos tem você a ver com a hora do dia? A não ser que as horas fossem copos de vinho, os minutos capões e os relógios línguas de rameiras, e os mostradores tabuletas de bordéis, e até o sol bendito uma rapariga afogueada, toda de tafetá cor de fogo; não vejo razão para você indagar superfluamente a hora do dia.

FALSTAFF

Na verdade você me viu mais de perto agora, Hal, pois nós que batemos carteiras nos guiamos pela lua e pelas estrelas, e não por Febo,[1] o belo cavaleiro errante. E eu lhe peço, meu doce moleque, que quando for rei, com a graça de Deus — ou melhor, com sua majestade, pois graça você não tem nenhuma...

PRÍNCIPE

O quê? Nenhuma?

FALSTAFF

Não, juro; nem o bastante para ser dada como prólogo para um ovo frito.

PRÍNCIPE

Bem; mas então o quê? Vamos, fale claro, fale claro.

FALSTAFF

Pela Virgem, então, meu moleque: quando você for rei, não permita que nós, que somos escudeiros do corpo da lua, sejamos chamados de ladrões na beleza do dia. Deixe que sejamos os mateiros de Diana, os fidalgos das sombras, os queridinhos da lua. E que os homens digam que somos bons de governo, já que somos governados como o mar, por nossa nobre e casta senhora, a lua, sob cujo olhar nós roubamos.

PRÍNCIPE

Você diz bem, e faz bom sentido também, pois a fortuna daqueles de nós que somos homens da lua sobe e desce como o mar, sendo governada, como o mar, pela lua. O que o prova? Ora, uma bolsa de ouro muito resolutamente agarrada na noite de segunda-feira, e

---

[1] Outra denominação de Apolo, deus do sol. (N. T.)

muito dissolutamente gasta na terça de manhã, obtida com pragas e "Passe para cá", e gasta com gritos de "Pode trazer"! Agora em maré tão baixa quanto a base da escada, e dentro em pouco já numa cheia da altura de uma forca.

FALSTAFF

Juro por Deus que essa é a verdade, rapaz — e não acha a dona da taverna rapariga muito doce?

PRÍNCIPE

Como o mel de Hybla,[2] meu velho rapaz do castelo. E um colete de couro não é um doce de prisão duradoura?

FALSTAFF

O que é isso, o que é isso, seu moleque louco? Agora deu para maldade e trocadilhos? Que tenho eu a ver com um colete de couro desses?

PRÍNCIPE

Ora, e que raios teria eu a ver com qualquer dona de taverna?

FALSTAFF

Ora, você já acertou contas muitas vezes com ela.

PRÍNCIPE

E alguma vez pedi-lhe que pagasse a sua parte?

FALSTAFF

Não, o merecido é devido; você sempre pagou por tudo lá.

PRÍNCIPE

Isso; e em outros lugares, até onde chegasse o meu dinheiro; e onde não chegava, usei do meu crédito.

FALSTAFF

Foi; e o usou de tal modo que não aparecesse que você é o herdeiro aparente. Mas, por favor, meu doce moleque, ainda haverá forcas de pé quando você for rei? E todo empreendimento assim frustrado, como hoje, pelo freio enferrujado daquele Palhaço Velho, a lei? Nunca, nunca enforque um ladrão, quando for rei.

PRÍNCIPE

Não; você o fará.

FALSTAFF

Eu? Que maravilha! Por Deus que eu serei um bravíssimo juiz!

---

[2] Hybla, ou Ibla, famosa por seu mel, é uma cidade da antiguidade greco-romana que ficava na Sicília. (N. T.)

PRÍNCIPE

50 Já julgou errado! Eu disse que você ficará encarregado do enforcamento de ladrões, tornando-se um bravíssimo carrasco!

FALSTAFF

Está bem, Hal; está bem! De algum modo isso fica de acordo com os meus humores — eu digo que é tão bom quanto ficar esperando nas cortes.

PRÍNCIPE

55 Para pleitear favores?

FALSTAFF

Isso; para defender as calças das roupas que encherão meu armário de carrasco. Cristo meu, estou tão faminto quanto um gato capado ou um urso de circo.

PRÍNCIPE

Ou um leão velho, ou um alaúde de apaixonado.

FALSTAFF

60 Isso, ou como o resmungo de uma gaita de foles de Lincoln.

PRÍNCIPE

Que tal um coelho, ou a melancolia da vala de Moorditch?[3]

FALSTAFF

Você inventa as comparações mais repelentes e na verdade é o mais comparativamente safado, doce e jovem príncipe. Mas, Hal, por favor, não me incomode mais com as vaidades do mundo. Só pedia a Deus
65 que você e eu soubéssemos onde se pode comprar um bom fornecimento de bom nome. Um velho lorde do Conselho me descompôs no outro dia, na rua, por sua causa, senhor, mas eu não dei atenção; ele falava com sabedoria, mas eu não lhe dei atenção; e mesmo assim falava de modo sábio — e na rua!

PRÍNCIPE

70 Fez muito bem, porque a sabedoria clama pelas ruas, e ninguém lhe dá atenção.

FALSTAFF

Ora, você é danado para citar as Escrituras, e é capaz de corromper até um santo. Você me tem feito muito mal, Hal, que Deus o perdoe por isso. Antes de conhece-lo, Hal, eu não sabia nada; e hoje em dia eu sou,
75 a bem da verdade, pouco melhor do que um pecador qualquer. Tenho

---

[3] Ao norte da cidade de Londres, perto do asilo Bedlam para loucos, daí a associação com a melancolia. (N. T.)

de abandonar esta vida, e hei de abandoná-la. Juro que se não abandonar sou um vilão. Não serei amado por nenhum príncipe da Cristandade.

Príncipe

E onde iremos tomar alguma bolsa amanhã, Jack?

Falstaff

Pelas Chagas de Cristo, onde quiser, rapaz. Eu irei junto; se não for, pode me chamar de vilão e me rebaixar.

Príncipe

Vi que houve um grande aprimoramento em sua vida; já passou da reza para o roubo.

Falstaff

Ora, Hal, é minha vocação, Hal. Não é pecado um homem trabalhar em sua vocação.

(Entra Poins.)

Poins! Agora vamos ver se foi planejado um assalto por Gadshill! Ai, se os homens fossem salvos pelo mérito, que buraco no inferno seria bastante quente para esse? Ele é o vilão mais onipotente que já gritou "Mãos ao alto!" para um bom cidadão.

Príncipe

Bom dia, Ned.

Poins

Bom dia, Hal querido. *(Para Falstaff.)* O que diz Monsieur Remorso? O que diz Sir Vinho Doce com Açúcar? Jack, a que acordo chegaram o diabo e você sobre a sua alma, que você vendeu a ele na última Sexta-feira da Paixão por um copo de Madeira e uma perna de capão?

Príncipe

Sir John manterá a palavra, e o diabo vai ficar com o combinado, porque não gosta de negar ditados, no caso, "o diabo que o carregue".

Poins

(Para Falstaff.)
Então está danado por manter a palavra com o diabo.

Príncipe

E de outro modo seria danado por faltar com a palavra com o diabo.

POINS

Meus amigos, rapazes, amanhã de manhã, às quatro horas da madrugada, em Gad's Hill,[4] haverá peregrinos indo para Canterbury com ricas oferendas, e comerciantes cavalgando para Londres com as bolsas recheadas. Eu tenho máscaras para todos — seus cavalos vocês já têm. O próprio Gadshill vai pernoitar hoje em Rochester. Eu já encomendei uma ceia para amanhã à noite em Eastcheap.[5] Podemos fazer tudo seguros como no sono. Se forem, entupirei suas bolsas de coroas. Se não quiserem, fiquem em suas casas e sejam enforcados.

FALSTAFF

Escuta aqui, Edward, se eu ficar em casa e não for, eu te enforco por ir.

POINS

Como é: vai, gorducho?

FALSTAFF

Hal, vai conosco?

PRÍNCIPE

Quem, eu? Roubar? Eu, um ladrão? Palavra que eu, não.

FALSTAFF

O que lhe falta é honestidade, virilidade e companheirismo; e se você não viesse de sangue real, não valia dez xelins.

PRÍNCIPE

Bom; então, por uma vez em minha vida, talvez faça uma loucura.

FALSTAFF

Ora, isso foi muito bem dito.

PRÍNCIPE

Bem, aconteça o que acontecer, eu ficarei em casa.

FALSTAFF

Juro por Deus, então, que eu vou ser traidor quando você for rei.

PRÍNCIPE

Isso pouco me importa.

POINS

Sir John, eu lhe peço que me deixe sozinho com o príncipe. Apresentarei tais razões para essa aventura, que ele há de ir.

---

[4] Há o personagem Gadshill e o lugar Gads Hill, que ficava na rota dos peregrinos que iam a Canterbury. (N. E.)
[5] Distrito de Londres onde ficavam as tabernas. (N. E.)

FALSTAFF

Que Deus lhe dê o dom da persuasão, e a ele ouvidos para o lucro, para o que disser possa comover e o que ele ouvir dê para acreditar, e que o príncipe de verdade possa — só para se divertir — ser um ladrão de mentira, pois os pobres abusos destes tempos estão com falta de patrocínio. Adeus, me encontrarão em Eastcheap.

HAL

Adeus, primavera tardia! Adeus, verão de outono!

(Sai FALSTAFF.)

POINS

Pois então, meu querido e doce senhor, cavalgue conosco amanhã. Tenho uma brincadeira para fazer que não posso armar sozinho. Falstaff, Bardolph, Peto e Gadshill vão roubar aqueles homens, como já está combinado — mas você e eu não estaremos lá. E quando o butim já estiver com eles, se você e eu não os roubamos de tudo — pode separar esta cabeça destes ombros.

PRÍNCIPE

Mas como haveremos de nos separar na saída?

POINS

Ora, partimos antes ou depois deles, combinando um local para o encontro — ao qual teremos o prazer de faltar — e eles então se meterão na aventura sozinhos, e assim que a completarem, caímos em cima deles.

PRÍNCIPE

Sim, mas eles vão nos reconhecer por nossos cavalos, nossas roupas e todos os nossos outros acessórios.

POINS

Bobagem; nossos cavalos eles não verão, pois eu os amarro no bosque. Nossas máscaras nós mudamos depois que eles partirem. E, senhor, tenho duas caixas cheias de linhão barato, que servirá na hora para mascarar nossas roupas.

PRÍNCIPE

Tudo bem, mas será que eles não vão ser fortes demais para nós dois?

POINS

Bem, quanto a dois deles, sei que são os covardes de mais pura água que já fugiram por aí, enquanto o terceiro, se lutar um momento mais do que achar justificado, eu abandono a vida militar. O grande mérito da brincadeira vai aparecer nas mentiras incompreensíveis que esse safado gordo nos contará quando nos encontrarmos de noite para a ceia. Como eles brigaram com pelo menos trinta, como se defenderam, como atacaram, que terrores suportaram — a graça vai ser desmentir tudo isso.

PRÍNCIPE

Está bem; irei contigo. Providencie todo o necessário e me encontre amanhã à noite em Eastcheap. Cearei lá. Adeus.

POINS

Adeus, senhor.

(Sai.)

PRÍNCIPE

Eu os conheço todos, e algum tempo
Vou apoiar seus desmandos sem freio.
Mas mesmo nisso imitarei o sol,
Que permite às nuvens e miasmas
Esconderem de nós sua beleza,
Porém ao desejar ser ele mesmo,
Por fazer falta, e ser mais admirado,
Rompe as névoas corruptas e imundas
Dos gases que queriam sufocá-lo.
Se o ano fosse feito só de férias,
Brincar teria o tédio do trabalho;
Mas sendo raras chegam desejadas,
E nada é tão bem-vindo quanto o raro.
Assim, quando largar estes desmandos,
E pagar as promessas nunca feitas,
Tão melhor serei eu que só palavras,
Tão mais eu serei falso ao que predizem.
Como reluz metal em terra escura,
Brilha a minha reforma sobre as faltas,
Parecendo melhor, e mais visível,
Do que sem nada com que as contrastasse.
Com habilidade incorro em meu pecado,
Pagando em tempo o que é inesperado.

(Sai.)

CENA 3

(Entram o REI, NORTHUMBERLAND, WORCESTER, HOTSPUR, SIR WALTER BLUNT e outros.)

REI

Tenho mantido o sangue frio e calmo,
Indiferente a tais indignidades,

  E julgaram-me tal — pois só por isso
  Abusaram da minha paciência.
5   Ora serei, no entanto, mais eu mesmo,
  Poderoso e temível, que meus modos
  Até aqui suaves como as plumas,
  Perderam dos senhores o respeito
  Que alma orgulhosa só presta ao orgulho.

WORCESTER

10   Nossa casa, senhor, pouco merece
  Ser alvo da chibata da grandeza,
  Dessa grandeza que as nossas mãos
  Fizeram crescer tanto.

NORTHUMBERLAND

  (Para o REI.)
        Meu senhor —

REI

  Worcester, pode sair, pois já percebo
15   Perigo e indisciplina em seu olhar.
  Sua presença é ousada e peremptória,
  E a majestade não suporta nunca
  Fronte de súdito com humor sombrio.
  Tem permissão pra deixar-nos. Se preciso
20   Pedirei seu conselho e seu serviço.

            (Sai WORCESTER.)

  (Para NORTHUMBERLAND.)

  Estava por falar.

NORTHUMBERLAND

        Sim, meu senhor.
  Os presos que Sua Alteza reclamou,
  E Harry Percy capturou em Holmedon,
  Afirma ele, não negou com a força
25   Que foi contada a Sua Majestade.
  Foi inveja, portanto, ou confusão
  Que foi culpada; mas meu filho, não.

HOTSPUR

  (Para o REI.)
  Senhor, eu não neguei os prisioneiros;
  Porém me lembro que, finda a batalha,

30   'Stando exausto de fúria e de combate,
       Sem fôlego e apoiando-me na espada,
       Chegou um lorde, cheiroso e bem-vestido,
       Igual a um noivo, a barba recém-feita
       Como um campo depois de ser colhido,
35   Tão perfumado quanto um costureiro,
       Tendo, entre o polegar e o indicador,
       Caixinha de perfume que, amiúde,
       Levantava ao nariz, e a afastava —
       E o nariz, furioso, de outra vez,
40   Cheirava fundo. E sorria ao falar.
       E enquanto os homens carregavam corpos
       Ele os chamava grossos, de maus modos,
       Por arrastarem corpos tão nojentos
       Entre a brisa e sua alta nobreza.
45   Com palavras de festa e adamadas,
       Interrogou-me e exigiu bem alto
       Meus prisioneiros para Sua Alteza.
       Com fisgadas nos cortes que esfriavam
       Mais fortes pelo abuso de um tal tolo,
50   Perdendo a paciência em minha dor,
       Respondi, negligente, não sei quê
       Ele devia ou não, pois me irritava
       O vê-lo assim brilhante e perfumado,
       A falar bem como falam as aias
55   Sobre armas e feridas, Deus nos guarde!
       E a dizer que a melhor coisa na terra
       É espermacete pra ferida interna,
       E que era realmente lamentável
       Que se escavasse o maldoso salitre
60   Lá das tripas da nossa doce terra,
       Que uns latagões andavam destruindo
       Covardemente, e se não fosse os tiros
       De canhão, quereria ser soldado.
       Tal fala desconexa, meu senhor,
65   Respondi sem pensar, como já disse,
       E imploro que não deixe o seu relato
       Ser moeda que valha acusação
       Posta entre o meu amor e Sua Alteza.

BLUNT

       (Para o REI.)
       Considerando tudo, bom Senhor,
70   O que disse Lord Percy àquela altura,

     A uma tal pessoa, em tal lugar,
     E em tal momento, sendo bem pesado,
     Pode morrer aqui, e não pesar
     Pra feri-lo, ou sequer indiciá-lo,
75   Se o dito então agora for desdito.

   REI

     Mas se inda me recusa prisioneiros,
     Com a ressalva e até mesmo condição
     De pagarmos nós mesmos o resgate,
     E já, de seu cunhado o tolo Mortimer,
80   Que, por minh'alma, traiu por querer
     As vidas dos que à guerra conduziu,
     Contra o maldito mágico, Glendower,
     Com cuja filha, soube, ainda há pouco,
     Casou com o conde March. E os nossos cofres
85   Devo esgotar redimindo um traidor?
     Comprar traição, ir tratar com covardes
     Quando, perdendo, os próprios se entregaram?
     Não, que passe fome nas montanhas áridas.
     Pois nunca chamarei de amigo meu
90   Aquele que pedir mesmo um só *penny*
     Pra resgatar o revoltoso Mortimer.

   HOTSPUR

     O revoltoso Mortimer!
     Ele nunca caiu, meu soberano,
     Senão por puro acaso. E pra prová-lo
95   Só precisa da língua das feridas,
     Dos muitos talhos que só por bravura
     Que recebeu junto às margens do Severn,
     Em grave embate singular, em corpo a corpo,
     No qual ficou por quase uma hora toda
100 Trocando golpes com o grande Glendower.
     Três vezes respiraram e beberam,
     Em acordo comum, a água do rio
     Que, assustando-se então com seu aspecto,
     Correu, com medo, por entre as folhagens,
105 Ocultando entre vãos sua cabeça
     Ensanguentada pelos combatentes.
     Jamais expediente deslavado
     Simulou ferimentos tão mortais,
     Nem nunca poderia o nobre Mortimer
110 Receber tantos, todos por querer.
     Não lhe impinja a calúnia da revolta.

REI
  Em favor dele, Percy, tu me mentes;
  Ele nunca enfrentou assim Glendower.
  Ele ousaria mais ter o diabo
  Que Owen Glendower por seu inimigo.
  Não te envergonhas? Doravante, moço,
  Não quero que me fales mais de Mortimer.
  Manda-me os prisioneiros — e depressa —
  Ou tu terás de mim outras notícias,
  Que não te agradarão. Milord Northumberland:
  Permitimos que parta, com seu filho.
  (Para Hotspur.) Se não mandam os presos, hão de ouvir-me.

(Sai o Rei com Blunt e seu séquito.)

HOTSPUR
  E mesmo que o demônio venha aos gritos
  Não os entrego. Vou logo atrás dele
  Para o dizer-lhe e ver-me aliviado,
  Mesmo que esta cabeça corra riscos.

NORTHUMBERLAND
  'Stá bêbado de raiva? Espere um pouco;
  Seu tio vem aí.

    (Entra Worcester.)

HOTSPUR
              Falar de Mortimer?
  Por Deus, eu falo dele, e que minh'alma
  Não se salve se eu não me junto a ele.
  Sim, por ele eu abro as minhas veias
  E perco cada gota de meu sangue
  Para elevar esse humilhado Mortimer
  Tão alto quanto está o rei ingrato,
  O esquecido e podre Bolingbroke.

NORTHUMBERLAND
    (Para Worcester.)
  Irmão, o rei fez louco o seu sobrinho.

WORCESTER
  O que se incendiou depois que eu fui?

HOTSPUR
  Ele quer que eu lhe dê meus prisioneiros,
  E quando eu insisti que resgatasse

140 　　　　O meu cunhado, ficou muito pálido,
　　　　　E ao meu rosto lançou olhar mortal,
　　　　　Tremendo só de ouvir falar em Mortimer.

WORCESTER
　　　　　Não o culpo. Pois não foi proclamado
　　　　　Pelo morto Ricardo como herdeiro?

NORTHUMBERLAND
145　　　　Foi, em proclamação que eu mesmo ouvi.
　　　　　E foi então que esse rei infeliz —
　　　　　E que Deus nos perdoe por seus males —
　　　　　Partiu na expedição contra a Irlanda;
　　　　　De onde, interceptado, ele voltou
150　　　　Para ser destronado e, logo, morto.

WORCESTER
　　　　　Em morte que nos deixa, pelo mundo,
　　　　　Alvo de escândalo e pior fama.

HOTSPUR
　　　　　Mas, perdão, foi então que o rei Ricardo
　　　　　Proclamou meu irmão, Edmund de Mortimer,
155　　　　Herdeiro da coroa?

NORTHUMBERLAND
　　　　　　　　　　Eu o ouvi.

HOTSPUR
　　　　　Não posso então culpar seu primo rei
　　　　　Por querê-lo faminto e desterrado.
　　　　　Mas será que os senhores, que puseram
　　　　　A coroa nesse homem tão ingrato,
160　　　　Por quem arcam que a mácula terrível
　　　　　De conluio assassino — será mesmo
　　　　　Que hão de viver malditos pelo mundo,
　　　　　Por serem meio, apoio secundário,
　　　　　Cordas, degraus ou até mesmo carrascos?
165　　　　Perdoem-me se me rebaixo tanto
　　　　　Pra mostrar a prisão e os descaminhos
　　　　　Em que pisam sob esse sonso rei!
　　　　　Será dito, hoje em dia, e com vergonha,
　　　　　Ou escrito nas crônicas futuras
170　　　　Que homens assim nobres, poderosos,
　　　　　Empenharam-se em uma causa injusta —
　　　　　Como fizeram, Deus que me perdoe —

　　　　　　Para depor Ricardo, doce rosa,
　　　　　　E plantar Bolingbroke, erva daninha?
175　　　　 E será dito, com maior vergonha,
　　　　　　Qu'inda foram banidos, descartados,
　　　　　　Por quem passaram toda essa vergonha?
　　　　　　Há tempo ainda para que redimam
　　　　　　Sua honra perdida e se restaurem
180　　　　 De novo ao bom conceito deste mundo:
　　　　　　Vinguem-se do desdém e desrespeito
　　　　　　Desse orgulhoso rei que, o dia inteiro,
　　　　　　Pensa em dar conta do que deve aos dois,
　　　　　　Talvez até com o sangue de suas vidas.
185　　　　 Portanto, eu digo...

　　　WORCESTER
　　　　　　　　　　　Calma, primo, basta.
　　　　　　Agora eu vou abrir livro secreto,
　　　　　　E ao seu alerta descontentamento
　　　　　　Lerei matéria densa e perigosa,
　　　　　　Tão rica de perigos e aventuras
190　　　　 Quanto é cruzar a corrente raivosa
　　　　　　Pisando a insegurança de uma lança.

　　　HOTSPUR
　　　　　　Se ele cai, boa noite, que se afogue!
　　　　　　Mande o perigo do leste ao oeste,
　　　　　　Desde que a honra venha norte a sul,
195　　　　 E os ponha em luta! O meu sangue prefere
　　　　　　Despertar um leão do que uma lebre!

　　　NORTHUMBERLAND
　　　　　　Um grande feito, só imaginado,
　　　　　　Já lhe tira os limites à paciência.

　　　HOTSPUR
　　　　　　Por Deus, a mim parece ser salto fácil
200　　　　 O que vai honra colher na face da lua
　　　　　　Ou que mergulha no fundo do mares,
　　　　　　Onde a sonda jamais chegou ao fundo,
　　　　　　Pelas tranças içando a honra afogada,
　　　　　　Pra que o seu salvador possa ostentar
205　　　　 Sem ter parceiros suas honrarias.
　　　　　　Não quero companheiros nem meeiros!

　　　WORCESTER
　　　　　　Ele apreende um mundo só de imagens,

>   Mas não a forma à qual deve atender.
>   *(Para Hotspur.)* Bom primo, dê-me ouvidos um momento.

> HOTSPUR
>   Desculpe.

> WORCESTER
>   Pois os nobres escoceses
>   Que são seus prisioneiros...

> HOTSPUR
>   Co'eles fico!
>   Por Deus que eu não lhe dou um escocês,
>   Nem se um escocês puder salvar-lhe a alma.
>   Fico com todos, juro!

> WORCESTER
>   E vai falando,
>   Sem escutar qual seja o meu intento.
>   Fica com os prisioneiros...

> HOTSPUR
>   Fico. É certo!
>   Jurou que não resgata Mortimer,
>   A mim proíbe de falar de Mortimer,
>   Pois eu hei de encontrá-lo quando dorme,
>   E em seus ouvidos hei de gritar "Mortimer!",
>   Meu estorninho hei de fazer dizer
>   Apenas "Mortimer", pra dá-lo a ele,
>   A fim de alimentar a sua raiva.

> WORCESTER
>   Escute, primo, uma palavra.

> HOTSPUR
>   Eu vou abandonar qualquer estudo
>   Que não o de irritar a Bolingbroke.
>   E o baderneiro príncipe de Gales —
>   Se não soubesse que não o ama o pai,
>   Pra quem um mal a ele é uma alegria —
>   Podia envenenar com uma cerveja...

> WORCESTER
>   Adeus, meu primo. Falarei consigo
>   Quando puder prestar mais atenção.

NORTHUMBERLAND
    Que tolo aferroado e impaciente
235   És tu, que pareces mais mulher
    Ao ter ouvidos só pra própria língua!

HOTSPUR
    Eu me sinto espancado, chicoteado,
    Picado por formigas quando escuto
    Falar desse tratante Bolingbroke.
240   No tempo de Ricardo — onde foi, mesmo?
    Maldito seja, era em Gloucestershire.
    Onde era a casa do duque devasso —
    O tio York — pois foi lá que me ajoelhei
    Ante o rei dos sorrisos, Bolingbroke —
245   Quando chegáveis os dois de Ravenspurgh.

NORTHUMBERLAND
    No castelo de Berkeley.

HOTSPUR
                         Essa é a verdade.
    Ai, mas quanta doçura lisonjeira
    Ofereceu-me o cão bajulador!
    "Saibam que quando o moço for adulto",
250   E "gentil Harry Percy" e "bom primo" —
    Pro diabo quem mentir! Deus me perdoe!
    Bom tio, fale lá; eu já acabei.

WORCESTER
    Se ainda não, é bom continuar.
    Nós esperamos.

HOTSPUR
255   Não; acabei mesmo.

WORCESTER
    De novo aos escoceses que prendeu.
    Entregue-os logo, sem pedir resgate,
    Retenha apenas, pra negociar
    Forças da Escócia, o herdeiro de Douglas,
260   Que por razões que eu lhes escreverei,
    Terá por certo. *(A NORTHUMBERLAND.)* Quanto a si, milord,
    Com seu filho na Escócia pra tal fim,
    Busque ganhar, discreto, a confiança
    Do prelado a quem amamos tanto,
265   O arcebispo.

HOTSPUR
O de York, não é mesmo?

WORCESTER
O mesmo, que se ressente sempre
Da morte em Bristol do irmão Lord Scroop.
Não digo isso como especulando
O que podia ser, mas por saber
O que se diz, conspira e se contrata,
E espera apenas que se mostre o rosto
Da ocasião propícia ao seu início.

HOTSPUR
Já sinto o cheiro. Tudo vai dar certo.

NORTHUMBERLAND
Não solte os cães sem estar pronta a caça.

HOTSPUR
Mas há de sempre ser tal trama nobre —
Juntar o poderio de Escócia e York
A Mortimer, então?

WORCESTER
                    Assim será.

HOTSPUR
De fato, a mira está mais que perfeita.

WORCESTER
São muitas as razões que nos apressam:
Salvamos a cabeça ao ser cabeça,
Pois seja como for que nos tenhamos,
O rei vai se ver sempre devedor
E achar que não estamos satisfeitos,
Até encontrar um meio de pagar-nos.
E vejam como agora já começa,
Negando-nos o amor de seu olhar.

HOTSPUR
Começa! Porém nós nos vingaremos.

WORCESTER
Meu primo, adeus. Mas não avance nisso
Senão na trilha que eu defina em cartas.
Na hora certa, que já está chegando,

Eu irei com Glendower e Lord Mortimer
Onde os senhores, Douglas e meus homens —
Todos juntos, segundo o que planejo,
295 Jogamos nossa sorte bem armados,
E não com a incerteza deste instante

Northumberland
Adeus, irmão, eu sei que iremos bem.

Hotspur
Adeus; que as horas corram bem corridas
Pr'as nossas armas vermos aplaudidas.

(Saem.)

ATO 2

CENA 1
Rochester. O pátio de uma hospedaria.

(Entra um Carroceiro com uma lanterna na mão.)

1º Carroceiro
Ora viva! quero ser enforcado se não forem quatro horas da manhã. Aquela Ursona[6] já está ali perto da chaminé, mas nossos cavalos ainda não estão carregados. — Olá! Taverneira!

Taverneira
(Fora.)
Já vou, já vou.

1º Carroceiro
Por favor, Tom, sacode a sela do Cut,[7] põe um pouco de algodão no assento; o pobre do pangaré tá ossudo demais nas costas.

(Entra outro carroceiro.)

2º Carroceiro
As ervilhas e os feijões aqui ficam mais encharcados do que vira-lata na chuva, e esse é o caminho mais curto para a espinhela caída: a casa está virada de pernas para o ar depois que morreu Robin, o cavalariço.

1º Carroceiro
O coitado não teve um dia mais de alegria depois que o preço da aveia subiu; foi isso que matou ele.

2º Carroceiro
Acho que esta é a pior casa de Londres em matéria de pulgas; estou picado igual a uma carpa malhada.

1º Carroceiro
Igual a carpa! Juro por Deus que não há um único rei na cristandade mais picado do que eu fui desde que o galo cantou.

2º Carroceiro
Ora, não nos dão nem penico, e aí mijamos na chaminé, e urina faz nascer pulga melhor do que peixe.[8]

---
6 Refere-se à constelação de sete estrelas que formam a Ursa Maior. (N.E.)
7 "Cut" é o nome do cavalo, provavelmente chamado assim por ter o rabo curto. (N.T.)
8 Acreditava-se que o cadoz gerava pulgas, mas a referência pode significar apenas que o cadoz procria facilmente. (N.T.)

1º Carroceiro

Vamos, rapaz! Vem ser enforcado, vem logo!

2º Carroceiro

Eu tenho um presunto curado e duas raízes de gengibre para entregar lá em Charing Cross.[9]

1º Carroceiro

Valha-me Deus! Os perus na minha cesta estão morrendo de fome. Cavalariço! Raios o partam, não tem olhos para enxergar? Não escuta? E se não for tão boa ação beber quanto quebrar sua cabeça, eu não presto para nada. Vamos, venha para a forca! Será que não tem confiança?

(Entra Gadshill.)

Gadshill

Bom dia, carroceiros; que horas são?

1º Carroceiro

Acho que são umas duas.[10]

Gadshill

Por favor, empreste a sua lanterna, para eu ver se o meu cavalo está na cocheira.

1º Carroceiro

Devagar com o andor! Eu conheço um golpe que vale uns dois desses, fora de brincadeira.

Gadshill

Por favor, empreste-me a sua.

2º Carroceiro

Ah, é? Quando? Me empreste a sua lanterna, diz ele! Pela Virgem que prefiro vê-lo na forca!

Gadshill

Senhor carroceiro, a que horas pretende chegar a Londres?

2º Carroceiro

Ainda há tempo de ir para a cama com uma vela, isso eu garanto;

---

9 Uma vila no oeste de Londres, "após a curva" ("*charing*" deriva de "*cierring*", a curva do rio Tâmisa); "Cross" refere-se a cruz colocada no local onde pousou o caixão de Elinor, esposa de Eduardo I, antes de seu enterro em Westminster. (N.E.)

10 A referência aqui contradiz a primeira fala da cena, quando é dito que são quatro da manhã. A explicação possível é que o carroceiro esteja mentindo para Gadshill. (N.T.)

vamos, vizinho Mugs, vamos acordar os fidalgos, eles andam com muita gente, porque carregam grandes valores.

(Saem os CARROCEIROS.)

GADSHILL
Olá, copeiro!

(Entra o COPEIRO.)

COPEIRO
"Aqui estou, diz o batedor de carteiras".

GADSHILL
Isso é o mesmo que "Aqui estou, o copeiro": pois para você é o mesmo que fazer o seu serviço; é quem planeja tudo.

COPEIRO
Bom dia, Mestre Gadshill. Continua valendo o que lhe disse ontem à noite: tem um proprietário dos cafundós de Kent que trouxe consigo trezentos marcos em ouro. Eu o ouvi contando para um de seus companheiros, ontem de noite na hora da ceia; é uma espécie de ouvidor, que carrega muita coisa, Deus sabe o quê; já se levantaram, e pediram ovos e manteiga — daqui a pouco já vão sair.

GADSHILL
Menino, se eles não esbarrarem com os batedores de são Nicolau,[11] eu entrego o meu pescoço.

COPEIRO
Não quero, obrigado. Guarde-o para o carrasco, pois sei que o senhor adora são Nicolau com a maior honestidade de que é capaz um mentiroso.

GADSHILL
E para que me falar de carrascos? Se eu for enforcado, a forca vai levar gordura dupla: pois se eu for enforcado, o velho Sir John será pendurado comigo, e todos sabem que ele não é subnutrido. Mas há muitos outros troianos, que você nem imagina, que honram a profissão só por brincadeira, mas que (quando a questão é examinada) para manter seu crédito pagam tudo. Eu não ando com ladrõezinhos de mendigos, nem com assaltantes baratos, nem com vigaristas bigodudos de cara roxa; só com nobreza e tranquilidade, burgomestres e cobradores que se defendem, e com os que acham melhor brigar do que falar,

---

[11] Gíria da época para salteadores. São Nicolau é o santo patrono dos viajantes. (N.E.)

falar do que beber, e beber do que rezar — mas mesmo assim, raios, estou mentindo, já que eles rezam sem parar ao santo bem comum, ou antes para ficar com o santo, fazendo dele seu butim.

Copeiro

O quê? Fazer botinas do bem comum? Será que ele não as deixa fazer água?

Gadshill

Não deixa, não; a justiça já foi molhada: fique certo que roubamos como em um castelo: temos a receita das sementes de samambaia, ficamos invisíveis.

Copeiro

Pois sim; juro que devem mais à noite do que às sementes, nessa história de ficarem invisíveis.

Gadshill

Dê cá a mão, você há de ter uma parte de tudo o que nós conseguirmos; palavra de honra.

Copeiro

Nada disso; prefiro que me dê a sua, de que é um ladrão sem honra.

Gadshill

Deixe disso; "*homo*" é nome que serve para qualquer homem: peça ao cavalariço que tire o meu cavalo da cocheira. Adeus, moleque imundo.

(Saem.)

CENA 2
Gad's Hill. A estrada.

(Entram o Príncipe, Poins e Peto.)

Poins

Escondam-se, escondam-se! Eu levei embora o cavalo de Falstaff, e ele está mais arrepiado do que veludo com cola.

Príncipe

Aqui juntos!

(Eles se escondem. Entra Falstaff.)

Falstaff

Poins! Poins! Que se enforquem! Poins!

Príncipe

    (Avançando.)
Calma, seu salafrário banhudo;
mas que barulhada você faz!

Falstaff

Onde está Poins, Hal?

Príncipe

Foi até o alto da colina; vou procurá-lo.

    (Afasta-se.)

Falstaff

Sou acusado de roubar na companhia desse ladrão; o calhorda levou meu cavalo e o amarrou não sei onde. Se eu der mais quatro passos por este chão, a pé, eu perco o fôlego. Mas mesmo assim espero uma boa morte, se escapar da forca por matar esse safado. Eu venho repudiando a sua companhia, de hora em hora, há vinte e dois anos, mas continuo sob o encanto da companhia do salafrário. Quero ser enforcado se o safado não me tem dado drogas para eu gostar dele. Só pode ser isso, tenho sido drogado. Poins! Hal! Que a peste pegue os dois! Bardolph! Peto! Prefiro morrer de fome do que dar mais um passo para roubar — e se não fosse coisa tão boa quanto beber eu virar honesto e abandonar esses safados, eu sou o maior porcaria que já mastigou com esses dentes: oito jardas de terreno esburacado a pé são o mesmo, para mim, que três vezes vinte e mais dez milhas, e aqueles vilões de coração de pedra sabem disso muito bem. Que venha a peste, quando os ladrões não souberem mais serem fiéis uns aos outros!

    (Eles assoviam.)

Fifiu! Danem-se todos vocês; deem-me o meu cavalo, e vão se enforcar!

Príncipe

    (Avançando.)
Calma, gordalhudo; deite-se, ponha o ouvido no chão, e preste atenção para ver se escuta o tropel dos viajantes.

Falstaff

E você tem aí alavancas para me levantar de novo? Pelas chagas de Cristo, não arrasto mais minha própria carne, a pé, por essa distância toda de novo nem por todo o dinheiro do tesouro de seu pai. Que história é essa de me enrolar desse jeito?

Príncipe

Isso é mentira; você não está enrolado, está desenrolado.

Falstaff

30   Eu lhe imploro, bom príncipe Hal, ajude-me a montar, bom filho de um rei.

Príncipe

Ora, vagabundo; então devo ser seu cavalariço?

Falstaff

Pois que você se enforque em suas ligas de príncipe herdeiro! Se eu for preso, bato com a língua sobre isto: e se não encomendar baladas
35   sobre vocês todos, cantadas com as músicas mais imundas, que eu seja envenenado com um copo de vinho — quando uma brincadeira chega a isso, e além do mais a pé, eu detesto tudo.

(Entram Gadshill e Bardolph.)

Gadshill

Firmes, de pé!

Falstaff

Eu já estou, mesmo contra a vontade.

Poins

40   Ah, é o nosso olheiro; eu conheço a voz. *(Avançando com Peto.)* Quais as novidades, Bardolph?

Gadshill

Cubram-se, cubram-se, ponham as máscaras; há dinheiro do rei vindo ladeira abaixo, indo para o tesouro do rei.

Falstaff

Mentira, safado; está indo para a taverna do rei.

Gadshill

45   É o bastante para nos deixar todos feitos na vida.

Falstaff

Feitos para a forca.

(Eles colocam as máscaras.)

Príncipe

Senhores, vão os quatro enfrentá-los na ruela estreita: Ned Poins e eu vamos mais lá para baixo — se eles escapam do seu encontro, vão dar conosco.

PETO

Quantos são eles?

GADSHILL

Uns oito ou dez.

FALSTAFF

Pelas chagas de Cristo; será que eles não nos roubam?

PRÍNCIPE

O quê, um covarde, Sir John Magrela?

FALSTAFF

Eu não sou o seu avô John de Gaunt, mas também não sou nenhum covarde, Hal.

PRÍNCIPE.

Bem, isso é o que nós vamos ver.

POINS

"Seu" Jack, seu cavalo está atrás da sebe; quando precisar dele, é lá que irá encontrá-lo. Adeus, e fiquem firmes.

FALSTAFF

Assim não posso atacá-lo, nem que fosse enforcado.

PRÍNCIPE

Ned, onde estão os nossos disfarces?

POINS

Aqui, bem perto, e todos juntos.

(Saem PRÍNCIPE e POINS.)

FALSTAFF

Agora, mestres, boa sorte para todos, é o que digo — e que cada um faça a sua tarefa.

(Entram os VIAJANTES.)

1º VIAJANTE

Vamos, vizinho; o menino vai guiar nossos cavalos ladeira abaixo, e nós vamos um pouco a pé para esticar as pernas.

LADRÕES

Alto!

2º Viajante

Jesus nos abençoe!

Falstaff

Ataquem, abaixo com eles, cortem as gargantas dos vilões! Ah, seus lagartos filhos da puta, salafrários engordados a toucinho, eles odeiam nossa juventude! Derrubem-nos e limpem-nos!

1º Viajante

Estamos perdidos, nós e os nossos, para sempre!

Falstaff

Danem-se, safados pançudos; estão perdidos? Não, seus avarentos gordos; eu só queria que todos os seus bens estivessem aqui! Vamos, pilhas de banha, vamos! É isso mesmo, safados! Os jovens precisam viver. Os senhores servem no júri, não é? Pois garanto que nós vamos jurá-los.

(Roubam e amarram os dois. Saem.)
(Voltam o Príncipe e Poins, disfarçados.)

Príncipe

Os ladrões amarraram os homens honestos; agora você e eu podemos ir roubar os ladrões, o que dará discussões por uma semana, riso por um mês, e uma boa brincadeira para sempre.

Poins

Fique calado; ouço-os que chegam.

(Afastam-se. Tornam a entrar os ladrões.)

Falstaff

Vamos, amigos; agora é repartir, e depois a cavalo, antes do dia; e se o príncipe e Poins não são dois bons covardes, não existe justiça neste mundo.

(Enquanto repartem o roubo, o Príncipe e Poins os atacam.)

Príncipe

O seu dinheiro!

Poins

Vilões!

(Todos fogem, Falstaff, depois de um ou dois golpes, foge também, deixando o produto do roubo para trás.)

PRÍNCIPE
Foi muito fácil. Montemos alegres:
Os ladrões se espalharam com tal medo
Que não querem nem mesmo se encontrar;
Cada um toma o outro por polícia!
Vamos, bom Ned — Falstaff, suando frio,
Engordura a terra magra onde pisa.
Se não risse, eu teria pena dele.

POINS
Como urrou o gordo salafrário.

(Saem.)

CENA 3
Warkworth. O castelo.

(Entra HOTSPUR, só, lendo uma carta.)

HOTSPUR
"De minha parte, milord, ficaria contente de estar aí, em respeito ao amor que tenho pela sua casa." Então ficaria: por que não está, então? Em respeito ao amor que ele nutre pela nossa casa; mas nisto ele mostra que gosta mais do seu próprio celeiro do que de nossa casa. Deixe-me ver mais. *"O objetivo de seu empreendimento é perigoso"* — ora, isso é verdade; é perigoso apanhar resfriado, dormir, beber; mas eu lhe digo, milord tolo, é dos espinhos desse perigo que colhemos a flor da segurança. *"O objetivo de seu empreendimento é perigoso, os amigos que nomeia incertos, o próprio momento mal escolhido, e todo o seu plano leve demais para contrabalançar oposição tão grande."* É o que diz? É o que diz? Pois eu lhe respondo, o senhor é uma corça muito superficial e covarde, e está mentindo: que coisa de desmiolado é essa? Por Deus, nosso plano é tão bom quanto os mais bem urdidos, nossos amigos fiéis, constantes, e têm grandes expectativas: um plano excelente, amigos muito bons; que crápula de espírito mais gelado é esse! Ora, Milord de York aplaude esse plano, como o traçado geral da ação. Pelas chagas de Cristo, se eu agora estivesse perto desse safado, lhe arrebentaria os miolos com o leque de uma dama. Não estão aí meu pai, meu tio, eu mesmo? Lord Edmund Mortimer, Milord de York e Owen Glendower? Não tenho cartas de todos eles confirmando a reunião de nossas armas no dia nove do mês que vem, não estão alguns deles até já de partida? Que safado pagão! Um infiel! Ah! Pois agora irão ver como, com toda a sinceridade do medo e da frieza de coração ele vai até o rei e expõe tudo o que elaboramos! Ah, se eu pudesse me dividir, e me dar uns murros por querer estimular esse prato de coalhada magra a uma ação honrosa! Que se enforque, que vá contar ao rei; nós estamos preparados: eu partirei esta noite.

(Entra Lady Percy.)

Como é, Kate? Vou ter de deixá-la dentro de duas horas.

LADY PERCY
Meu bom senhor, por que aqui sozinho?
30 O que fiz eu pra, nestes quinze dias
Ser banida da cama do meu Harry?
Diga, meu doce lorde, por que jejua
De estômago, prazer, e até de sono?
Por que anda com os olhos só na terra,
35 E dá saltos de sustos quando só?
Por que sumiu o sangue dessas faces,
Privou-me de direitos e prazeres
Para ficar cismado e melancólico?
Tenho ouvido, ao velar seu sono leve,
40 Murmúrios que só falam de aço e guerra,
Ordens para cavalos em galope,
Gritos de "Avante! Ao campo!" e inda falas
De assaltos, retiradas, tendas, velas,
Paliçadas, fronteiras, parapeitos,
45 Basiliscos, canhões, armas menores,
Resgates e soldados que morreram,
E tudo o mais que vai em luta intensa.
Assim, sua alma tem estado em guerra
Que de tal modo o abala enquanto dorme,
50 Que gotas de suor banham-lhe a testa
Quais bolhas em torrente remexida,
E em seu rosto nascem movimentos
Como os de um homem que retém o fôlego
Por ouvir ordens. Que diz tudo isso?
55 Meu senhor tem algum problema sério
Que tenho de saber, ou não me ama.

HOTSPUR
Olá!

(Entra um Criado.)

Já partiu Gillian co'a encomenda?

CRIADO
Já, senhor; há mais de uma hora.

HOTSPUR
Trouxeram os cavalos do xerife?

CRIADO
Um cavalo, milord, chegou agora.

HOTSPUR
Qual foi? Um alazão de orelha curta?

CRIADO
Foi, milord.

HOTSPUR
Faço dele então meu trono,
Hei de sentar-me ereto, Ah, *Esperance*!
Que Butler o conduza para o parque.

LADY PERCY
Mas escute-me, milord.

HOTSPUR
Que diz, milady?

LADY PERCY
O que é que o leva embora?

HOTSPUR
O cavalo, meu amor, o cavalo.

LADY PERCY
Agora chega, meu macaco louco!
Uma fuinha não tem mais caprichos
Do que os que o afetam. Mas, deveras,
Eu quero e vou saber o que faz, Harry;
Temo que Mortimer, meu irmão, se agite
Pelo seu título, e o mande buscar
Para ajudá-lo. Mas se der um passo...

HOTSPUR
Ir a pé até lá me cansa, amor.

LADY PERCY
Vamos, meu periquito; me responda
Direito essa pergunta que lhe faço;
Juro que quebro o seu dedinho, Harry,
Se não me conta toda essa verdade.

HOTSPUR
Fora!

                Agora fora, amor! Eu não a amo;
                Você pouco me importa! Num tal mundo
85   Não há bonecas nem lutas com lábios;
                Só sangue no nariz, ou na coroa,
                Mesmo que seja falsa. O meu cavalo!
                Mas o que disse, Kate? Que quer comigo?

        Lady Percy
                Então isso é verdade? Não me ama?
90   Então não ama; mas se não me ama,
                Não hei de amar a mim. Não me ama, mesmo?
                Ora, diga se é brincadeira ou não.

        Hotspur
                Vamos, quer me ver montar?
                E estando no cavalo hei de jurar
95   Que a amo muito. Porém ouça, Kate,
                Doravante eu não quero que pergunte
                Aonde eu vou e nem por que razão:
                Vou onde precisar. Pra concluir,
                Vou deixá-la esta noite, doce Kate;
100   Sei que é sensata, mas não mais sensata
                Que a esposa de Harry Percy; constante,
                Mas mesmo assim mulher; quanto a segredos
                Ninguém é mais fechada, pois eu creio
                Que nunca há de contar o que não sabe;
105   Confio tanto assim na gentil Kate.

        Lady Percy
                O quê? E só assim?

        Hotspur
                E nem um pouco mais. Mas ouça, Kate,
                Para onde eu for, você irá também:
                Parto eu hoje; amanhã parte você.
110   Assim fica contente?

        Lady Percy
                Que remédio.

                                                        (Saem.)

                    CENA 4
            Eastcheap. A Taverna Cabeça do Javali.

            (Entra o Príncipe.)

PRÍNCIPE

Ned, por favor saia dessa sala sufocante, e me ajude a rir um pouco.

(Entra POINS.)

POINS

Onde andou, Hal?

PRÍNCIPE

Com três ou quatro idiotas, no meio de sessenta ou oitenta barris. Toquei até a corda mais baixa da humildade. Camarada, sou irmão de jura de um trio de servidores de vinho, posso até chamá-los pelo nome de batismo, Tom, Dick e Francis. Eles juram que embora eu seja apenas o príncipe de Gales, sou o rei da cortesia, e dizem com a maior franqueza que não sou nenhum Jack orgulhoso, como Falstaff, mas um bom companheiro, um rapaz de peito, um bom menino (pelo céu, foi assim que me chamaram!), e que quando eu for rei da Inglaterra serei o comandante de todos os bons rapazes de Eastcheap. Eles chamam beber demais de "tingir de vermelho", e se alguém para um momento para respirar enquanto bebe gritam "Mal!" e pedem que "Acabe logo!". Enfim, fiquei tão bem informado em um quarto de hora que poderei beber com qualquer funileiro, usando sua linguagem, para o resto de minha vida. Eu lhe digo, Ned — e para adoçar esse nome de Ned eu lhe dou este vintém de açúcar, que acaba de ser enfiado na minha mão por um aprendiz de garçom da adega, que nunca disse na vida nada em inglês a não ser "Oito xelins e seis pence", e "Muito obrigado", a não ser para acrescentar gritando "Agorinha mesmo, senhor! Salta um copão de água para o reservado da Meia Lua" ou coisa assim. Mas Ned, para passar o tempo até Falstaff chegar, eu lhe peço, Ned, que fique em uma das salas ao lado enquanto eu interrogo o meu aprendiz de vinhos, e não pare de ficar chamando "Francis!", de modo que tudo o que ele tiver de me dizer fique só em "Agorinha mesmo!". Afaste-se, para ensaiarmos.

(POINS afasta-se.)

POINS

Francis!

PRÍNCIPE

Está perfeito.

POINS

Francis!

(Entra FRANCIS, aprendiz de garçom.)

FRANCIS

30 Agorinha mesmo, senhor. Dá uma olhada na sala das Romãs,[12] Ralph.

PRÍNCIPE

Venha cá, Francis.

FRANCIS

Senhor?

PRÍNCIPE

Quanto tempo ainda tem de servir?

FRANCIS

Na verdade cinco anos, o que é bastante para...

POINS

35 *(De fora.)* Francis!

FRANCIS

Agorinha mesmo, senhor.

PRÍNCIPE

Cinco anos! Pela Virgem que é muito tempo para bater canecas de estanho; mas Francis, será que você ousaria ser valente o bastante para se acovardar no seu aprendizado e esquentar as canelas fugindo
40 dele?

FRANCIS

Ai meu Deus, senhor, eu juro em cima de todas as Bíblias da Inglaterra, que ia poder, no coração...

POINS

(De fora.)
Francis!

FRANCIS

Agorinha mesmo, senhor.

PRÍNCIPE

45 Quantos anos você tem, Francis?

FRANCIS

Deixe-me ver. Lá pela festa de São Miguel vou fazer...

---

12 Sala de uma taverna assim nomeada. (N. T.)

POINS

(De fora.)
Francis!

FRANCIS

Agorinha mesmo, senhor — por favor, me dê um momento, milord.

PRÍNCIPE

Não, preste atenção; aquele açúcar que me deu valia um penny, não é?

FRANCIS

Ah, milord, quem dera terem sido dois!

PRÍNCIPE

Eu lhe darei mil libras por ele — peça-me quando quiser, que as terá.

POINS

(De fora.) Francis!

FRANCIS

Agorinha mesmo, senhor.

PRÍNCIPE

Agorinha mesmo? Não, Francis; mas amanhã, Francis; ou, Francis, na quinta-feira; ou na verdade quando quiser, Francis. Mas Francis!

FRANCIS

Senhor?

PRÍNCIPE

Você será capaz de enganar esse bem falante de casaco de couro, botões de cristal, cabeça raspada, anel de ágata, meia de lã ordinária e sacola espanhola?

FRANCIS

Ai, senhor, do que é que o senhor está falando?

PRÍNCIPE

Que então sua única bebida vai ser vinho sujo; porque assim seu avental branco vai se sujar. Na costa da Barbária ele não vai valer grande coisa.

FRANCIS

O quê, senhor?

POINS

>*(De fora.)*
>Francis!

PRÍNCIPE

>Vá logo, moleque; não vê que o estão chamando?
>
>*(Nesse momento ambos chamam por ele; o aprendiz de garçom fica atarantado, sem saber para onde ir. Entra o VINHETEIRO.)*

VINHETEIRO

>Por que fica parado aí enquanto o chamam?
>Vá atender os hóspedes lá dentro.
>
>*(Sai FRANCIS.)*
>
>Milord, o velho Sir John e mais uma meia dúzia estão aí na porta. Devo deixá-los entrar?

PRÍNCIPE

>Deixe-os esperar um pouco, depois faça-os entrar.
>
>*(Sai o VINHETEIRO.)*
>
>Poins!
>
>*(Volta POINS.)*

POINS

>Agorinha mesmo, senhor.

PRÍNCIPE

>Rapaz, Falstaff e o resto dos ladrões estão na porta; vamos nos divertir?

POINS

>Mais do que grilos, rapaz; mas ouça, que brincadeira foi essa que fez com o criado? Diga, para o que foi isso?

PRÍNCIPE

>Meu humor agora é o de experimentar todos os humores que apareceram desde os tempos do velho Adão até os novos tempos que nasceram ainda hoje ao meio-dia.
>
>*(Volta FRANCIS.)*
>
>Que horas são, Francis?

FRANCIS

Agorinha mesmo, senhor.

(Sai.)

PRÍNCIPE

Como é que um sujeito desses tem vocabulário menor do que o de um papagaio, mesmo sendo filho de mulher? Mover-se ele só sabe subir e descer, e sua eloquência se reduz a dizer de quanto é a conta. Não que o queira como o Hotspur do norte, que mata seis ou sete dúzias de escoceses para o café, lava as mãos e diz para a mulher "Não suporto essa vida tranquila; quero trabalhar". "Ai, meu doce Harry", diz ela, "quantos você já matou hoje?" "Lavem o meu alazão", diz ele, e responde "Uns catorze", e uma hora mais tarde, "um nada, um nada". Por favor, chame Falstaff: eu faço o papel de Percy e aquele corpanzil maldito vai fazer Dame Mortimer, sua esposa. "Rivo!",[13] diz o bêbado; faça entrar o Costela e o Vela de Cera.

(Entram FALSTAFF, GLADSHILL, BARDOLPH e PETO, seguidos por FRANCIS, com o vinho.)

POINS

Bem-vindo, Falstaff; por onde andou?

FALSTAFF

Raios partam todos os covardes, é o que eu digo, e uma boa vingança também, pela Virgem e amém! Dê-me um copo de vinho, menino. Antes que continuar a levar este tipo de vida eu hei de remendar e cerzir meias, e até de calçá-las. Que raios partam todos os covardes. Um copo de vinho aqui, safado; será que não existe mais virtude?

(Ele bebe.)

PRÍNCIPE

Nunca viu Titã (Titã de bom coração) beijar um prato de manteiga, que derreteu só de ouvir as doces palavras do sol? Se já, é só olhar ali para ver o quadro.

FALSTAFF

(Para FRANCIS.)

Salafrário, o vinho está com cal, também: não há nada se não safadeza a ser encontrada em um pulha. Vilão covarde! Vá em frente, velho Jack; morra quando quiser — se ser homem, um homem de verdade, não tiver sido esquecido na face desta terra, então eu sou um arenque seco:

---

13 Não se sabe ao certo a origem dessa exclamação relacionada à bebida, talvez derivada do italiano "riviva" e significando "outro viva" ou "outro brinde". (N. E.)

não restam três bons homens na Inglaterra sem serem enforcados, e um deles é gordo, está ficando velho, que Deus nos ajude nestes tempos, pois digo que este é um mundo mau. Quem me dera ser tecelão; podia cantar salmos, ou qualquer coisa. E insisto em dizer que raios partam os covardes.

PRÍNCIPE

Como é, saco de lã; o que está resmungando?

FALSTAFF

Um filho de rei! Se eu não o ponho para fora do reino com uma espada de madeira, e todos os seus súditos na frente, como um bando de gansos selvagens, nunca mais uso cabelo na cara. Você, príncipe de Gales!

PRÍNCIPE

Ora, seu filho da mãe redondo, o que é que há?

FALSTAFF

Você não é covarde? Responda só isso — e mais o Poins, ali?

POINS

Pelas chagas de Cristo, barrigudo; se me chamar de covarde juro por Deus que lhe enfio um punhal.

FALSTAFF

Eu, chamá-lo de covarde? Prefiro vê-lo danado do que chamá-lo de covarde, mas daria mil libras para correr tão depressa quanto você. Fica aí com os ombros bem esticados, pouco importa quem lhe veja as costas: então chama a isso proteger-me as costas? Eu prefiro quem me encare de frente! Deem-me um copo de vinho; quero ser um crápula se já bebi alguma coisa hoje.

PRÍNCIPE

Safado! Mal limpou os beiços desde o último trago.

FALSTAFF

Ora, tudo isso é parte do primeiro. *(Bebe.)* Danem-se todos os covardes, é o que eu digo.

PRÍNCIPE

O que é que houve?

FALSTAFF

O que houve? Quatro de nós pegamos mil libras esta manhã.

Príncipe

Onde estão, Jack, onde estão?

Falstaff

Onde estão? Foram tiradas de nós: caíram cem em cima de nós.

Príncipe

O quê? Cem, homem?

Falstaff

Sou um salafrário se não enfrentei um corpo a corpo com eles por duas horas. Escapei por milagre. Levei oito espetadelas no casaco, quatro nas calças, meu facão cortava, e cortava, e cortava, e minha espada despedaçava como um serrote — *ecce signum*![14] *(Ele mostra a espada.)* Nunca lutei tão bem desde que virei homem: nem o máximo bastava. Que se danem todos os covardes! *(Apontando para Gadshill, Harvey e Bardolph.)* Façam os outros falar — se disserem mais ou menos do que a verdade, são vilões filhos do inferno.

Príncipe

Falem, senhores; como foi?

Gadshill

Nós quatro caímos em cima de uma boa dúzia...

Falstaff

Eram pelo menos dezesseis, milord.

Gadshill

E os amarramos...

Peto

Nada disso; não foram amarrados.

Falstaff

Ora, salafrário, eles foram amarrados, todos eles, ou então eu sou judeu, um judeu hebreu.

Gadshill

Quando estávamos repartindo o roubo, uns seis ou sete novos homens caíram sobre nós...

Falstaff

E desamarraram os outros, e aí chegaram mais outros.

---

[14] Expressão em latim que significa "aqui está a prova". (N. E.)

PRÍNCIPE

O quê? E lutaram contra todos esses?

FALSTAFF

Todos? Não sei o que chama de todos, mas se eu não lutei com cinquenta deles sou um amarrado de rabanetes: se não havia uns cinquenta e dois ou três em cima do velho Jack, não sou bicho de dois pés.

PRÍNCIPE

Peço a Deus que não tenha assassinado alguns deles.

FALSTAFF

É tarde para rezar, pois acabei com dois deles. Com dois tenho a certeza de que acabei, dois bandidos com roupas de algodão grosso. Estou-lhe dizendo, Hal, se eu mentir pode me cuspir na cara e me chamar de cavalo. Você sabe bem como eu fico em guarda — fiquei assim, com a ponta virada assim. Quatro bandidos vestidos de algodão me atacaram... *(Ele se levanta, como se fosse lutar.)*

PRÍNCIPE

O quê? Quatro? Você disse que eram dois ainda agora.

FALSTAFF

Quatro, Hal; eu lhe disse quatro.

POINS

Isso mesmo, ele disse quatro.

FALSTAFF

Esses quatro vieram na frente, atacando principalmente a mim; eu nem me alterei, mas consegui pegar as sete lâminas na minha mira, assim!

PRÍNCIPE

Sete? Ora, ainda há pouco eles eram quatro.

FALSTAFF

De algodão grosso?

POINS

Isso; quatro de algodão grosso.

FALSTAFF

Sete, pelo punho da minha espada, ou eu não presto.

PRÍNCIPE

    (À parte para POINS.)
    Por favor, deixe-o em paz, que ainda vamos nos divertir mais.

FALSTAFF

    Está-me escutando, Hal?

PRÍNCIPE

    Estou, e observando também, Jack.

FALSTAFF

    Faz bem, pois vale a pena ouvir isto. Os nove sujeitos de algodão grosso de que falei...

PRÍNCIPE

    (À parte para POINS.)
    Ah, quer dizer que já há mais dois.

FALSTAFF

    Já sem botões nas pontas...

POINS

    (À parte para o PRÍNCIPE.)
    Perderam as calças.

FALSTAFF

    Começaram a ceder terreno; mas eu os segui, cheguei bem perto, fiquei mão com mão, pé com pé, e num segundo atravessei sete dos onze.

PRÍNCIPE

    (À parte para POINS.)
    Mas que coisa monstruosa! Onze homens de algodão grosso saírem de dois!

FALSTAFF

    Mas, com os diabos, três safados malditos, de verde musgo, vieram por trás e me atacaram, porque estava tão escuro, Hal, que não dava para ver a própria mão.

PRÍNCIPE

    Essas mentiras parecem com o pai que as gerou, do tamanho de uma montanha, escancaradas e palpáveis. Ora, gordo de miolo mole, tolo estúpido, filho da mãe obsceno, vela de sebo derretida...

FALSTAFF

190   O quê? Está louco? Está louco? Então verdade não é verdade?

PRÍNCIPE

        Ora, como é que pôde ver que os homens estavam de verde musgo se estava tão escuro que não dava para ver a própria mão? Vamos, explique. O que é que diz?

POINS

        Vamos, sua explicação, Jack, sua explicação.

FALSTAFF

195   O quê, me obriga? Pelas chagas de Cristo, mesmo que estivesse no *strappado*,[15] ou em todas as torturas do mundo, eu não explico nada obrigado. Dar explicações obrigado? Mesmo com tantas explicações quanto amoras eu me recuso a explicar o que quer que seja, se for obrigado.

PRÍNCIPE

200   Não quero mais ter culpa por esse pecado. Esse covarde fanfarrão, esse amassador de camas, esse quebrador de espinhas de cavalos, essa vasta montanha de carne...

FALSTAFF

        Pelo sangue de Cristo, seu faminto, sua enguia, sua língua de boi seca, seu peru de boi, seu bacalhau seco — quem me dera ter fôlego
205   para dizer o que você é! — seu metro de alfaiate, sua bainha de espada, seu estilete em pé!

PRÍNCIPE

        Pois então respire um pouco e comece de novo, e quando ficar cansado de fazer comparações grosseiras ouça-me dizer apenas uma coisa.

POINS

        E preste bem atenção, Jack.

PRÍNCIPE

210   Nós dois vimos vocês quatro atacarem os outros quatro, amarrarem--nos e ficarem com o seu tesouro — e repare como uma história muito simples derruba tudo o que disse. A seguir nós atacamos vocês quatro, tiramo-lhes o produto do roubo, que está conosco. Isso mesmo, poderemos mostrá-lo aqui mesmo, nesta casa: e você, Falstaff, arrastou
215   suas tripas com tanta agilidade, com tanta rapidez e destreza, e urrou tanto pedindo misericórdia, e continuou a correr e a urrar, como jamais ouvi fazer o melhor dos bezerros. Que vilão é você, amassando sua

---

15 Também conhecido como pêndulo, era um instrumento de tortura medieval feito de uma viga e uma corda; os pulsos da vítima eram amarrados para trás e a corda era pendurada na viga. (N. E.)

espada como fez, para depois dizer que foi na luta? Que truque, que recurso, que buraco para se esconder pode você encontrar agora, para escapar dessa vergonha clara e aparente?

Poins

Vamos, Jack; que truque lhe restou agora?

Falstaff

Por Deus, que eu o reconheci tão bem quanto o faria aquele que o gerou. Pois então ouçam-me, meus amigos: caberia a mim matar o herdeiro do trono? Deveria eu voltar-me contra nosso verdadeiro príncipe? Ora, você sabe que eu sou tão valente quanto Hércules; mas o instinto tem de ser levado em conta — o leão não mata o verdadeiro príncipe; o instinto é uma coisa muito importante. E eu fui então covarde por instinto: e hei de pensar com mais respeito em mim mesmo e em você daqui por diante: em mim como um leão valente; em você como verdadeiro príncipe. Mas juro por Deus, rapazes, que fico contente por o dinheiro estar com vocês. Taverneira, tranque as portas! Hoje nós temos vigília, amanhã nós rezamos! Cavalheiros, rapazes, meninos, corações de ouro, que vocês recebam todos os títulos dos bons companheiros! Como é? Então vamos nos divertir, e improvisar uma peça?

Príncipe

Acho ótimo; o tema será a sua fuga.

Falstaff

Agora chega disso, Hal, se me ama.

(Entra a Taverneira.)

Taverneira

Ai, Jesus, Milord Príncipe!

Príncipe

Então, Milady Taverneira, o que tem a me dizer?

Taverneira

Pela Virgem, que tem um nobre da corte aí na porta que quer falar com o senhor: diz ele que vem da parte de seu pai.

Príncipe

Dê-lhe o bastante para fazer dele um homem real, e mande-o de volta de novo para a minha mãe.

FALSTAFF
Que espécie de homem é ele?

TAVERNEIRA
Um velho.

FALSTAFF
E o que faz a gravidade fora da cama à meia-noite? Quer que eu lhe dê sua resposta?

PRÍNCIPE
Se me faz o favor, Jack.

FALSTAFF
Pode deixar que eu o despacho.

(Sai.)

PRÍNCIPE
E agora, senhores; por Deus que lutaram bem, você também Peto, e você, Bardolph; são todos leões também, fugiram todos por instinto, seriam incapazes de tocar seu verdadeiro príncipe. Pois sim!

BARDOLPH
Para falar a verdade, eu fugi quando vi os outros fugirem.

PRÍNCIPE
Mas agora, por favor, falem sério; como é que a espada de Falstaff ficou assim toda amassada?

PETO
Ora, ele deu uns golpes nela com sua adaga, e disse que ia jurartanto que acabava com a verdade na Inglaterra, e fazendo acreditar que tinha sido na luta; e ainda nos convenceu de fazer o mesmo.

BARDOLPH
E nos fez coçar os narizes com grama de espinho, para os fazer sangrar, e então lambuzar nossas roupas, jurando que era sangue de homens bravos. Eu acabei fazendo o que não fazia há sete anos: corei só de estar usando truques tão monstruosos.

PRÍNCIPE
Ora, vilão, você roubou um copo de vinho há dezoito anos, e gostou tanto que desde então fica vermelho com a maior facilidade. Tinha fogo e espada a tiracolo e fugiu feito um louco — qual foi o instinto que o levou a isso?

BARDOLPH

(*Indicando seu próprio rosto.*) Milord, o senhor está vendo esses meteoros? Está percebendo essas exalações?

PRÍNCIPE

Estou.

BARDOLPH

E o que acha que eles prenunciam?

PRÍNCIPE

Fígados encharcados e bolsas vazias.

BARDOLPH

Cólera, milord, se compreendidos com justeza.

PRÍNCIPE

Não; com justiça eles dão forca. (*Volta FALSTAFF.*)

Lá vem o Jack magrela, o molho de ossos. Como é, minha querida criatura dos exageros. Já faz quanto tempo, Jack, desde que você viu seus joelhos pela última vez?

FALSTAFF

Meus joelhos? Quando eu tinha a sua idade, Hal, eu tinha uma cintura de vespa; podia passar pelo anel de polegar de um vereador: raios partam os suspiros e a dor, que incham a gente como um balão. Estão correndo maus boatos: esteve aí Sir John Bracy, a mando de seu pai; você tem de ir para a corte logo de manhã. Aquele mesmo louco lá do norte, Percy, mais aquele outro do País de Gales, que deu umas pancadas em um demônio, corneou Lúcifer e jurou que o diabo era seu vassalo na cruz dos chifres de um touro — como é mesmo o nome dele?

POINS

Glendower.

FALSTAFF

Owen Glendower, isso mesmo; e seu genro Mortimer, e o velho Northumberland, e aquele escocês dos escoceses, o esperto Douglas, que sobe colinas perpendiculares acima montado a cavalo...

PRÍNCIPE

Que galopa à toda e com sua pistola mata um pardal em pleno voo.

FALSTAFF

Acertou em cheio.

PRÍNCIPE

Mas ele não acerta o pardal.

FALSTAFF

Mas o moleque é de boa cepa; ele não corre.

PRÍNCIPE

Moleque é você, que o elogiou tanto por correr!

FALSTAFF

Só a cavalo, seu maluco; a pé ele não cede um pé.

PRÍNCIPE

Cede sim, Jack, por instinto.

FALSTAFF

Concordo que sim, por instinto; bem, ele também está lá, e um tal Mordake, e mais mil bonés azuis.[16] Worcester escapuliu esta noite; a barba de seu pai ficou branca com a notícia; pode-se comprar terra a preço de uma pescadinha fedorenta.

PRÍNCIPE

Mas então, se junho for quente e essas escaramuças civis continuarem, vamos comprar virgindades como pregos, aos centos.

FALSTAFF

Pela missa que você fala a verdade, tudo indica que vamos poder fazer muito boas compras. Mas diga-me, Hal, não está com muito medo? Sendo o príncipe herdeiro, poderia o mundo escolher outros três inimigos assim como o demônio Douglas, a aparição Percy e o diabo Glendower? Você não está com um medo horrível? Seu sangue não se abala com isso?

PRÍNCIPE

Nem um pouco; faltam-me alguns de seus instintos.

FALSTAFF

Pois vai ser mais do que terrivelmente repreendido amanhã quando se apresentar a seu pai; se gosta de mim, vamos ensaiar umas respostas.

PRÍNCIPE

Faça você o papel de meu pai, e examine detalhes da minha vida.

---

[16] Os soldados escoceses usavam bonés azuis. (N. E.)

FALSTAFF

Eu? Ótimo! Esta cadeira será meu trono, esta adaga meu cetro, e esta almofada a minha coroa. (*Senta-se.*)

PRÍNCIPE

Pelo que se vê o seu trono é um banquinho de três pés, seu cetro de ouro uma adaga de chumbo, e sua preciosa coroa uns cabelinhos em volta de uma careca.

FALSTAFF

Bom, se o fogo da graça divina ainda não se apagou totalmente em você, agora há de ficar abalado. Deem-me um copo de vinho, para meus olhos ficarem vermelhos, e todos pensarem que andei chorando, pois tenho de falar com paixão, na linha da peça do rei Cambises.

PRÍNCIPE

(*Fazendo uma reverência.*)
Pronto, eis a minha reverência.

FALSTAFF

E eis a minha fala. (*Para os outros.*) Nobreza, afastem-se.

TAVERNEIRA

Jesus, essa é uma brincadeira excelente.

FALSTAFF

Não chore, doce rainha, pois essas lágrimas rolam em vão.

TAVERNEIRA

Olhem só, como ele fica com jeito de pai!

FALSTAFF

Por favor, levem a rainha triste, Que as lágrimas transbordam em seus olhos.

TAVERNEIRA

Jesus, ele faz igual a qualquer dessas peças indecentes que eu costumo ver!

FALSTAFF

Silêncio, boa caneca, silêncio, cabeça de garrafa. — Harry, espanto-me não só diante de como gastas o teu tempo, mas também pelo modo que andas acompanhado. Pois se a camomila quanto mais pisada mais depressa cresce, a juventude quanto mais desperdiçada mais rápido se gasta. Que sejas meu filho eu tenho em parte a palavra de tua mãe, em parte minha própria opinião, mas principalmente um jeito nos olhos e um toque de luxúria em teu lábio inferior que me dão garantia. Se então és meu filho, eis o problema — por que, sendo um filho meu, é alvo de tanto deboche? Deve o filho do rei revelar-se um gazeteiro para andar aí à toa? Nem se deve perguntar isso. Deve o filho da Inglaterra mostrar-se um ladrão, andar batendo carteiras? É o que se deve perguntar. Há uma coisa, Harry, da qual já ouviste muitas vezes falar conhecida por muitos em nossa terra pelo nome de piche. Esse piche (segundo os autores mais antigos) conspurca, como faz também a companhia que cultivas: pois Harry, eu não te falo com bebida mas com lágrimas; não por prazer mas por paixão; não apenas por palavras mas também por sofrimentos. No entanto, há um homem virtuoso que eu tenho muitas vezes notado em tua companhia, mas cujo nome ignoro.

Príncipe

Que tipo de homem, se apraz a Vossa Majestade?

Falstaff

Um belo homem de grande porte, na verdade corpulento; de aspecto alegre, olhar agradável, e de nobilíssima postura; segundo penso, deve estar em torno dos cinquenta, ou até tendendo para os sessenta; e agora me lembro que seu nome é Falstaff. Se esse homem tiver maus hábitos, eu me engano muito; pois, Harry, vejo virtude em seu aspecto. Se então a árvore pode ser conhecida pelo fruto, como o fruto pela árvore, então eu te afirmo peremptoriamente que há virtude nesse Falstaff; mantém-no junto a ti, e bane o resto. E deixa que te diga agora, seu pilantra malvado, diz-me onde tem andado neste último mês?

Príncipe

Acha que está falando como um rei? Faça você o meu papel, que eu interpreto meu pai.

Falstaff

Vai me depor? Se conseguir falar com metade da seriedade e da majestade, seja em linguagem ou conteúdo, enforque-me pelos pés, como coelhinho no açougue.

Príncipe

Bem, estou pronto.

Falstaff

E aqui estou eu. Julguem, meus senhores.

Príncipe

Então, Harry, de onde estás vindo?

FALSTAFF

Meu nobre lord, de Eastcheap.

PRÍNCIPE

As queixas que venho ouvindo contra ti são muito graves.

FALSTAFF

Pelo sangue de Cristo, são falsas; não, eu hei de vos divertir sendo um príncipe jovem.

PRÍNCIPE

Blasfemas, rapaz infeliz? Daqui por diante não ouses sequer olhar-me. Tem sido violentamente arrastado para longe da graça, e há um diabo que te assombra na forma de um velho gordo, tens por companheiro um monte de carne. Por que conversas com esse feixe de humores, esse barril de bestialidade, esse pacote de inchaços, esse vasto odre de vinho, essa sacola recheada de tripas, esse boi de Manningtree assado com pudim na barriga, esse vício idoso, essa iniquidade grisalha, esse pai dos rufiões, essa vaidade idosa? Em que é ele bom senão para provar e beber vinho? Em que correto e limpo, senão para cortar e comer capões? Em que inventivo, senão em esperteza, em que esperto, senão em vilanias? Em que vilão, senão em todas as coisas? Em que meritório, senão em nada?

FALSTAFF

Eu gostaria que Vossa Graça me elucidasse em seu sentido: a quem se refere a Vossa Graça?

PRÍNCIPE

Àquele abominável vilão, desencaminhador da juventude, Falstaff, aquele Satã de barbas brancas.

FALSTAFF

Milord, eu conheço o homem.

PRÍNCIPE

Eu sei que o conheces.

FALSTAFF

Porém afirmar que existe mais mal nele do que em mim próprio é dizer mais do que sei eu. Que seja velho é uma pena, e seus cabelos brancos o atestam, mas que seja, com o perdão da palavra, um cafetão, isso eu nego inteiramente. Se vinho e açúcar são erros, que Deus ajude os que pecam! Se ser velho e alegre for pecado, então muito taverneiro velho está danado: se ser gordo é ser odiado, então as vacas magras do Faraó devem ser amadas. Não, meu bom senhor; bani Peto, bani Bardolph, bani Poins — mas quanto ao doce Jack Falstaff, o bondoso Jack Falstaff, o leal Jack Falstaff, o valente Jack Falstaff, ainda mais valente por ser o velho Jack Falstaff, não deveis bani-lo da companhia de vosso Harry, não o bani da companhia de vosso Harry, pois banindo o gorducho Jack banireis o mundo inteiro.

Príncipe

Assim penso. Assim farei.[17]

(Batem à porta. Saem a Taverneira, Francis e Bardolph. Volta Bardolph, correndo.)

Bardolph

Ah, milord, milord, o xerife, com uma guarda monstruosa, está aí na porta.

Falstaff

Fora, calhorda! Vamos continuar a peça! Eu tenho muito para dizer a respeito do tal Falstaff.

(Volta a Taverneira.)

Taverneira

Ai, Jesus, meu senhor, meu senhor!

Príncipe

O que é isso? O que é isso? Parece que o diabo está tocando para dançarem; o que é que houve?

Taverneira

O xerife e toda a guarda estão na porta; vieram dar busca na casa. Devo deixar que entrem?

Falstaff

Ouviu, Hal? Nunca chame uma moeda de ouro verdadeira de falsa: você é o que é, embora não pareça.

Príncipe

E você um covarde nato, sem instintos.

Falstaff

Eu nego a premissa. Se negar entrada ao xerife, tudo bem; mas se não, deixe-o entrar. Se eu não ficar tão bem quanto qualquer outro no carro dos condenados, maldita seja minha educação! Para mim

---

17 Passagem distinta em tom da anterior, retoma o solóquio final do Príncipe 1.2, em que ele diz que só apoiará os demandos para que, quando se reformar, sua mudança seja ainda mais admirada. (N. E.)

ser estrangulado numa forca é tão bom quanto por qualquer outro modo.

PRÍNCIPE

Esconda-se atrás da cortina, e os outros que vão passear lá em cima.
E agora, meus senhores, um rosto franco e uma consciência limpa.

FALSTAFF

Já tive os dois, mas sua época acabou; portanto, vou esconder-me.

(Saem todos menos o PRÍNCIPE e PETO.)

PRÍNCIPE

(Para a TAVERNEIRA.)
Chame o xerife.

(Sai a TAVERNEIRA.)

(Entram o XERIFE e o CARROCEIRO.)

Então, senhor xerife, o que deseja comigo?

XERIFE

Perdão, milord. Mas uma turba aflita
Seguiu até esta casa certos homens.

PRÍNCIPE

Que homens?

XERIFE

Um muito conhecido, meu senhor,
Um gorducho.

CARROCEIRO

Mais gordo que manteiga.

PRÍNCIPE

O homem não 'stá aqui, eu lhe garanto,
Pois inda agora está a meu serviço:
E, xerife, eu lhe dou minha palavra,
Que o mando amanhã, até a ceia,
Responder ao senhor, ou qualquer outro
Por toda acusação que lhe for feita;
Eu lhe peço, portanto, que nos deixe.

XERIFE

Irei, milord: dois cavalheiros mais
Foram roubados em trezentos marcos.

PRÍNCIPE

Pode ser; e se roubou esses homens
Responderá por isso; é só, adeus.

XERIFE

Boa noite, meu nobre senhor.

PRÍNCIPE

Eu creio que já é bom dia; não?

XERIFE

É verdade, milord. São duas horas.

(Sai, com o CARROCEIRO.)

PRÍNCIPE

O safado oleoso é tão conhecido quanto a catedral de São Paulo; vá dizer-lhe que saia.

PETO

Falstaff! Dormindo a sono solto atrás da cortina, e relinchando como um cavalo.

(Abre a cortina.)

PRÍNCIPE

Veja como respira com dificuldade — examine os seus bolsos. *(PETO revista os bolsos de FALSTAFF e encontra certos papéis.)* O que achou?

PETO

Só uns papéis, milord.

PRÍNCIPE

Vamos ver o que são; leia.

PETO

(Lendo.)

Item um capão..2s.2d
Item molho..4d.
Item vinho dois galões....................................5s.8d
Item anchovas e vinho depois da ceia......2s.6d
Item pão..ob.

PRÍNCIPE

460 Que monstruosidade! Só meio *penny* de pão para essa quantidade intolerável de vinho? O resto, guarde; leremos com mais calma. Deixe-o dormir aí até ser dia. Eu vou para a corte de manhã. Temos todos de ir para a guerra, e você terá lugar honrado. Vou conseguir para esse gordo safado um comando na infantaria e ele é capaz de morrer com uma tropa de duzentos e quarenta homens. O dinheiro
465 será devolvido, e com juros. Encontre comigo logo pela manhã; e então boa noite, Peto.

PETO

Boa noite, meu bom lord.

(Saem.)

ATO 3

CENA 1
Bangor, em Gales. A casa do arquidiácono.

(Entram Hotspur, Worcester, Lord Mortimer e Owen Glendower.)

MORTIMER
    As promessas são firmes, todos certos,
    Nosso prólogo pleno de esperanças.

HOTSPUR
    Primo Glendower, Lord Mortimer, sentem-se.
    E o tio Worcester. Mas que maldição!
5   Eu esqueci o mapa.

GLENDOWER
                Está aqui:
    Sentem-se, primo Percy, primo Hotspur;
    Pois quando Lancaster assim o chama
    Empalidece e, suspirando fundo,
    O deseja no céu.

HOTSPUR
                E a si no inferno,
10   Se sequer ouve o nome de Glendower.

GLENDOWER
    Eu não o culpo, pois quando eu nasci
    Foram vistas no céu formas de fogo,
    Astros queimando e, ao ser parido,
    A forma e as fundações do mundo inteiro
15   Tremeram qual covarde.

HOTSPUR
                E o fariam
    Então mesmo que a gata de sua mãe
    Desse cria e você jamais nascesse.

GLENDOWER
    Digo: a terra tremeu quando eu nasci.

HOTSPUR
    E eu que ela não tinha tal ideia
20   Se pensa que tremeu só por temê-lo.

GLENDOWER
    Houve fogo no céu, tremor na terra....

HOTSPUR
    Então tremeu, e o céu ficou em fogo,
    Mas não por medo do seu nascimento.
    A natureza enferma estoura, às vezes,
25   Em 'stranhas erupções, e a terra túmida
    Se aperta e se contorce, como em cólica,
    Porque prendeu os ventos indomáveis
    Em seu ventre, que em luta por livrar-se
    Sacodem a mãe-terra e derrubam
30   Campanários e torres. No seu parto,
    A velha terra, 'stando perturbada,
    Sacudiu de paixão.

GLENDOWER
                Primo, de muitos
    Não aturo esse agravo; e agora deixe
    Que lhe repita que, quando nasci,
35   A testada do céu estava em fogo,
    Fugiram cabras dos morros, e as manadas
    Assustavam os campos com seus gritos.
    Tais sinais já me tiram do ordinário,
    E tudo o que houve em minha vida mostra
40   Que eu não me enquadro entre os homens comuns.
    Onde vive, abraçado pelos mares
    Que atingem Inglaterra, Escócia, Gales,
    Quem me chame de aluno, ou que me ensine?
    E tragam-me algum filho de mulher
45   Que me siga em rotinas de guerreiro
    Ou me iguale nos meus experimentos.

HOTSPUR
    Sei que ninguém fala melhor galês.
    Eu vou jantar.

MORTIMER
    Paz, primo Percy; assim vai irritá-lo.

GLENDOWER
50   Das profundezas posso chamar almas.

HOTSPUR
    E eu também, ou qualquer outro homem:
    Mas será que elas vêm, se acaso as chama?

GLENDOWER
    Posso ensiná-lo a comandar o diabo!

HOTSPUR
    E eu a si, a envergonhar o demo
55   Pela verdade. Assim se humilha o demo.
    Se tem poder sobre ele, aqui o traga,
    Que terei eu poder para vencê-lo.
    Quem vive é assim que ganha dele.

MORTIMER
    Vamos, chega de falação inútil.

GLENDOWER
60   Três vezes atacou-me Bolingbroke
    Três vezes livrei dele o rio Wye,
    Do arenoso Severn o expulsei,
    Derrotado, pra casa sem butim.

HOTSPUR
    Pra casa sem botina, e no mau tempo!
65   Diabos! E não teve um resfriado?

GLENDOWER
    Eis o mapa; divide-se o direito
    Segundo o nosso acordo tríplice?

MORTIMER
    O arquidiácono já dividiu as terras
    Muito igualmente entre os três limites.
70   A Inglaterra, do Trent até o Severn,
    Pro sul e leste é dada à minha parte.
    Gales, a oeste, para além do Severn,
    E toda a terra fértil nessa área
    É de Glendower. E, meu primo, é seu
75   Tudo que resta, pro norte do Trent.
    Nossa partilha tripartite feita,
    E todos nós trocando assinaturas —
    O que hoje à noite pode bem ser feito —
    Amanhã, primo Percy, você, eu,
80   E o bom Lord de Worcester partiremos
    Para encontrar seu pai e os escoceses,
    Como foi combinado, em Shrewsbury.
    Meu pai Glendower inda não está pronto,
    Nem é preciso por catorze dias.

85   *(Para* Glendower.*)* Nesse tempo terá já reunidos
Seus colonos, amigos e vizinhos.

Glendower

Que menos tempo me reúna a todos.
Em meu comboio irão suas senhoras,
De que têm de fugir, sem despedidas,
90   Pois um mundo de água cairia
Ao separarem-se de suas esposas.

Hotspur

Minha parte, ao norte aqui de Burton,
Me parece menor que as outras, suas.
Vejam só como o rio se insinua,
95   E tira do melhor da minha terra,
Enorme meia-lua, um canto horrendo.
Eu farei represar todo esse ponto
E aqui o Trent, tranquilo e prateado,
Correrá nesse novo e belo leito.
100   Assim não vai fazer curva tão funda,
Pra me roubar da rica terra ao sul.

Glendower

Não vai? Mas é preciso — ele é assim!

Mortimer

                                      Sim,
É só notar como cumpre seu curso
E tira-me vantagens, do outro lado,
105   Castrando tanto o outro continente
Quanto no lado oposto a si tirou.

Worcester

Uma despesa pouca aqui o retém,
Ganhando ao norte essa nesga de terra,
Fazendo-o correr igual e reto.

Hotspur

110   É o que quero; com despesa pouca.

Glendower

Eu não deixo que o mudem.

Hotspur

                            Ah, não deixa?

Glendower

Não; não o mudarão.

HOTSPUR
>	Quem me diz não?

GLENDOWER
>	Ora, o direi eu.

HOTSPUR
>	Não me deixe entender; fale galês.

GLENDOWER
> 115	Eu falo inglês tão bem quanto o senhor,
>	Na corte inglesa é que eu fui treinado,
>	Onde, inda jovem, adaptei pra lira
>	Muita canção inglesa com beleza,
>	E criando ornamentos para a língua —
> 120	Virtude jamais vista no senhor.

HOTSPUR
>	O que me deixa o coração alegre!
>	Prefiro ser um gato e miar muito
>	A ser um fabricante de baladas.
>	Prefiro ouvir cair um castiçal,
> 125	Ou roda seca gemendo no eixo;
>	Não ranjo os dentes por uma nem outro,
>	Ou muito menos que só pela tal poesia —
>	Parece trote de pangaré velho.

GLENDOWER
>	Está bem; vamos desviar o Trent.

HOTSPUR
> 130	Pouco me importa. Eu dou três vezes isso
>	A qualquer bom amigo que o mereça;
>	Mas em disputa aviso que não cedo
>	Nem metade de um fio de cabelo.
>	'Stão prontos os papéis? Podemos ir?

GLENDOWER
> 135	Brilha a lua; podemos ir de noite:
>	Enquanto apresso o escrivão, vão avisando
>	Suas mulheres que partimos já.
>	A minha filha eu temo que enlouqueça,
>	Tamanho é o seu amor por Mortimer.

MORTIMER
> 140	Percy, é feio irritar assim meu sogro!

HOTSPUR
Eu não posso evitar; fico furioso
Com histórias de toupeiras e formigas,
Do que Merlin previu antigamente,
De dragões e peixes sem nadadeiras,
145 Grifo de asa cortada, corvo em muda,
Leão deitado e gato retesado,
E uma tal quantidade de bobagens
Que quase fico ateu. Pois eu lhe digo:
Ontem à noite levou nove horas
150 Catalogando nomes de diabos
Lacaios dele. Eu só dizia "Ah, é?"
Sem ouvir nada. Pois nem cavalo manco
Nem grito de mulher é tão cacete.
Pior que fumaça em casa, eu prefiro
155 Viver de pão e alho em tenda longe
Que ter comida boa e ele falando
Na melhor casa em toda a cristandade.

MORTIMER
É um cavalheiro com os maiores méritos,
Muito lido e senhor de estranhas artes
160 Do oculto; tem bravura de um leão,
É muito afável e mais generoso
Que as minas da Índia. Sabe, primo?
Ele respeita o seu temperamento,
E até cerceia a reação normal
165 Cada vez que o irrita; esteja certo:
Eu juro que não há um homem vivo
Que o provocasse como o fez agora,
Sem correr o perigo de um castigo;
Porém eu peço só que não abuse.

WORCESTER
170 Os seus rompantes, milord, são os culpados
Pois des' que aqui chegou já fez bastante
Para tirar-lhe toda a paciência;
É preciso que aprenda a corrigir-se.
Se às vezes mostram seu sangue e bravura —
175 E isso é o melhor que fazem ao senhor —
Em outras só se vê raiva brutal,
Defeitos de controle e de maneiras,
Vaidade, orgulho, teimas e desdém,
Todos eles tristezas para um nobre
180 Que lhe perdem amigos e deixam marca

Na beleza de seus outros aspectos
E acabam por roubá-lo de louvores.

HOTSPUR

Já ouvi a lição — Viva os bons modos!

(Volta GLENDOWER com as senhoras.)

Nossas mulheres vêm pra despedir-se.

(A esposa de MORTIMER chora e fala com ele em galês.)

MORTIMER

185 Esse é o problema que me irrita sempre:
Ela não fala inglês, nem eu galês.

GLENDOWER

Minha filha não quer deixá-lo e chora,
Quer ser soldado e ir também pra guerra.

MORTIMER

Bom pai, diga-lhe que com a tia Percy
190 Ela irá nos seguir, em pouco tempo.

(GLENDOWER fala com ela em galês, e ela responde do mesmo modo.)

GLENDOWER

Ela está desesperada, parece uma qualquer, muito teimosa, que não se pode persuadir a nada.

(A moça fala em galês.)

MORTIMER

Compreendo o seu olhar; o bom galês
Que jorra desses céus entumecidos
195 Eu falo bem, e não fosse a vergonha
Responderia nessa mesma língua.

(A moça torna a falar em galês.)

Compreendemos os beijos um do outro,
Em nossa discussão acalorada,
E, meu amor, não serei gazeteiro
200 Enquanto não souber a sua língua,
Já que a sua faz do galês canções

       Que uma rainha canta no verão
       Ao deslumbrante som de um alaúde.

GLENDOWER
       Não; se chorar, ela enlouquece mesmo.

(A moça torna a falar em galês.)

MORTIMER
205   Me sinto totalmente ignorante.

GLENDOWER
       Ela pede que deite aí na palha
       E repouse a cabeça no seu colo,
       Enquanto canta canções que o agradam,
       E traz o deus do sono pra suas pálpebras,
210   E pro seu sangue um gostoso torpor,
       Tornando assim o sono e o despertar
       Tão diferentes quanto a noite e o dia
       No momento em que o celeste carro
       Começa no oriente o seu caminho.

MORTIMER
215   De coração! Será um prazer ouvi-la.
       E enquanto isso fica escrito o livro.

GLENDOWER
       Ouça; e os músicos que vão tocar
       Pairam no céu muito longe daqui
       Mas virão logo; sente-se e ouça..

HOTSPUR
220   Vamos, Kate, que é perfeita deitada:
       Venha pr'eu repousar no seu regaço.

LADY PERCY
       Venha, meu ganso tonto.

(Tocam música.)

HOTSPUR
       Já vi que o diabo compreende galês,
       Não me espanta que tenha bom humor;
225   Mas, pela Virgem, ele é bom na música.

LADY PERCY
    O senhor então devia ser músico,
    Já que é governado por humores,
    Quieto, ouça a canção galesa da música.

HOTSPUR
    Melhor é cadela irlandesa uivando.

LADY PERCY
230   Quer ter a cabeça quebrada?

HOTSPUR
    Não.

LADY PERCY
    Então fique quieto.

HOTSPUR
    Se não ficar, a culpa é da mulher.

LADY PERCY
    Ai, Deus que o ajude!

HOTSPUR
235   Até o leito da galesa.

LADY PERCY
    Como é isso?

HOTSPUR
    Silêncio. Ela está cantando.

(A moça canta uma canção galesa.)

    Vamos, Kate, quero uma canção sua, também.

LADY PERCY
    Minha, não; palavra.

HOTSPUR
240   *Minha, não; palavra*! Querida, suas juras são como as de mulher de confeiteiro "Você, não, eu juro!" ou "Por minha vida!" e "Que Deus me ajude!" e "Pela luz do dia!"...
    Só garante com gaze as suas juras,
    Como se nunca saísse de casa.
245   Jura-me, Kate, como a dama que é,

        Algo de encher a boca, e deixa esse "Palavra!"
        E tantos outros protestos enfeitados
        Para enfeites de roupa de domingo.
        Vamos, cante.

LADY PERCY
250   Não vou cantar.

HOTSPUR
        É o melhor caminho para virar alfaiate ou ensinar passarinho a cantar.
        Os contratos só ficam prontos daqui a duas horas, então venha comigo,
        se quiser.

(Sai.)

GLENDOWER
        Lord Mortimer, o senhor é tão lento
255   Quanto o Lord Percy queima pra partir:
        Deve estar tudo escrito: é só selar
        E, depois, a cavalo!

MORTIMER
        Com prazer!

(Saem.)

CENA 2
Londres. O palácio.

(Entram o REI, o PRÍNCIPE DE GALES e outros.)

REI
        Com licença, senhores; eu e o príncipe
        Temos de falar a sós: mas fiquem perto,
        Chamaremos por todos, daqui a pouco.

(Saem os NOBRES.)

        Não sei dizer se é vontade de Deus
5   Por algum mau serviço que prestei,
        Que no fado escondido no meu sangue
        Ele criou meu castigo e verdugo;
        Mas tu, por teu modo de viver,
        Fazes-me crer que só foste marcado
10   Pra ser vingança e açoite do céu,
        Punição de meus erros. Diz-me como
        Podem desejos tão vis e tão baixos,

Aventuras tão sórdidas, mesquinhas,
Prazeres vãos, amigos tão grosseiros,
15 Como os que te rodeiam e abraças,
Condizer com a grandeza de teu sangue,
Serem tomados por dignos de um príncipe?

Príncipe
Majestade, eu gostaria de poder
Negar meus erros todos com a clareza
20 Com a qual por certo eu me posso purgar
De muitos que me são atribuídos:
Eu só suplico alguma complacência,
Depois de contestar os inventados,
Que o ouvido dos grandes tem de ouvir,
25 De adulador ou de novidadeiro,
Pros verdadeiros, em que a juventude
Me fez escorregar pro incorreto,
E, aqui submisso, peço que perdoe.

Rei
Deus te perdoe! Mas indago, Harry,
30 Dessa tua afeição que voa longe
De onde pairaram os teus ancestrais.
Teu lugar no Conselho já perdeste,
Sendo ocupado pelo teu irmão,
E te afastas até dos corações
35 Da corte e até dos príncipes do sangue:
A esperança e o sonho de teu tempo
'Stão em ruínas, e a alma de todos
Só profetiza adiante a tua queda.
Tivesse eu me mostrado a toda hora,
40 Ficado com a presença desgastada,
Tão barateado por más companhias,
A opinião, que me deu a coroa,
Ficaria leal ao já no trono,
E me deixado um banido sem nome,
45 Um qualquer, privado de esperanças.
Mas, raramente visto, eu me movia
Como um cometa que é admirado,
Dizendo o pai ao filho "Aquele é ele!"
Outro indagando "Qual é Bolingbroke?"
50 E roubando do céu a cortesia,
Me comportava com tal humildade
Que arranquei dos corações lealdade,
Gritos e louvações daquelas bocas,
Mesmo na frente de seu rei ungido.

55 Assim eu me mantive novo, fresco,
    Minha presença, manto pontifício,
    Sempre vista co'espanto, e com meu séquito,
    Pareci sempre uma festa suntuosa,
    E venci só por me fazer tão raro.
60 O saltitante rei, só ia e vinha
    Com idiotas espertos quais gravetos
    De queima rápida, que o degradavam
    Por misturar a realeza aos bobos,
    Profanando o seu nome com deboches,
65 Fazendo mal ao nome com seus modos,
    Rindo de rapazinhos e aturando
    Ofensas de qualquer vaidoso imberbe,
    Tornou-se companheiro das vielas,
    Escravizou-se à popularidade,
70 Era comida diária para os olhos,
    Que enfarados de mel, já começavam
    A odiar o gosto da doçura,
    Em que um pouco mais que um pouco é demais.
    Assim, tendo motivo pra ser visto,
75 Não era mais do que um cuco em junho,
    Ouvido, não notado; e, quando visto,
    Já tão comum, por olhos já cansados,
    Não merecia mais ser observado,
    Como merece o sol da majestade,
80 Se é vislumbrada só em casos raros,
    Mas com olhar caído e sonolento
    Dormiam-lhe na cara, ou encaravam
    Com o ar de quem encontra um adversário,
    Já farto e saturado com o ver.
85 Nesse caminho, Harry, estás também,
    Perdido o privilégio principesco
    Por vil frequência. Não há um só olho
    Que não 'steja cansado de te ver,
    Senão o meu, que a ti quer ver mais,
90 E agora faz o que eu não queria,
    Ficando cego com tola ternura.

PRÍNCIPE

Senhor mais que bondoso, doravante
Eu serei mais eu mesmo.

REI

                              Para o mundo,
    És nesta hora o que foi Ricardo,
95 Quando eu, da França, vim pra Ravenspurgh,

E como eu então, agora é Percy.
Eu juro, por meu cetro e minha alma,
Que ele tem mais empenho pelo Estado
Que tu, que à sucessão não mostras mérito.
100 Sem ter direito, ou sombra de direito,
Ele enche nossos campos de soldados,
Volta-se contra a bocarra do leão,
E sem viver mais anos do que tu
Lidera velhos lords e grandes bispos
105 Em batalhas sangrentas que mutilam.
Com honra inabalável, conquistou
O bravo Douglas, cujos grandes feitos,
Cujas batalhas e nome nas armas,
É tido como o principal soldado,
110 O militar de título mais alto,
Entre os reinos de toda a cristandade.
Três vezes Hotspur, um Marte em cueiros,
Guerreiro infante, em suas investidas,
Derrotou Douglas, e o prendeu numa delas,
115 Soltando-o depois, fazendo-o amigo,
Pra alimentar sua força e desafio,
E abalar a paz do nosso trono.
A isso o que dizes? Percy, Northumberland,
O arcebispo de York, Douglas e Mortimer,
120 Se juntam contra nós em seu levante.
Mas por que hei de contar-te isso tudo?
Por que, Harry, falar-te de oponentes
Sendo tu o mais próximo inimigo?
Podes até, por temor de vassalo,
125 Tendência vil e simples mau humor
Pago por Percy ir lutar contra mim,
Lamber-lhe os pés, agradando-lhe o cenho,
Só por mostrar-te mais degenerado.

PRÍNCIPE

Nem o pense, e assim não será;
130 E Deus perdoe aqueles que forçaram
Seus pensamentos pra longe de mim!
É sobre Percy que hei de redimir-me,
E ao findar de um dia glorioso
Eu hei de ousar dizer que sou seu filho,
135 Quando estiver todo vestido em sangue,
Tendo no rosto máscara sangrenta
Que ao ser lavada limpa-me a vergonha;
E esse dia será, quando chegar,
Em que esse filho da honra e da fama,

140　　　　O bravo Hotspur, maior dos cavaleiros,
　　　　　Enfrentará seu Harry desprezado.
　　　　　Por cada honra que seu elmo exiba,
　　　　　Quem dera fossem multidões, em mim
　　　　　Que dobrem as vergonhas! E algum dia
145　　　　Hei de fazer esse jovem trocar
　　　　　Seus nobres feitos por meus erros vis.
　　　　　Percy é meu agente, meu senhor;
　　　　　Ele só colhe pra mim esses feitos,
　　　　　E eu hei de cobrar-lhe suas tarefas
150　　　　De modo que me entregue toda glória,
　　　　　Sim, até mesmo o menor elogio,
　　　　　Ou eu arranco as contas do seu peito.
　　　　　Isso, em nome de Deus, aqui prometo,
　　　　　E se Ele o permitir, assim farei.
155　　　　Rogo à Sua Majestade que suporte
　　　　　As feridas de minha intemperança:
　　　　　Se não, o fim da vida quita tudo,
　　　　　E eu prefiro morrer cem mil mortes
　　　　　A quebrar qualquer parte desta jura.

REI

160　　　　Cem mil rebeldes morrem com o que dizes;
　　　　　Ganhando o soberano confiança.

　　　　　(Entra BLUNT.)

　　　　　Que há, bom Blunt? Há pressa em seu olhar.

BLUNT

　　　　　Como a questão de que venho falar.
　　　　　Lord Mortimer da Escócia manda aviso
165　　　　Que Douglas e os rebeldes da Inglaterra
　　　　　Reunidos no dia onze em Shrewsbury,
　　　　　Já formam uma tropa poderosa;
　　　　　E se toda promessa for mantida,
　　　　　Ela será perigo sem igual.

REI

170　　　　O conde Westmoreland já partiu hoje,
　　　　　E com ele John, meu filho Lancaster,
　　　　　Pois a notícia já tem cinco dias.
　　　　　Quarta vindoura é Harry aqui quem parte,
　　　　　E na quinta nós mesmos marcharemos.
175　　　　Nosso encontro é em Bridgenorth, e Harry marcha
　　　　　Cruzando Gloucestershire; pois desse modo

>   Segundo os cálculos, em doze dias
>   A tropa toda junta-se em Bridgenorth.
>   Há muito que fazer; vamos embora —
> 180   O inimigo é que engorda, com a demora.

(Saem.)

CENA 3
Eastcheap. A Taverna Cabeça do Javali.

(Entram F<small>ALSTAFF</small> e B<small>ARDOLPH</small>.)

FALSTAFF

Bardolph, não acha que eu definhei muito desde essa nossa última campanha? Não estou abatido? Não encolho? Veja, minha pele fica pendurada à minha volta como vestido largo de velha. Estou murcho como maçã velha. Pois bem, eu vou me arrepender, e logo, logo, enquanto ainda me resta alguma coisa; daqui a pouco perco o ânimo, e aí fico sem forças para me arrepender. Se não me esqueci como é lado de dentro de uma igreja, sou uma pimentinha, ou cavalo de cervejeiro: o lado de dentro da igreja! As companhias, as más companhias, é que me estragaram.

BARDOLPH

Sir John, aflito assim o senhor não vive muito tempo.

FALSTAFF

É isso mesmo; vamos, cante para mim uma canção bem safada, para eu ficar mais alegre. Eu fui tão dado a virtudes quanto um fidalgo precisa ser; virtuoso o bastante; praguejava pouco; nunca joguei dados mais que sete vezes... por semana; só entrava em bordel uma vez cada quinze... minutos; paguei o dinheiro que pedi emprestado — três ou quatro vezes; vivi bem, sempre ordeiro; e agora estou todo desordenado e fora de compasso.

BARDOLPH

Ora, o senhor está tão gordo, Sir John, que não há compasso em que caiba, pelo menos compasso normal

FALSTAFF

Se você consertar sua cara eu conserto a minha vida: você é o nosso almirante, é o que leva a lanterna de popa, mas no seu nariz: você é o Cavaleiro da Lâmpada Ardente.[18]

BARDOLPH

Ora, Sir John, meu rosto não lhe faz nenhum mal.

---

18 Brincadeira com o *Cavaleiro da ardente espada*, de Amadis de Gaula. (N.E.)

FALSTAFF

Não, juro que faço dele tão bom uso quanto muitos fazem de caveira, o de *mememto mori*.[19] Nunca olhei para você sem pensar no fogo do inferno, e no rico que vivia usando púrpura: pois lá está ele queimando, queimando, com seus mantos. Se você tivesse a mínima queda para a virtude, eu poderia jurar pela sua cara: minha jura ia ser assim "Por esse fogo, que é um anjo de Deus!". Mas você está inteiramente perdido; e seria, se não fosse pela luz que tem na cara, filho da escuridão total. Se naquela noite quando você correu por Gad's Hill acima, de noite, para pegar meu cavalo, se eu não pensei que você fosse um *ignis fatuus*,[20] ou alguma bola de fogo de canhão, é porque memória não vale. Você é um fogo de artifício permanente, uma fogueira sem fim! Me economizou uns mil marcos em lamparinas e tochas, andando a seu lado, de noite, de uma taverna para outra: mas o vinho barato que entornou me teria comprado luz igualmente barata no melhor fabricante de velas da Europa. Eu venho sustentando essa sua salamandra com fogo há trinta e dois anos, e que Deus me pague por isso!

BARDOLPH

Pelo sangue de Cristo, quem me dera que minha cara ficasse dentro da sua barriga!

FALSTAFF

Misericórdia! assim eu não escapava de indigestão. *(Entra a TAVERNEIRA.)* Então, galinha Dona Pertelete, já indagou quem bateu a minha carteira?

TAVERNEIRA

Ora, Sir John; então pensa, Sir John, que eu tenho ladrões em minha casa? Eu procurei, e perguntei, e meu marido também, homem por homem, menino por menino, criado por criado — e nem o dízimo de um cabelo jamais foi perdido antes, em minha casa.

FALSTAFF

Está mentindo, dona: Bardolph foi barbeado, e perdeu muitos cabelos, e eu juro que me enfiaram a mão no bolso: vamos, a senhora é só mulher, saia daqui.

TAVERNEIRA

Quem, eu? Não, e eu o desafio: pelo Deus que me alumia, nunca ninguém me chamou assim na minha casa, antes.

FALSTAFF

Chega com isso; eu a conheço muito bem.

---

19 Todo objeto usado para lembrar aos vivos a existência e proximidade da morte. (N.E.)
20 Em latim, fogo-fátuo. (N.E.)

TAVERNEIRA

Não, Sir John, o senhor não me conhece, Sir John, eu o conheço, Sir John, o senhor me deve dinheiro, Sir John, e agora inventa uma briga para me enganar. Eu comprei uma dúzia de camisas para as suas costas.

FALSTAFF

De linhão, um linhão imundo. Eu dei todas para mulheres de padeiros, que usaram para passar caldos na cozinha.

TAVERNEIRA

Juro pela minha honestidade, cambraia de linho de oito xelins a vara! E além disso, deve dinheiro aqui, Sir John, de comida, e de muita bebida, e vinte e quatro libras de dinheiro que lhe foi emprestado.

FALSTAFF

Ele ficou com uma parte; ele que pague.

TAVERNEIRA

Ele? Ai, ai, esse é pobre, não tem nada.

FALSTAFF

Como? Pobre? Olhe só para o rosto dele. O que é que chama de rico? Pois que cunhem o nariz dele, que cunhem as bochechas dele, eu não pago um tostão. Então quer fazer de mim presa tola? Será que não posso descansar numa taverna sem que me esvaziem os bolsos? E ainda perdi um anel de timbre que foi do meu avô e que vale quarenta marcos.

TAVERNEIRA

Jesus! Eu já ouvi o príncipe dizer a ele, não sei quantas vezes, que o tal anel é de cobre.

FALSTAFF

O que? O príncipe é um safado, um covarde rastejante. Pelo sangue de Cristo, se ele estivesse aqui eu o chicoteava como a um cão, se ousasse dizer isso.

(*Entra o* PRÍNCIPE, *marchando, com* PETO, *e* FALSTAFF *vai ao seu encontro, tocando o rebenque como se fosse uma flauta.*)

Então, rapaz? É de lá que vem o vento, então, e teremos todos de marchar?

BARDOLPH

De dois em dois, como indo para a prisão.

TAVERNEIRA

Milord, eu rogo que me ouça.

PRÍNCIPE

80 O que tem a dizer, Mistress Quickly? Como está o seu marido? Gosto muito dele; é um homem honesto.

TAVERNEIRA

Meu bom senhor, ouça-me.

FALSTAFF

Deixe ela pra lá; e ouça a mim.

PRÍNCIPE

O que tem a dizer, Jack?

FALSTAFF

85 Na outra noite eu adormeci aqui, atrás da cortina, e fui roubado; esta casa virou um bordel, esvaziam nossos bolsos.

PRÍNCIPE

E o que foi que você perdeu, Jack?

FALSTAFF

Pois acredite que foram três ou quatro títulos de quarenta libras cada um, e o anel de timbre de meu avô.

PRÍNCIPE

90 Uma ninharia, uma questão de uns poucos tostões.

TAVERNEIRA

Foi o que eu disse a ele, milord, e disse que tinha ouvido Sua Graça dizer assim mesmo: e, senhor, ele diz as piores coisas do senhor, boca nojenta que ele é, e disse que ia chicotear o senhor.

PRÍNCIPE

O quê? Não diga?

TAVERNEIRA

95 Se não for, não tenho fé, não falo verdade, e não sou mulher.

FALSTAFF

Não há mais fé na senhora do que em uma ameixa em calda, nem mais verdade do que em raposa de isca — e quanto a ser mulher, até a Maria de Maio serve de exemplo para você. Vá embora, "sua" coisa, vá!

TAVERNEIRA
Como é? Coisa? Mas que coisa?

FALSTAFF
Que coisa? Ora, coisa para dar graças a Deus em cima.

TAVERNEIRA
Não sou nada de se dar graças em cima, fique sabendo, sou mulher de um homem honesto, e deixando para lá o seu título de cavaleiro, o senhor é um safado de me chamar assim.

FALSTAFF
Deixando de lado seu título de mulher, a senhora é uma besta de dizer outra coisa.

TAVERNEIRA
Mas que besta, safado?

FALSTAFF
Que besta? Ora essa, uma lontra.

PRÍNCIPE
Uma lontra, Sir John? Por que lontra?

FALSTAFF
Porque não é carne nem peixe, e um homem não consegue saber por onde pegá-la.

TAVERNEIRA
Você é muito injusto dizendo assim, porque você e qualquer outro homem sabem muito bem por onde me pegar, "seu" safado.

PRÍNCIPE
O que diz é verdade, taverneira, e ele a está caluniando com a maior grosseria.

TAVERNEIRA
É o que ele faz com o senhor também, milord, e disse no outro dia que o senhor lhe deve mil libras.

PRÍNCIPE
Moleque, eu lhe devo mil libras?

FALSTAFF
Mil libras, Hal? Um milhão; seu amor vale um milhão e você me deve o seu amor.

Taverneira

Nada disso, milord; ele o chamou de um qualquer, e disse que ia chicoteá-lo.

Falstaff

Eu disse isso, Bardolph?

Bardolph

É verdade, Sir John; disse, sim.

Falstaff

É; e ele disse que meu anel é de cobre.

Príncipe

Eu repito que é de cobre; e você, ousa sustentar sua palavra?

Falstaff

Ora, Hal, sabe muito bem que para você enquanto homem, eu sustento; mas enquanto príncipe, eu o temo tanto quanto o rugido do filhote de um leão.

Príncipe

E por que não tanto quanto o leão?

Falstaff

O próprio rei é que deve ser temido como o leão: pensa que hei de temer-te tanto quanto a teu pai? Quando o fizer, peço a Deus que me arrebente.

Príncipe

E se isso acontecesse, suas tripas iam cair até os joelhos! Mas, senhor, não há lugar para fé, verdade, ou honestidade nesse seu peito; só para tripa e banha. Acusar uma mulher honesta de saquear seus bolsos? Ora, "seu" filho da mãe, canalha estufado, se houvesse no seu bolso mais do que contas de taverna, bilhetes de bordéis, ou um pobre tostãozinho de doce para lhe dar fôlego, se seu bolso fosse enriquecido com qualquer porcaria que não essas, eu sou um vilão; pois irá responder por isso, e não vai enfiar no bolso o que não deve! Não tem vergonha?

Falstaff

Não quer me ouvir, Hal? Você sabe em que estado de inocência Adão caiu, o que poderia fazer o pobre Jack Falstaff nestes dias de vilania? Está vendo que eu tenho mais carne do que qualquer outro, e portanto sou mais fraco. Você confessa, então, que limpou o meu bolso?

PRÍNCIPE

    Parece que sim, pelo que contei.

FALSTAFF

    Taverneira, eu a perdoo, vá preparar o café, ame o seu marido, cuide de seus criados, aprecie seus hóspedes, e verá que eu sou perfeitamente razoável diante de razões honestas, e veja como fui pacificado, e por favor vá embora. *(Sai a TAVERNEIRA.)* E agora, Hal, quais as notícias da corte? E quanto ao roubo, como foi resolvido?

PRÍNCIPE

    Ai, meu pedaço de carne, continuo a ter de ser seu anjo protetor — o dinheiro já foi devolvido.

FALSTAFF

    Não me agrada essa história de devolver dinheiro. É trabalho dobrado.

PRÍNCIPE

    Fiz as pazes com meu pai, e estou pronto para qualquer coisa.

FALSTAFF

    Pois roube o tesouro para mim como seu primeiro ato, mesmo antes de lavar as mãos.

BARDOLPH

    Isso, milord.

PRÍNCIPE

    Consegui para você, Jack, um comando de cinquenta homens.

FALSTAFF

    Eu preferia que fosse de cavalos. Onde será que podemos encontrar um que possamos roubar? Se arranjasse um ladrãozinho aí de uns vinte e dois anos: eu estou mais que desprevenido. Bem, Deus que seja louvado por esses rebeldes, que só ofendem os virtuosos; eu os louvo, eu os aplaudo.

PRÍNCIPE

    Bardolph!

BARDOLPH

    Milord?

PRÍNCIPE

    Leve esta carta pro duque de Lancaster,
Meu irmão John, e a outra a Westmoreland

(Sai BARDOLPH.)

                    Peto, a cavalo, pois você e eu
170   Antes da ceia temos trinta milhas.

(Sai Peto.)

                    Amanhã, Jack, eu quero que me encontre
                    Às duas horas no salão do Templo:[21]
                    Para ter seu comando e receber
                    Dinheiro e ordens pra equipar seus homens.
175   A terra queima, Percy está emplumado;
                    Um de nós dois tem de ser humilhado.

(Sai.)

Falstaff
                    Bravos! *(Chamando.)* Mulher, eu inda não comi!
                    Quem dera meu quartel fosse este aqui.

(Sai.)

---

21 *Temple Hall* era uma das duas escolas ou faculdades de direito (*Inns of Court*) que havia em Londres. (N. T.)

ATO 4

CENA 1
Shrewsbury. O acampamento rebelde.

(Entram Hotspur, Worcester e Douglas.)

HOTSPUR
Disse bem, escocês! Se hoje a verdade
Não fosse tida qual bajulação,
Teria Douglas elogios tais,
Como nenhum soldado, em nosso tempo,
Receberia pelo mundo afora.
Por Deus, não sei louvar, e faço pouco
Dos que agradam; porém ninguém terá
Lugar melhor que o seu neste meu peito:
Milord, ponha-me à prova, se quiser.

DOUGLAS
Mas és o rei da honra:
Não há bravura igual que hoje respire
E eu não enfrente.

HOTSPUR
É assim que se faz.

(Entra um Mensageiro com cartas.)

Que cartas traz aí? Eu lhe agradeço.

MENSAGEIRO
Vêm de seu pai as cartas.

HOTSPUR
Cartas dele? E por que não está aqui?

MENSAGEIRO
Milord, não pôde; está muito doente.

HOTSPUR
Raios! Como tem tempo pra doenças
Em hora assim? E quem vem comandando?
Quem há de conduzir a sua tropa?

MENSAGEIRO
Só as cartas é que o podem dizer.

(HOTSPUR lê a carta.)

WORCESTER
Por favor diga: ele está de cama?

MENSAGEIRO
Já estava, senhor, há quatro dias,
E no momento da minha partida
Temia muito o médico por ele.

WORCESTER
25 Quem dera o tempo já estivesse bom
Antes que ele caísse com doença:
Tê-lo saudável hoje é importante.

HOTSPUR
Doente agora? Está mal? Pois com isso
Infecta o sangue que dá vida à empresa;
30 O seu contágio chega até aqui.
Escreve que a doença é interior,
E que por agentes não recolhe amigos
Que venham prontamente; e ele não julga
Certo enviá-los a perigo igual
35 Sem ser na companhia dele próprio.
Por outro lado, ele nos persuade
A avançar com nossa hoste escassa
Pra sentir o desejo da Fortuna;
Pois, como escreve, não há mais saída,
40 Já que o rei, na certa, já conhece
Toda a nossa intenção. Que dizem disso?

WORCESTER
Essa doença nos deixa aleijados.

HOTSPUR
É corte fundo; é a perda de um membro
Pois eu juro que não. A sua falta
45 Não é o que parece. Será bom
Jogar todo o valor de nossas forças
Em um só golpe? Toda essa riqueza
Arriscada em momento tão incerto?
Não era bom, pois já leríamos
50 Até o fundo as nossas esperanças.
O rumo e o limite absoluto
Do nosso fado.

DOUGLAS
    Assim seria, enquanto agora temos
    O prometido e podemos gastar
    Confiando no que há de vir depois.
    É garantia pr'uma retirada.

HOTSPUR
    Um ponto a salvo, um lar pr'onde fugir
    Se o diabo e o fracasso se agigantam
    Para estuprar as nossas pretensões.

WORCESTER
    Mas mesmo assim queria aqui seu pai:
    A natureza do que aqui tentamos
    Não nos permite rixas; vão pensar,
    Os que não sabem por que está ausente,
    Que sábia lealdade, ou aversão
    Ao que fazemos afastou o conde;
    E julguem como tal desconfiança
    Pode mudar a maré dos medrosos,
    E pôr em cheque esta nossa causa:
    Pois se é de nós que parte a ofensiva,
    Teremos de evitar qualquer reparo,
    Tapar todo buraco, qualquer fenda
    Que deixe entrar o olho da razão:
    A falta de seu pai é uma cortina
    Que mostra ao ignorante um certo medo
    Antes sequer sonhado.

HOTSPUR
              Isso é exagero.
    Prefiro usá-la do seguinte modo:
    Ela traz maior brilho e maior fama;
    Um risco mais ousado à nossa empresa,
    Do que com o conde. Devem pensar todos
    Que se podemos avançar sem ele,
    Enfrentando um reinado, então, com ele,
    Havemos de abalá-lo, de alto a baixo.
    Tudo está bem, nossas tropas inteiras.

DOUGLAS
    E com coragem; não temos, na Escócia,
    Palavra com a qual se expresse medo.

(Entra SIR RICHARD VERNON.)

HOTSPUR

    Meu primo Vernon! Juro que é bem-vindo!

VERNON

    Que Deus faça bem-vindas minhas novas.
    O conde Westmoreland, com sete mil,
    Marcha pra cá, com ele John, o príncipe.

HOTSPUR

90   Não vejo mal; e depois?

VERNON

                    Descobri
    Que o próprio rei, em pessoa, partiu
    E avança para cá com rapidez,
    Com força grande e muito bem treinada.

HOTSPUR

    Também será bem-vindo; e o filho dele?
95   O louco e ágil príncipe de Gales,
    Com seus amigos que, ignorando o mundo,
    Passam o tempo?

VERNON

                  Pronto e bem armado,
    Emplumado qual avestruz ao vento,
    Ou águia que se enxuga após o banho,
100   Brilhando com sua túnica dourada,
    Tão bem disposto quanto um dia em maio,
    Tão lindo quanto o sol no alto verão;
    Um jovem touro, um cabrito que salta.
    Eu vi o jovem Henry já com o elmo,
105   Coxas em aço, galante nas armas,
    Levantar-se da terra qual Mercúrio,
    Pra de um salto montar em sua sela
    Como se um anjo descesse das nuvens,
    A fim de manobrar Pégaso em fogo,
110   E fascinar o mundo com seu porte.

HOTSPUR

    Agora, chega! Mais que o sol de março
    Tanto louvor nos causa calafrios.
    Que venham! Assim, como sacrifício,
    Ao rubro olhar da donzela guerreira,
115   Quentes, sangrando, serão ofertados.
    O Marte armado ficará no altar
    Afogado em seu sangue. Estou queimando

                    Por ter a presa rica assim tão perto
                    Sem ser nossa! Vou provar meu cavalo,
120   Que há de me levar como um relâmpago
                    Contra o peito do príncipe de Gales.
                    E Harry e Harry, um e outro montado,
                    Só se afastam quando um morrer sangrado.
                    Se Glendower viesse!

        VERNON
                                Mais notícias:
125   Eu soube em Worcester, quando vim pra cá,
                    Que ele precisa mais catorze dias.

        DOUGLAS
                    Essa é a pior que já tivemos...

        WORCESTER
                    Palavra que ela tem um som gelado.

        HOTSPUR
                    Qual o total do exército do rei?

        VERNON
130   São trinta mil.

        HOTSPUR
                                Pois que sejam quarenta:
                    Sem meu pai e Glendower nessa história,
                    Nossas forças terão dia de glória,
                    Estaremos a postos num repente —
                    Pro Juízo Final, morro contente.

        DOUGLAS
135   Não fale de morrer, não tenho medo;
                    A mão da morte não virá tão cedo.

                                                            (Saem.)

CENA 2
Uma estrada perto de Coventry.

(Entram FALSTAFF e BARDOLPH.)

        FALSTAFF
                    Bardolph, vá você na frente para Coventry; encha uma garrafa de
                    vinho para mim. Nossos soldados vão marchar direto; estaremos em

Sutton Coldfield[22] logo à noite.

BARDOLPH
Quer me dar o dinheiro, capitão?

FALSTAFF
Tire das despesas, tire das despesas.

BARDOLPH
Com essa garrafa já faz um anjo.[23]

FALSTAFF
Se fizer, eu agradeço por seu trabalho — e se fizer vinte, apanhe todos. Eu respondo pela cunhagem. Peça a meu tenente Peto que me encontre lá no fim da cidade.

BARDOLPH
Sim, senhor, capitão: adeus.

(Sai.)

FALSTAFF
Quero ser peixe em conserva se não tiver vergonha desses meus soldados; é uma vergonha a bandalheira que fiz com o erário real. Recebi por cento e cinquenta soldados de infantaria trezentas e poucas libras. Eu só convoco donos de casa pacíficos, filhos de pequenos proprietários, solteiros de casamento marcado, com proclamas já correndo, e mais um bando de preguiçosos que preferem ouvir o diabo que um tambor, e têm mais medo de tiro de mosquete do que grito de pássaro abatido ou pato selvagem ferido. Eu só recrutei uns sujeitos mimados, de coragem menor que cabeça de alfinete, que pagaram todos para não servir; e agora minha tropa é toda feita de porta-bandeiras, cabos, tenentes, cavalheiros de chefia — e uns restos mais estropiados que Lázaro pintado de estandarte, em que os cachorros famintos lambem as feridas: são todos daqueles que nunca foram soldados, criados despedidos por incompetentes, filhos mais moços de irmãos mais moços, ajudantes de cervejeiro fugidos, taverneiros falidos, os cancros que resultam de um mundo calmo e paz duradoura, dez vezes mais vergonhosos que bandeira velha esfarrapada; é o que arranjei para ocupar os lugares deixados pelos que pagaram para não servir, de modo que parece que eu tenho cento e cinquenta filhos pródigos chegados dos chiqueiros, e de só comer lixo e palha. Um maluco que encontrei no caminho disse que eu havia descarregado tudo quanto era forca e re-

---

22 Cidade em Warwickshire (N. E.)
23 Moeda de ouro com a imagem de um anjo. (N. E.)

crutado os cadáveres. Nunca ninguém viu tamanho ajuntamento de espantalhos. Eu é que não vou cruzar a cidade de Coventry com eles, isso é que não; e os danados ainda marcham de perna aberta, como se estivessem a ferros, mas a verdade é que a maioria eu arranjei nas prisões. Na minha companhia inteira, juntando, não há senão uma camisa e meia, e a meia são dois farrapos amarrados e jogados sobre os ombros como casaco de arauto, sem mangas; e a camisa, para falar a verdade, foi roubada do taverneiro em St. Albans, ou do hospedeiro de nariz vermelho em Daventry.[24] Mas deixa para lá, tem muita roupa secando nas cercas.[25]

(Entram o Príncipe e o Lord de Westmoreland.)

PRÍNCIPE
Como vai, gorducho? Como vai, estofado?

FALSTAFF
O quê? Hal? Como vai, seu maluco? Mas que raios está fazendo no condado de Warwick? Milord de Westmoreland, desculpe, julgava que sua senhoria já estivesse em Shrewsbury.

WESTMORELAND
Na verdade, Sir John, já era mais que hora de estarmos lá, e o senhor também, e minha tropa está pronta; o rei, eu lhe garanto, espera que estejamos lá todos, e é preciso marchar ainda esta noite.

FALSTAFF
Não tenha medo, estou tão alerta quanto um gato pronto para roubar leite gordo.

PRÍNCIPE
Acho que deve ser para roubar leite gordo, mesmo, pois os seus roubos já o transformaram em manteiga; mas diga-me, Jack, quem são esses sujeitos que estão vindo aí atrás?

FALSTAFF
São meus, Hal, todos meus.

PRÍNCIPE
Nunca vi uma ralé tão patética.

FALSTAFF
Ora, ora, estão ótimos para perder, bucha para canhão, bucha para

---

[24] St. Albans e Daventry eram cidades entre Londres e Coventry. (N. E.)
[25] Roupas facilmente roubadas por ladrões. (N. E.)

canhão, enchem covas tão bem quanto os melhores que eles; o que é isso, homem? São mortais, são mortais.

WESTMORELAND
Eu sei, Sir John, mas parecem-me tão pobres e esqueléticos que parecem mendigos.

FALSTAFF
Palavra que a pobreza eu não sei onde foi que arranjaram, mas a magreza eu garanto que não foi comigo que aprenderam.

PRÍNCIPE
Não, isso eu juro, a não ser que se chame três dedos de banha de magreza. Mas, senhor, trate de se apressar; Percy já está no campo.

(Sai.)

FALSTAFF
O quê, o rei está acampado?

WESTMORELAND
Está, Sir John; temo que estejamos nos atrasando.

(Sai.)

FALSTAFF
Pois muito bem.
Tarde pra guerra, pra festa no acerto,
Vão praça covarde e conviva esperto.

(Sai.)

CENA 3
Shrewsbury. O acampamento rebelde.

(Entram HOTSPUR, WORCESTER, DOUGLAS, VERNON.)

HOTSPUR
À noite, atacamos.

WORCESTER
    Não pode ser.

DOUGLAS
Eles ganham com isso.

VERNON
    Nem um pouco.

Hotspur
    Por quê? Eles não 'speram suprimentos?

Vernon
    Nós também.

Hotspur
            Mas só os deles são certos.

Worcester
5   Primo, ouça: nem um passo esta noite.

Vernon
    Nem um, milord.

Douglas
                Não aconselham bem.
    Falam por medo, por coração frio.

Vernon
    Calúnia, Douglas; pela minha vida,
    E arrisco a vida para garanti-lo,
10 Se me pedir para fazê-lo a honra,
    Que eu tenho com o medo tanto trato
    como o senhor ou qualquer escocês;
    Que amanhã na batalha se constate
    Qual de nós teme.

Douglas
                Ou hoje.

Vernon
                    Agora, chega.

Hotspur
15 Hoje à noite, digo eu.

Vernon
    Vamos, não pode ser. A mim espanta
    Que homens de tão grande experiência
    Não antevejam os impedimentos
    Que atrasam nosso ataque: alguns cavalos
20 Do primo Vernon inda não chegaram,
    Os do seu tio Worcester vieram hoje,
    E suas qualidades 'stão dormindo,
    Sua coragem gasta com o esforço,
    Não passam de metade deles mesmos.

HOTSPUR

  Do mesmo modo os cavalos deles,
  Arriados que estão com a cavalgada.
  Dos nossos, descansou a maior parte.

WORCESTER

  O número do rei é bem maior:
  Por Deus, meu primo, espere o nosso resto.

(Clarinada de parlamentação. Entra SIR WALTER BLUNT.)

BLUNT

  Venho do rei, com oferta generosa,
  Se quiserem ouvir-me com respeito.

HOTSPUR

  Sir Walter, bem-vindo. Quem dera Deus
  O fizesse apoiar a nossa causa!
  Muitos de nós o amam, e outros tantos
  Invejam o seu mérito e bom nome,
  Só por não ter a nossa posição
  E aparecer-nos qual nosso inimigo.

BLUNT

  Que Deus me guarde firme como estou,
  Enquanto, contra a lei e os limites,
  Forem contra a ungida majestade.
  Mas ao que venho. O rei manda saber
  A natureza das queixas pelas quais
  Conspiram pra quebrar a paz civil
  Co'hostilidade que ensina aos bons
  Audaz crueldade. E se acaso o rei
  Se esqueceu de algum mérito devido,
  Que aliás ele admite sejam muitos,
  Ele pede que os nomeiem para, logo,
  Possam ter, e com lucro, o que desejam,
  E perdão absoluto pros senhores
  E todos que por engano levaram.

HOTSPUR

  O rei bondoso, o rei que conhecemos.
  Sabe quando se promete e se paga:
  O meu pai, meu tio, e até eu mesmo
  Lhe demos a coroa que ora ostenta;
  Quando não tinha trinta seguidores,
  Era malvisto, o pior desgraçado,

       Um fora da lei voltando escondido,
       Meu pai o fez bem-vindo a estas praias:
60   E o ouviu então jurar por Deus
       Querer apenas ser duque de Lancaster,
       Reclamar suas terras, seus direitos,
       Com lágrimas zelosas de inocentes.
       Por seu bom coração meu pai, piedoso,
65   Jurou que o ajudaria e assim o fez.
       E foi então que a nobreza do reino,
       Vendo Northumberland tê-lo em favor
       Veio toda, de alto a baixo, com mesuras,
       Encontrá-lo em aldeias e cidades,
70   Esperá-los nas pontes, nos caminhos,
       Presenteá-lo, jurar lealdade,
       Segui-lo com seus pajens, seus herdeiros,
       Até atrás da multidão dourada.
       Ele, a seguir, descobrindo-se grande,
75   Sobe um degrau mais alto que a promessa
       Feita a meu pai, quando ainda era pobre
       Lá na nudez da praia em Ravenspurgh;
       E já começa logo a reformar
       Alguns editos e severos decretos
80   Que sobrecarregavam a nação;
       Denunciando abusos, finge pranto
       Pelos erros da pátria; e pelo rosto,
       O aspecto de justiça, conquistou
       Os corações que com isso pescava;
85   Prosseguindo ele decepa as cabeças
       Dos favoritos do monarca ausente,
       Aqui deixados como seus prepostos
       Enquanto ia fazer guerra na Irlanda.

   BLUNT
       Não vim aqui ouvir isso.

   HOTSPUR
                       Ao que importa:
90   Pouco mais tarde ele depôs o rei,
       Para logo a seguir tirar-lhe a vida,
       E a seguir da nação cobrou impostos;
       Pra piorar ele deixou seu primo March
       (Que, se tivessem todos lugar certo,
95   Seria hoje seu rei), refém em Gales,
       Abandonado lá, sem ter resgate;
       Envergonhou-me nas minhas vitórias,
       Tentou pegar-me usando espionagem,
       Afastou o meu tio do Conselho,

100 Por raiva exilou meu pai da corte,
Quebrou a jura, fez mal sobre mal,
E em conclusão forçou-nos a buscar
Esta tropa, com a qual vamos mexer
Com o seu título que hoje achamos
105 Ser muito torto pra que dure muito.

BLUNT
Essa é a resposta que eu levo ao rei?

HOTSPUR
Não, Sir Walter. Queremos um momento.
Informe o rei, que se for empenhada
Alguma garantia de ida e volta,
110 Pela manhã meu tio lhe dirá
O que queremos — e assim, adeus.

BLUNT
Quem dera que aceitassem seu amor.

HOTSPUR
Talvez o aceitemos.

BLUNT
    Eu peço a Deus.

(Saem.)

CENA 4
York. O palácio do arcebispo.

(Entram o Arcebispo de York e Sir Michael.)

ARCEBISPO
Sir Michael, leve esta carta selada
Com pressa alada a milord marechal,
Esta a meu primo Scroop e essas outras
A quem eu mando. Se soubesse o quanto
5 Elas importam, seria mais rápido.

SIR MICHAEL
Meu bom senhor,
Imagino o teor.

ARCEBISPO
    É bem provável.

        Sir Michael, amanhã será um dia
        No qual o destino de dez mil homens
10   Irá ser posto à prova, pois em Shrewsbury,
        Segundo me fizeram compreender,
        O rei, com tropa recém-recrutada
        Vai enfrentar Lord Harry; e eu temo, Michael,
        Que com a enfermidade de Northumberland,
15   Cujas tropas eram força principal,
        E com a ausência de Owen Glendower,
        Que entre eles também contava muito,
        Porém as profecias retiveram,
        Temo que Percy tenha força fraca
20   Demais para uma prova frente o rei.

SIR MICHAEL
        Mas, bom senhor, não precisa temer;
        Ele tem não só Douglas como Mortimer.

ARCEBISPO
        Não, Mortimer não está.

SIR MICHAEL
        Porém há Mordake, Vernon, Harry Percy,
25   E há milord de Worcester, e uma tropa
        De guerreiros valentes, nobres bravos.

ARCEBISPO
        Eu sei; mas mesmo assim o rei
        Tem tropa vinda do país inteiro:
        O príncipe de Gales, John de Lancaster,
30   O nobre Westmoreland, o Blunt guerreiro,
        E muitos que os igualam, homens bravos,
        De grande nome e comando em armas.

SIR MICHAEL
        Terão bons oponentes, bom senhor.

ARCEBISPO
        Assim espero, mas temer é bom;
35   E pra evitar o pior, vá depressa.
        Pois se perde Lord Percy, sei que o rei
        Antes de debandar virá aqui,
        Pois tem notícia de que conspiramos,
        E é bom senso nós nos prepararmos.
40   Portanto, pressa — eu tenho de escrever
        Ainda a outros; passe bem, Sir Michael.

                                    (Saem.)

ATO 5

CENA 1
Shrewsbury. O acampamento do rei.

(Entram o Rei, o Príncipe de Gales, Lord John De Lancaster, Sir Walter Blunt e Falstaff.)

Rei
    Como é sangrento o sol que vai nascendo
    Lá na montanha! O dia fica pálido
    Junto a essa febre.

Príncipe
               Mas o vento sul
    Já trombeteia suas intenções,
5   E assobiando, agudo, nas folhagens
    Anuncia que temos tempestade.

Rei
    Que os perdedores sintam previsões,
    Nada parece mau aos vencedores.

(Clarinada. Entram Worcester e Vernon.)

    Então, milord de Worcester! Não é certo
10   Nós dois nos encontrarmos em tais termos
    Como estes. O senhor nos traiu
    Fazendo-nos despir trajes de paz
    E amassar com aço os velhos membros:
    Não 'stá certo, milord; não está certo.
15   Que diz? Não quer tornar a desatar
    O horrendo nó da guerra abominada,
    E obediente retornar à órbita
    De onde sempre gerou luz natural,
    E não ser mais um meteoro excêntrico,
20   Um prodígio de medo, que anuncia
    Novos males em tempos por nascer?

Worcester
    Ouça, senhor:
    De minha parte me contentaria
    Em entreter os dias que me restam
25   Com horas tranquilas. Pois eu lhe asseguro
    Que não busquei o dia de confronto.

Rei

    Não o buscou? Então, por que está aqui?

Falstaff

    Esbarrou com os rebeldes no caminho.

Príncipe

    Calado, matraca!

Worcester

30   Sua Majestade optou por afastar
    Seus bons olhos de mim e minha casa,
    Embora eu deva lembrá-lo, milord,
    Sermos nós seus primeiros bons amigos;
    Por si deixei o cargo que ocupava
35   Ao tempo de Ricardo, cavalgando
    Dia e noite só pra beijar-lhe as mãos,
    Quando inda estava, em títulos e estima,
    Bem abaixo de mim, em força e sorte.
    Fomos eu, meu irmão e o filho dele
40   Que o trouxemos pra casa, desafiando
    Os perigos do tempo. E nos jurou,
    Nos fez sua grave jura em Doncaster,
    Que não tinha intenções contra o Estado,
    E nem pedia mais do que o que herdara,
45   Os bens de Gaunt, o ducado de Lancaster.
    Juramos ajudá-lo; mas em breve
    Choveu boa fortuna em sua cabeça,
    Cobriu-o tal dilúvio de grandeza,
    Que, com a nossa ajuda e o rei ausente,
50   Mais as injúrias de um tempo corrupto,
    E o que nos parecia ter sofrido,
    E o vento que impediu que o rei voltasse,
    Por tanto tempo da azarada Irlanda
    Que muitos já o proclamavam morto;
55   Por todo esse conjunto de vantagens,
    O senhor se deixou tentar, depressa,
    A ter na mão o governo de tudo,
    Esquecendo o que nos jurou em Doncaster,
    Usando aqueles que o alimentaram
60   Fazendo o mesmo que o maldoso cuco
    Faz ao pardal — oprimiu-nos o ninho,
    E alimentado por nós cresceu tanto
    Quem nem o nosso amor podia vê-lo.
    Com medo de sumir; batendo as asas,
65   Tivemos de voar por segurança,

Pra, longe de seus olhos, juntar forças
E confrontá-lo com os meios que temos,
Que o senhor forjou contra si mesmo,
Por maus tratos, olhares perigosos,
Por má-fé e quebra da palavra
Que nos foi dada no início da empresa.

Rei

Tais coisas os senhores já listaram,
Proclamaram em feiras e igrejas,
Para enfeitar os trajes da revolta
Com cores que atraiam os olhares
Dos fáceis de mudar e os descontentes
Que ficam boquiabertos e agitados
Com qualquer confusão ou novidade.
Jamais faltou a uma insurreição
Tal aquarela pra pintar a causa,
E nem mendigo em hora de fome
Pra armar balbúrdias e pra criar pânico.

Príncipe

Nas suas tropas não faltarão almas
Pra pagar caro por este combate,
Se começado. Diga a seu sobrinho
Que o príncipe de Gales, como o mundo,
Só louva Henry Percy: quanto a mim,
Privado ele da empresa de agora,
Não creio que fidalgo mais valente,
Mais bravo nas ações, mais bravo e jovem,
Altivo e ousado, viva hoje em dia
Para honrar nossos tempos com seus atos.
Quanto a mim, e eu o digo com vergonha,
Fui gazeteiro da cavalaria,
E sei que nessa conta ele me tem;
Mas, ante a majestade de meu pai —
Proponho, embora tenha ele a vantagem,
Que levem sua fama e grande nome,
E para poupar sangue dos dois lados,
Arriscar-me em combate singular.

Rei

E, príncipe de Gales, também eu
O arrisco, embora pese muita coisa
Contra a ideia: não, bom Worcester, não;
Nós amamos o povo, e até amamos
Os que são mal guiados por seu primo,

E se aceitarem o nosso perdão,
Ele, eles, o senhor, sim, todo o mundo
Será meu novo amigo, como eu dele:
Assim diga a seu primo, e me responda
110   O que ele quer fazer. Mas se não cede,
A correção e o castigo nos servem
E sabem seu ofício. Vá, então;
Não quero agora ouvir qualquer resposta:
A nossa oferta é boa; pensem bem.

(Saem Worcester *e* Vernon.*)*

Príncipe

115   Aposto a vida que eles não aceitam;
Douglas e Hotspur, assim os dois juntos,
Julgam ganhar do mundo, quando em armas.

Rei

Que cada líder vá para o seu posto;
Pois com a resposta atacamos logo,
120   E Deus proteja a nossa causa justa!

(Saem todos menos o Príncipe *e* Falstaff.*)*

Falstaff

Hal, se me vir caído na batalha, me proteja, com um pé de cada lado; isso é ponto de honra na amizade.

Príncipe

Só um colosso pode ter tal ato de amizade para com você. Diga suas orações, e adeus.

Falstaff

125   Queria que fosse hora de ir para a cama, Hal, e que tudo estivesse bem.

Príncipe

Ora, você deve uma morte a Deus.

(Sai.)

Falstaff

Mas ainda não é hora, e não quero pagar antes do dia certo — por que haveria eu de me fazer de oferecido diante de quem não está me chamando? Ora, pouco importa; é a honra que me espicaça. Está
130   bem, mas e se a honra me espicaça de vez se eu avançar, como é que fica? Honra remenda perna? Não. Ou braço? Não. Ou tira a dor de um ferimento? Não. Honra então não entende de cirurgia? Não. O

que é honra? Uma palavra. E o que é que existe na palavra honra? O que é a tal honra? Ar. Grande coisa! Quem a tem? O que morreu na quarta-feira. Ele a sente? Não. Ele a ouve? Não. Não pode ser sentida, então? Pode; pelos mortos. Mas será que não vive com os vivos? Não. Por quê? A maledicência não deixa. Pois então não quero nada com ela. Honra é só enfeite de enterro — e por aí acaba o meu catecismo.

(Sai.)

CENA 2
Shrewsbury, O acampamento rebelde.

(Entram Worcester e Sir Richard Vernon.)

Worcester
   Não, meu sobrinho não pode saber,
   Sir Richard, do que o rei nos oferece.

Vernon
   Melhor saber.

Worcester
                 É a nossa perdição.
   Não é possível, não pode ser, mesmo,
   Que o rei inda nos visse com carinho;
   Sempre há de suspeitar, e encontrar tempo
   Pra punir, de outro modo, a nossa ofensa:
   Mil olhos hão de olhar-nos com suspeita,
   Confia-se em traidor como em raposa,
   Que mesmo já domada e controlada
   Preserva as marcas de seus ancestrais.
   Pareçamos nós tristes ou alegres,
   Seremos sempre mal interpretados,
   E engordados qual gado estabulado
   Seremos preparados pra morrer.
   Do meu sobrinho esquece-se o pecado,
   Porque ele é jovem e tem sangue quente,
   E tem desculpa até pelo apelido —
   É um esquentado, é de humor irado:
   Tudo o que fez vem pra minha cabeça
   E a de seu pai. Nós o estimulamos,
   E, herdando de nós a corrupção,
   Nós, as fontes, é que pagamos tudo:
   Portanto, primo, nada diga a Harry
   Sobre tudo o que o rei ofereceu.

VERNON
    Diga-lhe o que quiser, que eu confirmo.
    Eis seu primo.

(Entram HOTSPUR e DOUGLAS.)

HOTSPUR
    Já voltou meu tio;
    Podem soltar milord de Westmoreland.
    Quais as novas, meu tio?

WORCESTER
    O Rei quer combatê-lo logo, logo.

DOUGLAS
    Mande por Westmoreland seu desafio.

HOTSPUR
    Lord Douglas, pode ir falar com ele.

DOUGLAS
    Já estou indo, e com mais que boa vontade.

(Sai.)

WORCESTER
    Não vi no rei um traço de mercê.

HOTSPUR
    E lhe pediu alguma? Deus nos livre!

WORCESTER
    Fui cortês ao falar de nossas queixas,
    Da jura que quebrou, e respondeu
    Com perjura, negando o seu perjúrio:
    Nos chama de rebeldes e traidores,
    E, arrogante, nos pune pelas armas.

(Volta DOUGLAS.)

DOUGLAS
    Às armas, cavalheiros; pois lancei
    Ao rei Henrique um bravo desafio,
    E Westmoreland ficou de apresentá-lo,
    O que só pode fazê-lo apressar-se.

WORCESTER

45   O príncipe de Gales, meu sobrinho,
        O desafia pra só os dois lutarem.

HOTSPUR

        Quem dera que essa luta em nós ficasse,
        E mais ninguém arfasse neste dia
        A não ser eu e Harry! Diga, diga,
50   Com que ar o fez? Mostrou-se desdenhoso?

VERNON

        Juro que não; eu nunca, em minha vida,
        Vi desafio vir de tal modéstia,
        A não ser quando irmão conclama irmão
        A fim de exercitar as suas armas.
55   Reconheceu em si o que é devido,
        Louvou-o com linguagem principesca,
        Como um cronista listou os seus méritos,
        Sempre a dizê-lo mais que os elogios,
        E estes incapazes de alcançá-lo;
60   E, o que o fez dele ainda mais um príncipe,
        Falou enrubescido de si mesmo,
        E condenou seus erros de rapaz
        Com a graça de um espírito ora duplo,
        A ensinar e aprender de um golpe.
65   Depois parou; porém eu digo ao mundo —
        Se ele sobrevive a este dia,
        Nunca a Inglaterra viu tal esperança,
        Nem errou tanto ao julgar seus atos.

HOTSPUR

        O meu primo parece enamorado
70   De suas loucuras. Nunca ouvi falar
        De príncipe tão livre e irresponsável.
        Mas seja como for, antes da noite
        Meu braço de soldado há de apertá-lo
        E o fará encolher com a cortesia.
75   Às armas! Companheiros e amigos,
        Melhor que todos pensem no que fazem
        Que eu, sem dotes para usar a língua,
        Tente esquentar seu sangue com o que digo.

(Entra um MENSAGEIRO.)

MENSAGEIRO

        Milord, estas são cartas pro senhor.

HOTSPUR

80 Não há tempo de lê-las.
Cavalheiros, a vida é muito curta!
Gastar mal o momento é muito tempo,
Se a vida flui na ponta de um ponteiro
E acaba quando este alcança a hora.
85 Se vivermos, é pra pisar em reis,
Se morrermos será com bravos príncipes!
Pra consciência, as armas são o certo
Quando os que as portam têm a causa justa!

(Entra outro Mensageiro.)

MENSAGEIRO
Prepare-se, milord; o rei avança!

HOTSPUR
90 Eu lhe agradeço cortar-me a palavra,
Pois não sou orador: fico só nisto:
Façam o seu melhor; aqui eu puxo
Uma espada que planejo manchar
Com o melhor sangue que eu possa encontrar
95 No que haverá nos perigos de hoje.
Ora, *Esperance*![26] Percy! E partamos.
Ao som de nobres instrumentos de guerra,
E a essa música nos abracemos.
Pois, por céu e terra, alguns de nós
100 Jamais repetirão tal cortesia.

(Eles se abraçam, soam as trompas, e saem todos.)

CENA 3
Shrewsbury. O campo de batalha.

(O Rei entra com sua tropa. Alarido de batalha. Então entram Douglas e Sir Walter Blunt, disfarçado como o Rei.)

BLUNT
Qual o teu nome que em batalha assim ousas
Cruzar comigo? E que honra buscas
Co'a minha cabeça?

DOUGLAS
O meu nome é Douglas

---

[26] Moto da família Percy. (N. E.)

5 E o venho procurando na batalha
Porque alguns me dizem que é um rei.

BLUNT
E dizem certo.

DOUGLAS
Milord de Stafford pagou caro hoje
Tal semelhança; em seu lugar, rei Harry,
10 O ceifou desta espada: e a si também,
Se não se declarar meu prisioneiro.

BLUNT
Não nasci pra ceder, bravo escocês,
E hás de ter um rei para vingar
A morte de Lord Stafford

(Lutam. DOUGLAS mata BLUNT. Depois entra HOTSPUR.)

HOTSPUR
15 Bom Douglas, se lutasse assim em Holmedon
Eu jamais venceria um escocês.

DOUGLAS
Vencemos, acabou: eis o rei morto.

HOTSPUR
Onde?

DOUGLAS
Aí.

HOTSPUR
20 Esse, Douglas? Conheço bem seu rosto,
Um bravo cavalheiro, Blunt seu nome,
E todo armado como o próprio rei.

DOUGLAS
Que um tolo lhe vá co'a alma, para o além!
Comprou bem caro o título emprestado;
25 Mas o que o fez dizer-me que era um rei?

HOTSPUR
Há vários que hoje lutam com seus trajes.

DOUGLAS

    Pois juro que eu mato todos eles;
    Mato, um a um, o guarda-roupa inteiro,
    Até chegar ao rei.

HOTSPUR

          Vamos em frente!
    A nossa tropa aguenta bem o dia.

                                            (Saem.)

(Clarinada. Entra FALSTAFF, sozinho.)

FALSTAFF

    De Londres escapei livre de tiros, mas aqui tenho medo que acertem contas na minha careca. Quieto! Sir Walter Blunt — pois isso aí é que é honra! Existe coisa mais inútil? Eu estou tão quente e pesado quanto chumbo derretido: que Deus mantenha o chumbo fora de mim, pois não preciso de mais peso do que o das minhas tripas. Já mandei meus maltrapilhos para serem liquidados; não sobram mais que três vivos, dos meus cento e cinquenta, e esses são os que fugiram, para passar o resto da vida esmolando.

(Entra o PRÍNCIPE.)

Mas quem vem lá?

PRÍNCIPE

    Está à toa aí? Dê-me sua espada:
    Muitos dos nobres já se estendem, frios,
    Sob as patas ferozes do inimigo,
    Cujas mortes ainda não foram vingadas.
    Eu lhe peço que me empreste a sua espada.

FALSTAFF

    Ah, Hal, deixe-me respirar um bocadinho... Nem o Turco Gregório[27] realizou feitos de armas tais como os que fiz neste dia; eu matei Percy, ele está seguro.

PRÍNCIPE

    Mais que seguro, e vivo pra matá-lo:
    Eu peço que me empreste a sua espada.

FALSTAFF

    Juro por Deus, Hal, que se Percy estiver vivo, não lhe empresto minha espada; mas leve minha pistola se quiser.

---

[27] Turco podia significar um homem violento e Gregório pode se referir ao papa Gregório VII ou Gregório XIII, ambos cruéis. (N.E.)

PRÍNCIPE

Pois dê aqui. O quê? Ainda no coldre?

FALSTAFF

Estava quente, muito quente; mas dá pra saquear uma cidade.

(O PRÍNCIPE abre o coldre, e encontra nele uma garrafa de vinho.)

PRÍNCIPE

E isto é hora para brincar e vadiar?

(Atira a garrafa em cima dele. Sai.)

FALSTAFF

Se Percy inda está vivo eu o perfuro. Se ele aparecer no meu caminho, tudo bem; mas se não, se eu aparecer no dele por querer, que faça picadinho de mim. Não me atrai a sorridente honra de Sir Walter. Eu quero é vida que, se eu puder salvar, tudo bem; se não, é por que me apareceu uma honra imprevista, e é o fim.

(Sai.)

CENA 4
No mesmo lugar.

(Clarinadas. Marchas e correrias. Entram o REI, o PRÍNCIPE, LORD JOHN DE LANCASTER, e o CONDE DE WESTMORELAND.)

REI

Por favor, Harry, descanse um pouco, pois sangra muito.
Lord John de Lancaster, pode ir com ele.

LANCASTER

Não, milord, só quando eu sangrar também.

PRÍNCIPE

(Para o REI.)
Por favor, majestade, avance agora;
A sua ausência assusta os seus amigos.

REI

Assim farei. Milord de Westmoreland,
Conduza-o à sua tenda.

WESTMORELAND

(Para o PRÍNCIPE.)
Vamos, senhor; eu o conduzirei.

PRÍNCIPE

A mim, senhor? Não preciso de ajuda,
E Deus me livre que uns arranhões desses
Tirem do campo o príncipe de Gales,
Onde é pisada a nobreza manchada,
E o inimigo triunfa com massacres!

LANCASTER

Descansamos demais. Meu primo Westmoreland
O dever é pra lá; vamos, por Deus!

(Saem LANCASTER e WESTMORELAND.)

PRÍNCIPE

Por Deus que eu me enganava sobre Lancaster;
Não sabia que tinha tanto espírito:
Antes amava só meu irmão John,
Hoje o respeito como à minha alma.

REI

Eu o vi enfrentar Percy com a espada
Com bravura maior do que esperava
De guerreiro estreante.

PRÍNCIPE

                  Esse menino
Nos faz todos valentes!

(Sai.)

(Entra DOUGLAS.)

DOUGLAS

Outro rei! São quais cabeças de Hidra:
Eu sou o Douglas, sou fatal a todos
Os que envergam tais cores. Tu quem és,
Contrafação da figura do rei?

REI

Eu sou o rei, Douglas, que chora
As muitas sombras que já encontrou,
Sem ser o próprio rei. Tenho dois filhos
Que o buscam, e a Percy, neste campo,
Mas como a sorte o fez chegar a mim,
Eu vou testá-lo; pode defender-se.

DOUGLAS

    Temo que seja outra cópia falsa,
    Mas na verdade tem porte real;
    Porém, seja quem for, há de ser meu,
    E hei de derrotá-lo.

(Lutam, o REI está em perigo. Volta o PRÍNCIPE DE GALES.)

PRÍNCIPE

    Levante a cabeça, Douglas, pois creio
    Que nunca mais o fará. Os espíritos
    De Shirley, Stafford, Blunt 'stão nestas armas.
    É o príncipe de Gales que o ameaça,
    E que nunca faltou ao prometido.

(Lutam. DOUGLAS foge.)

    Vamos, senhor; como está Sua Graça?
    Nicholas Gawsey pediu que o ajudem,
    E também Clifton — irei já pra Clifton.

REI

    Pare e descanse um pouco:
    Você já redimiu a sua fama,
    E mostrou seu apreço à minha vida,
    Ao socorrer-me como fez agora.

PRÍNCIPE

    Por Deus, a mim muito injuriaram
    Os que disseram que o queria morto.
    Se assim fosse eu jamais impediria
    A mão com que Douglas o ofendia,
    Que lhe traria a morte mais depressa
    Que o mais forte veneno desta terra.
    Poupando a mim, seu filho, da traição.

REI

    Ajude Clifton, que eu vou pra Sir Nicholas.

(Sai.)

(Entra HOTSPUR.)

HOTSPUR

    Se não me engano, tu és Harry Monmouth.

PRÍNCIPE

Tu falas como se eu fora negá-lo.

HOTSPUR

Meu nome é Harry Percy.

PRÍNCIPE

                E então eu vejo
Um valente rebelde desse nome.
Eu sou o príncipe, e não julgue, Percy,
Poder compartilhar comigo a glória:
Dois astros não se movem numa esfera,
Nem pode a Inglaterra ter dois reinos,
De Harry Percy e o Príncipe de Gales.

HOTSPUR

E nem terá, pois é chegada a hora
Que acaba um de nós dois; quisera Deus
Teu nome em armas fosse igual ao meu!

PRÍNCIPE

Será maior quando nos separarmos,
E todo botão de honra no teu elmo
Eu colho pra fazer-me uma guirlanda.

HOTSPUR

Eu não aturo mais tuas vaidades.

(Lutam.)
(Entra FALSTAFF.)

FALSTAFF

Falou bem, Hal! Avante! Essa não é brincadeira de menino,
vou te contar!

(Volta DOUGLAS; ele luta com FALSTAFF, que cai como se estivesse morto. O PRÍNCIPE fere HOTSPUR mortalmente.)

HOTSPUR

Harry, tu me roubaste a juventude!
Aceito mais a perda desta vida
Do que a dos títulos que de mim ganhas;
Tal pensamento dói mais que a ferida:
Mas pensamentos, escravos da vida,
Vida, bobo do tempo, e o tempo em si
Que toma conta deste mundo inteiro,

          Têm de ter fim. Pudesse eu predizer,
          Mas a fria e terrena mão da morte
85   Pesa-me a língua: Percy, tu és pó,
          Comida para...

                    (Morre.)

     Príncipe
          Pra vermes, Percy. Adeus, bom coração!
          Como encolheu tua errada ambição!
          Quando esse corpo continha espírito,
90   O reino era pequeno para ele;
          Ora dois passos de terra barata
          São o bastante. A terra que o envolve
          Não sustenta fidalgo mais valente.
          Se fosses mais aberto à cortesia
95   Eu não mostrava tanto este meu zelo;
          Cubra o meu lenço o rosto estraçalhado,

                    (Cobre o rosto de Hotspur.)

          E em teu nome a mim eu agradeço
          A execução dos ritos delicados.
          Adeus, leva pro céu os teus louvores!
100   Durmam na cova as tuas ignomínias,
          Mas esquecidas em teu epitáfio!

                    (Vê Falstaff caído no chão.)

          Tanta carne não pôde preservar
          Alguma vida? Adeus, meu pobre Jack!
          Perderia eu melhor homem melhor:
105   Sua falta eu sentiria, na verdade,
          Se fosse apaixonado da vaidade:
          Esse é o mais gordo que a morte caçou
          Porém sangue melhor hoje rolou.
          Dentro em breve o terei embalsamado;
110   Até então, terá Percy a seu lado.

                              (Sai. Falstaff levanta-se.)

     Falstaff
          Embalsamado? Se me embalsamar hoje, dou licença para me picar e
          comer amanhã. Cristo, era hora de fingir, senão aquele monstrengo
          escocês me pegava, de alto a baixo. De fingir? Eu não sou fingimento
          nenhum; morto é que é fingimento, só um fingimento de homem,

sem vida: mas fingir de morto quando se está vivo, não é ser fingido mas sim uma perfeita imagem da vida. O critério é a melhor parte da bravura, e foi essa melhor parte que me salvou. Pelas chagas de Cristo, eu tenho medo desse Percy de pólvora, mesmo morto; e se ele também estivesse fingindo e levantasse? Juro que ele era capaz de fingir melhor; e por isso eu vou garantir as coisas, e jurar que fui eu quem o matou. Por que não poderá ele se levantar tão bem quanto eu? Só olhos é que poderiam me desmentir, e ninguém aqui está me vendo: portanto, malandro, (*Apunhala-o.*) com um novo golpe na coxa, é melhor vir comigo.

(*Sai carregando o corpo de* Hotspur *nas costas.*)

(*Voltam o* Príncipe *e* Lord John de Lancaster.)

PRÍNCIPE

Meu irmão John, você manchou com brilho
A sua espada virgem.

LANCASTER

Mas, que é isso?
Não disse que o gorducho estava morto?

PRÍNCIPE

Disse, pois o vi morto.
Sem alento e sangrando. (*Para* Falstaff.) Inda está vivo?
Ou brinca a fantasia em nosso olhar?
Fale, eu peço; não confio nos olhos
Sem as orelhas: parecia outro.

FALSTAFF

Não, pode estar certo de que não sou duplo: mas se não sou Jack Falstaff, então não presto: eis o Percy! (*Atira o corpo no chão.*) Se o seu pai quiser honrar-me, muito bem; se não quiser, ele que mate o próximo Percy ele mesmo. Espero ser feito conde ou duque, pode ter certeza.

PRÍNCIPE

Ora, eu mesmo matei Percy. E o vi morto.

FALSTAFF

A mim? Meu Deus, meu Deus, como se mente neste mundo! Sei que estava caído, e sem fôlego; mas ele também, e nos levantamos na mesma hora, lutando por uma hora, pelo relógio de Shrewsbury. Se puderem acreditar-me, muito bem; se não, que os que premiam a bravura carreguem sobre si um tal pecado. Eu juro pela minha

145 morte que lhe dei esse talho aqui na coxa; se o homem estivesse vivo e o negasse, eu o faria comer um pedaço da minha espada.

LANCASTER
É a história mais esquisita que ouvi na minha vida.

PRÍNCIPE
Vamos, carregue com cuidado a sua carga.

(À parte, para FALSTAFF.)

Quanto a mim, se a mentira o satisfaz,
Hei de dourá-la o quanto for capaz.

(Ouve-se um toque de retirada.)

150 Tocou a retirada, o dia é nosso.
Vamos, irmão, até o topo do campo,
Pra ver que amigos 'stão vivos e mortos.

(Saem o PRÍNCIPE DE GALES e LANCASTER.)

FALSTAFF
Eu vou atrás, como dizem, da recompensa. Quem me recompensar, Deus o recompense! Se com isso crescer, vou diminuir, me purgar,
155 largar a bebida e levar vida limpa, como deve um nobre.

(Sai, carregando o corpo.)

CENA 5
No mesmo lugar.

(Entram o REI, o PRÍNCIPE DE GALES e LORD JOHN DE LANCASTER, CONDE WESTMORELAND, com WORCESTER e VERNON, prisioneiros.)

REI
Assim se pune toda rebelião.
Maldoso Worcester, não mandei clemência,
Perdão e amor a todos os senhores?
E preferiram recusar a oferta?
5 Levar pro mal os que em si confiavam?
Três cavaleiros nossos, mortos hoje,
Um nobre conde e ainda muitos outros,
Viveriam ainda nesta hora,
Se houvesse transmitido qual cristão
10 Mensagem verdadeira às duas tropas.

WORCESTER
> O que fiz foi pra ver-me em segurança;
> E abraço, paciente, esta fortuna,
> Pois sei que o que me cabe é inevitável.

REI
> Levem Worcester e Vernon para a morte:
> Ainda pensaremos sobre os outros.

(Saem WORCESTER e VERNON, sob guarda.)

> Como ficou o campo?

PRÍNCIPE
> Lord Douglas, o nobre escocês, ao ver
> Que a sorte deste dia lhe era adversa,
> O nobre Percy morto, e os seus homens
> No limiar do medo, foi fugir
> E, caindo, feriu-se de tal modo
> Que acabou apanhado. Em minha tenda
> Está Douglas, e imploro à Sua Graça
> Que dele eu disponha.

REI
> De coração.

PRÍNCIPE
> Então a si, meu irmão John de Lancaster,
> Caberá esse ato generoso:
> Procure o Douglas e a ele informe
> Que, sem qualquer resgate, ele está livre:
> O valor que mostrou às nossas armas
> Nos ensinou a respeitar tais feitos,
> Mesmo no peito de um adversário.

LANCASTER
> À Sua Graça agradeço essa honra,
> Que hei de cumprir imediatamente.

REI
> Só resta dividirmos nossas tropas:
> Filho John, com meu primo Westmoreland
> Partirão para York, a toda pressa,
> Buscar Northumberland e Scroop, o clérigo,
> Que eu soube estarem ativos em armas:
> Pra Gales vamos eu e o filho Harry,

Pra lutar com Glendower e o conde March.
Nesta terra a revolta há de acabar
Se dias como hoje ela encontrar,
Como a tarefa aqui acaba agora,
Não paremos até 'star tudo como outrora.

(Saem.)

Henrique IV

Parte 2

Introdução
Barbara Heliodora

Não sabemos realmente se Shakespeare já começara a *Henrique IV Parte 1* pensando em escrever duas peças, ou se teria constatado durante a criação da inicial, por exemplo, que o material que tinha em mãos não podia ser contido em uma só. Seja como for, o resultado é interessante porque, ao mesmo tempo em que as duas partes se completam, elas podem ser tanto lidas como montadas independentemente uma da outra. A ação, na Parte 2, começa imediatamente após o final da Primeira, do ponto de vista cronológico; ela cobre a campanha militar que completa a vitória real, com a devida punição dos rebeldes que haviam ficado afastados de Shrewsbury, mas amplia o âmbito de seu interesse voltando-se para a parte legal da educação do príncipe.

Usando as mesmas fontes a que recorrera em *Henrique IV Parte 1* — as crônicas de Holinshed e Hall, o poema épico de Daniel e a peça anônima sobre a vida de Henrique V, agora acrescidas no "Gouvernour" de Sir Thomas Elyot, que é a fonte principal do episódio da prisão de Hal — Shakespeare começou a escrever a nova peça logo após a estreia da primeira (e portanto logo depois do grande sucesso alcançado pela figura de Falstaff). *Henrique IV Parte 2* é datada entre o final de 1596 e 1597: no caso de haver ele escrito as duas partes antes de *As alegres comadres de Windsor*, que é a opinião mais ou menos geral hoje em dia, a primeira data prevalece; se depois, o texto será todo de 1597.

Boa parte dos problemas encontrados nas peças de Shakespeare e eternamente debatidos pelos especialistas, que nem sempre conseguem ficar de acordo, é devida à boa ou má qualidade dos textos das primeiras publicações, e por incidentes como os ocorridos com *Henrique IV Parte 2*: a primeira edição da peça apareceu em 1600, com o fascinante título de *A segunda parte de Henrique IV, continuando até a sua morte, e a coroação de Henrique V. Com os humores de sir John Falstaff e o fanfarrão Pistola. Como tem sido várias vezes apresentada em público pelos criados do muito honorável Lord Chamberlain Escrita por William Shakespeare*. O texto é dos "bons", porém comum a ressalva das mais interessantes: faltam nele nada menos do que cinco trechos: 1) A fala de Morton a Northumberland; 2) a explanação de Lord Bardolph sobre o melhor meio de se planejar uma rebelião; 3) a fala de Lady Percy recordando as principais virtudes de seu marido morto; 4) a enumeração, pelo Arcebispo, das queixas dos rebeldes e 5) o diálogo no qual Westmoreland procura convencer Mowbray de que suas queixas não têm base. Todos esses trechos teriam sido censurados nas edições publicadas ainda em vida de Elizabeth I, mas aparecem na primeira edição das obras completas, de 1623, fazendo parecer correta a suposição de que os cortes na primeira edição se devem ao fato de todos evocarem a imagem de Ricardo II, que fora deposto e com o qual a Rainha por mais de uma vez se identificou. O que mais fortalece a teoria de censura é o fato de os textos das primeiras edições, a não ser por tais cortes, serem de muito boa qualidade.

De modo geral todos os personagens que apareceram na Parte 1 retêm suas características, em alguns casos com os traços que os identificam ainda mais marcados do que na primeira peça. Como tema, esta *Henrique IV Parte 2* continua a investigar a relação dos poderosos com o poder e, como corolário, a educação de Hal, cuja miraculosa transformação de estroina em monarca equilibrado já se manifesta nas últimas cenas, quando ele aparece já coroado. Se na Parte 1 vemos Hal derrotando Hotspur e, portanto, se afirmando nas armas, na Parte 2, Shakespeare, por caminhos às vezes estranhos, irá se preocupar principalmente com o aprendizado do respeito à lei.

Conhecendo a popularidade de Falstaff e, por outro lado, sabendo que no momento da coroação o antigo companheiro de farras terá de ser repudiado, Shakespeare prepara o caminho para a separação final por dois meios diversos: por um lado, os defeitos morais de Falstaff são bem mais graves e expostos com maior detalhe nesta Parte 2; por outro, Hal e Falstaff ficam fisicamente muito mais afastados um do outro, desaparecendo o antigo clima de alegre companheirismo entre eles. Se na Parte 1 eles têm um total de oito cenas juntos, nas quais trocam nada menos que 865 linhas de diálogo, na Segunda eles só aparecem juntos duas vezes: no Ato 2, cena 4 trocam 85 linhas de diálogo, e na cena 5 do Ato 5, o novo rei usa 30 linhas para repudiar o "velho gordo", sem admitir resposta. Se já na Parte 1, em mais de uma ocasião vê-se Falstaff denegrindo Hal sempre que este não está presente, nas muitas cenas em que o corpulento cavaleiro aparece sem a presença do antigo companheiro de farras, Shakespeare encontra uma nova maneira de lhe revelar os aspectos negativos: encarregado de organizar uma tropa, Falstaff reúne um grupo tão fraco, andrajoso e incapaz — pois preferiu aceitar suborno de todos os jovens mais bem preparados — que até ele mesmo se dá conta do quanto seus soldados são vergonhosos.

Com ordens para juntar-se às tropas do duque de Lancaster, irmão de Hal, Falstaff prefere perder tempo, quando atravessa o condado de Gloucester, na casa de um juiz tolo que pode explorar com facilidade. Exibindo mais uma vez a forte influência da forma da Moralidade medieval, sempre alegórica, todos os personagens que pertencem ao universo bucólico, crítico e cômico onde mora o dito juiz, têm nomes alegóricos, definidores de suas condições: Shallow (Raso) é o juiz, Silence (Silêncio) seu silencioso primo, e os soldados arrecadados por Falstaff: Mofo, Sombra, Verruga, Fraco e Bezerro. Na taverna, aliás, ecoa o mesmo hábito: os nomes das duas mulheres são Mistress Quickly (Dona Rápida) e Doll Tearsheet (Doll Rasgalençol/Arrebenta Lençóis). É na casa de Shallow que Falstaff exibe suas piores qualidades, tornando-se por isso mesmo cada vez menos aceitável para o futuro rei.

Se a honra na batalha foi o ponto máximo para a formação de Hal na Parte 1, os temas principais desta Segunda serão o respeito às leis e a ética no trato da coisa pública. O comportamento de Falstaff revela a todo momento seu total desapreço pela lei assim como pela ética: não há momento em que não procure com suas palavras desmoralizar Hal, quando este não está presente; em seu primeiro encontro com o Lord Juiz do Supremo este é desrespeitado por todo modo — primeiro Falstaff se finge de surdo para não o ouvir, depois responde tudo com respostas ambíguas e grosseiras. Aproveitando-se da avareza, mesquinharia e tola ambição do juiz mal preparado e por isso mesmo deslumbrado de receber um amigo íntimo do Príncipe de Gales, Falstaff garante a Raso que será figura da maior importância no novo governo e, com promessa de conseguir para este o posto que quiser, arranca-lhe um empréstimo de mil libras esterlinas! Em tudo o que promete Falstaff oferece a garantia de um reinado futuro no qual ele fará das leis o que quiser, como colaborador de um rei que as respeitará tão pouco quanto ele, e o terá como conselheiro. Seria um verdadeiro despropósito supor que o agravamento na retratação de Falstaff não seja propositado, que Shakespeare não esteja preparando, com cuidado, sua rejeição por Hal tão logo este seja coroado, já que o afastamento do mau conselheiro tem de ser parte crucial da famosa transformação "miraculosa" do farrista em monarca.

Outro aspecto marcante deste *Henrique IV Parte 2* é o do episódio de Gaultre e, onde deveria ser travada uma batalha entre os rebeldes do norte e as tropas do rei Henrique IV possivelmente bem mais sangrenta do que havia sido a de Shrewsbury, que conclui a Parte 1. Nas *"Crônicas"* de Holinshed, de onde Shakespeare tirou o acontecimento, quem vai parlamentar com os revoltosos é o conde de Westmoreland, que efetivamente promete atender especificamente a cada uma das queixas contra o rei. Já na peça, em lugar de Westmoreland, é John de Lancaster, o segundo filho do rei, quem vai negociar com os rebeldes. John foi figura mais do que respeitada, por sua correção e honestidade, de modo que não seria nada provável que Shakespeare o colocasse em situação desabonadora; na verdade, depois de ouvir todas as queixas, o que John de Lancaster diz é apenas que "as queixas serão todas corrigidas", o que pode sem dúvida ser compreendido pelos rebeldes como que a solução será favorável a eles, mas na verdade esta afirmação tem também o sentido de garantir que as providências necessárias serão todas tomadas pelo Rei para acabar com a rebelião. No caso, sugiro que se verifique, com isso, que Shakespeare havia tomado conhecimento de *O príncipe*, de Maquiavel, em seu sentido original e não mais nas versões deturpadas vindas da França, pois em tal situação, e tratando com indivíduos que já anteriormente agiram de forma desonesta, justifica-se que o príncipe use de artimanhas, principalmente em um caso como este, no qual o objetivo principal é poupar vidas inglesas, impedindo a realização da batalha. De outro modo seria injustificável a substituição de Westmoreland por Lancaster.

Nas duas partes de *Henrique IV* é possível demonstrar, com excepcional clareza, que mesmo sem a presença de uma estética que determinasse de modo específico qualquer disciplina formal, Shakespeare tem uma clara noção da necessidade de se tornar harmônicos forma e conteúdo: não é só na estrutura da Moralidade que o poeta cria um idioma específico para sua memorável experiência da apresentação do submundo do reino; altera-se igualmente a estrutura literária de sua dramaturgia: na lírica *Tragédia de Ricardo II*, onde não há nenhuma comédia, não há tampouco uma única linha de prosa; mas nas duas partes de Henrique IV o caso é bem diferente: 42% das falas da primeira e 50,7% da segunda são em prosa; e, enquanto no *Ricardo II* há nada menos de 540 versos que rimam, no *Henrique IV Parte 1* só há 68, e na *Parte 2* ainda menos, 56 (apesar de a Segunda peça ser mais longa). E naturalmente o vocabulário também muda, da corte para a taverna, tornando-se mais grosseiro à medida que se torna mais necessário acentuar os defeitos do caráter de Falstaff. A verdade é que com a passagem do tempo, com o amadurecimento, Shakespeare fora descobrindo um número maior de usos dramáticos para a prosa; ao contrário do que hoje julgam alguns, o verso era o seu instrumento favorito porque desde a Grécia que a forma – visivelmente distinta da natureza — era indispensável para a criação da obra de arte; ironicamente, na dramaturgia elisabetana, como na da Antiguidade, era justamente sua artificialidade que era tida como o melhor instrumento para facilitar o caminho do ator para sua interpretação. Quando atinge sua maturidade artística, a par de uma poesia mais densa, mais despojada de ornatos porém mais metafórica, o poeta descobre que também a prosa pode ter suas próprias funções formais e ser usada para explicar situações e como eficiente veículo de expressão dos personagens.

As duas partes de *Henrique IV* são, de certo modo, o campo de provas para o que irá aparecer nos dez anos de apogeu de criação de Shakespeare: só o fato de ele encontrar solução tão satisfatória para a utilização do que havia para ser aproveitado das Moralidades juntamente com as novidades da variedade de classes sociais em seus habitat naturais e, também, esse novo aproveitamento da prosa, mostram o quanto Shakespeare fazia de experimentação formal. Se hoje esses textos valem mais por seu total e não nos chamam a atenção como grande novidade, é justamente porque há quatrocentos anos que essas experiências enriqueceram a dramaturgia ocidental.

Teria Shakespeare conseguido realizar seu intento de formar um todo com as duas peças? Na verdade só o conjunto das duas completa o quadro do difícil reinado de Henrique IV e da difícil e complexa preparação de seu filho para a coroa. Em uma época na qual a ideia de mandar o herdeiro do trono para o colégio e depois para a universidade seria totalmente desproposital, a formação do jovem viria de alguns mestres ou tutores de determinadas áreas tidas como importantes, e o resto viria da experiência. A opção de Hal é por uma gama de experiências bem mais ampla do que é provável que fosse comum na época. Mesmo fazendo com que as duas peças, retratando fases distintas do processo de formação do príncipe, possam ser montadas individualmente, não há dúvida de que o conjunto alcança um significado maior do que o da soma de suas partes, o que significa em verdade que nós possamos, com proveito, encarar as duas partes como um só todo, que abrange aspectos vários de sua observação da relação entre o poder e aquele que o detém.

LISTA DE PERSONAGENS

Boato, o apresentador
Rei Henrique IV

Príncipe Henry, depois rei Henrique V ⎫
Príncipe John de Lancaster ⎬ os quatro filhos do rei
Humphrey, duque de Gloucester ⎪
Thomas, duque de Clarence ⎭

Henry Percy, conde de Northumberland ⎫
Arcebispo de York ⎪
Lord Mowbray, Conde Marechal ⎪
Lord Hastings ⎬ oito opositores do rei
Lord Bardolph ⎪
Travers ⎪
Morton ⎪
Sir John Coleville ⎭

Conde de Warwick ⎫
Conde de Westmoreland ⎪
Conde Surrey ⎬ cinco partidários do rei
Sir John Blunt ⎪
Gower ⎭

Harcourt
Lord Juiz da Suprema Corte

Poins ⎫
Sir John Coleville ⎪
Sir John Falstaff ⎬ seis soldados irregulares, humoristas
Bardolph ⎪
Pistola ⎪
Peto ⎭

O Pajem de Falstaff

Robert Raso (Shallow) ⎫
Silêncio ⎬ juízes no interior

Davy, criado de Shallow

Fang (Presa canina) ⎫
Snare (Armadilha) ⎬ dois sargentos

Mofado (Ralph Mouldy) ⎫
Sombra (Simon Shadow) ⎪
Verruga (Thomas Wart) ⎬ soldados do interior
Fraco (Francis Feeble) ⎪
Bezerro (Peter Bullcalf) ⎭

LADY NOTHUMBERLAND, mulher do conde
LADY PERCY, viúva de Henry Percy, chamado Hotspur
DONA RÁPIDA (TAVERNEIRA QUICKLY)
DOLL RASGALENÇOL (DOLL TEARSHEET)
NARRADOR DO EPÍLOGO
FRANCIS e outros Copeiros
Meirinhos e outros oficiais, cavalariços, porteiro, mensageiro, soldados, nobres, músicos, criados.

A cena: Inglaterra.

Atenção[1]: Lord Bardolph é um personagem diverso do Bardolph, amigo de Falstaff e criminoso, que aparece na primeira parte de Henrique IV, ladrão e companheiro de Falstaff. Aqui aparecem os dois. A coincidência dos nomes Lord Bardolph e Bardolph na mesma peça, apesar de confundir os leitores, passa despercebida no palco. Em derminado momento, quando Hal se torna rei, passa a ser indicado como rei Henrique V. (N. E.)

---

1 Os nomes alegóricos estão, na lista de personagens, traduzidos para melhor compreensão. (N.E.)

PRÓLOGO

(Entra o Boato,² pintado cheio de línguas.)

Boato

Abram os ouvidos; e quem fecharia
A entrada do ouvido a um Boato?
Eu, desde o Leste até o triste poente
Com o vento por cavalo é que revelo
5 Os atos feitos na bola da terra.
Nas minhas línguas cavalgam calúnias
Que eu pronuncio em toda e qualquer língua,
Entulhando os ouvidos com mentiras.
Falo de paz quando, oculto, o inimigo
10 Sorrindo em segurança fere o mundo;
Quem senão o Boato, senão eu,
Cria convocações, arma defesas,
Quando este mundo, inchado com tristezas,
Faz pensar que esteja prenhe de guerra,
15 E não há nada? O Boato é uma flauta
Tocada por suspeitas e ciúmes,
De registros tão simples e tão fáceis,
Que o monstro rude de cem mil cabeças,
A multidão que muda sem parar,
20 Pode tocá-la. Mas por que preciso
Dissecar meu corpo tão famoso
Entre os parentes? Por que estou aqui?
Corro à frente da vitória do rei,
Que no campo sangrento em Shrewsbury
25 Venceu o jovem Henry e sua tropa,
E apagou a chama dos rebeldes
Com o próprio sangue deles. Mas por que
Começar com verdades? Meu ofício
É proclamar a queda do outro Henry,
30 De Monmouth, ante Hotspur³ bravo e nobre,
E que o rei, ante um Douglas furioso,

---

2 O Boato baseia-se no personagem Fama, de Virgílio, representado por uma mulher monstruosa coberta de línguas, orelhas e olhos, que espalha boatos falsos e verdadeiros. O Boato não é um personagem humano mas a personificação da ideia de como os boatos funcionam; em muitas produções, como a de 2010, dirigida por Dominic Dromgoole para o Globe Theatre de Londres, as falas são divididas entre vários atores, como um jogral, tornando o prólogo dinâmico. É interessante notar que na primeira cena Northumberland recebe notícias contraditórias sobre a batalha de Shrewsbury e a morte de seu filho: Lord Bardolph garantindo que Hotspur está vivo e vitorioso e Travers e Morton garantindo que está morto. O Boato introduz a reflexão sobre a mentira, o engano e a traição abordados de diversos modos na peça: as mentiras de Falstaff à Mistress Quickly e Shallow; os disfarces de Hal; a traição de Lancaster ao dizer que negocia a paz quando, na verdade, trata da prisão dos rebeldes, o que acaba por salvar a Inglaterra de nova guerra civil; a traição de Hal a Falstaff. Dentre todos os personagens, apenas o Juiz da Suprema Corte mantém sua palavra e uma conduta sempre honesta e coerente. (N. E.)

3 Hotspur era conhecido como Henry (Harry) Percy; ao longo da peça, há vários trocadilhos com o apelido Hotspur literalmente, "espora quente". (N. E.)

Baixou à morte sua testa ungida.
Soltei esses boatos por aldeias,
Desde o campo real de Shrewsbury[4]
Até estas ruínas pedregosas
Onde Northumberland, o pai de Hotspur,
Jaz doente de esperto. Vêm correios,
E ninguém traz pra ele novidades
Que não venham de mim. Pois do Boato
Vem conforto pior do que o que é fato.

(Sai.)

---

[4] A batalha de Shrewsbury, que aparece na primeira parte de *Henrique IV*, é vencida pelo príncipe de Gales, Henrique (Harry) de Monmouth, assim chamado porque nasceu no castelo de mesmo nome; com a morte de seu pai, torna-se Henrique V. (N. E.)

ATO 1

CENA 1
No mesmo lugar.

(Entra Lord Bardolph.)

LORD BARDOLPH
Quem é porteiro aqui?

(Entra o Porteiro.)

Que é do Conde?

PORTEIRO
E a quem anuncio?

LORD BARDOLPH
Diga ao Conde
Que é Lord Bardolph que o espera aqui.

PORTEIRO
O meu senhor saiu para o pomar.
E se milord bater nesse portão,
Ele mesmo virá.

(Entra o Conde Northumberland.)

LORD BARDOLPH
'Stá aí o Conde.

(Sai o Porteiro.)

NORTHUMBERLAND
Lord Bardolph, o que há? Cada minuto
É pai de uma notícia violenta.
É tempo louco; e o caos, qual cavalo
Que comeu muito, arrebentou a rédea
E abate tudo em frente.

LORD BARDOLPH
Nobre Conde,
Trago de Shrewsbury notícias certas.

NORTHUMBERLAND
Graças a Deus!

LORD BARDOLPH
                    E impossível melhores!
          O Rei quase morreu dos ferimentos;
15   E, por fortuna de milord seu filho,
          Morreu Henry, o príncipe; e os dois Blunts
          Mortos por Douglas; e o príncipe John
          Com Westmoreland e Stafford debandaram;
          E o leitão de Harry, o tal Sir John,
20   Foi preso por seu filho. Um dia assim,
          Assim lutado, sustentado e ganho,
          Não vem dignificar os nossos dias
          Desde César!

NORTHUMBERLAND
                    E como soube tudo?
          Viu o campo? 'Stá vindo lá de Shrewsbury?

LORD BARDOLPH
25   Falei com alguém, milord, que de lá vinha,
          Um cavalheiro sério, de bom nome,
          Que me passou as novas qual verdade.

          (Entra TRAVERS.)

NORTHUMBERLAND
          Aí vem Travers, meu criado, que mandei
          Na terça-feira, pra saber das novas.

LORD BARDOLPH
30   Milord, passei por ele no caminho,
          E ele não traz maior certeza
          Do que as que por sorte eu lhe contei.

NORTHUMBERLAND
          Então, Travers, que boas novas traz?

TRAVERS
          Milord, Sir John Umfrevile me mandou
35   Com boas novas, mas mais bem montado
          Passou-me. Depois chegou, correndo,
          Um cavalheiro exausto pela pressa,
          Que parou pr'acalmar o seu cavalo
          Todo em sangue, querendo ir pra Chester.
40   Dele pedi mais notícias de Shrewsbury.
          Me disse que o levante teve azar,
          E gelara o calor de Henry Percy.

             Com isso deu mais rédea a seu cavalo,
             E, se inclinando, meteu as esporas
45   No flanco do coitado do animal
             Até as rosetas; e partindo assim
             Pareceu devorar o seu caminho
             E foram-se as perguntas.

     NORTHUMBERLAND
                                     Ah! Repita!
             Disse estar frio o jovem Henry Percy?
50   Gelou-se o esquentado? Teve azar
             Nosso levante?

     LORD BARDOLPH
                           Milord, eu garanto:
             Se o lord seu filho não ganhou o dia,
             Dou-lhe a palavra que, por uma fita,
             Eu dou meu baronato e não reclamo.

     NORTHUMBERLAND
55   Por que haveria o homem que passou
             De anunciar tais perdas?

     LORD BARDOLPH
                                   Quem, aquele?
             Um sujeito sem nome que roubou
             O cavalo e que, por minha vida,
             Falou só por falar. Veja: mais novas.

             (Entra MORTON.)

     NORTHUMBERLAND
60   E a fronte dele, qual página de rosto,
             Já faz prever que é trágico o seu livro.
             Assim parece a praia quando as águas
             Deixam as marcas de uma usurpação.
             Diz-me, Morton, vieste tu de Shrewsbury?

     MORTON
65   Corri de Shrewsbury, meu nobre senhor,
             Onde a morte botou horrenda máscara
             Pr'os nossos aterrar.

     NORTHUMBERLAND
                                 Meu filho e irmão?
             Tu tremes, e a tua palidez
             Cumpre melhor que a língua a tua tarefa.

70 Foi um homem assim, fraco, sem brio,
Opaco, morto de aspecto, e assim triste,
Que abriu na noite as cortinas de Príamo
Para dizer-lhe que Troia queimara:
Príamo achou o fogo antes da língua,
75 Como eu a morte do meu Percy em ti.
Tu dirias: "Seu filho agiu assim;
Assim o seu irmão; lutou o Douglas",
Tapando os meus ouvidos com seus feitos:
Mas ao fim, golpeando os meus ouvidos,
80 Um suspiro é que fecha tantas loas,
Com "irmão, filho, e mais todos 'stão mortos."

MORTON

Douglas vive; e o seu irmão, também.
Porém milord seu filho...

NORTHUMBERLAND

                        Esse, está morto.
Como a suspeita tem a língua rápida!
85 Quem teme o que prefere não saber
Descobre por instinto em um olhar
Que o temido se deu. Mas fala, Morton;
Diz a um conde que a intuição mente,
E eu acharei essa desonra doce,
90 E te honrarei por me ofenderes assim.

MORTON

Um grande homem não é contestado;
É verdadeiro, e o seu temor é certo.

NORTHUMBERLAND

Mesmo assim, não me digas morto Percy.
Vejo em teus olhos 'stranha confissão:
95 Tu pensas ser fraqueza ou ser pecado
Dizer verdade. Se está morto, fala:
Não peca a língua por relatar morte;
Peca, sim, o que calunia o morto,
Não quem diz que o morto não está vivo.
100 Mas o arauto de novas malvindas
Tem triste ofício e o som de sua língua
Para sempre será qual sino triste
Que dobra pelo amigo que partiu.

LORD BARDOLPH

Não admito 'star morto o seu filho.

MORTON

105 *(Para Lord Bardolph.)* Eu lamento forçá-lo a acreditar
Naquilo que, por Deus, eu não quis ver;
Mas meu olhar o viu ensanguentado,
Perdendo em golpes, em cansaço e fôlego
Pra Harry Monmouth, cuja ira soube
110 Levar ao chão o invencível Percy,
De onde nunca mais se ergueu com vida.
A morte de quem sempre incendiou
Até o mais boçal dos camponeses,
Anunciada, tirou fogo e calor
115 Até da têmpera do valoroso:
Pois seu metal era o aço dos seus,
Que, uma vez sem fio, todo o resto
Mudou-se em chumbo, pesado e opaco.
E como a coisa que, por ser pesada,
120 Quando empurrada corre mais depressa,
Assim a nossa tropa, com a perda de Hotspur
Pesou com a leveza de seu medo
De modo que nem flecha vai tão célere
Quanto a tropa, buscando segurança,
125 Correu do campo. E então o nobre Worcester,
Aprisionado, e a fúria escocesa,
Douglas sangrento, cuja ativa espada
Matou três vezes a imagem do Rei,
Perdendo ânimo, honrou a vergonha
130 Dos que davam as costas e, na fuga,
Tropeçando de medo, foi tomado.
Enfim, o Rei venceu, e já mandou
Rápida tropa pr'encontrá-lo, milord,
Que é comandada pelo jovem Lancaster
135 E Westmoreland. Essas são minhas novas.

NORTHUMBERLAND

Pra isso eu terei tempo de chorar.
Há cura no veneno; e essas novas
Com saúde trariam-me doença,
Mas doente, trouxeram-me melhora.
140 Como o infeliz que com juntas febris,
Que são fracas dobradiças pro seu corpo,
Irritado com a dor, explode em fogo,
E escapa de seus guardas, os meus membros
Despertados com dor, com fúria em pranto,
145 'Stão triplicados. Fora, então, muleta!
Luvas com escamas e juntas de aço
Vistam-me as mãos. Adeus, touca de enfermo!

                    Não és o protetor para a cabeça
                    Que os reais vencedores ora miram.
150   Vistam-me com ferro a fronte, e se aproxima
                    A hora horrível que o despeito inda ousa
                    Encarar o furioso Northumberland!
                    Que beije o céu a terra! E a Natureza
                    Mantenha presa a água! Morra a ordem!
155   E que este mundo deixe de ser palco
                    Que alimente contendas prolongadas;
                    Que a alma de Caim, o primogênito,
                    Reine nos peitos, e que os corações
                    Prontos pro sangue acabem logo a cena
160   E só a escuridão enterre os mortos!

        LORD BARDOLPH
                    Paixão assim só lhe faz mal, milord.

        MORTON
                    Não divorcie a honra do que é sábio;
                    A vida de seus cúmplices amigos
                    Repousa em sua saúde; e se a entrega
165   A uma tal paixão, tudo decai.
                    Admitia que a guerra era possível,
                    E, senhor, já contava com tal risco
                    Ao ordenar que se criasse a tropa.
                    E pressupôs que na troca de golpes
170   Era possível que caísse o seu filho.
                    Sabia que ele andava no perigo,
                    Sobre um fio do qual a queda é fácil.
                    Sempre soube que podia a carne dele
                    Ser ferida; e que uma bravura ousada
175   O levaria aos perigos mais extremos.
                    Porém lhe disse "Avante!"; e nada disso,
                    Embora compreendido, o afastaria
                    Das mais árduas ações. O que se deu,
                    Então, ou resultou de nossa empresa,
180   Mais do que nós tivemos por provável?

        LORD BARDOLPH
                    Todos nós, engajados nessa perda,
                    Sabíamos do perigo a ser singrado,
                    E apostamos dez por um na vida;
                    Mas arriscamos por possíveis ganhos,
185   Calamos o temor desses perigos,
                    E, perdendo, enfrentamos novos riscos.
                    Embarquemos, portanto, corpo e bens.

MORTON
    É mais que hora. E, nobre senhor,
    Eu soube com certeza, e é verdade,
190   Que o bom Arcebispo de York marcha
    Com tropa bem armada. E ele é homem
    Que duplamente engaja os seguidores.
    Milord seu filho tinha só o corpo,
    E o aspecto dos homens pra lutar;
195   Pois o termo "rebelião" separa
    As ações e as almas dos homens,
    E eles lutam incertos, constrangidos,
    Como quem bebe veneno, e suas armas
    Só pareciam nossas; e suas almas
200   Se congelavam com "rebelião".
    Como peixes no lado. Mas o Bispo
    Transforma insurreição em religião;
    Tido por santo e sincero em ideias,
    É seguido por corpos e por mentes,
205   E amplia este levante com o sangue
    Do bom Ricardo, que foi morto em Pomfret;
    Do céu vêm sua luta e sua causa;
    Ele diz que cavalga em chão sangrento
    Que mal respira sob o bravo Bolingbroke;
210   E a ele seguem grandes e pequenos.

NORTHUMBERLAND
    Eu já sabia disso, mas confesso
    Que a dor o apagara das ideias.
    Venham comigo, e me digam todos
    Como chegar a vingança segura:
215   Mandem cartas, e busquem aliados:
    Eles são poucos, mas necessitados.

(Saem.)

CENA 2
Londres. Uma rua.

(Entra SIR JOHN FALSTAFF, com seu PAJEM levando sua espada e seu escudo.)

FALSTAFF
    Gigante, patife, o que diz o doutor da minha água[5]?

PAJEM
    Ele disse, senhor, que a água em si era uma boa água saudável; mas

---

5 Urina. (N. E.)

que quanto ao dono dela, ele deve ter mais doenças do que ele conhece.

FALSTAFF

Gente de toda espécie tem prazer em me alfinetar. O cérebro desse barro[6] misturado com tolice, o homem, não é capaz de inventar nada que tenha a intenção de provocar riso melhor do que eu invento, ou é inventado a meu respeito; eu não sou apenas espirituoso eu mesmo, mas a causa do espírito existir em outros homens. Eu caminho aqui na sua frente como uma porca que matou toda a sua barrigada menos um. Se o Príncipe o botou a meu serviço por qualquer outra razão que não seja o contraste, eu não sei julgar as coisas. Mandrágora filho da puta ficaria melhor no meu chapéu do que aí nos meus calcanhares. Eu nunca tinha sido servido por uma ágata até hoje, mas hei de encastoá-lo, não em ouro ou prata, mas em roupas vis, e mandá-lo de volta a seu amo como joia — ao jovem Príncipe seu amo, cujo queixo ainda não emplumou. É mais fácil crescer barba na palma da minha mão do que na bochecha dele; mas mesmo assim ele não hesita em dizer que a cara dele é cara real. Deus que a acabe quando Ele quiser, não faz um fio de falta. Ele que guarde sua cara de coroa, porque um barbeiro é que não arranca seis *pence* dela. Mas mesmo assim ele canta de galo como se fosse homem desde o tempo em que o pai dele ainda era solteiro. Ele que guarde a sua graça, porque já está quase perdendo as minhas, eu lhe garanto. O que disse o Mestre Dommelton sobre o cetim para minha capa curta e meus calções?

PAJEM

Disse, senhor, que devia procurar garantia melhor do que Bardolph: não aceita compromisso dele e nem seu, acha que não tem garantia.

FALSTAFF

Ele que seja danado por gula! Queira Deus que sua língua esteja ainda mais quente! Um filho da mãe Aquitofel![7] Um porcaria de um safado de jura fraca, que encoraja um cavalheiro para depois ficar pedindo garantias! Filho da mãe de cabeça raspada que agora anda de saltos altos e pencas de chaves na cintura; e se um homem entra com ele em acordo honesto, fica querendo mais segurança. Eu prefiro que me tapem a boca com raticida do que eu tapá-la com garantias. Eu esperando que ele mandasse vinte e duas jardas de cetim, já que sou um cavaleiro e sério, e ele me vem com "garantias"? Pois ele que durma com as suas garantias, pois tem o corno da abundância, através do qual brilha a leviandade de sua mulher; e ele nem vê, embora tenha a luz dos cornos para alumiar o caminho. Onde está Bardolph?

---

6 Referência à ideia bíblica de que o homem é modelado da argila, é o pó da terra. (N. E.)

7 A história bíblica do traidor Aitofel ("Aquitofel", seguindo a forma *Ahitophel*, em Shakespeare), conselheiro do rei David e que se alinhou a Absalão, quando este tentou usurpar o trono do pai, era conhecida no século XVI não só pela Bíblia mas também pela peça de George Peele, *The Love of King David and Fair Bathsheba* (1599). (N. E.)

PAJEM

40   Foi a Smithfield[8] para comprar um cavalo para sua senhoria.

FALSTAFF

Eu o comprei no pátio de São Paulo, e agora ele vai me comprar um cavalo em Smithfield. Se agora eu comprasse uma mulher na zona teria criado, cavalo e esposa.

(Entram o LORD JUIZ DO SUPREMO e um CRIADO.)

PAJEM

Senhor, aí vem o nobre que prendeu o Príncipe por bater nele por
45   causa de Bardolph.

FALSTAFF

(Afastando-se.)
Fique aqui perto. Não quero vê-lo.

LORD JUIZ DO SUPREMO

Quem vai lá?

CRIADO

Falstaff, meu senhor.

LORD JUIZ DO SUPREMO

Aquele que foi interrogado por roubo?

CRIADO

50   É, milord: mas desde então ele prestou bons serviços[9] em Shrewsbury, e, segundo ouvi dizer, está agora está partindo a serviço do Lord John de Lancaster.

LORD JUIZ DO SUPREMO

O quê? Para York? Chame-o de volta aqui.

CRIADO

Sir John Falstaff!

FALSTAFF

55   Menino, diga a ele que sou surdo.

PAJEM

Precisa falar mais alto, meu amo é surdo.

---

8 Smithfield, onde comercializava-se cavalos. (N. E.)
9 Falstaff supostamente matou Hotspur em Shrewsbury, quando na verdade quem o fez foi Hal. (N. E.)

Lord Juiz do Supremo

Sei que é surdo para ouvir qualquer coisa de bom. Pegue-o pela manga. Tenho de falar com ele.

Criado

Sir John!

Falstaff

O quê! Um malandro assim jovem, esmolando? Não estamos em guerra? Não há empregos? Não faltam súditos ao Rei? Os rebeldes não precisam de soldados? Embora seja vergonha estar de qualquer lado senão um, é vergonha pior esmolar do que estar no lado pior, mesmo que ele fosse pior do que o nome de rebelião possa dizer como fazê-lo.

Criado

O senhor me toma por outro, senhor.

Falstaff

Por que, senhor? Acaso eu lhe disse que era honesto? Deixando de lado meus títulos de cavaleiro e de soldado, menti e muito se assim o disse.

Criado

Por favor, senhor, então deixe de lado os seus títulos de cavaleiro e de soldado, e permita-me dizer-lhe que mente, e muito, se disser que eu não sou honesto.

Falstaff

E lhe dei permissão para que me dissesse isso? Posso deixar de lado o que é parte de mim? Se me arrancar permissão, pode me enforcar. Você não passa de um beleguim. Fora! Passe!

Criado

Senhor, meu amo deseja falar-lhe.

Lord Juiz do Supremo

Sir John Falstaff, uma palavra.

Falstaff

Meu bom senhor! Que Deus dê um bom dia a Sua Senhoria! Alegra-me ver Sua Senhoria na rua, ouvira dizer que Sua Senhoria estava doente. Espero que Sua Senhoria tenha saído com conselho médico; Sua Senhoria, embora ainda não tendo deixado totalmente para trás sua juventude, já tem um gostinho de velhice, um tempero, um salzinho, de tempo; e eu imploro a Sua Senhoria, humildemente, que trate com reverência de sua saúde.

Lord Juiz do Supremo

Sir John, mandei chamá-lo antes de sua expedição para Shrewsbury.

Falstaff

Com a permissão de Sua Senhoria, ouvi dizer que Sua Majestade voltou de Gales[10] com certo desconforto.

Lord Juiz do Supremo

Não estou falando de Sua Majestade. O senhor não veio quando o chamei.

Falstaff

E ouvi dizer, além disso, que Sua Alteza estava sofrendo de uma apoplexia filha da mãe.

Lord Juiz do Supremo

Que Deus o cure! Por favor, deixe-me falar com o senhor.

Falstaff

Cuja apoplexia, eu soube, é uma espécie de letargia, e, com a permissão de Sua Senhoria, uma espécie de dormição no sangue, um arrepio filho da mãe.

Lord Juiz do Supremo

E por que me diz isso tudo? Deixe isso para lá.

Falstaff

E ela tem em suas origens muito sofrimento, por estudos, e perturbação do cérebro; li a causa desse efeito em Galeno[11], é uma espécie de surdez.

Lord Juiz do Supremo

Parece-me que o senhor apanhou a doença, pois não ouve nada do que eu digo.

Falstaff

Muito bem, milord, muito bem. Mas é antes, se me permite, a doença de não dar ouvidos, a moléstia de não notar, que me afeta mesmo.

Lord Juiz do Supremo

Se prendê-lo pelos pés curasse a atenção de seus ouvidos, não me importaria de tornar-me o seu médico.

---

10 Talvez uma referência anacrônica a uma expedição de Henrique IV a Gales, em 1405. (N. E.)
11 Galeno, médico e filósofo de origem grega. (N. E.)

FALSTAFF
Sou pobre como Jó, milord, porém não tão paciente. Sua senhoria poderia ministrar-me a poção da prisão no que toca à pobreza; porém como eu seria seu paciente para seguir suas prescrições, o sábio age com um grão de escrúpulos, ou até mesmo um escrúpulo inteiro.

LORD JUIZ DO SUPREMO
Mandei chamá-lo quando havia questões quanto à sua vida, para vir falar comigo.

FALSTAFF
Fui então aconselhado, por meus advogados sábios nas leis do serviço militar, e por isso não vim.

LORD JUIZ DO SUPREMO
Bem, para falar a verdade, Sir John, o senhor vive em grande infâmia.

FALSTAFF
Quem usa um cinto do tamanho do meu não pode viver em nada menor.

LORD JUIZ DO SUPREMO
Seus meios são muito pequenos, mas o seu meio é enorme.

FALSTAFF
Quem me dera fosse o contrário, meios grandes e meio pequeno.

LORD JUIZ DO SUPREMO
O senhor desencaminhou o jovem Príncipe.

FALSTAFF
O jovem Príncipe me desencaminhou. Eu sou o barrigudo, e ele o meu cão.

LORD JUIZ DO SUPREMO
Bem, não gosto de irritar feridas recentes. Seu serviço de dia em Shrewsbury dourou um pouco a sua aventura à noite em Gad's Hill. Pode agradecer a este tempo inquieto pelas contas daquela ação estarem quietas.

FALSTAFF
Milord!

LORD JUIZ DO SUPREMO
Mas se tudo está bem, veja que fique tudo assim: não desperte o lobo que dorme.

FALSTAFF
>Acordar lobo é tão ruim quanto cheirar raposa.

LORD JUIZ DO SUPREMO
>O senhor é uma vela, e a maior parte já queimou.

FALSTAFF
>Mas sou vela muito grande, milord, toda de sebo. Se eu dissesse gordura, meu tamanho provaria essa verdade.

LORD JUIZ DO SUPREMO
>Cada cabelo branco no seu rosto deveria levá-lo a pensar mais.

FALSTAFF
>Mas só levou a pesar mais, pesar cada vez mais.

LORD JUIZ DO SUPREMO
>O senhor segue o jovem Príncipe para todo lado, como seu anjo mau.

FALSTAFF
>Não, milord, o anjo mau não é de ouro e pesa menos, mas creio que quem me olha me aceita sem pesar. Mas sob certos aspectos, confesso que não posso ser passado. Não sei — a virtude é tão pouco considerada nestes dias comercializados de hoje, que os honestos têm de cuidar de ursos[12]; quem tem presença de espírito tem de vender cerveja, e sua habilidade é desperdiçada nas contas; todos os outros dons que pertencem ao homem, do jeito que a malícia destes tempos os veem, não valem um bago de groselha. Os senhores, que são velhos, não têm consideração pela capacidade que temos nós, os jovens[13]; medem a temperatura de nossos fígados pelo amargor de suas biles; e nós, que estamos na vanguarda da juventude, devo confessar que somos irrequietos.

LORD JUIZ DO SUPREMO
>O senhor inclui seu nome na lista dos jovens, tendo a velhice escrita de alto a baixo em si? Não tem acaso os olhos úmidos, a mão seca, a face amarelada, a barba branca, pernas que diminuem e barriga que aumenta? Não tem a voz quebrada, o fôlego curto, o queixo duplo, os sentidos reduzidos, e todas as suas partes arrebatadas pela antiguidade? E ainda quer se chamar de jovem? Ora que vergonha, Sir John, que vergonha!

---
12 Referência aos que cuidavam dos ursos que se apresentavam em feiras. (N. E.)
13 Falstaff tem cerca de 80 anos mas se considera jovem, criticando de modo cômico o juiz, muito mais jovem que ele, pela idade avançada. (N. E.)

FALSTAFF

Milord, nasci às três horas da tarde, com a cabeça branca e a barriga redonda. Quanto à minha voz, perdi-a cantando hinos no coro. Não comprovarei mais a minha juventude: a verdade é que sou velho em critério e compreensão; e quem quiser saltitar comigo por mil marcos, é só me emprestar o dinheiro que eu aposto com ele! Quanto ao soco na orelha que o Príncipe lhe deu, ele o deu como um príncipe grosseiro, e o senhor o recebeu como um lorde sensato. Eu o repreendi por isso, e o leãozinho está arrependido — *(À parte.)* Não com cinzas e cânhamo, mas com sedas e vinho velho.

LORD JUIZ DO SUPREMO

Bem, que Deus mande ao Príncipe melhor companheiro!

FALSTAFF

Deus que mande ao companheiro um príncipe melhor! Não consigo me livrar dele.

LORD JUIZ DO SUPREMO

O Rei separou o senhor do Príncipe Harry: soube que o senhor irá com Lord John de Lancaster combater o Arcebispo e o Conde de Northumberland.

FALSTAFF

Isso, graças às suas ideias. Mas peço que rezem, todos os que beijam a lady Paz em casa, para que nossos exércitos não se encontrem em dia quente; pois por Deus que só levo duas camisas comigo, e não estou querendo suar muito. Se o dia estiver quente, e eu brandir qualquer coisa que não seja uma garrafa, juro que nunca mais cuspo branco na vida. Não há ação perigosa que levante a cabeça neste país e que eu não esteja enterrado nela. Bem, não posso durar para sempre; mas sempre foi a mania da nossa nação inglesa, a de quando tem alguma coisa boa, deixá-la ser muito comum. Se quiser dizer que sou velho, tem de me deixar descansar. Quisera Deus que meu nome não fosse tamanho terror para o inimigo quanto é — seria melhor morrer comido por ferrugem do que acabar sumindo graças a este movimento perpétuo.

LORD JUIZ DO SUPREMO

Muito bem, seja honesto, seja honesto, e Deus abençoe a sua expedição!

FALSTAFF

Será que Sua Senhoria pode me emprestar mil libras para eu me equipar?

LORD JUIZ DO SUPREMO

Nem um *penny*, nem um *penny*; está muito impaciente para carregar mais cruzes. Adeus; recomende-me a meu primo Westmoreland.

(Saem o LORD JUIZ e seu CRIADO.)

FALSTAFF

Só me deram com um martelo na cabeça. É mais difícil separar um velho da avareza do que os membros de um jovem da luxúria: um acaba com gota e o outro com venérea; os dois extremos são maldições piores do que as minhas. Menino!

PAJEM

Senhor?

FALSTAFF

Quanto dinheiro tenho eu na bolsa?

PAJEM

Três moedas de quatro e uma de dois.

FALSTAFF

Não consigo remédio para essa tuberculose da minha bolsa; pedir emprestado pode prolongar a vida, mas a doença é incurável. Vá levar esta carta para Milord de Lancaster; esta para o Príncipe; esta para o Conde de Westmoreland —; e esta para minha antiga amante Úrsula, a quem venho prometendo casamento desde que o primeiro cabelo branco me apontou na barba. Ande logo; sabe onde me encontrar.

(Sai o PAJEM.)

Que a peste leve esta gota! ou que a gota leve esta peste! Uma ou outra está armando uma boa confusão com meu dedão do pé. Não tem importância que eu pare um pouco por aqui; tenho a guerra como desculpa, e minha pensão vai parecer mais razoável. Quem tem cabeça se aproveita de tudo; vou transformar minhas doenças em bens.

(Sai.)

CENA 3
York. O palácio do Arcebispo.

(Entram o ARCEBISPO, THOMAS MOWBRAY, CONDE MARECHAL, e os LORDES HASTINGS e BARDOLPH.)

ARCEBISPO
Ouviram nossa causa e nossos meios,
E, meus nobres amigos, peço a todos
Que falem sobre as nossas esperanças.
Lord Marechal, primeiro, o que nos diz?

MOWBRAY
Concordo com a razão de nos armarmos,
Mas gostaria de saber melhor
Como fazer avançar o que temos
Pra parecermos bravos e bastantes
Quando enfrentarmos as hostes do Rei.

HASTINGS
Na última contagem nossas tropas
Têm vinte e cinco mil homens de escolha;
Em suprimentos, temos a esperança
Do grande Northumberland, cujo peito
Queima com o fogo insano das injúrias.

LORD BARDOLPH
Então, Lord Hastings, a questão que fica
É se esses nossos vinte e cinco mil
Resistem como estão, e sem Northumberland.

HASTINGS
Com ele, sim.

LORD BARDOLPH
Então o ponto é esse:
Mas sem ele somos muito fracos
Eu julgo que é prudente avançar pouco
Até termos em mãos o seu auxílio;
Pois em tema de semblante tão sangrento
A conjectura, como a expectativa
Do que é incerto não é admissível.

ARCEBISPO
É bem verdade, Bardolph, pois de fato
Isso se deu em Shrewsbury, com Hotspur.

LORD BARDOLPH
Isso mesmo, que armado com esperanças
Comendo ar e armas prometidas,[14]

---
14 "Comendo o ar" significa alimentar-se de falsas promessas, frase proverbial que reaparecerá em *Hamlet*: "Como a dieta do camaleão, eu como ar, recheado de promessas." (3.2). (N. E.)

Iludido com a dimensão da tropa
30   Que era menor que o menor de seus sonhos,
E co'a imaginação desmesurada
Que têm os loucos, conduziu para a morte
Sua tropa, e saltou pra destruição.

Hastings

Mas, se permite, nunca foi danoso
35   Contar com o provável e o esperado.

Lord Bardolph

Sim, se a situação de nossa guerra —
Esta causa de agora, já em curso —
Vive assim de esperança; pois em maio,
Vendo botões que podem virar fruto,
40   Não há tanta esperança quanto medo
Que os coma a geada. Ao construir,
Vemos o lote, e depois o modelo,
E ao ver assim a casa figurada
Calculamos o custo pra erigi-la;
45   E se o vemos maior que nossas posses,
Não temos de criar novo modelo,
Com menos peças ou, no pior caso,
Não construir? E mais nesta empreitada —
Que é quase a de destruir o reino inteiro
50   E criar outro — temos de estudar
As condições de terra e de modelo,
Só concordar com fundações seguras,
Sondar os técnicos, nosso preparo,
Se nós podemos enfrentar tal obra,
55   E o peso do inimigo; de outro modo,
Ficamos fortes em papel e contas,
Usando nomes no lugar de homens,
Como quem faz modelo de uma casa
Maior do que o que pode e, pelo meio,
60   Desiste e deixa o custo da metade
Receber nu as lágrimas do céu,
Um desperdício ante a força do inverno.

Hastings

Com as esperanças que estão por nascer
Ficando natimortas e o que temos
65   Hoje sendo o que mais possamos ter,
Eu penso sermos força suficiente
Pra, como estamos, igualar o Rei.

Lord Bardolph
    Só conta o Rei com vinte e cinco mil?

Hastings
    Pra nós, só isso; e nem tanto, Lord Bardolph;
    Pois os seus homens, com as lutas de agora,
    Já são três tropas: uma contra a França;
    Uma contra Glendower; e só um terço
    Vem contra nós. Assim, o Rei doente
    'Stá dividido em três, e no seus cofres
    Soa o eco vazio da pobreza.

Arcebispo
    Que ele junte as suas várias tropas
    E nos ataque com uma força plena,
    Não devemos temer.

Hastings
              E se o fizer,
    Com a retaguarda aberta, França e Gales
    O pegam pelo pé; nem pense nisso.

Lord Bardolph
    Quem comanda o que marcha para cá?

Hastings
    Os dois, duque de Westmoreland e Lancaster;
    Contra Gales, o Rei e Harry Monmouth;
    Mas quem tem o comando contra a França
    Eu não sei informar.

Arcebispo
              Pois avancemos,
    Publicando por que 'stamos em armas.
    A nação 'stá doente porque quer;
    Seu avarento amor empanturrou-se.
    Casa que balança e é insegura
    É a feita com base no amor do povo.
    Como aplaudiste tu, ó plebe ignara,
    Abençoando os céus por Bolingbroke.
    Antes de ser o que o quiseste feito!
    E hoje, vestido com os teus desejos,
    Tu, que o alimentaste, já enfarada
    Te inquietas pra poder jogá-lo fora.
    Pois assim, vira-lata, vomitaste
    Da tua gula o real Ricardo;

                    E, querendo comer o que está morto,
100   Uivam pr'achá-lo. Em quem confiaremos?
                    Quiseram morto o Ricardo vivo
                    E agora se enamoram de sua tumba.
                    Tu, que jogaste pó em sua cabeça,
                    Quando ele cruzou Londres suspirando,
105   Atrás dos calcanhares desse Bolingbroke,
                    Gritas "Terra, devolve aquele Rei
                    E leva este!". Maldita a mente
                    Que quer, foi ou será, nunca o presente![15]

        MOWBRAY
                    Vamos marcar as tropas e partir?

        HASTINGS
110   O tempo manda, e é hora de ir.

                                                        (Saem.)

---

[15] Os homens sempre louvam o passado ou o futuro, nunca o tempo presente. (N. E.)

ATO 2

CENA 1
Eastcheap. Perto da Taverna Cabeça de Javali.

(Entra a Taverneira, com dois oficiais, Fang com ela e Snare, que entra um pouco depois.)

TAVERNEIRA
Mestre Fang, já deu entrada no processo?

FANG
Já dei.

TAVERNEIRA
Onde está o seu guarda? Ele é forte? Aguenta firme na hora?

FANG
Malandro — onde está Snare?

TAVERNEIRA
O bom Mestre Snare.

SNARE
Aqui, aqui.

FANG
Snare, temos de prender Sir John Falstaff.

TAVERNEIRA
Isso, bom Mestre Snare; eu já dei queixa dele e tudo.

SNARE
E talvez algum de nós perca a vida, porque ele é de apunhalar.

TAVERNEIRA
Que tristeza, tomem cuidado com ele — ele me apunhalou em minha própria casa, na mais feroz das boas intenções. Eu nem sei que mal ele pode fazer a vocês, se estiver com a arma para fora; ele faz a fundo em qualquer diabo, e não poupa homem, mulher, nem criança.

FANG
Se chegar perto dele, não quero que me enfie nada.

TAVERNEIRA

15 Nem eu, tampouco; fico logo a seu lado.

FANG

Se eu lhe der um só soco, e ele chegar ao alcance do meu aperto...

TAVERNEIRA

Estou perdida se ele fugir, garanto; ele pôs uma coisa infinitiva na minha conta. Bom Mestre Fang, segure-o com força; bom Mestre Snare, não o deixe escapar. Ele vai aparecer a qualquer momento
20 na Esquina das Tortas[16] — desculpem a má palavra — para comprar uma sela, e está indiciado para jantar na Cabeça de Leopardo na rua Lombard,[17] com o Mestre Smooth, das sedas. Eu só peço que já que a acusança já foi começada, e o meu caso conhecido pelo mundo inteiro, que ele seja trazido para sua resposta. Cem marcos é muito
25 para uma pobre mulher sozinha aguentar, e eu aguentei, e aguentei, e aguentei, e fui desenganada, e desenganada, e desenganada, de um dia para o outro, que dá vergonha só de pensar. Não há honestidade em tratamento assim, a não ser que a mulher seja feita de burro, de besta, para suportar tudo o que de mal qualquer canalha lhe fizer.

(Entram FALSTAFF, BARDOLPH e o PAJEM.)

30 Lá vem ele, e aquele rematado nariz de vinho safado Bardolph com ele. Façam seu ofício, façam seu ofício, Mestre Fang e Mestre Snare, por mim, por mim, façam o seu ofício.

FALSTAFF

O que é isso? Morreu a mula de quem? O que houve?

FANG

Sir John, eu o prendo segundo a acusação de Mistress Quickly.

FALSTAFF

35 Fora daqui, crápulas! Puxe, Bardolph! Corte para mim a cabeça do vilão! Joguem a rameira no canal!

TAVERNEIRA

Jogar a mim no canal? Eu é que jogo você no canal. Então vai, então vai, seu porcaria calhorda! Assassino! Assassino! Ah, seu vilão umedecido, vai querer matar os oficiais de Deus e do Rei? Malandro ume-
40 decido! Você é um umedecido, mortalhador de homem, mortalhador de mulher.

---

[16] "Esquina das Tortas" é "Pye Corner", esquina da rua Giltspur e alameda Cork em Smithfield. Hoje a estátua do Menino Dourado (*Golden Boy of Pye Corner*) marca essa esquina onde o Grande Incêndio de Londres, de 1666, foi finalmente apagado. (N.E.)

[17] A taverna Lepardo, ou Leopardo, ficava na rua Lombard, onde mercadores e banqueiros se estabeleceram a partir do século XIII; a rua fica no centro financeiro. (N.E.)

FALSTAFF
: Mantenha-os afastados, Bardolph!

FANG
: Socorro! Ajuda! Ajuda!

TAVERNEIRA
: Boa gente, tragam um socorro ou dois. Tu vai... tu vai...tu vai? Quero ver, vagabundo! Só te quero ver criminalando!

PAJEM
: Fora, miserável! Seu vagabundo! Velha enruguecida! Eu te esquento a catástrofe!

(Entram o LORD JUIZ DO SUPREMO e seus homens.)

LORD JUIZ DO SUPREMO
: O que houve? Quero ordem aqui!

(A briga acaba.)

TAVERNEIRA
: Milord, seja bom para mim, eu imploro que me defenda.

LORD JUIZ DO SUPREMO
: Então, Sir John? Que briga é essa em que está? Será que isso convém a seu posto, ao momento, à sua tarefa? Já devia estar longe, a caminho de York. *(Para FANG.)* Afaste-se dele, rapaz, por que é que está assim pendurado nele?

TAVERNEIRA
: Meu reverendíssimo senhor, com o perdão de sua Graça, eu sou uma pobre viúva de Eastcheap, e ele foi preso por acusação minha.

LORD JUIZ DO SUPREMO
: Qual é o total?

TAVERNEIRA
: É muito mais que um total, milord, é tudo o que eu tenho. Ele comeu toda a minha casa, o meu lar, toda a minha substancia está hoje naquela barriga enorme dele: mas eu quero um pouco dela de volta, *(Para FALSTAFF.)* se não vou perseguir o senhor de noite como mula sem cabeça.

FALSTAFF
: Pois eu acho que quem vai montar na mula sou eu, desde que tenha espaço para me levantar.

LORD JUIZ DO SUPREMO

Como é isso, Sir John? Que homem de boa cepa aturaria tamanha tempestade de imprecações? Não tem vergonha de forçar uma pobre viúva a passar por tanta dificuldade para conseguir o que é dela?

FALSTAFF

(Para a TAVERNEIRA.)
Qual é, no bruto, a soma que eu lhe devo?

TAVERNEIRA

Pela Virgem, se fosse honesto, você mesmo e o dinheiro também. Você me jurou, numa taça de prata dourada, sentado na minha sala Dolphin, junto à mesa redonda, na quarta-feira da semana de Pontecostes,[18] quando o Príncipe quebrou sua cabeça por ter comparado o pai dele a um cantorzinho de Windsor — e foi então que você jurou, quando eu estava lavando a sua ferida, casar comigo, e me fazer milady sua esposa. É capaz de negar que foi assim? E aquela boa senhora, a gordona mulher do açougueiro, não entrou nessa hora, e não me chamou de amiga senhora Quickly? — tinha vindo pedir emprestado um pinguinho de vinagre, e dizendo que tinha um bom prato de camarões, que você logo quis provar, e eu disse que eles faziam mal à ferida recente? E você ainda, depois que ela desceu e foi embora, não disse que não queria mais que eu tratasse gente assim baixa com tanta familiaridade, dizendo que daí a pouco eles iam ter de me chamar de madame? E não me beijou, e não pediu que eu lhe desse trinta xelins? Quero ver agora você jurar no livro. Negue tudo, se é capaz.

FALSTAFF

Milord, essa é uma pobre alma louca, que anda para cima e para baixo pela cidade dizendo que o filho mais velho dela é a sua cara. Ela já teve melhores dias, e a verdade é que a pobreza a enlouqueceu. Mas quanto a esses oficiais tolos, eu lhe peço que me deixe tomar providências contra eles.

LORD JUIZ DO SUPREMO

Sir John, Sir John, conheço muito bem o seu jeito de torcer a causa justa do modo mais falso. Não hão de ser esse aspecto confiante, nem a torrente de palavras que jorram do senhor com tamanho abuso que poderão afastar-me de uma avaliação equilibrada. O senhor, ao que me parece, explorou o fraco espírito dessa mulher, levando-a a pôr sua bolsa e sua pessoa a seu serviço.

TAVERNEIRA

Isso é que é a verdade, milord.

---

18 A taverneira quer dizer Pentecostes (em inglês "Whitsun" que ela troca por "Wheeson".) (N. E.)

LORD JUIZ DO SUPREMO
Por favor, cale-se. *(Para FALSTAFF.)* Pague o que lhe deve e desfaça a vilania que lhe fez; o primeiro poderá fazer com esterlinas, a segunda com arrependimento de lei.

FALSTAFF
Milord, não deixarei passar essa repreensão sem resposta. O senhor chama de abuso minha honrada ousadia; o homem que faz mesuras e não diz nada é virtuoso. Não, milord, lembrando o meu humilde dever, não hei de lhe pedir nada. Eu lhe digo que quero ser solto por esses oficiais, tendo pressa para que possa me ocupar logo de assuntos do Rei.

LORD JUIZ DO SUPREMO
O senhor fala como se tivesse poder para agir errado; mas devia responder para acertar sua reputação, e dar uma satisfação à pobre mulher.

FALSTAFF
Venha cá, taverneira.

(Leva-a para um lado. Entra GOWER.)

LORD JUIZ DO SUPREMO
Como é, Mestre Gower, quais as novas?

GOWER
O Rei, milord, e o Príncipe de Gales
Já 'stão perto; a carta lhe diz o resto.

(Entrega uma carta.)

FALSTAFF
Minha palavra de cavalheiro.

TAVERNEIRA
Essa você já deu da outra vez.

FALSTAFF
De cavalheiro! Vamos, não se fala mais nisso.

TAVERNEIRA
Por este chão celeste que eu piso, vou ter de empenhar minha baixela e as tapeçarias de minha sala de jantar.

FALSTAFF
Vidro, vidro, em vidro é que se bebe bem; e quanto às suas paredes, uma pinturazinha cômica, ou a história do Pródigo, ou uma caça

alemã, em aquarela, valem mil desses dosséis de cama e tapeçarias mordidas de mosca. Veja se me arranja dez libras. Vamos, se não fosse por esse seu mau humor, não haveria rapariga melhor em toda a Inglaterra. Vá, vá lavar o rosto e começar a agir. Vamos, comigo não é bom ficar assim aborrecida; não sabe como eu sou? Vamos, vamos, eu sei quem a mandou fazer tudo isso.

TAVERNEIRA
Por favor, Sir John, deixe eu dar só umas sete libras; eu não queria mesmo empenhar a baixela, Deus que me perdoe!

FALSTAFF
Deixe para lá, eu arranjo em outro lugar; você sempre foi tola.

TAVERNEIRA
Está bem, eu dou tudo, mesmo que tenha de empenhar o meu vestido. Espero que venha cear. Mas depois me paga tudo? *(Para BARDOLPH.)* Vá com ela, vá.

FALSTAFF
E não hei de viver? *(Para BARDOLPH e PAJEM.)* Não deixe soltar o anzol!

TAVERNEIRA
Quer que Doll Tearsheet venha cear?

FALSTAFF
Chega de conversa, pode trazê-la.

(Saem TAVERNEIRA, FANG, SNARE, BARDOLPH e PAJEM.)

LORD JUIZ DO SUPREMO
Já tive novidades melhores.

FALSTAFF
Quais as novidades, milord?

LORD JUIZ DO SUPREMO
(Para GOWER.)
Onde passou a noite o Rei?

GOWER
Em Basingstoke,[19] milord.

FALSTAFF
Espero, milord, que tudo esteja bem.
Quais são as novas?

---

[19] Um mercado em Hampshire. (N. E.)

LORD JUIZ DO SUPREMO
(*Para* GOWER.)
Volta a tropa toda?

GOWER
Não; mil e quinhentos da infantaria
140 E mais quinhentos da cavalaria
Marcharam para o Lord de Lancaster,
Contra Northumberland e o Arcebispo.

FALSTAFF
Nobre milord, voltou o Rei de Gales?

LORD JUIZ DO SUPREMO
(*Para* GOWER.)
Receberá cartas minhas, em breve.
145 Venha comigo, meu bom Mestre Gower.

FALSTAFF
Milord!

LORD JUIZ DO SUPREMO
O que é?

FALSTAFF
Mestre Gower, posso convidar a ambos para cear comigo?

GOWER
Estou às ordens, bom senhor; eu agradeço bondoso Sir John.

LORD JUIZ DO SUPREMO
150 Sir John, o senhor fica à toa muito tempo, sendo que deve ir convocando soldados nos condados do caminho.

FALSTAFF
Não quer jantar comigo, Mestre Gower?

LORD JUIZ DO SUPREMO
Que mestre tolo lhe ensinou tais maneiras, Sir John?

FALSTAFF
Mestre Gower, se elas não me vão bem, o tolo é o que me as ensinou.
155 (*Para o* JUIZ.) Esta é a verdadeira elegância da esgrima, milord; toque por toque, e separação limpa.

LORD JUIZ DO SUPREMO

Que o Senhor o ilumine; é um grandíssimo tolo.

(Saem.)

CENA 2

Londres. Uma sala na casa do Príncipe.

(Entram o Príncipe Harry e Poins.)

PRÍNCIPE

Juro por Deus que estou exausto.

POINS

Chegamos a isso? Pensava que a exaustão não ousava apegar-se a alguém de sangue tão nobre.

PRÍNCIPE

Pois digo que a mim pegou, mesmo que empalideça um pouco o colorido da minha grandeza. Será que vou parecer vil entre os vis por querer uma cerveja?

POINS

Ora, um príncipe não pode ser desleixado em seus hábitos a ponto de se lembrar de invenção tão fraquinha.

PRÍNCIPE

Então parece que meu apetite não teve origens principescas, porque me lembro muito bem dessa pobre criatura, a cerveja comum. Mas para falar verdade, essa conversa assim tão rasteira não combina com a minha grandeza. É uma vergonha até eu me lembrar do seu nome! Ou me lembrar, amanhã, da sua cara! Ou notar quantos pares de meias de seda você tem — a ver, esses aí e aquele par cor de pêssego! Ou conhecer o inventário de suas camisas — onde há uma supérflua e a outra para uso! Mas o dono da quadra de tênis o conhece até melhor, vendo como está baixa a maré de roupa quando não deixa lá sua raquete; como acontece há muito tempo, porque o resto dos seus países baixos consumiram toda a sua cambraia holandesa. E só Deus sabe que os que irão chorar embrulhados nos restos de suas camisas é que irão herdar seu reino: mas as parteiras dizem que a culpa não é das crianças; com o que o mundo cresce e as famílias vão se multiplicando.

Poins

Como fica feio, depois de haver trabalhado tão bem, agora gastar tão mal o tempo falando assim! Diga-me, quantos jovens príncipes o fariam, tendo o pai tão doente quanto está o seu agora.

Príncipe

Quer que lhe diga uma coisa, Poins?

Poins

Quero, desde que seja uma coisa excelente.

Príncipe

Vai servir, entre cabeças não mais bem educadas do que a minha.

Poins

Vamos lá, eu posso aguentar qualquer coisa que queira me dizer.

Príncipe

Pela Virgem, eu lhe digo que não calha bem que eu fique triste agora que meu pai está doente; embora eu pudesse dizer-lhe, como a alguém que me apraz, por falta de um termo melhor, chamar de amigo, que eu poderia estar triste, e muito triste, mesmo.

Poins

Acho difícil, em se tratando desse assunto.

Príncipe

Juro que me acha tão afundado no livro do diabo quanto você e Falstaff, por insistência e persistência. No fim de tudo hão de ver quem sou. Mas lhe digo que, por dentro, meu coração sangra por meu pai estar tão doente; e ficar em companhia tão vil quanto você me priva, com razão, de qualquer ostentação de tristeza.

Poins

Com que razão?

Príncipe

O que pensaria de mim se eu chorasse?

Poins

Que fosse um príncipe muito hipócrita.

Príncipe

É o que pensariam todos; e você é abençoado, por pensar como pensam todos. Não há homem que guarde melhor o rumo da estrada do que você. E o que induz seu respeitabilíssimo pensamento a pensar assim?

POINS

Ora, a vida de devassidão que tem levado, e o fato de ser agarrado a Falstaff.

PRÍNCIPE

50 E a você.

POINS

Pela luz que me alumia, falam bem de mim; eu mesmo já ouvi. O pior que se pode dizer de mim é que sou segundo filho, e que minhas mãos são boas de briga; e quanto a essas duas coisas não há nada que eu possa fazer.

(Entram BARDOLPH e o PAJEM.)

55 Pela missa, lá vem Bardolph.

PRÍNCIPE

Com o pajem que eu dei a Falstaff — ele o recebeu de mim um cristão, e veja se o vilão do gorducho não o transformou em um macaco.

BARDOLPH

Deus salve Sua Graça!

PRÍNCIPE

E a sua também, nobilíssimo Bardolph!

POINS

(Para BARDOLPH.)

60 Como é, seu asno virtuoso, pateta encabulado, está corado? Por que está enrubescendo assim? Em que guerreiro mais donzela se transformou! Ou será que violou um barril de cerveja?

PAJEM

Ele me chamou ainda há pouco, milord, pela treliça de uma taverna, mas não dava para ver nada da cara dele. Finalmente vi os olhos, e
65 parecia que tinha feito dois buracos na saia nova da estalajadeira, pelos quais me espiava.

PRÍNCIPE

(Para POINS.)
O menino não ficou melhorado?

BARDOLPH

(Para o PAJEM.)
Passa fora, seu coelho filho da puta, passa!

PAJEM
Passa fora, seu safado sonho de Alteia,[20] passa!

PRÍNCIPE
70 Explique-se, menino; que sonho é esse?

PAJEM
Ora, milord, Alteia sonhou que tinha parido uma brasa; e por isso eu digo que ele é o sonho dela.

PRÍNCIPE
(Dando-lhe dinheiro.)
Essa interpretação vale uma coroa! Aí está ela.

POINS
Ai, se fosse possível livrar essa flor dos vermes! *(Dando dinheiro para
75 o PAJEM.)* Pronto, tome aí seis *pence* para ajudar a sua preservação.

BARDOLPH
E se não conseguirem fazê-lo ser enforcado com todos os senhores, a forca vai sair roubada.

PRÍNCIPE
E como está o seu amo, Bardolph?

BARDOLPH
Bem, milord. Ouviu dizer que Sua Graça chegara na cidade, e mandou-
80 -lhe esta carta.

POINS
Entregue com o maior respeito. E como vai o seu jovem patrão velho?

BARDOLPH
Com saúde no corpo, senhor.

(O PRÍNCIPE lê a carta.)

POINS
Pela Virgem, sua parte imortal precisa de médico, mas isso não o preocupa; ela fica doente, mas não morre.

PRÍNCIPE
85 Eu permito que aquela excrescência tenha comigo tanta familiari-

---

[20] Possivelmente o Pajem confunde Alteia com Hécuba que, grávida de Páris, sonhou que seu filho queimaria Troia. (N. E.)

dade quanto o meu cão, enquanto ele quer fazer valer seu lugar, pois vejam como escreve. "Sir John Falstaff, Cavaleiro."

(Dá a carta a Poins.)

POINS

Todo mundo tem de saber disso, em todas as ocasiões que ele tem de falar de si nesses termos: é como aqueles que são parentes do Rei, que nunca furam um dedo sem dizer "Aqui foi derramado um pouco do sangue do Rei". "Como?". indagam aqueles que são sabem o que pensar da história. E a resposta vem mais depressa que mão de mendigo — "Eu sou o primo pobre do Rei, senhor".

PRÍNCIPE

E há os que insistem em ser parentes, nem que tenham de recuar até Jafé. Mas, à carta: — "Sir John Falstaff, Cavaleiro, para o filho do Rei mais próximo de seu pai, Harry Príncipe de Gales, saudações".

POINS

Mas isso é um certificado!

PRÍNCIPE

Quieto! "Imitarei os nobres romanos em brevidade."

POINS

(Pegando a carta.)
Brevidade para ele é falta de ar, respiração curta.

PRÍNCIPE

"Eu vos mando minhas saudações, eu me saúdo, e eu vos deixo. Não tenhais muita familiaridade com Poins, pois ele abusa de tal modo de vossos favores que jura que vós vos ireis casar com sua irmã Nell. Arrependei-vos em vossos momentos de folga, se vos for possível, e assim, passai bem. Vosso, pelo sim e pelo não — que é o mesmo que dizer segundo vós o tratais — Jack Falstaff para os íntimos, John para meus irmãos e irmãs, e Sir John para toda a Europa."

POINS

Milord, vou encharcar essa carta na cerveja e fazê-lo comê-la.

PRÍNCIPE

O que é fazê-lo engolir vinte vezes o que diz. Mas é assim que você me trata, Ned? Dizendo que eu vou me casar com a sua irmã?

POINS

Que os céus não lhe mandem noivo pior. Porém eu jamais disse isso.

Príncipe
Pois assim ficamos aqui fazendo bobagens com o tempo, enquanto os espíritos dos sábios ficam fazendo pouco de nós, lá nas nuvens. Seu amo está em Londres?

Bardolph
Está, sim senhor.

Príncipe
E onde vai cear? O porco velho continua a comer no mesmo chiqueiro?

Bardolph
No mesmo lugar, milord, em Eastcheap.

Príncipe
Em companhia de quem?

Pajem
De efésios[21], milord, da antiga capelinha.

Príncipe
Alguma mulher vai cear com ele?

Pajem
Nenhuma, milord, a não ser a velha Mistress Quickly e a Mistress Tearsheet.

Príncipe
Mas que pagã é essa?

Pajem
Uma fidalga muito respeitável, e parente do meu amo.

Príncipe
Parente assim como o bezerro da roça é parente do touro da cidade. Vamos lá na ceia dele, Ned, furtivos como em um furto?

Poins
Sou sua sombra, milord; e o seguirei.

Príncipe
Você, menino malandro, e Bardolph, nem uma palavra a seu amo que eu já tenha chegado à cidade — tomem aí, por seu silêncio.

---
21 Pode sugerir, como com os efésios, necessidade de regeneração. (N. E.)

BARDOLPH
    Eu não tenho língua, senhor.

PAJEM
    E quanto à minha, sei controlá-la.

PRÍNCIPE
    Pois passem bem, e vão logo.

(Saem BARDOLPH e o PAJEM.)

    A tal Doll Tearsheet só pode ser rameira.

POINS
    E exerce o ramo desde St. Albans até Londres.

PRÍNCIPE
    Como poderemos ver Falstaff mostrar na verdade quem é, sem sermos vistos?

POINS
    Vestindo um colete de couro, um avental, e servindo a mesa como se fôssemos moços da taverna.

PRÍNCIPE
    De deus a touro? É uma descida e tanto! Foi o caso de Zeus. De príncipe a principiante? Transformação bem baixa, a minha, já que em tudo o fim é posto na balança com a tolice. Siga-me, Ned.

(Saem.)

CENA 3
(Entram NORTHUMBERLAND, LADY NORTHUMBERLAND e LADY PERCY.)

NORTHUMBERLAND
    Eu peço, esposa amada e doce filha,
    Que amenizem meu áspero caminho;
    Não se vistam co'o aspecto destes tempos,
    Tornando-os mais difíceis para Percy.

LADY NORTHUMBERLAND
    Eu desisti, e não direi mais nada.
    Reflita bem, e faça o que quiser.

NORTHUMBERLAND
    Sinto, querida; mas co'a honra em jogo,
    Só indo lá eu posso redimi-la.

Lady Percy
        Mas mesmo assim, por Deus, não vá pra guerra!
10   Outrora, pai, quebrou sua palavra
        Quando importava muito mais que agora;
        Quando o seu Percy, meu querido Harry,
        Muito buscou no norte ver seu pai
        Com suas tropas; mas foi sempre em vão.
15   Quem o mandou, então, ficar em casa?
        Lá perdeu sua honra e a de seu filho.
        Quanto à sua, que Deus lhe traga brilho!
        Pois a dele fulgia como o sol
        No céu cinzento, enquanto a sua luz
20   Levava os cavaleiros da Inglaterra
        A atos de bravura. Ele era o espelho
        No qual os nobres jovens se miravam,
        Usando as pernas pr'imitar seus passos;
        E o falar apressado, o seu defeito,
25   Tornou-se o modo de falar dos bravos;
        E os que falavam lento e refletido,
        Passaram a achar isso defeito,
        Pra ser como ele. Em andar e fala,
        Dieta, em capricho e passatempo,
30   Regras de guerra, em temperamento,
        Era alvo e espelho, livro e cópia,
        Moda pra todos. E essa maravilha,
        Esse milagre é que o senhor deixou,
        Ele, o primeiro, sem ser secundado,
35   Pr'olhar o horrível deus da guerra
        Em desvantagem, defendendo um campo
        Onde apenas o som do nome Hotspur
        Era defesa, pois assim o deixou.
        Não faça a seu fantasma a injustiça
40   De contar sua honra mais preciosa
        Com outros que com ele! Que vão sós!
        São fortes o Arcebispo e o Marechal:
        Tivesse Harry a metade do que têm,
        E esta noite eu estaria a abraçá-lo,
45   Falando de Monmouth morto.

Northumberland
                        Não fale,
        Filha, assim, arrancando-me a coragem,
        E novo choro por antigos erros.
        Tenho de ir e enfrentar o perigo,
        Ou ele há de buscar-me em outra parte,
50   E com menos preparo.

Lady Northumberland

Vá pra Escócia
Até que nobres e comuns armados
Já tenham posto à prova as suas tropas.

Lady Percy

E se ganham terreno hoje do Rei,
Una-se a eles qual verga de aço,
55 Fortalecendo o forte; mas, por nós,
Deixe-os ir primeiro, qual seu filho;
Pois a ele deixou, e enviuvou-me;
E não há tempo, por mais que inda viva,
Pra regar com meus olhos as lembranças
60 E fazê-las crescer até os céus
Qual monumento ao meu nobre marido.

Northumberland

Vamos; entrem comigo. A minha mente
'Stá qual maré que já chegou ao auge
E para, sem saber pr'onde correr.
65 Eu quero ir juntar-me ao Arcebispo,
Mas mil razões impedem-me de ir.
Vou optar pela Escócia. E lá eu fico
Até pedirem minha companhia.

(Saem.)

CENA 4

Londres. A Taverna Cabeça de Javali, em Eastcheap.

(Entram dois Copeiros, Francis e um outro.)

Francis

Que diabos o trouxe aqui — passa de maçãs? Sabe muito bem que Sir John não suporta essas maçãs enrugadas.

2º Copeiro

É verdade, mesmo. Uma vez o Príncipe botou um prato delas na frente dele, e disse que ali estavam mais cinco Sir John; e tirando o
5 chapéu disse: "E agora me despeço desses seis cavaleiros secos, redondos, velhos e enrugados". Ele ficou para morrer de danado; mas acho que agora já esqueceu.

Francis

Pois então cubra-as e pouse-as aí, e vê se consegue arranjar a charanga do Sneak. Mistress Tearsheet está querendo ouvir música.

(Entra o 3º Copeiro.)

3º Copeiro
Depressa! A sala em que jantaram está muito quente, estão vindo logo para cá.

Francis
Menino, o Príncipe e Mestre Poins estão vindo aí, e vão vestir dois de nossos coletes e aventais, e Sir John não pode saber de nada; foi Bardolph quem veio dizer.

3º Copeiro
Pela missa, isso vai ser uma baderna e tanto; vai ser um estratagema daqueles.

2º Copeiro
Vamos ver se eu encontro o Sneak.

(Sai com o 3º Copeiro.)

(Entram a Taverneira e Doll Tearsheet, bêbada.)

Taverneira
Verdade, querida, eu acho que você está em uma ótima e excelente temporalidade. Seu pulsador bate com toda a extraordinariedade que o coração possa querer, e o seu colorido está tão vermelho quanto qualquer nariz, é verdade, está, sim! Mas de fato você bebeu muitos canários demais, que é um vinho muito procurado, que perfuma o sangue antes que se possa dizer "Como é que é?". Como está agora?

Doll
Melhor do que estava — hem!

Taverneira
Gostei de ouvir — um bom coração vale ouro.

(Entra Falstaff, cantando.)

Lá vem Sir John.

Falstaff
(Canta.) "Quando Artur chegou à corte"... *(Grita.)* Esvaziem o urinol. Sai Francis... *(Canta.)* "E era um rei e tanto" — Então, como está, Mistress Doll?

Taverneira
Está sofrendo de uma calma, para falar a verdade.

FALSTAFF
Como todas do mesmo naipe; uma vez que estão calmas começam a sofrer.

DOLL
Raios o levem, seu safado podre, isso é consolo que se dê a alguém?

FALSTAFF
A senhora engorda safados, Mistress Doll.

DOLL
Eu? A gula e doença é que os engorda, não eu.

FALSTAFF
A cozinheira ajuda a gula, mas você ajuda a doença; pegamos de você, Doll; é de você que pegamos. Concorde com isso, minha pobre de virtude; concorde ao menos com isso.

DOLL
É, pegam nossa alegria, nossas correntes, nossas joias.

FALSTAFF
"Seus broches, pérolas, pingentes"... pois servir com bravura é sair meio trôpego; quem sai da brecha traz a lança pendente com a bravura; com bravura venérea; aventurar-se com bravura por recintos carregados...

DOLL
Vá se enforcar, sua enguia nojenta, vá se enforcar!

TAVERNEIRA
Juro que voltaram aos velhos tempos; os dois nunca se encontraram sem se enfiarem em alguma discussão. São os dois, pra falar a verdade, tão reumáticos quanto duas torradas secas, nenhum aceita os despeitos do outro. Mas que coisa! Um dos dois tem de aguentar o outro *(Para Doll.)* e tem de ser você — você é o vaso mais fraco, como dizem, o mais vazio.

DOLL
E será que um vaso vazio aguenta um porção assim tão recheado? Ele está recheado com uma carga inteira de Bordeaux: nunca se viu casco com porão tão cheio. Vamos, sejamos amigos, Jack; você está indo para a guerra e ninguém se importa se eu hei de tornar a vê-lo um dia.

(Entra um COPEIRO.)

COPEIRO
    Senhor, o Alferes Pistola está lá embaixo, e quer falar com o senhor.

DOLL
    Que vá para a forca, aquele malandro fanfarrão; não o deixe vir aqui: é o safado de boca mais suja de toda a Inglaterra.

TAVERNEIRA
    Se é fanfarrão, não deixem vir aqui. Deus me livre! Eu tenho de viver com meus vizinhos, não quero saber de fanfarrões. Eu tenho bom nome e minha fama é das melhores. Fechem a porta, aqui não entra fanfarrão. Eu não vivi todo este tempo para pegar fanfarronite agora. Fechem a porta por favor.

FALSTAFF
    Quer me ouvir, Taverneira?

TAVERNEIRA
    Fique pacificado, Sir John, mas fanfarronado aqui não entra.

FALSTAFF
    Que me ouvir? É o meu alferes.

TAVERNEIRA
    Deixe de bobagens, Sir John, não adianta falar: se o seu alferes é fanfarrão, aqui ele não entra. Eu estive diante do Mestre Tísica, o redelgado, no outro dia, e ele me disse — aposto que não foi antes da última quarta-feira — "Vizinha Quickly" ele disse, "só receba os que forem bem civis, porque" disse ele, "a senhora está com mau nome" — foi o que ele disse, eu posso garantir. "Pois", disse ele, "a senhora é muito honesta, de quem todos pensam bem, e portanto tome cuidado com os hóspedes que recebe; não receba", ele disse, "qualquer gente fanfarrona"; e nenhum desses entra aqui. O senhor ficava abençoado só de ouvir dizer o que ele disse. Não, fanfarrão aqui, não.

FALSTAFF
    Ele não é nenhum fanfarrão, taverneira, só um vigarista barato, falando sério, pode-se afagá-lo com tanto cuidado quanto um filhote de galgo. Ele não fanfarrona nem com uma galinha d'angola, se as penas dela se arrepiarem e mostrarem qualquer resistência. Diga a ele para subir, copeiro.

(Sai o COPEIRO.)

TAVERNEIRA
    Chamou-o de vigarista? Não impeço qualquer homem honesto de entrar na minha casa, nem qualquer vigarista, mas fanfarrão eu não

gosto, palavra que passo mal qual ouço dizer "fanfarrão". Vejam, senhores, como estou tremendo; vejam só; palavra.

DOLL

Está mesmo, taverneira.

TAVERNEIRA

Estou? É, estou mesmo, parecendo uma folhinha no vento. Não suporto fanfarrões.

(Entram o ALFERES PISTOLA, BARDOLPH e o PAJEM.)

PISTOLA

Deus o salve, Sir John!

FALSTAFF

Bem-vindo, Alferes Pistola! Eu lhe ordeno que se carregue com uma caneca de vinho; e descarregue tudo aqui na nossa estalajadeira.

PISTOLA

Descarrego nela, Sir John, com duas balas.

FALSTAFF

Ela é à prova de Pistola; será muito difícil ofendê-la.

TAVERNEIRA

Vamos, eu não bebo nem provas e nem balas; não bebo mais do que me faz bem, para agradar homem nenhum.

PISTOLA

Então à senhora, Senhora Dorothy. A carga vai para si.

DOLL

Carga, em mim? Eu o desprezo, seu companheiro perebento. Ora, seu colega pobre, vil, safado, vigarista, andrajoso! Passa fora, seu bandido mofado, fora! Eu sou carne para o seu amo.

PISTOLA

Eu a conheço, Dona Dorothy.

DOLL

Fora, seu porcaria punguista, ladrãozinho imundo, fora! Juro por este vinho que meto minha faca nesse pescoço pelancudo se quiser se meter a engraçadinho comigo. Fora, seu safado de garrafa, seu impostor com escudo de peneira! Desde quando, eu lhe pergunto, senhor? E com duas alças nos ombros! É demais!

PISTOLA

    Que Deus me mate se eu não rasgo essa gola por isso.

FALSTAFF

    Chega, Pistola! Nada de explodir por aqui. Descarregue-se de nossa companhia, Pistola.

TAVERNEIRA

    Não, bom Capitão Pistola, aqui não, doce capitão.

DOLL

110   Capitão! Vigarista abominável e maldito, não tem vergonha de ser chamado de capitão? Se os capitães pensassem como eu, você era espancado até cair, por usar o nome deles antes de o ter merecido. Você um capitão? Você é escravo! Por quê? Por rasgar a gola de uma puta em um bordel? Ele, um capitão? Pode enforcá-lo, o malandro,
115   que vive de ameixas mofadas e bolos já secos. Capitão? Pelo Deus que me alumia, esses vilões vão tornar a palavra tão odienta quanto "ocupar", que era uma palavra perfeitamente decente antes de ser mal usada: de modo que é melhor os capitães tomarem cuidado com isso.

BARDOLPH

120   Por favor desça, bom alferes.

FALSTAFF

    Venha cá, Dona Doll.

PISTOLA

    Eu, não! Eu lhe digo, Cabo Bardolph, que sou capaz de arrebentá-la! Eu hei de me vingar dela.

PAJEM

    Por favor, desça.

PISTOLA

125   Quero ver ela maldita! Para o lago danado de Plutão, por esta mão, para o abismo do inferno, com Érebo e ainda mais torturas vis! Com o caniço e a linha, é o que eu digo! Fora, fora, cães! Fora, feitores! Não temos então aqui a paz de Irene?[22] (*Ele puxa a espada.*)

TAVERNEIRA

    Bom Capitão Pistolinha, calma, já é muito tarde. Agrava a sua cólera.

---

22 Pistola cita personagens mitológicos sem de fato conhecê-los; aqui ameaça atirar Doll no inferno e na escuridão de Érebo e compara-a a "Hiren", corruptela de "Eireme", deusa da paz, traduzida aqui como "Irene" e adiante como "Sirene". (N. E.)

PISTOLA

130   Bonito! Será que bestas de carga
E os mancos pangarés vindos da Ásia,
Que andam só trinta milhas por dia,
São como Césares ou Canibais,
Como Troianos Gregos? Que se danem
135   Com o rei Cérbero, e que ruja o céu!
Vamos brigar por bobagens?

TAVERNEIRA

Palavra, capitão; que fala amarga!

BARDOLPH

Sai, bom alferes; pois senão sai briga!

PISTOLA

Tem homem morrendo qual cachorro! Distribuam coroas feito alfi-
140   netes! Não temos a Sirene aqui?

TAVERNEIRA

Palavra, capitão, que não tem ninguém assim aqui. Num ano assim, será que eu iria negá-la? Pelo amor de Deus, fique quieto.

PISTOLA

Pois então coma e engorde, bela Calipolis![23]
Vamos, eu quero vinho!
145   *"Si fortune me tormente sperato me contento."*[24]
Temos medo de folhetos? Que o diabo os queime!
Eu quero vinho; e querida, deite aí!

(Ele pousa a espada.)

Está tudo em ordem? Os etceteras não são nada?[25]

(Bebe.)

FALSTAFF

Pistola, quer ficar quieto?

PISTOLA

150   Meu doce cavaleiro, osculo-lhe as patas. Ontem nós vimos as sete estrelas!

---

23 Personagem da tragédia bombástica de *A batalha de Alcazar* (1594), de George Peele. (N. E.)
24 Corruptela da conhecida expressão "Si fortuna mi tormenta, /La esperanza mi contenta". (N. E.)
25 "Etceteras" e "nada" sugerindo o órgão sexual feminino. (N. T.)

DOLL

    Querem fazer o favor de jogá-lo pela escada abaixo? Eu não suporto cafajeste a falar difícil.

PISTOLA

    Jogá-lo pela escada abaixo? Quem olha para ela, não vê logo o que é?

FALSTAFF

155   Empurra-o para baixo, Bardolph, como no jogo de malha. Como ele não faz nada a não ser não dizer nada, não tem nada a fazer por aqui.

BARDOLPH

    Vamos, desça logo.

PISTOLA

    O quê? Vamos ter incisões? Querem sangrias?

(Pega a espada.)

    Que a morte me acalente e termine os meus dias!
160   Pois que feridas fatais, fortes, furibundas,
    Separem as Três Irmãs! E que me venha Átropos!

TAVERNEIRA

    Agora é que eu quero ver!

FALSTAFF

    Menino, o meu punhal.

DOLL

    Por favor, Jack, não puxe a arma.

FALSTAFF

(Desembainhando.)
165   Desça de uma vez!

TAVERNEIRA

    Mas que tumulto! Prefiro fechar a casa do que me meter nesses atacados assustantes!

(FALSTAFF avança para PISTOLA.)

    Então, agora é assassinato! Ai, ai, guardem essas lâminas nuas, guardem essas lâminas nuas.

(Sai BARDOLPH, empurrando PISTOLA para fora.)

DOLL

170 Por favor, Jack, acalme-se; o canalha já foi embora. Ah, mas que filhinho da mãe corajoso que você é!

TAVERNEIRA

(Para SIR JOHN.)
Está ferido na virilha? Me pareceu que ele deu um golpe bem fundo na sua barriga.

(Entra BARDOLPH.)

FALSTAFF

Botou ele na rua?

BARDOLPH

175 Sim, senhor. O desgraçado está bêbado. O senhor o feriu no ombro.

FALSTAFF

Mas que safado; desafiar a mim!

DOLL

Ah, seu safadinho! Pobre do meu macaquinho, como sua! Deixe-me enxugar seu rosto! Venha, seu filho da mãe bochechudo! Ah, patife, juro que o amo. Você é tão valoroso quanto Heitor de Troia, vale
180 cinco Agamemnons, e é dez vezes melhor do que os Nove Heróis. Ah, vilão!

FALSTAFF

Porcaria de escravo! Vou jogá-lo em um cobertor.

DOLL

Jogue, que corre risco de vida. E você, eu procuro muito bem entre um par de lençóis.

(Entram os MÚSICOS.)

PAJEM

185 Chegou a música, senhor.

FALSTAFF

Pois que toquem. Toquem, senhores! *(Música.)* Sente aqui no meu joelho, Doll. Um porcaria de um vilão gabola! O malandro fugiu de mim mais depressa que mercúrio.

DOLL

É verdade; e você o seguiu como uma igreja. Seu leitão de festa filho
190 da mãe, quando é que vai parar de brigar de dia e enfiar de noite, e começar a remendar esse seu velho corpo para o céu?

(Entram, ao fundo, o Príncipe e Poins, disfarçados de copeiros.)

Falstaff

Paz, boa Doll; não fique falando como caveira, nem me peça que me lembre do meu fim.

Doll

Malandro, que tal é o Príncipe?

Falstaff

Um rapazola bem oco; daria um bom ajudante de copa, ia descascar pão muito bem.

Doll

Dizem que Poins é bem esperto.

Falstaff

Ele, bem esperto? Que se enforque, o macaco! A cabeça dele é mais dura que mostarda grossa; naquilo não tem mais ideia do que em martelo de madeira.

Doll

Então por que é que o Príncipe gosta tanto dele?

Falstaff

Porque as pernas deles são do mesmo tamanho, ele é bom jogando malha, e tem bom estômago para enguia e erva-doce, apaga fogo com a boca, faz os outros de cavalo, pula para cá e para lá, pragueja com elegância, traz as botas tão lisas que parece anúncio de sapateiro, e não cria caso porque conta suas histórias com jeito discreto, e tem mais um bando de qualidades que mostram fraqueza de cabeça e força de corpo, que é a razão do Príncipe aturá-lo: pois o Príncipe é outro exatamente assim, e o peso de um fio de cabelo seria o bastante para levar a balança para um ou outro.

Príncipe

(Para Poins.)
Esse eixo de roda não merece que lhe cortem as orelhas?

Poins

Vamos dar-lhe uma surra na frente de sua puta.

Príncipe

Veja só como o velhote está com o pelo todo arrepiado, como um papagaio.

POINS

215 Não é estranho que o desejo sobreviva por tanto anos ao desempenho?

FALSTAFF

Dê-me um beijo, Doll.

(Eles se beijam.)

PRÍNCIPE

(Para POINS.)
Saturno e Vênus em conjunção nessa idade! O que diria a isso um almanaque?

POINS

220 E veja se o terceiro do triângulo não está ali sussurrando com os velhos caderninhos do amo.

FALSTAFF

(Para DOLL.)
Você me dá umas beijocas muito gratificantes.

DOLL

Palavra que eu o beijo com coração mais que constante.

FALSTAFF

Eu estou velho, estou velho.

DOLL

225 Eu o amo mais do que o mais safado de todos esses jovens.

FALSTAFF

De que tecido quer um vestido? Eu recebo dinheiro na quinta, amanhã eu lhe dou um toucado. Uma canção alegre! *(Música novamente.)* Vamos, está ficando tarde, vamos para a cama. Você vai se esquecer de mim quando eu me for.

DOLL

230 Palavra, você me faz chorar dizendo isso. Veja se eu ponho alguma roupa bonita até a sua volta — bem; no fim é que se veem as coisas.

FALSTAFF

Francis, um pouco de vinho.

PRÍNCIPE E POINS

(Avançando juntos.)
Já vai, senhor, já vai.

Falstaff

Ora! Um filho bastardo do Rei? E você não é Poins, seu irmão?

Príncipe

Seu globo de guardar pecados, que vida você leva!

Falstaff

Melhor que a sua; sou um cavaleiro, você só está aí para servir.

Príncipe

É verdade, e eu vim para me servir das suas orelhas e arrastá-lo.

Taverneira

Que o senhor proteja Vossa Graça! Seja muito bem-vindo a Londres! E que o Senhor realmente abençoe esse seu rosto doce. Jesus, está chegando de Gales?

Falstaff

Sua pilha de majestade louca, seu filho da mãe, por minha carne leve e sangue corrupto *(Pousando a mão sobre Doll.)* é muito bem-vindo.

Doll

Seu tolo gordo, eu pouco me importo com você.

Poins

Milord, ele vai escapar de sua vingança e transformar tudo em brincadeira, se não pegá-lo enquanto está quente.

Príncipe

(Para Falstaff.)
Seu montão de cera de vela filho da mãe, que coisas sórdidas você disse de mim ainda há pouco, na frente dessa senhora honesta, virtuosa e cortês!

Taverneira

Que Deus abençoe seu bom coração! E ela é, mesmo; palavra.

Falstaff

(Para o Príncipe.)
Você me ouviu?

Príncipe

Ouvi, e você sabia que era eu, como naquela vez que saiu correndo em Gad's Hill; sabia que eu estava aqui atrás, e só falou assim para pôr à prova a minha paciência.

FALSTAFF

Não, não; eu não pensei que pudesse estar ouvindo.

PRÍNCIPE

255 Vou levá-lo, então, a confessar que as ofensas foram deliberadas, e então saberei como tratá-lo.

FALSTAFF

Ofensas não, Hal; palavra de honra que não houve ofensas.

PRÍNCIPE

Não? Me desmoralizar, chamar-me de aprendiz de copeiro, quebrador de pão, e não sei o que mais?

FALSTAFF

260 Ofensa alguma, Hal.

POINS

Não houve ofensas?

FALSTAFF

Nenhuma ofensa, Ned, nenhuma ofensa neste mundo, honesto Ned. Eu só o *des-elogiei* diante dos pecadores *(Volta-se para o PRÍNCIPE.)*, para que os pecadores não se apaixonem por você: fazendo isso compor-
265 tei-me como amigo cuidadoso e súdito leal, e seu pai há de agrade-cer-me por isso. Não houve ofensa, Hal; nenhuma, Ned, nenhuma; verdade, rapazes, nenhuma.

PRÍNCIPE

Vejam agora como puro medo e covardia total não o levam a ofender essa virtuosa senhora aqui presente. Ela é parte dos pecadores? Sua
270 hospedeira é parte dos pecadores? Seu pajem é parte dos pecadores? Ou o honesto Bardolph, cujo zelo queima em seu nariz, é também pecador?

POINS

(Para FALSTAFF.)
Responda, tronco podre; responda.

FALSTAFF

O demo acertou Bardolph sem salvação, e o nariz dele é a cozinha
275 particular de Lúcifer, onde ele só assa bêbados. Quanto ao menino, tem um bom anjo que o protege, mas também tem parte com o diabo.

PRÍNCIPE

E quanto às mulheres?

Falstaff

Quanto a uma delas, já está no inferno, e queima almas infelizes. Quanto à outra, eu lhe devo dinheiro, e se isso é o bastante para daná-la, eu não sei.

Taverneira

Eu garanto que não.

Falstaff

Não, creio que não; creio que foi perdoada por isso. Mas pela Virgem há outra acusação pesando sobre a senhora, por deixar que comam carne em sua casa, o que é contra a lei, e por isso creio que irá uivar muito.

Taverneira

Todo lugar onde se come o faz. O que é uma perna de carneiro ou duas durante uma Quaresma inteira?

Príncipe

Quanto à senhora...

Doll

O que diz Sua Graça?

Falstaff

Sua Graça diz coisas contra as quais sua carne se rebela.

(Peto bate à porta.)

Taverneira

Quem bate alto assim? Vá olhar a porta, Francis.

(Entra Peto.)

Príncipe

O que é, Peto, quais as novas?

Peto

O Rei, seu pai, está agora em Westminster,
Com vinte ou mais correios que, exaustos,
Chegam do norte; e eu, enquanto vinha,
Ultrapassei uns doze capitães,
Que suados, batendo nas tavernas.
Procuram sem parar Sir John Falstaff.

Príncipe

Poins, pelos céus que me sinto culpado

  Por profanar aqui tempo precioso,
  Quando a borrasca, como o vento sul
  Pesado de negror, já se derrete
  Pra respingar-nos, inda desarmados.
305   A minha espada e a capa. Adeus, Falstaff.

(Saem o Príncipe e Poins.)

Falstaff

  Agora vem o mais doce bocado da noite, e temos de partir sem o colher.

(Tornam a bater à porta. Sai Bardolph.)

  Mais batidas?

(Entra Bardolph.)

  Como é, o que é que houve?

Bardolph

310   O senhor tem de ir logo para a corte.
  Há doze capitães à sua espera.

Falstaff

(Para o Pajem.)
  Pague os músicos, menino. Adeus, minha anfitriã; adeus Doll. Como podem ver, minhas boas meninas, os homens de mérito são sempre procurados; os sem mérito podem dormir, enquanto o homem de ação é chamado. Adeus, boas meninas; se não tiver de ir muito depressa, eu as verei de novo antes de partir.

Doll

  Nem posso falar; se meu coração não estiver a ponto de estourar... Pois então, meu doce Jack, cuide-se bem.

Falstaff

  Adeus, adeus.

(Sai com Bardolph, Peto, Pajem e músicos.)

Taverneira

320   Espero que passe bem. Na época de descascar ervilhas serão vinte e nove anos que o conheço, mas homem mais honesto e verdadeiro.... Que lhe vá tudo bem.

Bardolph

(Na porta.)
  Mistress Tearsheet!

TAVERNEIRA
O que foi?

BARDOLPH
325 Peça a Mistress Tearsheet que procure meu amo.

(Sai.)

TAVERNEIRA
Corra, Doll, corra; corra, boa Doll; vamos. Está toda molhada de lágrimas. *(Para Doll.)* Como é, você não vai, Doll?

(Saem.)

ATO 3

CENA 1
Westminster. O palácio.

(Entra o Rei, com roupa de dormir, com um Pajem.)

REI
Chame os Condes de Surrey e de Warwick;
Antes de vir, que leiam estas cartas
E as considerem. Vá, e bem depressa.

(Sai o Pajem.)

Quantos súditos meus, dos mais humildes,
5 Dormem agora! Oh sono, oh doce sono,
Conforto de paz, que sustos te causei
Que já não pesas mais nas minhas pálpebras
Nem me afundas o ser no esquecimento?
Por que te deitas em imundos berços
10 E te estendes em catres sem conforto,
Acalentado por zumbir de moscas,
Em vez de vir às camas perfumadas,
Sob dosséis rebordados, de alto preço,
Embalado por doces melodias?
15 Oh, sonolento deus, por que repousas
Com os vis em camas sórdidas, mas fazes
Do real leito um posto de vigília?
Por que, tonto, te elevas no alto mastro
Para selar os olhos do grumete,
20 E seu cérebro embalas, sobre o mar
Ríspido e rude, quando passa o vento
Erguendo no alto as ondas malfazejas,
Enrolando as cabeças monstruosas,
Pendurando-as nas nuvens tumultuárias,
25 Com tais clamores despertando a morte?
Como podes, oh sono faccioso,
Dar repouso ao grumete em tais borrascas
E na serena calma desta noite,
Negá-lo ao Rei? Então, humilde povo,
30 Descansa em paz enquanto, torturada,
Jaz na noite a cabeça coroada.

(Entram Warwick e Surrey.)

WARWICK
    Muito bom dia a Sua Majestade.

REI
    Já é manhã, senhores?

WARWICK
    Já passa de uma hora.

REI
    Então, bom dia a todos os senhores.
    Leram as cartas que eu lhes enviei?

WARWICK
    Lemos, senhor.

REI
    Viram, então, o corpo deste reino,
    Como está sujo, cheio de doenças,
    E o perigo que passa, em sua essência.

WARWICK
    Porém é corpo só destemperado,
    Que pode inda voltar à força antiga
    Com bons conselhos e pouco remédios.
    Há de esfriar o Lord Northumberland.

REI
    Se pudéssemos, Deus, ler o destino,
    Vendo a revolução co'a qual o tempo
    As montanhas aplaina, e o continente,
    Cansado de ser sólido derrete-se
    Em mar, e vendo mais, n'outros momentos,
    A cintura arenosa do oceano
    Folgada pra Netuno; como a sorte
    Se ri enchendo a taça de mudanças
    Com licores diversos! Vendo isso,
    O jovem mais feliz, vendo o futuro,
    Os perigos, as cruzes carregadas,
    Fechando o livro, sentava e morria...
    Não há nem dez anos
    Que, muito amigos, Ricardo e Northumberland,
    Brindavam juntos, e em dois anos mais
    'Stavam em guerra. Faz oito anos
    Que esse Percy era a mim o mais unido;
    Agindo como irmão nos meus assuntos,
    E submetendo a mim vida e amor;

                    Por minha causa, até ante Ricardo
65   Mostrou desafio. Quem estava lá —

                    (Para WARWICK.)

                    Você, meu primo Nevil, se me lembro —
                    Quando Ricardo, de olhos marejados,
                    E agredido aos gritos por Northumberland,
                    Disse o que agora se vê profecia:
70   "Northumberland, escada pela qual
                    Meu primo Bolingbroke sobe em meu trono"
                    (Que então, Deus sabe, eu não desejava,
                    Mas as necessidades do Estado
                    Forçaram-me a beijar esta grandeza)
75   "Virá o dia" — disse ainda ele —
                    "Virá o dia em que o pus do pecado
                    Vindo a furo será só corrupção'" —
                    Continuou prevendo o dia de hoje,
                    E o fim da amizade entre nós.

        WARWICK
80   Todo homem tem na vida alguma história
                    Que reproduz um tempo que passou;
                    E quem observa pode ser profeta,
                    Quase no alvo, do que é bem provável
                    E ainda por vir, mas graças a sementes
85   Contidas em fraqueza nas origens.
                    Tais coisas são chocadas pelo tempo;
                    E por ser tudo isto inevitável
                    Ricardo bem podia adivinhar
                    Que Percy, sendo falso pra com ele,
90   Viria a ser, depois, mais falso ainda,
                    Sem ter um melhor alvo que não fosse
                    O senhor.

        REI
                            Tudo isso é inevitável?
                    Enfrentemos então o necessário;
                    E essa palavra agora nos conclama.
95   Dizem que somam, o Bispo e Northumberland,
                    Cinquenta mil.

        WARWICK
                            Não pode ser, senhor.
                    Boatos dobram, como a voz e o eco,
                    O que se teme. Eu peço a Sua Graça

	Que vá deitar-se; pois por minha honra
100	As tropas que avançaram por sua ordem
	Vencem tal presa com facilidade.
	Pra seu maior conforto, eu recebi
	Indícios que Glendower está morto.
	Sua Majestade está adoentada,
105	E horários descabidos só ajudam
	Sua doença.

REI

                Sigo o seu conselho.
E se o fim destas guerras conseguir
Pra Terra Santa haverei de partir.

(Saem.)

CENA 2
Gloucestershire. Em frente à casa do Juiz Raso.

(Entram o Juiz Raso e o Juiz Silêncio, com Mofado, Sombra, Verruga, Fraco e Bezerro, com criados, atrás.)

RASO

Venha, venha, venha: dê-me sua mão, senhor; dê-me sua mão, senhor; é de acordar cedo, que Deus o tenha! E como está meu primo Silêncio?

SILÊNCIO

Bom dia, bom primo Raso.

RASO

5   E como está minha prima, sua companheira de cama? E sua belíssima filha e minha, minha afilhada Ellen?

SILÊNCIO

Infelizmente, um melro preto, primo Raso!

RASO

Pelo sim, pelo não, senhor; aposto que meu primo William é bom estudante; ele ainda está em Oxford, não está?

SILÊNCIO

10   Ainda, para dor do meu bolso.

RASO

E em breve vai para os Cursos de Direito: eu estudei antigamente em Clement's Inn, onde acho que ainda falam do louco do Raso.

SILÊNCIO

Naquele tempo era chamado de "Raso Gostoso", primo.

RASO

Pela missa, era chamado de qualquer coisa, e fazia qualquer coisa, também, e sem dizer água vai. Lá estava eu, e o pequeno John Doit de Staffordshire, e o morenão George Barnes, e Francis Pickbone, e Will Squele, que vinha de Cotswold[26] — nunca mais apareceu um quarteto tão fanfarrão quanto esse nas Escolas de Direito. E tinha também Jack Falstaff, que hoje é Sir John, era um menino ainda, pajem de Thomas Mowbray, Duque de Norfolk.

SILÊNCIO

Esse Sir John, primo, que está vindo agora para cá, à procura de soldados?

RASO

Esse mesmo Sir John, esse mesmo. Eu o vi quebrar a cabeça de Scoggin no meio do pátio, quando eu ainda era um molecote, deste tamaninho; e no mesmo dia eu briguei com um tal Samson Stockfish, um fruteiro, nos fundos de Grey's Inn. Ai, Jesus, Jesus, que dias de loucura eu vivi! E pensar quantos daqueles meus conhecidos já estão mortos!

SILÊNCIO

Todos nós vamos para lá, primo.

RASO

Certo, certo, com certeza, com certeza. A Morte, como dizem os Salmos, é certa para todos, todos hão de morrer. Que tal uma boa junta de bezerros na feira de Stamford?

SILÊNCIO

Para falar a verdade, não fui lá.

RASO

A morte é certa. O velho Double lá da sua terra ainda está vivo?

SILÊNCIO

Morto, senhor.

RASO

Jesus, Jesus, morto! Atirava bem com o arco, e morto! Era de tiro certo. John de Gaunt gostava muito dele, e apostava muito na cabeça dele.

---

26 As colinas de Cotswold ficam no coração da Inglaterra, entre Stratford, Bath e Oxford. (N. E.)

Morto! Acertava no alvo a vinte dúzias de jardas, e com a mira alta a catorze ou catorze e meia, que esquentava o coração de qualquer um só de ver. Quanto valem vinte carneiras?

SILÊNCIO
Varia com a qualidade; vinte boas carneiras podem valer umas dez libras.

RASO
E o velho Double está morto?

(Entram BARDOLPH e o PAJEM.)

SILÊNCIO
Lá vem um par de homens de Sir John, eu acho.

RASO
Bom dia, honestos cavalheiros.

BARDOLPH
Por favor, qual é o Juiz Raso?

RASO
Sou Robert Raso, senhor, um pobre cidadão deste condado, e um dos juízes de paz do Rei. O que deseja o senhor comigo?

BARDOLPH
Meu capitão, senhor, recomenda-se ao senhor, meu capitão Sir John Falstaff, um cavalheiro alto, por este céu, e um líder dos mais galantes.

RASO
É boa a sua saudação, senhor; eu o conhecia como bom da esgrima com sarrafo. Como está o bom cavaleiro? E permite-me que indague como está milady sua esposa?

BARDOLPH
Perdão, senhor; mas qualquer soldado sabe que para ele há como ficar mais acomodado do que com uma esposa.

RASO
Isso é bem dito, na verdade, senhor, e muito bem dito, mesmo. "Mais acomodado!" Muito bom, isso; é mesmo; as boas frases são sempre, e sempre foram, recomendáveis. "Acomodado" — isso vem de "acommo-do"; é uma frase muito boa.

BARDOLPH

Perdão, senhor — já ouvi essa palavra; frase, o senhor a chama? Palavra que a frase eu não conheço, mas a palavra eu sustento com minha espada ser uma boa palavra de soldado, e ótima palavra de comando, pelo céu que é. Acomodado, quero dizer; isto é, quando um homem fica, como se diz, acomodado, ou quando um homem está de um jeito que se possa pensar que esteja acomodado; o que é uma coisa excelente.

(Entra FALSTAFF.)

RASO

Coisa muito justa. Vejam, lá vem Sir John. *(Para FALSTAFF.)* Dê-me sua boa mão, dê-me a mão de sua senhoria. Palavra que parece muito bem, e está aguentando muito bem seus anos. Bem-vindo seja, Sir John.

FALSTAFF

Alegro-me de vê-lo tão bem, Mestre Raso. *(Para MESTRE SILÊNCIO.)* Mestre Não Falha, se bem me lembro?

RASO

Não, Sir John, esse é o meu primo Silêncio, comissionado aqui comigo.

FALSTAFF

Bom Mestre Silêncio, calha bem ao senhor ser da paz.

SILÊNCIO

Sua senhoria é muito bem-vinda.

FALSTAFF

Digo-lhes que o calor está muito, senhores. Já providenciaram para mim aqui meia dúzia de homens suficientes?

RASO

Já, sim senhor. Não quer sentar-se?

FALSTAFF

Deixem-me vê-los, por favor. *(Senta-se.)*

RASO

Onde está o rol? onde está o rol? onde está o rol? Deixe-me ver, deixe-me ver, deixe-me ver. Isso, isso, isso, isso, isso. Isso mesmo, senhor: Rafe Mofado! *(Para SILÊNCIO.)* Que todos apareçam quando eu chamar; que assim o façam, que assim o façam. Deixe-me ver.
(Chama.) Onde está Mofado?

(Entra MOFADO.)

MOFADO

Aqui mesmo, por favor.

RASO

O que lhe parece, Sir John? Um rapaz desembaraçado, jovem, forte, e com bons amigos.

FALSTAFF

Seu nome é Mofado?

MOFADO

Sim, senhor, se o senhor quiser.

FALSTAFF

Então está na hora de ser usado.

RASO

Ha, ha, ha! Excelente, é bem verdade que tudo o que é mofado está sem uso: muito bom e singular, palavra, muito bem dito, Sir John, muito bem dito.

FALSTAFF

Fure esse.

MOFADO

Eu já era bastante furado antes, e o senhor podia bem ter me deixado em paz. Minha velha vai ficar desamparada agora, sem quem faça trabalho e faxina para ela. Não precisava ter me furado. Tem outros aí mais certos para ir do que eu.

FALSTAFF

O que é isso? Quieto, Mofado; você há de ir, Mofado; está na hora de você ser gasto.

MOFADO

Gasto?

RASO

Quieto, rapaz, quieto — chega para lá; não sabe onde está? Vamos a outro, Sir John — deixe-me ver: Simon Sombra!

FALSTAFF

Ora, ótimo; esse eu quero para ficar debaixo dele. É provável que seja soldado frio.

RASO

Onde está Sombra?

(Entra Sombra.)

Sombra

105 Aqui, senhor.

Falstaff

Sombra, você é filho de quem?

Sombra

Da minha mãe, senhor.

Falstaff

Da sua mãe! É bem provável, e sombra de seu pai. O filho da fêmea é a sombra do macho; muitas vezes isso é verdade — mas ele tem
110 muito da substância do pai!

Raso

Gostou dele, Sir John?

Falstaff

O Sombra vai servir para os verões. Fure esse também, pois já temos muitas sombras nas nossas convocações.

Raso

Thomas Verruga!

Falstaff

115 Onde está esse?

(Entra Verruga.)

Verruga

Aqui, senhor.

Falstaff

Seu nome é Verruga?

Verruga

É, sim, senhor.

Falstaff

Você é uma verruga muito esfarrapada.

Raso

120 Devo furá-lo, Sir John?

FALSTAFF

Seria supérfluo, pois tudo o que tem está alfinetado nele, e ele todo parece estar em cima de dois espeques; não é preciso furá-lo ainda mais.

RASO

Ha, ha, ha! O senhor sabe das coisas, sabe das coisas, eu lhe dou parabéns. Francis Fraco!

(Entra FRACO.)

FRACO

Aqui, senhor.

RASO

Qual é o seu ofício, Fraco?

FRACO

Alfaiate de senhoras, senhor.

RASO

Devo furá-lo?

FALSTAFF

Tem minha permissão; mas se ele fosse alfaiate de homem ele é que teria furado. *(Para FRACO.)* Será que você vai fazer tantos furos na tropa do inimigo quantos já fez em anáguas de mulher?

FRACO

Furo onde posso, senhor; ninguém pode fazer mais.

FALSTAFF

Muito bem dito, alfaiate de senhoras! Bem dito, meu corajoso Fraco! Há de ser tão valente quanto uma pomba irada, ou o mais corajoso dos ratos. Fure o alfaiate de mulheres; isso, Mestre Raso, bem fundo, Mestre Raso.

FRACO

Eu queria que o Verruga tivesse ido também.

FALSTAFF

E eu que você fosse alfaiate de homem, para poder remendá-lo e deixá-lo em condições de ir. Não dá pra fazê-lo soldado de primeira, comandante de milhares. Que isso o satisfaça, meu forte Fraco.

FRACO

E vai satisfazer, senhor.

FALSTAFF

Fico-lhe devedor, reverendo Fraco. Quem é o próximo?

RASO

Peter Bezerro, do campo!

FALSTAFF

Essa é ótima! Vejamos o Bezerro!

(Entra BEZERRO.)

BEZERRO

Presente, senhor.

FALSTAFF

Por Deus, um rapagão! Vamos, pode furar o Bezerro até ele tornar a urrar.

BEZERRO

Pelo Senhor, bom capitão...

FALSTAFF

O quê? Já está urrando antes de ser furado?

BEZERRO

Senhor, eu sou um homem doente.

FALSTAFF

Doente de que doença?

BEZERRO

Um resfriado filho da puta, senhor, uma tosse, senhor, que peguei tocando sino a serviço do Rei, no dia da coroação, senhor.

FALSTAFF

Ora vamos, você pode ir para a guerra de camisola; nós acabamos com o seu resfriado, e arranjo as coisas para os seus amigos tocarem o sino por você. Estão todos aqui?

RASO

Temos dois mais do que pediu; tem de levar só quatro daqui, senhor; e agora lhe peço, venha almoçar comigo.

FALSTAFF

Vamos, eu bebo consigo, mas não posso ficar para almoçar. Estou muito contente em vê-lo, palavra, Mestre Raso.

RASO

Ah, Sir John, lembra-se do dia em que passamos a noite toda no Moinho, em Campo de São Jorge?[27]

FALSTAFF

Nada disso, bom Mestre Raso, nada disso.

RASO

Foi uma noite alegre! E Joana Noiteinteira, ainda está viva?

FALSTAFF

Ainda vive, Mestre Raso.

RASO

Ela nunca me suportou.

FALSTAFF

Nunca, nunca; sempre dizia que não aturava o Mestre Raso.

RASO

Pela missa, eu sabia deixá-la danada da vida. Naquele tempo ela era bona-roba. Ela está se aguentando bem?

FALSTAFF

Está muito velha, Mestre Raso.

RASO

É, tem de estar velha, não tem escolha, claro que está velha, e teve o Robin Noiteinteira do velho Noiteinteira, antes mesmo de eu começar a estudar Direito.

SILÊNCIO

E isso já faz cinquenta e cinco anos.

RASO

Ah, primo Silêncio, se tivesse visto o que este cavaleiro aqui e eu vimos! Ah, Sir John, não é verdade?

FALSTAFF

Ouvimos bater muita meia-noite[28], Mestre Raso.

RASO

Se ouvimos, se ouvimos; verdade, Sir John, ouvimos, mesmo; nosso

---

27 Moinho pode bem referir-se a um bordel ou uma taverna com esse nome; o Campo de São Jorge era uma zona de prostituição que ficava entre Southwark e Lambeth, ao sul do Tâmisa. (N. E.)

28 Falstaff refere-se à passagem do tempo. Em inglês lê-se *"we have heard the chimes at midnight"*, que dá título ao filme de Orson Welles, *"Chimes at midnight."* Em português, o filme foi intitulado *"Falstaff"*. (N. E.)

180 lema era "Pela goela abaixo, rapazes!"... Bem, vamos almoçar; vamos almoçar. Jesus, que bons tempos nós vimos! Vamos, vamos.

(Saem Falstaff, Raso e Silêncio.)

Bezerro
Bom Mestre Caporal[29] Bardolph, seja meu amigo; aqui estão quatro dez xelins ingleses em coroas francesas para o senhor. Para falar a verdade, senhor, para mim até prefiro ser enforcado do que ir. De
185 minha parte, senhor, não me importo; mas antes por não ter muita vontade, e, da minha parte, ter grande desejo de ficar com meus amigos; de outro modo, senhor, não me importaria, da minha parte, pelo menos não tanto.

Bardolph
Vá; fique ali do lado.

Mofado
190 E, bom Mestre Corporal Capitão[30], por amor à minha velha, seja meu amigo. Ela não tem ninguém que faça nada para ela quando eu não estou por perto, e está velha e não sabe se defender sozinha. Eu lhe dou quarenta, senhor.

Bardolph
Ande, vá; fique ali para o lado.

Fraco
195 Pois eu juro que não me importo, a gente só morre uma vez, e todos nós devemos uma morte a Deus. Eu jamais hei de ter pensamentos baixos — seja esse o meu destino, ou não seja. Homem nenhum é bom demais para servir o príncipe, e aconteça o que acontecer, quem morrer este ano já está quites com o ano que vem.

Bardolph
200 Falou muito bem, isso é que é um bom rapaz.

Fraco
Palavra, não sou de baixezas.

(Entram Falstaff e os juízes.)

Falstaff
Então, senhor, quais são os homens que irei levar?

---

29 "Caporal" (no original, "corporate") é um malapropismo para "corporal" ou "cabo", um grau acima do soldado. Bardolph é o primeiro cabo a aparecer em uma peça de Shakespeare. (N. E.)
30 Mofado confunde os graus de corporal e capitão. (N. E.)

RASO
> Quatro dos que escolher.

BARDOLPH
> Senhor, uma palavra. *(À parte para FALSTAFF.)* Recebi três libras para liberar o Mofado e o Bezerro.

FALSTAFF
> Gostei de ver; muito bem.

RASO
> Então, Sir John, quais serão os quatro?

FALSTAFF
> O senhor escolha por mim.

RASO
> Muito bem, Mofado, Bezerro, Fraco e Sombra.

FALSTAFF
> Mofado e Bezerro; quanto a você, Mofado, deve ficar em casa até passar o tempo do serviço; enquanto que você, Bezerro, tem de crescer até ficar na idade. Não quero nenhum dos dois.

(Saem BEZERRO e MOFADO.)

RASO
> Sir John, Sir John, não se prejudique, eles são os melhores, e eu gostaria que fosse servido pelo melhor.

FALSTAFF
> Está querendo ensinar-me, Mestre Raso, como escolher meus homens? Eu lá me importo com os membros, os tendões, a estatura, a massa, o aspecto conjunto de um homem? Dê-me o espírito, Mestre Raso. Eis aqui o Verruga; veja que aparência horrível tem — ele carrega e dispara com o movimento de um marteleiro de estanho, sobe e desce mais depressa que canga de balde de cervejeiro. E veja também aqui esse Sombra de meia cara; não oferece qualquer alvo ao inimigo — o outro vai ter tanta dificuldade em acertá-lo como quando mirar numa lâmina de canivete. E na hora da retirada, como será rápido esse Fraco, alfaiate de mulheres! Prefiro os homens magros, e poupe-me dos grandalhões. Ponha um bacamarte na mão do Verruga, Bardolph.

BARDOLPH
> Segure, Verruga, e marche — pra lá, pra cá, pra lá, pra cá!

FALSTAFF

(Para VERRUGA.)

Vamos, quero vê-lo manejar o bacamarte. Isso! Muito bem! Mais do que bom! Deem-me sempre para o tiro rápido, pequeno, magro, velho. Muito bem, Verruga, você é um sacana ótimo. Espere, tome aqui seis pence.

RASO

Ele não domina o ofício, não está fazendo certo. Eu me lembro do parque em Mile-End, quando eu morava na escola — eu fazia Sir Dagonet no espetáculo de Artur[31] — havia um rapaz muito ativo, que manobrava a arma assim, e virava, e tornava a virar, e mirava, e mirava. "Ra, ta, tá", dizia ele. "Bum!", dizia ele; e saía, e voltava: nunca vi outro igual.

FALSTAFF

Esses sujeitos vão servir muito bem, Mestre Raso. Que Deus o guarde, Mestre Silêncio: não usarei muitas palavras consigo. Passem bem, cavalheiros, ambos; eu lhes agradeço. Tenho ainda uma dúzia de milhas esta noite. Bardolph, dê os casacos aos soldados.

RASO

Que Deus o abençoe, Sir John! Que Deus faça prosperar seus negócios! Que Deus nos mande a paz! E quando voltar, visite a nossa casa, para que retomemos nosso antigo conhecimento. É possível que que eu siga consigo até a corte!

FALSTAFF

Por Deus que assim o desejo, Mestre Raso.

RASO

Não brinque, estou falando sério. Deus o guarde!

FALSTAFF

Passem bem, gentis gentis-homens.

(Saem os JUÍZES.)

Bardolph, leve logo os homens.

(Saem BARDOLPH e os RECRUTAS.)

Quando eu voltar, vou depenar esses juízes. Já vi o fundo desse Juiz

---

[31] A leste de Londres, no parque Mile-End, hoje Parque Stepney, havia uma competição em que os participantes nomeavam-se como cavaleiros do Rei Artur; Raso era Dagonet, o bobo do rei. (N. E)

Raso. Como nós, velhos, somos dados ao vício da mentira! Deus, Deus! Esse juiz faminto não fez nada senão ficar falando das loucuras de sua juventude, e de seus feitos na rua Turnbull, e uma palavra em cada três era mentira, mais firmes dos ouvidos do ouvinte do que imposto de sultão! Lembro-me muito bem dele quando estudante, parecia feito com casca de queijo depois do jantar. Quando nu, parecia um rabanete partido, com uma cabeça fantástica talhada nele à faca. Era tão magrela que ficava invisível para quem tinha vista má; era a essência da fome, mas tão libidinoso quanto um macaco, e as rameiras o chamavam de mandrágora. Estava sempre atrasado com a moda, e cantava para as putas velhas as músicas que ouvia os carroceiros assoviar, afirmando que eram todas imaginadas por ele. E agora essa adaga de Vício se torna cidadão respeitável, e fala com familiaridade de John de Gaunt, como se fossem irmãos, mesmo que eu jure que só o viu uma vez, em um torneio, quando este lhe partiu a cabeça porque tentou avançar muito no meio da multidão. Eu vi tudo, e disse a John de Gaunt que ele havia batido no próprio nome, pois este poderia ser todo enfiado, com roupa e tudo, na pele de uma enguia — o estojo de um oboé alto para ele seria uma mansão, uma corte; e agora tem terras e gado. Pois hei de conhecê-lo melhor quando voltar, e só quero ver se não faço dele um par de pedras filosofais para mim. Se a piaba serve de isca para o badejo, não vejo razão, nas leis da natureza, para eu não abocanhá-lo: que o tempo o resolva. E paremos por aí.

(Sai.)

ATO 4

CENA 1
Yorkshire. Na floresta de Gaultree.

(Entram o Arcebispo de York, Mowbray, Hastings e outros.)

Arcebispo
Como se chama esta floresta?

Hastings
É a Floresta de Gaultree,[32] Sua Graça.

Arcebispo
Aqui paramos, senhores, e enviamos
Quem nos informe da tropa inimiga.

Hastings
5 Já enviamos.

Arcebispo
E agiram muito bem.
Amigos e irmãos desta empreitada,
Devo informar-lhes que hoje recebi
Cartas recentes de Northumberland,
Cujo frio teor é o seguinte:
10 Queria estar aqui trazendo tropa
Digna em tudo de sua posição,
Que não pôde juntar, razão por que
Retirou-se até ter melhor fortuna
Pra Escócia, de onde envia fortes preces
15 Que os façam superar o perigoso
E temível encontro com os opostos.

Mowbray
Nossa esperança cai assim por terra
E se parte em pedaços.

(Entra um Mensageiro.)

Hastings
Quais as novas?

Mensageiro
Uma milha a oeste desta floresta,

---

[32] Floresta pertencente à realeza, ao norte de York. (N. E.)

20   O inimigo chega, em boa forma,
      E pela área que ocupam calculo
      Que sejam mais ou menos trinta mil.

MOWBRAY
      Exatamente o que eu anunciara.
      Avante, pois no campo é que os enfrentamos.

      (Entra WESTMORELAND.)

ARCEBISPO
25   Que líder bem armado aqui nos chega?

MOWBRAY
      Eu creio seja o Lord de Westmoreland.

WESTMORELAND
      Saúde, em nome do meu general,
      O Príncipe Lord John de Lancaster.

ARCEBISPO
      Pois fale em paz, Milord de Westmoreland,
30   Sobre o que o traz aqui.

WESTMORELAND
                              Então, milord,
      À Sua Graça é que eu dirigirei
      A minha essência. Se a rebelião
      Chegasse, baixa e abjeta, liderada
      Por chefes jovens em fúria sangrenta,
35   Seguida por meninos e mendigos;
      Se esse terror chegasse, como digo,
      Em sua forma autêntica e adequada,
      Nem Sua Reverência e nem tais nobres
      Aqui 'stariam pra vestir o horror
40   Da insurreição sanguinolenta e vil
      Com suas honras. Senhor Arcebispo,
      Cuja Sé é mantida pela paz,
      Cuja barba tocou com prata a paz,
      Cujo saber tem ensinado a paz,
45   Cujo alvo manto denota inocência,
      A pomba e o próprio espírito da paz,
      Por que razão com tal mal se transporta
      Do discurso da paz, cheio de graça,
      Para a linguagem ríspida da guerra;
50   Torna seus livros covas, tinta, sangue,
      Penas em lanças, sua divina língua
      Em trompa que alardeia e incita a guerra?

ARCEBISPO

  Por que o faço? esse é o problema.
  Em resumo: estamos todos doentes,
55 E saturados com horas inúteis,
  Chegamos hoje a queimar de febre,
  E temos de sangrar; dessa doença
  Que infectou e matou o Rei Ricardo.
  Porém, meu nobre Lord de Westmoreland,
60 Não é qual médico que eu ajo aqui,
  E nem por ser inimigo da paz
  Que eu trago todos esses militares,
  Mas me apresento co'o aspecto da guerra,
  Uma dieta pro inchado de paz
65 Que purga o lixo que entope e exaure
  Nossas veias de vida. Ouça-me bem:
  Com balança precisa eu já pesei
  Males de guerra com males sofridos,
  E as dores pesam mais do que as ofensas.
70 Vimos pr'onde corria o rio-tempo,
  Sendo forçado a sair deste repouso
  Pela torrente dessas circunstâncias,
  E a ter as nossas dores num sumário,
  Pra em tempo certo mostrar seus artigos,
75 Que oferecemos há já muito ao Rei
  Porém sem conseguirmos audiência.
  Quando ofendidos, querendo queixar-nos,
  Nos foi negado acesso à sua pessoa,
  Exatamente por quem nos feria.
80 Os perigos de dias bem recentes
  Cuja lembrança 'stá escrita na terra
  Com sangue inda aparente, e os exemplos
  De cada instante, aqui hoje presentes,
  Nos vestiram com feias armaduras
85 Não pra ferir a paz, ou parte dela,
  Mas pra criar uma paz de verdade,
  Na qual se juntem nome e qualidade.

WESTMORELAND

  E quando foi negado um seu apelo?
  De que maneira o Rei os ofendeu?
90 Que par foi pago para contrariá-los,
  Pra que selassem transgressões sangrentas
  De má revolta com selo divino,
  Consagrando os desmandos desse caos?

ARCEBISPO

  De meus irmãos, desta comunidade,

O mal sofrido, por cada família,
Eu faço causa própria pra lutar.

Westmoreland
Não há motivos pra tais correções,
E nem a si caberia fazê-lo.

Mowbray
E por que não a ele, e a todos nós,
Que sentimos as marcas do passado
E aturamos os erros destes tempos
Que pousa mão pesada e nada isenta
Em nossas honras?

Westmoreland
Ah, meu bom Lord Mowbray.
Compreenda o que pedem estes tempos
E dirá, com verdade, que é o tempo
E não o Rei, que assim o injuria.
Porém de sua parte, a mim não parece
Que nem do Rei nem dos tempos que passam
Tenha o senhor um mínimo de base
Pra se queixar; não foi reconduzido
A todo o acervo do Duque de Norfolk,
Seu nobre e mui lembrado pai?

Mowbray
E o que perdera em honra, esse meu pai,
Que me fosse preciso reviver?
O Rei que o amava, no estado de então,
Foi pela força forçado a bani-lo,
Quando então, 'stando Bolingbroke e ele
Montados e alertas em suas selas,
Os seus cavalos prontos pras esporas,
Lanças em ponta e os elmos já fechados,
Os olhos chamejando pelo aço,
E as trompas a chamar pra que se unissem,
Foi então que, sem mais que separasse
Meu pai do peito desse Bolingbroke,
Então que o Rei baixou o seu bastão,
E, com o bastão jogou a sua vida;
Jogava ele, ali, fora, a si e às vidas
Que em tribunal ou na ponta da espada
Sob Bolingbroke tem sofrido até hoje.

Westmoreland
Não sabe do que fala, Lord Mowbray.

Reputava-se então o Conde de Hereford
O nobre mais valente da Inglaterra.
Quem sabe a quem sorriria a Fortuna?
135 Mas se seu pai então saísse vitorioso
Não deixaria Coventry com o título;
Pois o país inteiro, em voz geral,
Gritava-lhe o seu ódio; como o amor
E as orações guardavam para Hereford
140 Mais adorado e bendito que o Rei.
Mas tudo isso escapa do que importa.
Eu venho aqui, do Príncipe em comando,
Saber de suas queixas, e informá-los
Que lhes dá audiência, e onde então
145 Parecer justo aquilo que buscarem,
Hão de ficar satisfeitos, e apagado
Tudo o que lhes pareça inimizade.

MOWBRAY
Mas é forçado que faz tal oferta,
Que a política gera, não o amor.

WESTMORELAND
150 É arrogância, Mowbray, vê-lo assim.
A oferta é generosa, não tem medo;
Aí está, à vista, a nossa tropa,
E eu lhe garanto que muito confiante
Pra sequer admitir pensar em medo.
155 Em nossas hostes nós temos mais nomes
Que na sua, mais perfeitos nas armas,
Mais protegidos, e com melhor causa;
Razões pra termos bons os corações.
Não diga, então, que é oferta forçada.

MOWBRAY
160 Porque eu não quero, não se parlamenta.

WESTMORELAND
Tornando vergonhosa a sua ofensa;
Só causa podre não tem argumentos.

HASTINGS
Está o Príncipe John autorizado,
Na ampla e total virtude de seu pai,
165 A ouvir e arbitrar, em absoluto,
Sobre as questões alegadas por nós?

WESTMORELAND
    Assim o disse, ao falar por ele:
    Espanta-me pergunta tão mesquinha.

ARCEBISPO
    Tome esta lista, então, Milord de Westmoreland,
170   Que contém o total de nossas queixas.
    Sendo atendidos todos os artigos,
    Todos de nossa causa, aqui ou não,
    Que estão comprometidos nesta ação
    Perdoados de forma incontestável,
175   Co'execução de tudo o que pedimos —
    A nós e ao que é nosso nos prendemos,
    Voltamos a ocupar nossos limites,
    E nossas armas cruzamos em paz.

WESTMORELAND
    (Pegando a lista.)
    Levo-a ao general. Então, senhores,
180   Encontremo-nos ante as nossas tropas,
    Seja em paz, como peço a Deus que seja,
    Ou no local onde espadas cruzadas
    Decidem tudo.

ARCEBISPO
    Assim seja, senhor.

(Sai WESTMORELAND.)

MOWBRAY
    Algo que trago aqui no peito diz-me
185   Que a nossa paz não pode resistir.

HASTINGS
    Não tenha medo: se fizermos paz
    Em termos tão gerais e absolutos,
    Como os pedidos nessas condições,
    Nossa paz tem firmeza de montanha.

MOWBRAY
190   Porém nosso valor será tão baixo
    Que o mínimo porém ou falso engano,
    Sim, sim, qualquer razão, por mais mesquinha,
    Vai ter pro Rei sabor desta empreitada;
    E mesmo mártires só por seu amor,
195   Nós seremos varridos por tal vento
    Que o nosso trigo vai ser joio leve,
    Sem diferença entre o bem e o mal.

ARCEBISPO

Não, milord. Nosso Rei está cansado
De queixas pequeninas e inventadas;
200 Pois sabe que ao matar um que duvida,
Este produz, bem vivos, dois herdeiros:
E portanto ele quer tudo bem limpo,
Pra não haver denúncias de lembranças
Que repitam e contem sua perda
205 A memórias mais novas. Sabe bem
Que não pode livrar a terra inteira
Dos matinhos de que suspeite agora.
Seus inimigos 'stão com seus amigos
Tão presos que, para livrar-se deles,
210 O golpe acaba abalando um amigo.
Esta terra, qual esposa errante
Que o deixa irado e pronto para a luta,
Entre os golpes levanta o seu filhinho,
E pendura resolução de cura
215 No braço preparado pra matar.

HASTINGS

E mais, o Rei vem de gastar suas varas
Em pecados recentes, e ficou privado
Dos próprios instrumentos do castigo;
O seu poder, qual leão desdentado,
220 Ameaça mas é só.

ARCEBISPO

                É bem verdade:
Portanto saiba, bom Lord Marechal,
Que se expiamos bem as nossas culpas
A paz, perna quebrada mas unida,
Traz força da fratura.

MOWBRAY

                Que assim seja.

(Entra WESTMORELAND.)

225 Já vem de volta o Lord de Westmoreland.

WESTMORELAND

O Príncipe 'stá aqui. Venham, senhores,
Encontrá-lo à distância das duas hostes.

MOWBRAY

Sua Graça de York, por Deus, na frente.

ARCEBISPO
Avante! E salve sua Graça. Pra frente, milord.

(Avançam todos. Entram o Príncipe John de Lancaster e seu exército.)

LANCASTER
230 Bem-vindo seja aqui, meu primo Mowbray;
Bom dia, meu gentil Lord Arcebispo;
E a si, Lord Hastings, como a todos mais.
Milord de York, parecia melhor
Quando, chamado, todo o seu rebanho
235 O envolvia para ouvir, atento,
Suas lições sobre o texto sagrado,
Do que aparece agora, todo em aço,
Exortando a revolta com tambores,
Com espada e morte, não palavra e vida.
240 Aquele que é do peito do monarca,
E ao sol de seu favor amadurece,
Se abusar da bondade de seu Rei
Que males tem poder pra provocar,
À sombra da grandeza! É o seu caso,
245 Lord Bispo. Quem não já ouviu o quanto
O senhor vive nos livros de Deus,
Sua palavra em nosso parlamento,
A voz imaginada do próprio Deus,
Desbravador e nossa ligação
250 Entre a graça do céu santificado
E a nossa bruma? Quem pode então crer
Que use mal a honra de seu posto,
E empregue o semblante celestial,
Como o que mente usa o de seu príncipe
255 Pra feitos desonrosos? O senhor,
Fingindo agir no interesse de Deus,
Arrastou súditos de seu preposto,
Meu pai, e contra a paz de todos dois
Pr'aqui os trouxe.

ARCEBISPO
Bom Milord de Lancaster,
260 Não 'stou aqui contra a paz de seu pai;
Mas, como disse ao Lord de Westmoreland,
A desordem do tempo, por bom senso,
É que nos amontoa desta forma
Pra que nos defendamos. Remeti-lhe
265 O rol completo e exato dos queixumes
Que com desprezo a corte descartou,

E onde nasceu esta Hidra guerreira,
Cujos olhos fatais podem dormir
Se atender nossos justos pedidos,
270　Co'a obediência, curada da insânia,
Curva e domada aos pés da majestade.

Mowbray

Se assim não for, nós nos arriscaremos
Até o último homem.

Hastings

　　　　　　　　　　E, caídos,
Temos os meios pr'um segundo golpe:
275　Se esses fracassam, inda haverá outros;
E assim um mal há de seguir-se a outro,
Com luta de um herdeiro após o outro,
Enquanto uma Inglaterra gerar outra.

Lancaster

Sendo, Hastings, tão superficial,
280　Não pode ver futuro até o fundo.

Westmoreland

Eu peço a sua Graça que responda
De vez o que lhe agrada em seus pedidos.

Lancaster

Todos me agradam, a todos aceito,
E juro, pela honra do meu sangue,
285　Que o intuito de meu pai foi confundido,
E que alguns dos que o cercam se excederam
Na execução de ordens e objetivos.

(Para o Arcebispo.)

As queixas serão todas corrigidas;
Juro que sim. E se isso lhes agrada,
290　Dispersem para casa as suas tropas
Como faremos nós; e aqui, no meio,
Bebamos juntos e nos abracemos
Para que todo olhar leve consigo
Sinal de uma amizade renovada.

Arcebispo

295　Por sua palavra aceito a correção.

LANCASTER
    E essa palavra eu lhe dou e sustento;
    E nesse intento eu bebo à sua saúde.

    (Bebe.)

HASTINGS
    (Para COLEVILLE.)
    Vá, Capitão, anunciar à tropa
    A nova paz. Sejam pagos e partam.
300   Isso os agrada, Capitão. Vá logo.

    (Sai COLEVILLE.)

ARCEBISPO
    À sua, meu senhor de Westmoreland. *(Bebe.)*

WESTMORELAND
    (Bebendo.)
    À Sua Graça; se soubesse o esforço
    Que fiz pr'alcançar a nova paz,
    Saudava mais; mas o meu afeto
305   Irá logo mostrar-se mais aberto.

ARCEBISPO
    Eu não duvido.

WESTMORELAND
    O que me deixa alegre.

    (Bebendo.)

    Saúde pro meu nobre primo Mowbray.

MOWBRAY
    Me deseja saúde na hora certa,
    Pois sinto-me doente, de repente.

ARCEBISPO
310   Antes do mal os homens são alegres,
    Mas é tristeza que anuncia o bem.

WESTMORELAND
    Alegre-se, meu primo; pois a dor
    Só faz prever um futuro melhor.

ARCEBISPO
    Pois meu espírito 'stá leve e alegre.

MOWBRAY
　　　　　É mau sinal, por sua própria regra.

　　　　(Gritos, fora.)

LANCASTER
　　　　　É o anúncio da paz; ouçam os gritos.

MOWBRAY
　　　　　Eles são mais bem-vindos na vitória.

ARCEBISPO
　　　　　A paz é uma espécie de conquista,
　　　　　Se ambas as partes cedem com nobreza,
　　　　　E ninguém perde.

LANCASTER
　　　　　　　　　　Vá, milord,
　　　　　Dispensar igualmente nosso exército.

　　　　　　　　　　　　　　　(Sai WESTMORELAND.)

　　　　(Para o Arcebispo.)
　　　　　E, meu senhor, façamos nossas tropas
　　　　　Passarem por aqui, pra que vejamos
　　　　　Contra o que lutaríamos.

ARCEBISPO
　　　　　　　　　　　Lord Hastings,
　　　　　Vá ordenar que marchem ante nós.

　　　　　　　　　　　　　　　(Sai HASTINGS.)

LANCASTER
　　　　　Ficamos juntos esta noite, lords.

　　　　(Entra WESTMORELAND.)

　　　　　Primo, por que não anda a nossa tropa?

WESTMORELAND
　　　　　Os que comandam, tendo ordens suas,
　　　　　Não saem sem ouvir sua palavra.

LANCASTER
　　　　　Conhecem seu dever.

(Entra Hastings.)

HASTINGS
(Para o Arcebispo.)
Milord, já está dispersa a nossa tropa.
Quais vitelas sem canga, já correram
Pra norte, sul, leste e oeste. Parecem
Colegiais que vão pra casa em férias.

WESTMORELAND
335 Boas novas, milord; graças às quais,
Traidor, 'stá preso por alta traição;
Como o senhor, Arcebispo, e o Lord Mowbray,
Ambos também por traição capital.

(O Capitão escolta Hastings, o Arcebispo e Mowbray.)

MOWBRAY
É justo e honrado um tal procedimento?

WESTMORELAND
340 E o seria a sua confraria?

ARCEBISPO
Quebra assim sua palavra?

LANCASTER
Eu não a dei.
Só prometi corrigir os queixumes
Que apresentavam; e, por minha honra,
Hei de fazê-lo como bom cristão.
345 Mas, rebeldes, os senhores provarão
O que é devido a atos como os seus.
De modo fútil meteram-se em armas,
Quais tolos as trouxeram e dispersaram.
Com tambores busquem os que fogem:
350 Deus, e não nós, salvou o dia, hoje.
Que esses traidores vão pra sua sorte;
O cepo é o leito da traição, e é morte.

(Saem todos.)

CENA 2
A mesma.

(Alarmas, evoluções. Entram Falstaff e Coleville, que se encontram.)

FALSTAFF

Como é o seu nome, senhor? De que categoria e de que lugar?

COLEVILLE

Sou cavaleiro, senhor, e meu nome é Coleville da Várzea.

FALSTAFF

Muito bem, então, Coleville é o seu nome, cavaleiro é sua categoria, e o seu lugar é a Várzea. Coleville continuará a ser o seu nome, traidor a sua categoria, e o calabouço o seu lugar — lugar suficientemente profundo, de modo que continuará a ser Coleville da Várzea.

COLEVILLE

O senhor não é Sir John Falstaff?

FALSTAFF

Homem tão bom quanto ele, senhor, seja eu quem for. O senhor se rende, senhor, ou terei de suar para tê-lo? Se eu suar, as gotas serão de quem o ama, e chorarão sua morte; portanto ponha-se tremendo de medo, e apresente seus respeitos à minha misericórdia.

COLEVILLE

(Ajoelhando-se.)
Creio que o senhor seja Sir John Falstaff, e assim pensando, eu me rendo.

FALSTAFF

Eu tenho todo um cardume de línguas nesta minha barriga, e nenhuma delas sabe dizer nada que não seja o meu nome. Se eu tivesse uma barriga mais comum, eu seria simplesmente o sujeito mais ativo de toda a Europa: meu ventre, meu ventre, meu ventre é que acaba comigo. Lá vem nosso general.

(Entram o PRÍNCIPE JOHN DE LANCASTER, BLUNT e outros.)

LANCASTER

Acabou; não os sigam mais, agora.

(Toque de retirada.)

Reúna a tropa, primo Westmoreland.

(Sai WESTMORELAND.)

Falstaff, onde esteve o tempo todo?
Só aparece quando acabou tudo.
Eu juro que esses truques de atrasado
Na forca vão pesar na hora certa.

FALSTAFF

E eu sentiria, milord, se fosse de outro modo. Nunca soube que a repreensão e a frieza fossem o prêmio da bravura. Julga acaso que eu seja andorinha, flecha ou bala? Terei eu, com meus pobres movimentos de velho, a velocidade do pensamento? Precipitei-me para cá com o máximo de minhas possibilidades; arrasei mais de cento e oitenta montarias; e aqui, mesmo que ainda manchado com a viagem, consegui com minha pura e imaculada bravura capturar Sir John Coleville da Várzea, cavaleiro furioso e inimigo valoroso. E para quê? Ele me viu e rendeu-se; e posso então dizer, com aquele romano de nariz aquilino, "vim, vi e venci".

LANCASTER

Foi mais cortesia dele do que mérito seu.

FALSTAFF

Isso eu não sei: aqui está ele, e aqui eu o entrego; e peço à Sua Graça que isso fique lançado com o resto dos feitos deste dia, senão por Deus que hei de mandar fazer uma balada, com meu próprio retrato no alto, e Coleville beijando o meu pé: o que, sendo eu forçado a isso, irá deixá-los parecendo moedinhas falsas, se eu, no céu claro da fama, não brilhar mais do que os senhores tanto quanto a lua com parada à escória do firmamento, que ante ela parece um bando de cabeças de alfinetes, nunca mais acreditem na palavra de um nobre. Portanto, que eu tenha meu direito, e que o mérito monte.

LANCASTER

O seu é pesado demais para montar.

FALSTAFF

Que ele brilhe, então.

LANCASTER

O seu é grosso demais para brilhar.

FALSTAFF

Que ele faça alguma coisa, meu bom senhor, que me faça algum bem, e pode chamá-lo do que quiser.

LANCASTER

Seu nome é Coleville?

COLEVILLE

É, milord.

PRÍNCIPE

É um rebelde famoso, Coleville.

FALSTAFF
    E um súdito famoso o capturou.

COLEVILLE
    Eu sou igual aos meus superiores
    Que aqui me trouxeram. Se me ouvissem
    Pagaria por eles bem mais caro.

FALSTAFF
    Não sei por quanto eles se venderam, mas você foi um sujeito muito bom que se entregou grátis, pelo que eu lhe agradeço.

    (Entra WESTMORELAND.)

LANCASTER
    Então, sustou a perseguição?

WESTMORELAND
    Debandaram; e as execuções esperam.

LANCASTER
    Mande Coleville e os seus confederados
    Para York, para pronta execução.
    Leve-o, Blunt, e cuidado ao escoltá-lo.

    (Saem BLUNT e COLEVILLE, escoltados.)

    E vamos nós pra corte, meus senhores;
    Soube que o Rei está muito doente.
    (Para WESTMORELAND.) Nossas novas irão à nossa frente,
    Com o que, meu primo, há de confortá-lo,
    E nós seguimos, rápidos mas calmos.

FALSTAFF
    Milord, eu lhe imploro permissão
    Pra ir por Gloucestershire e, lá na corte,
    Seu relatório pense bem em mim.

LANCASTER
    Passe bem, Falstaff. Eu, pelo meu posto,
    Hei de falar melhor do que merece.

    (Saem todos menos SIR JOHN FALSTAFF.)

FALSTAFF
    Ter um pouco de espírito seria bem melhor do que seu ducado. Juro

que esse menino com toda essa frieza não gosta de mim, e não há homem que o faça rir; mas não é de espantar, ele não bebe vinho. Nenhum desses rapazolas assim recatados acaba bem; porque a bebida aguada esfria demais seu sangue, e comer muito peixe os faz cair em uma espécie de anemia de mocinha para homem; e quando se casam só têm filhas mulheres. De modo geral são tolos e covardes — o que muitos de nós também seríamos, se não fôssemos inflamados pela bebida. Um bom vinho xerez opera de maneira dupla. Ele me sobe ao cérebro, onde seca todos os vapores tolos e apagados e grossos que o cercam, tornam-no apreensível, rápido, esquecível, cheio de formas ágeis, fogosas e deleitáveis, que transportadas para a fala, para a língua, que é a origem, se transformam em excelente espírito. A segunda propriedade de um excelente xerez é a de esquentar o sangue, que antes, frio e parado, deixava o fígado branco e pálido, que é a marca da pusilanimidade e da covardia; mas o xerez o esquenta, e faz seu caminho das entranhas para as partes extremas. Ele ilumina a face, que, como um farol, dá aviso a todo o resto desse pequeno reino, o homem, para que se arme; e então os fluidos vitais, e os pequenos espíritos interiores, convocam todos para seu capitão, o coração; que, grande e estufado com todo esse séquito, realiza todo tipo de ato de bravura; e toda essa bravura vem do xerez. De modo que o domínio das armas não é nada sem vinho, que é o que o põe para trabalhar, enquanto que o estudo não passa de um monte de ouro guardado pelo demônio, até o vinho pô-lo em marcha e fazê-lo agir e ser usado. Vem daí que o Príncipe Harry é valente; pois o sangue frio que ele herdou naturalmente de seu pai ele, como se faz com a terra magra, estéril e nua, cobriu de esterco, arou e plantou, com notável diligência no consumo de muito e bom xerez fértil, tornando-se quente e valoroso. Se eu tivesse mil filhos, o primeiro princípio humano que eu lhes ensinaria seria o de abjurar as bebidas aguadas, e fazê-los viciados em vinho.

(Entra BARDOLPH.)

Então, Bardolph?

BARDOLPH
As tropas, debandadas, já partiram.

FALSTAFF
Pois que partam. Eu vou por Gloucestershire, onde vou visitar Mestre Robert Raso, proprietário. Eu já o amaciei bastante, em pouco tempo já lhe posso pôr a minha marca... Vamos indo.

(Saem.)

CENA 3
Westminster. A Sala Jerusalém.

(Entra o REI, carregado em uma cadeira, WARWICK, THOMAS, DUQUE DE CLARENCE, HUMPHREY, DUQUE DE GLOUCESTER, e outros.)

REI

    E agora, lords, se Deus terminar bem
    O debate que sangra às nossas portas,
    Guiaremos os jovens pra mais alto,
    Puxando só espada abençoada.
5   Nossa esquadra está pronta, a tropa feita,
    O nosso substituto nomeado,
    Tudo de acordo com o nosso desejo;
    Nos falta ainda um pouco mais de força,
    E descanso até que o levante rebelde
10   Sinta o peso da canga do governo.

WARWICK

    E de ambas as coisas, Majestade,
    Em breve há de gozar.

REI

                Meu filho Gloucester,
    Onde está o Príncipe, seu mano?

GLOUCESTER

    Creio que foi caçar, senhor, em Windsor.

REI

15   E com quem?

GLOUCESTER

    Isso eu não sei, meu senhor.

REI

    Não está com ele o seu irmão de Clarence?

GLOUCESTER

    Não, senhor; este está aqui, na presença.

CLARENCE

    O que deseja meu senhor e pai?

REI

20   Pra ti só quero o bem, Thomas de Clarence.

>   Como acontece não estar com o Príncipe?
>   Ele te ama, e o esqueces, Thomas.
>   Tu tens lugar mais alto em seu afeto
>   Do que os outros irmãos; preza-o, menino,
> 25   E hás de poder fazer um bom papel
>   De mediador, depois que eu morrer,
>   Entre sua grandeza e seus outros irmãos.
>   Portanto, não sufoca o amor dele,
>   Nem perde a graça da tua vantagem,
> 30   Por ser frio, ou ser desatento a ele;
>   Pois ele é bom, se o observam bem,
>   Tem pranto pra piedade, e tem a mão
>   Aberta sempre para a caridade:
>   Mesmo assim, quando irritado é pedra,
> 35   Mutável qual inverno, e inesperado
>   Como o gelo a jorrar na primavera.
>   É preciso, portanto, estar atento,
>   Adverti-lo nas faltas com respeito,
>   Quando lhe virmos com sangue pra alegria;
> 40   Porém, se aborrecido, dar-lhe tempo
>   Até que paixão, qual baleia na praia,
>   Se gaste por si só. Ouve isso, Thomas,
>   E hás de proteger muitos amigos,
>   Unindo seus irmãos qual elo de ouro,
> 45   Pra que o sangue de todos, numa taça,
>   Com o veneno da sugestão mesclado —
>   Como o mundo fatalmente há de fazer —
>   Não se macule, nem que seja forte
>   Como o acônito ou como a pólvora.

CLARENCE

> 50   Com cuidado e amor hei de observá-lo.

REI

>   Por que não estás com ele em Windsor, Thomas?

CLARENCE

>   Não foi lá hoje. Janta em Londres.

REI

>   E com que companhia? Não o sabes?

CLARENCE

>   Com Poins, e outros dos que sempre vê.

REI

> 55   Cresce no solo gordo a erva daninha,

                    E ele, minha imagem quando jovem,
                    Está coberto delas; minha dor
                    Vai durar para além da hora da morte.
                    O sangue chora-me no peito quando
60   Dou forma imaginária aos dias loucos
                    E tempos podres que hão de ter de ver
                    Quando eu dormir com meus antepassados.
                    Pois quando seus caprichos não têm rédeas,
                    A raiva e o sangue quente o aconselham;
65   Se hábitos e meios se juntarem,
                    Como hão de voar os seus afetos
                    Pros perigos e quedas que o esperam!

        WARWICK
                    Senhor, já foi longe demais com ele.
                    O Príncipe estuda bem os companheiros
70   Como para afiar língua estrangeira,
                    Na qual até palavras imodestas
                    Têm de aprender; mas uma vez sabidas,
                    Sabe bem Sua Alteza, não têm uso
                    Senão o serem conhecidas e odiadas.
75   O Príncipe também, na hora certa,
                    Larga os que o seguem, e sua lembrança
                    Servirá no modelo, ou na medida,
                    Que sua Graça julgará os outros,
                    Transformando tais males em vantagens.

        REI
80   É rara a abelha que deixa seu favo
                    Numa carcaça.

                        (Entra WESTMORELAND.)

                        Quem é? Westmoreland?

        WESTMORELAND
                    Saúde ao Rei, e mais felicidade
                    Do que a que agora eu venho transmitir!
                    Seu filho John beija a mão de Sua Graça:
85   Mowbray, o Bispo Scroop e todo resto
                    Segundo as suas leis foram punidos.
                    Não há mais lâmina rebelde nua,
                    A paz espalha os ramos da oliveira.
                    O como se passou a ação a Sua Alteza
90   Poderá ler aqui com maior calma,
                    Em todos os detalhes.

(Entrega papeis ao Rei.)

REI

Westmoreland, tu és ave de verão
Que no meio do inverno lança o canto
E faz brilhar o dia.

(Entra Harcourt.)

Eis mais novas.

HARCOURT

95 Meu Rei, que os céus lhe neguem inimigos;
E que quando algum se levantar, que caia
Como aqueles dos quais venho falar!
Northumberland, o conde, e Lord Bardolph,
Com grande tropa inglesa e escocesa
100 Derrotou o xerife de Yorkshire.
O modo e a sequência dessa luta
Esta missiva que lhe entrego conta.

(Entrega papeis ao Rei.)

REI

E por que me adoecem tais notícias?
Não virá nunca a sorte com as mãos cheias,
105 Mas sempre escrita em letras de imundície?
Ou nos dá fome porém sem comida —
Como os pobres doentes; ou banquetes
Mas tira a fome — que é o caso dos ricos
Que têm fartura porém não a gozam.
110 Ficaria eu feliz em ter tais novas,
Porém a vista falha e estou tonto.
Cheguem mais perto, pois 'stou muito mal

GLOUCESTER

Acalme-se, meu Rei.

CLARENCE

Meu real pai!

WESTMORELAND

Meu soberano, alegre-se, coragem.

WARWICK

115 Paciência, Príncipes; tais crises, sabem,

Já são muito comuns com Sua Alteza.
Afastem-se. Com ar, ele logo fica bom.

CLARENCE

Ninguém atura dor por muito tempo.
Os cuidados e os esforço cerebral
Gastaram tanto o muro que os contém
Que a vida escapa por sua finura.

GLOUCESTER

Eu temo o povo que olha sempre mal
Para herdeiros sem pai e os deformados.
Mudam com as estações, tal como o ano
Que vez por outra pula o mês que dorme.

CLARENCE

O rio por três vezes, sem vazante,
Correu, e os velhos, crônicas do tempo,
Dizem que a mesma coisa aconteceu
Antes da morte do bisavô Edward.

WARWICK

Fale mais baixo; o Rei já volta a si.

GLOUCESTER

Essa apoplexia inda será seu fim.

REI

Levantem-me, eu peço, e me carreguem
Para alguma outra sala, com cuidado.

CENA 4
Westminter. Outra sala.

(Eles pegam o REI e o colocam em uma cama; CLARENCE, GLOUCESTER, WARWICK e outros o assistem.)

REI

Mas não façam barulho, meus amigos,
A não ser que mão leve e benfazeja
Sussurre música pro meu espírito.

WARWICK

Que toquem música na sala ao lado.

(Saem.)

(De fora, música.)

Rei
5   No travesseiro pousem a coroa.

(Clarence retira a coroa da cabeça do Rei e coloca-a no travesseiro.)

Clarence
Os olhos estão fundos; muda muito.

Warwick
Silêncio!

(Entra o Príncipe Harry.)

Príncipe
Alguém viu o Duque de Clarence?

Clarence
Aqui estou, irmão, e muito triste.

Príncipe
Chove aqui dentro, com o sol lá fora?
10   E o Rei, como está?

Gloucester
Muito doente.

Príncipe
Ouviu as boas novas? Contem a ele.

Gloucester
Perturbou-se demais, só por ouvi-las.

Príncipe
Se a dor é de alegria, já se cura.

Warwick
Menos barulho, lords. Mais baixo, Príncipe.
15   O Rei seu pai agora quer dormir.

Clarence
É melhor que passemos pr'outra sala.

Warwick
A Sua Graça não quer vir conosco?

PRÍNCIPE

Não; eu vou ficar aqui, olhando o Rei.

(Saem todos menos o PRÍNCIPE.)

Por que a coroa nesse travesseiro
Sendo tão má companheira no leito?
Perturbação brilhante! Dor de ouro!
Que prende abertos os portais do sonho
Em noites de vigília! Pois com ela
Durma agora, mas não com o sono fundo
Dos que com toucas grossas na cabeça
Roncam a noite inteira. Oh majestade!
Ao cercar quem te usa, mais pareces
A armadura usada no calor
Que escalda ao proteger. Junto à sua boca
Uma pequena pluma nem balança:
Se respirasse, aquela pluma leve
Teria de agitar-se. Meu bom pai!
Esse sono é profundo; é o mesmo sono
Que afastou desse círculo de ouro
Muitos reis da Inglaterra. De mim tens
O pranto e a triste dor do sangue
Que a natureza e o terno amor de filho
A ti, meu pai, concedo em quantidade.
De ti eu tenho a imperial coroa
Que, como próximo em posto e sangue,
Recai em mim.

(Coloca-a em sua cabeça.)

Ei-la onde agora fica,
Com a graça de Deus; e nem a força
Do mundo inteiro num só braço arranca
Essa honra que eu herdo. Eu de ti,
E de mim para os meus, como a recebo.

(Sai.)

(A música cessa. O REI acorda.)

REI

Warwick! Gloucester! Clarence!

(Entram WARWICK, GLOUCESTER, CLARENCE e os outros.)

CLARENCE
                    O Rei chamou?

WARWICK
                    O que deseja Sua Majestade? Passa bem?

REI
                    Por que, senhores, me deixaram só?

CLARENCE
                    Senhor, ficou aqui meu mano o Príncipe,
50   Que fez questão de ficar pra cuidá-lo.

REI
                    O Príncipe de Gales? Quero vê-lo. Não está aqui.

WARWICK
                    A porta está aberta; foi para lá.

GLOUCESTER
                    Não passou pela sala onde ficamos.

REI
                    Quem tirou a coroa de onde estava?

WARWICK
55   Ao sairmos, senhor, estava aí.

REI
                    Levou-a o Príncipe. Vão procurá-lo.
                    Tem ele tanta pressa que julgou
                    Meu sono ser a morte?
                    Encontre-o, Warwick e aqui o traga.

(Sai WARWICK.)

60   Esse ato dele me agrava a doença
                    E me acaba. Vejam, filhos, as coisas:
                    Quão rápida em revolta é a natureza
                    Quando o ouro se torna um objetivo!
                    Para isso pais por demais afetuosos
65   Quebraram o seu sono com o pensar,
                    A mente com aflições, co'esforço os ossos;
                    Pra isso arrebanharam e empilharam
                    Montes corruptos de ouro até mal ganho;
                    Pra isso, cuidadosos, instruíram
70   Os seus filhos nas artes e nas armas;

           Quando como a abelha das flores
           Tira as doces virtudes,
           Bem carregados de cera e de mel
           Voltamos à colmeia; e, como a abelha,
75   Somos mortos por isso. O gosto amargo
           Só traz mais peso para o pai que acaba.

           (Entra WARWICK.)

           Onde está o que não quis esperar
           Até a doença findar sua tarefa?

WARWICK

           Senhor, achei o Príncipe na sala ao lado,
80   Lavando em pranto o seu rosto gentil,
           E em atitude de tamanha dor
           Que a tirania, que só sangue abate,
           Ao vê-lo lavaria a sua faca
           No doce pranto. Ele já está vindo.

REI

85   Mas o que o fez carregar a coroa?

           (Entra o PRÍNCIPE HARRY.)

           Aí vem ele. Aproxime-se, Harry.
           (Para os outros.) Deixem o quarto. Nós dois ficamos sós.

           (Saem WARWICK e os outros.)

PRÍNCIPE

           Não pensava jamais tornar a ouvi-lo.

REI

           O desejo gerou o pensamento:
90   Eu demoro demais, e assim te canso.
           Tens fome tal por meu trono vazio
           Que tens de envergar as minhas honras
           Antes da hora certa? Jovem tolo!
           Buscas grandeza que há de dominar-te.
95   Espera um pouco; só uma brisa leve
           Susta a queda de minha nuvem de honra,
           Que logo cai. Meu dia está no ocaso.
           Tu roubaste o que após algumas horas
           Terias sem ofensa, e em hora extrema
100   Confirmaste tudo aquilo que esperava.

       Tua vida a mim mostrou só desamor,
       E agora morro com certeza disso.
       Mil punhais tua mente me ocultava,
       Afiados num coração de pedra,
105   Pra me ferir quase na hora da morte.
       Não poderias dar-me meia hora?
       Então vai, cava tu a minha tumba,
       E o teu ouvido escutará os sinos,
       Do teu reinado, não da minha morte.
110   Que a bênção do teu pranto em meu caixão
       Se torne o óleo que unge a tua cabeça,
       E cobre-me com o pó do esquecimento.
       Entrega aos vermes quem te deu a vida;
       Derruba meus conselhos, minhas leis;
115   Agora é hora de quebrar as leis.
       É rei o quinto Henrique! Vem, vaidade!
       Abaixo realeza! Fora os sérios!
       Que a corte inglesa só reúna agora
       De toda parte monos preguiçosos!
120   Vizinhos, livrem-se de sua escória!
       Se têm vilões que bebem e praguejam,
       Dançam à noite, roubam, assassinam,
       E inventam para o crime formas novas?
       Alegrem-se, não terão mais problemas.
125   A Inglaterra lhes premia as culpas,
       Lhes dará postos, honras e poder:
       Pois Harry Quinto do desmando arranca
       A mordaça que o tolhe, e o cão vil
       Pode fincar os dentes no inocente!
130   Meu pobre reino, que tragédia cívica!
       Se o meu cuidado não sustou badernas,
       O que farás quando a baderna reina?
       Serás de novo uma terra selvagem,
       Habitada com os lobos das origens!

   PRÍNCIPE
              (Ajoelha-se.)
135   Perdão, meu Rei, se não fosse o meu pranto
       Molhado impedimento da palavra,
       Eu teria impedido a repreensão
       Antes que sua dor falasse e eu ouvisse
       Seu curso até aqui. Eis sua coroa;

              (Devolve a coroa e ajoelha-se.)

140   E o imortal que a usa lha conserve
       Por muito tempo! Se eu a considero

                    Mais do que como honra e fama suas,
                    Que eu não me levante desta pose
                    Que meu íntimo e minha obediência
145   Ensinam-me a manter assim prostrada.
                    Deus sabe que quando eu entrei aqui,
                    E não vi respirar Sua Majestade,
                    Gelou-me o coração! Se estou fingindo,
                    Que eu morra nestas loucuras de agora
150   Sem viver pra mostrar ao mundo atônito
                    Toda a nobre mudança que planejo!
                    Ao olhá-lo, e ao pensar que o via morto,
                    E creio, meu senhor, que quase estava.
                    Eu falei com a coroa como a um ser,
155   E a censurei: os cuidados que trazes
                    Do corpo de meu pai se alimentaram;
                    Por isso, ouro que és bem e mal,
                    És pior que outros de menor quilate,
                    E salvam vidas em poção potável.
160   Mas tu, o mais honrado e o mais famoso,
                    Mataste o que te ostenta. Assim, senhor,
                    Ao acusá-la a pus sobre a cabeça,
                    Para prová-la, como a um inimigo,
                    Que à minha frente assassinou meu pai,
165   E se tornou a luta de um herdeiro.
                    Mas se a meu sangue ela trouxe alegria,
                    Se me ocorreu qualquer noção de orgulho,
                    Se rebeldia ou vaidade de espírito
                    Com o mais ínfimo traço de afeição
170   Pelo poder que traz teve de mim,
                    Que Deus a afaste da minha cabeça
                    E me faça vassalo miserável
                    Que apavorado ante ela se ajoelha!

           REI
                    Ah, meu filho,
175   Foi Deus que te inspirou a removê-la,
                    Pra que ganhasses meu amor de pai
                    Explicando tão bem o que fizeste!
                    Vem sentar-te aqui no leito, meu Harry,
                    Para escutar os últimos conselhos
180   Dados por mim.

                    (*O Príncipe se levanta e senta-se ao lado da cama.*)

                              Só Deus sabe, meu filho,
                    Por que caminhos tortos e indiretos
                    Eu cheguei à coroa; e eu sei bem

	Como pousou-me inquieta na cabeça.
	Mas a ti ela chega mais tranquila,
185	Com mais apoio, já mais garantida,
	Pois a mancha do feito é enterrada
	Comigo. Em mim ela pareceu sempre
	Honra agarrada com mão abusada,
	E tive muitos, vivos, reclamando
190	De eu a ter ganho com a ajuda deles,
	O que levou a lutas e a sangue,
	A ferir-nos a paz. Esses temores
	Tu me viste em perigos derrotar;
	Pois meu reinado foi a encenação
195	Dessa disputa. Mas a minha morte
	Altera o clima, e o que eu conquistei
	Chega a ti de maneira mais bonita,
	E a coroa terás por sucessão.
	Mas mesmo mais seguro do que eu,
200	Não 'stás bastante firme; ressentidos,
	Os meus amigos que ora fazes teus,
	Só há pouco perderam suas garras;
	Por obra deles fui eu promovido,
	E tive de temer que o poder deles
205	Me banisse de novo; pr'evitá-lo
	Eu os podei, e tinha agora o sonho
	De conduzir um grupo à Terra Santa,
	Para que o ócio não lhes permitisse
	Olhar pro meu lugar. Portanto, Harry,
210	Trata de dar trabalho a mentes ágeis
	Com guerra externa, pra que ações lá fora
	Apaguem a lembrança de outros tempos.
	Queria fazer mais, mas meus pulmões
	Tão gastos não me deixam nem falar.
215	Que Deus perdoe a coroa eu tomar
	E conceda que em paz possas reinar!

Príncipe

    O senhor, meu bom pai,
    A ganhou, manteve, e a mim a deu;
    Agora tê-la é um direito meu,
220   E por mais que por isso eu vá sofrer,
    Nem o mundo me impede de a manter.

(Entram o Príncipe John de Lancaster, Warwick e outros.)

Rei

    Vê, aí chega o meu John de Lancaster.

LANCASTER
            Paz, saúde e alegria ao Rei meu pai!

REI
            Alegria e paz me trazes meu filho;
225   Mas a saúde se foi, com a idade,
            Deste tronco já seco. Ao ver-te aqui
            Os meus tratos com o mundo têm um fim.
            Onde está Milord Warwick?

PRÍNCIPE
                        Milord Warwick!

(WARWICK se aproxima do REI.)

REI
            Tem algum nome especial a sala
230   Na qual de início eu desfaleci?

WARWICK
            Chama-se Jerusalém, meu senhor.

REI
            Louvado seja Deus! Lá eu acabo.
            Há muitos anos foi profetizado
            Que eu morreria em Jerusalém,
235   E eu supus que fosse a Terra Santa.
            Carreguem-me pra lá; que lá eu fique;
            É em Jerusalém que morre Henrique.

                                              (Saem.)

ATO 5

CENA 1
Gloucestershire. A casa de Raso.

(Entram Raso, Falstaff, Bardolph e o Pajem.)

RASO

(Para Falstaff.)
Mas nem por nada, senhor, há de partir esta noite. Olá, Davy! Olá!

FALSTAFF

Terá de desculpar-me, Mestre Robert Raso.

RASO

Não hei de desculpá-lo, não terá desculpas, ninguém há de admitir desculpas, não há desculpas que sirvam, não será desculpado. Vamos, Davy!

(Entra Davy.)

DAVY

Aqui, senhor.

RASO

Davy, Davy, Davy, Davy; deixe-me ver; Davy; deixe-me ver — ah, já sei. Peça a William, o cozinheiro, para vir até aqui. Sir John, o senhor não será desculpado.

DAVY

Pela Virgem, senhor: esses mandados não podem ser cumpridos; e por outro lado, senhor — vamos plantar trigo vermelho nas terras de reserva?

RASO

Com trigo vermelho, Davy. Mas quanto a William, o cozinheiro — não temos pombos novos?

DAVY

Temos, sim, senhor. E aqui está a conta do ferreiro das ferraduras e a pá do arado.

RASO

Que ela seja lançada e paga. Sir John, o senhor não será desculpado.

Davy

Escute, senhor, o balde está precisando de corrente nova; e o senhor pretende reter alguma coisa do salário de William por causa daquele vinho que ele perdeu no outro dia na feira de Hinskley?

Raso

Eu já respondo. Uns pombos, Davy, um par de galinhas de perna curta, um pernil de cordeiro, e mais umas *quelquechoses* bonitinhas, vá dizer ao William.

Davy

E o guerreiro, aí, vai passar a noite?

Raso

Vai, Davy, e tem de ser bem tratado: um amigo na corte é melhor que dinheiro na bolsa. Trate bem dos homens dele, Davy, pois são todos verdadeiros tratantes e caluniam à vontade.

Davy

Não mais do que serão caluniados, senhor, pois as roupas deles estão imundas.

Raso

Muito engraçado, Davy — vá cuidar da vida.

Davy

Eu lhe imploro, senhor, que dê apoio a William Visor de Woncot contra Clement Perkers a'th'Hill.

Raso

São muitas as queixas, Davy, contra esse tal Visor; esse Visor é um grande tratante, que eu saiba.

Davy

Concordo que seja um tratante, senhor; mas mesmo assim, senhor, Deus permita que um tratante tenha algum apoio a pedido dos amigos. Um homem honesto, senhor, pode falar por si mesmo, mas um tratante não pode. Eu tenho servido sua senhoria muito fielmente, senhor, nestes oito anos; e se não puder uma ou outra vez a cada três meses, ajudar um tratante contra um homem honesto, é porque consegui muito pouco crédito com sua senhoria. O tratante é meu amigo do peito, senhor, e portanto eu imploro a sua senhoria que ele seja muito bem tratado.

Raso

Pode ir; eu lhe digo que ele não sofrerá nenhum mal. Alerta, Davy.

45 (*Sai Davy.*) Aonde está, Sir John? Vamos, vamos, tire as botas. Dê-me sua mão, Mestre Bardolph.

Bardolph
Tenho muito prazer em ver sua senhoria.

Raso
Agradeço de coração, bondoso Mestre Bardolph. (*Para o Pajem.*) E bem-vindo, meu rapaz alto. Vamos Sir John.

Falstaff
50 Eu o seguirei, bom Mestre Robert Raso.

(*Sai Raso.*)

Bardolph cuide de nossos cavalos.

(*Saem Bardolph e o Pajem.*)

Se eu fosse serrado em pedaços, dava umas quatro dúzias de bastões de eremitas iguais ao Mestre Raso. É maravilhoso ver como combinam bem as ideias dele e as de seus criados. Estes, de tanto o
55 observarem, comportam-se como juízes tolos; ele, de tanto conversar com eles, virou um criado com aspecto de juiz. Seus espíritos são tão unidos e conjuntos, com a participação em sua constante sociedade, que mais parecem voar em bando, como gansos selvagens. Se eu tivesse alguma causa junto ao Mestre Raso,
60 bajulava os seus homens sugerindo ser íntimo de seu amo: se quisesse algo com estes, garantia ao Mestre Raso que não há homem que comande melhor seus criados. E é verdade mesmo que tanto um porte sábio quanto um jeito de ignorante podem ser contagiosos, como as doenças pegam de um homem para outro. Vou arrancar
65 assunto desse Raso para fazer o Príncipe Harry ficar rindo sem parar até a moda mudar seis vezes, que são quatro sessões jurídicas, ou dois processos, e rir sem parar. É impressionante o que uma mentira e umas pragas leves, ou um chiste com cara séria, conseguem de alguém que nunca teve uma dor no ombro! Vão vê-lo
70 rir tanto que seu rosto vai parecer pano molhado e torcido!

Raso
(*De fora.*)
Sir John!

Falstaff
Estou indo, Mestre Raso, estou indo, Mestre Raso.

(*Sai.*)

CENA 2
Westminster. O palácio.

(Entram WARWICK e o LORD JUIZ DO SUPREMO, que se encontram.)

WARWICK
    Então, Milord Juiz; para onde vai?

LORD JUIZ DO SUPREMO
    Como está o Rei?

WARWICK
    Agora, bem: já não tem mais cuidados.

LORD JUIZ DO SUPREMO
    Não morto, espero.

WARWICK
              Isso é da natureza,
5   E para nós ele não vive mais.

LORD JUIZ DO SUPREMO
    Quem dera o Rei me tivesse levado.
    Tudo o que fiz pra servi-lo, na vida,
    Deixou-me um alvo aberto para injúrias.

WARWICK
    Sei bem que não o ama, o jovem Rei.

LORD JUIZ DO SUPREMO
10   Eu sei que não, mas já 'stou preparado
    Para sentir as mudanças dos tempos,
    Que não hão de poder ser mais horríveis
    Do que as que vi em minha fantasia.

(Entram o PRÍNCIPE JOHN DE LANCASTER, CLARENCE, GLOUCESTER e outros.)

WARWICK
    Lá vêm os tristes filhos do Rei morto.
15   Quem dera o novo Harry fosse apenas
    Tão bom quanto o pior dos outros três!
    Quantos nobres manteriam seus postos.
    Que vão ficar abaixo dos mais vis!

LORD JUIZ DO SUPREMO
    Deus nos proteja das mudanças graves.

LANCASTER
20   Muito bom dia, primo Warwick, bom dia.

GLOUCESTER E CLARENCE
    Bom dia, primo.

LANCASTER
    Parecemos assim homens sem fala.

WARWICK
    Falar, falamos; mas o nosso assunto
    É soturno demais para conversas.

LANCASTER
25   Que tenha paz quem o deixou assim!

LORD JUIZ DO SUPREMO
    E nós também, ao invés de piora!

GLOUCESTER
    O senhor perdeu mesmo um bom amigo;
    E aposto ser seu mesmo esse semblante
    De dor profunda — e não tomado a outro.

LANCASTER
    (Para o LORD JUIZ DO SUPREMO.)
30   Embora ninguém saiba o que esperar,
    A sua expectativa é das mais frias.
    Lamento, e quem nos dera assim não fosse.

CLARENCE
    (Para o LORD JUIZ DO SUPREMO.)
    Precisa tratar bem Sir John Falstaff,
    Contrariando tudo o que aprecia.

LORD JUIZ DO SUPREMO
35   Meus príncipes, eu sempre agi com honra,
    Guiado por critérios de minh'alma.
    E jamais me verão a implorar
    Um perdão roto e dado de mau grado.
    Se a verdade e a inocência me falham,
40   Vou procurar o Rei meu amo morto,
    Dizendo-lhe que mande me chamar.

(Entra o Rei Henrique V, com séquito.)

Warwick
    Aí vem o Príncipe.

Lord Juiz do Supremo
    Que Deus salve Vossa Majestade!

Rei Henrique V
    Esse traje tão novo, a majestade,
45   Em mim não cai tão fácil quanto pensa.
    Irmãos, mesclam com o medo a sua dor.
    Aqui é a corte inglesa, não a turca;
    Não sucedeu um Amurat a outro,
    Mas Harry a Harry. Mesmo assim, meus manos,
50   Essa tristeza é bem apropriada.
    A dor nos três parece tão real
    Que hei de vestir eu mesmo a mesma moda,
    Até no coração. Sintam tristeza;
    Porém não mais, meus bons irmãos, do que
55   Como carga comum a todos nós.
    Quanto a mim, pelo céu eu lhes garanto
    Que serei o seu pai e o seu irmão;
    Com o seu amor, carrego os seus cuidados.
    Chorem o Harry morto, como eu;
60   Mas vive um Harry que desse seu pranto
    Vai criar horas de felicidade.

Lancaster, Gloucester e Clarence
    É o que esperamos de Sua Majestade.

Rei Henrique V
    Me olham com estranheza; *(Para o Juiz do Supremo.)* e o senhor
    Mais que todos 'stá certo que não o amo.

Lord Juiz do Supremo
65   Tenho a certeza de que, bem julgando,
    Vossa Alteza não tem porque odiar-me.

Rei Henrique V
    Não? E como esquece um príncipe, um herdeiro,
    Indignidades como as que me trouxe?
    O quê? Repreender e encarcerar
70   O herdeiro da Inglaterra; isso é tão fácil?
    Pode o Letes levá-lo, em seu olvido?

LORD JUIZ DO SUPREMO
Fui então a pessoa de seu pai;
Tinha na minha mão o seu poder;
E, na ministração de suas leis,
75   Quando velava pelo bem comum,
Quis Vossa Alteza esquecer meu lugar,
A majestade da lei e da justiça,
A figura do rei que eu ostentava,
E agredir-me em meu próprio tribunal.
80   E então, a um ofensor de vosso pai,
Ousei usar de minha autoridade
Pra confiná-lo. Se fiz mal agindo,
Contenta àquele que hoje usa a coroa
Ter um filho a pisar nos seus decretos?
85   Derrubar a justiça de seu trono?
A distorcer a lei, cegando a espada
Que guarda e salva a vossa própria paz?
Mais, desprezar vossa real imagem
Ao debochar de quem, por voz, opera?
90   Em vossa mente fazei vosso o caso,
Sede ora o pai e concebei tal filho,
Ouvi-o profanar a vossa honra,
Vede ignoradas vossas leis mais altas,
Pensai-vos desdenhado por um filho,
95   E então pensai que tomo a vossa parte
E em vosso nome calo o vosso filho.
Após pensar assim, sentenciai-me
E, como rei que sois, dizei, bem alto,
Que o que fiz não condiz com o meu ofício,
100 Minha pessoa, ou com meu soberano.

REI HENRIQUE V
O senhor julgou bem, como juiz;
Retenha, pois, a espada e a balança.
Eu desejo aumentar as suas honras
Até viver pra ter um filho meu
105 Como eu ofendê-lo e obedecê-lo,
Pra que eu possa dizer, como meu pai,
"Feliz de mim, que tenho alguém tão probo
Que ousa justiçar meu próprio filho".
E não menos feliz por ter um filho
110 Capaz de submeter sua grandeza
À justiça da lei. Se me prendeu,
Por isso mesmo eu prendo, em suas mãos,
A espada impoluta que hoje ostenta,
Com este só lembrete — que a use

115 De modo justo, ousado, imparcial,
Como fez contra mim. Eis minha mão:
Seja ora um pai pra minha juventude;
Minha voz só dirá o que eu lhe ouvir,
E as minhas intenções se curvarão
120 À orientação da sua experiência.
E príncipes, eu peço que acreditem
Que meu pai foi estroina para a tumba,
Onde com ele jaz meu desatino;
É com o espírito dele que hoje vivo
125 Pra rir de tudo que esperava o mundo,
Frustrando profecias, e contestando
As más línguas que sempre a mim julgaram
Pela aparência. A maré do meu sangue
Teve até hoje na crista a vaidade.
130 Agora o mar a leva, na vazante,
E lá, mesclando-a com outras paixões,
Ela vai renascer em majestade.
Convoquemos agora o parlamento,
Levemos membros nobres pros conselhos,
135 Para que o corpo deste grande Estado
Se iguale ao das nações mais bem geridas.
A guera, a paz, ou ambas a um só tempo
Sejam pra nós figuras conhecidas

(Para o Lord Juiz do Supremo.)

Nas quais, meu pai, sua mão pesará.
140 *(Para todos.)* Coroados, iremos convocar
Como foi dito, todo o nosso Estado:
E se minha intenção apraz a Deus
Nem príncipe e nem par terá motivo
Pra desejar que o Rei não fique vivo!

(Saem.)

CENA 3
Gloucestershire. O pomar de Raso.

(Mesas e cadeiras são trazidas. Entram Falstaff, Raso, Silêncio, Davy, Bardolph e o Pajem.)

Raso

(Para Falstaff.)
Não, o senhor há de ver o meu pomar, onde, em um caramanchão, haveremos de comer as maçãs do inverno, que eu mesmo enxertei,

com um prato de sementes de alcaravia, e assim por diante — venha, primo Silêncio — e depois é hora de ir para a cama.

FALSTAFF

Por Deus que o senhor tem aqui uma bela mansão, e das ricas.

RASO

Pobre, pobre, pobre; somos todos mendigos, todos mendigos, Sir John — mas garanto que o ar é bom. Sirva, Davy, sirva, Davy, muito bem dito, Davy.

(DAVY *coloca a mesa.*)

FALSTAFF

Esse Davy o serve de muitos modos; é criado de casa e de plantar ao mesmo tempo.

RASO

É um bom moleque, um bom moleque, um moleque muito bom, Sir John — palavra que eu bebi vinho demais na ceia — um bom moleque. Agora sente-se, sente-se. *(Para* SILÊNCIO.*)* — vamos, meu primo.

SILÊNCIO

Isso, homem! Disse ele; nós vamos
(Canta.) Nós só vamos comer e festejar
Dar graças pelo ano que acabar,
Carne barata e mulher pra comprar
E um bando de marmanjos a rondar,
Com alegria
E no meio da alegria.

FALSTAFF

Que coração alegre, Mestre Silêncio! Só por isso vou beber à sua saúde daqui a pouco.

RASO

Dê um pouco de vinho a Mestre Bardolph, Davy.

DAVY

(Para FALSTAFF.*)* Sente-se, bom senhor. *(Para* BARDOLPH.*)* Eu venho já — *(Para* FALSTAFF.*)* O senhor é muito bom, senhor, sente-se; mestre pajem, bom mestre pajem, sente-se.

(*Todos sentam-se, exceto* DAVY, *que serve o vinho.*)

Bom proveito! O que quiserem em carne terão em bebida; mas terão de aguentar; o coração é que importa.

RASO
Alegria, Mestre Bardolph, e meu soldadinho aí, alegre-se.

SILÊNCIO

(Canta.)
30 *Alegre-se, minha mulher é a dona,*
Pequena ou grande a mulher é mandona.
Bom é se a barba é que comanda a zona,
E viva o carnaval!
Muita alegria!

FALSTAFF
35 Não pensava que o Mestre Silêncio fosse homem de tanta fibra.

SILÊNCIO
Quem, eu? Eu já fiquei alegre umas duas vezes antes de hoje.

(Entra DAVY com o prato de maçãs.)

DAVY

(Para BARDOLPH.)
Tem um prato de maçã escuras para o senhor.

RASO
Davy!

DAVY
Senhor? Já vou já. *(Para BARDOLPH.)* Um copo de vinho, senhor?

SILÊNCIO

(Canta.)
40 *Um bom vinho de cor e de cheiro,*
Bebo à sua saúde, companheiro,
O coração alegre vive mais.

FALSTAFF
Muito bem dito, Mestre Silêncio.

SILÊNCIO
E vamos ficar alegres, agora que o mais doce da noite já começa.

FALSTAFF
45 Saúde e longa vida para o senhor, Mestre Silêncio.
Silêncio *(Canta.)*
Enche a caneca e deixa transbordar,
Vence o que ao fundo primeiro chegar.

RASO

    Bem-vindo, honesto Bardolph! Maldito sejas se quiseres alguma coisa e não a pedires! *(Para o PAJEM.)* Bem-vindo, ladrãozinho, muito bem-vindo, também! Vou beber ao Mestre Bardolph, e a todos os cavaleiros que andam em Londres.

    (Bebe.)

DAVY

    Eu espero ver Londres, antes de morrer.

BARDOLPH

    E eu poder vê-lo por lá, Davy...

RASO

    Por Deus que iremos rachar uma garrafa juntos — não vai querer, Mestre Bardolph?

BARDOLPH

    E até uma das duplas.

RASO

    Pelos olhos de Deus, obrigado! O safado não há de lhe faltar, eu lhe garanto. Ele não desiste, é de boa cepa!

BARDOLPH

    E eu não falho com ele, senhor.

RASO

    Dito como um rei. Não quero que falte nada! Que não falte nada! Alegria! *(Batem à porta.)* Vão ver quem está aí na porta. Quem bate?

    (Sai DAVY.)

FALSTAFF

    (Para SILÊNCIO, ao vê-lo beber um copo transbordante de vinho.)
Palavra que o senhor está me tratando muito bem!

SILÊNCIO

    (Canta.)
Bom companheiro
Me faz cavaleiro
Samingo.[33]
Não é isso?

---

[33] Samingo (*Sir Mingo*) aparece na canção da comédia de Thomas Nashe, *Summer's Last Will and Testament*: "Monsieur Mingo, for quaffing doth surpass,/ In cup, in can or glass, / God Bacchus do me right, /And dub me Knight Domingo". (N. E.)

FALSTAFF

Isso mesmo.

SILÊNCIO

É mesmo? Pois então diga que velho ainda serve para alguma coisa.

(Entra Davy.)

DAVY

70 Sua senhoria que me desculpe, mas tem um tal Pistola que chegou da corte com novidades.

FALSTAFF

Da corte? Mande-o entrar.

(Entra Pistola.)

Então, Pistola?

PISTOLA

Sir John, que Deus o guarde!

FALSTAFF

75 Que vento o soprou para cá, Pistola?

PISTOLA

Não o mau vento que não sopra nenhum bem. Meu doce cavaleiro, no momento é um dos maiores homens neste reino.

SILÊNCIO

Pela Virgem, eu acho que é, a não ser um lá em Barson[34] ainda mais estufado.

PISTOLA

80 Estufado? Estufado até os dentes,
Seu droga de covarde maldito!
Sir John, sou o seu Pistola, seu amigo,
Eu vim a cavalo, feito um doido,
Pra trazer novidades e alegrias,
85 Dias dourados, notícias sem preço.

FALSTAFF

Pois então peço que as entregue de modo decente.

---

[34] Local perto de Stratfford que pode ser tanto Barcheston-on-the-Stour ou Barton-on-the-Heath. (N. E.)

Pistola

Que se estrepe este mundo e as coisas poucas!
Falo de África, e de muito ouro.

Falstaff

Assírio vil, do que é que está falando?
Ao Rei Copétua[35] diga o que é a verdade.

Silêncio

E a Robin Hood, a Will e a João Pequeno.

Pistola

Será que vira-lata cala as Musas?
Devem ser desprezadas boas-novas?
Então, Pistola, vai para o colo das Fúrias!

Raso

Honesto cavaleiro, não sei sua linhagem.

Pistola

Isso é motivo pra que se lamente.

Raso

Perdoe-me, senhor; se, meu senhor, o senhor chega com novas da corte, eu só vejo duas saídas: ou dizer o que são, ou ocultá-las. Eu, meu senhor, tenho alguma autoridade sob o Rei.

Pistola

Mas de que rei, Bisogno?[36] Fale ou morra.

Raso

Sob o Rei Harry.

Pistola

Harry Quarto ou Quinto?

Raso

Harry Quarto.

Pistola

Dane-se o seu cargo!
Sir John, seu carneirinho agora é Rei;
Harry Quinto é o homem; falo sério.

---

[35] Por diversas vezes em sua obra Shakespeare faz referência à balada popular da época que fala do Rei Copétua que se casou com uma mendiga. (N. E.)
[36] Do italiano "bisogno" ("necessitar", "precisar"), como foram chamados os soldados espanhóis que mendigavam pão. (N. E.)

105 Quando Pistola mentir, faça-me figa,
Como espanhol gabola.

FALSTAFF

O Rei 'stá morto?

PISTOLA

Morto e morrido! 'Stou falando sério.

FALSTAFF

Vamos, Bardolph, sele o meu cavalo. Mestre Raso, escolha o posto que quiser na terra, que ele é seu. Pistola, você vai ter carga dupla de dignidades.

BARDOLPH

Mas que dia feliz! Não troco títulos por minha sorte!

PISTOLA

Então eu trago boas-novas?

FALSTAFF

Carreguem o Mestre Silêncio para a cama.

(Sai Davy carregando Silêncio.)

Mestre Raso, meu Lord Raso — será o que quiser; eu sou o administrador da Fortuna! Enfiem as botas, vamos cavalgar a noite inteira. Meu doce Pistola! Avante, Bardolph!

(Sai Bardolph.)

Vamos, Pistola, conte-me mais; dando um jeito de com isso arranjar algo de bom para você mesmo. As botas, as botas, Mestre Raso! Eu sei que o jovem Rei está doente de vontade de me ver. Peguemos os cavalos de qualquer um — as leis da Inglaterra estão ao meu dispor. Benditos os que têm sido amigos meus, e azar do Lord Juiz do Supremo!

PISTOLA

Que os urubus comam os pulmões dele!
"Onde anda a minha vida boa",[37] dizem:
Ela está aí, nos bons dias que vêm vindo!

(Saem.)

---

37 Citação de uma balada perdida que também aparece em *A megera domada*. (N. E.)

CENA 4
Londres. Uma rua.

(Entram meirinhos, arrastando a Taverneira Quickly e Doll Tearsheet.)

TAVERNEIRA
Não, seu safado! Eu só queria morrer, para poder te enforcar. Você tirou meu ombro do lugar.

1º MEIRINHO
O soldado de polícia entregou ela para mim, e garanto que ela vai apanhar até se fartar; há pouco tempo ela esteve envolvida na morte de uns dois homens.

DOLL
Mentira, seu açoitador! Escuta só, vou lhe dizer uma coisa, seu porcaria de calhorda com cara de tripa, se o menino que tenho na barriga abortar, era melhor que você tivesse espancado a sua mãe, vilão cara de papel.

TAVERNEIRA
Meu Deus, se ao menos Sir John chegasse! Ele ia fazer alguém sangrar bem, hoje. Mas eu só peço a Deus que o filhote do útero dela aborte!

1º MEIRINHO
Se abortar você ia ter de novo uma dúzia de almofadas; no momento só tem onze. É melhor virem comigo; as duas estão acusadas, pois morreu o homem que vocês e Pistola encheram de pancada.

DOLL
Vou dizer uma coisa, seu cara de turíbulo, vou fazer com que leve uma boa surra por isto — seu safado de azul, corretor de gente faminto, se você não levar uma surra eu não visto mais saias.

1º MEIRINHO
Vamos logo, sua cavaleira errante, vamos!

TAVERNEIRA
Meu Deus, como é que pode assim o direito vencer a força! Bem, dizem que o sofrimento traz conforto.

DOLL
Vamos, safado, me leva até um juiz.

TAVERNEIRA
Seu cão de caça faminto.

DOLL
: Caveira! Pilha de ossos!

TAVERNEIRA
: Esqueleto!

DOLL
: Vamos, seu coisa, seu calhorda!

1º MEIRINHO
: Tudo bem.

(Saem.)

CENA 5
Westminster. Perto da Abadia.

(Entram três CRIADOS, para espalhar palha no chão.)

1º CRIADO
: Mais palha, mais palha!

2º CRIADO
: As trombetas já tocaram duas vezes.

3º CRIADO
: Vão ser duas horas antes que eles voltem da coroação. Depressa, depressa.

(Saem.)

(Soam trombetas, e o REI e seu SÉQUITO passam pelo palco: entram atrás deles FALSTAFF, RASO, PISTOLA, BARDOLPH e o PAJEM.)

FALSTAFF
: Fique aqui perto de mim, Mestre Raso, eu farei o Rei honrá-lo. Vou dar uma olhadela para ele quando passar, e repare só na expressão dele para mim.

BARDOLPH
: Deus abençoe os seus pulmões, bom cavaleiro!

FALSTAFF
: Venha cá, Bardolph. Fique atrás de mim. *(Para RASO.)* Ah, se eu tivesse tido tempo para encomendar um uniforme novo, teria gasto as mil libras que lhe pedi emprestadas. Mas não faz mal; a roupa assim há de mostrar o empenho que eu tive em vir vê-lo.

RASO

Ah, isso, mostra.

FALSTAFF

Mostra a sinceridade de minha afeição...

RASO

Ah, isso, mostra.

FALSTAFF

Minha devoção...

RASO

Se mostra, se mostra, se mostra.

FALSTAFF

Como se cavalgasse noite e dia, sem pensar, sem refletir, impaciente para chegar...

RASO

É bem melhor.

FALSTAFF

E aparecer manchado com a viagem, suando de desejo de vê-lo, sem pensar em mais nada, esquecendo de tudo o mais, como se não houvesse nada a fazer senão vê-lo.

PISTOLA

É semper idem, pois obsque hoc nihil est; é isso em toda parte.[38]

RASO

E é mesmo.

PISTOLA

Meu cavaleiro, hei de inflamar-lhe o nobre fígado,
Fazê-lo desatinar.
A sua Doll, a Helena de seus nobres pensamentos,
Está em mísera opressão numa prisão contagiosa,
Arrastada pra lá
Por mão rude e imunda.
Desperte a Vingança da negra cova da cobra de Alecto[39],
Pois lá está Doll. Pistola só fala a verdade.

---

38 "Obsque" é, na verdade, "absque". Pistola, que ecoa os sentimentos de Falstaff, traduz a citação. (N. E.)
39 Alecto era uma das Fúrias da mitologia grega. (N. E.)

FALSTAFF
    Eu a libertarei.

    (Gritos, fora. Soam as trombetas.)

PISTOLA
35   Eis que ruge o mar, e ressoam as trompas.

    (Entram o REI HENRIQUE V, o PRÍNCIPE JOHN DE LANCASTER, os DUQUES DE CLARENCE e GLOUCESTER, o LORD JUIZ DO SUPREMO, e outros.)

FALSTAFF
    Deus o salve, Rei Hal, meu Hal real!

PISTOLA
    Que os céus o guardem, realíssimo diabrete da fama!

FALSTAFF
    Que Deus o salve, meu querido menino!

REI HENRIQUE V
    Milord Juiz, fale a esse tolo.

LORD JUIZ DO SUPREMO
    (Para SIR JOHN FALSTAFF.)
40   Perdeu o juízo? Não sabe a quem está falando?

FALSTAFF
    Meu Rei! Meu Júpiter! Falo a você, meu coração!

REI HENRIQUE V
    Não o conheço, velho. Vá rezar.[40]
    Como cai mal cabelo branco a um bobo!
    Sonhei por algum tempo co'esse tipo,
45   Assim rotundo e velho, assim profano;
    Mas despertado eu desprezo um tal sonho.
    Pense menos no corpo, mais na graça;
    Pare de comer tanto; a sua tumba
    É três vezes maior que a de outros homens.
50   Não me responda com qualquer tolice:
    Não suponha que sou o que já fui;
    Pois sabe Deus, e o mundo há de ver

---

[40] A cena em que o Henrique V rejeita o velho Falstaff é considerada o ponto máximo da peça e dialoga diretamente com a peça anterior, *Henrique IV Parte 1*, quando Falstaff, em uma brincadeira diz a Harry "bani Peto, bani Bardolph, bani Poins – mas quanto ao doce Jack Falstaff, o leal Jack Falstaff, o bondoso Jack Falstaff, o valente Jack Falstaff, ainda mais valente por ser o velho Jack Falstaff, não deveis bani-lo da companhia do vosso Harry, pois banindo o gorducho Jack banireis o mundo inteiro". Ao que Harry responde, antecipando a cena da rejeição: "Assim penso. Assim farei". (N. E.)

                Que eu repudio o meu eu de outros tempos;
                E assim farei aos que me acompanhavam.
55   Quando ouvir que 'stou sendo como fui,
                Chegue perto, e será o que já foi,
                Tutor e apoiador de minhas pândegas.
                Até então, e sob pena de morte,
                Vou bani-lo, como já fiz aos outros,
60   Para dez milhas distante de mim.
                Por toda a vida há de ter uma verba
                Que impeça a falta de o levar ao mal;
                E quando ouvir que já se reformaram
                De acordo com seu mérito e seus postos
65   Terão promoção. *(Para o Juiz.)* Milord, encarregue-se
                De ver cumprido o teor do que digo.
                Avante.

                                            (Sai o Rei, com seu séquito.)

FALSTAFF

Mestre Raso, eu lhe devo mil libras.

RASO

Eu sei, Sir John; que peço que me dê para eu levar para casa.

FALSTAFF

70 Isso não dá, Mestre Raso. Não fique triste; ele irá me chamar em particular. Saiba que ele precisa aparentar tudo isso em público. Não tema por suas promoções; eu ainda serei o homem que lhe trará grandeza.

RASO

Não sei como, a não ser que me dê o seu colete e o encha de palha. Eu lhe rogo, bom Sir John, que me dê quinhentas das minhas mil.

FALSTAFF

75 Senhor, eu sou um homem de palavra. Isso que o senhor ouviu não quer dizer nada.

RASO

Um nada do qual creio que o senhor há de morrer, Sir John.

FALSTAFF

Não tenha medo de nada. Venha jantar comigo. Vamos, Tenente Pistola;[41] vamos, Bardolph. Daqui a pouco, à noite, eu vou ser chamado.

---

[41] Falstaff promove Pistola a tenente para agradá-lo. (N.E.)

(Entram o Lord Juiz e o Príncipe John, com oficiais.)

LORD JUIZ DO SUPREMO
(Para os oficiais.)
80 Levem Sir John Falstaff para a prisão;[42]
E também todos os que estão com ele.

FALSTAFF
Milord, milord...

LORD JUIZ DO SUPREMO
Não posso agora: breve eu hei de ouvi-lo.
Podem levá-lo.

PISTOLA
85 *Si fortuna me tormenta, spero me contenta.*[43]

(Saem todos menos o Príncipe John e o Lord Juiz.)

LANCASTER
Gostei de como procedeu o Rei.
Ele deseja que os que o seguiam
Sejam todos muito bem amparados,
Mas banidos até que suas conversas
90 Se apresentem ao mundo mais sensatas.

LORD JUIZ DO SUPREMO
E assim foi feito.

LANCASTER
O Rei já convocou o Parlamento.

LORD JUIZ DO SUPREMO
Já.

LANCASTER
E aposto que antes que este ano acabe
95 Nosso fogo e espadas levaremos
Até a França. Um pássaro o cantou
Com música que ao Rei, creio, agradou.
Quer vir comigo?

(Saem.)

---

[42] No original, para "Fleet" que é a prisão para devedores. (N. E.)
[43] Novamente, como na cena 4 do Ato 2, Pistola repete a corruptela da expressão "Si fortuna mi tormenta, /La esperanza mi contenta". (N. E.)

EPÍLOGO[44]

(Entra o Epílogo.)

Primeiro, o meu temor; a seguir meu cumprimento; e para terminar a minha fala. Meu temor é o do seu desprazer; meu cumprimento é do meu dever; e a minha fala é para pedir que me perdoem. Se esperarem agora um belo discurso, acabam comigo, pois o que tenho a dizer fui eu mesmo que escrevi; e o que na verdade deveria dizer há de acabar, sem dúvida, por me deixar mal. Mas vamos ao que importa, o que quer dizer que vamos nos arriscar. Sabem todos, e muito bem, que há pouco tempo apareci aqui no final de uma peça que não agradou, pedindo sua paciência para com ela, e prometendo-lhes outra melhor. Era realmente minha intenção pagar assim minha promessa; e, se como empresa fracassada, minha volta ao lar for azarada, eu quebro e os senhores, meus gentis credores, ficam com o prejuízo. Prometi que aqui estaria, e aqui entrego o meu corpo à sua misericórdia. Se me derem algum desconto, eu pago um pouco e, como a maioria dos devedores, faço promessas infinitas: e assim me ajoelho diante dos senhores mas na verdade para orar pela Rainha. Se minha língua não puder convencê-los de me dar por quitado, será que me mandarão usar minhas pernas? Mas isso seria pagamento muito pequeno, livrar-me de minha dívida para com os senhores dançando. Mas consciência limpa dá toda a satisfação que se possa imaginar, e assim farei eu. Todas as fidalgas aqui presentes me perdoaram; e se os fidalgos não o fizerem, os fidalgos não estarão de acordo com as fidalgas, coisa que nunca se viu em uma assembléia igual a esta. Mais uma palavra, eu peço. Se os senhores já não estiverem empanturrados com carne gorda, nosso humilde autor continuará a história, com Sir John nela, e os deixará alegres com a bela Catarina da França; onde, pelo que eu sei, Falstaff há de morrer de tanto suar, a não ser que já tenha sido morto por suas opiniões cruéis; pois Oldcastle[45] morreu mártir, e não é o nosso homem. Minha língua está cansada; quando as minhas pernas também estiverem, eu lhes direi boa-noite.

(Sai.)

---

[44] Esse Epílogo é, diferentemente da maioria dos outros epílogos de Shakespeare, em prosa. É dividido em três partes escritas em épocas diferentes: a primeira parte pede desculpas à plateia por uma peça anterior; a segunda, é uma versão deste pedido escrita para um dançarino; e a terceira pede desculpas pelo uso do nome de Oldcastle. (N. E.)

[45] O primeiro nome do personagem John Falstaff era John Oldcastle; entretanto, William Brooke, o décimo Barão de Cobham, descendente do Sir John Oldcastle histórico, obrigou o dramaturgo a mudar o nome. Oldcastle era cortesão e amigo de Henrique V e serviu nas guerras contra a França. Foi acusado de herético e o rei fez o que pode para protegê-lo, mas ele acabou sendo enforcado por traição. (N.E.)

Henrique V

INTRODUÇÃO
Barbara Heliodora

Escrita em 1599, última das peças a merecer efetivamente o rótulo de *history play*, Henrique V conclui a segunda tetralogia e tem como personagem central o melhor dos reis, o monarca que por tradição os ingleses tinham como o clássico rei-herói. E justamente a fama de herói, de vencedor da Batalha de Azincourt, é que permite o estabelecimento bastante preciso da data de composição da obra: segundo o coro que precede o quinto ato, após sua vitória, Henrique foi recebido em Londres com honras ainda maiores do que as na certa seriam concedidas ao "general de nossa imperatriz" ao voltar triunfante depois de dominar a revolta irlandesa. Acontece que o conde de Essex, o general, deixou Londres a 27 de março e voltou, virtualmente escondido, a 28 de setembro, tendo não só fracassado no intuito de vencer os revoltosos como ainda assinado uma paz tida como vergonhosa. Dado o entusiasmo do poeta, a data da peça deve estar mais próxima de março do que de setembro. Vale notar que são raríssimas as oportunidades de se datar uma peça de Shakespeare com tamanha precisão.

Assim como Ricardo III fora criado e definido nas duas últimas peças da sequência sobre Henrique VI, assim também Henrique V já tivera considerável destaque nas duas partes de Henrique IV, que tratam tanto do reinado do pai quanto da acidentada juventude do futuro rei-herói, notória por suas badernas e companhias duvidosas, como as do gordo Sir John Falstaff (cuja morte é descrita logo no início da nova peça) e dos outros marginais que nela atuam. O príncipe Hal foi personagem de toda espécie de aventura e farra, mas o primeiro Henrique IV inclui igualmente sua formação militar, e, o segundo, sua formação legal, por assim dizer, o que nos mostra claramente que o poeta não via como apenas miraculosa a radical transformação em figura exemplar que, segundo a lenda, deu-se no próprio momento da coroação do jovem.

Como Henrique V já encontra o rei em seu trono e devidamente irretocável em seu comportamento — privado das peripécias juvenis —, Shakespeare abandona os conflitos pessoais entre bem e mal que buscara nas moralidades para as três primeiras obras da segunda tetralogia e parte para uma linha épica. Ele recorre efetivamente ao que podemos considerar uma sofisticação da natureza biográfica da antiga *chronicle play*, servindo sua construção de Henrique V como extraordinário depoimento a respeito da vitalidade do talento dramático de William Shakespeare. As crônicas, como foi dito anteriormente, faziam cobertura cronológica da vida de determinado rei, não só em permanente tom didático, mas também, se possível, incluindo alguma lição de moral explícita, via de regra ao preço de adquirir ar de pregação. Ao escrever sobre o príncipe Hal convertido em monarca exemplar, no entanto, o poeta consegue elaborar uma obra perfeitamente dramática, extremamente variada em sua gama emocional, cobrindo uma carreira sem conflitos pessoais, sem grandes antagonistas, e apenas desfilando modesta série de episódios sobre sua vida. Ao apresentar-nos tais pequenos conflitos em forma dramática, Shakespeare ainda consegue, sem descambar para o didatismo, incluir na personalidade e no comportamento de seu protagonista exemplos específicos das qualidades que os elisabetanos tinham como indispensáveis ao bom governante.

O conceito de governante ideal tem existido desde a Antiguidade, mas para Shakespeare e sua geração a definição mais clássica de tal figura era a criada por Erasmo de Rotterdam em 1516, em sua obra *Institutio Principis*. Essa e outra semelhante, de Chelidonius, traduzida para o inglês por Chillester em 1571 com o título de *Of the Institution and first beginning of Christian Princes*, foram as principais norteadoras de Shakespeare para a criação de seu rei-herói. O monarca devia ter uma série de qualidades, todas encontradas no Henrique V em termos de ação dramática. Assim sendo, o rei: 1) É cristão (Ato 1, Cena 2; Ato 2, Coro); 2) Defende a igreja cristã (Ato 1, Cena 1); 3) É erudito (Ato 1, Cena 1); 4) Conhece bem teologia (Ato 1, Cena 1); 5) Zela pela justiça em seu reino (Ato 2, Cena 2); 6) Deve ser pessoalmente misericordioso (Ato 2, Cena 2); 7) Deve ser avesso à vingança (Ato 2, Cena 2); 8) Deve ter autocontrole (Ato 1, Cena 1); 9) Deve ter conselheiros sábios (Ato 1, Cena 2; Ato 2, Cena 4); 10) Deve conviver bem com os humildes (Ato 4, Coro; Ato 4, Cena 1); 11) Deve defender e preservar seu reino (Ato 1, Cena 2; Ato 2, Cena 2); 12) Tem a mente presa aos negócios de estado (Ato 4, Cena 1); 13) Perde noites de sono por causa destes (Ato 4, Cena 2); 14) Sendo bom, traz seu reino como o corpo humano, com todas as partes em harmonia, defendendo-se juntas (Ato 1, Cena 1); 15) Sendo bom, traz seu reino como a ordeira sociedade das abelhas (Ato 1, Cena 1); 16) Deve banir ou executar os ociosos, parasitas e bajuladores (vide Falstaff, Bardolph e outros); 17) Não dá valor a pompa e insígnias, a não ser em sua justa medida (Ato 4, Cena 1); 18) Sabe que os títulos são mera bajulação (Ato 4, Cena 1); 19) Sabe que toda bajulação deve ser evitada (Ato 4, Cena 1); 20) Deve refletir sobre sua responsabilidade na guerra, por esta causar a morte de muitos inocentes (Ato 1, Cena 2; Ato 4, Cena 1); 21) Deve conhecer em detalhe os males da guerra (Ato 2, Cena 4; Ato 3, Cena 3; Ato 5, Cena 2); 22) Age bem casando-se (Ato 5, Cena 2).

Que todos esses conceitos apareçam na peça não é de surpreender; que só há relativamente pouco tempo tais referências tenham sido identificadas depõe muito a favor do autor, que as apresenta todas em termos de ação ou como parte integrante da elaboração da personalidade do protagonista. Privado de uma situação de confrontação de grandes antagonistas, Shakespeare encontrou seu enredo naquele segmento da Guerra dos Cem Anos em que atuou Henrique V, e na qual os ingleses obtiveram a espantosa vitória da Batalha de Azincourt. Os números dados por Shakespeare, de 10 mil franceses mortos contra 29 ingleses, podem parecer grotesca patriotada, porém eram os então tidos como oficiais. Os conhecidos hoje, apesar de menores de um lado e maiores de outro, não chegam a alterar o caráter surpreendente do triunfo da peça: morreram 5 mil nobres franceses e mil outros foram aprisionados; os ingleses perderam treze nobres e cem soldados de infantaria, sendo as tropas francesas quatro vezes mais numerosas do que as inglesas. A disparidade numérica é usada pelo poeta para a criação de uma situação dramaticamente interessante, pois a batalha é o ponto culminante do conflito, atingido após um cuidadoso crescendo que começa com o episódio da remessa, pelo Delfim da França, do desrespeitoso presente das bolas de tênis, passando pelo exemplar episódio da descoberta e condenação dos traidores ingleses, pelo cerco de Harfleur, pela discussão sobre as responsabilidades do rei com os soldados, na véspera da batalha, e pelas duas recusas de Henrique quanto ao estabelecimento de um valor de resgate para a sua pessoa real, se aprisionado — usadas para ressaltar a total identificação do rei com sua causa e suas tropas. Após a construção da ação em termos de guerra, a solução final vem em termos de paz, confirmada pelo tratado de Troyes e pelo casamento de Henrique com Catarina da França.

Situando sua ação na guerra com a França, Shakespeare consegue fazer de sua "crônica" a um só tempo um apaixonado canto de glória à Inglaterra e uma grave denúncia dos males da guerra. Não terá sido por mera coincidência que Shakespeare conseguiu seu sucesso sobre a vitória da modesta Inglaterra contra a poderosa França pouco depois de a mesma modesta Inglaterra derrotar a Armada da potentíssima Espanha. Menos coincidência ainda há no fato de Laurence Olivier filmar a obra em 1944, quando ainda era bem fresca na lembrança de todos os ingleses o sofrimento da ilha quando ficou sozinha enfrentando o vasto poderio do Terceiro Reich na Segunda Guerra Mundial. A alta qualidade da peça é ainda mais comprovada, no entanto, quarenta e cinco anos mais tarde, quando o mundo encara as guerras de forma bem diferente, Henrique V é novamente filmada, desta vez por Kenneth Branagh, que dá ênfase a tudo o que Shakespeare escrevera sobre os horrores da guerra. O extraordinário é que essas duas versões cinematográficas, ambas alcançando imensa popularidade pelo mundo afora, sejam tão fiéis ao poeta, mesmo quando cortes e enfoques dos diretores as tornam tão diferentes entre si.

Continuando a desenvolver sua notável contribuição à dramaturgia com a utilização de grupos fora do núcleo básico do poder, a fim de criar um panorama mais abrangente do universo que retrata, Shakespeare usa em Henrique V algumas linhas secundárias como contraponto: se em Ricardo III as mulheres apenas sofriam os males resultantes das ações dos homens que controlavam suas vidas, em Henrique v a situação de Catarina, Princesa da França, é bem diversa, já que, embora seja parte do grupo vencido, ela se integra aos vencedores ao casar-se com Henrique. A cena da aula de inglês foi aqui preservada tal como aparece no original, pois qualquer tradução das palavras usadas implicaria alterações injustificáveis da concepção do autor e perda para o leitor. Catarina sabe que a guerra vai mal e que seu destino é aprender inglês, mas Shakespeare empresta à situação um charme que atenua muito essa situação de contingência. Já a cena do namoro do rei e da princesa no Ato 5, que tem sua semente na *Famous Victories of Henry the Fifth*, transformou-se em algo tão elegante e sofisticado quanto as mais famosas cenas de namoro das comédias mais brilhantes.

As cenas da princesa, naturalmente, têm a função específica de aliviar o clima militar e guerreiro, mas outras ações subsidiárias ocupam-se diretamente da experiência de vida no contexto do cotidiano da campanha na França: os capitães Gower, Fluellen, Jamy e Macmorris mostram a unificação dos tradicionais rivais ingleses, galeses, escoceses e irlandeses quando entram em questão os interesses da própria Grã-Bretanha. Essa maior compreensão entre os quatro grupos, aliás, é bem mais Tudor do que Lancaster, mas Shakespeare devia saber que assim ela agradaria tanto ao público em geral quanto à própria rainha. Por outro lado, em contraste com esses dedicados comandantes, uma outra linha mostra o lado pouco ou nada heroico da guerra por intermédio dos antigos companheiros de farras do príncipe, Pistola, Bardolph e Nym. Apesar de aproveitados para contribuir com um pouco de humor (mesmo que grosseiro) para a variação do clima emocional da peça, eles mostram-se todos condenáveis por não deixarem em momento algum de pôr seus interesses pessoais acima dos do país, sendo maus soldados tanto por covardia quanto por insistirem em saquear os vencidos, contra as ordens do rei. Em nenhum desses casos precisa Shakespeare explicitar seu intento ou verbalizar o que a ação dramática expressa.

O mais extraordinário de tudo é o fato de Shakespeare ter conseguido escrever seu emocionado canto patriótico centrando-o na figura de Henrique, porém sem fazer deste algum insuportável paradigma de virtudes privado de fraquezas humanas. Sua preocupação com a lisura de sua causa, que a princípio pode parecer gratuitamente exagerada, é justificada por sua angústia, antes da batalha, reportando-se ao "crime cometido por seu pai" para conquistar a coroa; sua discussão com os soldados não o mostra com ares de superioridade, e o retrato que de si faz para Catarina fica bem longe do autoendeusamento. Felizmente, para terminar, Shakespeare lhe permite certa dose de senso de humor.

Já foi afirmado que, se alguma obra pudesse encarnar todo o patriotismo inglês, esta seria Henrique V. Com a peça, Shakespeare conclui seu penetrante e por vezes ousado exame do poder e dos poderosos que ocuparam o trono da Inglaterra. Nesta segunda série de quatro, o interesse do poeta, que tão bem mostrara a luta pelo poder na primeira, encaminha sua investigação muito mais para o sentido do efeito que o poder tem sobre a personalidade de Ricardo II, Henrique IV e Henrique V. O irresponsável Ricardo é deposto pelo dedicado (mas ambicioso?) Henry Bolingbroke. Este, quando já Henrique IV, tenta expiar suas ações com apaixonada entrega à busca do bem do reino, ocupando o trono com tal respeito e austeridade que jamais consegue conquistar popularidade ou a afeição de seus súditos. Além do mais, ele é punido ao sofrer na carne as abusivas farras do filho, que como jovem príncipe revela-se ainda bem mais leviano do que o Ricardo que o pai depusera por ser irresponsável. Como diz Henrique V, logo no início da peça, ele compreende que os outros pensem mal dele porque não chegam a saber que uso fez de suas aventuras e desmandos. Entrando em contato com gente bem distante do mundo da corte, Hal conhece mais facetas de seu futuro reino e colhe maior amostragem de seus futuros súditos do que lhe seria possível se não passasse de um príncipe bem-comportado.

Para investigar a enorme variedade de aspectos do poder e dos poderosos, Shakespeare teve de agir com grande habilidade a fim de não ter suas peças proibidas pela censura, fazendo com que ações tiradas da História, devidamente manipuladas, falassem por si, revelando ao espectador os jogos de interesses que estavam por trás dos acontecimentos. Só ao abandonar as figuras dos reis ingleses (cristãos, hereditários e ungidos), no entanto, é que ele pôde se permitir ser mais abertamente político – o que acontece com a composição de Júlio César, logo a seguir de Henrique V. A preocupação de Henrique com seus atos e responsabilidades é a preparação para o nível mais aprofundado da reflexão de Brutus, que por sua vez conduzirá ao nível da peça seguinte, que será Hamlet. Não há a menor dúvida de que sem a incursão pelos caminhos e descaminhos do poder e dos poderosos, sem a investigação das relações de governantes e governados com a sociedade e o estado, Shakespeare jamais atingiria o nível das tragédias. Ignorar a considerável dose de reflexão de Henrique V, considerando-a apenas uma obra patriótica e acrítica — bem como ignorar o quanto seu estilo é semelhante ao de Júlio César e Hamlet —, é perder muito das riquezas contidas na obra e de um precioso estágio do desenvolvimento do autor.

LISTA DE PERSONAGENS

Coro
Rei Henrique V

Duque de Clarence ⎫
Duque de Bedford ⎬ irmãos do rei
Duque de Gloucester ⎭

Duque de Exeter, tio do rei
Duque de York, primo do rei
Conde de Huntingdon
Conde de Salisbury
Conde de Warwick
Conde Westmoreland

Richard, Conde de Cambridge ⎫
Henry, Lord Scroop de Masham ⎬ conspiradores contra o rei
Sir Thomas Grey ⎭

Arcebispo de Canterbury
Bispo de Ely

Sir Thomas Erpingham ⎫
Capitão Fluellen ⎪
Capitão Gower ⎬ oficiais do exército do rei
Capitão Jamy ⎪
Capitão Macmorris ⎭

John Bates ⎫
Alexander Court ⎬ soldados do exército do rei
Michael Williams ⎭

Um escudo inglês

Bardolph ⎫
Nym ⎬ associados de Sir John Falstaff
Pistola ⎭

Um Garoto, pajem de Falstaff
Nell, taverneira de uma taverna em Eastcheap, formalmente Mistress Quicly, agora casada com Pistola
Charles VI, rei francês
Rainha Isabel, rainha francesa
Louis, o Delfim, seu filho
Princesa Catarina, sua filha
Alice, criada da Princesa Catarina
Duque de Berry
Duque de Bourbon

Duque de Birtain
Duque de Burgundy
Duque de Orleans
Charles Delabreth, o Condestável, da França
Conde de Grandpré
Lord Rambures
Governador, de Harfleur
Montjoy, o arauto francês
Dois Embaixadores na França do Rei da Inglaterra
Monsieur Le Fer, um soldado francês
Um Mensageiro francês
Criados, nobres, soldados, cidadãos de Harfleur

PRÓLOGO

(Entra coro.)

Que uma musa de fogo aqui pudesse
Subir ao céu brilhante da invenção!
Reinos por palco, príncipes atores,
Monarcas pr'observar a pompa cênica!
5 Então o próprio Harry, qual guerreiro,
De Marte assumiria o porte; e atrás,
Presos quais cães, a fome, a espada e o fogo
Aguardariam ordens. Mas perdoem
Os mesquinhos espíritos que ousaram
10 Neste humilde tablado apresentar
Tema tão grande: conterá tal rinha
As planícies da França? Ou poderemos
Segurar neste teatro os elmos
Que assustaram os ares de Azincourt?
15 Peço perdão! Mas já que um zero pode
Atestar um milhão em pouco espaço,
Deixem que nós, as cifras desta conta,
Acionemos sua força imaginária.
Suponham que no abraço destes muros
20 'Stão confinadas duas monarquias,
Cujas altas fachadas confrontadas
Uma nesga de mar feroz separa.
Com o pensamento curem nossas falhas,
Em mil partes dividam cada homem,
25 E criem poderio imaginário.
Pensem ver os corcéis de que falamos,
Imprimindo na terra suas pegadas,
Pois suas mentes vestem nossos reis,
Carregando-os, por terras e por tempos,
30 Juntando o que acontece em muitos anos
Em uma hora. E, para ajudá-los,
Admitam-me, o coro, nesta história
Pra que de sua paciência eu peça
Que julguem com bondade nossa peça.[1]

---

[1] Como o palco elisabetano era um espaço vazio, o Coro pede que uma musa de fogo auxilie a imaginação da plateia a ver sobre o humilde tablado de madeira reinos, batalhas, cavalos, soldados e monarcas; é a imaginação da plateia que permite também que o tempo dos acontecimentos se comprima no tempo da apresentação da peça. (N. E.)

ATO 1

CENA 1
Londres. Uma antecâmara no palácio do rei.

(Entram o Arcebispo de Canterbury e o Bispo de Ely.)

CANTERBURY
Saiba, senhor, que é a mesma proposta
Feita no reino do finado Rei,
E até mesmo aprovada, contra nós,
Mas que as inquietações daquele tempo
Impediram que fosse executada.

ELY
E hoje, como havemos de enfrentá-la?

CANTERBURY
Vamos pensar. Se passa contra nós,
De nossas terras vai-se a maior parte:
Pois todo o latifúndio que devotos
Por testamento à Igreja concederam,
Nos seria tomado. Esse valor
Daria pra manter, honrando o rei,
Mais de mil cavaleiros, quinze condes,
E seis mil e duzentos escudeiros;
Para o amparo de lázaros e velhos,
E de incapazes pra serviços árduos,
Cem asilos, com tudo o que os equipa;
Para os cofres do reino, afora isso,
Mais mil libras por ano. É essa a lei.

ELY
Vão-se assim os anéis.

CANTERBURY
                    E até as mãos.[2]

ELY
E o que fazer?

---

[2] É interessante notar que, em inglês, as falas de Ely e Canterbury são, respectivamente, "This would drink deep" e "'Twould drink the cup and all", aqui traduzidas por uma alusão ao provérbio de origem portuguesa amplamente adotado no Brasil "Vão-se os anéis, ficam os dedos." (N. E.)

CANTERBURY
>Nosso Rei é bendito e respeitoso.

ELY
>E ama a Igreja com todo o coração.

CANTERBURY
>O que não prometia quando jovem,
>Mas com o último alento de seu pai,
>Nele também morreram seus desmandos,
>É verdade, pois nesse mesmo instante,
>O bem pensar chegou-lhe como um anjo
>E expulsou dele os pecados de Adão,
>Fazendo de seu corpo um paraíso
>Que abriga espíritos celestiais.
>Nunca sábio nasceu tão de repente,
>Nem reforma nenhuma, qual dilúvio,
>Carregou na voragem tantos erros;
>E nem jamais a Hidra do capricho[3]
>Perdeu seu trono em tempo tão pequeno
>Quanto no Rei.

ELY
>Que bênção tal mudança!

CANTERBURY
>Só ouvi-lo falar de teologia,
>Do assombro nasce um íntimo desejo,
>Um sonho de que o rei fosse um prelado.
>E ao ouvi-lo falar do bem comum
>Parece que o estudou a vida inteira.
>Ouça-o falar de guerra, que ouvirá
>Uma batalha horrenda feita música.
>Consulte-o em qualquer questão política,
>E seu nó górdio ele desata logo,[4]
>Tão fácil quanto a um cinto. E quando fala,
>O ar, sempre tão leve, fica quieto,
>E um mudo espanto espreita em cada ouvido
>Para sorver o mel de suas frases.
>Assim a parte prática da vida
>Aqui domina tudo o que é teórico,

---

3 Referência às muitas cabeças da Hidra de Lerna, animal mitológico que Hércules derrotou em seu segundo trabalho. (N. E.)
4 O nó górdio vem da lenda do Rei da Frígia que, ao morrer sem herdeiros, é sucedido por um campônio de nome Górdio. Para que sua origem humilde fosse sempre lembrada, Górdio ata sua carroça a uma coluna do templo de Zeus. A Górdio sucede o seu filho, Midas, e como o último morreu sem herdeiros, o oráculo declarou que o próximo rei teria que desatar o nó górdio, o que foi feito por Alexandre, o Grande. (N. E.)

E nos deixa perplexos quanto à graça
Que a ele permitiu aprender tanto,
Já que sempre buscou caminhos vãos,
Amigos iletrados, rudes, tolos.
Gastou seu tempo em farras e orgias,
Jamais foi visto em uma biblioteca,
Buscando solidão ou se afastando
Dos antros que frequenta o populacho.

ELY

Cresce o morango sob ervas daninhas,
E bons frutos dão bem e amadurecem
Quando cercados por outros, piores;
Assim o príncipe ocultou com farras
A sua reflexão que, estou bem certo,
Como o capim cresceu melhor à noite,
Sem testemunho, mas sempre em aumento.

CANTERBURY

Assim creio, pois já não há milagres,
E temos de aceitar que por tais meios
Foi ele aprimorado.

ELY

              Mas, senhor,
Como se pode mitigar a lei
Proposta ante os Comuns? Sua Majestade
A favorece ou não?

CANTERBURY

              É indiferente,
Ou pende mais até pro nosso lado,
Contra aqueles que clamam contra nós
Pois ofertei a Sua Majestade —
Com base em nossa força espiritual
E em referência ao tema ora em debate —
Que explanei bastante a Sua Graça
Quanto à França — de dar soma maior
Que todas as ofertadas até hoje
Pelo clero a qualquer predecessor.

ELY

Como foi recebida a sua oferta?

CANTERBURY

Pelo Rei teve boa aceitação,

85 Faltando apenas tempo pra que ouvisse,
Como notei seria o seu desejo,
Inúmeras passagens que encontrei
Sobre direitos seus a alguns ducados,
E título à coroa dos franceses,
90 Herdados de seu bisavô Eduardo.

ELY

O que foi que causou a interrupção?

CANTERBURY

O embaixador francês, que, nesse instante,
Pediu audiência. E é momento, eu penso,
De ele ser recebido; não são quatro?

ELY

95 São quatro em ponto.

CANTERBURY

Vamos, então, ouvir sua missão,
Que, aliás, posso bem prever qual seja,
Antes mesmo de esse francês falar.

ELY

Pois não, eu gostaria de escutar.

(Saem.)

CENA 2
O mesmo. A sala do trono.

(Entram o REI HENRIQUE V, GLOUCESTER, BEDFORD, EXETER, WARWICK, WESTMORELAND e séquito.)

HENRIQUE

Onde está o reverendo Canterbury?

EXETER

Não 'stá aqui.

HENRIQUE

Por favor, chame-o, meu tio.

(Sai um criado.)

WESTMORELAND
    Senhor, devo chamar o embaixador?

HENRIQUE
    Ainda não, primo: quero ter bem claras,
    Antes de vê-lo, algumas questões sérias
    Que pesam muito entre nós e a França.

(Entram CANTERBURY e ELY.)

CANTERBURY
    Deus e os anjos guardem vosso trono
    E vos façam mantê-lo muito tempo.

HENRIQUE
    Eu lhe agradeço, e ao seu grande saber
    Peço que, com justiça religiosa,
    Diga como a Lei Sálica[5], da França,
    Possa barrar, ou não, nosso direito.[6]
    E Deus nos livre, caro mestre em fé,
    Que o senhor torça ou force sua leitura
    Ou carregue sua alma com malícia,
    Com termos deformados cuja essência
    Não combinem com as cores da verdade:
    Pois sabe Deus que muitos, hoje sãos,
    Hão de perder seu sangue executando
    O incitado por Vossa Reverência.
    Cuidado, pois, em como nos empenha,
    Como desperta a espada que hoje dorme.
    Por Deus, nós lhe pedimos ter cuidado,
    Pois nunca houve contenda entre dois reinos
    Sem muito sangue; e cada gota desse
    Traz uma dor, uma queixa profunda,
    Contra aquele que afia com seus erros
    As espadas que ceifam os mortais.
    Assim admoestado, senhor, fale,
    Pois ouviremos e, de coração,
    Nós havemos de crer que o que disser
    Pela sua consciência foi lavado,
    Como o é o pecado no batismo.

---

5 A *Lex Salica* ou *Pactus legis salicae* era um código legal que regia aspectos diversos da vida em sociedade na época de Clóvis I (481-511). Com o passar do tempo e pela influência do direito romano, a lei sálica passou a se referir também a questões de herança. Com a crise de sucessão ao trono francês depois da morte de Carlos IV, e na iminência do rei inglês Eduardo III vir a reinar também sobre a França, a lei sálica foi invocada, já que o direito de Eduardo vinha por linha materna. (N. E.)

6 O direito de Henrique ao trono francês vinha do fato de sua descendência de Eduardo III, cuja mãe Isabella, era filha de Filipe IV da França. Filipe IV teve três filhos que o sucederam mas nenhum dos quais deixou herdeiro masculino; os franceses, então, proclamaram João, conde de Valois, como rei para assim excluir o rei inglês da sucessão. Na peça *Eduardo III*, ato 1, cena 1, o direito por linha materna é discutido. (N. E.)

CANTERBURY
　　　　　Ouvi-me então, meu rei, e nobres pares,
35　　　　Que devem suas vidas e serviços
　　　　　A este real trono. Nada impede
　　　　　Vosso direito ao trono dos franceses
　　　　　Senão isto, buscando em Faramond:[7]
　　　　　In terram Salicam mulieres ne succedant,
40　　　　"Em terra Sálica, mulher não herda".
　　　　　E a terra Sálica, injustamente,
　　　　　Arbitram os franceses ser a França;
　　　　　E Faramond, o pai da interdição.
　　　　　Os seus próprios autores, no entretanto,
45　　　　Nos dão como Alemanha a Terra Sálica,
　　　　　Entre o Sala e o Elba. E Carlos Magno,
　　　　　Ao vencer os saxões, por lá deixou
　　　　　Franceses que, por terem em desapreço
　　　　　As alemãs, de vida irregular,
50　　　　Criaram essa lei que barra a fêmea
　　　　　Do direito de herança em terra sálica.
　　　　　Sálica, entre Elba e Sala, já disse,
　　　　　Que hoje é chamada Meisen, na Alemanha.
　　　　　Fica óbvio, portanto, que a Lei Sálica
55　　　　Não foi criada pro Reino da França.
　　　　　E nem a França dominou os sálicos
　　　　　A não ser mais de quatrocentos anos
　　　　　Depois da morte do Rei Faramond,
　　　　　Dito pai de tal lei por puro engano,
60　　　　Já que morreu no ano do senhor
　　　　　De quatrocentos e vinte e seis.
　　　　　Só Carlos Magno venceu os saxões
　　　　　E levou os franceses além-Sala,
　　　　　Em oitocentos e cinco. Inda mais,
65　　　　Pepino o Breve, que depôs Quildérico,
　　　　　Fê-lo por ser herdeiro e descendente
　　　　　De Betilda, uma filha de Clotário,
　　　　　O que lhe dava título à coroa.
　　　　　Também Hugo Capeto, que usurpou
70　　　　Do Duque de Lorena, único herdeiro
　　　　　Da linhagem real de Carlos Magno,
　　　　　Pra tornar o seu título mais válido,
　　　　　Embora falso e nulo, na verdade,
　　　　　Proclamava-se herdeiro de Lingarda,
75　　　　Filha de Charlemain, filho, por vez,
　　　　　De Luiz, cujo pai foi Carlos Magno.

---

[7] Lendário rei dos francos sálios. (N. E.)

           Luiz IX, herdeiro de Capeto,
           Não teve paz em sua consciência
           Por usar a coroa, até provar
80   Que a sua avó, a formosa Isabel,
           Era da alta linhagem de Ermengarda,
           Filha do Duque de Lorena, acima,
           Por cujo casamento a dinastia
           De Carlos Magno voltou à coroa.
85   Fica assim claro como o dia, então,
           Que Pepino, Capeto e até Luiz
           Só foram reis por herdarem de fêmeas,
           E assim os reis de França até agora;
           Embora agora tentem invocar
90   Essa Lei Sálica pra vos barrar
           Do título por linha feminina,
           Preferindo ocultar-se com esse véu
           A ver sumir os desonestos títulos
           Usurpados de vossos ancestrais.

      HENRIQUE
95   Posso eu buscá-los em sã consciência?

      CANTERBURY
           Meu rei, senão, a culpa será minha!
           Pois no Livro dos Números[8] é dito
           Que, se um homem morrer, a sua herança
           Deve ir para a filha. Meu bom rei,
100   Defendei o que é vosso; desfraldai
           A bandeira sangrenta que trará
           A lembrança de vossos ancestrais.
           Ide à tumba de vosso bisavô,
           Que vos dá vosso título, e invocai
105   Seu tino bélico e o de vosso tio,
           O Príncipe Eduardo, que, na França,
           Viveu uma tragédia, derrotando
           O grande poderio dos franceses
           Enquanto o seu potente pai olhava
110   Do alto, sorrindo, ao ver o leãozinho
           Cheirar o sangue dos nobres franceses.
           Ó fidalguia inglesa, que podia
           Com meia força humilhar toda a França,
           Deixando o resto para rir, olhando,
115   Sem ter o que fazer, longe da ação!

---

8 Quarto livro do Antigo Testamento, cuja autoria é atribuída a Moisés. A referência aqui é à história das filhas de Zelofeade, que na morte do pai pediram a Moisés que permitisse que elas herdassem suas terras. (N. E.)

ELY

        Despertai a lembrança desses mortos
        Com vosso braço forte, seu herdeiro,
        Revivei os seus feitos. Sois o rei:
        O sangue e a bravura que os consagram
120   Em vossas veias correm, potentíssimos;
        No despertar de vossa juventude
        'Stais pronto pra empresas e aventuras.

EXETER

        Os reis vossos irmãos, no mundo inteiro,
        De vós esperam reação igual
125   À dos outros leões[9] do mesmo sangue.

WESTMORELAND

        Sabem que tendes causa e poderio:
        Vossa nobreza o diz. Jamais um rei
        Da Inglaterra teve, em tempo algum,
        Uma nobreza mais leal ou rica,
130   Porém seus corpos 'stão sem corações,
        Que estão acantonados já na França.

CANTERBURY

        Permiti que seus corpos também partam,
        Pra ganhar com seu sangue o vosso trono;
        Para o quê, nós, do poder espiritual,
135   A vós, meu rei, daremos uma soma
        Como o clero jamais, em tempo algum,
        Doou a algum antepassado vosso.

HENRIQUE

        Temos não só de armar-nos contra a França,
        Mas também de instalar nossas defesas
140   Contra a Escócia, cujo acesso a nós
        Será facilitado.

CANTERBURY

        O povo dos baixios, meu senhor,
        Será muro bastante pra defesa
        De nossa terra contra os forasteiros.

HENRIQUE

145   Não falo só de quem saqueia e foge,
        Mas do intento maior dos escoceses,

---

9 Alusão tanto ao leão como rei dos animais quanto ao que aparece no brasão da Inglaterra. (N. E.)

          Desde sempre vizinhos inquietantes;
          Pois sabem todos que o meu bisavô
          Jamais partiu com tropas para a França
150   Sem que o escocês, ao ver o trono vago,
          Aparecesse em ondas pela brecha,
          Importunando a terra com incursões,
          Ferindo a terra fértil com ameaças
          Impondo sítio a cidade e castelo,
155   Fazendo a vulnerável Inglaterra,
          Abalada, tremer ante o vizinho.

     CANTERBURY
          O susto sempre foi maior que os danos,
          Pois o exemplo que temos é o dela:
          Quando foram pra França os cavaleiros
160   E ela ficou viúva de seus nobres,
          Não só bem soube ela defender-se
          Mas ainda prendeu, por desacato,
          O Rei da Escócia, que mandou pra França,
          Para ampliar a fama de Eduardo,
165   Com mais esse monarca prisioneiro,
          E deixar sua história rica em fama
          Como a terra do fundo do oceano
          É rica de naufrágios e tesouros.

     WESTMORELAND
          Há um velho ditado verdadeiro:
170   *"Quem quer na França triunfar*
          Na Escócia tem de começar".
          Se a águia inglesa sai para caçar
          O roedor da Escócia entra no ninho
          Para sugar os ovos principescos,
175   Como um rato que brinca sem o gato,
          Criando confusão pra comer mais.

     EXETER
          Cabia ao gato, então, ficar em casa;
          Mas tal necessidade já passou
          Pois temos cadeados pra guardar-nos
180   E armadilhas pra pegar ladrões.
          Enquanto luta longe a mão armada,
          Boa cabeça se defende em casa;
          Pois o governo, em alto ou baixo plano,
          Mantém em toda parte seu consenso,
185   Unido em harmonia natural
          Como a música.

CANTERBURY

                E é por isso que o céu
Divide o ser humano por funções,
Cujas ações compõem perene busca
A que se prende, como alvo ou fim,
190   A obediência; assim faz a abelha,
O ser que a natureza tem por norma
Para ensinar a ordem às nações.
Elas têm rei, e certos funcionários;
Há magistrados pra ordem doméstica,
195   Há mercadores que se arriscam fora,
Há soldados, armados com ferrões,
Que vão pilhar botões em pleno estio,
Cujo sangue carregam com alegria
Para a tenda de seu imperador.
200   Este, ocupado em sua majestade,
Olha os pedreiros e seus tetos de ouro,
Os cidadãos que preparam o mel,
A chegada dos pobres que carregam
Até a estreita porta a grande carga,
205   O juiz triste, sempre ranzinzando,
Que entrega a algum carrasco, branco e pálido,
O zangão preguiçoso. De onde eu penso
Que muitas coisas, quando orientadas
Por um consentimento, hão de unir-se
210   Como flechas por muitos disparadas
Vão para um alvo, ou se unem muitas ruas
Em uma só cidade; e muitos rios
De água fresca vão a um mar salgado,
Como todas as linhas se reúnem
215   Bem no centro de um relógio de sol.
Assim milhões de ações, quando ativadas,
Buscando um objetivo, têm sucesso
Sem derrota. Então, meu senhor, pra França;
Vossa Inglaterra dividi em quatro:
220   Um desses quartos comandai na França,
E só com ele a Gália há de tremer;
Se nós, com o triplo que ficar em casa,
Não enxotamos esse cão da porta,
Que ele nos morda e a nossa nação perca
225   Seu nome na bravura e na política.

HENRIQUE

Chamai os mensageiros do delfim.

(Saem alguns SERVOS.*)*

>   Estamos resolvidos, e com a ajuda
>   De Deus e da bravura da nobreza,
>   Por ser a França nossa a curvaremos
> 230   Ante nós, ou então a arrasaremos.
>   Ou lá, de nosso trono, governamos
>   A França e seus ducados principescos,
>   Ou nossos ossos, sem tumba e sem glória,
>   Nós deixaremos em urna esquecida.
> 235   Ou nossa história falará bem alto
>   De nossos feitos, ou a nossa cova,
>   Qual turco mudo ficará sem língua[10],
>   Sem ritos, com epitáfio todo em cera.

(Entram os Embaixadores da França.)

>   'Stamos prontos para ouvir a mensagem
> 240   Do delfim, nosso primo, pois sabemos
>   Que é ele, e não o rei, quem nos saúda.

1º Embaixador

>   Dizei, Majestade, nos dai licença
>   Pra cumprir livremente nosso encargo,
>   Ou é melhor tocar de longe apenas
> 245   No conteúdo de nossa embaixada?

Henrique

>   Nós não somos tiranos e sim cristãos,
>   A cujas graças nossas emoções
>   São tão sujeitas quanto os desgraçados
>   Que em grilhões apodrecem nas masmorras:
> 250   Portanto digam logo, e francamente,
>   O que pensa o delfim.

1º Embaixador

>   Pois serei breve.
>   Vossa Majestade, em recente nota à França,
>   Reclamou para si certos ducados,
>   Pelo direito de Eduardo Terceiro.
> 255   Como resposta, o príncipe, meu amo,
>   Diz que isso sabe muito a juventude
>   E diz que, na França, não há nada
>   Que se possa ganhar com gargalhadas:
>   Ninguém, por lá, ganha ducado em festa.
> 260   Ele vos manda então este tesouro,

---

10 Nas peças de Shakespeare há várias referências nem sempre verdadeiras a costumes turcos. (N. E.)

                    Mais para a vossa têmpera. E, em troca,
                    Deseja que os ducados desses sonhos
                    Fiquem livres de vós. Disse o delfim.

        HENRIQUE
                    Que tesouro, meu tio?

        EXETER
                                    Meu senhor,
265   Bolas de tênis.¹¹

        HENRIQUE
                            Ficamos contentes
                    Que o delfim seja assim tão divertido;
                    Agradecemos brinde e portadores.
                    Com as nossas raquetes e essas bolas
                    Jogaremos na França, praza a Deus,
270   Um *set* pela coroa de seu pai.
                    Ele fez desafio a um contendor
                    Que há de abalar na luta as cortes todas
                    Da França inteira. E nós bem compreendemos
                    Que ele pense em desmandos de um rapaz
275   Sem medir que proveito eles nos deram.
                    Nunca demos valor a este trono:
                    Por isso, longe dele nós nos demos
                    À bárbara desordem; sabem todos
                    Que é longe de seu lar que o homem peca.
280   Mas digam ao delfim que eu saberei
                    Mostrar-me como um rei — e com grandeza —
                    Quando elevar-me ao meu trono da França.
                    Aqui deixei de lado a majestade
                    Pra pegar firme o dia de trabalho;
285   Mas lá irei mostrar-me em plena glória,
                    Para ofuscar o olhar da França inteira
                    E cegar o delfim só por olhar-nos.
                    E digam a seu amo zombeteiro
                    Que a brincadeira fez balas das bolas,
290   E sua alma é que há de responder
                    Pelas perdas que ainda hão de causar:
                    Milhares de viúvas vão chorar
                    A zombaria de um marido morto,
                    E em zombaria igual, mães por seus filhos,
295   Ou seus castelos; outros, por nascer,
                    Ou sequer concebidos hão de, um dia,

---

11 Um insulto a Henrique V, cuja juventude foi gasta em jogos e passatempos frívolos, mas que agora age como monarca responsável. (N. E.)

                    Maldizer o desdém de seu delfim.
                    Mas tudo isso está nas mãos de Deus,
                    Para quem eu apelo, e em cujo nome
300   Avisem ao delfim que eu lá irei
                    Vingar-me, se possível, e estender
                    Minha mão apoiada em causa santa.
                    Que vão em paz; e digam ao delfim
                    Que terá mau sabor seu chiste lindo
305   Quando chorarem os que hoje 'stão rindo.
                    Deem-lhes salvo-conduto. E passar bem.

(Saem os Embaixadores.)

Exeter
A mensagem foi alegre.

Henrique
Quem a mandou há de corar por ela.
Não percam, meus senhores, só por isso,
310 Um momento que apresse a expedição.
Pois só na França pensamos agora,
Excetuado Deus, que vem primeiro.
Portanto, que a parcela que é da guerra
Seja logo aprontada; juntem tudo
315 Que possa com presteza acrescentar
Plumas às nossas asas; que a Deus apraza
Punirmos o delfim em sua casa.
A tarefa de todos, doravante,
É levar esta brava ação adiante.

(Saem.)

ATO 2

(Entra o CORO.)

CORO
A juventude inglesa pegou fogo
E as roupagens de festa 'stão guardadas.
A hora é dos armeiros, e ora a honra
Reina sozinha em todo coração:
5   Vendem-se pastos pra comprar cavalos
E seguir o modelo dos monarcas
Cristãos, com pés alados, quais Mercúrios.
Pois no ar vive agora a expectativa
Com espada coberta até a ponta
10 Por guirlandas e imperiais coroas
Prometidas a Henrique e a quem o segue.
Avisados por sua espionagem
Do imenso terror que se prepara,
Medrosos e ardilosos os franceses
15 Tentam deter o objetivo inglês.
Ó Inglaterra! Tão grande por dentro,
Com tanto coração nesse teu corpo,
Que honras poderias alcançar
Se todos os teus filhos fossem bons,
20 Segundo a Natureza. Mas tu falhas!
A França veio descobrir em ti
Um ninho de homens ocos que ela encheu
De coroas traidoras. Três corruptos,
Um, o Conde de Cambridge; um segundo,
25 Henry, Lord Scroop de Masham; e o terceiro,
Sir Thomas Grey, fidalgo de Northumberland,
Que se mancharam com o ouro da França.
Com essa temível França conspiraram
Firmando a morte desse excelso Rei,
30 Se o inferno da traição os ajudasse,
Antes que ele zarpasse de Southampton.
Tenham paciência e nós resolveremos
A questão da distância. Feito o jogo,
A soma é paga e a traição combinada.
35 O rei já deixou Londres. Nossa cena
Transporta-se, senhores, pra Southampton.
É num teatro lá que estão sentados
E, de lá, para a França os levaremos
E traremos de volta em segurança,

40　　Encantando o canal para que tenham
Boa viagem. Não quero, ora essa,
Ver ninguém mareado nesta peça.
Mas quando o Rei chegar, e só então,
É em Southampton que estará a ação.

CENA 1
Londres. Uma Rua.

(Entram o Cabo Nym e o Tenente Bardolph.)

BARDOLPH

Bem-vindo, Cabo Nym.

NYM

Bom dia, Tenente Bardolph.

BARDOLPH

Como é, você e o Alferes Pistola já fizeram as pazes?[12]

NYM

Quanto a mim, pouco importa; sou de pouco falar, mas quando for a
5　　hora certa, vou sorrindo; mas deixe isso para lá. Não ouso lutar; mas
fecho os olhos e estico a minha espada, o que é bem simples; e daí?
Ela tosta queijo e aguenta o frio tão bem quanto a espada de qual
quer outro, e tenho dito.

BARDOLPH

Eu pago um desjejum para vocês ficarem amigos de novo: e iremos
10　　para a França como irmãos; diga que sim, Cabo Nym.

NYM

Juro que é certo que eu vou viver o quanto puder; e quando não puder
mais viver, farei o que puder; comigo é assim, dou o meu *rendez-vous*[13] que sim.

BARDOLPH

Cabo, é verdade que ele se casou com Nell Quickly, o que foi errado,
15　　já que você estava comprometido com ela?

NYM

Isso eu não sei; as coisas acontecem como podem. Os homens dormem, as gargantas ficam por ali, enquanto isso. E há quem diga que as

---

[12] Pistola e Nym haviam brigado por causa de Nell, que iria se casar com Nym mas acaba preferindo Pistola. (N. E.)
[13] Este é o primeiro exemplo de uso errado ou despropositado de termos em francês, italiano e latim por parte dos personagens cômicos. (N. T.)

facas têm bom fio. Tudo tem de ser como pode; a paciência pode ser uma égua exausta, mas continua em frente. É preciso haver conclusões. Bem, eu é que não sei.

(Entram Pistola e Nell Quickly.)

Bardolph

Lá vem o Alferes Pistola com a mulher. Meu bom cabo, tenha paciência. Como está, hospedeiro Pistola?

Nym

Então, como é, hospedeiro Pistola?

Pistola

Piolho sórdido, chamou-me de hospedeiro? Pois juro que odeio essa palavra; e minha Nell tampouco terá hóspedes

Taverneira

Palavra que não por muito tempo mais; pois ninguém pode dar casa e comida a doze ou catorze damas que ganhem honestamente a vida picadas por agulhas que logo todos pensam que se tem um bordel. Nossa! Lá está ele.

(Nym e Pistola puxam as espadas.)

Qualquer dia vamos ver adultério e assassinato perpetrados.

Bardolph

Meu bom tenente! Meu bom cabo! Nada disso por aqui!

Nym

Pish!!!

Pistola

Pish é você, cão da Islândia, seu vira-lata islandês de orelha torta!

Taverneira

Bom Cabo Nym, mostre que é bravo e embainhe a espada!

Nym

Quer sumir daqui? Eu prefiro você *solus*.

Pistola

Solus, cão grego? Víbora vil!
Pois *solus* para sua cara de monstro
E *solus* por dentro, pra garganta,
Pros seus pulmões nojentos, pra moela:

40 E, o que é pior, dentro da sua boca!
Eu respondo esse *solus* em suas tripas;
Eu aguento; a pistola de Pistola está de pé;
E vai dar muito fogo.

Nym

45 Não sou nenhum belzebu; ninguém me conjura. Por enquanto minha vontade de te bater está mais ou menos. Mas se você me provocar, vou te destripar como puder, com meu punhal, em jogo limpo. E se quiser fugir eu espeto um pouquinho as suas tripas, com toda a limpeza; comigo, agora, é assim.

Pistola

50 Vil fanfarrão, ente furioso do inferno! A tumba se escancara, a morte, apaixonada, se aproxima. Portanto, exala!

Bardolph

(Tira a espada.) Ouçam, ouçam o que eu digo. O que der o primeiro golpe, eu furo até o punho; palavra de soldado.

Pistola

Jura das mais à toa; essa fúria vai se abater.

(Eles desembanham as espadas.)

(Para Nym.) Dê aqui o punho; dê-me sua pata da frente. Isso é que
55 é coragem!

Nym

Ainda corto o seu pescoço, uma hora dessas, jogando limpo; comigo, agora, é assim.

Pistola

Cuplacorja![14]
Eis a palavra. Desafio-te de novo.
60 Cão de Creta, pensas pegar minha esposa?
Não; vai pro hospital
E no pó da banheira das infâmias
Busca a leprosa filha de Créssida
De nome Doll Tearsheet, e casa com ela.
65 Eu tenho e manterei a antiga Quickly
Como a única — e agora basta!
Vamos embora.

(Entra um Rapaz.)

---

14 Essa é a versão de Pistola de "coupez la gorge", que a guerra trouxera da França. (N.T.)

RAPAZ

> Meu patrão Pistola, é preciso que venha ver meu amo, com sua patroa; ele está muito doente e quer ir para a cama. Bom Bardolph, mete o seu rosto entre os lençóis, para servir de esquenta-leito. Na verdade ele está muito mal.

BARDOLPH

> O que é isso, malandro!

TAVERNEIRA

> Juro que um dia desses ele vai virar banquete para urubu. O rei matou seu coração. Marido, venha logo para casa.

(Saem a TAVERNEIRA e o RAPAZ.)

BARDOLPH

> Vamos, não posso fazê-los amigos? Temos de ir juntos para a França. Por que raios haveríamos nós de usar facas nas gargantas um do outro?

PISTOLA

> Que as enchentes subam e os demônios uivem de fome!

NYM

> Você paga os oito xelins que eu ganhei de você naquela aposta?

PISTOLA

> É lixo o biltre que paga.

NYM

> Pois eu quero, e quero já: comigo, agora, é assim.

PISTOLA

> Isso decide quem for mais homem: ataque.

(Ambos puxam suas espadas.)

BARDOLPH

> Por esta espada, quem der o primeiro golpe, eu mato; juro pela cruz desta espada.

PISTOLA

> Jurar em vão pela cruz leva pro inferno.

BARDOLPH

> Cabo Nym, se quiserem ser amigos, sejam amigos; se não quiserem,

fiquem sabendo que então serão meus inimigos também. Estou pedindo que guardem as armas.

NYM

Vou receber meus oito xelins da aposta?

PISTOLA

90 Pago já, já; pago mais da metade,
E ainda pago um golinho para você:
Vamos ser irmãos em amizade,
Co'a mão leve de Nym eu vou viver;
Não 'stá bom? Eu vou ser da intendência —
95 Com muito lucro vindo aí, na certa.
Aperte aqui.

NYM

Vai pagar quase tudo?

PISTOLA

Em dinheiro certo e sonante.

NYM

Está bem; comigo, agora, é assim.

(NYM e BARDOLPH embainham as espadas. PISTOLA e NYM dão as mãos. Volta a TAVERNEIRA.)

TAVERNEIRA

100 Se tiveram mãe, venham logo ver Sir John. Coitado! Treme tanto de queimar com terçã diária que dá pena de ver. Meus amigos, venham logo.

(Sai.)

NYM

Os humores do Rei fizeram mal ao cavaleiro; essa é que é a verdade.

PISTOLA

Nym, você falou muito certo;
105 Seu coração fraturou corroborado.

NYM

O Rei é um bom rei; mas, seja como for,
Ele tem humores destemperados.

HENRIQUE V *Ato 2* Cena 1

PISTOLA

Vamos dar os pêsames ao cavaleiro; pois, meus cordeirinhos, nós vamos viver.

(Saem.)

CENA 2
Southampton. A sala do Conselho.

(Entram EXETER, BEDFORD e WESTMORELAND.)

BEDFORD

O Rei se arrisca confiando em traidores.

EXETER

Mas eles serão presos, logo, logo.

WESTMORELAND

Eles se portam tão tranquilamente!
Parecem súditos de coração,
5   Coroados de fé e lealdade.

BEDFORD

O rei soube de tudo o que planejam
Por meios que jamais lhe ocorreram.

EXETER

Que um homem com quem tudo partilhou,
Que acalentou com graças preciosas,
10 Por dinheiro estrangeiro assim vendesse
Sua vida real à morte certa!

(Fanfarras. Entram o REI HENRIQUE, SCROOP, CAMBRIDGE, GREY e séquitos.)

HENRIQUE

'Stá bom o vento e vamos embarcar;
Milord Cambridge e bom Lord Masham,
E meu bom cavaleiro, digam cá:
15 Não creem que estas hostes que levamos
Possam abrir caminho entre os franceses
E executar tarefa e objetivo
Para os quais nós aqui os convocamos?

SCROOP

Podem, senhor, se todos se esforçarem.

Henrique

Disso estou certo, já que acreditamos
Não levarmos daqui um coração
Que não bata com o nosso e nos aprove;
Nem fica para trás um só que negue
Desejos de sucesso a todos nós.

Cambridge

Nenhum rei foi jamais temido e amado
Como Vossa Majestade, e, estou certo,
Não haverá um só súdito infeliz
À doce sombra de vosso governo.

Grey

Os que lutaram contra o vosso pai
Fizeram mel do fel, e hoje vos servem
Com zelo e com dever em todo peito.

Henrique

Temos grandes razões pra sermos gratos;
E esqueceremos o poder que temos
Antes da paga que é devida ao mérito,
Segundo o peso e o valor dos feitos.

Scroop

Serviço e nervos vão lutar pra ver
O esforço renovado em esperança
De servir Vossa Graça sem cessar.

Henrique

É o nosso sonho. Meu bom tio Exeter,
Liberte o homem que foi preso ontem
Por ofender-nos: 'stamos convencidos
Que o excesso de vinho é que o moveu,
E hoje, pensando bem, o perdoamos.

Scroop

Isso é piedade por demais confiante;
É preciso puni-lo, pois o exemplo
Pode gerar mais crimes, perdoado.

Henrique

Mas nós seremos misericordiosos.

Cambridge

Podeis sê-lo, senhor, mas ao puni-lo.

GREY
    Já o sereis, senhor, se ele viver
50   Após provar notável correção.

HENRIQUE
    O excesso de amor que a mim demonstram
    Faz prece dura contra esse infeliz!
    Se erros menores, coisas de momento,
    Não forem esquecidos, que fazer
55   Quando algum crime capital, pensado,
    Muito bem mastigado e digerido,
    Aparecer-nos? Que ele fique livre,
    Embora Cambridge, Scroop e Grey quisessem
    Com tanto zelo e amor nos proteger
60   E, portanto, puni-lo. Quanto à França:
    Quem terá hoje as novas comissões?

CAMBRIDGE
    Eu tenho uma, senhor.
    Vossa Majestade ordenou que hoje a pedisse.

SCROOP
    A mim também, senhor.

GREY
65   E a mim, meu soberano.

HENRIQUE
    Então, Conde de Cambridge, eis a sua;
    Aqui a sua, meu Lord Scroop de Masham;
    E esta, Sir Thomas Grey, é a sua ordem.
    Nelas lerão que sei o quanto valem.
70   Milord Westmoreland e tio Exeter,
    Hoje à noite embarcamos. Mas, senhores,
    O que leram aí pra assim perderem
    A sua cor? Mas vejam como mudam!
    'Stão brancos qual papel. Mas o que leram
75   Que tanto se acovardaram, pondo em fuga
    O sangue de seus rostos?

CAMBRIDGE
                Tendo errado,
    Aqui me entrego à vossa alta piedade.

GREY E SCROOP
    À qual nós todos apelamos.

HENRIQUE
    A piedade que há pouco em nós vivia
80   Por seus conselhos secou e morreu;
    Não devem, por pudor, pedir clemência:
    Suas palavras vão contra si mesmas,
    Mordendo, como cães, os próprios donos.
    Vede aqui, príncipes e nobres pares,
85   Esses monstros ingleses. Este é Cambridge:
    Já sabeis quantas vezes nosso amor
    Levou-nos a dotá-lo de honrarias
    Próprias à sua honra; e este homem
    Por coroas francesas conspirou
90   E jurou, pra servir seus interesses,
    Matar a nós em Hampton; outro tanto
    Sir Thomas, que nos deve tanto ou mais,
    Jurou também. Porém o que dizer
    A Milord Scroop? Criatura cruel,
95   Ingrata, bestial e desumana!
    Dono das chaves para os meus conselhos,
    Conhecedor do fundo de minh'alma,
    Que me podia ter cunhado em ouro
    Se me quisesse usar em seu proveito;
100   É possível que a paga forasteira
    Pudesse achar-lhe uma farpa de mal
    Para ferir um dedo meu? É estranho
    Que embora a sórdida verdade mostre-se
    Bem clara, em branco e preto, o meu olhar
105   Mal a veja. A traição e o assassinato
    São junta demoníaca em que ambos
    Se apoiam com vileza tão normal
    Que não causa a ninguém admiração.
    Mas o senhor feriu a natureza
110   A ponto de trazer perplexidade
    Para além da traição e assassinato.
    O ardiloso demônio que atuou
    Em seu caso de forma tão grotesca
    Conseguiu o aplauso dos infernos.
115   Todo diabo que tenta o traidor
    Mascara e pinta a sua danação
    Com cores e remédios emprestados
    Ao brilho da aparência da piedade;
    Porém o que o tentou o fez mostrar-se,
120   Privou-o de razões para trair
    Fora o querer o nome de traidor.

    Se o demônio que assim o enganou
    Pisar como leão o mundo inteiro,
    No fim, voltando à vastidão do Tártaro,
125 Proclamará aos seus: "Nada mais fácil
    Do que ganhar a alma de um inglês".
    O senhor infectou com suspeição
    A doce sensação da confiança;
    Outros homens parecem ser leais?
130 Ora, o senhor também; sérios e sábios?
    Ora, o senhor também; eles são nobres?
    Ora, o senhor também; religiosos?
    Ora, o senhor também; ou comem pouco,
    São livres de paixões, de riso e ira,
135 São constantes, imunes aos caprichos,
    Usam roupa e adornos comedidos,
    Não creem só em aspecto ou em rumores,
    Mas põem sempre um e outro à prova?
    O senhor sempre teve aspecto firme,
140 E a sua queda mancha para sempre
    O mais qualificado e bem dotado
    Com alguma suspeita. Eu o pranteio,
    Pois sua queda, para mim, é como
    Nova queda do homem. Os seus crimes
145 'Stão descobertos. Prendei todos três,
    Pra que prestem à lei as suas contas:
    E que Deus lhes perdoe seus pecados.

Exeter
    Eu o prendo por alta traição, sob o nome de Richard, Conde de Cambridge.
150 Eu o prendo por alta traição, sob o nome de Henry, Lord Scroop de Masham.
    Eu o prendo por alta traição, sob o nome de Thomas Grey, cavaleiro, de Northumberland.

Scroop
    Ao mostrar nosso plano Deus foi justo.
155 Lamento mais meu crime que morrer,
    Rogo a Vossa Majestade o perdão,
    Mesmo que o preço seja este meu corpo.

Cambridge
    A mim não seduziu o ouro da França,
    Embora admita que ele foi motivo
160 Para apressar o que já tinha em mente:

Louvado seja Deus por impedi-lo;
E com alegria em minha penitência
Hei de implorar perdão a Vós e a Deus.

GREY

Jamais um súdito tanto aplaudiu
A descoberta de uma vil traição
Quanto eu me alegro de o fazer nest'hora,
Porque me foi vedada a minha empresa.
Perdão, senhor, pro crime, não pro corpo.

HENRIQUE

Que Deus tenha piedade. Eis a sentença:
Senhores, conspiraram contra nós,
Junto a um nosso inimigo declarado,
E de seus cofres receberam ouro
Como empenho de nossa morte certa;
Mandavam para o abatedouro o rei,
Sua nobreza para a escravidão,
Seu povo pro desprezo e a opressão,
Deixando desolado o reino inteiro.
Quanto a nós, não sonhamos com a vingança;
Tendo, porém, de zelar pelo reino
Que tentaram arruinar, nós os damos
Nas mãos de suas leis. E agora vão-se,
Vis miseráveis, para suas mortes;
Para que Deus lhes dê, em sua piedade,
Resignação e arrependimento
Pelas suas ofensas. Conduzi-os.

(Saem CAMBRIDGE, SCROOP e GREY, sob guarda.)

Agora, para a França; e que esta empresa
Seja, pra vós e nós, sempre gloriosa.
Teremos sorte nesta guerra justa
Já que Deus, por sua graça, revelou
A traição que espreitava no caminho,
Pra impedir a partida. Estamos certos
Que não há mais tropeço em nossa trilha.
Avante, meus patrícios; e entreguemos
Nas mãos de Deus o nosso poderio,
Fazendo-o embarcar neste momento.
Ao mar! E demonstrai que a guerra avança!
O Rei inglês tem de ser Rei da França.

(Saem.)

CENA 3
Londres. Diante de uma taverna.

(Entram Pistola, a Taverneira, Nym, Bardolph e um rapaz.)

TAVERNEIRA
Estou pedindo, meu marido de mel; deixe-me levá-lo até Staines.[15]

PISTOLA
Não, pois meu coração viril está sofrendo. Bardolph, seja ágil; Nym, escove bem a coragem; pois Falstaff está morto. E então nós temos de ganhar a vida.

BARDOLPH
Quem me dera estar com ele, esteja onde estiver, no céu ou no inferno!

TAVERNEIRA
Não, com certeza ele não está no inferno; ele está no seio do Brasão[16], se é que alguém já conseguiu chegar ao seio do Brasão. O fim dele foi lindo, e ele foi embora igual a um inocente. Ele partiu entre as doze e a uma, bem na mudança da maré: pois depois que eu vi ele se atrapalhar com os lençóis e brincar com as flores e sorrir para a pontinha dos dedos, percebi que o caminho era um só; pois o nariz estava fino como uma pena e ele ficou resmungando uma coisa de prados verdes. "Que é isso, Sir John", disse eu; "o que é isso, homem? Tenha ânimo!" E aí ele gritou "Deus, Deus, Deus!", três ou quatro vezes; e eu, para consolá-lo, disse para ele não ficar pensando em Deus, porque eu esperava que ainda não fosse hora de ele se preocupar com ideias dessas. E ele me pediu que pusesse mais cobertas em seus pés. E eu meti a mão na cama e os apalpei, e eles estavam frios como pedra, então apalpei os joelhos, e fui subindo, subindo sempre, e tudo estava frio como pedra.

NYM
Dizem que ele falou mal do vinho.

TAVERNEIRA
E falou, mesmo.

BARDOLPH
E contra as mulheres.

TAVERNEIRA
Ah, isso não falou, não.

---
[15] Staines é uma cidade a oeste de Londres, onde Pistola e outros cruzarão para o sul do Tâmisa a caminho de Southampton. (N. E.)
[16] "Seio do Brasão" significa, na verdade, "seio de Abraão".(N. T.)

RAPAZ
Falou, sim; e disse que elas são o diabo encarnado.

TAVERNEIRA
Mas ele nunca suportou encarnado; era uma cor que ele não gostava, mesmo.

RAPAZ
Uma vez ele disse que o diabo ainda ia pegar ele por causa das mulheres.

TAVERNEIRA
E de certo modo ele abusou das mulheres; mas aí ele já estava reumático[17] e falou da rameira da Babilônia.

RAPAZ
Lembram quando ele viu uma pulga pousada no nariz de Bardolph e disse que era uma alma queimando no inferno?

BARDOLPH
O combustível que mantinha esse fogo se acabou; foi só o que ganhei entrando para o serviço dele.

NYM
Vamos andando? O rei já deve ter saído de Southampton.

PISTOLA
Vamos, sim. Meu amor, dá-me os teus lábios;

(Ele a beija.)

Cuidado com meus móveis e utensílios,
Tem juízo, que o lema é: "Só à vista".
Não confia em ninguém;
Jura é palha, a fé é fina e frágil,
E ficar firme é o melhor cachorro.
Conselho que é do bom é "cave lá".
Vai; limpa os olhos. Parceiros nas armas,
À França! Para, como sanguessuga,
Sugar, sugar, sugar o próprio sangue!

RAPAZ
A dieta não é muito saudável.

---
[17] Possivelmente ela quer dizer lunático, delirante. (N. T.)

PISTOLA
    Toquem seu doce lábio, e vamos lá!

BARDOLPH
50   Adeus, minha hospedeira. *(Beija-a.)*

NYM
    Eu não posso beijar; comigo, agora, é assim: mas adeus.

PISTOLA
    Que teus dotes domésticos te valham; e fica em casa, porta adentro, é o que te ordeno.

TAVERNEIRA
    Que tudo corra bem; adeus.

(Saem.)

CENA 4
França. O palácio do Rei francês.

(Fanfarra. Entram CARLOS VI, o Rei francês, o DELFIM, os DUQUES DE BERRY E BRETANHA, o CONDESTÁVEL e outros.)

CARLOS
    Os ingleses nos chegam muito fortes
    E nos toca cuidar que respondamos
    Com realeza nas nossas defesas.
    Portanto, Duques de Berry e Bretanha,
5   Brabant e Orléans, parti agora,
    E vós também, Delfim, com toda a pressa.
    Ide aprontar nossos postos de guerra
    Com homens de coragem e instrumentos
    Que nos defendam, pois a Inglaterra
10   Se aproxima de nós com tanta força
    Quanta a das águas sugadas num golfo.
    Cabe-nos ser em tudo previdentes,
    Aprendendo a lição que o medo ensina
    Ante o exemplo deixado ainda há pouco
15   Nos campos pelo inglês que desprezamos.

DELFIM
    Meu nobre pai,
    É certo nos armarmos pro inimigo,
    Pois nem a paz deve impedir um reino,
    Mesmo sem guerras ou questões abertas,
20   De manter tropas, armas e defesas
    Reunidas, alertas, preparadas,

                    Como esperando guerra.
                    Por isso eu acho certo que busquemos
                    Os pontos fracos desta nossa França;
25   Porém façamo-lo sem mostrar medo,
                    Como tendo notícia que os ingleses
                    Continuam dançando em Pentecostes;
                    Pois, senhor, eles têm um rei tão tolo,
                    Seu cetro está em mãos tão desvairadas,
30   De um jovem louco, fútil e vaidoso,
                    Que não pode haver medo.

        CONDESTÁVEL
                                        Não, Delfim!
                    É engano seu ver esse rei assim.
                    Indague da embaixada que mandamos
                    Com que pompa ele ouviu o que disseram,
35   Que sábios conselheiros hoje o servem,
                    Como ele foi discreto ao objetar,
                    Quão firme e resoluto em decisão,
                    E verá que a vaidade hoje esquecida
                    Era só capa como, em Roma, Brutus
40   Disfarçou seu critério com tolices.
                    Do mesmo modo o jardineiro esconde
                    Com estrume a raiz mais delicada,
                    Que será a primeira a florescer.

        DELFIM
                    Não é o caso, senhor Condestável,
45   Mas não importa fingir que assim seja:
                    Em questões de defesa é melhor dar
                    Mais força do que menos ao inimigo.
                    Assim é que se armam as defesas,
                    Pois se as fazemos fracas ou mesquinhas
50   Ficamos qual casaco de mendigo,
                    Que sempre é curto.

        CARLOS
                                      Pois então julguemos
                    Que Harry é forte; e, portanto, ó príncipes,
                    Armai-vos bem para ele. A sua raça
                    Cresceu à nossa custa, e ele pertence
55   À linhagem que assombra nossos passos;
                    Lembrai-vos da vergonha memorável
                    Que em Cressy se abateu por sobre nós,
                    Deixando nossos príncipes nas mãos
                    De Eduardo, o negro Príncipe de Gales,

Cujo supremo pai, no alto do monte,
Em pleno ar, coroado de sol,
Viu sorrindo a semente que plantou
Destruir o que fez a natureza,
E macular os modelos que Deus
E pais franceses haviam criado
Em vinte anos. Esse rei é ramo
Desse cepo de glórias; então temamos
Seu poderio inato e seu destino.

(Entra um Mensageiro.)

Mensageiro
Embaixadores do Rei da Inglaterra
A Vossa Majestade imploram audiência.

Carlos
Concedemos-lhes logo essa audiência.
Ide buscá-los.

(Saem o Mensageiro e alguns nobres.)

Já vedes que a caçada corre célere.

Delfim
Paremos pra enfrentá-los. Cães covardes
Sempre ladram mais forte quando a caça
Corre muito na frente. Meu bom Rei,
Seja duro com eles, pra que saibam
Que grande reino é este que chefia:
A autoestima é erro menos grave
Que o menosprezo.

(Voltam os nobres com Exeter e seu séquito.)

Carlos
Vindes de Inglaterra?

Exeter
Sim; e esta é a saudação que trago:
Ele vos pede, em nome de Deus Pai,
Que vós, vos despojando, abandoneis
As glórias emprestadas que por dons
Dos céus, como das leis da natureza,
Só pertencem a ele e seus herdeiros,
Isto é, a coroa e as honras todas

           Que os hábitos e usos destes tempos
           Têm dado à França. Pois que saibam todos
90   Que o seu reclamo não é torto ou falso,
           Nem buscado em lembranças carcomidas,
           Ou no pó que recobre o esquecido;
           E vos manda esta prova de linhagem
           Que tudo deixa claro em cada ramo,
95   Pedindo-vos que olheis bem o seu sangue
           E, ao vê-lo tão corretamente herdeiro
           Do mais famoso de seus ancestrais,
           Eduardo Terceiro, ele vos pede
           Que abrais mão da coroa e deste reino,
100   Tomados, sem direito, ao titular.

     CARLOS
           Senão, o que se segue?

     EXETER
           Força sangrenta; mesmo que a coroa
           Seja escondida em vosso coração,
           Lá ele a buscará. Como tormenta
105   Ele avança, qual Zeus, num só tremor,
           Para forçar, fracassando o pedido,
           E roga, nas entranhas do Senhor,
           Que entregueis a coroa e tenhais pena
           Das pobres almas para as quais a guerra
110   Abre a goela, jogando em vossos ombros
           Lágrimas de viúva, gritos de órfão,
           Sangue de morto e choro de donzelas
           Privadas de seus pais, irmãos, amantes,
           Que serão engolidos nesta luta.
115   Dei conta assim do rogo e da ameaça,
           A não ser que o Delfim esteja aqui,
           A quem expressamente eu cumprimento.

     CARLOS
           Nós iremos pensar em tudo isso:
           Amanhã levará nossa resposta
120   A nosso irmão inglês.

     DELFIM
                         Quanto ao Delfim,
           Por ele eu falo; o que lhe vem do inglês?

     EXETER
           Desprezo e desafio; desrespeito

E tudo o mais que não deponha contra
O remetente. É tal seu desapreço.
125 Diz meu Rei: se Sua Majestade
Não adoçar, ao concordar com tudo,
O amargo chiste que o senhor mandou
À sua realeza, ele há de vir
Cobrar do senhor resposta tão candente
130 Que as furnas e as abóbadas da França
Hão de acusar seu erro e condenar
O chiste reforçando os seus canhões.

DELFIM

Pois por mim, se o meu pai aquiescer,
Será contra o meu voto; eu não desejo
135 Nada senão conflito com a Inglaterra.
Por isso, pra igualar sua vaidade
E juventude eu lhe enviei as bolas.

EXETER

Com elas ele arrasará o Louvre,
Mesmo sendo o maior forte da Europa:
140 E saiba que irá ver que há diferenças,
Como viram atônitos seus súditos,
Entre a promessa de seus anos verdes
E os dias de agora. Ele hoje pesa
Cada instante que passa. E isso verão,
145 Por suas perdas, se ele fica em França.

CARLOS

Amanhã saberão o que pensamos.

(Fanfarra.)

EXETER

Que seja logo, pra que o nosso rei
Não venha questionar vossa demora;
Pois hoje ele já pisa nestas terras.

CARLOS

150 Nossa boa resposta virá logo;
Uma noite é espera bem pequena
Pr'assunto de tão grandes consequências

(Saem.)

ATO 3

(*Entra o* coro.)

Coro

Com asa imaginária a cena voa
E nunca menos célere
Que o pensamento. Imaginem 'star vendo
Que o Rei, armado, no porto de Hampton
5   Embarca a realeza; e a brava esquadra
Saúda Febo, toda embandeirada.
Usem a fantasia, e nela vejam
Os grumetes subindo no velame;
Ouçam o agudo apito que traz ordem
10 À confusão. Observem como as velas
Enfunadas por ventos invisíveis
Puxam os grandes cascos pelos mares,
Espantando o refluxo. E agora pensem
Que pararam na praia para ver
15 Uma cidade dançando na espuma,
Pois tal parece a majestosa esquadra
Que ruma para Harfleur. Sigam agora!
Prendam a mente à popa dos navios,
Deixando à meia-noite a Inglaterra
20 Guardada só por velhos e crianças,
Que já passaram ou não atingiram
Seu momento de força e plenitude:
Pois quem há, cujo queixo já ostente
Um único cabelo, que não siga
25 Esses bravos eleitos para a França?
Trabalhem suas mentes; nelas vejam
Um cerco; e a artilharia sobre rodas
Abre a boca fatal à forte Harfleur.
Suponha já de volta o embaixador,
30 Que diz a Harry que a oferta do Rei
É a filha Catarina e, como dote,
Uns ducados mesquinhos e sem renda.
Desagrada a oferta, e o canhoneiro
Dispara o diabólico canhão.

(*Alarme. Ouvem-se disparos.*)

35 E tudo cai por terra. Pacientes,
Completem nossa cena em suas mentes.

CENA 1
França. Diante de Harfleur. Fanfarra.

(Entram o R<small>EI</small> H<small>ENRIQUE</small>, E<small>XETER</small>, B<small>EDFORD</small>, G<small>LOUCESTER</small> e soldados com escadas para escalar os muros.)

H<small>ENRIQUE</small>
    Uma vez mais à brecha, bons amigos,[18]
    Ou que os mortos ingleses fechem tudo.
    Na paz nada convém tanto a um homem
    Quanto a humildade e a doce quietude;
5   Mas quando ouvimos o clamor da guerra,
    Então imitem a ação do tigre:
    Retesem os tendões, chamem o sangue,
    Disfarcem a doçura com o terror;
    Deem aspecto de horror ao olhar,
10 Pra que vaze a janela do semblante
    Como um canhão de bronze; e o sobrecenho
    Se apresente temível como a rocha
    Por sobre a base abalada e incerta
    Que é devorada pelo mar bravio.
15 Trinquem os dentes, vibrem as narinas,
    Prendam o fôlego, e que a bravura
    Se mostre em cada um plena e ativa!
    Avante, ingleses nobres, que nasceram
    De pais enrijecidos pela guerra;
20 Pais que, quais tantos Alexandres,
    Nesta terra lutaram, noite e dia,
    Parando só por falta de oponentes.
    Honrem as suas mães provando hoje
    Que os que chamam de pais é que os geraram.
25 Ora copiem homens mais brutais
    E aprendam co'eles como guerrear.
    Bom povo que foi feito na Inglaterra,
    Provem hoje o valor do que os nutriu.
    Juremos que honrarão os que os formaram,
30 O que eu não duvido; pois aqui
    Não há um só tão vil, tão mal nascido,
    Que não traga no olhar um brilho nobre.
    Vejo que estão quais galgos já na pista,
    À força da partida. Está na hora!
35 Bravos, avante! E clamem nesta carga:
    "Deus por Harry, Inglaterra e por São Jorge"!

(Saem.)

---

[18] A brecha é nas muralhas da cidade de Harfleur que está sob cerco inglês. A fala, em inglês "Once more unto the breach, dear friends, once more", tornou-se emblemática do patriotismo e coragem dos ingleses. (N. E.)

CENA 2
O mesmo.

(Entram Nym, Bardolph, Pistola e um Rapaz.)

BARDOLPH
À frente, à frente, à frente! À brecha, à brecha!

NYM
Por favor, cabo, espere: o combate está quente demais e, quanto a mim, não tenho um caixote de vidas: as coisas estão de humor muito acalorado; essa é a verdade mais chã.

PISTOLA
O cantochão é o mais justo, pois abundam os humores. Com golpes e contragolpes, os vassalos de Deus tombam mortos.

(Canta.)

E o escudo e a espada
Na terra ensanguentada
Alcançam fama imortal.[19]

RAPAZ
Quem me dera estar em uma taverna em Londres! Eu troco toda a minha fama por uma cerveja e segurança.

PISTOLA
Eu também. *(Canta.)*
Se o meu desejo valesse
E meu alvo não me desmerecesse
Lá iria se pudesse.

RAPAZ
(Canta.)
Tão acertado,
Mas não tão afinado,
Quanto o canto do passarinho.

(Entra Fluellen.)

FLUELLEN
Pra precha, seus cachorros! Afante, safatos![20]

---
[19] Provavelmente, como acredita Dr. Johnson, essas três linhas são um fragmento de uma canção. (N.E.)
[20] Como é importante para a realização do personagem galês Fluellen que ele fale inglês de modo imperfeito ou pitoresco, optamos por substituir em suas falas *b* por *p*, *v* por *f*, *d* por *t* e *j* por *ch*. O escocês Jamy e o irlandês Macmorris, em produções de língua inglesa, também terão sotaques, mas não sendo necessários à ação, não foram tentados. (N. T.)

(Empurra-os para a frente.)

PISTOLA

20 Piedade, duque, pra quem é de barro!
Abatei vossa ira varonil!
Abatei vossa ira, grande duque!
Senhor galo, perdão para os pintinhos!

NYM

25 Tudo isso é bom humor! *(FLUELLEN bate em NYM.)* Sua honra só traz mais humores.

(Saem todos menos o RAPAZ.)

RAPAZ

Sou bem jovem, mas já observei esses três fanfarrões. Para os três eu sou o rapaz de serviço, mas se me servissem nenhum seria um homem a meus olhos; pois, para falar a verdade, esses três palhaços não fazem um homem. Bardolph é vermelho de cara, mas branco de fígado, enca-
30 ra tudo, mas não briga com nada. Pistola tem língua mortífera e espada quietíssima; as palavras ele estraçalha, mas as armas ficam inteiras. Quanto a Nym, ouviu dizer que os melhores homens são os que falam pouco e por isso mesmo se esquece de fazer suas orações, para que não pensem que é covarde. Mas suas boas ações são tão poucas
35 quanto suas palavras más; pois ele jamais quebrou uma cabeça que não a própria — contra um poste, quando estava bêbado. Roubam de tudo e chamam de compra. Bardolph roubou uma caixa de alaúde, carregou-a por doze léguas e depois a vendeu por três metades de pence. Nym e Bardolph são irmãos jurados em furto. E em Calais rouba-
40 ram uma pá de incêndio; com esse serviço provaram que fazem qualquer serviço baixo. Eles gostariam que eu ficasse tão íntimo dos bolsos dos outros quanto as suas luvas ou lenços; mas seria horrível para minha hombridade tirar do bolso de outro para pôr no meu; estaria apenas embolsando erros. Preciso deixá-los e procurar serviço
45 melhor: a safadeza deles me faz mal ao estômago e tenho de botá-la para fora.

(Sai.)

(Volta FLUELLEN, seguido por GOWER.)

GOWER

Capitão Fluellen, o senhor precisa vir logo até as minas; o Duque de Gloucester gostaria de lhe falar.

FLUELLEN

Até as minas! Pois tiga ao tuque que não é bom ir até as minas. Pois fecha, as minas não ficam te acorto com as tisciplinas ta guerra; suas concafitates não são suficientes, pois fiquem sapento que o inimigo se cafou quatro praças apaixo tas contraminas. Chesus, acho que ele explote tuto se não houfer melhor tireção.

GOWER
O Duque de Gloucester, responsável pela ordem do cerco, é totalmente orientado por um irlandês, um cavaleiro muito corajoso, na verdade.

FLUELLEN
O Capitão Macmorris, não é fertate?

GOWER
Creio que sim.

FLUELLEN
Chesus, ele é um asno, igual ao maior to munto, e ferifico o que tigo em sua parpa: ele não tem mais orientação nas fertateiras tisciplinas tas guerras, sape, tas tisciplinas romanas, que um cachorrinho nofo.

(Entram MACMORRIS e JAMY.)

GOWER
Aí vem ele. E com ele o capitão escocês, Capitão Jamy.

FLUELLEN
O Capitão Chamy é um cafalheiro marafilhosamente faloroso, com certeza, e muito expetito e conhecetor tas guerras antigas, como eu mesmo ferifiquei por suas instruções; Chesus sape que ele é apto a tefenter qualquer argumentação tão pem quanto qualquer militar no munto, nas tisciplinas tas mais priscas guerras tos romanos.

JAMY
Bom dia, Capitão Fluellen.

FLUELLEN
Que Teus tê pom-tia à fossa honra, pom Capitão Chamy.

GOWER
Então, Capitão Macmorris, o senhor abandonou as minas? Os sapadores desistiram?

MACMORRIS
Cristo sabe que está malfeito. Por esta mão e pela alma do meu pai, o trabalho está malfeito, está abandonado. Eu teria explodido a cidade,

que Deus me ajude, em uma hora. Aí está malfeito, por esta mão, muito malfeito!

Fluellen

Capitão Macmorris, eu lhe peço agora que me conceta, fecha, umas poucas tisputas que tocam ou concernem as tisciplinas ta guerra, tas guerras romanas, à maneira te tepate, fecha, e comunicação amigáfel; em parte para satisfazer minha opinião e em parte para a satisfação, fecha, te minha mente, no que tanche à tireção ta tisciplina militar. O ponto é esse.

Jamy

Tudo sairá bem, muito bem, capitães. E eu hei de responder, se me permitem, quando achar que é a ocasião; garanto que o farei.

Macmorris

Isto não é hora para discursos, que Cristo me salve, com o dia quente, esse tempo, e as guerras, e o Rei, e os duques: não é hora para discursos. A cidade está cercada, e a trombeta nos chama para as brechas, e nós falando, por Cristo, nós sem fazermos nada, é vergonha para todos nós. Que Deus nos guarde; há gargantas para cortar, e trabalho para fazer, e nada é feito; que Cristo me salve, ai!

Jamy

Pela missa, antes que esses meus olhos cochilem eu farei bom trabalho, ou fico no chão por eles, sim senhor. Ou então morro, e tudo farei com todo o valor que puder, podem ter certeza, e não direi mais nem menos. Mas por Maria que eu haveria de gostar muito de ouvir vocês dois debatendo.

Fluellen

Capitão Macmorris, eu penso, sape, e me corricha se estifer errato, que não há muitos ta sua nação.

Macmorris

Da minha nação! O que é a minha nação? Será um vilão, e um bastardo, e um canalha, e um crápula... O que é uma nação? Quem fala da minha nação?

Fluellen

Olha aqui, se o senhor tomar esse assunto te forma tifersa to que eu pretento, Capitão Macmorris, talfez eu pense que não está me tratanto com a afapilitate com a qual, segunto a tiscrição, teferia me tratar, sento eu um homem tão pom quanto o senhor tanto nas tisciplinas ta guerra quanto nas orichens to meu nascimento, e em outras particularitates.

MACMORRIS

Eu não vejo como o senhor possa ser homem tão bom quanto eu, que Deus me salve, e vou cortar a sua cabeça.

GOWER

Cavalheiros, assim não vão se entender.

JAMY

Ah! E isso é falta muito grave.

(Ouve-se um toque de parlamentação.)

GOWER

110   A cidade pede para parlamentar.

FLUELLEN

Capitão Macmorris, quanto melhor oportunitate se apresentar, fecha, terei a ousatia te tizer-lhe que conheço as tisciplinas ta guerra, e é isso aí.

(Saem.)

CENA 3

A mesma. Alguns Cidadãos na murada acima das portas da cidade.

(Entram o REI HENRIQUE e todo o seu SÉQUITO, em frente às portas.)

HENRIQUE

O que diz o governo da cidade?
Depois de agora, não falamos mais:
Rendam-se, então, ante a nossa piedade,
Ou com o orgulho de quem quer morrer
5   Busquem nosso pior: como soldado,
Título, creio, que me cai melhor,
Se recomeço de novo este ataque,
Não deixo Harfleur, hoje meio caída,
Antes de vê-la soterrada em cinzas.
10 As portas da piedade hão de fechar-se
E o soldado curtido, duro e bruto,
Vai correr, com licença sanguinária,
E a consciência no inferno, ceifando
Virgens belas e infantes em botão.
15 O que me importa que uma ímpia guerra
Vestida em chamas como o rei dos demos,
Execute, com aspecto nauseabundo,
Horrendos feitos de desolação?

O que me importa que, por sua causa,
Puras donzelas caiam nas vis garras
De violação forçada e luxuriosa?
Quem pode controlar o mal liberto
Quando ele corre, horrendo, morro abaixo?
Tão inútil seria o meu comando
Sobre a fúria do saque dos soldados
Quanto uma carta a um leviatã
Pedindo-lhe que aporte. Homens de Harfleur,
Tenham portanto pena de seu povo
Enquanto ainda comando meus homens
Enquanto a fresca brisa da bondade
Domina as negras e imundas nuvens
Do assassinato, saque e vilania.
Senão, poderão ver, em um momento,
A tropa cega em sangue, com mão sórdida,
Puxar pelos cabelos suas filhas,
Seus pais puxados pelas barbas brancas
Para amassar nos muros reverendas
Cabeças e fazer girar no espeto
Recém-nascidos cujas mães, com uivos,
Vão penetrar os céus como, em Judeia,
Aconteceu com a matança de Herodes.
Que dizem? Vão fugir a uma tal sina?
Ou lutar, e ter culpa da ruína?

(Entram o Governador e séquito.)

Governador

Com o dia acabam nossas esperanças;
O delfim, que buscamos por socorro,
Diz-nos que suas hostes não 'stão prontas
Pra levantar tal cerco. E assim, ó Rei,
Cidade e vida às vossas boas graças
Ora rendemos. Entrai para dispor
De nós e dos nossos; pois já não somos
Passíveis de defesa.

Henrique

Abram as portas. Vem, meu tio Exeter;
Entra tu em Harfleur e ocupa-a,
Fortificando-a contra os franceses.
Sê piedoso com todos. Quanto a nós,
Com o inverno e a doença que ora chegam
Pra nossa tropa, iremos pra Calais.

Em Harfleur, hoje eu sou só convidado;
Amanhã, 'stou pra marcha preparado.

(Saem.)

CENA 4
Rouen. Uma sala no palácio.

*(Entram a P*RINCESA *C*ATARINA *e A*LICE*, uma velha A*IA*.)*[21]

CATARINA

Alice, tu as été en Angleterre, et tu bien parles le langage.[22]

ALICE

Un peu, madame.[23]

CATARINA

Je te prie, m'enseignez. Il faut que j'apprenne à parler. Comment appelez--vous la main en anglais?[24]

ALICE

5   *La main? Elle est appelée de hand.*[25]

CATARINA

De hand. Et les doigts?[26]

ALICE

Les doigts? Ma foi, j'oublie les doigts, mais je me souviendrai. Les doigts — je pense qu'ils sont appelés de fingres. Oui, de fingres.[27]

CATARINA

La main, de hand; les doigts, de fingres. Je pense que je suis la bonne écolière; j'ai gagné deux mots d'anglais vitement. Comment appelez--vous les ongles?[28]

---

21 As passagens estão em francês no original; são aqui reproduzidas com a sintaxe e a ortografia que aparecem no texto, mesmo que possam merecer reparos. A tradução dos trechos em francês tem o propósito de facilitar para o leitor a compreensão das passagens. (N. E.)
22 "Alice, você esteve na Inglaterra e fala bem a língua." (N. E.)
23 "Um pouco, madame" (N. E.)
24 "Eu te imploro, me ensine, eu preciso aprender a falar inglês Como vocês chamam a mão em inglês?" A flutuação pronominal entre as segundas pessoas do singular e do plural encontra-se no texto original. (N. E.)
25 *"A mão? Ela é chamada de hand."* (N. E.)
26 "De hand. E os dedos?" (N. E.)
27 *"Os dedos? Por minha fé, esqueci os dedos, mas vou me lembrar. Os dedos - acho que são chamados de fingres. Sim, de fingres."* (N. E.)
28 "A mão, de hand. os dedos, *de fingres*. Acho que eu sou uma boa aluna; aprendi rapidamente duas palavras de inglês. Como vocês chamam as unhas?" (N. E.)

ALICE

    Les ongles? Nous les appelons de nails.[29]

CATARINA

    De nails. Écoutez — dites-moi si je parle bien: de hand, de fingres, et de nails.[30]

ALICE

    C'est bien dit, madame. Il est fort bon anglais.[31]

CATARINA

    Dites-moi l'anglais pour le bras.

ALICE

    De arma, madame.[32]

CATARINA

    Et le coude?[33]

ALICE

    D'elbow.

CATARINA

    D'elbow. Je m'en fais la repetition de tous les mots que vous m'avez appris dès a present.[34]

ALICE

    Il est trop difficile, madame, comme je pense.[35]

CATARINA

    Excusez-moi, Alice. Écoutez: d'hand, de fingre, de nails, d'arma, de bilbow.[36]

ALICE

    D'elbow, madame.

CATARINA

    O Seigneur Dieu, je m'en oublie! D'elbow. Comment appelez-vous le col?[37]

---

29 "As unhas? As unhas nós chamamos de nails." (N. E.)
30 "De nails. Escute, me diga se não falo inglês bem: de hand, de fingres, e de nails." (N. E.)
31 "Muito bem dito, madame. Seu inglês é muito bom." (N. E.)
32 A ama afrancesa a pronúncia de "*arms*" para "arma". (N. E.)
33 "E o cotovelo?" (N. E.)
34 "D'elbow. Vou repetir todas as palavras que você me ensinou até agora." (N. E.)
35 "Eu acho que é muito difícil, é como eu vejo, Madame." (N. E.)
36 "Com licença, Alice. Escute: d'hand, de fingres, de nails, d'arma, de bilbow." (N. E.)
37 "O, meu bom Deus, eu me esqueci. D'elbow. Como vocês chamam o pescoço?" (N. E.)

ALICE

> *De nick, madame.*

CATARINA

> *De nick. Et le menton?*[38]

ALICE

30 > *De chin.*

CATARINA

> *De sin. Le col, de nick; le menton, de sin.*[39]

ALICE

> *Oui. Sauf votre honneur, en vérité vous prononcez les mots aussi droit que les natifs d'Angleterre.*[40]

CATARINA

> *Je ne doute point d'apprendre, par la grace de Dieu, et en peu de temps.*[41]

ALICE

35 > *N'avez-vous y déjà oublié ce que je vous ai enseigné?*[42]

CATARINA

> *Non, et je réciterai à vous promptement: d'hand, de fingre, de mailès—*[43]

ALICE

> *De nails, madame.*

CATARINA

> *De nails, de arma, de ilbow—*

ALICE

> *Sauf votre honneur, d'elbow.*[44]

CATARINA

40 > *Ainsi dis-je. D'elbow, de nick, et de sin. Comment appelez-vous les pieds et la robe?*[45]

---

38 "De nick. E o queixo?" (N. E.)
39 "De sin. O pescoço, de nick, o queixo, de sin." (N. E.)
40 "Com o devido respeito, a senhora, na verdade, pronuncia muito bem as palavras, muito melhor que os nativos da Inglaterra." (N. E.)
41 "Não tenho dúvida nenhuma que vou aprender, pela graça de Deus, em pouco tempo." (N. E.)
42 "A senhora não se esqueceu o que eu lhe ensinei?" (N. E.)
43 "Não, vou repetir tudo o que aprendi: d'hand, de fingres, de mailés —"(N. E.)
44 "Com perdão, madame, d'elbow." (N. E.)
45 "Eu disse exatamente isso. D'elbow, de nick, et de sin. Como vocês chamam os pés e o vestido?" (N. E.)

ALICE

De foot, madame, et de cown.[46]

CATARINA

45 De foot et de cown? O Seigneur Dieu! Ils sont les mots de son mauvais, corruptible, gros, et impudique, et non pour les dames d'honneur d'user. Je ne voudrais prononcer ces mots devant les seigneurs de France pour tout le monde. Foh! De foot et de cown! Néanmoins, je réciterai une autre fois ma leçon ensemble. D'hand, de fingre, de nails, d'arma, d'elbow, de nick, de sin, de foot, de cown.[47]

ALICE

Excellent, madame!

CATARINA

50 C'est assez pour une fois. Allons-nous à diner.[48]

(Saem.)

CENA 5
O mesmo.

(Entram o REI DA FRANÇA, o DELFIM, o DUQUE DA BRETANHA, o CONDESTÁVEL da França e outros.)

CARLOS

É certo que cruzou o rio Somme.

CONDESTÁVEL

Se não for enfrentado, meu senhor,
Não vivamos na França; é largar tudo
Deixando nossas vinhas pr'esses bárbaros.

DELFIM

5 Meu Deus! Será que alguns de nossos ramos,
Só restos da luxúria de seus pais,
Galhos crescidos em raiz selvagem,
Brotam assim depressa para as nuvens
E esquecem o seu tronco original?

BRETANHA

10 Normandos, sim, mas normandos bastardos!

---

46 Tanto "foot" quanto "cown" servem a trocadilhos de sentido sexual. (N. E.)

47 "*De foot* et de *cown*? O, meu Deus! São palavras com sons horríveis, corruptos, grosseiros e vergonhosos, nenhuma dama honrada as pode usar. Eu não quero repetir essas palavras diante de nenhum cavaleiro de França nem por todo o mundo. Foh! *De foot* e de *cown*! No entanto, agora vou repetir mais uma vez toda a minha lição. D'hand, de fingre, de nails, d'arma, d'elbow, de nick, de sin, de foot, de cown." (N. E.)

48 "Já basta por hoje. Vamos jantar." (N. E.)

       Mort de ma vie! Se marcharem assim
       Sem ter combate, eu vendo o meu ducado
       Pra comprar uma terra úmida e suja
       Na acidentada ilha de Albion.

CONDESTÁVEL

15   *Dieu de batailles*! De onde vem seu brio?
       Seu clima não é cinza, duro, opaco,
       Onde o sol, por desprezo, fica pálido
       Matando os frutos com olhar sombrio?
       Pode a fervura de cevada, feita
20   Pra curar pangarés, dar fogo ao sangue
       Enquanto o nosso, que o vinho estimula,
       Fica gelado? Ó! Por nossa honra,
       Não fiquemos qual gelo no telhado,
       Enquanto um povo que é muito mais frio
25   Pinga seu bravo suor em nossos campos,
       Que podemos dizer pobres de donos.

DELFIM

       Por nossa honra,
       Nossas damas debocham e proclamam
       Que nossa estirpe acabou, que darão
30   Seus corpos à luxúria dos ingleses,
       Pra rearmar a França com bastardos.

BRETANHA

       Já nos mandam tomar lições de dança,
       Para aprender *lavoltas*[49] com os ingleses;
       Só elogiam nossos calcanhares,
35   Dizendo-nos fujões de alta classe.

CARLOS

       Chamai Montjoy, quero aqui o arauto:
       Que saúde a Inglaterra em desafio.
       Meus príncipes! Com a honra ora afiada,
       Vão com espadas que cortam mais que o verbo
40   Avante, condestável desta França:
       Orléans, Bourbon, Berry, Duques da França,
       Alençon, Brabant, Bar e Borgonha,
       Jacques de Châtillon, Rambures, Vaudemont,
       Beaumont, Grandpré, Roussi e Fauconbridge,
45   Foix, Lestrelles, Boucicault e Charolais,
       Duques, príncipes, barões e fidalgos:

---

[49] Dança antiga, originária da Itália. (N. E.)

Pelo que é vosso acabai tal vergonha;
Parai Harry, que varre a nossa terra
Com flâmulas que têm sangue de Harfleur.
50 Atacai suas hostes como a neve
Derretida que desce para o vale,
Na qual os Alpes cospem seus catarros.
Avançai, vossas forças são bastantes;
E em carroça, cativo, até Rouen
55 Trazei-me o prisioneiro.

CONDESTÁVEL

Assim se fala!
Lamento que seus homens sejam poucos,
Famintos e doentes com essa marcha;
Pois é certo que ao ver a nossa tropa
Seu coração irá parar de medo,
60 E ele há de implorar por um resgate.

CARLOS

Condestável, mandai então Montjoy
Dizer à Inglaterra que o enviamos
Para saber o quanto ele nos paga.
Em Rouen o Delfim fica conosco.

DELFIM

65 Não, eu imploro à Vossa Majestade.

CARLOS

Paciência; conosco é o seu lugar.
Avante, pois, ó nobres desta terra,
Pra cantar logo a queda da Inglaterra.

(Saem.)

CENA 6
O acampamento dos ingleses na Picardia.

(Entram os CAPITÃES INGLÊS e GALÊS, GOWER e FLUELLEN.)

GOWER

Então, Capitão Fluellen, está vindo da ponte?

FLUELLEN

Eu churo que serfiços muito excelentes foram cometitos na ponte.

GOWER

O Duque de Exeter está lá?

FLUELLEN

O Tuque te Exeter é cheneroso como Agamêmnon. É um homem que amo e honro com tota a minha alma e o meu coração e o meu tefer, e minha fita, meu fifer, toto o meu poter. Ele não é — e Teus por isso secha apençoato — qualquer mal no munto, mas guarta a ponte com muita falentia e tisciplina. Há um suptenente lá na ponte; penso, com minha consciência, que ele secha tão falente quanto Marco Antônio. É um homem sem estima no munto, mas eu o fi prestar serfiços pem galantes.

GOWER

E como se chama ele?

FLUELLEN

Ele se chama Alferes Pistola.

GOWER

Não o conheço.

(Entra PISTOLA.)

FLUELLEN

Aqui está o homem.

PISTOLA

Capitão, eu vim pedir-lhe uns favores:
O Duque de Exeter o preza muito.

FLUELLEN

Sim, graças a Teus; e tenho merecito amor em suas mãos.

PISTOLA

Pois Bardolph, praça firme e confiável,
E valoroso, por azar na vida
E capricho da roda da Fortuna,
A deusa cega
Que paira sobre a pedra que desliza...

FLUELLEN

Um momento, Alferes Pistola. A Fortuna é pintata cega, com uma tira nos olhos, para focê fer que a Fortuna é cega: e ela é pintata tampém com uma rota, para significar para focê — o que é a sua moral — que ela está rotanto, e inconstante, e a mutapilitate e a fariação; e o seu pé, fecha focê, está preso em uma petra esférica, que rota, e rota, e rota; a pem da fertate, o poeta faz uma excelentíssima tescrição tela: a Fortuna é uma ex-celente moral.

Pistola

É inimiga de Bardolph e o odeia:
Por roubar um porta-paz, vai para a forca.
Uma morte maldita!
Forca é pra cão; o homem deve ser livre,
E nunca sufocado com uma corda.
Mas Exeter mandou-o para a morte
Por um porta-paz barato.
Vá lhe falar então, que o duque ouve,
Pra não cortarem a vida de Bardolph
Com uma corda barata e vil injúria!
Peça por ele, capitão, que eu pago.

Fluellen

Alferes Pistola, eu compreento em parte o seu sentito...

Pistola

Pois então rejubile-se.

Fluellen

Por certo, alferes, não é coisa pra ninguém se alegrar, pois se ele fosse meu irmão, eu iria tesechar que o Tuque usasse te seu prazer e o mantasse executar, pois a tisciplina tem te ser usata.

Pistola

Pois que morra danado; e uma banana para a sua amizade!

Fluellen

Está pem.

Pistola

Uma banana espanhola.

(Sai.)

Fluellen

Muito bem..

Gower

Ora, mas esse é um completo vagabundo, estou me lembrando muito bem dele: é cafetão e larápio.

Fluellen

Pois tigo que na ponte ele proferiu as palafras mais prafas que se oufe em um ferão inteiro. Mas está tuto pem, o que ele me tisse fica pem, eu churo, até chegar a hora certa.

GOWER

Mas ele é um tolo, um idiota, um malandro, que de vez em quando se mete em guerras para se enfeitar, voltando para Londres com aspecto de soldado. Esse tipo de sujeito sabe perfeitamente o nome de todos os comandantes, aprende de cor onde houve grandes batalhas; em que forte, em que passe, que comboio; quem foi bravo, quem foi ferido, quem foi desmoralizado, quais as forças do inimigo. Tudo isso aprendem com perfeito vocabulário militar, que usam para inventar novas pragas: uma barba igual à de um general e um uniforme impressionante conseguem, em meio a garrafas espumantes e cabeças lavadas em cerveja, o que já se pode bem imaginar. Mas é preciso saber quem são esses sem-vergonhas, porque senão podemos nos enganar facilmente.

FLUELLEN

Eu lhe tigo, Capitão Gower, e percepo que ele não é o homem que ele gosta te fazer o munto pensar que ele é. Se encontrar um meio te furar sua carapaça, fou tizer o que acho tele.

(Tambores.)

Atenção, o rei fem aí, e tenho te falar com ele ta ponte.

(Bandeiras. Entram o REI HENRIQUE, GLOUCESTER e seus pobres soldados.)

Teus salfe Fossa Machestate!

HENRIQUE

Então, Fluellen, está vindo da ponte?

FLUELLEN

Isso mesmo, Machestate. O Tuque te Exeter mantefe galantemente a ponte: os franceses fuchiram, fecha, e houfe passachens galantes e te grante prafura. Fertate, o atfersário chá tefe possessão ta ponte, mas foi forçato a retirar-se e o Tuque te Exeter é senhor ta ponte. E tigo a Fossa Machestate que o tuque é um homem prafo.

HENRIQUE

Quantos homens perderam, Fluellen?

FLUELLEN

As pertas to atfersário têm sito muito grantes, razoafelmente grantes: fertate, te minha parte, acho que o tuque não perteu um só homem, a não ser um que fai ser executato por roupar uma igrecha; um tal Partolph, se Fossa Machestate sape quem é. Seu rosto é toto te polotas, polhas e chamas te fogo; seus lápios sopram o nariz, que é como um carfão te fogo, às fezes fermelho; mas com o nariz executato, seu fogo apagou.

HENRIQUE
Queremos todos os que assim transgridam assim cortados; e demos ordens expressas para que em nossas marchas pelo país nada seja arrancado às aldeias, nada tomado sem ser pago, nenhum francês ofendido ou abusado com linguagem desdenhosa; pois quando a leniência e a crueldade disputam um reino, o que joga com mais delicadeza é o mais provável ganhador.

(Clarinada. Entra MONTJOY.)

MONTJOY
Por minhas roupas já me conheceis.

HENRIQUE
Pois então o conheço; e o que dirá, agora que o conheço?

MONTJOY
O que pensa o meu amo.

HENRIQUE
Pois então revele-o.

MONTJOY
Assim diz o meu Rei: "Diz a Harry da Inglaterra que, embora tenhamos parecido mortos, apenas dormíamos. A hora certa é melhor soldado do que a precipitação. Diz-lhe que o poderíamos ter repelido em Harfleur, porém julgamos não ser bom espremer o furúnculo antes que viesse a furo: agora, chegada a nossa deixa, falaremos, e nossa voz será imperial. A Inglaterra há de lamentar sua tolice, constatar sua fraqueza e espantar-se com nossa paciência. Pede-lhe, portanto, que considere o seu resgate, que deve corresponder às perdas que sofremos, aos súditos que perdemos, à vergonha que engolimos; o que, pesada a contrapartida, alquebra a sua mesquinhez. Para nossas perdas, seu tesouro é muito pobre; para a perda de nosso sangue, a tropa de seu reino muito pequena em número; e para a nossa vergonha, sua própria pessoa, ajoelhada a nossos pés, satisfação fraca e sem valor. Junta a isso nosso desafio; e diz-lhe, em conclusão, que ele atraiçoou seus seguidores, cuja condenação já foi promulgada." Assim fala meu rei e amo, essa a minha tarefa.

HENRIQUE
Como é o seu nome? Conheço o seu ofício.

MONTJOY
    Montjoy.

HENRIQUE
115   Você trabalha bem. Agora volte.
    Diga ao seu rei que não o busco agora,
    E prefiro marchar para Calais
    Sem empecilhos, pois, na realidade,
    Mesmo não sendo sábio, vou confessá-lo
120   A um inimigo alerta e numeroso.
    Minha gente está fraca, com doenças,
    A tropa, reduzida, e os que restam
    Quase que nem melhores que os franceses;
    Quando antes, com saúde, saiba, arauto,
125   Em cada par de pernas da Inglaterra
    Me parecia andarem três franceses.
    Deus perdoe esse orgulho. O ar da França
    Me encheu de vícios; devo arrepender-me.
    Vá e diga ao seu amo que aqui estou:
130   Meu resgate é este corpo sem valor,
    O meu exército é uma guarda fraca;
    Mas diga-lhe, por Deus, que avançaremos
    Mesmo que a própria França e um outro igual
    Nos barrem. Tome aqui, por seu trabalho.
135   Diga a seu amo que ele pense bem:
    Se passarmos, 'stá bem; mas se nos barram,
    Com seu sangue vermelho este seu chão
    Nós iremos tingir. Adeus, Montjoy.
    Nossa resposta, em suma, é está só:
140   Não buscamos batalha como estamos;
    Mas, como estamos, não fugimos dela.
    Diga isso a seu amo.

MONTJOY
    Direi. Sou grato a Vossa Majestade.

(Sai.)

GLOUCESTER
    Espero que ninguém nos busque agora.

HENRIQUE
145   'Stamos nas mãos de Deus, e não nas deles.
    Pra ponte, pois a noite vai chegando;
    Podemos acampar bem junto ao rio
    E amanhã damos ordens pra marchar.

(Saem.)

CENA 7
Acampamento francês perto de Azincourt.

(*Entram o* CONDESTÁVEL *da França, o* SENHOR DE RAMBURES, *o* DUQUE DE ORLÉANS, *o* DELFIM *e outros.*)

CONDESTÁVEL

Ora, eu tenho a melhor armadura do mundo. Tomara que amanheça!

ORLÉANS

Sua armadura é excelente, mas reconheça o que merece o meu cavalo.

CONDESTÁVEL

É o melhor cavalo da Europa.

ORLÉANS

E a manhã, não chega?

DELFIM

Meu senhor de Orléans e meu senhor condestável, falam de cavalo e armadura?

ORLÉANS

O senhor é tão bem equipado com ambos quanto qualquer príncipe do mundo.

DELFIM

Que noite longa é esta. Não troco o meu corcel por qualquer outra coisa de quatro patas. *Ça, ha!* Ele salta do solo como se suas entranhas fossem cabelos! *Le cheval volant,* o Pégaso, *qui a les narines de feu!*[50] Quando o cavalgo eu pairo, eu sou um falcão; ele trota no ar; a terra canta quando ele a toca; o mais rude tropel de suas patas é mais musical do que a flauta de Hermes.

ORLÉANS

Ele tem a cor da noz-moscada.

DELFIM

E o calor do gengibre. É um animal para Perseu: ele é puro ar e fogo, e os elementos mais opacos, terra e água, jamais aparecem nele, só na paciente quietude quando o seu cavaleiro o monta. Ele é realmente um cavalo; todos os outros são pangarés e animais.

---

50 "O cavalo voador, o Pégaso, que tem as narinas em fogo". (N. E.)

CONDESTÁVEL

Em verdade, senhor, ele é, em termos absolutos e excelentes, um cavalo.

DELFIM

Ele é o príncipe dos palafréns; seu relincho é como a ordem de um monarca, seu aspecto obriga à homenagem.

ORLÉANS

Agora chega, primo.

DELFIM

Não: falta espírito ao homem que não pode, do despertar da cotovia ao deitar da ovelha, jorrar loas merecidas sobre o meu corcel; ele é um tema tão rico quanto o mar. Transformem em línguas eloquentes as areias, e meu cavalo oferecerá argumentos para todas elas. É tema para a reflexão de um soberano e para que o mundo, tanto o familiar quanto o desconhecido, deixe de lado seus afazeres particulares só a fim de admirá-lo. Eu certa vez escrevi um soneto em seu louvor, que começa assim: "Maravilha da natureza!".

ORLÉANS

Eu já ouvi um soneto que começa assim feito para uma amante.

DELFIM

Era imitação do que compus para o meu corcel, pois o meu cavalo é minha amante.

ORLÉANS

Sua amante acomoda bem.

DELFIM

Bem a mim; o que é receita de loa e perfeição de amante boa e exclusiva.

CONDESTÁVEL

Nem tanto, pois ontem pareceu-me que sua amante o sacudiu de seus costados.

DELFIM

E a sua também, parece.

CONDESTÁVEL

A minha estava sem freio.

DELFIM

Vai ver que ela é velha e delicada, a que o senhor cavalgou; como praça irlandês, anda descalça e de pernas nuas.

CONDESTÁVEL
O senhor entende muito de equitação.

DELFIM
Então, ouça bem: quem monta assim monta sem cuidado e cai em pântanos imundos. Prefiro ter meu cavalo como amante.

CONDESTÁVEL
Nesse caso seria o mesmo ter uma amante que todos montam.

DELFIM
Eu lhe garanto, condestável, que o cabelo da minha amante é dela mesmo.

CONDESTÁVEL
Eu poderia dizer o mesmo se a minha amante fosse uma porca.

DELFIM
Le chien est retourné à son propre vomissement, et la truie lavée au bourbier[51]: o senhor faz uso de qualquer coisa.

CONDESTÁVEL
Mesmo assim, não uso meu cavalo para minha amante; ou qualquer provérbio que tenha tão pouco a ver com o assunto.

RAMBURES
Senhor condestável, na armadura que vi esta noite em sua tenda havia estrelas ou sóis?

CONDESTÁVEL
Estrelas, meu senhor.

DELFIM
Espero que algumas caiam amanhã.

CONDESTÁVEL
Que não farão falta no céu de minha honra.

DELFIM
Pode ser; mas já que o senhor usa tantas supérfluas, talvez fosse bom para a honra que algumas sumissem.

CONDESTÁVEL
Assim como o seu cavalo, que tem de carregar os seus elogios; ele trotaria igualmente bem se algumas de suas fanfarronices se apeassem.

---

[51] Referência à Bíblia, Pedro 2:22, ao provérbio: O cão voltou ao seu próprio vômito e a porca lavada tornou a revolver-se no lamaçal. (N. E.)

DELFIM

65 Quem me dera poder carregá-lo com todos os seus méritos! Será que o dia não chega? Amanhã vou trotar uma milha, e meu caminho será pavimentado com rostos ingleses.

CONDESTÁVEL

Não digo o mesmo, por medo que ver caretas no caminho. Mas queria que já fosse manhã, para agarrar os ingleses pelas orelhas.

RAMBURES

70 Quem quer arriscar vinte prisioneiros comigo?

CONDESTÁVEL

O senhor mesmo terá de se arriscar, antes de os conseguir.

DELLFIM

É meia-noite; eu vou me armar.

(Sai.)

ORLÉANS

O delfim anseia pela manhã.

RAMBURES

Ele anseia por comer os ingleses.

CONDESTÁVEL

75 E creio que comerá todos os que matar.

ORLÉANS

Pela branca mão da minha dama, ele é um príncipe galante.

CONDESTÁVEL

Jure pelo pé, para ela poder pisar na praga.

ORLÉANS

Ele é simplesmente o cavaleiro mais ágil da França.

CONDESTÁVEL

Fazer é atividade, e ele não para de fazer.

ORLÉANS

80 Ele nunca fez mal, que eu saiba.

CONDESTÁVEL

E nem o fará amanhã: há de manter seu bom nome.

ORLÉANS
Eu sei que ele é valente.

CONDESTÁVEL
Fui informado disso por alguém que o conhece melhor do que o senhor.

ORLÉANS
Quem?

CONDESTÁVEL
Ora, pela Virgem, por ele mesmo; e me disse que pouco lhe importava quem o soubesse.

ORLÉANS
Nem é preciso; essa não é virtude oculta nele.

CONDESTÁVEL
Por minha fé que é: ninguém jamais a viu, senão seu lacaio; é uma virtude embuçada — e, quando aparece, mostra-se de voo instável.

ORLÉANS
A má vontade jamais fala bem.

CONDESTÁVEL
Eu respondo esse provérbio com: "Toda amizade inclui bajulação".

ORLÉANS
E eu, a esse, com: "Justiça até para o diabo".

CONDESTÁVEL
Bem aplicado: seu amigo, aí, representa o diabo. E bem no olho desse provérbio eu atiro: "Que se dane o diabo".

ORLÉANS
Vejo que é melhor de ditados, porque o tolo "atira no que viu e acerta o que não viu".

CONDESTÁVEL
Pois seu tiro foi mesmo errado.

ORLÉANS
Não é a primeira vez que o seu tiro é o mais fraco.

(Entra um MENSAGEIRO.)

Mensageiro
Senhor condestável, os ingleses estão a menos de mil e quinhentos passos de vossas tendas.

Condestável
Quem mediu o chão?

Mensageiro
O senhor de Grandpré.

Condestável
Um cavalheiro valente e competente.

(Sai Mensageiro.)

Por que não nasce o dia? Ai, ai, o pobre Harry da Inglaterra por certo não suspira pela aurora como nós.

Orléans
Que sujeito desgraçado e irresponsável é esse Rei da Inglaterra, para andar por aí com seu bando de obtusos, metendo-se no que nem sequer conhece!

Condestável
Se os ingleses tivessem bom senso, fugiriam.

Orléans
Mas não têm, pois se suas cabeças tivessem qualquer armamento cerebral, eles jamais poderiam usar aqueles elmos pesadíssimos.

Rambures
Na ilha da Inglaterra crescem criaturas muito valentes; seus mastins são de coragem inigualável.

Orléans
Uma cachorrada tola que se precipita para a boca de um urso russo e acaba com a cabeça amassada como ração podre. Isso é o mesmo que chamar de valente a pulga que come no lábio de um leão.

Condestável
Justo, justo; e os homens se parecem com os mastins, com ataques robustos e brutais, deixando o espírito em casa, com as mulheres; e quando lhes dão imensas refeições de carne, ferro e aço, eles comem como lobos e lutam como demônios.

Orléans
É; mas esses ingleses estão sem mulher nem carne.

CONDESTÁVEL

Então, amanhã vamos ver que eles terão fome de comida, porém não de luta. É hora de nos armarmos; vamos lá?

ORLÉANS

125 São duas horas; às dez, pelo menos,
Cada um de nós terá cem ingleses.

(Saem.)

ATO 4

(Entra o coro.)

CORO

Imaginem agora aquele instante
Em que o sussurro e o escuro penetrante
Enchem a vasta taça do universo.
De tenda a tenda, pela noite imunda,
5 Soa o quieto zumbir dos dois exércitos,
Com as sentinelas quase recebendo
O sibilar secreto uma da outra.
As fogueiras se falam e, nas chamas,
Cada hoste vê, da outra, o rosto em sombra.
10 Os corcéis se ameaçam; seus relinchos
Cortam a noite surda; e em suas tendas
Os armeiros, vestindo os cavaleiros,
Muito ativos fechando os arrebites,
Dão ao preparo um tom assustador.
15 No campo canta o galo; as horas batem
Anunciando as três, com sonolência.
De alma tranquila por seu grande número,
Por demais confiantes os franceses
Jogam nos dados a ralé inglesa
20 E reclamam da noite que se arrasta
Qual bruxa feia e manca, por passar
Com tanto tédio. Os pobres dos ingleses,
Quais condenados de algum sacrifício,
Sentados junto ao fogo se concentram
25 No perigo iminente; e gestos tristes,
Rostos esquálidos e fardas rotas
Os apresentam ao olhar da lua
Quais fantasmas terríveis. Como olhar
O real capitão das ruínas
30 Andando de guarda em guarda, tenda a tenda
Sem proclamar: "Que Deus o abençoe!"
Quando visita todo o seu exército,
Dá-lhes bom-dia com sorriso tímido,
E os chama irmãos, amigos, cidadãos?
35 Em seu rosto real nada sugere
Que tropa assustadora os envolveu,
Nem enfatiza ele o horror da noite,
Mas, com ar alerta, vence a exaustão,
Parece amigo, doce e majestoso,

40	De modo que o infeliz, que suspirava,
	De seu aspecto colhe apoio e força.
	Como o sol, seu olhar, por generoso,
	A todos dá fartura universal
	E derrete o pavor. Nobres e humildes
45	Vislumbram, se me é dado assim dizer,
	Certo toques de Harry nessa noite.
	A nossa cena voa pra batalha,
	Onde envergonharemos, sinto muito,
	Com quatro ou cinco espadas amassadas,
50	Distribuídas em grotesca luta,
	O nome de Azincourt. Mas olhem bem,
	Vendo a verdade que o arremedo tem.

(Sai.)

CENA 1
O acampamento inglês em Azincourt.

*(Entram o R*ei H*enrique*, B*edford e* G*loucester*.)*

Henrique

Gloucester, de fato é imenso o perigo,
E maior tem de ser nossa coragem.
Irmão Bedford, bom dia. Deus do céu!
Há algum bem de alma até no mal,
5 Se com atenção os homens o destilam;
O mau vizinho nos desperta cedo,
O que é saudável e de bom alvitre;
E nos serve também de consciência,
Como de pregador, a nos lembrar
10 Que devemos pensar em nosso fim.
Assim tiramos mel de erva daninha
E lições de moral do próprio demo.

*(Entra E*rpingham*.)*

Bom dia, velho Thomas Erpingham:
Merecem suas cãs bom travesseiro
15 E não a terra dura desta França.

Erpingham

Não, meu senhor, estou melhor aqui,
Onde digo que "Durmo como um rei".

Henrique
    É bom que os homens amem suas penas
    Tendo um modelo; o espírito descansa;
    E ao despertar a mente, com certeza,
    Os órgãos antes mortos e defuntos
    Rompem a tumba e de novo agem
    Com o ligeiro frescor, após a muda.
    Sir Thomas, posso usar sua capa?

(Ele veste o casaco de Erpingham.)

    Irmãos, por mim saúdem nossos príncipes
    E, dando os meus bons-dias, requisitem
    Que todos venham logo à minha tenda.

Gloucester
    Senhor, assim faremos.

Erpingham
    Quer que eu o siga?

Henrique
                    Não, bom cavaleiro.
    Com meus irmãos reúna agora os nobres:
    Tenho algo a discutir comigo mesmo;
    Não quero ter mais outra companhia.

Erpingham
    Que Deus o abençoe, nobre Harry.

(Saem todos menos o Rei.)

Henrique
    Que Deus nos tenha! Sua fala alegra.

(Entra Pistola.)

Pistola
    Qui va là?

Henrique
    Um amigo.

Pistola
    Discorre para mim; és oficial?
    Ou és servil, comum e popular?

Henrique
Sou fidalgo com uma companhia.

Pistola
Portas acaso uma possante lança?

Henrique
Correto. E o senhor, quem é?

Pistola
Fidalgo tão bom quanto o imperador.

Henrique
Então é melhor do que o Rei?

Pistola
O Rei é um bom sujeito e tem coração de ouro;
Rapaz vivo, o querido da fama.
De boa cepa, e de punho valente,
Eu lhe beijo os sapatos e do fundo
Do coração o adoro. Diz teu nome!

Henrique
Harry *le Roy*.

Pistola
Le Roy!
Então tu és da Cornualha?

Henrique
Não; eu sou galês.

Pistola
Tu conheces Fluellen?

Henrique
Conheço.

Pistola
Pois eu tiro o alho-poró do gorro dele
No dia em que se celebra são Davi.

Henrique
Melhor não usar faca no seu gorro
No dia, pr'ele não cortar o seu.

PISTOLA
　　Tu és amigo dele?

HENRIQUE.
60　　E parente, também.

PISTOLA
　　Pois te faço uma figa!

HENRIQUE
　　Obrigado. Que Deus o abençoe!

PISTOLA
　　Meu nome é Pistola.

(Sai.)

HENRIQUE
　　Combina com a sua fúria.

(Entram GOWER e FLUELLEN, separadamente.)

GOWER
65　　Capitão Fluellen!

FLUELLEN
　　Ora, em nome te Chesus Cristo, fale menos. Causa grante atmiração no munto unifersal quanto as antigas prerrogatifas e leis ta guerra não são respeitatas. Se se tesse ao trapalho te ao menos examinar as guerras te Pompeu o Grante, o senhor ia tescoprir que não hafia nem
70　　tra-la-li e nem tra-la-lá no acampamento te Pompeu; eu lhe garanto que irá tescoprir as cerimônias e cuitatos e formas ta qguerra, e sua soprietate e motéstia, muito tiferentes.

GOWER
　　Ora, o inimigo fala alto; podemos ouvi-lo a noite inteira.

FLUELLEN
　　Se o inimigo é um asno e um tolo e um pateta falator, será certo, por
75　　isso, que nós tampém tefemos ser um asno e um pateta falator, em sã consciência?

GOWER
　　Eu falarei mais baixo.

FLUELLEN

Eu rogo e suplico que o faça.

(Saem GOWER e FLUELLEN.)

HENRIQUE

Mesmo sendo, talvez, meio antiquado,
Há cuidado e valor nesse galês.

(Entram três soldados, JOHN BATES, ALEXANDER COURT e MICHAEL WILLIAMS.)

COURT

Irmão Bates, não é a manhã que começa a nascer lá?

BATES

Acho que sim; mas nós não temos grandes motivos para desejar que o dia chegue.

WILLIAMS

Estamos vendo ali o começo do dia, mas creio que jamais veremos o seu fim. Quem vai lá?

HENRIQUE

Um amigo.

WILLIAMS

Com que capitão serve?

HENRIQUE

Com Sir Thomas Erpingham.

WILLIAMS

Um bom e velho comandante, e um cavalheiro muito bondoso; por favor, o que pensa ele de nossa situação?

HENRIQUE

Que estamos como náufragos em uma praia, esperando serem levados pela próxima maré.

BATES

E ele não disse isso ao Rei?

HENRIQUE

Não, e nem seria certo que o fizesse. Pois, embora eu só fale por mim, parece-me que o Rei é apenas um homem, como eu; a violeta cheira para ele como para mim; os elementos se apresentam a ele como a mim; todos os seus sentidos só têm a condição humana. Privado de seu cerimonial, em sua nudez ele se mostra apenas como um homem; suas aspirações podem voar mais alto do que as nossas, porém, ao mergulharem, mergulham com asas iguais às nossas. Portanto, quando ele vê motivos para medo, como nós, seus medos e suas dúvidas têm o mesmo sabor que os nossos. No entanto, ele, menos do que qualquer outro, deve mostrar-se possuído pelo medo, para que, por demonstrá-lo, não acabe por desencorajar seu exército.

BATES
Ele pode mostrar, por fora, a coragem que quiser, mas acredito que, numa noite fria como esta, ele ia gostar de estar no Tâmisa até o pescoço, como eu gostaria que ele estivesse, e eu com ele, para o que desse e viesse, desde que estivéssemos fora daqui.

HENRIQUE
Pois digo-lhe o que realmente penso sobre o Rei; acredito que ele não não gostaria de estar em lugar algum senão onde está.

BATES
Então gostaria que ele estivesse aqui sozinho, pois assim com certeza ele pagaria seu resgate, e as vidas de muitos pobres coitados seriam poupadas.

HENRIQUE
Aposto que não lhe quer assim tão mal, que desejasse vê-lo aqui sozinho, mesmo quando diz isso para pôr à prova como se sentem os outros. Eu penso que não morreria em lugar algum tão contente quanto em companhia do rei, sendo sua causa justa e sua luta, honrada.

WILLIAMS
Isso é mais do que nós sabemos.

BATES
Ou mais do que precisamos saber, pois sabemos o bastante sabendo que somos súditos do rei. Se a causa dele for errada, nossa obediência ao rei tira de nós qualquer responsabilidade pelo crime.

WILLIAMS
Mas se a causa não for justa, o próprio rei terá grande acerto de contas a fazer: quando todos aqueles braços e pernas e cabeças decepados na batalha se juntarem no Juízo Final, todos gritando: "Nós morremos em tal lugar", alguns queimados, outros chamando por um médico, outros pelas mulheres que deixaram pobres para trás, outros ainda falando de dívidas que têm, outros dos filhos repentinamente abandonados. Temo que poucos morram bem quando morrem em

batalha, pois como podem eles pensar em ter caridade em relação ao que quer que seja quando têm sangue por objetivo? Não, se esses homens não morrerem bem, as coisas ficarão negras para o rei que os levou a isso e a quem, se desobedecessem, estariam renegando sua condição de súditos.

Henrique

Então, se um filho que o pai mandou viajar a negócios morrer em pecado no mar, a responsabilidade por seus crimes, segundo a sua regra, recairia sobre o pai que o mandou; ou se um criado, que por ordem do amo esteja transportando uma soma em dinheiro, for atacado por ladrões e morrer impenitente de suas iniquidades, poderão dizer que os negócios do amo são os autores da danação do criado. Mas isso não é bem assim: o rei não é obrigado a responder pelo fim particular de seus soldados, o pai o de seu filho, ou o amo o de seu criado; pois nenhum deles tinha suas mortes como objetivo ao requisitar seus serviços. Além do quê, não há rei, por mais imaculada que seja a sua causa, que, chegando ao arbítrio pela espada, possa pô-la à prova só com soldados imaculados. Alguns acaso trazem consigo a culpa de um assassinato premeditado e planejado, alguns a de enganar virgens com os selos partidos do perjúrio; alguns a de usar a guerra como fachada, tendo antes sangrado o delicado seio da paz com pilhagem e roubo. Pois bem, se esses homens infringiram a lei e escaparam de sua punição natural, nem por isso terão eles asas para voar e fugir de Deus. A guerra será sua chibata, a guerra será sua vingança, de modo que aqui, nesta luta do rei, os homens serão punidos por infrações anteriores da lei do rei: onde temiam a morte, tiraram vida, e onde pensaram estar a salvo, perecem. Se em tais casos eles morrem despreparados, o rei não é mais culpado por sua danação do que fora antes culpado pelas impiedades por que agora serão punidos. O dever de todo homem é do rei, mas a alma de todo súdito é apenas dele. Portanto, todo soldado, na guerra, deve fazer como todo doente em seu leito, lavando toda mácula de sua consciência; e se assim morrerem, a morte lhes será um bem; e não morrendo, terá sido ganho de forma abençoada o tempo dedicado a tal preparação; e no que escapa, não seria pecado pensar que, ao fazer oferta tão liberal a Deus, Ele o deixará sobreviver a este dia para ver Sua grandeza e ensinar a outros como se devem preparar.

Williams

É certo; todo homem que morre mal recebe esse próprio mal em sua própria cabeça; o rei não tem de responder por isso.

Bates

Eu não quero que ele responda por mim; e estou resolvido a lutar com vontade por ele.

HENRIQUE
Eu mesmo ouvi o Rei dizer que não se deixaria resgatar.

WILLIAMS
É claro que ele diz isso, para que lutemos com alegria; mas quando nossas gargantas forem cortadas, ele pode ser resgatado e nós nem vamos ficar sabendo.

HENRIQUE
Se viver para ver isso, jamais tornarei a confiar na palavra dele.

WILLIAMS
Vá dizer isso a ele! Que tiro perigoso, o de sua armazinha de brinquedo, que um pobre soldado raso dá no rei, para mostrar seu desprazer. Terá tanto efeito quanto tentar congelar o sol abanando-o com uma pena de pavão. Não tornará a confiar na palavra dele! Ora, deixe de bobagens.

HENRIQUE
Sua condenação é um tanto desabusada; eu ficaria zangado com você se a hora fosse mais conveniente.

WILLIAMS
Pois se ficar vivo, fica acertada uma briga entre nós.

HENRIQUE
Pois não.

WILLIAMS
Como poderei reconhecê-lo?

HENRIQUE
Dê-me uma luva sua, que eu a usarei em meu gorro. Se algum dia ousar reclamá-la, então teremos nossa luta.

WILLIAMS
Eis minha luva; dê-me uma sua.

HENRIQUE
Aqui está.

(Eles trocam as luvas.)

WILLIAMS
Eu também a usarei no meu gorro; se algum dia, de amanhã em diante, você chegar e me disser: "Essa luva é minha", juro por esta mão que lhe darei um bofetão ao pé do ouvido.

HENRIQUE
	Se algum dia eu o vir, hei de desafiá-lo.

WILLIAMS
	Seria o mesmo que ousar ser enforcado.

HENRIQUE
	Pois hei de fazê-lo, mesmo que o encontre em companhia do Rei.

WILLIAMS
	Mantenha a sua palavra, e passe bem.

BATES
195	Sejam amigos, tolos ingleses, sejam amigos; já nos bastam as lutas francesas, se pensarem bem.

HENRIQUE
	É verdade; os franceses poderão jogar vinte coroas contra uma para vencer-nos, pois eles as usam sobre os ombros; mas não será traição para um inglês cortar coroas francesas, e amanhã o próprio Rei esta-
200	rá usando a tesoura.

(Saem os SOLDADOS.)

	Sobre o Rei! Nossas vidas, nossas almas,
	Nossas dívidas, nossas companheiras
	Dedicadas, os filhos, os pecados,
	Tudo lancemos sobre o Rei!
205	Temos de arcar com tudo. Ó triste sina,
	Gêmea da glória mas sujeita à boca
	De qualquer tolo, que não sente mais
	Que o próprio sentimento! Que doçura,
	Que paz têm de esquecer os reis e gozam
210	As pessoas comuns. E que possuem
	Os reis que os outros homens não possuam
	Exceto a pompa, a grande cerimônia?
	Que grande deus és tu que assim ostentas
	Mais dores do que aqueles que te adoram?
215	Quais são teus benefícios, tuas rendas?
	Ó, cerimônia, mostra-me o que vales!
	Qual a essência da tua adoração?
	És algo mais que grau, lugar e forma,
	Pondo medo e terror nos outros homens?
220	Sendo menos feliz em ser temida
	Do que se sentem eles em tremer?
	Que bebes, como doces homenagens,

                    Senão falsa lisonja envenenada?
                    Caso adoeças, grande realeza,
225   Pede que te dê cura a cerimônia!
                    Pensas que a febre em fogo fica extinta
                    Com títulos que sopra a adulação?
                    Cederá ela a vênias e mesuras?
                    Podes tu, comandando a reverência
230   Do mendigo, influir-lhe na saúde?
                    Não, ó sonho orgulhoso, sutilmente
                    Brincando co'o repouso do teu rei.
                    Eu sou um rei que te conhece e sabe
                    Que não será o cetro, o óleo, o orbe,
235   A espada, a maça, a imperial coroa,
                    O manto entretecido de ouro e pérolas,
                    O nome augusto que precede o rei,
                    O trono em que se senta, a onda de pompa
                    Que se ergue contra as praias deste mundo,
240   Não, cerimônia; nem teu triplo brilho,
                    Nem tudo isto em leito majestoso
                    Dorme tão fundo quanto o vil escravo
                    Que, cheio o corpo e o espírito vazio,
                    Dorme entupido com o seu pão bem ganho;
245   Não teme a noite feia como o inferno
                    Mas, qual lacaio, do levante ao poente
                    Sua aos olhos de Febo, e toda a noite
                    Dorme no Elísio; e ao despertar do dia
                    Ajuda Hipério em sua montaria,
250   E segue assim, no decorrer dos anos,
                    Com trabalho profícuo até o túmulo;
                    E, a não ser pela corte, esse infeliz
                    Que trabalha de dia e dorme à noite,
                    Tem mais vantagens e favor que um rei.
255   O escravo, que usufrui da paz do reino,
                    Em seu cérebro rude pouco sabe
                    Das vigílias do rei para manter
                    A paz de que desfruta o camponês.

                        (Entra ERPINGHAM.)

            ERPINGHAM
                    Senhor, sentindo a sua ausência, os nobres
260   Procuram-no por todo o acampamento.

            HENRIQUE
                    Que vão pra minha tenda, meu amigo;
                    Eu chegarei primeiro.

ERPINGHAM
> Sim, senhor.

> (Sai.)

HENRIQUE
> Deus da guerra, enrijece meus soldados;
> Não os vista de medo; antes tira-lhes
> O dom da soma; que o inimigo em massa
> Não lhes roube a coragem. Senhor, hoje
> Não pensa, hoje, eu peço, no pecado
> Que cometeu meu pai pela coroa!
> Eu enterrei Ricardo novamente
> E por ele verti muito mais lágrimas
> Do que ele jorrou sangue em gotas.
> Quinhentos pobres eu mantenho ao ano
> Que todo dia erguem mãos esquálidas
> Ao céu por seu perdão; e construí
> Duas capelas onde sábios padres
> Cantam por alma de Ricardo. E mais
> Farei, mesmo que sem valor, não fosse
> A minha penitência, que o culmina
> Implorando perdão.

> (Entra GLOUCESTER.)

GLOUCESTER
> Senhor!

HENRIQUE
> É Gloucester, meu irmão, quem fala!
> Sei teu dever e vou contigo, sim;
> Pois hoje tudo espera só por mim.

> (Saem.)

CENA 2
O acampamento francês.

(Entram o DELFIM, ORLÉANS, RAMBURES e BEAUMONT.)

ORLÉANS
> O sol nos doura as armaduras. Senhores, avante!

DELFIM
> *Monte à cheval!*[52] Meu cavalo! Criado! Lacaio! Ha!

---
52 "Suba no cavalo." (N. E)

ORLÉANS
>Bravo espírito!

DELFIM
>Via! *Les eaux et la terre!*[53]

ORLÉANS
>Rien puis? L'air et le feu?[54]

DELFIM
>*Cieux*,[55] primo Orléans!

>*(Entra o CONDESTÁVEL.)*

>Então, meu senhor condestável!

CONDESTÁVEL
>Nossos corcéis relincham por serviço!

DELFIM
>Montemos e arranhemos suas peles
>Pra que seu sangue espirre nos ingleses,
>Banhando assim seus olhos de coragem!

RAMBURES
>Mas se chorarem com esse sangue equino,
>Como veremos suas lágrimas reais?

>*(Entra um MENSAGEIRO.)*

MENSAGEIRO
>As tropas dos ingleses 'stão formadas.

>*(Sai.)*

CONDESTÁVEL
>Montemos, príncipes! Montemos logo!
>Basta que olhemos para esses famintos
>Pro nosso aspecto lhes roubar as almas
>E transformá-los em cascas de homens.
>Eles são poucos para as nossas mãos;

---

53 "As águas e a terra." (N.E.)
54 "Nada mais? O ar e o fogo?" (N. E.)
55 "Céus!" (N. E.)

20 Há pouco sangue nessas veias fracas
Para manchar todas as armas nuas
Que hoje serão brandidas por franceses,
E guardadas por falta de oponentes:
Só com um sopro os derrota o nosso brio.
25 Há provas inegáveis, positivas,
De que nossos camponeses e criados,
Que sem motivo rondam nossas tropas
Como enxame, já bastam pra purgar
O campo de inimigo assim tão reles,
30 Mesmo que nós, aqui nesta colina,
Fiquemos só olhando, sem agir:
Nossa honra, porém, não o permite.
O que dizer? Fazendo um quase nada,
'Stá tudo feito. Que as trombetas soem
35 O toque que dá ordem de montar:
Tal choque ao campo havemos de trazer
Que Inglaterra de medo há de ceder.

(Entra G<small>RANDPRÉ</small>.)

G<small>RANDPRÉ</small>
Nobres da França, por que tal demora?
As caveiras da ilha, pobres ossos,
40 Dão triste aspecto ao campo esta manhã:
Bandeiras em farrapos mal tremulam;
Nosso ar as sacode com desprezo.
Nesses andrajos Marte 'stá falido
E mal enxerga por visores podres:
45 Os cavaleiros, como castiçais,
Seguram lanças frias como velas;
Seus pangarés têm a cabeça baixa,
Fraca a espinhela e os olhos remelentos;
E com o freio e o bridão soltos na boca,
50 Como palha chupada, nem se mexem.
Os corvos, seus coveiros descarados,
Sobre eles já voam, impacientes.
Não há palavras para descrever
A vida de uma hoste igual a essa
55 Que, viva, já se mostra tão sem vida.

C<small>ONDESTÁVEL</small>
Eles rezaram pra esperar a morte.

D<small>ELFIM</small>
Vamos mandar-lhes roupas e comida,

        E ração para os seus corcéis famintos,
        E lutar só depois?

CONDESTÁVEL
60   Espero a minha guarda. Para o campo!
        Tomo a bandeira de meu trompeteiro,
        E a uso em minha pressa. Ao meu comando!
        O sol vai alto, e o tempo está passando.

(Saem.)

CENA 3
O acampamento inglês.

(Entram GLOUCESTER, BEDFORD, EXETER, ERPINGHAM, com toda a sua tropa, SALISBURY e WESTMORELAND.)

GLOUCESTER
        Onde está o rei?

BEDFORD
        Foi em pessoa olhar o inimigo.

WESTMORELAND
        Só de soldados são sessenta mil.

EXETER
        São cinco para um. E descansados.

SALISBURY
5   Que Deus lute por nós; que diferença!
        Adeus, meus príncipes; vou pro meu posto:
        Se só nos encontrarmos lá no céu,
        Então, alegres, nobre Lord Bedford,
        Meu caro Gloucester e meu bom Lord Exeter,
10   Meu primo e meus guerreiros, nos deixemos!

BEDFORD
        Adeus, bom Salisbury, e boa sorte!

EXETER
        Adeus, bom senhor. E lute com bravura,
        Embora seja um erro eu dizer isso
        A quem tem tanta fama de valor.

(Sai SALISBURY.)

BEDFORD
15   E tem tanto valor quanto bondade;
            É príncipe de ambos.

            (Entra o REI HENRIQUE.)

WESTMORELAND
            Ah, ter aqui dez mil só dos ingleses
            Que não trabalham hoje!

HENRIQUE
                                Quem quer isso?
            Meu primo Westmoreland? Não, caro primo:
20   Se nós fomos marcados pra morrer,
            Somos perda bastante para a pátria;
            Se pra viver, maior a nossa honra.
            Por Deus, não queira nem um só a mais!
            Eu juro que por ouro eu não anseio,
25   Nem me importa quem coma às minhas custas;
            Tanto faz que outros usem minha roupa,
            Não é desejo meu a ostentação.
            Mas se é pecado cobiçar a honra,
            Peca mais que ninguém a minha alma.
30   Não, primo, nem um homem da Inglaterra.
            Por Deus, não abro mão de tanta honra
            Quanto um só homem mais me tiraria
            Em esperanças. Não, nem mais um só.
            Antes proclame, Westmoreland, às hostes
35   Que aquele que não tem fome de luta
            Pode ir embora, com licença e passe,
            Levando umas moedas na sacola:
            Não queremos morrer na companhia
            De quem não quer ser amigo na morte.
40   Hoje é o dia da festa de Crispim:
            Quem viver hoje e for pra casa a salvo,
            Quando ouvir esse nome vai alçar-se
            E vibrar só com o som de Crispim.
            Para quem ficar vivo e envelhecer,
45   Vai ter vigília e festa todo ano,
            Pra dizer "Amanhã é São Crispim",
            Abrir a manga, mostrar cicatrizes
            E contar que as ganhou em São Crispim.
            Quando o velho esquecer tudo o mais,
50   Mesmo assim há de ter sempre memória
            Dos feitos deste dia; e os nossos nomes,
            Que sua boca mais que bem conhece

De Harry o Rei, de Exeter e Bedford —
Warwick e Talbot, Salisbury e Gloucester.
Serão lembrados nas canecas cheias.
De pai pra filho irá a nossa história;
E nunca mais Crispim Crispiniano,
Desde este dia até o fim dos tempos,
Há de passar sem nós sermos lembrados.
Só nós, bando feliz, poucos irmãos;
Pois o que vai sangrar hoje comigo
É meu irmão. Pois quem for mal nascido
Será fidalgo só por este dia.
E os fidalgos ingleses que hoje dormem
Vão maldizer não ter estado aqui
E ter vergonha quando ouvirem falar
O que lutou no dia de Crispim.

(Volta Salisbury.)

Salisbury
Meu soberano, é preciso ter pressa:
Com bravura 'stão prontos os franceses,
E em breve farão carga contra nós.

Henrique
Tudo está pronto, se está pronta a mente.

Westmoreland
Que morra quem pensar em mal agora!

Henrique
Não quer mais homens da Inglaterra, primo?

Westmoreland
Por Deus, senhor; que, antes, só nós dois
Sem mais ninguém lutássemos aqui!

Henrique
Assim já despediu cinco mil homens;
O que é melhor do que querer mais um.
Sabem seus postos. Deus os abençoe!

(Clarinada. Entra Montjoy.)

Montjoy
De novo venho perguntar, Rei Harry,
Que acordo de resgate faz agora,

     Antes de uma derrota mais que certa:
     Por certo estais tão próximo do abismo
     Que sereis engolido. A caridade
     Do condestável pede que alerteis
85   Pra penitência os vossos seguidores,
     Para que suas almas possam ir-se
     Em paz e com doçura destes campos
     Onde, infelizes, os seus pobres corpos
     Devem apodrecer.

  Henrique
         E quem o manda?

  Montjoy
90   O Condestável de França.

  Henrique
     A resposta que leva é a mesma:
     Que me prendam e vendam os meus ossos.
     Por que, meu Deus, fazem pouco de mim?
     Mas quem vendeu a pele do leão
95   Ainda vivo morreu ao caçá-lo.
     Muitos de nossos corpos, com certeza,
     Terão tumbas nativas onde, espero,
     O bronze falará do feito hoje;
     E os que em França deixam bravos ossos
100   Morrerão como homens, e, apesar
     De enterrados aqui no seu esterco,
     Na fama hão de viver; e o sol, em loas,
     Ao céu há de elevar as suas honras,
     Deixando o barro pra engasgar seu solo,
105   Com seu cheiro trazendo a peste à França.
     Note então a bravura dos ingleses
     Que, explodindo quais projéteis, mortos
     Provocam nova onda de desastres,
     Matando após provar que são mortais.
110   Permita que me orgulhe: ao Condestável
     Vá dizer que, guerreiros, somos sérios;
     Nossa alegria e brilho 'stão manchados
     Pela marcha chuvosa nos seus campos;
     Não sobra uma só pluma em nossas hostes —
115   O que os avisa que não voaremos —
     E o tempo fez de nós uns desleixados.
     Mas, pela missa, os corações 'stão rijos

                        E meus pobres soldados me asseguram
                        Que à noite já terão trajes bem novos,
120   Ou arrancam a roupa dos franceses
                        E os expulsam da tropa. Se assim for,
                        E queira Deus que sim, o meu resgate
                        Será arrecadado facilmente.
                        Arauto, não me peça mais resgate;
125   Pra isso eles terão só minhas juntas,
                        Que, no estado em que as deixo, se as pegarem,
                        Pode avisar que pouco renderão.

    MONTJOY
                        Assim farei, Rei Harry. E agora adeus:
                        Não espereis tornar a ver arauto.

                                                                                  (Sai.)

    HENRIQUE
130   Eu temo ainda vê-lo por resgate.

                        (Entra YORK.)

    YORK
                        Senhor, humilde eu venho, de joelhos,
                        Pra pedir-lhe o comando da vanguarda.

    HENRIQUE
                        Ele é seu, bravo York. Avante, agora,
                        E que só Deus disponha desta hora.

                                                                                 (Saem.)

                                        CENA 4
                                   Campo de batalha.

                        (Alarme. Manobras. Entram PISTOLA, um SOLDADO FRANCÊS e um RAPAZ.)

    PISTOLA
                        Renda-se, cão!

    SOLDADO FRANCÊS
                        Je pense que vous êtes le gentilhomme de bonne qualité.[56]

---

56 As traduções dos trechos em francês têm o propósito único de facilitar a leitura. Não são traduzidos os trechos que se explicam no decorrer do diálogo ou são de fácil entendimento. "Creio que o senhor seja um fidalgo de alta estirpe." (N. E.)

PISTOLA
>   *Qualité? "Caleno custore me"!*[57]
>   És fidalgo? Qual o teu nome? Debate!

SOLDADO FRANCÊS
5
>   *O Seigneur Dieu!*[58]

PISTOLA
>   O Sinhô Diê deve ser fidalgo;
>   Atenta pro que eu digo, Sinhô Diê:
>   Tu vais morrer na ponta desta espada,
>   A não ser, Sinhô Diê, que tu me pagues
10
>   Um bom resgate.

SOLDADO FRANCÊS
>   *O, prenez miséricorde! Ayez pitié de moi!*[59]

PISTOLA
>   Muá não servir; só quarenta muás,[60]
>   Ou te tiro o diafragma pela boca,
>   Pingando sangue.

SOLDADO FRANCÊS
15
>   *Est-il impossible d'échapper la force de ton bras?*[61]

PISTOLA
>   Que trompaço, cão?
>   Seu lascivo cabrito de montanha,
>   Me falas de trompaço?

SOLDADO FRANCÊS
>   *O, pardonnez-moi!*[62]

PISTOLA
20
>   É assim? E isso é uma tonelada de muás?
>   Vem cá, rapaz; e pergunta, em francês,
>   O nome desse escravo.

RAPAZ
>   *Écoutez: comment êtes-vous appelé?*

---

57 Pistola repete sem compreender e com má pronúncia a última palavra dita pelo soldado francês e, por uma associação sonora, lembra de um refrão da canção popular irlandesa "Caelno custore me". (N. E.)
58 "O senhor Deus!" (N. E.)
59 "Tenha misericórdia, senhor! Tenha pena de mim!" (N. E.)
60 A palavra "moi" é compreendida por Pistola como sendo o nome de uma moeda, segundo Dr. Johnson, a moeda portuguesa moidore. (N. E.)
61 "É impossível escapar da força do seu braço?" (N. E.)
62 "Perdoe-me" ou, provavelmente, "salve-me". (N. E.)

SOLDADO FRANCÊS
Monsieur le Fer.

RAPAZ
Ele diz que seu nome é Mestre Fer.

PISTOLA
Mestre Fer! Pois eu o ferro, furo e conferro. Pode discursar tudo isso em francês para ele.

RAPAZ
Eu não sei como é ferro, furo e conferro em francês.

PISTOLA
Diz a ele para se preparar, que eu vou lhe cortar a garganta.

SOLDADO FRANCÊS
Que dit-il, monsieur?[63]

RAPAZ
Il me commande à vous dire que vous faites vous prêt, car ce soldat ici est dispose tout à cette heure de couper votre gorge.[64]

PISTOLA
Uí. Cuplacorja, permafuá.
Camponês, ou me dás muitas coroas
Ou te estraçalho com esta minha espada.

SOLDADO FRANCÊS
O je vous supplie, pour l'amour de Dieu, me pardonner. Je suis le gentilhomme de bonne maison. Gardez ma vie, et je vous donnerai deux cents écus.[65]

PISTOLA
O que diz ele?

RAPAZ
Ele implora que salve a vida dele; ele é fidalgo de boa casa, e de resgate lhe dará duzentas coroas.

PISTOLA
Diga então que minha fúria se amainou, e que aceito as coroas.

---

[63] "O que ele diz, senhor?" (N. E.)
[64] "Ele me manda dizer que vós deveis estar pronto pois esse soldado aqui está disposto, agora mesmo, a cortar vossa garganta." (N. E.)
[65] "Eu vos suplico, pelo amor de Deus, me perdoe. Eu sou fidalgo de boa casa. Poupe minha vida e vos darei duzentas coroas." (N. E.)

SOLDADO FRANCÊS

Petit monsieur, que dit-il?[66]

RAPAZ

Encore qu'il est centre son jurement de pardonner aucun prisonnier; neanmoins, pour les ecus que vous lui ci promettez, il est content à vous donner la liberté, le franchisement.[67]

SOLDADO FRANCÊS

(Ajoelhando-se para PISTOLA.*) Sur mes genoux je vous donne mille remerciements, et je m'estime heureux que j'ai tombe entre les mains d'un chevalier, comme je pense, le plus brave, vaillant, et treis-distingué seigneur d'Angleterre.*[68]

PISTOLA

Discorra para mim.

RAPAZ

Ele lhe agradece mil vezes, de joelhos; e se considera feliz por ter caído nas mãos, como pensa, do mais bravo, valoroso e trimeritório seigneur da Inglaterra.

PISTOLA

Pelo sangue que sugo, mostrarei misericórdia.
Siga-me!

RAPAZ

Suivez-vous le grand capitaine.[69]

(Saem PISTOLA *e o* SOLDADO FRANCÊS.*)*

Nunca vi voz tão potente sair de coração tão vazio. Mas é verdadeiro o ditado que diz: "O som mais forte é conseguido com a vasilha mais vazia". Bardolph e Nym tinham dez vezes mais brio do que esse diabo de teatro, cujas garras qualquer um corta com uma faca de pau, e ambos foram enforcados. E este também seria se ousasse roubar de forma mais desabrida. Eu tenho de ficar com os lacaios, com a bagagem do acampamento: os franceses teriam fácil presa em nós, se soubessem, pois não há ninguém de guarda, senão os meninos.

(Sai.)

---

66 "Senhorzinho, o que ele diz?" (N. E.)
67 "Ainda insiste em seu juramento de não perdoar nenhum prisioneiro, no entanto, em virtude dos escudos que o senhor lhe promete, fica contente em vos dar a liberdade." (N. E.)
68 "De joelhos, eu lhe agradeço mil vezes, e estimo-me feliz por ter caído em mãos de um cavaleiro, assim eu penso, o mais bravo, o mais valente e mui distinto senhor da Inglaterra." (N. E.)
69 "Segui o grande capitão." (N. E.)

CENA 5
Outra parte do campo.

(Entram o Condestável, Orléans, Bourbon, o Delfim e Rambures.)

CONDESTÁVEL
> *O diable!*

ORLÉANS
> *O Seigneur! Le jour est perdu, tout est perdu!*[70]

DELFIM
> *Mort de ma vie,* 'stá tudo destroçado!
> Condenação e vergonha perenes
5 > Riem-se de nossas plumas. O *méchante* Fortune!

(Um breve alarme.)

> Não fujam!

CONDESTÁVEL
> Nossas linhas 'stão partidas.

DELFIM
> Vergonha eterna! Melhor o suicídio!
> Por estes é que nós jogamos dados?

ORLÉANS
10 > E foi a esse rei que nós mandamos
> Conselhos pra fixar o seu resgate?

BOURBON
> Vergonha! Para sempre só vergonha!
> Morramos em combate. Inda uma vez,
> E quem agora não seguir Bourbon,
15 > Que vá-se embora de chapéu na mão,
> Que parta, pra servir de cafetão
> Que segura o urinol para o calhorda
> Que contamina a sua bela filha.

CONDESTÁVEL
> Desordem, ora ajuda a quem venceste!

---
70 "O, senhor, o dia está perdido, tudo está perdido." (N. E.)

20   Ofereçamos juntos nossas vidas!

ORLEANS
         Ainda somos tantos nestes campos
         Que esmagaríamos esses ingleses
         Se nos puséssemos em certa ordem.

BOURBON
         Pro diabo a formação. Vou sem guarida;
25   Pra tal vergonha, que se vá a vida!

(Saem.)

CENA 6
Outra parte do campo de batalha.

(Alarma. Entra o REI HENRIQUE, com SÉQUITO e PRISIONEIROS.)

HENRIQUE
         Corajosos patrícios, muito bem!
         Mas inda falta; o campo é dos franceses.

(Entra EXETER.)

EXETER
         Saúda o Duque de York Vossa Majestade.

HENRIQUE
         Ele está vivo, tio? Por três vezes
5   O vi cair, e três voltar, lutando:
         O elmo aos pés ele era todo sangue.

EXETER
         E assim armado o bravo jaz agora
         Engordando a planície; e a seu lado,
         Na mesma canga, em sangue, estraçalhado,
10   Jaz o Conde de Suffolk, grande nobre.
         Morreu primeiro Suffolk; York, ferido,
         Foi a ele, afogado nas entranhas,
         Tomou-lhe a barba e beijou cada talho
         Que bocejava sangue no seu rosto,
15   Gritando: "Espera um pouco, primo Suffolk!
         Minh'alma, como a tua, irá pro céu;
         Espera, ó alma boa, pela minha,
         Pra voarmos com honra deste campo,
         Onde fomos, com glória, cavaleiros".

20 Então cheguei, e tentei alegrá-lo;
    Ele sorriu, tomou-me pela mão
    E, já bem fraco, disse: "Meu senhor,
    Recomende-me ao meu bom soberano".
    Então virou e abraçou-se com Suffolk
25 Com o braço trespassado; e ao beijá-lo
    Também morreu, selando assim com sangue
    O testamento desse nobre amor.
    A doçura do gesto me arrancou
    A água que por tudo eu reteria,
30 Mas para o que não fui homem bastante,
    Deixando minha mão vir aos meus olhos,
    Entregando-me ao pranto.

HENRIQUE
    Não o culpo;
    Pois só de ouvi-lo eu tenho de lutar
35 Pra controlar o orvalho dos meus olhos.

(Alarma.)

    Mas, atenção; que toque é esse agora?
    Os franceses reforçam os dispersos;
    Que todos matem os seus prisioneiros!
    Passem adiante a ordem.

(Saem.)

CENA 7
Outra parte do campo.

(Entram GOWER e FLUELLEN.)

FLUELLEN
    Matar meninos e pagachens! É expressamente proipito pela lei tas armas: a mais fergonhosa safateza, fique sapento, que pote ser ofertata em sã consciência, não concorta?

GOWER
    O certo é que não restou vivo um só menino. E os sórdidos covardes
5   que fugiram da batalha é que fizeram essa matança; além do quê, eles queimaram e levaram embora tudo o que estava na tenda do rei, razão por que o rei ordenou merecidamente que todos os soldados cortassem a garganta de seus prisioneiros. É um rei valente!

FLUELLEN

Sim, senhor; ele nasceu em Monmouth, Capitão Gower. Como se chama a citate onte nasceu Alexantre Imenso?

GLOWER

Alexandre, o Grande.

FLUELLEN

E, por fafor, imenso não é grante? Imenso, grante, o poteroso, ou fasto, ou magnânimo, totos esses são tamanhos; só faria o nome.

GOWER

Penso que Alexandre o Grande nasceu na Macedônia; seu pai, parece, era chamado Felipe da Macedônia.

FLUELLEN

Acretito que é Macetônia onte nasceu Alexantre. Eu lhe tigo, capitão, se olhar os mapas to munto, garanto que irá ferificar, comparanto a Macetônia e Monmouth, que as situações, compreente, são iguais em ampas. Há um rio na Macetônia, tampém há um rio em Monmouth. Ele se chama Wye em Monmouth, mas está fora te meu cérepro qual é o nome to outro rio; mas é tuto o mesmo, parecito como estes meus tetos são a estes meus tetos. E há salmões nos tois. Se reparar pem na fita te Alexantre, a fita te Harry te Monmouth é semelhante a ela mais ou menos pem, pois há em tuto comparações. Alexantre, sape Teus, e o senhor sape, em suas raifas, em suas fúrias, em suas iras, em suas intignações, e tampém estanto um pouquinho intoxicato em seu cérepro, matou, em suas cerfechas e suas raifas, seu melhor amigo, Cleitus.

GOWER

Nosso rei não se assemelha a ele nisso: ele jamais matou qualquer amigo.

FLUELLEN

Não é pem etucato, repare, tirar histórias te minha poca antes te elas estarem feitas e acapatas. Eu estou falanto só nos paralelos e comparações que há; assim como Alexantre matou seu amigo Cleitus, quanto cheio de cerfechas e pepitas, assim tampém Harry te Monmouth, estanto te chuízo perfeito e pom chulgamento, paniu o gorto cafaleiro com o casaco te grante pança: ele fazia muitas graças e chistes, e safatezas, e tepoches. Eu esqueci seu nome.

GOWER

Sir John Falstaff.

FLUELLEN
É ele. Eu lhe tigo que muitos pons homens nasceram em Monmouth.

GOWER
40 Aí vem Sua Majestade.

(Clarinada. Entram o REI HENRIQUE, com BOURBON aprisionado, WARWICK, GLOUCESTER, EXETER, prisioneiros e outros. Novo toque de trombetas.)

HENRIQUE
Não tinha tido raiva, nesta França,
Até agora. Arauto, com a trombeta
Cavalgue até os homens lá no topo:
Se quiserem lutar, que desçam logo,
45 Ou deixem este campo, pois me ofendem.
Sem um ou outro, nós lá subiremos
E os faremos correr, tal como as pedras
Jogadas com estilingues por assírios.
E mais, degolaremos os que temos,
50 E nem um só dos homens que apanharmos
Terá misericórdia. Diga isso.

(Entra MONTJOY.)

EXETER
Senhor, eis o arauto dos franceses.

GLOUCESTER
Tem olhar mais humilde do que antes.

HENRIQUE
O que deseja, arauto? Já não sabe
55 Que pra resgate eu só dou os meus ossos?
Inda é resgate?

MONTJOY
Não, ó grande rei.
Eu vim só por licença caridosa
Pra visitarmos o sangrento campo,
Listar e enterrar os nossos mortos,
60 E separar os nobres e os comuns;
Pois — ai — muitos dos príncipes dos nossos
'Stão lavados por sangue mercenário,
Enquanto o nosso vulgo 'stá encharcado
Com sangue principesco, e seus corcéis,
65 Feridos, atolados em carniça,

>   Escoiceiam com fúria os amos mortos
>   E matam-nos de novo. Deixai, rei,
>   Que olhemos o campo e demos fim
>   A seus cadáveres!

HENRIQUE

>   Pois, em verdade,
>   Não sei, arauto, de quem é o dia,
>   Pois muitos nobres cavaleiros 'stão
>   Galopando no campo.

MONTJOY

>   O dia é vosso.

HENRIQUE

>   Graças a Deus, e não à nossa força!
>   Que castelo é aquele ali tão perto?

MONTJOY

>   É chamado Azincourt.

HENRIQUE

>   Pois então este é o campo de Azincourt
>   E a batalha, a da festa de Crispim.

FLUELLEN

O seu afô, te famosa memória, se me permite Fossa Machestate, e o seu tio-afô, Etuarto, o Negro Príncipe te Gales, segunto eu li nas crônicas, lutaram em patalha muito corachosa aqui na França.

HENRIQUE

>   Lutaram sim, Fluellen.

FLUELLEN

É muito fertate o que tiz Fossa Machestate. Se Fossa Machestate ainta se lemprar, os galeses prestaram pons serfiços em um chartim onte cresciam alhos-porós, usanto alhos-porós em seus ponés de Monmouth, o que, como pem sape Fossa Machestate, até hoche é honrato emplema te serfiço. E creio que Fossa Machestate não testenha usar o alho-poró no tia te São Tafi.[71]

HENRIQUE

>   Eu o uso por honra memorável,
>   Pois como sabe, primo, eu sou galês.

---

[71] O alho-poró é um dos símbolos de Gales. Em uma batalha ocorrida em um campo de alhos-porós, São David ordenou que os soldados galeses colocassem alhos-porós em seus elmos. (N. E.)

FLUELLEN

90 Nem tota a água to Wye poteria lafar o sangue galês te seu corpo, isso eu garanto: que Teus o apençoe e preserfe, enquanto assim aproufer a Sua Graça e a Sua Machestate.

HENRIQUE

Obrigado, meu honrado patrício.

FLUELLEN

Por Chesus, eu sou patrício te Fossa Machestate, e pouco me importa
95 quem o saipa; eu o confesso ao munto inteiro. Não tenho necessitate te me enfergonhar te Fossa Machestate, enquanto Fossa Machestate for um homem honesto.

(Entra WILLIAMS.)

HENRIQUE

Que Deus assim me conserve!
Que nossos arautos o acompanhem.
100 Eu quero os mortos todos bem contados,
Deles e nossos; chamem cá aquele sujeito.

(Saem o ARAUTO, GOWER e MONTJOY.)

EXETER

Soldado, vem cá falar com o rei.

HENRIQUE

Soldado, por que usas essa luva em teu boné?

WILLIAMS

Com o perdão de Vossa Majestade, é a marca de alguém com quem
105 devo lutar, se estiver vivo.

HENRIQUE

Um inglês?

WILLIAMS

Com a permissão de Vossa Majestade, um malandro que discutiu comigo ontem à noite, a quem, se estiver vivo e ousar reclamar essa luva, eu jurei dar um bofetão ao pé do ouvido; ou se eu enxergar minha
110 luva no boné dele, que ele deu sua palavra que usaria, se ficasse vivo, eu o derrubarei com um bom golpe.

HENRIQUE

O que acha, Capitão Fluellen? É certo que este soldado mantenha a sua palavra?

FLUELLEN

    Ele é um cofarde e um filão, e se Fossa Machestade permite que eu
115   tiga, segunto a minha consciência.

HENRIQUE

    Talvez o inimigo dele seja um fidalgo de alta estirpe que não possa
    responder-lhe por sua posição.

FLUELLEN

    Mesmo que secha um fitalgo tão pom quanto o tiapo, quanto até
    mesmo Lúcifer e Pelzepu, é necessário, Fossa Graça, que ele mantenha
120   o seu foto e churamento. Se ele se perchurar, compreenta, sua repu-
    tação será a te um filão e canalha tão sórtito quanto o pior pé-sucho
    que chá pisou nesta terra te Teus, segunto a minha consciência.

HENRIQUE

    Então mantém a tua jura, moço, quando encontrares o tal sujeito.

WILLIAMS

    E assim o farei, senhor, por minha vida.

HENRIQUE

125   Sob que comando serve?

WILLIAMS

    Sob o Capitão Gower, meu senhor.

FLUELLEN

    Gower é um pom capitão, e tem pom conhecimento ta literatura
    tas guerras.

HENRIQUE

    Chame-o aqui, soldado.

WILLIAMS

130   Pois não, senhor.

(Sai.)

HENRIQUE

    Aqui, Fluellen, use este lembrete por mim, enfiado em seu boné.
    Quando Alençon e eu caímos juntos, eu peguei essa luva no elmo
    dele: se algum homem o desafiar, ele será amigo de Alençon e nosso
    inimigo. Caso se depare com ele, apreenda-o, se me quer bem.

FLUELLEN

135   Fossa Graça me faz honra tão grante quanto pote ser desechata no

coração te seus sútitos. Eu teria grante prazer em fer um homem só
te tuas pernas sentir-se ofentito por fer esta lufa; só isso, mas quero
mesmo fer, uma fez ao menos, e queira a Teus em sua Graça que eu
o fecha.

HENRIQUE
140   Conhece Gower?

FLUELLEN
        Ele é meu grante amigo, se me permite tizê-lo.

HENRIQUE
        Por favor, procure-o e traga-o à minha tenda.

FLUELLEN
        Fou puscá-lo.

                                                                (Sai.)

HENRIQUE
        Senhor de Warwick e meu irmão Gloucester,
145   Sigam nos calcanhares de Fluellen.
        A luva que lhe dei, como lembrete,
        Talvez lhe compre um bofetão no ouvido;
        É do soldado, e eu, pelo tratado,
        Devia usá-la. Vá, meu primo Warwick.
150   Se o soldado o atacar, e nisso creio,
        Dado o seu duro empenho com a palavra,
        Pode nascer alguma confusão,
        Pois conheço a bravura de Fluellen.
        Quando esquentado ele parece pólvora
155   E reage depressa a toda injúria.
        Vão atrás, pra evitar mal entre eles.
        Venha o senhor comigo, tio Exeter.

                                                              (Saem.)

CENA 8
Diante do pavilhão do rei.

(Entram GOWER e WILLIAMS.)

WILLIAMS
        Na certa é para fazê-lo cavaleiro.

(Entra Fluellen.)

Fluellen

Pela graça e fontate te Teus, capitão, eu lhe peço que fenha logo até o rei; haferá mais fantachens para o senhor, talfez, to que é te seu conhecimento poter sonhar.

Williams

Senhor, conhece esta luva?

Fluellen

Conhecer a lufa? Eu sei que uma lufa é uma lufa.

Williams

Pois essa aí eu conheço, e assim a desafio.

(Dá-lhe um tapa.)

Fluellen

Pelo sanqgue te Teus! Um traitor tão fil quanto qualquer outro no uniferso, ou na França, ou na Incglaterra.

Gower

O que é isso, senhor? Vilão!

Williams

Esperava que eu fosse perjuro?

Fluellen

Afaste-se, Capitão Gower. Fou pacar a traição a golpes, eu garanto.

Williams

Nao sou traidor.

Fluellen

É mentira saindo de sua garganta. Eu peço, em nome de Sua Machestate, que o prenta: ele é amigo to Tuque te Alençon

(Entram Warwick e Gloucester.)

Warwick

Vamos, vamos, o que é que há?

Fluellen

Milorte te Warwick, aqui está, e Teus secha loufato por isso, uma traição muito contachiosa, trazita à luz, clara como tia te ferão. Eis aqui Sua Machestate.

(Entram o Rei Henrique e Exeter.)

Henrique

Então, o que é que há?

Fluellen

Senhor, eis aqui um filão e traitor que, fecha Fossa Graça, agretiu a lufa que Fossa Machestate tirou to poné te Alençon.

Williams

Meu senhor, a luva é minha: eis aqui o par dela. Aquele a quem a dei em troca prometeu usá-la em seu chapéu e eu prometi um sopapo se o fizesse. Encontrei este homem com minha luva no boné e honrei minha palavra.

Fluellen

Fossa Machestate que escute só, com o pertão ta fossa hompritate, que calhorta fil, miseráfel, sórtito e imunto é esse. Espero que Fossa Machestate me sirfa te profa e testemunho, e garanta que essa é a lufa de Alençon que Fossa Machestate me teu, segunto a fossa consciência!

Henrique

Dá-me a tua luva, soldado; vê, eis o seu par.
Foi em mim, sim, que juraste bater,
Após me criticar em duros termos.

Fluellen

Permita Fossa Machestate que o pescoço tele responta por tuto, se é que neste munto há lei marcial.

Henrique

Que satisfação podes tu dar-me?

Williams

Toda ofensa, senhor, vem do coração: do meu nunca saiu nenhuma que pudesse ofender Vossa Majestade.

Henrique

Mas a nós dirigiste os teus abusos.

Williams

Vossa Majestade não veio em sua própria pessoa, apareceu-me como uma pessoa qualquer; pense na noite, em suas roupas e humildade. E o que Vossa Majestade sofreu, sob essa forma, eu imploro que seja encarado como falta sua, e não minha, pois se o senhor fosse quem eu pensei que era, eu não teria cometido ofensa alguma. Portanto, rogo a Vossa Majestade que me perdoe.

HENRIQUE

Por favor, tio Exeter, encha esta luva de coroas
E dê-a ao rapaz. Guarda-a, rapaz,
E usa-a com honra em teu boné,
Até que eu a reclame. Dê-lhe a luva.
E, capitão, quero vê-los amigos.

FLUELLEN

Por esta luz que me alumia, o rapaz tem corachem pastante nas tripas. Espera aí, aqui estão toze pence para ti, e peço que sirfas a Teus e não se meta em prigas, confusões e lutas e tiscussões, o que, garanto, será melhor para ti.

WILLIAMS

Não quero o seu dinheiro.

FLUELLEN

É te poa fontate. Posso tizer que é para rementar teus sapatos. Ora, por que tens te ser tão encapulato? Teus sapatos não estão assim tão pons. Este é um xelim pom, garanto, e, se não for, eu troco.

(Entra um ARAUTO INGLÊS.)

HENRIQUE

Então, arauto, contaram os mortos?

ARAUTO

Esta é a soma das baixas dos franceses.

(Apresenta um papel.)

HENRIQUE

Quem de posição nós prendemos, tio?

EXETER

Charles d'Orléans, que é sobrinho do rei;
Jean, Duque de Bourbon; Lord Boucicault.
Entre nobres, barões e cavaleiros,
Mil e quinhentos, além dos comuns.

HENRIQUE
Fala esta nota de dez mil franceses
Mortos no campo. Dentre esses, príncipes
E nobres de brasão caíram mortos
70   Cento e vinte e seis, aos quais inda se somam,
De cavaleiros, donzéis e fidalgos,
Oito mil e quatrocentos, dentre os quais
Quinhentos só sagrados inda ontem;
De modo que, dos dez mil que perderam,
75   Mil e seiscentos eram mercenários,
O resto, príncipes, barões e lordes,
Fidalgos de linhagem e de sangue.
Eis os nomes dos nobres que morreram:
Charles Delabret, Condestável de França;
80   O Almirante Jacques de Châtillon;
Lord Rambures, mestre das balestras;
Guichard Dauphin, grande mestre da França;
Jean d'Alençon; o Duque de Brabant,
O irmão do Duque da Borgonha;
85   Mais o Duque de Bar; e, dentre os condes,
Grandpré, Roussi, Fauconbridge e mais Foix,
Beaumont e Marle, Vaudemont e Lestrelles.
Mas que nobre irmandade para a morte!
Onde está a lista dos ingleses?

(O Arauto entrega outro papel.)

90   Eduardo, Duque de York; o Conde de Suffolk;
Sir Richard Keighley; o escudeiro Gam;
De nome, é só; e dentre todo o resto
Só vinte e cinco. Foi a mão de Deus!
E não a nós, mas só ao braço Teu
95   Atribuamos tudo! Quando assim,
Sem truques, só na luta da batalha,
Já houve perda tão grande e pequena
De um lado e outro? Aceita-o, meu Deus,
Pois tudo foi só teu!

EXETER
                    Que maravilha!

HENRIQUE
100 Vamos em procissão até a vila.
E seja proclamada entre os soldados
A morte do que ousar vangloriar-se,

Ou que tirar de Deus todo o louvor
Que é dele só!

Fluellen

105 Não é legal, segunto Fossa Machestate, tizer quantos foram mortos?

Henrique

É, capitão, mas só reconhecendo
Que Deus lutou por nós.

Fluellen

Sim, eu tenho consciência te que Ele nos fez grante pem.

Henrique

Cumpramos todo o rito:
110 Que se cantem *Non nobis* e *Te Deum*,[72]
E envolvamos em barro nossos mortos.
Para Calais e a Inglaterra, então,
Pr'onde felizes todos voltarão.

(Saem.)

---

[72] "Non Nobis, Domine" são as palavras que abrem o Salmo 115 do *Livro Comum de Orações*, lido na Igreja Anglicana sempre por volta do dia 23 do mês, nas orações vespertinas. O hino "Te Deum laudamos" (A Vós, ó Deus, louvamos") era recitado nas orações matinais. (N. E.)

ATO 5

(Entra o Coro.)

Coro

Concedam aos que ignoram nossa história
Que eu a relembre enquanto, com humildade,
Aos que a conhecem peço que desculpem
Questões de tempo, tropas e sequência,
Que não podemos, nas medidas certas,
Apresentar aqui. O rei levamos
A Calais: ei-lo lá e, visto lá,
Em pensamento levem-no, voando,
Até o mar. E a praia, na Inglaterra,
'Stá branca com adultos e menores
Que gritam mais que o rugido do mar
Que, como batedor diante do rei,
Parece abrir caminho. Já em terra,
Ele parte, solene, para Londres.
O pensamento é tão veloz que agora
Já podem todos concebê-lo em Blackheath,
Onde os nobres queriam que ostentasse
O elmo marcado e a espada toda torta
Ante si no desfile; ele o proíbe.
Sendo livre de orgulho e de vanglória,
Ele afasta de si honra e troféus,
Que entrega a Deus. Porém agora observem,
Na oficina de seus pensamentos,
Como Londres foi toda para as ruas:
Com grande pompa o prefeito e os seus pares,
Quais senadores da antiga Roma,
Com os plebeus pululando em torno deles,
Foram buscar seu César em triunfo,
Assim como, em escala mais modesta,
Se o general de nossa imperatriz,
Como é provável, nos chegar da Irlanda
Com a revolta enfiada em sua espada,
Quantos não deixariam a cidade
Pra recebê-lo! Muito mais que isso
Mereceu Harry. E ele fica em Londres
Enquanto o longo luto dos franceses
Convida o rei inglês a lá ficar.
O imperador vem agir pela França,
Pra ver os dois em paz. Vamos pular

40 Tudo o que aconteceu, todos os fatos,
Até que Harry volte para a França.
Pra lá vamos levá-lo; e nesse tempo
Eu cobri, com lembranças, o passado.
Vai-se o passado, mas o olhar avança;
45 Seu pensamento, agora, vai pra França.

(Sai.)

CENA 1
França. O acampamento inglês.

(Entram FLUELLEN e GOWER.)

GOWER

Está certo, mas por que está usando o alho-poró hoje? O dia de São Davi já passou.

FLUELLEN

Há ocasiões e causas por que e para que em totas as coisas. Eu fou lhe contar como, meu amigo, Capitão Gower. O safato, sarnento, miseráfel, piolhento, fanfarrão, crápula Pistola, que o senhor, a sua pessoa e o munto inteiro sapem não ser melhor to que um sucheito, compreenta, sem qualquer mérito, chegou para mim, ontem, me trazento pão e sal, e me tisse para eu comer meu alho-poró. Foi em lugar onte eu não potia criar tesacorto com ele; mas fou ousar usar meu alho-poró no chapéu até eu o fer nofamente, quanto então fou tizer-lhe ao menos um pouquinho tos meus tesechos.

(Entra PISTOLA.)

GOWER

Pois aí vem ele, inchado como um peru.

FLUELLEN

O que me importam sua inchação ou seus perus! Que Teus o apençoe, alferes Pistola! Safato, sarnento e piolhento, que Teus o apençoe!

PISTOLA

15 O quê, estás maluco?
Terás tu sede, acaso, vil troiano,
De me ver ao cortar da Parca o fio?
Some daqui! Pois fedes a poró.

FLUELLEN

Eu lhe imploro, te coração, safato sarnento, que a tesecho e requisição e petição meus, que tu comas, repare, este alho-poró, porque, repare, tu não gostas tele, e nem tuas afeições, nem teus apetites e nem tuas tichestões não concortam com ele; e eu tesecharia que tu o comesses.

Pistola

Nem por Cadwallader e todos os seus bodes.[73]

Fluellen

Aí chá fai um pote para ti. *(Bate nele.)* Queres fazer o fafor, crápula safato, te comê-lo?

Pistola

Vil troiano, vais morrer.

Fluellen

Tizes a fertate, crápula safato, quanto essa for a fontate te Teus. E quero que nesse meio tempo tu fifas para comer os teus manchares: famos, aqui está o molho. *(Bate.)* Ontem me chamaste te fitalgo te meia tichela; pois hoche fou tar-te fitalguia a tichelatas. Potes começar; quem pote caçoar te um poró tampém pote comê-lo.

Gower

Já basta, capitão, já o deixou arrasado.

Fluellen

Pois tigo que o farei comer um petaço to meu poró, ou então ficarei patento em sua capeça por quatro tias. Morte aqui: faz pem às tuas feritas apertas e à tua capeça queprata.

Pistola

Eu tenho de comer?

Fluellen

Por certo e sem túfita e sem tiscussão tampouco, nem ampiguitates.

Pistola

Por certo e sem túfita e sem tiscussão tampouco, nem ampiguitates.

Fluellen

Coma, por fafor. Queres mais molho para o teu poró?
Não há poró pastante para as tuas pragas.

Pistola

Chega de bater, não vê que eu estou comendo?

---

[73] Cadwallader foi o último rei a defender Gales dos saxões no século vii. (N. E.)

FLUELLEN

Pois comas muito, safato, e com fontate. Não, eu peço, não chogues nata fora; a pele é poa para tua capeça queprata. Quanto, taqui por tiante, fires alho-poró, caçoa tele, só isso.

PISTOLA

Muito bem.

FLUELLEN

O poró é muito pom. Espera aí, toma um tostão para curar tua careca.

PISTOLA

Um tostão, eu?

FLUELLEN

É, e fais comer mesmo, porque, senão, tenho outro poró no polso que terás te comer tampém.

PISTOLA

Aceito o seu tostão como símbolo da vingança.

FLUELLEN

Se te tefo alguma coisa, pagarei em portoatas. Fais fenter mateira, pois te mim só lefaste pastões. Teus te guie e te guarte, e cure a tua capeça.

(Sai.)

PISTOLA

O inferno tremerá por isso!

GOWER

Ora, vamos, tu és um covarde, safado e mentiroso. Caçoas de uma antiga tradição, iniciada por uma questão honrada, e usada como memorável troféu de bravura de outros tempos, sem ousar confirmar com teus atos uma só de tuas palavras? Eu já te vi caçoando e debochando desse cavalheiro duas ou três vezes. Pensaste, por ele não falar inglês como um nativo, que pela mesma razão ele não saberia usar um bastão inglês? Pois descobriste que não era assim; que, daqui em diante, esse castigo galês te ensine um bom comportamento inglês. E passe bem.

(Sai.)

PISTOLA

A Fortuna ora torna-se rameira?
Minha Nell faleceu num hospital

			Da doença francesa.
			E, sendo assim, eu me vejo sem teto.
			'Stou velho, e destes membros já cansados
70			Um bastão tira a honra. Serei cáften,
			E com mão leve baterei carteiras.
			Me furto pra Inglaterra e lá... eu furto.
			As marcas desta surra que levei
			Direi que foi na guerra que eu ganhei.

                                                                    (Sai.)

                         CENA 2
        Troyes, na Champagne. Um apartamento do rei francês.

                *(Entram por uma porta o Rei Henrique, Exeter, Bedford, Gloucester,
                Warwick, Westmoreland e outros nobres. Por outra, Carlos, o Rei
                francês, a Rainha Isabel, a Princesa Catarina, Alice e outras damas, o
                Duque da Borgonha e seu séquito.)*

        Henrique
			Paz a este encontro que nos reuniu!
			A nosso irmão da França, e à nossa irmã,
			Saúde e um dia alegre, com bons votos
			A Catarina, que é princesa e prima.
5			E, como ramo desta realeza,
			E o próprio gerador desta assembleia,
			Nós vos saudamos, Duque da Borgonha.
			Saúde aos nobres príncipes da França.

        Carlos
			Com alegria vemos vosso rosto,
10			Bravo irmão da Inglaterra. Sois bem-vindo,
			E todos vós também, nobres ingleses.

        Isabel
			Tão feliz seja o fim, irmão inglês,
			Deste bom dia e deste bom encontro,
			Quanto estamos felizes por nos ver.
15			Vossos olhos até aqui pesaram
			Contra os franceses, que neles só viram
			As fatais balas de maus basiliscos.
			Tal olhar venenoso ora esperamos
			Tenha perdido a sua qualidade
20			E mudado as tristezas em amor.

HENRIQUE
    Viemos pra dizer amém a isso.

ISABEL
    Eu vos saúdo, príncipes ingleses.

BORGONHA
    A ambos meu dever, com igual amor,
    Ó grandes Reis de França e de Inglaterra!
25 Que trabalhei, lutei, sofri, sonhei
    Para trazer Vossas Majestades
    A este arbítrio de um real encontro
    Vós mesmos sabereis testemunhar.
    Já que os meus bons ofícios conseguiram
30 Fazer-vos frente a frente, face a face
    Estar aqui, não creio ser vergonha
    Indagar, ante tanto olhar real,
    Que obstáculo ou barreira existe agora
    Pra que a paz, pobre, nua e ultrajada,
35 Que cria as artes, a fartura e a vida,
    Não deva, no melhor jardim do mundo,
    A fértil França plantar seu semblante?
    Ai, ai, faz tanto que ela foi banida
    Que sementes e campos, em monturos,
40 Corrompem, tornam podre, o que era fértil.
    As vinhas, que alegravam corações,
    Morrem à míngua, enquanto cercas vivas,
    Quais prisioneiros com o cabelo imenso,
    Brotam quais loucas, e na terra ociosa
45 Joio e cicuta, com a erva daninha,
    Botam raízes, enquanto, enferrujado,
    Jaz sem livrar-nos deles nosso arado.
    O doce prado que floria outrora
    Com a prímula pintada e a pimpinela,
50 Sem foice pra contê-lo, hoje pulula,
    Procria louco, e nele nada vinga
    A não ser cardo, ouriço ou carrapicho,
    Sem beleza ou usança.
    E como os campos, vinhas, cercas, bosques
55 Que sem cultivo tornam-se selvagens,
    Em nossos lares nós e os nossos filhos
    Perdemos, ou deixamos de aprender,
    Toda a ciência que convém à pátria,
    E crescemos selvagens — quais soldados
60 Que nunca pensam a não ser em sangue —,
    Blasfemos, furiosos, desleixados,
    Só ofendendo em tudo o natural —

O que pra devolver ao velho aspecto,
Aqui estais. E aqui eu só vos peço
Poder saber por que a doce Paz
Não pode vir banir todo esse mal
E abençoar-nos com os dons de outrora.

Henrique

Meu duque, se é a paz que desejais,
Cuja falta nos traz imperfeições
Como as citadas, tereis de comprá-la
Com concordância plena e integral
Às nossas mais que justas exigências,
Cujo teor e aspectos detalhados
Estão, em forma breve, em vossas mãos.

Borgonha

Já as ouviu o rei, porém a elas
Inda falta a resposta.

Henrique

                    Pois a paz
Que tanto desejais depende dela.

Carlos

Só com olhar ligeiro, até aqui,
Vi os artigos. Peço a Vossa Graça
Que indique membros de vosso conselho
Pra, sentados conosco, examiná-los.
Tão logo estejam eles compulsados,
Vos daremos resposta e aceitação.

Henrique

Irmão, assim faremos. Tio Exeter,
Irmão Clarence e tu, meu irmão Gloucester,
Warwick e Huntingdon, ide com o rei,
Levando autoridade pr'aprovar,
Ou mudar, com o saber que sei que tendes,
Com proveito pra nossa dignidade,
Qualquer item, já incluído ou não,
E nós assinaremos. Boa irmã,
Ireis com eles ou ficais conosco?

Isabel

Meu bom irmão, eu pretendo ir com eles:
A voz de uma mulher trará, talvez,
Um bem a discussões mais melindrosas.

HENRIQUE
>   Deixai, no entanto, aqui a nossa prima:
>   Ela é nossa exigência principal,
>   Ficando à frente de qualquer artigo.

ISABEL
>   É um prazer.

>>   *(Saem todos menos o REI HENRIQUE, CATARINA e ALICE.)*

HENRIQUE
>   Ó bela Catarina,
>   Podes, acaso, ensinar a um soldado
>   O que uma dama gosta de escutar,
>   Fazendo o amor tocar-lhe o coração?

CATARINA
>   Vossa Majestade irá caçoar de mim; non sei falar vossa Inglaterra.

HENRIQUE
>   Bela Catarina! Se me amares fortemente com teu coração francês, ficarei contente em ouvir-te confessá-lo, mesmo de pé quebrado, com tua língua inglesa. Como tu me achas, Kate?

CATARINA
>   *Pardonnez-moi*, eu non sei o que é "como".

HENRIQUE
>   Um anjo é como tu, Kate, e tu és como um anjo.

CATARINA
>   *Que dit-il? Que je suis semblable à les anges?*[74]

ALICE
>   *Oui, vraiment, sauf votre grâce, ainsi dit-il.*

HENRIQUE
>   Foi o que disse, bela Catarina, e não enrubesço por dizê-lo.

CATARINA
>   *O bon Dieu, les langues des hommes sont pleines de tromperies*!

HENRIQUE
>   O que diz ela, gentil senhora? Que a língua dos homens é cheia de enganos?

---

[74] Alguns trechos em francês a seguir não necessitam de tradução porque esclarecem-se no decorrer do próprio diálogo.

ALICE

Oui, que *les* línguas dos *hommes* ser cheias de mentir: isso foi a princesa.

HENRIQUE

A princesa então é melhor inglesa. Em verdade, Kate, minha corte é própria para a tua compreensão. Alegro-me que não fales melhor inglês, pois se o soubesses verias um rei tão simples que pensarias que eu tivesse vendido minha fazenda para comprar minha coroa. Eu não conheço maneiras de enfeitar o amor; só sei dizer, diretamente, "eu te amo". E aí, se quiseres que eu diga mais, perguntando "de verdade, mesmo?", eu já terei gastado os meus trunfos. Dá-me a tua resposta, de verdade, e assim nós nos apertamos as mãos e fica feito o negócio. O que dizes, minha dama?

CATARINA

Sauf votre honneur, mim compreende bem.

HENRIQUE

Pela Virgem, se me obrigas a fazer versos, ou a dançar só por ti, Kate, tu me perdes; para os primeiros, não tenho nem as palavras e nem a métrica; para o segundo, não sou forte nos compassos, embora tenha certa força compassada. Se pudesse conquistar uma dama saltando carniça, ou pulando para a sela de armadura, correndo o risco de me gabar posso dizer que bem depressa eu saltaria para uma esposa. Ou se pudesse dar murros por meu amor, ou selar meu cavalo por seus favores, eu poderia atacar como um carniceiro e montar como um macaco que não cai. Porém diante de Deus, Kate, eu não sei fazer cara de bobo, nem dar suspiros eloquentes. Faltando-me o talento para as declarações, sei apenas jurar, praguejar — o que não faço a não ser que insistam, mas que não desdigo por maior que seja a insistência. Se puderes amar um sujeito dessa têmpera, Kate, cujo rosto não merece ser queimado pelo sol, que jamais olha um espelho por amor do que lá vê, que os teus olhos vejam se te agrada o tempero. Eu te falo como um soldado simples: se puderes amar-me por isso, aceita-me; se não, dizer-te que hei de morrer é verdade; mas por teu amor, juro por Deus que não. Mas mesmo assim te amo. E se é para toda a vida, Kate, pega um sujeito de constância pura como a de moeda nova, pois ele forçosamente agirá bem contigo, já que não tem dons para ir cortejar em outro lugar. Pois esses outros, com línguas inesgotáveis, que sabem versejar para conseguir os favores de uma dama sempre sabem também argumentar para livrarem-se deles. Ora, um orador é só um tagarela, uma rima é só uma balada. Uma boa perna bambeia, boas costas se curvam, uma barba negra embranquece, uma cabeça cacheada fica careca, um belo rosto se enruga, olhos grandes ficam fundos, mas um bom coração, Kate, é o sol e a lua; ou, antes, o sol e não a lua, pois ele brilha e nunca muda, sempre firme em seu curso. Se queres

155 alguém assim, aceita-me; aceitando-me, aceitas um soldado; um soldado, um rei. E que dizes ao meu amor? Fala, minha bela, e belamente, eu te peço

CATARINA
E é possível que eu amar o inimigo da França?

HENRIQUE
160 Não, não é possível que tu ames um inimigo da França. Porém, ao amar-me, tu amarias um amigo da França, pois eu amo tanto a França que não desejo separar-me sequer de uma única de suas aldeias. Quero-a toda para mim, e Kate, quando a França for minha, e eu for teu, então a França será tua e tu serás minha.

CATARINA
Eu não saber o que é isso.

HENRIQUE
165 Não, Kate? Eu te direi em francês, que se enrolará em minha língua como esposa recém-casada no pescoço do marido que ele não consegue fazer com que largue. *Je, quand j'ai le possession de France, et quand vous avez le possession de moi*[75] — deixa-me ver, o que vem depois? São Dênis que me ajude! — *donc votre est France, et vous êtes 170 mienne.*[76] Será tão fácil para mim, Kate, conquistar o reino quanto falar outro tanto de francês. Eu jamais atingiria teus sentimentos em francês, a não ser que fosse para rires de mim.

CATARINA
Sauf votre honneur, le français que vou parlez, il est meilleur que l'anglais lequel je parle.[77]

HENRIQUE
175 Na verdade não é, Kate, mas teu modo de falar a minha língua, e o meu a tua, tão falsos e verdadeiros, são muito iguais, devo reconhecê-lo. Mas, Kate, entendes bastante inglês para isto: serás capaz de amar-me?

CATARINA
Non sei dizer.

HENRIQUE
180 Será que os teus vizinhos sabem, Kate? Vou perguntar-lhes. Vamos, sei que me amas. E de noite, quando fores para o quarto, irás

---

75 "Eu, quando eu tomar posse da França, e quando a senhora tomar posse de mim..." (N. E.)
76 "Portanto, a França é sua, e a senhora é minha."(N. E.)
77 "Com devido respeito, senhor, o francês que o senhor fala é melhor que o inglês que eu falo." (N. E.)

interrogar esta senhora a meu respeito. E eu sei, Kate, que irás fazer pouco das partes de mim que amas em teu coração, mas, boa Kate, caçoa de mim com piedade; melhor assim, delicada princesa, porque eu te amo cruelmente. Se algum dia fores minha, Kate, e minha fé na salvação me diz que o serás, eu a terei com voracidade, e terás, por isso mesmo, de provar-te uma boa geradora de soldados. Não haveremos nós, entre são Dênis e são Jorge, de compor um menino, meio francês, meio inglês, capaz de ir a Constantinopla e puxar a barba do Turco? Será que não? O que dizes, minha bela flor-de-lis?

CATARINA

Eu non saber isso.

HENRIQUE

Não, saber é com o futuro, agora é prometer. Promete apenas, Kate, que hás de te esforçar pela parte francesa de tal menino, e por minha metade inglesa aceita a palavra de um rei solteiro. O que me respondes, *la plus belle Catherine du monde, mon très cher et divin déesse?*[78]

CATARINA

Vossa Majestade saber bastante *fausse* francês para enganar a mais *sage demoiselle* haver *en France*.[79]

HENRIQUE

Abaixo o meu falso francês. Palavra de honra, em inglês verdadeiro, eu te amo, Kate. Mas não ouso jurar que me amas; no entanto, meu sangue começa a bajular-me dizendo que sim, apesar do pobre e pouco propiciador efeito do meu rosto. Maldita seja a ambição de meu pai! Ele estava pensando em guerras civis quando me gerou: por isso eu fui criado com esse exterior duro, com aspecto de ferro, que, quando quer cortejar as damas, as assusta. Mas palavra, Kate, quanto mais velho eu ficar, melhor parecerei. Meu consolo é que a velhice, má preservadora da beleza, não poderá estragar ainda mais o meu rosto. Tu me terás, se me quiseres, no meu pior momento, mas com teu uso, se me quiseres usar, ficarei cada vez melhor. E, portanto, diz-me, belíssima Catarina, será que me aceitas? Afasta teus rubores de donzela, confirma os pensamentos de teu coração com o semblante de uma imperatriz, toma-me pela mão e diz: "Harry da Inglaterra, eu sou tua", palavras a que, mal tenham abençoado meus ouvidos, eu responderei com "A Inglaterra é tua, a Irlanda é tua, a França é tua, e Henrique Plantageneta é teu", o qual, embora seja eu a dizê-lo em sua presença, se não estiver na companhia dos melhores reis, descobrirás que é o rei das melhores companhias. Vamos, tua resposta em música desa-

---

[78] "O que me respondes, a mais bela Catarina do mundo, minha muito cara e divina deusa." Observar, por exemplo, que aqui Henrique utiliza no original o masculino para tratar Catarina: "caro e divino deusa" seria a tradução ao pé da letra. (N. E.)
[79] "Vossa Majestade saber bastante francês falso para enganar a mais sábia senhorita" (N. E)

finada, pois tua voz é música, e o teu inglês desafinado. Portanto, rainha de tudo, Catarina, quebra o silêncio de tua mente com teu inglês de pé quebrado: tu me aceitas?

CATARINA

220   Isso é se agrada *le roi mon père*.[80]

HENRIQUE

Ora, isso o agradará muito, Kate, isso o agradará.

CATARINA

Então isso também contentar mim.

HENRIQUE

Com isso beijo-te à mão e chamo-te minha rainha.

CATARINA

Laissez, mon seigneur, laissez, laissez! Ma foi, je ne veux point que
225   *vous abaissiez votre grandeur en baisant la main d'une de votre*
seigneurie indigne serviteur. Excusez-moi, je vous supplie, mon très
puissant seigneur.[81]

HENRIQUE

Então eu beijarei teus lábios, Kate.

CATARINA

Les dames et demoiselles, pour être baisées devant leurs noces, il n'est
230   *pas la coutume de France.*

HENRIQUE

Madame intérprete, o que diz ela?

ALICE

Que non ser costume pour les donzelas na França — não sei como é *baiser* en inglês.

HENRIQUE

Beijar. Vossa Majestade *entend* melhor que *moi*.

ALICE

235   Vossa Majestade *entend* melhor que *moi*.

---

80 "o rei, meu pai."(N. E.)
81 "*Pare, meu senhor, pare, pare! Por minha fé, eu não quero de forma alguma* que Vossa Alteza se rebaixe, beijando a mão de uma serva indigna. Desculpe-me, peço-lhe, meu mui poderoso senhor." (N. E.)

HENRIQUE

Não é costume as donzelas de França beijarem antes de se casarem, diria ela?

ALICE

Oui, vraiment.

HENRIQUE

Ó Kate! Os hábitos mais corretos fazem reverência ante grandes reis. Querida Kate, tu e eu não podemos ficar cerceados pelas fracas barreiras dos costumes de um país: nós somos os criadores dos costumes, Kate, e a liberdade inerente às nossas posições cala a boca de todos os maledicentes, como calarei a tua, por sustentar a recatada moda de teu país, negando-me um beijo. Portanto, sê paciente em conceder. *(Beija-a.)* Tens mágica em teus lábios, Kate; há mais eloquência na doçura de teu toque do que nas línguas dos conselheiros franceses, e eles persuadiriam Henrique mais rapidamente do que uma petição geral de monarcas! Aí vem teu pai.

(Voltam o REI FRANCÊS, a RAINHA e NOBRES franceses, BORGONHA, EXETER, WESTMORELAND e nobres ingleses.)

BORGONHA

Deus salve Vossa Majestade! Meu real príncipe, estais ensinando inglês à nossa princesa?

HENRIQUE

Eu gostaria que ela aprendesse, meu bom primo, a compreender o quão perfeito é meu amor por ela, e isso é bom inglês.

BORGONHA

E ela não é boa aluna?

HENRIQUE

Nossa língua é bruta, primo, e minha situação não é suave; de modo que, não tendo em mim nem a voz e nem o coração para bajular, não consigo nela conjurar o espírito do amor de maneira que ele apareça em seu real aspecto.

BORGONHA

Perdoai a franqueza do meu chiste ao responder-vos por isso. Se quereis conjurar nela o amor em seu real aspecto, ele terá de aparecer nu e cego. Podereis então condená-la, sendo donzela ainda rosada com o carmim virgem do pudor, se ela negar o aparecimento de um menino nu e cego na nudez de sua própria visão? Seria essa, milord, difícil condição para uma donzela enfrentar.

Henrique

Mesmo assim, elas piscam e cedem, pois a cegueira do desejo é forte.

Borgonha

Em tais casos são perdoadas, senhor, pois não veem o que fazem.

Henrique

Então, meu bom senhor, ensine a sua prima a consentir em piscar.

Borgonha

Com uma piscadela eu a farei consentir, senhor, se vós a ensinardes a compreender meu sentido, pois as donzelas bem nutridas e delicadamente educadas são como as moscas do final do verão: cegas, embora tendo olhos; e nessa altura admitem ser manuseadas aquelas que antes sequer admitiam ser olhadas.

Henrique

Esse argumento prende-me a um tempo e a um verão quente; e assim eu também apanharei a mosca, sua prima, no final, quando ela também terá de estar cega.

Borgonha

Como é o amor, senhor, antes de amar.

Henrique

Assim é, e podeis então, alguns de vós, agradecer o amor por minha cegueira, que não me deixa ver muitas lindas cidades francesas por causa de uma linda donzela francesa que fica na minha frente.

Carlos

Sim, milorde, vós as vedes em perspectiva, as cidades transformadas na donzela, pois elas estão todas cercadas por muros virgens que a guerra jamais penetrou.

Henrique

Kate será minha esposa?

Carlos

Se vos apraz.

Henrique

Fico contente, pois as cidades virgens de que falastes podem segui-la, pois a donzela que se postava no caminho de meus desejos pode mostrar-me o caminho para a minha vontade.

CARLOS
  Já concordamos com todos os termos razoáveis.

HENRIQUE
  Foi assim, meus lordes da Inglaterra?

WESTMORELAND
  O rei concordou com todos os artigos:
  Primeiro a filha; e depois, em sequência,
  Tudo na forma firme apresentada.

EXETER
  Só não assinou isto: onde Vossa Majestade exige que o Rei da França, tendo a ocasião de escrever-lhe, em qualquer caso de concessão de títulos, se refira a Vossa Majestade desta forma, em francês, *Notre très cher fils Henri, Roi d'Angleterre, héritier de France*; ou, em latim, *Praeclarissimus filius noster Henricus, Rex Angliae et Haeres Franciae*.

CARLOS
  E nem a isso, irmão, eu me neguei,
  E o deixarei passar, se o pedires.

HENRIQUE
  Eu vos peço, por aliança e amor,
  Que tal artigo passe, junto aos outros;
  E, com tal gesto, dai-me a vossa filha.

CARLOS
  Tomai-a, filho, e criai, com meu sangue,
  Herdeiros meus, pra que os reinos em guerra
  Da França e da Inglaterra, cujas praias
  Invejam a felicidade mútua,
  Cessem seu ódio, e que esta ligação
  Traga amizade e aconchego cristãos
  A ambas, pra que nunca mais a guerra
  Em sangue corte a França e a Inglaterra.

TODOS
  Amém.

HENRIQUE
  Bem-vinda, Kate. Que todos testemunhem
  Que beijo agora a minha soberana.

  (Fanfarras.)

ISABEL

       Deus, autor dos melhores casamentos,
315   Aqui junte nossos corações e reinos!
       Como o marido e a mulher são um,
       Assim haja entre nós tal casamento
       Que nem intrigas, nem ciúmes maus,
       Que afetam tanto leito nupcial,
320   Interfiram na paz destes dois reinos,
       Divorciando esta união total:
       Que inglês como francês, e vice-versa,
       Se considerem! E Deus diga amém!

TODOS

       Amém!

HENRIQUE

325   Preparemos as nossas bodas, quando,
       Meu Duque da Borgonha, aceitaremos
       Seu juramento, como o de seus pares.
       Quando a Kate eu fizer as minhas juras,
       A mim as vossas serão proferidas;
330   E que tais juras sejam bem mantidas!

(Saem.)

EPÍLOGO

(Entra o CORO.)

CORO
Até aqui, com pena incompetente,
O nosso autor contou a nossa história,
Prendendo neste espaço brava gente,
Retalhando em pedaços sua glória.
5 Pouco tempo viveu, mas com grandeza,
A estrela inglesa, cuja espada o fado
Fez dominar toda a terra francesa,
Com o filho qual senhor tendo deixado.
Henrique VI, rei inda em cueiros,
10 Na Inglaterra e na França o sucedeu
E o reino teve tantos manobreiros
Que Albion sangrou e a França se perdeu.
Muitas peças o contam; pensem nisto
E aceitem com carinho o aqui visto.

Introdução às três partes de *Henrique VI*
Barbara Heliodora

Pouco antes de Shakespeare chegar a Londres, um grupo de rapazes loucos por fazer carreira e sucesso, e acreditando com toda a fé no novo conceito renascentista de que "o homem é a medida de todas as coisas", chegou a Londres e, tendo todos eles estudado o teatro clássico, principalmente o romano, na universidade, além de, é claro, serem todos poetas, como era quase obrigatório que fossem, naquele momento, descobriram que o teatro, para agradar a corte que, a partir de Henrique VIII, estava mais culta e interessada nas artes, havia um caminho pronto para ser explorado, o do teatro. Começaram escrevendo para espetáculos nos palácios deste ou daquele nobre, escreveram para ser representados pelos meninos cantores das capelas desses mesmos nobres, foram experimentando aqui e ali e, finalmente, dois deles foram o grande sucesso da temporada do inverno entre 1587 e 88, escrevendo para o teatro profissional: Christopher Marlowe, o mais poeta, com *Tamerlão, o Grande*, e Thomas Kyd, o mais especificamente teatral dos dois com *A Tragédia Espanhola*.

Esses autores, geralmente chamados de "university wits", por serem brilhantes e formados nas universidades, criaram uma grande variedade de gêneros dramáticos, mas ficou para William Shakespeare a tarefa de criar a "peça histórica".

A importância que a Inglaterra vinha adquirindo desde o advento da dinastia Tudor, e em particular sob Elizabeth I, provocou curiosidade a respeito do passado do país, e o teatro era o grande veículo de comunicação da época; começaram a aparecer peças chamadas "crônicas", que contavam a história de reis mais famosos por este ou aquele motivo, mas mesmo assim puramente biográficas. Influenciado por várias leituras que fizera, como "Os Varões" de Plutarco, que na tradução para o inglês levava o titulo de "As vidas dos gregos e romanos nobres", ou de "O Espelho dos Magistrados", obra em que a biografia de cada governante era seguida por uma espécie de autoavaliação, feita depois da morte, pelo biografado, Shakespeare teve a ideia de não só seguir em traços largos a biografia de vários reis ingleses, como também usar tais biografias como meio de expressão de algum tema significativo, que uma análise daquele reinado em particular poderia expressar. A tarefa não era fácil, pois havia dois tipos fundamentais de obstáculos a serem superados: por um lado, era preciso aprender a manipular os dados a respeito daquele rei e daquela época, para dar-lhes a forma dramática necessária para expressar o tema que o autor tinha em mente, mas por outro era necessário fazê-lo de tal modo que fosse possível ter o texto aprovado pela censura para apresentação nos teatros profissionais. Mais do que isso, o poeta tinha o maior empenho em tornar as peças obras interessantes, que agradassem à plateia, tanto pelo que podiam conter de ensinamento ou informação, como também pelo que ofereciam de experiência estética e entretenimento.

Para escrever essas peças, Shakespeare usou como fonte, principalmente, os dois principais autores históricos da Inglaterra, Raphael Holinshed e Edward Hall. Ninguém, naquela época, esperava isenção ou objetividade por parte desses "cronistas"; sua visão histórica era determinada pelo patrono para o qual escrevia; as famosas crônicas de Froissart, por exemplo, que escreveu sobre a Guerra dos Cem Anos, têm uma parte na qual ele apoia mais os ingleses, porque escrevia para o rei da Inglaterra, depois ele passa para o lado dos franceses, e sua ênfase é completamente alterada.

Enquanto narrativas sobre acontecimentos que interessam ao país em geral, segundo a memória de seus cidadãos, a peça histórica tem um conteúdo épico, panorâmico, e muito embora todos concordem em que as três partes de *Henrique VI* não possam ser contadas entre as maiores obras de Shakespeare, talvez seja mais correto considerar surpreendente a capacidade de um jovem autor, muito no início da carreira, para dar forma a uma tal quantidade de material, sem perder o rumo, e efetivamente dando um sentido específico ao conjunto. Somando as três peças, Shakespeare cria 105 personagens, mais vários tipos de figurantes, cobrindo um período de nada menos quarenta e nove anos (do início do reino de Henrique VI em 1522 até sua morte em 1571).

É com essas três peças que Shakespeare, pela primeira vez, situa em primeiro plano a preocupação com o bom governo, que o acompanhará até o final da carreira. No caso dos *Henrique VI*, está em jogo a luta pelo poder, mas sob um aspecto muito especial, o do desastre que é para a nação um mau rei, mesmo que este seja boa pessoa; naquela época o monarca não só reinava, como também governava, e quando o rei não consegue governar, afloram as lutas pelo direito de mandar no rei, com prejuízo para todos.

Quando morre Henrique V, o grande rei-herói, seu filho e herdeiro, Henrique VI, tem dez meses de idade, e o poder fica, durante sua minoridade, distribuído entre seus tios, o íntegro Humphrey de Gloucester, Protetor do Reino, e o ambicioso Henry Beaufort, bispo de Winchester. Com o problema de um suposto protagonista de dez meses de idade, Shakespeare ocupa o início da peça com o estabelecimento dos conflitos pelo poder, e os efeitos dos mesmos na guerra na França, e o próprio Henrique só entra em cena no Ato III, já com vinte anos.

Em suas peças históricas, um dos maiores méritos de Shakespeare é a habilidade com que seleciona o reinado a ser retratado, segundo o problema do qual está interessado em tratar: mesmo depois de adulto, Henrique VI jamais demonstrou qualquer capacidade para reinar, e o trio de peças ilustra o desastre que foi para a Inglaterra e, principalmente, para os ingleses, a total incompetência do rei. O fato de ele ser bom e piedoso, como indivíduo, não atenua de forma alguma o mal que ele faz ao país por sua incapacidade como governante; e podemos fazer uma ideia desse mal, vendo a incompetência minar progressivamente o reino: na primeira peça as lutas internas levam à perda de tudo o que antes havia sido conquistado na França, na segunda, a incompetência do rei oferece ao Duque de York a oportunidade de já provocar um levante na própria Inglaterra, como primeiro passo para sua conquista da coroa, e finalmente, na terceira, a luta chega à própria figura do rei, com a coroa indo e vindo entre Henrique, o último rei Lancaster, e Eduardo IV, o primeiro rei York.

Se para nós, hoje em dia, essas peças históricas – e principalmente estas primeiras – podem tornar-se difíceis de acompanhar em função do grande número de nomes diferentes. É preciso lembrar que Shakespeare escreveu para seu tempo e seu público, e que todos esses nomes, para esse público, eram familiares, pois eram de linhagens que continuavam em evidência na nobreza dominante. Mas todas elas já demonstram o talento específico de William Shakespeare, isto é, sua capacidade, desde logo, para dizer algo a respeito do ser humano e o mundo em que este vive, por intermédio de ações que dispensam narrativa. Só um talento assim alcança uma obra plena de tramas bem armadas, e dotadas da força dramática que faz acontecer o milagre cênico, o que desafia a imaginação da plateia.

Henrique VI

Parte 1

Introdução
BARBARA HELIODORA

Tendo início com os funerais de Henrique V, esta primeira peça da trilogia estabelece, desde logo, o contraste da situação de um país sob um rei competente e heroico, e o problema criado pelo fato de seu filho ter apenas dez meses de idade. Mesmo aqui nesta obra tão do início de sua carreira, Shakespeare já começa a usar o que, mais adiante, será sua marca pessoal na criação da peça histórica, que são ações ou comentários feitos por cidadãos comuns, que não têm força para interferir no governo, mas que são os que primeiro e mais diretamente sentem as consequências de esses serem bons ou maus; são simples cidadãos que se preocupam com a coroa ser herdada por uma criança, com o poder disputado por facções e ambiciosos.

Mais grave do que Henrique VI ter dez meses ao herdar a coroa, é o fato de lhe faltar qualquer talento para reinar: Shakespeare o apresenta como religioso e bom, mas de fraca personalidade, aberto a toda espécie de influência. Enquanto os tios brigam, o personagem que seria a principal força da peça, Talbot, comandante dos ingleses na França, luta com bravura mas sem condições para vencer, já que os conflitos na corte acabam por retardar demais o envio das tropas e armas que Talbot pede com insistência.

A perda da França é o primeiro indício claro da fraqueza desse último dos reis da casa de Lancaster, e a primeira parte vai apresentando vários exemplos da incapacidade e falta de personalidade do jovem rei. Como exemplo crucial do prejuízo que tem o país com um mau rei (mesmo que seja boa pessoa), a peça acaba com o episódio do casamento de Henrique: estando noivo de uma cunhada do rei da França, ele se deixa enrolar pelo conde de Suffolk, que foi buscar a noiva em Paris mas, ficando ele mesmo apaixonado por outra princesa, Margaret, sem importância política e sem dote, convence o rei de mudar de noiva, sem medir as consequências políticas de seu gesto.

O autor iniciante ainda usa muita rima e imagens um tanto ou quanto elaboradas demais. Em 1592, Robert Greene, um dos "university wits", escreve um violento ataque contra Shakespeare, acusando-o de, sendo um mero ator, "pensar que pode escrever versos tão bombásticos quanto os nossos". Quando o ataque é escrito, Shakespeare já havia escrito as três partes da peça, pois uma fala da terceira delas é parodiada no ataque. Mas temos todos de agradecer a Robert Greene pelo que escreveu, clamorosa prova de que em 1592 Shakespeare já estava fazendo muito sucesso – já que ninguém perde tempo atacando desconhecidos fracassados.

Não há dúvida de que as peças históricas sejam em boa dose patrióticas, pois mostravam o que haviam realizado os reis que antecederam os Tudors; mas é engano esquecer que Shakespeare também inclui em sua obra os erros e os crimes desse passado. O importante, mesmo, é que mesmo transformando todo esse material em peças de teatro, ele segue com fidelidade a trajetória da Inglaterra até seu momento de glória elisabetana.

LISTA DE PERSONAGENS

LONDRES E A CORTE INGLESA

    DUQUE DE GLOUCESTER, tio do Rei e protetor durante a minoridade
    DUQUE DE EXETER, tio-avô do Rei
    CONDE DE WARWICK
    BISPO DE WINCHESTER, tio-avô do Rei, mais tarde cardeal
    WOODVILLE, tenente da Torre de Londres
    DUQUE DE SOMERSET
    RICHARD PLANTAGENET, mais tarde Duque de York e Regente da França
    DUQUE DE SUFFOLK [William de la Pole]
    VERNON, cavalheiro que se junta a Ricardo Plantagenet
    EDMUND MORTIMER, Conde de March
    REI HENRIQUE VI
    BASSET, um seguidor do Duque de Somerset
    TRÊS MENSAGEIROS
    DOIS GUARDAS DA TORRE
    SERVIDORES DE WINCHESTER E GLOUCESTER
    PREFEITO DE LONDRES
    OFICIAIS DO PREFEITO
    ADVOGADO
    CARCEREIROS DE MORTIMER
    NÚNCIO PAPAL
    EMBAIXADORES NA CORTE INGLESA

O EXÉRCITO INGLÊS NA FRANÇA

    DUQUE DE BEDFORD, Tio do Rei e Regente da França
    CONDE DE SALISBURY
    LORD TALBOT, mais tarde Conde de Shrewsbury
    JOHN TALBOT, seu filho
    SIR THOMAS GARGRAVE
    SIR WILLIAM GLENDALE
    SIR JOHN FALSTOLFE
    SIR WILLIAM LUCY
    SOLDADOS
    MENSAGEIROS
    CRIADOS

OS FRANCESES

CHARLES, O DELFIM, mais tarde Rei da França Charles VII, título não reconhecido pelos ingleses
DUQUE DE ALENÇON
REIGNIER, Duque de Anjou, Rei titular de Nápoles e Jerusalém
BASTARDO DE ORLEANS
JOANA, A DONZELA, geralmente chamada Joana d'Arc
DUQUE DA BORGONHA
CONDESSA DE AUVERGNE
MARGARET, filha de Reignier
CANHONEIRO PRINCIPAL DE ORLEANS, e seu Filho.
UM SARGENTO FRANCÊS
DOIS SENTINELAS DIANTE DE ORLEANS
MENSAGEIRO
PORTEIRO DA CONDESSA DE AUVERGNE
GOVERNADOR DE PARIS
GENERAL DAS FORÇAS FRANCESAS EM BORDEAUX
UM VELHO PASTOR, pai de Joana, a Donzela.
NOBRES, ARAUTOS, OFICIAIS, SOLDADOS, MENSAGEIROS E SERVIDORES
DEMÔNIOS que aparecem a Joana, a Donzela.

A cena: parte na Inglaterra e parte na França.

ATO 1

CENA 1
A Abadia de Westminster.

(Marcha fúnebre. Entra o funeral do Rei Henrique V, acompanhado pelo Duque de Bedford, Regente da França; o Duque de Gloucester, Protetor; o Duque de Exeter, o Conde de Warwick, o Bispo de Winchester e o Duque de Somerset.)

BEDFORD
Cubram de negro o céu, de noite o dia!
Cometas, arautos de novos tempos,
Sacudam no céu tranças de cristal,
Par' açoitar com elas más estrelas
5   Que concordaram com a morte de Henrique.
Henrique Quinto, bom demais pra vida!
Nunca a Inglaterra perdeu rei tão bravo.

GLOUCESTER
Jamais teve ela rei até seu tempo.
Virtuoso, merecia comandar:
10 Cegava os homens com os raios da espada:
Com mais envergadura que um dragão,
Brilhando os olhos com o fogo da fúria,
Mais ofuscava e bania inimigos
Do que o sol refulgindo em suas faces.
15 Os seus atos excedem as palavras:
Só levantou a mão pra conquistar.

EXETER
Por que um luto negro e não de sangue?
'Stá morto Henrique, e não reviverá.
Aqui seguimos um caixão de lenho;
20 E a desonrosa vitória da Morte
Glorificamos com presença em pompa,
Cativos arrastados num triunfo.
Havemos nós de maldizer planetas
Por conspirarem contra a nossa glória?
25 Ou deduzir que os franceses espertos,
Bruxos e mágicos, por medo dele
Maquinaram com versos o seu fim?

WINCHESTER
Foi rei bendito pelo Rei dos reis.
O juízo final, para os franceses,
30 Assusta menos do que o seu olhar.
Suas batalhas foram do Senhor,
A Igreja orava pra que prosperasse.

GLOUCESTER
A Igreja! Onde? Não orassem padres,
E não lhe seria ceifada a vida.
35 O senhor, qual um nobre efeminado
Que, qual colegial, se assusta à toa...

WINCHESTER
Gloucester, queira eu ou não, és protetor,
E queres governar o reino e o Príncipe.
À esposa orgulhosa tu mais temes
40 Que um clérigo a religião ou Deus.

GLOUCESTER
Religião? Tu, amante da carne,
Que o ano inteiro sequer vês igreja,
Senão para rezar contra inimigos.

BEDFORD
Chega de brigas; tenham paz na mente.
45 Vamos para o altar; arauto, avante!

(Saem como se para levar avante o funeral.)

Doemos nossas armas, e não ouro,
Se não têm uso; Henrique morto agora
Os pósteros vão ver anos terríveis,
Com os filhos mamando em mães em lágrimas,
50 Noss'ilha fonte só de pranto amargo,
Só com mulheres pra chorar os mortos.
Henrique Quinto, eu lhe invoco o espectro:
Que o reino cresça, sem lutas internas,
Ou combates com planetas adversos.
55 Que seja estrela bem maior no céu
Que Júlio César, ou brilhante...

(Entra um MENSAGEIRO.)

Mensageiro

> Honrados nobres, saúde para todos!
> Trago da França novidades tristes,
> De frustrações, de perdas e matanças:
> 60 Guienne, Champaigne, Rheims, Rouen, Orleans,
> Paris, Guysors, Poictiers, estão perdidas.

Bedford

> Que diz, diante do corpo de Henrique?
> Fale baixo, ou a perda desses nomes
> O faz quebrar o chumbo e reviver.

Gloucester

> 65 Paris perdida? Entregaram Rouen?
> Se Henrique voltasse agora à vida,
> Tais novas levariam sua alma.

Exeter

> Perdidas, como? Que traição usaram?

Mensageiro

> Não foi traição, mas falta de ouro e homens.
> 70 É o que corre na boca dos soldados:
> Que por aqui há diversos partidos,
> E quando é hora de partir pra luta,
> Os generais só ficam discutindo;
> Um quer guerra barata e demorada;
> 75 Um outro quer voar, mas não tem asas;
> Já um terceiro, sem qualquer despesa,
> Acha que a paz é obtida por palavras.
> É hora de acordar, nobreza inglesa!
> Que a preguiça não mate honras recentes.
> 80 De seus escudos foi-se a Flor-de-Lis,
> Podada do brasão inglês metade.[1]

(Sai.)

Exeter

> Se a este funeral faltasse lágrimas,
> De pronto as novas nos trariam pranto.[2]

Bedford

> Sou Regente da França: isso a mim toca.

---

[1] Pode-se dizer que nessa fala está na realidade exposto o conteúdo essencial de toda a peça. (N. T.)

[2] As palavras "pronto" e "pranto" são aqui usadas para chamar a atenção do uso contínuo de trocadilhos por Shakespeare, como era grande moda a seu tempo. No original, ele afirma que as *"tidings"* [novas], provocarão *"tides"* [*marés ou ondas*] de pranto. (N. T.)

85   Quero armar-me, e lutar pela França.
        Chega de vestes de choro e vergonha!
        Chagas, não olhos, darei aos franceses,
        Pra chorarem miséria periódica.

                (Entra outro MENSAGEIRO.)

2º MENSAGEIRO
        Senhores, leiam cartas agourentas.
90   Contra a Inglaterra revoltou-se a França,
        A não ser por cidades sem valor:
        O Delfim Charles foi coroado em Rheims:
        O Bastardo de Orleans juntou-se a ele;
        Reignier de Anjou tomou o seu partido:
95   Voou para ele o Duque de Alençon.

                                                (Sai.)

EXETER
        Coroado o Delfim? Voam pra ele?
        Que voo nos afasta da vergonha?

GLOUCESTER
        Voamos só pra goela do inimigo.³
        Bedford, se remanchar, eu o ataco.

BEDFORD
100   E por que duvidar do meu empenho?
        Já convoquei a tropa em pensamento,
        E já, com ela, dominei a França.

                (Entra outro MENSAGEIRO.)

3º MENSAGEIRO
        Senhores, pr'agravar o seu lamento,
        Com o qual cobrem o caixão do rei,
105   Devo informá-los de terrível luta
        Entre o bravo Lord Talbot e os franceses.

WINCHESTER
        Na qual triunfou Talbot, não é?

3º MENSAGEIRO
        Não. Na que foi derrotado Lord Talbot,

---

3 No original é mais fácil brincar com "fly", que é tanto voar quanto fugir. (N. T.)

	Em circunstâncias que detalharei.
110	No dia dez de agosto esse guerreiro,
	Ao retirar-se do cerco de Orleans,
	Com tropa que mal contava seis mil,
	Por vinte e três mil soldados franceses
	Foi totalmente cercado e atacado;
115	Sem ter lazer para ordenar seus homens,
	Faltaram lanças protegendo arqueiros;
	Em seu lugar umas tábuas de cerca
	Foram sem ordem metidas no solo
	Para impedir o ataque dos cavalos.
120	Mantiveram a luta por três horas,
	E o bravo Talbot, além do admissível,
	Fez maravilhas com espada e lança;
	Centenas, invicto, mandou pro inferno;
	Por aqui e por lá voava em fúria;
125	Para os franceses foi demônio armado;
	E todo o exército parou pr'olhá-lo.
	Seus soldados, ao ver seu bravo espírito,
	Gritavam juntos "Um Talbot! Um Talbot!",
	Correndo pras entranhas da batalha.
130	E a conquista seria ali selada
	Se não fosse o covarde John Falstolfe,[4]
	Que, da vanguarda, atrasou sua tropa
	Pr'aliviá-la e seguir-se a ela;
	Fugiu covardemente, sem um golpe.
135	Deram-se então a confusão e o massacre:
	Foram cercados pelos inimigos;
	Um vil valão, pra agradar o Delfim,
	Fincou a lança nas costas de Talbot,
	Quando nenhum francês, com tanta tropa,
140	Nem ousara enfrentar, olho no olho.

BEDFORD

'Stá morto Talbot? Vou então matar-me,
Pois vivo à toa aqui, com pompa inútil,
Enquanto um homem tal, sem ter ajuda,
Por vil traição é dado ao inimigo.

3º MENSAGEIRO

145 Ah, não; 'stá vivo; porém prisioneiro,
E com ele os Lordes Scales e Hungerford;
Todo o resto está morto ou capturado.

---

[4] Este Sir John Falstaff é figura histórica, não o gorducho das peças sobre Henrique IV. (N. T.)

BEDFORD
    Só eu, e ninguém mais, paga o resgate:
    Vou derrubar de seu trono o Delfim;
150   Sua coroa resgata o meu amigo;
    Por cada nobre nosso, quatro deles.
    Adeus, senhores; vou pro meu trabalho;
    Na França eu haverei de armar fogueiras
    Pra celebrar a festa de São Jorge.
155   Comigo partirão dez mil soldados,
    Que os europeus deixarão abalados.

3º MENSAGEIRO
    São precisos; no cerco de Orleans
    A tropa inglesa está fraca e sem força;
    O Conde Salisbury quer provisões
160   E mal impede um motim entre seus homens,
    Quando eles, poucos, veem tanta tropa.

(Sai.)

EXETER
    Lembrem-se todos das juras a Henrique,
    De ou esmagar por completo o Delfim
    Ou sob seu jugo fazê-lo obediente.

BEDFORD
165   Lembro-me bem, e agora me despeço,
    Pra me ocupar de meus preparativos.

GLOUCESTER
    Irei à Torre com a pressa possível,
    Inspecionar armas e munição;
    E logo proclamar Henrique rei.

(Sai.)

EXETER
170   E eu, a Eltham, pra ver o jovem Rei,
    Com seu governador especial;
    E fazer tudo pra sua segurança.

(Sai.)

WINCHESTER
    Todos têm seu lugar e sua função:
    E eu de fora; não me resta nada.

175   Mas não pretendo ser só João Ninguém.
De Eltham, eu, o Rei hei de roubar,
Pra ter o leme do bem popular.

(Sai Winchester de um lado. Sai o funeral de outro, com Warwick e Somerset.)

CENA 2
A França. Diante de Orleans.

(Clarinada. Entram Charles, Alençon, e Reignier, marchando com tambores e soldados.)

Charles

No céu, de Marte a verdadeira órbita,
Como na terra, inda é desconhecida.
Inda há pouco brilhava pros ingleses;
Agora sorri Marte, e nós vencemos.
5   Que cidades de monta hoje são nossas?
Desejamos ficar em Orleans,
Enquanto espectros famintos ingleses
Forçam seu cerco uma hora por mês.

Charles

Faltam a eles o mingau e a carne:
10   Ou são alimentados como as mulas,
Com o saco da ração preso na boca,
Ou parecem com ratos afogados.

Reignier

Levantemos o cerco! Pra que ócio?
´Stá preso Talbot, a quem nós temíamos;
15   Só resta a eles o maluco Salisbury,
Que desperdiça o fel em desespero,
Pois pra guerra não tem dinheiro ou homens.

Charles

Soe o alarma; vamos assaltá-los.
Pela honra da França desolada!
20   Dou meu perdão àquele que me mate
Ao me ver cedendo um passo ou fugindo.

(Saem.)

(Alarma. Eles são repelidos pelos ingleses, com grandes perdas. Entram Charles, Alençon, e Reignier.)

CHARLES

    Quem já viu coisa assim? Que homens tenho?
    Cães! Covardes! Eu jamais fugiria
    Sem ser largado em meio do inimigo.

REIGNIER

25   Desesperado homicida é esse Salisbury;
    Luta como cansado desta vida:
    E os outros nobres, leões afaimados,
    Se atiram sobre nós como da presa.

CHARLES

    Nota Froissard, que é nosso conterrâneo,
30   Que Rolands e Olivers a Inglaterra
    Gerou no reino do terceiro Eduardo.
    E isso agora nós verificamos;
    Pois só Sansões e Golias mandou
    Para esta escaramuça. Um pra dez!
35   Esqueletos velhacos! Quem diria
    Teriam tal coragem, tal audácia?

CHARLES

    Deixemos a cidade. Eles são loucos
    Que a fome faz ficar mais empenhados.
    Eu os conheço bem; antes com os dentes
40   Derrubam nossos muros que desistem.

REIGNIER

    Uma estranha engenhoca devem ter,
    Que aciona suas armas quais relógios,
    Pois de outro modo não teriam forças:
    Concordo que é melhor não mexer neles.

CHARLES

45   Que assim seja.

(Entra o BASTARDO de Orleans.)

BASTARDO

    Onde está o Delfim? Trago-lhe novas.

CHARLES

    Bastardo de Orleans, muito bem-vindo.

BASTARDO

    Parece-me abatido, entristecido.

50 Isso vem desta última derrota?
Não desista; o socorro vem aí:
Uma santa donzela eu trago aqui
Que, graças à visão vinda do céu,
Foi ordenada a levantar o cerco
E expulsar os ingleses da França.
55 Grande dom de profecia tem ela,
Mais profundo que o das nove sibilas:
O passado e o futuro ela descreve,
Diga, quer que ela entre? Creia em mim,
Pois seus dotes são certos e infalíveis.

CHARLES
60 Mande-a entrar.

(Sai o BASTARDO.)

Mas pra testar seu poder
Seja o Delfim em meu lugar, Reignier;
Interrogue-a com orgulho e aspecto grave;
Assim podemos ver se é mesmo hábil.

(Entra o BASTARDO, com JOANA, a DONZELA.)

REIGNIER
És tu, donzela, quem faz maravilhas?

DONZELA
65 Reignier, és tu quem tenta me enganar?
Onde está o Delfim? Saia de trás;
Eu o conheço bem, sem o ter visto.
Não se espante; de mim nada se esconde.
Quero falar-lhe em particular:
70 Nobres, afastem-se, deem-nos licença.

REIGNIER
Ela assume o controle desde logo.

DONZELA
Delfim, eu nasci filha de pastor,
Minha mente jamais aprendeu artes.[5]
Ao céu e à nossa Senhora agradou
75 Dar brilho a essa condição humilde.
Ao cuidar de meus tenros cordeirinhos,

---

[5] Todo e qualquer conhecimento adquirido era incluído na área das "artes". (N. T.)

E o sol fervia secando o meu rosto,
A mãe de Deus dignou-se aparecer-me
Numa visão de imensa majestade,
80 Querendo que eu largasse o meu ofício
Pra livrar meu país do sofrimento:
Garantiu-me sua ajuda e o sucesso.
A mim se revelou em plena glória;
E sendo eu antes bem morena e escura,
85 Com os raios que em mim penetraram
Veio a beleza que agora podem ver.
Pergunte a mim aquilo que quiser
Que eu, sem preparar-me, lhe respondo:
Ponha à prova pra luta minha bravura;
90 Verá que fico acima do meu sexo.
Resolva logo; pela vida inteira
Terá sorte ao me ter por companheira.

CHARLES

Já me espantou com seu falar altivo.
Quero uma prova só do seu valor –
95 Enfrentar-me em combate singular;
Se me vencer, o que disse é verdade;
Mas de outro modo perco a confiança.

DONZELA

'Stou preparada; eis a minha espada,
Que tem flores-de-lis de ambos os lados;
100 Na igreja de Santa Catarina,
Escolhi-a, em meio a ferros velhos.

CHARLES

Por Deus, ataque; a mulher não temo;

DONZELA

E eu, enquanto viver, não fujo de homem.

(Eles lutam e JOANA, a DONZELA vence.)

CHARLES

Pare, pare; é amazona de fato,
105 E aqui lutou com a espada de Deborah.

DONZELA

A Mãe de Cristo ajudou-me; sou fraca.

CHARLES
Seja quem for, você é a minha ajuda.
Eu queimo de desejo para tê-la:
Já dominou-me o coração e as mãos.
110 Nobre Donzela, se esse é o seu nome,
Ser seu criado, não seu soberano,
É o que deseja o Delfim de França.

DONZELA
Ao amor não me dou em sacrifício,
Pois o céu é que sagra o meu ofício;
115 Só depois que o inimigo eu expulsar
É que na recompensa hei de pensar.

CHARLES
Mas com bons olhos, olhe o seu escravo.

REIGNIER
(Para ALEÇON.)
Senhor, 'stá muito longa essa conversa.

ALEÇON
A confissão requer desnudamento,
120 De outro modo ele não falava tanto.

REIGNIER
Vamos chamá-lo? Passou dos limites.

ALEÇON
A não saber quais são eu me limito;
A mulher usa a língua pra tentar.

REIGNIER
(Para CHARLES.)
Senhor, aonde está? O que planeja?
125 Orleans deve ser cedida ou não?

DONZELA
Digo que não, incrédulo traidor!
Lutem até o fim, que eu os guardo.

CHARLES
Eu confirmo o que diz; vamos lutar.

DONZELA
Devo ser o flagelo dos ingleses.

130 Esta noite hei de levantar o cerco:
Dias de veranico, gloriosos,
Esperem, já que entrei na sua guerra.
A glória é como um círculo na água...
Que nunca para de aumentar até
135 Que a amplitude a disperse em nada.
Morto Henrique acabou a onda inglesa;
Dispersando, inclusive, as suas glórias.
Eu sou a nobre nave pequenina
Que outrora levou César e seu fado.

CHARLES

140 Uma pomba é que inspirou Maomé?
Pois uma águia é a sua inspiração.
Helena, mãe do grande Constantino,
Suas iguais, filhas de São Felipe,
Vênus, estrela que do céu caiu,
145 Como posso adorá-la o suficiente?

ALEÇON

Já basta, vamos levantar o cerco.

REIGNIER

Faça o que pode, e salve-nos a honra;
Se livrar Orleans, fica imortal.

CHARLES

Vamos tentar; comecem os preparos!
150 Não confio em profeta, se for falsa.

(Saem.)

CENA 3
Londres. Diante da Torre.

(Entra o DUQUE DE GLOUCESTER, com seus homens, usando casacos azuis.)

GLOUCESTER

Vim hoje aqui inspecionar a Torre;
Morto Henrique, eu temo encontrar fraudes.
Onde os guardas que aqui devem estar?
Abram as portas; aqui fala Gloucester.

(Entram dois GUARDAS.)

1º Guarda
Quem bate assim de forma imperiosa?

1º Seguidor
É o nobre Duque de Gloucester.

2º Guarda
Seja ele quem for, não pode entrar.

1º Seguidor
Vilão, responde assim ao Protetor?

1º Guarda
Que o Senhor o proteja, respondemos:
Fazemos só o que foi ordenado.

Gloucester
E que voz contra a minha assim ordena?
Protetor deste reino sou só eu.
Arrombem os portões, eu os garanto.
Por esse lixo eu sou desafiado?

(Os homens de Gloucester atacam a porta da Torre, e o Tenente Woodville fala de fora.)

Woodviille
São traidores que fazem tal barulho?

Gloucester
Tenente, é sua essa voz que eu ouço?
Abra as portas que Gloucester quer entrar.

Woodviille
Paciência, nobre Duque; eu não posso.
O Cardeal de Winchester proíbe:
São dele as ordens expressas que tenho,
Pra que não deixe entrar a si e aos seus.

Gloucester
Covarde! Valoriza-o mais que a mim?
Soberbo Winchester, padre arrogante,
Que o morto Henrique jamais suportou!
Não serve assim a Deus ou ao seu Rei.
Abra a porta, ou eu em breve o fecho.

SERVIDOR
    Abram a porta pro Lorde Protetor;
    E depressa, senão as estouramos.

    (Entram Winchester e seus homens.)

WINCHESTER
    Que quer dizer, ambicioso Humphrey?

GLOUCESTER
30   Um tonsurado ordena que eu não entre?

WINCHESTER
    Sim, ordeno, usurpador traiçoeiro,
    Que não protege o Rei e nem o reino.

GLOUCESTER
    Pra longe, conspirador manifesto,
    Que planejou matar o Rei finado;
35   Que dá indulgência às putas pra pecar:
    Desmancho esse chapéu de cardeal
    Se continua com tal insolência.

WINCHESTER
    Para longe você, daqui não saio:
    Que aqui seja Damasco, vil Caim,
40   Onde pode matar seu mano Abel.[6]

GLOUCESTER
    Eu não o mato, mas o afastarei,
    Sua veste rubra, como a de batismo,
    Hei de usar pra carregá-lo daqui.

WINCHESTER
    Pois ouse, e eu corto a barba dessa cara.

GLOUCESTER
45   A mim e à minha barba desafia?
    Ataquem, apesar deste local...
    Os azuis aos castanhos. Padre, cuide
    Da barba que puxarei quando surrá-lo.
    Vou pisar o chapéu de cardeal;
50   A despeito de hierarquia e Papa,
    Pelas faces o arrasto por aí.

---

6 Segundo Mandeville, em seu livro *Travels*, Damasco foi construída no local onde Caim matou Abel. (N. T.)

WINCHESTER
　　　Gloucester, vai ter de se explicar ao Papa.

GLOUCESTER
　　　Winchester tolo! "Uma corda! Uma corda!"⁷
　　　Ataquem! Por que os deixam ficar?
55　　O lobo em pele de carneiro é meu!
　　　Fora, castanhos! Hipócrita escarlate!

　　　*(Os homens de GLOUCESTER expulsam a golpes os homens do Cardeal
　　　e, na confusão, entram o PREFEITO DE LONDRES e seus funcionários.)*

PREFEITO
　　　Que vergonha! Os supremos magistrados
　　　Sempre insistindo em perturbar a paz!

GLOUCESTER
　　　Paz, Prefeito! não sabe o que sofri:
60　　Beaufort,⁸ sem respeito a Deus ou homem,
　　　Abocanhou a Torre pra seu uso.

WINCHESTER
　　　Esse Gloucester, inimigo do povo,
　　　Que pensa só em guerra, nunca em paz,
　　　Que explora as bolsas todas com suas multas,
65　　E luta pra arruinar a religião,
　　　Só porque é o protetor do reino;
　　　Quer saquear o arsenal da Torre
　　　Para ser Rei e dispensar o Príncipe.

GLOUCESTER
　　　Não falo mais, vou responder com golpes.

　　　(Há uma nova escaramuça.)

PREFEITO
70　　Nada me resta ante um tal tumulto
　　　Senão lançar minha proclamação.
　　　Oficial, o mais alto que puder.

OFICIAL
　　　Toda espécie de homem, aqui reunido em armas hoje, contra a paz
　　　de Deus e do Rei, nós intimamos e ordenamos, em nome de Sua Alte-

---
7 A expressão foi mantida na tradução por seu pitoresco: era ofensa comum, para a qual os papagaios eram treinados. (N. T.)
8 Nome de família do Bispo de Winchester. (N. T.)

75 za, que voltem às suas respectivas casas; e não portem, manuseiem ou usem qualquer espada, arma ou adaga daqui por diante, sob pena de morte.

GLOUCESTER

Cardeal, eu jamais infrinjo a lei;
Mas havemos de nos ver e discutir.

WINCHESTER

80 Nós nos veremos, pra prejuízo seu;
Quero seu sangue e coração por hoje.

PREFEITO

Ordeno cacetadas, se não param.
Tem mais orgulho que o diabo o padre.

GLOUCESTER

Prefeito, adeus; e faça o que puder.

WINCHESTER

85 Gloucester abominável, fique alerta,
Pois hei de tê-los, em bem pouco tempo.

(Saem, separadamente, GLOUCESTER e WINCHESTER, com os homens que os servem.)

PREFEITO

Estando tudo em ordem podem ir.
Meu Deus, como são bravos esses nobres!
Nunca lutei, em meus quarenta anos.

(Saem.)

CENA 4
Orleans.

(Entram o CANHONEIRO-MESTRE de Orleans e seu FILHO.)

MESTRE

Como sabe, Orleans 'stá sitiada,
E os ingleses dominam os subúrbios.

FILHO

Meu Pai, eu sei; e já dei tiros neles,
Mas por falta de sorte eu errei todos.

MESTRE

      Mas não vai errar mais. Preste atenção:
      Sou canhoneiro-chefe da cidade,
      E, pro meu bem, devo mostrar trabalho.
      Os espiões do Príncipe informaram
      Que os ingleses, plantados nos subúrbios,
      Costumam ir, por um portão secreto
      Àquela torre, pr'olhar a cidade,
      E descobrir de que melhor maneira
      Nos podem atacar com tiro e assalto.
      Para acabar com tal facilidade,
      Eu montei um canhão mirando nela,
      E há três dias que procuro vê-los,
      Quando de guarda.
      Agora o turno é seu; não posso mais.
      Se vir algum, dê o toque pra chamar-me;
      Pode encontrar-me com o Governador.

(Sai.)

FILHO

      Pai, eu garanto; não se preocupe;
      Se eu os vir, não irei perturbá-lo.

(Sai.)

(Entram SALISBURY e TALBOT nas Torres, com SIR WILLIAM GLANSDALE, SIR THOMAS GARGRAVE e outros.)

SALISBURY

      Talbot, minha alegria, estás de volta!
      Como foste tratado, prisioneiro?
      E por que meio foste libertado?
      Narre-me tudo, aqui no torreão.[9]

TALBOT

      O Conde Bedford tinha um prisioneiro,
      O bravo Senhor Ponton de Santrailles;
      Por ele eu fui trocado e resgatado.
      Antes, por homem muito inferior,
      Para ofender-me tentaram trocar-me,
      Mas isso eu desdenhei, pedindo a morte
      Antes que ser assim desrespeitado.

---

9 Como de costume, locais e ações indispensáveis aparecem no próprio texto. Os personagens mencionados entraram no palco superior. (N. T.)

                    Ao fim, fui resgatado como quis.
35   Mas me dói muito que a traição de Falstolfe,
                    A quem com minhas mãos eu executo
                    Assim que eu o tiver em meu poder.

    SALISBURY
                    Mas não falaste do teu tratamento.

    TALBOT
                    Só com deboches e provocações.
40   Eles me exibiram no mercado
                    Para ser espetáculo pra todos;
                    Dizendo: aqui 'stá o Terror dos Franceses,
                    O espantalho que assusta as criancinhas.
                    Eu consegui livrar-me de meus guardas,
45   E com as unhas, do chão arranquei pedras,
                    Que atirei nos que viam tal vergonha.
                    Outros fugiram só do meu aspecto;
                    Se afastavam, com medo de morrer.
                    Nem ferro eles julgavam segurar-me;
50   Medo tão grande entre eles corria
                    Que me achavam capaz de quebrar aço
                    E esfarelar colunas de adamante.[10]
                    Por isso era escolhida a minha guarda,
                    Que me cercava a todos os minutos;
55   Bastava eu me mexer em minha cama,
                    Que me apontavam para o coração.

(Entra o FILHO DO CANHONEIRO com um bota-fogo,[11] e torna a sair.)

    SALISBURY
                    Lamento ter sofrido tais tormentos;
                    Porém igual será nossa vingança.
                    Agora estão jantando em Orleans:
60   Pela grade eu os vejo, um a um,
                    E como se alimentam os franceses:
                    Olhe só; vai gostar dessa visão.
                    Sir Thomas Gargrave e Sir William Glansdale,
                    Desejo sua precisa opinião
65   Quanto ao alvo melhor pr'artilharia.

    GARGRAVE
                    Creio que a Porta Norte, que é dos nobres.

---

10 Uma substância lendária, extraordinariamente dura, e identificada também com o diamante. (N. T.)
11 Um bastão de cerca de um metro, com um gancho na ponta, usado para, com fósforo ou tocha, acender a pólvora de um canhão. (N. T.)

GLANSDALE
>Os que guardam a ponte, creio eu.

TALBOT
>A cidade, parece, está faminta,
>E enfraquecida co'as escaramuças.

>*(Atiram, e SALISBURY e GARGRAVE caem.)*

SALISBURY
>Deus se apiede destes pecadores! [70]

GARGRAVE
>Que Deus tenha piedade deste triste!

TALBOT
>Que azar tão de repente nos atinge?
>Fale comigo, se é que pode, Salisbury:
>Como passa esse espelho dos guerreiros?
>Com um olho e uma face destruídos! [75]
>Malditas sejam torre e mão fatal
>Que geraram tragédia tão sofrida!
>Treze batalhas venceu este Salisbury;
>Pra guerra ele treinou Henrique Quinto!
>A qualquer som de trompas ou tambores, [80]
>A sua espada não faltava em campo.
>Ainda vive, Salisbury? Sem fala,
>Um olho resta pra aspirar ao céu;
>Com um olho só o sol dá luz ao mundo.
>Que Deus não dê aos vivos sua graça, [85]
>Se em suas mãos ela faltar a Salisbury!
>Sir Thomas Gargrave, vive um pouco ainda?
>Fale a Talbot; ou olhe para ele.
>Levem seu corpo; e eu ajudo a enterrá-lo.
>Tenha consolo, Salisbury, no fato, [90]
>De não morrer enquanto...
>Ele levanta a mão e me sorri,
>Como a dizer "Depois da minha morte,
>Lembre-se de vingar-me nos franceses".
>Juro, Plantagenet; e como Nero [95]
>Ao som da lira verei tudo em chamas.
>Só com meu nome arrasarei a França.

>*(Alarma, trovões e raios.)*

>O que foi isso? Há tumulto nos céus?
>De onde vêm o alarma e a barulhada?

(Entra um Mensageiro.*)*

Mensageiro

100 Senhor! Estão armados os franceses!
O Delfim, com uma tal Joana Donzela,
Uma vidente santa que desponta,
Vêm muito fortes levantar o cerco!

*(*Salisbury *tenta erguer-se e geme.)*

Talbot

Ouçam gemer o agonizante Salisbury;
105 Seu coração lamenta não vingar-se.
Para os franceses eu serei um Salisbury.
Donzela ou da cela, Delfim ou do fim,
Meu corcel pisará seus corações,
E fará de seus cérebros um charco.
110 Levemos Salisbury pra sua tenda,
E os franceses ousados, enfrentemos.

(Alarma. Saem.)

CENA 5
Diante de Orleans.

(Novo alarma, e Talbot *persegue o* Delfim*, e o expulsa; depois entra* Joana, a Donzela, *repelindo os ingleses que enfrenta, e sai depois deles. Então entra* Talbot.*)*

Talbot

Aonde a força, meu valor e tropas?
Esse recuo inglês eu não controlo;
Uma mulher de armadura os expulsa.

(Entra a Donzela.*)*

Eis ela aí. Com ela eu lutarei;
5 Se é demo ou mãe de demo, eu te conjuro;
És uma bruxa e eu te sangrarei,
E entrego a tua alma a quem tu serves.

Donzela

Vamos, que só eu posso desgraçar-te.

(Eles lutam.)

TALBOT

    E o céu permite que vença o inferno?
10   Estouro o peito pra ter mais coragem,
    E os braços quase arranco do meu tronco.
    Mas hei de castigar essa rameira.

(Lutam de novo.)

DONZELA

    Talbot, adeus; não é a tua hora;
    Eu devo logo alimentar Orleans.

(Breve alarma: e então ela entra na cidade com soldados.[12])

15   Vence-me se tu podes; te desprezo.
    Vai alegrar tuas tropas famintas;
    E ajudar Salisbury com o testamento;
    O dia é nosso, como outros serão.

(Sai.)

TALBOT

    Em roda de poteiro a mente gira-me;
20   Eu não sei mais quem sou, ou o que faço;
    Como Aníbal, por medo, a bruxa fez
    Fugirem nossas tropas pra vencer:
    Assim, com fumo e ruído, pombo e abelha
    De seus ninhos e casas são expulsos.
25   Nos chamam, pela força, cães ingleses;
    Agora com ganidos nós fugimos.

(Rápido alarma.)

    Conterrâneos! Ou voltem pra batalha,
    Ou fica sem leões nosso brasão;
    Mudem de nome, sejam só carneiros:
30   Não corre do leão, tanto, o carneiro,
    Ou do leopardo o cavalo ou boi,
    Quanto vocês de quem já escravizaram.

(Alarma. Nova escaramuça e os ingleses tentam entrar em Orleans.)

---

12 Tem encontrado apoio a sugestão de que nesse momento Joana tenha subido para o palco superior, de onde data a fala que se segue. Talbot permanece no palco exterior. (N. T.)

Não é possível: voltem pras trincheiras:
Com a sua conivência morreu Salisbury,
35 Ninguém deu um só golpe pra vingá-lo.
E a Donzela entrou em Orleans,
Apesar dos esforços que fizemos.
Quem dera eu ter morrido junto a Salisbury!
Por tal vergonha eu escondo a cabeça.

(*Sai Talbot. Alarma. Retirada.*)

ATO 2

CENA 1
Diante de Orleans.

(Entram, ao alto das muralhas, um Sargento Francês de uma Banda e duas Sentinelas.)

SARGENTO

    Em seus lugares e alerta, senhores;
E se notarem ruído ou soldado
Junto às muralhas, mandem um sinal
Para advertir todo o corpo da guarda.

1ª SENTINELA

    Sim, senhor.

(Sai o Sargento.)

    Somos, pobres os que servem –
Enquanto em boa cama dormem outros –
De sentinela em chuva, escuro e frio.

(Entram Talbot, Bedford, Borgonha e suas forças, com escadas para escalar as muralhas.)

TALBOT

    Milorde Regente, e famoso Borgonha,
Por cujo empenho as regiões de Artois,
Valão e Picardia nos apoiam,
'Stando seguros co'a noite os franceses,
Depois de um dia de banquete e vinho,
Aproveitemos a oportunidade,
Que casa muito bem com os seus enganos,
Armados por magia e bruxaria.

BEDFORD

    Real Covarde,[13] que macula a fama,
Que por não crer na força de seu braço
Procura bruxas e a ajuda do inferno!

---

13 O Delfim. (N. T.)

BORGONHA
   Não têm traidores outra companhia.
   O que é a Donzela que dizem tão pura?

TALBOT
   Dizem que é virgem.

BEDFORD
                    Assim tão marcial?

BORGONHA
   Que não se torne logo masculina,
   Quem à sombra francesa da bandeira
   Usa armadura, como até agora.

TALBOT
   Pois que convoquem conversas de espíritos;
   Deus é a nossa força, em cujo nome,
   Escalamos seus fracos baluartes.

BEDFORD
   Pois suba, grande Talbot; eu o sigo.

TALBOT
   Não todos juntos. Creio ser melhor
   Que a entrada se dê em vários pontos,
   Porque se acaso cai algum dos nossos,
   Um outro sobe contra as forças deles.

BEDFORD
   Eu vou pr'aquele canto.

BORGONHA
                    E eu pra este.

TALBOT
   Por aqui sobe Talbot, ou vai pra tumba.
   Salisbury, por ti e pelo direito
   Do inglês Henrique, a noite há de mostrar
   O quanto eu sinto a todos dois dever.

SENTINELA
   Às armas! O inimigo 'stá atacando.

   (Gritos de "São Jorge!", "Um Talbot!". Os ingleses escalam as

muralhas e saem.)
(Os franceses saltam das muralhas em camisa. Entram, vindos de pontos diversos, o Bastardo de Orleans, Alençon, Reignier, *meio prontos e meio despreparados.)*

CHARLES
40 Como é, senhores? 'Tão despreparados?

BASTARDO
Despreparados? Com sorte de escapar.

REIGNIER
Era hora de acordar e levantar,
Ao ouvir o alarma às nossas portas.

CHARLES
De todo ataque des' que sou soldado,
45 Eu nunca vi uma empresa guerreira
Mais arriscada ou desesperada.

BASTARDO
Creio que Talbot é um demo do inferno.

REIGNIER
Se não o inferno, é o céu que o favorece.

CHARLES
Aí vem Charles; como terá passado.

(Entram CHARLES *e a* DONZELA.*)*

BASTARDO
50 Foi a santa Joana que o guardou.

CHARLES
É essa a arte, dama enganadora?
Primeiro conseguiu, pra bajular-nos,
Nos fazer partilhar pequeno ganho,
Para agora perder dez vezes mais?

DONZELA
55 Por que se impacienta com a amiga?
Quer que eu tenha poderes sempre iguais?
Se não ganhar, acordada ou dormindo,
Irá culpar-me por todos os males?

Que tropa imprevidente! 'Stando alertas,
60 Um mal assim jamais acontecia.

CHARLES

Foi por seu erro, Duque de Alençon,
Pois sendo o capitão da guarda à noite,
Não soube arcar com tão grave tarefa.

CHARLES

Se todo o campo fosse tão seguro
65 Quanto a parte da qual tive governo,
Não teríamos surpresa ou vergonha.

BASTARDO

O meu 'stava seguro.

REIGNIER

E o meu também.

CHARLES

Quanto a mim, por quase toda esta noite
Na parte dela e em meu próprio precinto,
70 Eu me ocupei, indo de um lado a outro,
Só vendo a rendição das sentinelas.
Como e por onde houve a primeira entrada?

DONZELA

Não fique perguntando, meu senhor,
Como e por onde; encontraram um ponto
75 Menos guardado e ali fizeram brecha.
O que nos resta agora é apenas isto:
Reunir os soldados dispersados
E fazer planos pra cortar perigos.

(Alarma. Entra um SOLDADO INGLÊS gritando "Um TALBOT! Um TALBOT!". Eles fogem, deixando para trás as roupas.)

SOLDADO

Vou ousar agarrar o que deixaram.
80 Gritar "Um Talbot!" serve-me de espada;
Pois estou carregado de butim
Usando como arma só o seu nome.

(Sai.)

CENA 2
Orleans. Dentro da cidade.

(Entram Talbot, Bedford, Borgonha, um Capitão, soldados carregando o corpo de Salisbury e outros.)

Bedford
Vai despontando o dia, foge a noite
Com o negro manto que cobria a terra.
Que soe a retirada e pare a busca.

(Um toque de retirada é tocado.)

Talbot
Tragam o corpo do meu velho Salisbury,
5 Transportem-no pra praça do mercado,
Ponto central da maldita cidade.

(Marcha fúnebre. Entram com o corpo de Salisbury.)

Pago assim minha jura à sua alma;
Não há do sangue seu uma só gota
Que cinco franceses não tenham pago.
10 E para que o futuro possa ver
O quanto se arruinou para vingá-lo,
Em seu templo maior hei de erigir
Uma tumba para enterrar seu corpo;
Na qual, aonde possam todos ler,
15 Será gravado o saque de Orleans,
A vil traição de sua triste morte,
E que terror foi ele para a França.

(Sai o funeral.)

Por que não encontramos o Delfim,
Sua virtuosa campeã Joana,
20 E nem nenhum de seus confederados?

Bedford
Dizem, milorde, que ao começar a luta,
Tirados de repente de seu sono,
Misturados com seus homens armados,
Saltando os muros fugiram para o campo.

BORGONHA

    Eu mesmo, no que pude perceber,
Na fumaça e os miasmas desta noite,
Assustei o Delfim e sua rameira,
Quando ambos de braços dados corriam
Como se fossem um par de pombinhos
Que são inseparáveis noite e dia.
Depois de pôr em ordem tudo aqui
Haverá nossa tropa de segui-los.

(Entra um MENSAGEIRO.)

MENSAGEIRO

    Salve, senhores! A qual desses príncipes
Chamam Talbot, guerreiro cujos feitos
São aplaudidos pela França inteira?

TALBOT

    Aqui está Talbot; quem lhe quer falar?

MENSAGEIRO

    A virtuosa Condessa de Auvergne,
Em modesto louvor à sua fama,
Por mim pede, senhor, que lhe conceda
No castelo onde vive ir visitá-la,
Pra que possa gabar-se de ter visto
O homem que o mundo inteiro aplaude.

BORGONHA

    É mesmo? Então já vi que nossas guerras
Ora são cômicos jogos de paz,
Nos quais damas imploram por encontros.
Não pode desprezar um tal pedido.

TALBOT

    Claro que não. Quando o mundo dos homens
Não tem discurso para convencer,
Vence tudo a bondade feminina;
Diga a ela, portanto, que estou grato,
E me submeto a ser seu convidado.
Não querem os senhores ir comigo?

BEDFORD

    Não o permitem as boas maneiras;
E corre que o que não é convidado
Só é bem-vindo quando se retira.

TALBOT

    Então vou só, já que não há remédio;
    Vou provar a cortesia da dama.
    Capitão!

    (Segreda-lhe alguma coisa.)

    Compreende o que lhe disse?

CAPITÃO

    Sim, senhor; e vou cumpri-lo à risca.

(Saem.)

CENA 3
Auvergne. O castelo da Condessa.

(Entram a CONDESSA e seu PORTEIRO.)

CONDESSA

    Porteiro, lembre-se do que ordenei;
    E quando feito é só entregar-me as chaves.

PORTEIRO

    Assim farei, madame.

(Sai.)

CONDESSA

    'Stá pronto o plano. E se correr bem
5   Eu ficarei famosa pelo feito,
    Qual Tomires por assassinar Ciro.
    Assusta a fama desse cavaleiro,
    E seus feitos não são nada menores.
    Quem dera os olhos, como os meus ouvidos,
10 Pudessem ver o que há nesses relatos.

    (Entram o MENSAGEIRO e TALBOT.)

MENSAGEIRO

    Segundo o que a senhora desejava,
    Sua mensagem aqui traz Lord Talbot.

CONDESSA

    Que é bem-vindo. O quê? É esse o homem?

MENSAGEIRO
 Sim, senhora.

CONDESSA
    O Flagelo dos Franceses?
15 Esse o Talbot que o mundo todo teme,
 Com cujo nome as mães calam os filhos?
 Vejo que é mito e falso o que clamam.
 Eu esperava encontrar um Hércules,
 Um outro Heitor, pelo humor sombrio
20 E com membros de imensa dimensão.
 Mas isso é uma criança, um anãozinho!
 Esse homenzinho fraco e enrugado
 Não pode ser terror dos inimigos.

TALBOT
 Senhora, fui ousado em perturbá-la;
25 Mas já que agora não tem tempo livre
 Marcarei outra hora pra visita.

  (Vai saindo.)

CONDESSA
 Que é isso? Perguntem onde vai.

MENSAGEIRO
 'Spere, Lord Talbot; minha ama indaga
 A razão dessa abrupta impaciência.

TALBOT
30 Pra que ela não creia em algo errado,
 Garanto que quem está aqui é Talbot.

  (Entra o PORTEIRO com as chaves.)

CONDESSA
 Pois se está mesmo, é meu prisioneiro.

TALBOT
 Prisioneiro? De quem?

CONDESSA
    Meu, lorde sangrento;
 Pra isso o atraí à minha casa.
35 Há muito a sua sombra me persegue;
 Eu tenho a sua imagem pendurada,

E o mesmo agora a substância sofre.
Eu vou acorrentar pernas e braços
Que há tantos anos, pela tirania,
Devastam o país, matam seus homens,
E aprisionam filhos e maridos.

TALBOT

Ha, ha, ha!

CONDESSA

Se ri, maldito? Em breve irá gemer.

TALBOT

Eu rio-me de vê-la tola a ponto
De crer que tenha mais que a minha sombra
Na qual possa aplicar sua punição.

CONDESSA

Não é então o homem?

TALBOT

Sou, por certo.

CONDESSA

Então também é minha essa substância.

TALBOT

Não, não; eu sou só sombra de mim mesmo:
Erra se julga estar vendo a substância;
Pois o que vê é uma parcela mínima
E a menor proporção da humanidade:
Senhora, se estivesse o todo aqui,
A estrutura tem tais dimensões
Que não as pode conter seu teto.

CONDESSA

Isso são brincadeiras de mascate;
Está aqui porém não está aqui:
Como pode ajustar esses contrários?

TALBOT

Isso eu já lhe mostro.

(Ele toca sua corneta; ouvem-se tambores; uma descarga de canhões. Entram soldados.)

60 Que diz, senhora? Acredita agora
Que Talbot é só sombra de si mesmo?
Esses são sua substância, sua força,
Com a qual prende pescoços revoltosos,
Arrasa suas cidades, suas vilas,
65 E em um momento as deixa desoladas.

CONDESSA

Que o vencedor perdoe o meu abuso;
Constato que é igual ao proclamado,
E mais do que sugerem suas formas.
Que a minha ação não lhe provoque a ira,
70 Pois eu lamento que, sem reverência,
Não o tenha saudado como devo.

TALBOT

Não se assuste senhora, ou leia errado
Esta mente de Talbot, como fez
Com as marcas externadas do meu corpo.
75 O que aqui fez a mim não ofendeu;
E nem desejo mais satisfações
Senão a de podermos, e com calma,
Provar suas iguarias e seus vinhos,
Que a fome do soldado sempre aprova.

CONDESSA

80 De todo coração. Me sinto honrada
De entreter tal herói em minha casa.

(Saem.)

CENA 4
Londres. No Jardim do Templo.

(Entram os CONDES DE SOMERSET, SUFFOLK e WARWICK; RICHARD PLANTAGENET, VERNON e um ADVOGADO.)[14]

PLANTAGENET

Nobres, fidalgos, por que tal silêncio?
Ninguém ousa afirmar uma verdade?

SUFFOLK

Lá dentro o som seria muito alto;
No jardim fica mais conveniente.

---

[14] Esta cena sem base histórica é notável por ser criada a fim de facilitar ao público a leitura do conflito. (N. T.)

PLANTAGENET

5   Digam então se afirmei a verdade,
Ou se errou o irado Somerset.¹⁵

SUFFOLK

Deveras me omiti diante da lei,
Sem conseguir me adaptar a ela;
Pois que ela se adapte agora a mim.

SOMERSET

10   Milorde de Warwick, julgue entre nós dois.

WARWICK

De dois falcões, qual de voo mais alto;
De dois cães, qual a boca mais profunda;
De duas lâminas, a melhor têmpera,
De dois cavalos, qual a melhor sela;
15   De duas moças, que olhar mais alegre...
Em coisa pouca eu posso bem julgar;
Mas nos sutis meandros da justiça
Não sou mais sábio do que qualquer tolo.

PLANTAGENET

Mas isso já é muita complacência:
20   A minha causa é verdade tão nua
Que até um cegueta a pode constatar.

SOMERSET

Tão bem trajada se apresenta a minha,
Tão clara, tão brilhante e evidente,
Que ela penetra até o olhar do cego.

PLANTAGENET

25   Se as línguas 'stão tão presas e sem fala,
Expressem mudos os seus pensamentos:
Que todo cavalheiro bem nascido
Que alto defende a honra de seu berço,
Se crê seja verdade o que proclamo,
30   Colha comigo uma rosa branca.

SOMERSET

Quem não bajula e nem é covarde,
E ousa defender o que é verdade,
Comigo colha então rosa vermelha.

---

15 A fala é enganosa, pois corresponde a dizer que se der cara eu ganho e se der coroa você perde. (N. T.)

Warwick

    Eu não gosto de cor; e sem as cores
    Com que se infiltra a vil bajulação
    Eu colho a rosa branca de Plantagenet.

Suffolk

    E eu a vermelha, aqui do jovem Somerset,
    E assim afirmo que ele é quem 'stá certo.

Vernon

    Parem, senhores, e não colham mais
    Até que se conclua que o partido
    Que menos flores arrancar do arbusto
    Concede que 'stá certa a outra ideia.

Somerset

    Bom Mestre Vernon, foi bem observado:
    Se eu tiver menos, concordo em silêncio.

Plantagenet

    E eu também.

Vernon

    Então, para a verdade da questão,
    Eu tomo esta flor pálida e inocente,
    E o veredicto vai pro lado branco.

Somerset

    Cuidado para não picar o dedo,
    Pra que, sangrando, torne a rosa rubra
    E passe pro meu lado sem querer.

Vernon

    Senhor, sangrando por opinião,
    A própria opinião há de curar-me
    E de manter-me onde estou agora.

Somerset

    Muito bem: e quem mais?

Advogado

    A não ser que os estudos sejam falsos,
    Seu argumento segundo as leis errou;
    Por isso eu também colho rosa branca.

PLANTAGENET
 Seus argumentos onde ficam, Somerset?

SOMERSET
 Nesta bainha, a planejar que a rosa
 Hoje branca, com sangue há de ser rubra.

PLANTAGENET
 Mas o seu rosto imita as nossas rosas,
 Branco de medo, como a concordar
 Que a verdade é nossa.

SOMERSET
                    Não, Plantagenet;
 Não é medo, mas raiva da vergonha
 De seu rubor imitar as nossas rosas,
 Sem que seus lábios admitam seu erro.

PLANTAGENET
 Não há um cancro em sua rosa, Somerset?

SOMERSET
 E a sua, não tem espinhos, Plantagenet?

PLANTAGENET
 Sim, pra manter sua verdade aguda,
 Mas o cancro corrói sua mentira.

SOMERSET
 Terei amigos pra rosa sangrenta,
 Que hão de afirmar que o que digo é verdade,
 Onde um falso Plantagenet não entra.

PLANTAGENET
 Pela flor virgem que eu tenho na mão
 Desprezo esse moleque e sua facção.

SUFFOLK
 Não mire em nós seu desprezo, Plantagenet.

PLANTAGENET
 Pole[16] orgulhoso, miro, em si e nele.

SUFFOLK
 E eu lhe enfio na goela a minha parte.

---

[16] De la Pole é o nome de família do Conde de Suffolk. (N. T.)

SOMERSET
>
> Chega, chega, bom William de la Pole!
> Honramos um qualquer, falando assim.

WARWICK
>
> Por Deus que assim o ofende, Somerset;
> O seu avô foi o Duque de Clarence,
> Terceiro filho do terceiro Eduardo;
> Tem um qualquer raízes desse porte?

PLANTAGENET
>
> Ele se apoia nos títulos que tem,
> Pra dizer o que o coração não ousa.

SOMERSET
>
> Por Ele, que me fez, eu o sustento
> Em qualquer campo desta Cristandade.
> Não foi seu pai, Richard, Conde de Cambridge,
> Por traição morto no reino passado,
> E por essa traição não é culpado
> E alijado da velha fidalguia?
> O crime dele vive do seu sangue;
> E até ser restaurado, não tem nome

PLANTAGENET
>
> Meu pai foi preso, não indiciado,
> Foi morto por traição, mas não traidor;
> E eu provo a alguém melhor que Somerset,
> Quando o tempo cumprir o que eu desejo,
> A seu comparsa Pole e você mesmo
> Hei de anotar no livro da memória
> E açoitá-los por atitude dessas:
> Tomem cuidado, pois 'stão avisados.

SOMERSET
>
> E há de encontrar-nos sempre prontos,
> Por esta cor conheça os inimigos,
> Que pra ofendê-lo meus amigos usam.

PLANTAGENET
>
> Por minh'alma esta rosa branca e irada
> Como sinal do ódio do meu sangue
> Eu e os meus para sempre usaremos
> Até comigo fenecer na tumba,
> Ou florescer comigo até o alto.

SUFFOLK
    Use-a e engasgue na sua ambição!
    E agora adeus, até um outro encontro.

(Sai.)

SOMERSET
    Também vou. Adeus, ambicioso!

(Sai.)

PLANTAGENET
115   E tenho de aturar tais desrespeitos!

WARWICK
    A mancha de que acusam sua casa
    A próxima legislatura limpa,
    Co'armistício entre Winchester e Gloucester;
    Se então não volta a ser chamado York,
120   Não viverei pra ser chamado Warwick.
    No entanto, e por sinal de meu amor,
    Contra o orgulho de Somerset e Pole,
    Com o seu partido usarei esta rosa.
    E aqui prevejo que essa briga de hoje,
125   Com o que se deu neste Jardim do Templo,
    Irá mandar, por essas duas rosas,
    Mil almas para mortes desditosas.

PLANTAGENET
    Mestre Vernon, a si sou devedor,
    Por pro meu lado ter colhido a flor.

VERNON
130   E pro seu lado a usarei pra sempre.

ADVOGADO
    E eu também.

PLANTAGENET
    Obrigado, cavalheiros.
    Vamos cear. E eu digo, com ousadia,
    Que iremos beber sangue um outro dia.

(Saem.)

CENA 5
A Torre de Londres.

(Entram Mortimer, *carregado em uma cadeira, e* carcereiros.*)*

Mortimer

    Caros guardas de minha decadência,
    Quer descansar o moribundo Mortimer.
    Como o recém-liberto da tortura
    Ficam meus membros com a longa prisão,
5   Mechas grisalhas, arautos da Morte,
    Com a dor fizeram-me um velho Nestor,
    E dizem-me que chega o fim de Mortimer.
    Lâmpadas já sem óleo, estes meus olhos,
    Se enfraquecem, chegando a seu limite.
10   Os ombros, recurvados pela dor,
    Os fracos braços, de vinha já seca,
    São os ramos que pendem pelo chão.
    Estes pés, tão sem força para apoio,
    Já não sustentam o naco de barro
15   Que sonha voar rápido pra cova,
    Sabendo que mais nada traz consolo.
    Mas diga, guarda, vem o meu sobrinho?

1º Guarda

    Richard Plantagenet, senhor, virá:
    Em sua sala no Templo foi chamado,
20   E em resposta avisou que há de vir.

Mortimer

    Já chega pra satisfazer a alma.
    A injustiça que sofre é igual à minha.
    Desde o reinado de Henrique Monmouth,[17]
    Antes de quem fui famoso nas armas,
25   Que sofro este sequestro lamentável;
    E desde então ficou obscuro Richard,
    Privado de seus títulos e herança.
    Porém quem julga os desesperados,
    A justa Morte, o bom juiz de todos,
30   Com sua doçura daqui me liberta.
    Quem dera assim findassem suas dores,
    E ele recobrasse o que perdeu.

(Entra Richard Plantagenet.*)*

---

[17] Henrique v, nasceu em Monmouth. (N. T.)

1º Guarda
    Eis aqui seu sobrinho afetuoso.

Mortimer
    Richard Plantagenet, amigo, veio?

Plantagenet
35   Sim, meu tio, tão vilmente tratado,
    Aqui está seu humilhado sobrinho.

Mortimer
    Guiem-me os braços para alçar-lhe a nuca,
    E em seu peito dar o último suspiro.
    Façam meus lábios encontrar-lhe a face,
40   Pra que eu lhe dê desfalecido beijo.
    E diga, ramo do cepo dos Yorks,
    Por que me diz que é humilhado agora?

Plantagenet
    Primeiro encoste as costas em meus braços,
    Pra que em conforto ouça o que eu lhe digo.
45   Ainda hoje, ao debater um caso,
    Com Somerset tive uma discussão;
    Com língua viperina, entre outras coisas,
    Ofendeu-me com a morte de meu pai;
    E esse desdouro me travou a língua,
50   Se não, no mesmo tom responderia.
    Por amor a meu pai, então, meu tio,
    Como Plantagenet verdadeiro,
    E para nos unir, revele a causa
    Por que perdeu o Conde sua cabeça.[18]

Mortimer
55   Sobrinho, a mesma que me fez prisioneiro
    E me roubou a flor da juventude
    Nesta masmorra em que feneço
    Foi maldito instrumento dessa morte.

Plantagenet
    Em mais detalhe fale dessa causa,
60   Que desconheço e, mais, nem imagino.

Mortimer
    Assim farei se ainda tiver fôlego,
    E a morte não chegar antes que acabe.

---

[18] Essa indagação é a desculpa para Shakespeare explicar ao público a complicada base dos Yorks para reclamar seu direito à coroa da Inglaterra, da qual certamente seu grande público seria ignorante ou, ao menos, não estaria lembrado. (N. T.)

	Henrique Quarto, o avô deste Rei,
	Depôs Ricardo, filho de Eduardo,
65	O primogênito e herdeiro legal
	Desse Eduardo, o Terceiro da estirpe;
	Em cujo reino os Percies, lá do norte,
	Julgando injusta a dita usurpação,[19]
	Lutaram pra me conduzir ao trono.
70	A razão desses nobres aguerridos
	Foi que – deposto Ricardo Segundo,
	Sem herdeiro direto de seu corpo,
	Por berço e por família era eu o próximo;
	Pois por parte de mãe eu tenho origem
75	Em Lionel de Clarence, o terceiro
	Dos filhos do terceiro Eduardo, e ele
	Em John de Lancaster, o que o pretere,
	Sendo este o quarto dessa raça heroica.
	Repare: como ousaram com tal gesto
80	Conseguir coroar o herdeiro certo,
	Perdi a liberdade, e eles a vida.
	Bem depois disso, quando Henrique Quinto
	Reinava sucedendo a Bolingbroke,[20]
	Seu pai, Conde de Cambridge, descendente
85	Do famoso Edmund Langley, de York,
	Casado com sua mãe, a minha irmã,
	Apiedado de meu sofrimento,
	Reuniu uma tropa, na esperança
	De vingar-me e eu usar o diadema;
90	Como os demais, caiu o nobre conde.
	Sendo decapitado.[21] E assim os Mortimers,
	Donos do título, foram suprimidos.

PLANTAGENET
   Dos quais o honrado tio é o último.

MORTIMER
   Verdade; e sabe que não tenho herdeiros
95 E a fraqueza anuncia a minha morte.
   Do que recuperar é meu herdeiro;
   Mas deve ter cuidado com essa carga.

PLANTAGENET
   Seus bons conselhos me prevalecerão;

---

19 Tanto no Ricardo II quanto nas duas partes de Henrique IV fica bem claro que os Percies foram os primeiros a incentivar a deposição de Ricardo II, bem como que sua revolta se deveu a não conseguirem manipular Henrique IV como acreditavam ser de seu direito já que alegavam terem "dado" o trono ao novo rei. (N. T.)
20 Nome de Henrique IV. (N. E.)
21 Em Henrique V é apresentada toda a história da traição e condenação de Cambridge, junto com mais dois comparsas. (N. T.)

Mas penso que executar meu pai
100   Foi só sanguinolenta tirania.

        MORTIMER
                   É mais político ficar calado;
                   A estirpe Lancaster 'stá bem firmada,
                   Dura de remover como a montanha.
                   Porém seu tio agora é removido,
105   Como fazem os príncipes por tédio,
                   Se ficam muito tempo em um lugar.

        PLANTAGENET
                   Tio, que parte de meus poucos anos
                   Redimissem alguns da sua idade!

        MORTIMER
                   E me faria mal, como o carrasco
110   Que vibra muitos golpes quando um mata.
                   Não me chore, se não para o meu bem;
                   Só dê as ordens pro meu funeral.
                   Adeus; que tenha grandes esperanças,
                   Com vida próspera em paz e guerra!

                            (Morre.)

        PLANTAGENET
115   Só paz, não guerra, tenha a sua alma!
                   Viveu na cela peregrinação,
                   Gastando os dias como um eremita.
                   Seus conselhos eu guardo no meu peito;
                   E deixe descansar o que imagino.
120   Guardas, levam-no daqui. Quanto a mim,
                   Farei seu funeral melhor que a vida.

                          (Saem, carregando o corpo de MORTIMER.)

                   E assim de Mortimer se apaga a chama,
                   Que a ambição dos sem-berço sufocou:
                   E quanto aos males e amargas ofensas
125   Que Somerset lançou à minha casa,
                   Eu juro que corrigirei com honra;
                   Pra isso vou depressa ao Parlamento,
                   Onde ou eu tenho o sangue restaurado
                   Ou com meu mal meu bem é conquistado.

                                                          (Sai.)

ATO 3

CENA 1
Londres. A Casa do Parlamento.

*(Clarinada. Entram o R*EI*, E*XETER*, G*LOUCESTER*, W*INCHESTER*, W*ARWICK*, S*OMERSET*, S*UFFOLK*, R*ICHARD P*LANTAGENET*. G*LOUCESTER *tenta apresentar uma proposta de lei. W*INCHESTER *a agarra e rasga.)*

WINCHESTER
Então vem já com premeditação,
Coisas escritas já muito estudadas,
Humphrey de Gloucester? Se quer acusar
Ou me fazer arcar com alguma culpa,
Faça-o sem enfeites, e depressa;
Como eu também, de forma improvisada,
Vou responder às objeções que faz.

GLOUCESTER
Padre orgulhoso, o local pede calma,
Ou veria o quanto me desonrou.
Não pense, embora a escrita apresentasse
A vileza ultrajante de seus crimes,
Que por isso eu forjasse, ou não pudesse
Dizer de cor o que a pena anotou.
Não, padre; é tão audacioso o seu mal,
Os seus golpes obscenos, pestilentos,
Que as crianças debocham-lhe o orgulho.
Não passa de usurário pernicioso,
Um abusado inimigo da paz;
Um lascivo devasso que não calha
À sua profissão ou ao seu posto;
Quanto à traição, ela foi manifesta
Nas armadilhas pra tirar-me a vida,
Na ponte como na Torre de Londres.
Se peneirarmos bem seu pensamento
Nem mesmo o Rei, seu soberano, é isento
Da malícia invejosa de seu peito.

WINCHESTER
Desafio-o, Gloucester. Que os nobres,
Me deem permissão pra responder.
Se sou perverso, avaro e ambicioso
Como ele diz, como sou eu tão pobre?
Ou como não procuro promoção,

Ou ter honras fora da vocação?
Se discordamos, quem prefere a paz
Mais do que eu? A não ser provocado.
35 Não, senhores, a ofensa não é essa;
Não é isso que irrita o Duque;
É o querer ele ser quem manda mais,
E ficar ele só perto do Rei;
Isso é que engendra o trovão de seu peito
40 E o faz rugir com tais acusações.
Mas há de ver que sou tão bom...

GLOUCESTER

Tão bom!
Filho bastardo de meu grande avô!

WINCHESTER

Certo, milorde. E o que é o senhor
Senão mandante no trono de outrem?

GLOUCESTER

45 Não sou o protetor, padre abusado?

WINCHESTER

E não sou eu um prelado da Igreja?

GLOUCESTER

Como um bandido que fica num castelo
E o usa... para promover seus roubos.

WINCHESTER

Irreverente Gloucester!

GLOUCESTER

E reverendo
50 O senhor é em cargo, não na vida.

WINCHESTER

Roma o castigará.

GLOUCESTER

Vá lá, romeiro!

WARWICK

(Para GLOUCESTER.)
Senhor, é seu dever ter paciência.

SOMERSET

  Sim, para o bispo não ser derrotado.
  Milorde devia agir qual religioso
55 E saber respeitar o seu ofício.

WARWICK

  Quanto a milorde, deve ser mais humilde;
  Um prelado não deve suplicar.

SOMERSET

  Deve, quando é tocado assim seu posto.

WARWICK

  Que importa o Estado ser sagrado ou não?
60 Não é Sua Graça o Protetor do Rei?[22]

PLANTAGENET

  Melhor Plantagenet ficar calado,
  Pra não dizerem "Fale quando deve;
  Vai se meter em conversa de nobres?".
  Não fora isso e eu golpeava Winchester.

REI HENRIQUE

65 Tios de Gloucester e de Winchester,
  Guardas especiais do bem inglês,
  Prefiro, se oração dá preferência,
  Que o amor una os seus dois corações.
  Vejam que escândalo para a coroa
70 Ver em conflito dois pares tão nobres.
  Pode, senhores, minha juventude
  Ver que o conflito é viperina víbora
  Que corrói as entranhas deste Estado

  (Barulho fora. Os homens de GLOUCESTER gritam: "Abaixo os casacos castanhos".)

  Que tumulto é esse?

WARWICK

      Algum levante
75 Que os homens do Bispo provocaram.

  (Mais barulho. Os homens de GLOUCESTER gritam: "Pedras! Pedras!". Entra o PREFEITO.)

---

[22] Há grandes dúvidas sobre a atribuição dessas últimas falas, que ficam um tanto confusas em relação aos que apoiam os Lancasters (no caso, Gloucester) ou os Yorks (no caso, Winchester). (N. T.)

PREFEITO
>Meus bons senhores, virtuoso Henrique,
>Tenham piedade de Londres e de nós!
>Homens do Bispo e do Duque de Gloucester,
>Proibidos que estão de portar armas.
>Repletaram de pedras os seus bolsos,
>E se postando em posições opostas
>Na cabeça apedrejam uns aos outros:
>A ponto de amassarem alguns cérebros:
>Temos janelas quebradas nas ruas,
>Nossas lojas tiveram de fechar.

(Entram criados em escaramuça, com cabeças sangrando.)

REI HENRIQUE
>Nós ordenamos, súditos fieis,
>Parar com sangue pra manter a paz.
>Por favor, tio Gloucester, pare a luta.

1º CRIADO
>Nada disso: se proibirem as pedras, continuamos a luta com os dentes.

2º CRIADO
>Façam o que quiserem, estamos resolvidos.

(Nova briga.)

GLOUCESTER
>Que os meus desistam dessa briga vil,
>E esqueçam lutas tão inoportunas.

3º CRIADO
>Sabemos Sua Graça ser um homem
>Justo e correto, de um berço real
>Inferior apenas ao do Rei;
>E antes de admitir que um tal príncipe,
>E pai tão bom desta comunidade,
>Ser ofendido por um molha-penas,[23]
>Nós e nossas famílias lutaremos,
>Até seus inimigos nos matarem.

1º CRIADO
>E as nossas unhas servirão de estacas
>No campo após a morte.

---
[23] Um pedante pouco instruído, metido a erudito. (N. T.)

(Recomeça a briga.)

GLOUCESTER

                    Parem! Parem!
Se como dizem a mim amam tanto,
Eu lhes peço que parem por um pouco.

REI HENRIQUE
105   Como a discórdia aflige a minha alma!
Será que pode ver, milorde de Winchester,
Meu pranto e meus suspiros sem ceder?
Mais que o senhor, quem deve ser piedoso?
E quem mais deve preferir a paz
110   Se um padre santo tem prazer em brigas?

WARWICK
Ceda, lorde Protetor, e ceda, Winchester;
A não ser que obstinados na recusa
Queiram matar seu soberano e o reino.
Vejam os males, e até mesmo mortes,
115   Que resultam da sua inimizade;
Fiquem em paz, se não vivem pro sangue.

WINCHESTER
Eu posso submeter-me, não ceder.

GLOUCESTER
Compaixão pelo Rei me faz curvar-me,
Senão arrancaria o coração
120   Antes que o padre me levasse a isso.

WARWICK
Veja, milorde de Winchester, o Duque
Baniu a triste fúria descontente,
Segundo o aspecto de seu cenho liso:
Por que ficar assim, tão rijo e trágico?

GLOUCESTER
125   Eis, Winchester, a mão que lhe ofereço.

(WINCHESTER ignora a mão de GLOUCESTER.)

REI HENRIQUE
Vergonha, tio Beaufort.[24] Já pregou

---

[24] Beaufort é o nome de família da linha ilegítima de John de Gaunt, posteriormente legitimada por Ricardo II e Henrique IV (sendo meios-irmãos deste último). (N. T.)

Que a malícia é pecado dos mais graves;
Porém não cumpre aquilo que ensina
E antes, nisso, é ofensor maior?

WARWICK
Doce rei! Há algo de bom no Bispo.
Que vergonha, lorde de Winchester, recue!
Uma criança há de aconselhá-lo?

WINCHESTER
Muito bem, Gloucester, aceito ceder;
Troco amor por amor, e mão por mão.

(Ele dá a mão a GLOUCESTER.)

GLOUCESTER
(À parte.)
Mas temo que com coração vazio.
Vejam amigos, meus concidadãos,
Isto é penhor e sinal de armistício
Entre nós e entre todos que nos seguem:
Seja Deus testemunha que não finjo!

WINCHESTER
(À parte.)
Deus sabe que não é o que pretendo!

REI HENRIQUE
Querido tio, bom Duque de Gloucester,
Que alegria me deu com esse acordo!
Saia, meu povo! Não mais me perturbem,
Mas tornem-se amigos, como os amos.

1º CRIADO
Aceito; e vou ao médico.

2º CRIADO
Eu também.

3º CRIADO
Vou ver que cura encontro na taverna.

(Saem os seguidores, o PREFEITO etc.)

WARWICK
Aceite o documento, soberano,

        Com os direitos de Richard Plantagenet,
        Que apresentamos a Sua Majestade.

GLOUCESTER

150   Bem pedido, milorde Warwick; meu príncipe,
        Se Sua Graça olhar as circunstâncias,
        Terá razão pra fazer justiça a Richard,
        E em particular pelas razões
        De que eu lhe falei em Eltham Place.

REI HENRIQUE

155   Tiveram força então as circunstâncias;
        Portanto, meus senhores, meu prazer
        É ser Richard restaurado a seu sangue.

WARWICK

        Restaurado a seu sangue seja Richard;
        Recompensando o mal feito a seu pai.

WINCHESTER

160   Se é desejo de todos, é de Winchester.

REI HENRIQUE

        Se Richard for fiel, não isso apenas
        Eu lhe concedo mas toda a herança
        Propriedade da casa de York,
        Da qual ele descende, por linhagem.

PLANTAGENET

165   Humilde servo, eu juro obediência,
        E humilde hei de servi-lo até a morte.

REI HENRIQUE

        Baixa então ao meu pé o seu joelho;
        E em recompensa do dever prestado
        Eu lhe concedo a espada dos Yorks:
170   E ao levantar-se, o antes Plantagenet,
        É agora o príncipe Duque de York.

PLANTAGENET

        E vença Richard os seus inimigos!
        E ao crescer meu dever, que caiam eles!
        Que pensem mal de Sua Majestade!

TODOS

175   Salve o grande príncipe Duque de York.

SOMERSET

    (À parte.)
    Morra, príncipe ignóbil, Duque de York!

GLOUCESTER

    Convém agora a Sua Majestade
    Cruzar o mar e coroar-se em França.
    A presença de um rei engendra amor
180   Entre seus súditos e bons amigos,
    E também desanima os inimigos.

REI HENRIQUE

    Se Gloucester fala, o Rei Henrique vai;
    Com o bom conselho o inimigo cai.

GLOUCESTER

    As suas naves 'stão de prontidão.

    (Clarinada. Saem todos menos EXETER.)

EXETER

185   Marchamos na Inglaterra ou na França
    Sem saber o que pode acontecer.
    O conflito nascido entre esses pares
    Queima embaixo de cinza e falso amor,
    E acaba um dia explodindo em chamas;
190   Osso infectado apodrece aos poucos,
    Até caírem carne, osso e tendões,
    E o mesmo há de gerar essa discórdia.
    E eu temo agora a fatal profecia
    Que no tempo do Henrique que foi Quinto,
195   Balbuciavam crianças de peito:
    Que Henrique Monmouth tudo ganharia,
    Mas o de Windsor tudo perderia.[25]
    Prevendo isso Exeter prefere
    Morrer antes que cheguem tempos maus.

    (Sai.)

CENA 2
França, diante de Rouen.

    (Entra a DONZELA, disfarçada, com quatro soldados que usam sacos em suas cabeças.)

---

[25] Referência aos locais de nascimento de Henrique V e Henrique VI. (N. T.)

DONZELA

    As portas da cidade de Rouen
    É que temos de abrir com nossos truques.
    Tomem cuidado com as suas palavras;
    Falem como o povinho do mercado
5   Que vem buscar dinheiro por seu trigo.
    Se conseguirmos entrar, como espero,
    E a guarda estiver fraca e preguiçosa,
    Aviso os meus amigos com o sinal,
    Pra que Charles, o Delfim, possa encontrá-los.

1º SOLDADO

10   Com sacos saqueamos a cidade,
    E vamos ser senhores de Rouen;
    Portanto, vou bater.

(Bate.)

GUARDA

(De fora.)
    Qui est là?

DONZELA

    Paysans, la pauvre gens de France:
    Pobres trazendo trigo pro mercado.[26]

GUARDA

(Abre a porta.)
15   Entrem. O sino deu sua badalada.

DONZELA

    Rouen, sua defesa 'stá acabada.

    (Saem.)

(Entram CHARLES, O BASTARDO DE ORLEANS, ALENÇON, REIGNIER e tropas.)

CHARLES

    São Denis apoiou o estratagema,
    E cá estamos seguros em Rouen.

BASTARDO

    Entraram a Donzela e seus comparsas;
20   E, estando lá, como há de informar
    Qual passagem é melhor e segura?

---

26 Os pobres não sabem se os que estão no poder são ingleses ou franceses. (N. E.)

REIGNIER

    Exibindo uma tocha ali na torre;
    Quando vista, ela vai querer dizer:
    Nenhum tão fraco quanto este aqui.

(Entra A Donzela, ao alto, exibindo uma tocha ardente.)

DONZELA

25   Veja, é esta a tocha nupcial
    Que une Rouen a seus concidadãos,
    Mas se mostra fatal aos Talbonitas.[27]

BASTARDO

    É o farol dos amigos, nobre Charles,
    A tocha ardente ali naquela torre.

CHARLES

30   Que brilhe qual cometa de vingança,
    Profeta da derrota do inimigo!

REIGNIER

    Vamos logo; a demora é perigosa;
    Entremos e após gritar "Delfim!",
    Passemos à execução da guarda.

(Alarma. Saem.)

(Alarma. Entra Talbot em uma incursão.)

TALBOT

35   A França vai chorar esta traição,
    Se apenas Talbot sobrevive a ela.
    Essa bruxa, Donzela feiticeira,
    Preparou a surpresa infernal,
    E mal fugimos do orgulho francês.[28]

(Sai. Alarma e incursão.)

(Entra Bedford, doente, carregado em uma cadeira. Entram, de fora, Talbot e Borgonha; dentro, Charles, o Bastardo, Alençon e Reignier, nas muralhas.)

---

27 A palavra, é claro, é fabricada a partir do nome de Talbot. (N. T.)
28 "Orgulho", no caso, é usado tanto para as tropas quanto para a arrogância. (N. T.)

DONZELA

    Bom dia, heróis. Querem trigo por pão?
    Não vai Borgonha quebrar seu fastio
    Se paga um preço assim uma outra vez.
    Era só joio; vai querer provar?

BORGONHA

    Pode rir, bruxa puta sem vergonha!
    Espero em breve engasgá-la com ele,
    Maldizendo a colheita desse milho.

CHARLES

    Mate a fome Sua Alteza, antes disso.

BEDFORD

    Vinguemo-nos com atos, não com falas!

DONZELA

    Vai quebrar lanças, velho barba-branca?
    E justar[29] de cadeira contra a Morte?

TALBOT

    Diaba da França, bruxa repugnante,
    É certo andar cercada por amantes
    Cai-te bem provocar um velho bravo
    E acusar de covarde um moribundo?
    Donzela, hei de enfrentá-la inda outra vez,
    Ou então Talbot morre de vergonha.

DONZELA

    'Stá tão aceso? Cala-te, Donzela;
    Quando Talbot troveja, a chuva cai.

(Os ingleses reúnem-se em conselho sussurrado.)

    Quem fala por tal santo parlamento?

TALBOT

    Ousam lutar conosco em campo aberto?

DONZELA

    Parece que milorde nos acha tolos,
    De descer e lutar pelo que é nosso?

---

29 Justar, participar da justa, um combate medieval no qual dois cavaleiros se defrontavam empunhando longas lanças. Derrubar o oponente de seu cavalo era o primeiro sinal de vitória. (N. E.)

Talbot

    Não me dirijo à desbocada Hécate,
    Mas sim a Alençon e os outros todos;
65   Não querem, quais soldados, vir à luta?

Charles

    Signior, não.

Talbot

    Que *signior*! São da França muleteiros!
    Moleques camponeses que, nos muros,
    Não ousam usar armas quais fidalgos.

Donzela

70   Meus capitães, afastem-se dos muros,
    Pois Talbot, pelo olhar, prepara alguma.
    Adeus, milorde. Só viemos aqui
    Pra mostrar que aqui estamos.

(Saem dos muros.)

Talbot

    Onde nós estaremos, dentro em pouco,
75   Ou Talbot não merece a sua fama!
    Jure, Borgonha, pela sua honra,
    E mais os golpes que lhe deu a França,
    Que reconquista esta cidade ou morre;
    E eu, pelo Henrique Inglês[30] que hoje vive,
80   E por seu pai, aqui conquistador,
    E porque nesta cidade traída
    Jaz Ricardo, o Coração de Leão,
    Assim juro que a tomo ou então morro.

Borgonha

    Minhas juras igualam suas juras.

Talbot

85   Mas olhe o príncipe moribundo,
    O bravo Duque de Bedford. Milorde,
    Levemo-lo pr'algum lugar melhor,
    Próprio à doença e à insânia da idade.

Bedford

    Lord Talbot, não desonre tanto a mim;

---

30 Uma das muitas maneiras de se chamar o rei. (N. T.)

90   Sentado ante os muros de Rouen
Sou seu parceiro no bem ou na dor.

BORGONHA

Permita convencê-lo, nobre Bedford.

BEDFORD

Não a partir, pois certa vez eu li
Que o bravo Pendragon,[31] em sua maca,
95   Entrou em campo e venceu o inimigo;
Creio dever animar os soldados,
Pois sempre os tive como meus iguais.

TALBOT

Inabalável valor ante a morte!
Assim seja: e que os céus protejam Bedford!
100   Nada mais a fazer, nobre Borgonha,
Que não reunir já as nossas forças
E atacar o inimigo presunçoso.

(Saem todos menos BEDFORD *e os que o servem.)*

(Alarma, movimento de tropas. Entra SIR JOHN FALSTAFF *e um* CAPITÃO.[32]*)*

CAPITÃO

Pr'onde vai, John Falstaff, com tanta pressa?

FALSTAFF

Para onde possa me salvar fugindo.
105   Vamos ser novamente derrotados.

CAPITÃO

O quê? Fugir? E abandonar Lord Talbot?

FALSTAFF

Todos os Talbots, pra salvar-me a vida.

(Sai.)

CAPITÃO

Cavaleiro covarde, vá pro inferno!

(Sai.)

---

31 Uther Pendragon, pai do rei Artur. (N. T.)
32 Este Sir John Falstaff não tem qualquer relação com o famoso personagem satírico de 1 e 2 *Henrique IV*. Este é personagem histórico, de notória covardia. (N. T.)

(Toque de retirada, movimento de tropas. A Donzela, Alençon e Charles fogem.)

BEDFORD

Pode partir pro céu, alma tranquila,
Pois já vi a derrota do inimigo.
Não se confia em força do homem tolo.[33]
Os que inda há pouco riam e gabavam-se
Ora contentam-se em viver, fugindo.

(BEDFORD morre, e é carregado em sua cadeira. Alarma. Entram TALBOT, BORGONHA e o resto.)

TALBOT

Perdida e retomada em um só dia!
Essa, Borgonha, é uma honra dupla:
Seja dos céus a glória da vitória!

BORGONHA

Talbot guerreiro e marcial, Borgonha
O consagra em seu peito, e nesse altar
Coloca os monumentos de seus feitos!

TALBOT

Grato, bom Duque. E a Donzela, agora?
Parece que dormiu seu servo-demo.
As tropas do Bastardo, Charles risonho,
Tudo arrasado? Rouen se envergonha
De ver fugindo um grupo tão valente.
Devemos pôr em ordem a cidade.
Aqui deixamos comandos capazes,
E vamos a Paris pra ver o Rei,
Pois lá estão Henrique e os seus nobres.

BORGONHA

O que diz Talbot agrada a Borgonha.

TALBOT

Mas, antes de partir, não esqueçamos
O nobre Bedford, recém-falecido,
Que terá em Rouen seu funeral:
Não houve nunca um soldado mais bravo,
E nem na corte coração mais terno.
Mas morrem reis e grandes potentados,
Miséria humana tem dias contados.

(Saem.)

---

[33] É uma referência à Bíblia, Jeremias, cap.17, ver. 5. (N. E.)

CENA 3
Na planície perto de Rouen.

(Entram Charles, o Bastardo de Orleans, Alençon, A Donzela, e suas tropas.)

Donzela

    Não desanimem, Príncipes, por isso,
    Nem chorem por Rouen ser retomada:
    Os cuidados não curam, antes roem
    Por coisas que não são remediáveis.
5   Que o louco Talbot triunfe um momento,
    Varrendo com sua cauda de pavão;
    Plumas e cauda nós lhe tiraremos,
    Se me obedecem o Delfim e os outros.

Charles

    Até aqui por si fomos guiados,
10   Acreditando sempre em sua astúcia;
    Um fracasso não mata a confiança.

Bastardo

    Se sua astúcia faz pactos secretos,
    Nós lhe daremos fama em toda parte.

Charles

    A sua estátua irá pra local santo,
15   Onde terá o culto de uma santa.
    Aja então pro nosso bem, doce virgem.

Donzela

    Farão então o que lhes diz Joana:
    Com fala açucarada e persuasiva
    Vamos levar o Duque da Borgonha
20   A deixar Talbot e seguir a nós.

Charles

    Doçura é isso, se o conseguirmos.
    França não é lugar pr'Henrique inglês;
    Nem devem suas tropas rir de nós,
    E sim serem corridas desta terra.

Charles

25   Da França eles devem ser varridos,
    Sem um só título ou condado aqui.

DONZELA
>Senhores nobres, verão meu trabalho
>Pra levar tudo isso ao fim que querem.

>*(Rufar de tambores ao longe.)*

30
>Pelo som dos tambores percebemos
>Que as tropas deles marcham pra Paris.

>*(Ouve-se de uma marcha inglesa. Entram e cruzam, ao longe, TALBOT e suas forças.)*

>Ali vai Talbot, com as cores ao vento,
>E toda a tropa inglesa logo atrás.

>*(Uma marcha francesa.)*

>Na retaguarda vão o Duque e a sua;
>O favor da Fortuna é que o retarda.
35
>Que soe a trompa; irei parlamentar.

>*(Soa o toque de parlamentação.)*

CHARLES
>Uma parlamentação com Borgonha!

>*(Entra BORGONHA.)*

BORGONHA
>Com Borgonha, quem quer parlamentar?

DONZELA
>Charles de França, que é seu compatriota.

BORGONHA
>Que dizes, Charles? Pois eu me vou daqui.

CHARLES
40
>Fala, Donzela, e o encanta com palavras.

DONZELA
>Bravo Borgonha, esperança da França,
>Por um momento escuta a tua serva.

BORGONHA

    Pois fale logo, sem ser tediosa.

DONZELA

    Olha então teu país, a fértil França;
45   Vê suas cidades e vilas feridas,
    Que o inimigo cruel fez em ruínas.
    Com o olhar de uma mãe ao pobre filho
    Quando a morte lhe fecha os doces olhos,
    Olha a moléstia que corrói a França;
50   Vê suas chagas e os terríveis golpes,
    Que tu mesmo vibraste no seu seio.
    Muda o rumo de tua afiada espada;
    Mira quem fere, não os que a ajudam!
    Uma gota de sangue de tua pátria
55   Deves chorar mais que um rio estrangeiro.
    Volta pra nós portanto e, com teu pranto,
    Lava a terra manchada de tua pátria.

BORGONHA

    (À parte.)
    Ou ela me encantou com suas palavras
    Ou me comove a própria natureza.

DONZELA

60   E mais, França e franceses te condenam,
    Duvidam do teu sangue ser legítimo.
    A quem serves senão nação vaidosa
    Que só confia em ti pelo que lucra?
    Quando Talbot fixar-se aqui na França,
65   Te usando pra instrumento desse mal,
    Quem mandará senão o rei inglês,
    Que a ti reduzirá a fugitivo?
    Lembra-te disso e guarda-o pra prova:
    O Duque de Orleans não te atacava?
70   E não 'stá ele preso na Inglaterra?
    Mas ao saber que era teu inimigo
    Eles o libertaram sem regate,
    Apesar de Borgonha e seus amigos.
    Tu lutas contra teus compatriotas,
75   Unido aos que vão ser teus carrascos.
    Vamos, retorna a nós, nobre perdido;
    Charles e todos te abrem os seus braços.

BORGONHA

    (À parte.)

　　　　　　Estou vencido; sua fala altaneira
　　　　　　Atingiu-me qual tiro de canhão
80　　　　　E quase fez-me cair de joelhos.
　　　　　　Peço perdão, meu primo e meus patrícios!
　　　　　　Aceitem, nobres, este meu abraço.
　　　　　　Minhas tropas e força já são suas.
　　　　　　Talbot, adeus; não tem mais meu respeito.

Donzela
85　　　　　Falou como um francês! *(À parte.)* É traidor duplo.

Charles
　　　　　　Bem-vindo, Duque! Amigo, nos renova.

Bastardo
　　　　　　E gera mais bravura em nossos peitos.

Charles
　　　　　　A Donzela fez bem o seu papel,
　　　　　　E já merece coroa de ouro.

Charles
90　　　　　Vamos, senhores, nos juntar à tropa
　　　　　　E ver que mal levar ao inimigo.

　　　　　　　　　　　　　　　　　　(Saem.)

CENA 4
Paris. O palácio.

(Entram o Rei, Gloucester, Bispo de Winchester, York, Suffolk, Somerset, Warwick, Exeter, Vernon e Basset. Com eles, vem encontrar-se Talbot, com seus soldados.)

Talbot
　　　　　　Gracioso Príncipe, honrados pares,
　　　　　　Ao sabê-los chegados a este reino,
　　　　　　Dei ordem de armistício às nossas guerras
　　　　　　Pra cumprir meu dever ao soberano:
5　　　　　 Pr'o que meu braço, que reconquistou
　　　　　　Cinquenta fortalezas pra seu mando,
　　　　　　Doze cidades, sete com muralhas,
　　　　　　De bom nome quinhentos prisioneiros,
　　　　　　Aqui coloque a espada aos pés reais;
10　　　　　E com submisso e leal coração
　　　　　　Entregue toda a glória conquistada
　　　　　　Primeiro a Deus e, depois, à Sua Graça. *(Ajoelha-se.)*

REI HENRIQUE

    É esse o grande Talbot, tio Gloucester,
    Que há tantos anos reside na França?

GLOUCESTER

15   Sim, e que o apraza, Majestade.

REI HENRIQUE

    Bem-vindo, capitão vitorioso!
    Quando era jovem, e inda não sou velho,
    Eu lembro bem quando o meu pai disse
    Que espada alguma se igualava à sua.
20   Conheço bem a sua lealdade,
    Fiel serviço e labuta na guerra;
    Mas nunca de mim teve recompensa,
    Ou por paga sequer um obrigado,
    Porque jamais 'stivemos face a face.
25   De pé, portanto, e por seus muitos méritos,
    Aqui nós o fazemos Conde Shrewsbury;
    Com seu lugar em nossa coroação.

(Clarinada. Saem todos menos VERNON e BASSET.)

VERNON

    Senhor, que estava tão irado ao mar,
    Desrespeitando estas cores que ostento
30   Em honra do meu nobre lorde de York,
    Ousa manter as palavras que disse?

BASSET

    Do mesmo modo que ousa repetir
    Seus abusados latidos de inveja
    Contra o meu senhor, o duque Somerset.

VERNON

35   Eu honro o seu senhor pelo que é.

BASSET

    E o que é ele? Tão bom quanto York!

VERNON

    Alto lá, não: e tome, pra prová-lo.

(Dá-lhe um tapa.)

BASSET

    Vilão, conhece bem a lei das armas
    Diz que quem puxa a espada morre logo,
40   Senão teu gesto ia jorrar teu sangue.
    A Sua Majestade eu pedirei
    Sua permissão para vingar a ofensa;
    E verá qual o preço de enfrentar-me.

VERNON

    Traidor, eu lá estarei ainda antes;
45   Para enfrentá-lo o mais breve possível.

(Saem.)

ATO 4

CENA 1
Paris. O palácio.

(Entram o Rei, Gloucester, Bispo de Winchester, York, Suffolk, Somerset, Warwick, Talbot, Exeter, o Governador de Paris e outros.)

GLOUCESTER
Põe-lhe agora a coroa, senhor Bispo.

WINCHESTER
Deus salve o rei Henrique, agora o sexto!

GLOUCESTER
Governador de Paris, agora jure

(O Governador se ajoelha.)

Não eleger nenhum rei senão ele;
5   Só julgue amigos, os amigos dele,
E inimigos só os que planejam
Atos noviços contra o seu estado:
E que o fará com a ajuda de Deus!

(Sai o Governador.)

(Entra Sir John Falstaff.)

FALSTAFF
Gracioso soberano, de Calais
10   Eu galopei pra sua coroação,
Com uma carta que me foi entregue,
Que a vós escreve o Duque da Borgonha.

TALBOT
Vergonha pra Borgonha e para si!
Jurei, vil cavaleiro, ao encontrá-lo,
15   De sua perna arrancar a jarreteira. *(Arranca-a.)*
O que faço porque lhe falta mérito
Para ser elevado a grau tão alto.
Perdão, meu rei Henrique e todos mais:
Na batalha de Patay esse crápula,
20   Quando nós tínhamos só seis mil homens,

          Sendo os franceses quase dez por um,
          Antes que houvesse encontro ou qualquer golpe,
          Como um servo sem nome ele fugiu;
          Mil e duzentos homens nós perdemos,
25   Eu mesmo e ainda muitos outros nobres
          Surpreendidos, fomos capturados.
          Julguem então, senhores, se eu errei,
          Ou se um covarde tal merece usar
          Esse ornamento da cavalaria?

     GLOUCESTER
30   Na verdade, um tal ato foi infame,
          E se mal visto em um comum qualquer,
          Bem mais num cavaleiro ou capitão.

     TALBOT
          Ao ser criada a Ordem, meus senhores,
          Seus integrantes tinham berço nobre,
35   Valentes, virtuosos, corajosos,
          Que conquistaram na guerra seu crédito;
          Sem temer morte ou evitar perigos,
          Mas sempre resolutos ao extremo.
          Aquele que não tem tais atributos
40   Rouba do cavaleiro o sacro nome,
          Profana a nossa mui honrada Ordem,
          E, se meu julgamento foi correto,
          Deverá, qual vilão, ser degradado,
          Para não ofender o sangue nobre.

     REI HENRIQUE
45   Mancha pr'os de seus sangue, é a sua sina!
          Apronte-se pra partir, ex-cavaleiro;
          Daqui é banido sob pena de morte.

                              (Sai FALSTAFF.)

          E agora, Protetor, leia essa carta
          Que manda o nosso tio da Borgonha.

     GLOUCESTER
50   Que diz Sua Graça, com tal tratamento?
          Apenas cru e grosso "Para o Rei"!
          Esqueceu-se quem é seu soberano?
          Ou quer esse grosseiro sobrescrito
          Mostrar uma mudança de atitude?
55   O que é isto? *(Lê.)* "*Eu optei, com fortes causas,*

             E pena em ver meu país arruinado,
             Como também por queixas dolorosas
             Alimentadas por sua opressão,
             Por largar sua malévola facção,
60   *E apoiar Charles, o real rei da França."*
             Que traição monstruosa. É possível...
             Que em aliança, em amizade e juras
             Possa haver tanta dissimulação?

REI HENRIQUE
             O quê? Revolta-se o tio Borgonha?

GLOUCESTER
65   Senhor, e transformou-se em inimigo.

REI HENRIQUE
             Isso é o pior que se encontra na carta?

GLOUCESTER
             Não só o pior como tudo, senhor.

REI HENRIQUE
             Então, Lord Talbot falará com ele,
             E o há de castigar por esse abuso.
70   Que diz, milorde, não fica assim contente?

TALBOT
             Contente, meu senhor! Sem empecilhos
             Já teria implorado essa tarefa.

REI HENRIQUE
             Junte as forças e marche já pra ele;
             Que sinta o nosso horror à sua traição,
75   E o quanto ela ofendeu os seus amigos.

TALBOT
             Já vou, senhor, sonhando no meu peito
             Que possa ver perdido o inimigo.

                (Entram VERNON e BASSET.)

VERNON
             Conceda-me o combate, soberano!

BASSET
             A mim, senhor, conceda-o também.

York

80   Este é meu servo: ouça-o, meu Príncipe.

Somerset

E este é meu; doce Henrique, atenda-o.

Rei Henrique

Paciência, senhores; que eles falem.
Digam, senhores, por que assim exclamam.
Por que querem combate, e contra quem?

Vernon

85   Contra ele, senhor, que me ofendeu.

Basset

E eu contra ele, que ofendeu a mim.

Rei Henrique

De que ofensa assim se queixam ambos?
Só conhecendo-a posso responder.

Basset

Ao mar, cruzando da Inglaterra à França,
90   Esse sujeito, com língua maldosa,
Agrediu-me pela rosa que ostento,
Dizendo que suas pétalas sangrentas
São o rubor das faces do meu amo
Quando negou firmemente a verdade
95   A respeito de alguns pontos da lei,
Em debate entre o Duque de York e ele;
Usou, mais, termos vis e ignominiosos:
Pra enfrentar atitude tão grosseira,
E defender do meu senhor a honra,
100 Venho implorar aqui a lei das armas.

Vernon

Senhor, a minha petição e esta:
Embora ele recorra a termos falsos
Para encobrir o seu ousado intento,
Senhor, eu fui por ele provocado,
105 Ele, primeiro, ofendeu o meu símbolo,
Dizendo que a palidez desta flor
Traia a covardia do meu amo.

York

Fica assim, Somerset, malícia tal?

SOMERSET

    Sua queixa, meu Lorde de York, se mostra
110   Por mais que queira encobri-la com astúcia.

REI HENRIQUE

    Só a insânia de um homem perturbado
    Por uma causa tão ligeira e frívola
    Dá lugar a disputas tão notáveis.
    Meus dois bons primos, York e Somerset,
115   Mais calma, e eu peço que fiquem em paz.

YORK

    Se antes a luta resolver o impasse
    Sua Alteza poderá ordenar paz.

SOMERSET

    Só a nós dois esse conflito afeta;
    Que entre nós dois seja, então, resolvido.

YORK

120   Eis meu penhor; aceite-o, Somerset.

VERNON

    Não; que ele fique onde foi atirado;

BASSET

    Confirme-o, honradíssimo senhor.

GLOUCESTER

    Confirme-o! Pois maldigo a sua luta!
    E que morram os dois, e seus conluios!
125   Presunçosos vassalos, não se acanham
    De com ultraje e ofensa clamorosos
    Trazer perturbação ao Rei e a mim?
    E os senhores, nobres, agem mal
    Em aturar abjeções assim tão vis,
130   E ainda mais acertar que suas bocas
    Provoquem um motim entre nós dois:
    Aceite eu sugerir trilha melhor.

EXETER

    E o Rei sofre; sejam amigos, lordes.

REI HENRIQUE

    Venham cá os supostos combatentes:
135   Doravante, por seu amor a mim,

Eu ordeno que olvidem luta e causa.
E aos senhores, milordes, penso que lembrem
Que estamos todos numa França instável;
Se percebem discordância entre nós,
E ela se apresenta em nosso aspecto,
Como isso há de levar os descontentes
À desobediência e à rebeldia!
Isso além das infâmias que nascerem
Quando príncipes estranhos souberem
Que por um nada, coisa sem valor,
Os pares e os nobres do Rei Henrique
Se destroem e assim perdem a França!
Pensem só nas conquistas de meu pai,
Em minha pouca idade, e não percamos
Por um nada o que foi pago com sangue!
Deixem que eu julgue a luta duvidosa.
Não há razão, se eu usar esta rosa,

(Toma uma rosa vermelha.)

Para que alguém devesse suspeitar
Que eu queira mais a Somerset que York:
São ambos meu parentes, amo a ambos;
Seria o mesmo que ambos me agredissem
Porque foi coroado o Rei da Escócia.
O seu próprio critério os persuade
Bem mais do que eu possa aconselhar;
Tendo chegado aqui, então, em paz,
Continuemos nós com paz e amor.
Primo de York, fazemos Sua Graça
Nosso Regente nas terras da França
E o senhor, meu bom Lorde de Somerset,
Os seus cavalos una à tropa dele,
E bons súditos, filhos de grandes pais,
Avancem com alegria e gastem antes
Sua cólera irada no inimigo.
Nós, nosso Lorde Protetor e os demais,
Após repouso iremos pra Calais;
E de lá pra Inglaterra, na esperança
De termos notícia de vitórias
Sobre Charles, Alençon e sua gentalha.

(Clarinada. Saem todos menos York, Warwick, Exeter e Vernon.)

WARWICK

Milorde de York, parece-me que o Rei
Se mostrou, por aqui, belo orador.

YORK

 Creio que sim; mas mesmo assim não gosto
 Que ele ostente a rosa de Somerset.

WARWICK

 Foi coisa de momento; não o culpe;
 Eu juro que não foi por mal, meu Príncipe.

YORK

180 Se soubesse que sim... Mas deixe estar;
 É hora de enfrentar outros problemas.

(Saem todos menos EXETER.)

EXETER

 Richard fez bem em não dizer mais nada;
 Pois se explodisse o que ele tem no peito
 Eu creio que seria revelado dentro dele
185 Mais rancor e despeito, ódio e fúria
 Que alguém possa supor e imaginar.
 Mas, seja como for, até um simples,
 Ao ver essa discórdia na nobreza,
 Cada um empurrando o outro na Corte,
190 E essas intrigas entre favoritos
 Só pode ver presságio de algum mal.
 É assim se uma criança tem o cetro;
 E mais se a inveja nutre a divisão:
 Vem a ruína, nasce a confusão.

(Sai.)

CENA 2
Diante de Bordeaux.

(Entra TALBOT, com tropas e tambores.)

TALBOT

 Corneteiro, a essas portas de Bordeaux
 Conclame aos muros o seu general.

(Clarinada. Entram ao alto, o GENERAL e outros.)

 O inglês John Talbot, capitães, os chama;
 Servo em armas do Rei da Inglaterra,
5 Que assim deseja: Abram suas portas,
 Sejam humildes e aceitem nosso rei,

                Sejam pra ele súditos ordeiros,
                E eu me afastarei com minha tropa;
                Se olharem mal esta oferta de paz,
10   Tentam a fúria dos Três que me servem,
                Magra Fome, Aço cortante, alto Fogo,
                Que num momento, ao nível desta terra,
                Derrubarão suas torres pomposas,
                Por negarem o amor oferecido.

        GENERAL
15   Ave sinistra que agoura a morte,
                Terror sangrento de nossa nação!
                O fim de sua tirania chega.
                Aqui não hão de entrar senão por morte;
                Afirmo estarmos bem fortificados,
20   Fortes bastantes para ir à luta.
                Se retirar-se, o Delfim, bem equipado,
                Tem boas armadilhas pra apanhá-lo;
                Em ambos os seus lados tropa forte
                O empareda contra a fuga livre;
25   Em lado algum encontrará socorro
                Senão da Morte com falso butim
                E a Destruição a olhá-lo nos olhos.
                Dez mil franceses, por jura sagrada
                Recusam-se a mirar a artilharia
30   Em cristão que não seja o inglês Talbot.
                Respira aí parado um bravo homem,
                Espírito invencível e invencido:
                Essa é a loa final de sua glória,
                Que eu, seu inimigo, ainda devo;
35   Pois antes que a ampulheta que ora corre,
                Cumpra o trajeto da hora de areia,
                Estes olhos, que o ora o veem colorido
                O verão seco, exangue, branco e morto.

                    (Som de tambores ao longe.)

                Ouça! Tambores do Delfim, aviso,
40   Traz triste música a sua alma aflita,
                E a minha marcará sua partida.

                                (Saem, ao alto, GENERAL e outros.)

        TALBOT
                Ele não mente; eu ouço o inimigo.
                Que uns cavaleiros espiem suas alas.

	Disciplina insensata e negligente!
45	Como ficamos presos e cercados —
	Rebanho inglês de corças assustadas
	Perdidas num canil de cães franceses!
	Mas se corças inglesas, que haja sangue;
	Não calhordas derrubados só com um sopro,
50	Mas cervos loucos e desesperados,
	Que atacam cães com cabeças de aço
	E mantêm bem afastados os covardes:
	Como eu, vendam caro as suas vidas,
	E, amigos, não seremos cervos servos.
55	Deus por são Jorge, Talbot e os ingleses,
	Prosperem nossas cores nos revezes!

(Sai.)

CENA 3
Uma planície na Gasconha.

(Entra um Mensageiro em busca de York. Entra York com toques de corneta e muitos soldados.)

YORK

Não voltaram ainda os batedores
Que seguiam as tropas do Delfim?

MENSAGEIRO

Já voltaram, senhor, e anunciaram
Que marchou pra Bordeaux com toda a tropa
5 Para lutar com Talbot; nessa marcha
Os espiões ainda descobriram
Tropas maiores do que as do Delfim
Que a ele se juntaram, pra Bordeaux.

YORK

Maldito seja o vilão Somerset
10 Que atrasa assim a ajuda prometida
De uma cavalaria pr'este cerco!
O grande Talbot precisa de auxílio,
E eu, com o engano do vilão traidor,
Não dou ajuda ao nobre cavaleiro!
15 Se ele perde, adeus guerras na França.

(Entra Sir William Lucy.)

LUCY

Príncipe chefe das forças inglesas,

Nunca tão necessitado na França,
Corra em socorro desse nobre Talbot
Que está cercado por cinto de ferro,
Como alvo de uma triste destruição.
A Bordeaux, bravo Duque! A Bordeaux, York!
Ou adeus, Talbot, França e honra inglesa!

YORK

Oh, Deus, que o presunçoso Somerset,
Que retém meus cavalos, fosse Talbot!
Com isso estava salvo um grande homem,
Sendo punido o covarde traidor.
Eu choro só com essa fúria enorme:
Morremos nós enquanto o traidor dorme!

LUCY

Envie algum socorro ao condenado!

YORK

Sua morte é nossa; e eu fico desonrado:
Sorri a França com essa nossa dor;
A ela dá o ganho esse traidor.

LUCY

Que Deus se apiede da alma de Talbot,
E de seu filho John, que há duas horas
Eu vi marchando à procura do pai.
Foram sete anos até se encontrarem;
Para, juntos, a vida terminarem.

YORK

Como há de Talbot receber a nova,
Se só recebe o filho para a cova?
Eu quase não respiro, por sofrer,
Por ver um tal amigo assim morrer.
Adeus, Lucy, só posso lamentar
Que um vilão não me deixe o ajudar.
Maine, Blois, Poitiers e Tours se foram
Porque as tropas de Somerset demoram.

(Saem todos menos LUCY.)

LUCY

E enquanto o corvo da rebelião
Come a carne do peito de heróis tais,
O sono negligente trai e perde

O ganho de quem inda não está frio,
50 O sempre vivo herói não esquecido,
Henrique Quinto. Enquanto esses disputam
Vão-se terras e honras dos que lutam.

CENA 4
No mesmo local.

(*Entra* SOMERSET, *com seu exército, junto com ele um* CAPITÃO *de* TALBOT.)

SOMERSET

Tarde demais; não posso mais mandá-los:
A expedição foi, por Talbot e York,
Planejada com pressa; toda a nossa tropa
Podia, com surtida dos locais,
5 Ser derrotada; o imprudente Talbot
Manchou o brilho de glórias passadas
Com essa aventura assim desesperada:
York o levou à luta e à morte inglória
Pra, morto Talbot, ficar ele na história.

CAPITÃO

10 'Stá aí Sir William Lucy que, comigo,
Buscou socorro para a tropa frágil.

SOMERSET

Salve, Sir William! De onde foi mandado?

LUCY

De onde, senhor? Do abandonado Talbot
Que, circundado pela adversidade,
15 Chamava o nobre York e Somerset
Pra afastarem da Morte a sua força;
E enquanto esse capitão indômito
Suava sangue dos membros exaustos,
E, resistindo, busca por socorro,
20 O senhor, falso de palavra e honra,
Ficou bem longe, por fingidas causas.
Não deixe discordâncias pessoais
Façam faltar a ajuda prometida,
Enquanto ele, varão nobre e famoso
25 Dava sua vida em condições adversas.
Orleans o Bastardo, Charles, Borgonha,
Alençon e Reignier fecham o círculo,

      E Talbot morre por sua omissão.

SOMERSET
      York instigou; devia socorrê-lo.

LUCY
      Diz York o mesmo sobre Sua Graça,
      Jurando que reteve os seus cavalos,
      Reunidos pra este expedição.

SOMERSET
      Mentira; se pedisse eu os mandava:
      Pouco lhe devo, em dever e amor,
      Não iria mandá-los como agrado.

LUCY
      A fraude inglesa, não força francesa
      Tem na armadilha o bravo e nobre Talbot:
      Ele não volta à Inglaterra com vida;
      Por traição sua fortuna foi perdida.

SOMERSET
      Pois eu vou mandar já a cavalaria:
      Em seis horas estará já a seu lado.

LUCY
      Vem tarde a ajuda; já está preso ou morto,
      Não podia fugir nem se o quisesse;
      E fuga é coisa em que não pensa Talbot.

SOMERSET
      Se já morreu, então, Talbot, adeus.

LUCY
      Vive ele em fama; os vexames são seus.

(Saem.)

CENA 5
O acampamento inglês perto de Bordeaux.

(Entram TALBOT e seu FILHO.)

TALBOT
      Oh jovem John, a quem mandei chamar
      Para ensinar as táticas da guerra,

       Para que o nome Talbot, em você,
       Vivo quando a idade, que suga tudo,
5   Condenasse o seu pai a uma cadeira.
       Porém – por más estrelas agourentas –
       Você chegou pra um banquete mortal,
       Um terrível perigo inevitável;
       Tome, filho, meu mais veloz cavalo,
10   E eu hei de orientá-lo pra escapar
       Em fuga inesperada. Parta logo.

JOHN

       Meu nome é Talbot? Não sou eu seu filho?
       E hei de fugir? Se ama a minha mãe,
       Não lhe desonre o nome tão honrado,
15   De mim fazendo um canalha covarde!
       Dirão todos, seu sangue não é Talbot,
       Se fugiu quando Talbot resistia.

TALBOT

       Foge, para vingar-me se eu for matado.

JOHN

       Pra quem foge, o voltar não é dado.

TALBOT

20   Se ambos ficamos, é só pra morrer.

JOHN

       Fico eu; fuja o pai para viver.
       Sua perda é grande, sua fama também;
       Sem ter lutado, eu faço falta a quem?
       Que bem traz aos franceses minha morte?
25   Mas, co'a sua, se vai a nossa sorte.
       A fuga não lhe mancha os bravos feitos,
       Mas, sem passado, eu só terei defeitos.
       Fugiu de astúcia, irão todos jurar;
       Mas se eu fugir, foi por me acovardar.
30   Eu serei esquecido, sem demora,
       Se me encolhi desde a primeira hora.
       Melhor ser imortal, e é o que lhe peço,
       Do que ter vida com infâmia por preço.

TALBOT

       Vai pr'uma cova o que sua mãe sonhou?

JOHN
35 Melhor que envergonhar quem me gerou.

TALBOT
Com bênçãos, lhe dou ordens de partir.

JOHN
Pra lutar sim, mas nunca pra fugir.

TALBOT
Em você salva-se um pouco de seu pai.

JOHN
Só parte da vergonha que em mim cai.

TALBOT
40 Sem ter fama, não tem o que perder.

JOHN
Perder por fuga a sua, vai querer?

TALBOT
Seu pai de qualquer mancha o isentará.

JOHN
'Stando morto, não testemunhará.
Se a morte é certa, fujamos os dois.

TALBOT
45 Deixo meus homens pra morrer depois?
Nunca na vida fiz vergonha assim.

JOHN
Nem por ser jovem a quero pra mim.
É tão difícil eu deixar seu lado
Quanto a si mesmo deixar separado.
50 Vá ou fique, o mesmo faço eu;
Não tenho vida, se o meu pai morreu.

TALBOT
Então eu digo adeus, filho adorado
Que nasceu para ser hoje eclipsado.
Lado a lado vivamos ou morramos,
55 Alma com alma para o céu voamos.

(Saem.)

CENA 6
Um campo de batalha.

(Alaridos, escaramuça, na qual o Filho de Talbot é totalmente cercado e Talbot o salva.)

TALBOT

São Jorge e vitória! Lutem, soldados:
York a Talbot a jura renegou,
E a França à sua espada ele deixou.
Aonde está John Talbot? Calma, forte!
5 Eu lhe dei vida e o salvei da morte.

JOHN

Pai duas vezes, duas vezes filho!
Minha primeira vida, já sem brilho,
Sua espada guerreira, contra o fado,
Aumentou o meu tempo estipulado.

TALBOT

10 Ao golpear a sua espada o Delfim,
Novo alento de pai brotou em mim
Para a vitória. E a velhice pesada
Que a juventude tornou mais irada
Derrubou Alençon, Orleans e Borgonha,
15 Impondo à Gália uma nova vergonha.
O irado Bastardo, que o sangrou,
E de batalhas o desvirginou
Nessa luta, eu logo após enfrentei
E, golpe a golpe, logo derramei
20 Seu falso sangue, e o deixei humilhado
Quando lhe disse: "Vil, contaminado,
É o sangue baixo que é aqui trocado
Que de meu bravo filho fez cair.
Quando o Bastardo eu ia destruir,
25 Chegou socorro. Diga, John amado,
Como se sente agora? 'Stá cansado?
Não quer fugir desta luta, ligeiro,
Depois que já provou ser cavaleiro?
Fuja e me vingue, após eu ter morrido,
30 Ajuda de um não pesa no ocorrido.
Sei muito bem que é ação de louco
Arriscar nossas vidas com tão pouco!
Se hoje a ira francesa não me mata
Morro amanhã só da velhice ingrata:
35 Tomar-me a vida é uma glória vazia:

		E só me encurtam desta vida um dia;
		A sua morte o nosso nome enterra;
		Vingar-me é dar mais fama à Inglaterra:
		Tudo isso arrisca insistindo em ficar;
40		Tudo isso pode, fugindo, salvar.
	John	
		A espada de Orleans pouco feriu,
		Mas o que disse o meu peito partiu.
		Qualquer vitória que a vergonha cobre,
		Mata a fama e salva vida pobre.
45		Melhor se um Talbot deixa outro, então,
		Que o cavalo covarde o atire ao chão!
		Pois fico então como os jovens franceses,
		Sem honra e sujeitados a revezes!
		Toda a glória que o senhor conquistou
50		Mostra, fugindo, que Talbot não sou.
		Nada de fuga; o guerreiro não sai;
		Filho de Talbot, morre aos pés do pai.
	Talbot	
		Siga então seu triste pai Cretense[34]
		Ícaro, cuja vida a mim pertence:
55		Se quer lutar com seu pai, lado a lado.
		Morramos com orgulho renomado.

(Saem.)

CENA 7
Uma outra parte do campo.

(Clarinada. Entra Talbot pai, guiado por um Servo.)

	Talbot	
		Minh'outra vida onde está? Esta acabou.
		Onde está o jovem Talbot, que brilhou?
		Morte triunfante, embora limitada,
		Sorrio com a morte de John tão honrada.
5		Quando me viu de joelhos cair
		Sua espada sangrenta me veio cobrir,
		E leão faminto ele fez, com insistência,
		Feitos de ira e dura impaciência;
		Porém quando o meu guarda, só, estava

---

[34] Pai cretense/ Ícaro, analogia usada mais de uma vez por Shakespeare, tirada das *Metamorfoses* de Ovídio. Em inglês "flight" tanto quer dizer fuga quanto voo, e a palavra talvez tenha sido responsável pela ideia. Ícaro, no poeta, geralmente é ligado a orgulho, que vem antes da queda. (N. T.)

10 A me cuidar, e ninguém o atacava,
    A irada fúria de seu coração
    De repente o levou a me deixar,
    Pr'o caos francês da luta ir buscar;
    Um mar de sangue o meu filho colheu
15 E à sua bravura. Ali morreu
    Meu Ícaro, minha orgulhosa flor.

(Entram soldados carregando o corpo de John Talbot.)

Servo

Eis como vem seu filho, amo querido!

Talbot

    Grotesca morte, que de nós tens rido,
    Logo, de tua tirania horrenda,
20 Ou perpetuidade que nos prenda,
    Os dois Talbots alados que ao céu vão
    Dessa mortalidade escaparão.
    Ferido e pronto pra Morte o vencer,
    Fale a seu pai, antes de falecer!
25 A Morte desafie, queira ou não,
    Julgue-a francês, e inimigo então.
    Pareceu-me que a sorrir respondia:
    Fosse a Morte francesa, hoje morria.
    Ponham-no em meus braços, meus senhores:
30 A minh'alma não suporta mais dores.
    Adeus, soldados! Minha é a melhor nova:
    Meus velhos braços são de John a cova.

(Morre.)
(Entram Charles, Alençon, Borgonha, o Bastardo e a Donzela.)

Charles

Se York e Somerset tomassem tento,
Seria o dia para nós sangrento;

Bastardo

35 O Talbot filhote, com fúria de inglês,
    Co'a espada vazou muito sangue francês!

Donzela

Eu o encontrei, e disse ao seu ouvido:
"Herói virgem, por virgem é vencido";
Mas com desdém real ele me olhou,

40 "Talbot inda não nasceu", retrucou,
"Pra ser vencido por qualquer rameira",
E contra a França partiu, em carreira,
E se foi, como se indigna me cresse.

BORGONHA

Seria um grande homem, se vivesse;
45 E ei-lo no caixão do braço forte
Do sangrento tutor de sua morte.

BASTARDO

Quero-os esquartejados e sem ossos,
Glórias inglesas, terrores dos nossos.

CHARLES

Nunca! Se deles fugimos outrora,
50 Não podemos ofendê-los agora.

(Entra Sir William Lucy, com escolta.)

LUCY

Levem-me ao Delfim pra que eu saiba
A quem pertence a glória deste dia.

CHARLES

Com que mensagem submissa é enviado?

LUCY

Submissa? Isso é palavra de francês:
55 Não sabem os ingleses seu sentido;
Vim pra saber a quem aprisionaram,
E para examinar os corpos mortos.

CHARLES

Prisioneiros? Nossa prisão é o inferno.
Mas diga-me, no entanto, a quem procura.

LUCY

60 Que é do grande Alcides[35] deste campo?
Do grande Talbot, o Conde de Shrewsbury,
Assim feito por seus feitos de armas;
Os Condes Washford, Waterford e Valence,

---

[35] Alcides é Hércules, quando qualificado pelo nome de seu avô Alceu. (N. T.)

                Lord Talbot de Goodrig e Urchinfield,
65   Lord Strange de Blackmere, Lord Verdun de Alton,
                Cromwell de Wingfield, Furnival de Sheffield,
                O tríplice herói Lord Falconbridge,
                Cavaleiro das Ordens de São Jorge,
                São Miguel e Velocino de Ouro,
70   O grande Marechal de Henrique Sexto
                Em suas guerras no reino da França?

        DONZELA
                Que pompa tola vai só nesses títulos!
                O Turco, com seus cinquenta e dois reinos,
                Não alcança um tal tédio com seus títulos.
75   O que o senhor enfeita com tais títulos
                Junta moscas, fedendo, a nossos pés.

        LUCY
                'Stá morto Talbot, verdugo dos franceses,
                Terror, Nêmesis negro do seu reino?
                Quem dera fossem os meus olhos balas,
80   Pra que eu, por ira, atirasse em suas faces!
                Pudesse eu dar nova vida a estes!
                Já bastava para assustar a França.
                Se aparecesse entre os seus sua imagem,
                Era o bastante pra espantar a todos.
85   Deem-me seus corpos pr'eu daqui levá-los,
                E enterrá-los segundo o seu valor.

        DONZELA
                Esse arrivista é um fantasma de Talbot,
                Fala em tom de um orgulho que comanda.
                Por Deus, deem-nos logo; se ficassem
90   Seu fedor apodreceria o ar.

        CHARLES
                Levem os corpos.

        LUCY
                Eu daqui os levo;
                Porém de suas cinzas vai alçar-se
                Um fênix que trará o medo à França.

                (Saem LUCY e escolta, levando os corpos.)

CHARLES

95 Livres nós deles, nada mais importa.
A Paris, neste tom vitorioso:
Tudo é nosso, morto o Talbot famoso.

(Saem.)

ATO 5

CENA 1
Londres. O palácio.

(Fanfarra. Entram o Rei, Gloucester e Exeter.)

REI HENRIQUE
    Todos já leram as cartas do Papa,
    Do Imperador e do Conde Armagnac?

GLOUCESTER
    Eu li, senhor, e seu teor e este:
    Humildes pedem a Sua Excelência
5   Que aceite a santa conclusão da paz,
    Meu bom senhor, o único caminho
    Pra parar de correr sangue cristão
    E todos possam ter tranquilidade.

REI HENRIQUE
    Verdade, tio, pois sempre julguei
10   Que fosse ímpio e antinatural
    Que essa barbárie e sangrenta luta
    Reinassem sobre os de uma mesma fé.

GLOUCESTER
    Além do quê, senhor, para apressar
    E confirmar tal pacto de amizade,
15   Armagnac, que é bem próximo de Charles,
    E tem na França grande autoridade,
    Oferece a Sua Graça a filha única,
    Em casamento, com suntuoso dote.

REI HENRIQUE
    Em casamento, tio! Sou tão jovem!
20   Com maior queda para estudo e livros
    Que para jogo erótico com amantes.
    Os seus embaixadores chame, entanto,
    E lhes dê logo todas as respostas:
    Eu me contento com qualquer escolha
25   Que louve Deus e favoreça a pátria.

(Entram WINCHESTER, em trajes de Cardeal, e o NÚNCIO, com dois EMBAIXADORES.)

Exeter

      Milorde de Winchester foi consagrado,
      E promovido ao grau de cardeal?
      Já vi então que vai ser confirmada
      A profecia de Henrique Quinto:
30   "Se ele um dia chega a cardeal,
      Vai igualar seu chapéu à coroa".

Rei Henrique

      Milordes Embaixadores, os seus preitos
      Com reflexão já foram debatidos;
      Os seus alvos são bons e razoáveis
35   E com certeza estamos decididos
      A encontrar termos de paz amigável,
      Que por Milorde de Winchester faremos
      Dentro em breve chegar até a França.

Gloucester

      E no que tange a oferta de seu amo,
40   Eu informei em tudo Sua Alteza
      Que, apreciando os dotes dessa dama,
      Sua beleza, e o valor do dote,
      Quer fazê-la Rainha da Inglaterra.

Rei Henrique

      E como testemunho do contrato
45   Leve esta joia qual prova de afeto;
      Assim, Lorde Protetor, dê-lhes escolta
      Segura até Dover; e embarcados
      Ficam nas mãos da fortuna dos mares.

          (Saem todos menos Winchester e o Núncio.)

Winchester

      Núncio, um momento; pois aqui recebe
50   Todo o dinheiro que eu prometi
      Seria entregue a sua Santidade
      Por me cobrir com estas santas vestes.

Núncio

      E para isso eu fico ao seu dispor.

          (Sai.)

Winchester

      Agora Winchester não é mais submisso
55   E nem abaixo do mais nobre par.

>   Humphrey de Gloucester há de ver agora
>   Que nem por berço ou por autoridade
>   O Bispo terá mais de obedecê-lo:
>   Ou o faço ajoelhar-se ante mim,
> 60   Ou destruo o país com um motim.

(Sai.)

CENA 2
França. Uma planície em Anjou.

(Entram Charles, Borgonha, Alençon, o Bastardo, Reignier e a Donzela.)

CHARLES

> Tais notícias levantam nosso espírito:
> 'Stão revoltados os parisienses,
> E aderem todos à França aguerrida.

CHARLES

> Marche para Paris, Rei desta França,
> 5   Não fique a tropa fraca, em confiança.

DONZELA

> Que a paz os tenha, 'stando ao nosso lado,
> Se não, que fique tudo arruinado!

(Entra um Batedor.)

BATEDOR

> Sucesso ao nosso bravo general,
> E que sejam felizes os seus cúmplices!

CHARLES

> 10 Que novas mandam os espias? Fale.

BATEDOR

> A tropa inglesa, antes dividida
> Em dois partidos, 'stá unida agora,
> E já quer partir logo pra batalha.

CHARLES

> O seu aviso é meio repentino;
> 15 Mas nós já tomaremos providências.

BORGONHA

    Que o fantasma de Talbot fique ausente!
    Não há o que temer, senhor, sem ele.

DONZELA

    O medo é a mais maldita das paixões.
    Se Charles comanda, é pra conquistar
20   Cabe a Henrique temer e lamentar.

CHARLES

    Vamos, senhores, e vitória à França.

(Saem.)

CENA 3
Diante de Angiers.
(Clarinadas, fanfarras. Entra a DONZELA.)

DONZELA

    Vence o Regente e fogem os franceses.
    Socorro, meus feitiços e amuletos;
    E espíritos de quem tenho conselhos,
    E alertam pra tropeços no futuro:

(Trovões.)

5   Ajudantes velozes, delegados
    Do poderoso monarca do norte,[36]
    Venham nesta tarefa dar-me ajuda!

(Entram DEMÔNIOS.)

    Aparição tão rápida é prova
    De que me servem com assiduidade.
10   Demônios familiares que eu colho
    Em poderosas regiões subterrâneas,
    Se ajudam hoje, a França há de vencer.

(Os DEMÔNIOS perambulam mas não falam.)

    Não me prendam em silêncio tão longo!
    Se antes alimentei-os com meu sangue,
15   Hei de cortar um membro para dar-lhes,

---

36 O rei de todos os espíritos maus, assim chamado por vários autores da época. (N. T.)

Pra garantir futuros benefícios,
Se concordarem co'a ajuda de agora.

(Eles pendem as cabeças.)

Não poderão nem meu corpo e nem sangue
Conquistar seu apoio continuado?
Tomem minh'alma; corpo, alma, tudo,
Antes que a Inglaterra vença a França

(Eles partem.)

Eis que eles me abandonam. Nesta hora
A França abaixa seu elmo emplumado
E sua cabeça cai no colo inglês.
A minha encantação agora é fraca,
Forte demais o inferno pr'eu vencê-lo:
França, tua glória reduziu-se a pó.

(Sai.)

(Escaramuças. Borgonha e York lutam mano a mano. Os franceses fogem, deixando a Donzela em poder de York.)

YORK

Donzela da França, agora está presa:
Libere seus espíritos com mágicas,
E veja se lhe trazem liberdade.
Um bom troféu, bem digno de um diabo!
Vejam franzir o cenho a feia bruxa,
Como se fosse me mudar, qual Circe![37]

DONZELA

Não há forma pior que a tua mesma.

YORK

O Delfim Charles é que é homem bonito;
Aos seus olhos só agrada a forma dele.

DONZELA

Que boa praga pegue a Charles e a ti!
E espero que ambos sejam surpreendidos
Por mão sangrenta enquanto estão dormindo!

---

[37] Na *Odisseia*, a feiticeira Circe transforma alguns dos homens de Ulisses em porcos. (N. E.)

YORK

40   Bruxa maldita, feiticeira, cala-te!

DONZELA

    Só quero praguejar por um momento.

YORK

    Quero ver-te praguejar na fogueira!

(Saem.)

(Fanfarra. Entra SUFFOLK, *conduzindo* MARGARET *pela mão.)*

SUFFOLK

    Seja quem for, é minha prisioneira

(Olha-a.)

    Bela das belas, não tema e nem fuja.
45   Pois só a tocarei com reverência,
    E a mão, pra si, só há de ter ternura.
    Beijo-lhe os dedos pr'uma paz eterna.
    Diga quem é, pra que eu possa honrá-la.

MARGARET

    Margaret me chamo, e sou filha de um rei.
50   O rei de Nápoles, senhor quem seja.

SUFFOLK

    Eu sou Conde, e meu título é de Suffolk.
    Não se ofenda, milagre natural,
    O fado quis que eu a capturasse:
    Como o cisne protege seus filhinhos
55   E os tem qual prisioneiros sob as asas.
    Se alguma vez o ato a ofender,
    Volte a ser livre, e amiga de Suffolk.

(Ela vai saindo.)

    Fique! *(Para si mesmo.)* Faltam-me forças pra deixá-la;
    Se a mão a solta, o coração o nega.
60   Como o sol brinca no espelho dos rios,
    E faz brilhar um novo raio falso,
    Assim faz tal beleza com meus olhos.
    Eu quero cortejá-la, mas não falo:

　　　　　　　　Pena e papel dirão tudo o que sinto.
65　　　　　　　Que é isso, De la Pole? Não se desdoure!
　　　　　　　　Não tem língua? Ela não é prisioneira?
　　　　　　　　Vai ser vencido vendo uma mulher?
　　　　　　　　Mas é tal a beleza principesca,
　　　　　　　　Que prende a língua, e limita os sentidos.

　　　Margaret
70　　　　　　　Conde Suffolk, se esse é o seu nome,
　　　　　　　　Quanto é o meu resgate para passar?
　　　　　　　　Pois vejo que sou sua prisioneira.

　　　Suffolk
　　　　　　　　　　(Para si mesmo.)
　　　　　　　　Por que há de saber que ela o rejeita
　　　　　　　　Antes de suplicar o seu amor?

　　　Margaret
75　　　　　　　Por que não fala? Qual o meu resgate?

　　　Suffolk
　　　　　　　　　　(Para si mesmo.)
　　　　　　　　Ela é bela, tem de ser cortejada;
　　　　　　　　Ela é mulher, pode ser conquistada.

　　　Margaret
　　　　　　　　　　(Para si mesma.)
　　　　　　　　Vai aceitar resgate, sim ou não?

　　　Suffolk
　　　　　　　　　　(Para si mesmo.)
　　　　　　　　Mais que tudo, lembre-se que é casado;
80　　　　　　　Como há Margaret de ser a sua amada?

　　　Margaret
　　　　　　　　　　(Para si mesma.)
　　　　　　　　Melhor eu ir-me; ele não me ouve.

　　　Suffolk
　　　　　　　　　　(Para si mesmo.)
　　　　　　　　Estraguei tudo; joguei carta errada.

　　　Margaret
　　　　　　　　　　(Para si mesma.)
　　　　　　　　Fala sozinho; 'stá louco, na certa.

SUFFOLK
> *(Para si mesmo.)*
> Mas pode ser que ainda haja saída.

MARGARET
> *(Para si mesma.)*
> Mas gostaria que me respondesse.

SUFFOLK
> *(Para si mesmo.)*
> Eu hei de conquistá-la. Mas, para quem?
> Ora, pr'o Rei! Que cabeça de pau!

MARGARET
> *(Para si mesma.)*
> Fala em pau; pode ser um carpinteiro.

SUFFOLK
> *(Para si mesmo.)*
> Mas assim realizo o que é só sonho,
> E fica feita a paz dos dois países.
> Porém ainda há tropeços nisso;
> Mesmo sendo o pai dela Rei de Nápoles,
> Duque de Anjou e Maine, é muito pobre,
> E a nobreza fará pouco da boda.

MARGARET
> Ouviu-me, capitão, ou 'stá ocupado?

SUFFOLK
> *(Para si mesmo.)*
> Vai ser assim, por mais que a desdenhem;
> Henrique é jovem, concorda num instante.
> Vou revelar-lhe um segredo, senhora.

MARGARET
> *(Para si mesma.)*
> Será encanto? Parece um cavalheiro;
> Não há de dizer nada desonroso.

SUFFOLK
> Senhora, conceda ouvir o que eu digo.

MARGARET

    (Para si mesma.)
    Talvez eu seja salva por franceses;
    E não precise de sua cortesia.

SUFFOLK

    Doce senhora, ouça-me uma causa...

MARGARET

    (Para si mesma.)
105   Outras mulheres já foram cativas...

SUFFOLK

    Senhora, por que dizer essas coisas?

MARGARET

    Peço perdão, era só *quid por quo*.[38]

SUFFOLK

    Diga, doce Princesa, não veria
    Qual boa servidão o ser rainha?

MARGARET

110   Rainha em servidão é bem mais vil
    Que mera servidão para um escravo;
    Príncipe deve ser livre.

SUFFOLK

                       E o será,
    Se é livre o Rei da feliz Inglaterra.

MARGARET

    E o que importa a mim ser ele livre?

SUFFOLK

115   Hei de fazê-la a Rainha de Henrique,
    Em sua mão vou colocar um cetro,
    Pousar bela coroa em sua cabeça,
    Se concordar em ser a minha...

MARGARET

                       O quê?

---

38 A expressão clássica latina *quid pro quo* quer dizer "uma coisa por outra". A forma já alterada, em português, de "quiprocó" só é aplicada com sentido de, por engano, se tomar uma coisa por outra. (N. T.)

SUFFOLK
>O amor dele.

MARGARET
>Eu não mereço ser mulher de Henrique.

SUFFOLK
>Doce dama, eu é que não mereço
>Cortejar tal beleza pra sua esposa,
>Sem ficar pra mim mesmo uma porção.
>Fica contente sendo assim, senhora?

MARGARET
>Se meu pai concordar, fico contente.

SUFFOLK
>Avante, então, capitães e bandeiras!
>E pediremos parlamentação
>Com seu pai, junto aos muros do palácio.

(Toque de parlamentação. Entra REIGNIER, ao alto do muro.)

>Veja, Reignier, sua filha prisioneira!

REIGNIER
>De quem?

SUFFOLK
>Minha.

REIGNIER
>E que remédio, Suffolk?
>Se sou soldado, sou estranho às lágrimas
>E aos gritos contra os males da fortuna.

SUFFOLK
>Há remédio bastante, meu senhor:
>Consinta, e isso pra sua própria honra,
>Que sua filha se case com o meu Rei,
>Pois com esforço a convenci a isso;
>E esta prisão solta, pra sua filha,
>Conquistou liberdade principesca.

REIGNIER
>Pensa assim mesmo?

SUFFOLK
                    Margaret bem sabe
        Que Suffolk não bajula, mente ou finge.

REIGNIER
        Com essa garantia eu desço então,
        Pra responder sua proposição.

                                        (Sai da muralha.)

SUFFOLK
        E aqui embaixo espero a sua vinda.

        (Fanfarra.)
        *(Entra R*EIGNIER*, embaixo.)*

REIGNIER
145   Bem-vindo, conde, ao nosso território;
        Comande Anjou como lhe aprouver.

SUFFOLK
        Grato, Reignier, por ter filha tão linda,
        Moldada para acompanhar um rei.
        Como responde Sua Graça ao pedido?

REIGNIER
150   Já que se digna a cortejar tão pouco
        Pra principesca noiva de tal nobre,
        Desde que eu tenha, com tranquilidade
        Meus territórios de Maine e Anjou,
        Libertos de opressão, como de guerras,
155   Minha filha é de Henrique, se ele o quer.

SUFFOLK
        É esse o seu resgate, e eu a liberto;
        E os dois condados hei de conseguir
        Que Sua Graça goze bem tranquilo.

REIGNIER
        E se é em nome do real Henrique,
160   E deputado desse rei gracioso,
        Lhe dou a sua mão por jura certa.

SUFFOLK
        Reignier, eu gratidão real lhe dou,
        Já que este nosso é um trato de rei.
        (À parte.) Mas acho que estaria bem contente

165 Se 'stivesse advogando em causa própria.
Vou cruzar pr'Inglaterra com tal nova
Pra ver solenizado o casamento.
Adeus, Reignier; proteja esse brilhante
Nos dourados palácios que merece.

REIGNIER

170 Eu o abraço como abraçaria
O cristão Rei Henrique, 'stando aqui.

MARGARET

Adeus, senhor. Seus bons votos e preces
Suffolk há de ter pra sempre de Margaret.

(Sai REIGNIER. Ela vai saindo atrás dele quando SUFFOLK a impede.)

SUFFOLK

Adeus, doce donzela; mas escute:
175 Nem uma só saudação pro meu Rei?

MARGARET

Todas as que convêm a uma donzela,
Virgem e a ser sua, diga a ele.

SUFFOLK

Palavras bem achadas e pudicas;
Porém, eu devo incomodá-la mais:
180 Nem um só mimo pra sua Majestade?

MARGARET

Claro, senhor; um coração sem mácula,
Que o amor não tocou, eu mando ao Rei.

SUFFOLK

E mais isto. *(Ele a beija.)*

MARGARET

Isso é pra si. Não poderia ousar
185 Mandar ao Rei um mimo assim tão tolo.

(Sai MARGARET.)

SUFFOLK

Quem dera fosse minha! Espera, Suffolk;
Não podes adentrar tal labirinto:
Lá espreitam traições e Minotauros.

	Convença Henrique com louvor a ela;
190	Pensa em suas virtudes que superam
	A graça natural e até a arte;
	No mar, repete o aspecto delas todas,
	Pra que, ajoelhado aos pés de Henrique,
	O prive de razão e sensatez.

(Sai.)

CENA 4
O acampamento do Duque de York em Anjou.

(Entram York, Warwick e outros.)

YORK

Tragam a bruxa condenada ao fogo.

(Entra a Donzela, escoltada, e um Pastor.)

PASTOR

	Joana, isso mata um coração de pai!
	Eu procurei por terras perto e longe,
	E agora que finalmente a achei
5	É só pra ver a sua morte eterna?
	Ai, Joana, eu morro com você!

DONZELA

Decrépito mendigo! Trapo ignóbil!
Eu descendo de um sangue bem mais nobre:
Você não é meu pai, nem meu amigo.

PASTOR

	O quê? Senhores, não é bem assim;
10	Eu a gerei, toda a paróquia o sabe:
	Sua mãe, inda viva, é testemunha
	Que esta é o primeiro fruto de um pai casto.

WARWICK

Perdida, nega até seus próprios pais?

YORK

	É prova do que foi sempre sua vida,
15	Pecaminosa e vil; merece a morte.

PASTOR

É vergonha ser assim obstaculada![39]

---

[39] A intenção do Pastor, é claro, é dizer "obstinada". (N. T.)

                    Deus sabe que Joana é naco meu;
                    Por você eu já chorei muita lágrima,
20   Doce Joana, não renegue o pai.

        Donzela
                    Passe fora, campônio! *(Para York.)* O subornaram
                    Só pra negar eu ter nascido nobre.

        Pastor
                    Verdade, eu dei um nobre[40] para o padre
                    Bem no dia em que casei com a mãe dela;
25   Ajoelha e pede a bênção, menina.
                    Não se abaixa? Maldito seja o dia
                    Em que nasci! Só queria que o leite
                    Que sua mãe te deu pra amamentar
                    Também tivesse veneno de rato;
30   Ou que quando cuidava das ovelhas
                    Tivesse sido comido por feras.
                    Renega o pai, puta amaldiçoada?
                    Fogo nela, que a forca é muito pouco.

                                                                    (Sai.)

        York
                    Podem levá-la, já viveu demais,
35   Pra encher o mundo com seus muitos vícios.

        Donzela
                    Antes deixem que eu diga a quem condenam:
                    Ninguém gerada por mero pastor,
                    Porém saída de linha de reis;
                    Virtuosa, santa, eleita lá no alto
40   Por graça e inspiração celestial,
                    Para operar milagres nesta terra.
                    Jamais tratei com espíritos malignos;
                    Os senhores, poluídos com seus vícios.
                    Maculados com sangue de inocentes,
45   Corrompidos por vícios aos milhares,
                    Porque querem a graça que outros têm,
                    Julgam sempre ser mais do que impossível
                    Operar maravilhas sem demônios.
                    Não; Joana d'Arc, a sempre caluniada,
50   Foi virgem, desde a mais tenra infância,
                    Casta e imaculada em pensamento;

---

40 O engano do Pastor é usado como trocadilho; um "nobre" era uma moeda da época, que valia 6 xelins e oito pence. (N. T.)

          Seu casto sangue, que em breve vai correr,
          Chegando ao céu há de pedir vingança!

YORK

          Muito bem; e ora vá pra execução!

WARWICK

55   Como é donzela, tomem providências
          Que, sem poupança, haja bastante lenha:
          Derramem piche na fatal fogueira,
          Pra sua tortura ser abreviada.

DONZELA

          Nada pode mudar seus corações?
60   Então, Joana, conte o seu estado,
          Que pela lei concede privilégio:
          'Stou grávida, homicidas sanguinários;
          Não matem este fruto do meu útero,
          Mesmo que a minha morte seja violenta.

YORK

65   Meu Deus! A santa donzela está prenhe!

WARWICK

          É o maior milagre que ela fez!
          Então deu nisso tanta pudicícia?

YORK

          Ela e o Delfim brincaram muito juntos;
          Imaginei que usasse um tal recurso.

WARWICK

70   Não se pode deixar vivo o bastardo,
          E ainda mais se Charles for o pai.

DONZELA

          'Stão enganados; não é dele o filho:
          O amor que eu gozei foi de Alençon.

YORK

          De Alençon, um notório Maquiavel!
75   Então morre, nem que tiver mil vidas.

DONZELA

          Com sua licença, eu os enganei;
          Não foi nem o Delfim e nem o Duque,
          Mas sim Reignier, Rei de Nápoles, que o fez.

WARWICK
    Homem casado! Isso é intolerável.

YORK
80   Que donzela! Parece que não sabe...
    Foram tantos... A quem deve acusar.

WARWICK
    É sinal que foi livre e liberal!

YORK
    Mas sendo, mesmo assim, virgem e pura!
    Rameira, condenou a si e ao filho:
85   Não adianta implorar, será em vão.

DONZELA
    Que eu deixe este lugar que amaldiçoo:
    Que o sol glorioso jamais lance os raios
    Sobre a terra onde ficam os seus lares;
    Mas que o escuro da sombra da morte
90   Os cerque até que o mal e o desespero
    Os leve a se enforcarem ou matar-se.

(Sai escoltada.)

YORK
    Que te esfaceles e acabes em cinzas,
    Tu ministro maldito do inferno!

(Entra o CARDEAL WINCHESTER, com séquito.)

WINCHESTER
    Lorde Regente, saúdo Sua Excelência;
95   Trago cartas e instruções do Rei.
    Pois saibam, senhores, que a Cristandade,
    Com remorsos por lutas tão sangrentas,
    Tanto imploraram uma paz geral
    Entre nós e as aspirações da França,
100   Que já estão perto o Delfim e seu séquito
    A fim de aqui negociar a mesma.

YORK
    Todo o nosso trabalho foi para isso?
    Depois de chacinados tantos pares,
    Capitães, cavalheiros e soldados
105   Que nestas lutas foram derrotados,

             E venderam seus corpos pela pátria
             Acabam nessa paz efeminada?
             Não foi a maioria das cidades,
             Perdida por mentiras e traições,
110   Conquistada por nossos ancestrais?
             Ah, Warwick, Warwick! Eu, triste, prevejo
             Perda total deste reino da França.

       WARWICK
             Paciência, York: se assinamos a paz
             Será com regras de tal modo rígidas
115   Que muito pouco ganha co'isso a França.

               (Entram CHARLES, ALENÇON, BASTARDO, REIGNIER e outros.)

       CHARLES
             Já que, lordes da Inglaterra, 'stá acordado
             Que haja na França armistício de paz,
             Aqui estamos para que nos informem
             Quais são as condições de um tal acordo.

       YORK
120   Fale, Winchester, pois auge de cólera
             Corta o vazio por que passa a voz,
             À vista de malignos inimigos.

       WINCHESTER
             Charles, e o resto, assim está ditado:
             Porque o Rei Henrique concordou,
125   Por sua compaixão e leniência,
             Aliviar seu país do mal da guerra,
             E permitir que respirem a paz,
             Serão vassalos de sua coroa
             E, Charles, sob condição de juramento
130   De submissão e paga de tributo
             Sob ele irá tornar-se vice-rei,
             E gozar de dignidade real.

       CHARLES
             Não sendo mais que sombra de si mesmo?
             Adorna a testa com uma coroinha
135   Porém, em substância e autoridade
             Só tem os privilégios de um qualquer?
             A oferta é absurda e sem razão.

       CHARLES
             Já é sabido que obtive a posse

                    De mais que da metade do que é gálico,
140   E aí tido por só rei verdadeiro:
                    Devo eu, pelo resto inconquistado,
                    Abandonar tanto dessa porção,
                    Pra ser chamado vice-rei do todo?
                    Não, senhor Embaixador; eu prefiro
145   Ter o que tenho a, por querer mais,
                    Perder a possibilidade de tudo.

        YORK
                    Charles ofensivo! Se secretos meios
                    Lhe conseguiram obter o acordo,
                    Agora que este se concretiza
150   'Stá relutando por comparações?
                    Pois ou aceita o título usurpado,
                    Nascido da bondade do seu rei
                    E não de mérito ou desafio,
                    Ou nós o atormentamos com mais guerra.

        REIGNIER
                    (À parte, para Charles.)
155   Senhor, não lhe vai bem a obstinação
                    De chicanear os termos do contrato;
                    Se o desprezarmos, ponho dez para um
                    Que outro, igual, nós nunca mais teremos.

        ALENÇON
                    (À parte, para Charles.)
                    Na verdade, deve ser sua política
160   Poupar seus súditos de um tal massacre
                    E matança cruel, como são vistos
                    Todo dia nessas hostilidades;
                    Aproveite, portanto, esse armistício,
                    Que há de quebrar quando for conveniente.

        WARWICK
165   O que diz, Charles? Aceita as condições?

        CHARLES
                    Eu aceito, se não se interessarem
                    Por cidades que temos defendidas.

        WARWICK
                    Jure fidelidade então a Henrique:
                    E nunca, cavaleiro, rebelar-se,
170   Desobedecendo à coroa inglesa,
                    E nem seus nobres fazerem o mesmo.

(Charles e os outros prestam juramento.)

  E que agora dispense a sua tropa;
  Recolha as cores, cale seus tambores,
  Pois desejamos uma paz solene.

(Saem.)

CENA 5
Londres. O palácio real.

(Entra Suffolk, em conferência com o Rei, Gloucester e Exeter.)

Rei Henrique

  A maravilha de sua descrição
  Da linda Margaret deixa-me atônito:
  Suas virtudes, com os dotes externos
  Criam paixões de amor neste meu peito:
5   Como os rigores de uma ventania
  Contra a maré atira um grande casco,
  Assim também me abala a sua fama
  Pra me atirar ao terror de um naufrágio
  Ou chegar onde se colhe o seu amor.

Suffolk

10   Ora, senhor, esse leve rascunho
  É só prefácio ao seu real valor;
  As grandes perfeições da linda dama,
  Tivesse eu talento pra expressá-las,
  Formam todo um volume de fascínio,
15   Que torna opaca a imaginação;
  E, o que é mais, ela não é divina
  E plena de deleites refinados,
  Senão com ar e pensamento humildes,
  Contente em submeter-se ao seu comando;
20   Comando, digo, de casta virtude,
  De amar e honrar Henrique qual senhor.

Rei Henrique

  Nem ousaria Henrique de outro modo.
  Consinta agora, então, Lorde Protetor,
  Seja Margaret Rainha da Inglaterra.

Gloucester

25   Se assim fizesse insuflava o pecado.
  Sabe, senhor, que Sua Alteza está noivo

De uma outra dama da nobreza.
Como, então, renegar o contratado
Sem deixar ofendida a nossa honra?

SUFFOLK

30 Como renega um rei a juras falsas;
Ou como o vitorioso que jurou
Testar as suas forças porém deixa
A liça pelo nível do adversário,
Filha pobre de conde não tem nível,
35 E pode ser negada sem ofensa.

GLOUCESTER

E Margaret, por acaso, é mais que isso?
O seu pai não vale mais do que um conde,
Mesmo que ostente título brilhantes.

SUFFOLK

Sim, meu senhor, pois o pai dela é Rei,
40 Rei de Nápoles e de Jerusalém;
E de tamanha autoridade em França
Que sua aliança confirma nossa paz
E é quem mantém sua fidelidade.

GLOUCESTER

O mesmo faz o Conde de Armagnac,
45 Porque é parente próximo de Charles.

EXETER

E, rico, ele garante um grande dote,
Mas Reignier mais recebe do que dá.

SUFFOLK

Dote, milordes! Não humilhem o rei,
Fazendo-o abjeto, baixo e pobre,
50 Que escolhe por riqueza e não amor.
Henrique é que enriquece sua rainha,
Não procura rainha que o enriqueça:
Vis camponeses negociam noivas,
Como se faz com boi, carneiro ou besta.
55 O casamento é caso bem mais sério
Do que o tratado por procuração;
Não cabe a nós, mas sim a Sua Graça
Escolher a parceira de seu leito
E, portanto, se é a ele que prefere,
60 Mais que por outra razão qualquer
Tem ela de ser nossa preferida.

             Não é núpcia forçada só um inferno,
             Uma vida de brigas e de lutas?
             Mas seu contrário traz felicidade,
65   É modelo da paz celestial.
             Com quem deve casar-se Henrique, rei,
             Senão com Margaret, que é filha de rei?
             Seu aspecto sem par, junto a seu barco,
             A fazem destinada só a um rei;
70   Sua coragem, força de caráter,
             Raramente encontrados em mulheres,
             Dão esperança de herdeiros reais;
             Pois Henrique, filho de um conquistador,
             Há de gerar novos conquistadores,
75   Se uma dama, de qualidades tais
             Quanto as de Margaret, tem o seu amor.
             Cedam então, senhores, concordando assim
             Que só Margaret seja Rainha, enfim.

    REI HENRIQUE
             Seja pela força de seu relato,
80   Meu nobre Suffolk, ou porque, tão jovem,
             Eu jamais havia sido atingido
             Por alguma paixão de grande amor,[41]
             Não sei; mas do seguinte eu estou certo:
             Sinto no peito conflitos tão grandes,
85   Tantos alarmas de esperança e temor,
             Que estou doente com tais pensamentos.
             Portanto, embarque. Vá, milorde, à França;
             Aceite qualquer acordo, e consiga
             Que a Lady Margaret concorde em vir
90   Cruzar os mares e ser coroada
             Rainha fiel e ungida de Henrique.
             Para suas despesas e encargos,
             Que entre o povo se colete um dízimo.
             Vá logo, eu digo; pois até que volte
95   Fico perplexo com um mil problemas.
             Que o meu tio resolva qualquer ofensa;
             Se me censura pelo que já foi,[42]
             Não pelo que é, eu sei que perdoa
             Meu ato de repentina vontade.
100   Portanto leve-me onde companhia
             Me fará esquecer de minha dor.

                                                              (Sai.)

---
41 O termo "paixão" era usado comumente por Shakespeare em relação a qualquer sentimento exagerado, o que hoje é sentido bem mais raro. (N. T.)
42 A referência é um caso que Gloucester havia tido com Janet, mulher do Duque de Brabant. (N. T.)

GLOUCESTER
　　　Uma dor, temo, do começo ao fim.

(Saem GLOUCESTER e EXETER.)

SUFFOLK
　　　Assim Suffolk venceu; e assim vai ele
　　　Como foi Páris certo dia à Grécia;
105　　Na esperança de sorte igual no amor,
　　　Mas tendo mais sucesso que o troiano.
　　　Margaret manda no Rei, sendo Rainha;
　　　E eu no reino e no Rei, com ela minha.

(Sai.)

Henrique VI

Parte 2

Introdução
Barbara Heliodora

Esta segunda e a terceira peça que levam por título *Henrique VI* são responsáveis por um dos maiores *imbróglios* da história da crítica shakespeariana. Incluídas na primeira edição das obras completas, o *Fólio* de 1623, no século XVIII, quando apareceram os primeiro grandes críticos da obra de Shakespeare, o memorável Edmund Malone levantou o problema da autoria quando chamou a atenção para a existência de uma peça, publicada pela primeira vez em 1624, com o pomposo título de: *"A Primeira parte da Contenção entre as duas famosas casas de York e Lancaster, com a morte do bom Duque Humphrey; E o banimento e morte do Duque de Suffolk, e o Trágico fim do orgulhoso Cardeal de Winchester, com a notável Rebelião de Jack Cade: E o primeiro Reclamo do Duque de York para a Coroa. Londres. Impressas por Thomas Creed, para Thomas Millington, e a serem vendidas em sua loja da Igreja de São Pedro em Cornwall"*; as dúvidas de Malone tiveram graves consequências.

Foi então no século XVIII que apareceu o mito de que Shakespeare começara sua carreira remendando peças dos outros e, graças a ela, a de que o poeta fora autor apenas da *Parte 1 de Henrique VI*, já que a Parte 3 também era muito semelhante a outro texto já publicado e com título tão pomposo quanto esse, que cobre a matéria da *2 Parte*. Foi só na segunda década do século XX que um primoroso estudo do notável professor Peter Alexander confirmou a autoria de Shakespeare das três peças, por esclarecer que essa *Primeira parte da Contenção...* era o resultado de um esforço de memória de um grupo de atores que apresentou essa versão um pouco condensada ao excursionar com o espetáculo, possivelmente durante o período do fechamento dos teatros pela peste, entre 1592-94. O mesmo se dá no caso de *3 Henrique VI*.

Nada depõe tanto a favor de uma autoria una – e de um autor particularmente talentoso – quanto a coerência no desenvolvimento dos acontecimentos políticos e em sua manipulação a fim de que expressem um ponto de vista crítico sobre o governo, ponto de vista esse que podemos acompanhar e ver amadurecer ao longo do conjunto da obra. Se a Parte 1 tinha um elenco de 32 personagens mais figurantes, esta segunda tem 37 personagens mais figurantes; e seria particularmente impossível imaginar, hoje em dia, um jovem autor manobrar, em suas primeiras peças, tamanho número de personagens. Mas é preciso lembrar que não podemos falar aqui de genialidade: toda a dramaturgia da época é farta em seu elenco, e os modelos que inspiravam o novo autor, portanto, deixavam claro que teatro fala do gênero humano, e que uma visão ampla de integrantes de determinada sociedade a determinado momento era o melhor caminho.

Se ao poeta fascinou a ideia da luta pelo poder entre poderosos que vivem ao tempo da minoridade e, mais tarde, da incompetência de um bom homem que nem por isso consegue ser bom rei, esse fracionamento do poder entre os que não usam a coroa é desastrado: na Parte 1, o resultado fica aparente com a perda da França; nesta segunda, os prejuízos já atingirão a própria Inglaterra.

É na Parte 2 que a situação política se agrava e o Duque de York já fala abertamente em tomar a coroa. O conflito que o poeta elabora é complexo: em uma primeira etapa, uma incorruptível força íntegra, Humphrey, duque de Gloucester, tio do rei e Protetor do Reino, continua a ser indispensável mesmo depois da maioriade de Henrique VI, já que este é fraco e incompetente; as forças contra Gloucester são o Duque de Suffolk, amante da rainha, que não pode nunca ambicionar a ser mais que um poder atrás do trono, o Cardeal de Winchester, tio-avô do rei, padre mas intrigante e vicioso desde o berço, que simplesmente quer ser mais importante do que o Protetor, e finalmente o mais perigoso, Richard Plantagenet, que o próprio rei restaurou ao ducado de York, perdido por seu pai, por traição.

A divisão do poder atinge a própria Inglaterra: todos os inimigos se juntam para derrubar Gloucester, o grande defensor da coroa, e para isso apanham sua mulher, a duquesa Eleanor, patologicamente ambiciosa, conspirando com bruxas e mágicos; uma vez desmoralizado e afastado do poder, o Protetor é assassinado, e fica aberto o caminho de York para a coroa. Aliás vale a pena notar que Eleanor pode ter inspirado traços de Lady Macbeth.

O agravamento da situação política tem seu momento mais forte no levante popular de Jack Cade, um tecelão que, preparado por York, se apresenta como Lord Mortimer, verdadeiro herdeiro da coroa. A partir desse momento está partido o reino em duas facções, e as batalhas mostram o ir e vir das intrigas e do poder, ilustrando o caminho da dinastia York para o trono ocupado pelos Lancasters.

Esse caminho fica bem marcado com a morte do velho Clifford, correspondente militar, na derrota das tropas do rei na batalha de St. Alban's; o final é melancólico, com os reis fugindo, a rainha como sempre fazendo pouco do marido, o jovem Clifford chorando o quadro geral do país, e os Yorks se preparando para Londres, amparados por Warwick, que ficou célebre na história como "o fazedor de reis".

LISTA DE PERSONAGENS

Rei Henrique VI
Humphrey, duque de Gloucester, seu tio
Cardeal Beaufort, bispo de Winchester, tio-avô do rei
Richard Plantagenet, duque de York
Eduardo e Ricardo, seus filhos
Duque de Somerset
Duque de Suffolk
Duque de Buckingham
Lord Clifford
Jovem Lord Clifford, seu filho
Conde de Salisbury
Conde de Warwick, seu filho
Lord Scales
Lord Say
Sir Humpfrey Stafford
William Stafford, seu irmão
Sir John Stanley
Vaux
Walter Whitmore
Um tenente, um mestre e um contra-mestre
Dois Cavalheiros, prisioneiros de Suffolk
John Hume e John Southwell, padres
Roger Bolingbroke, um Feiticeiro
Thomas Horner, um Armeiro
Peter, seu Empregado
O Escrivão de Chartham
O Prefeito de Saint Albans
Simpcox, um impostor.
Jack Cade, um rebelde
Bevis
John Holland
Dick, o açougueiro
Smith, o tecelão
Michael
Seguidores de Cade
Alexander Iden, um cavalheiro do condado de Kent
Dois assassinos
Margaret, rainha do rei Henrique.
Eleanor Cognam, duquesa de Gloucester.
Margery Jourdain, uma Bruxa.
Mulher de Simcox.
Lordes, damas e servos; arauto; suplicantes, vereadores, um meiri-

NHO, XERIFE, E OFICIAIS; CIDADÃOS, APRENDIZES, FALCOEIROS, GUARDAS, SOLDADOS, MENSAGEIROS ETC.

UM ESPÍRITO.

A cena: Inglaterra.

ATO 1

CENA 1
Londres. O palácio.

*(Fanfarra de trompas, depois oboés. Entra o R*ei*, o duque* Humphrey, Salisbury, Warwick *e o cardeal* Beaufort *de um lado; a* Rainha, Suffolk, York, Somerset *e* Buckingham *do outro.)*

Suffolk

    De sua alta e imperial Majestade
    Recebi ordem, ao partir pra França,
    Pra, com procuração de Sua Alteza,
    Casar, por vós, com a princesa Margaret;
5   Então, na antiga cidade de Tours,
    Ante os reis da França e Sicília, duques
    Orleans, Calábria, Bretanha e Alençon,
    Sete condes, barões e vinte bispos,
    Cumpri minha tarefa e a desposei:
10   E agora, com humildade e ajoelhado,
    À vista de Inglaterra e de seus pares.
    Transfiro os meus direitos à rainha,
    A vossas mãos graciosas, a essência
    Da grande sombra que eu representava;
15   A maior doação que fez marquês,
    A mais bela rainha dada a um rei.

Rei Henrique

    Suffolk, de pé. Bem-vinda, minha rainha:
    Nada expressa melhor meu grande amor
    Do que este beijo. Deus, que me dais vida,
20   Enchei de gratidão meu coração!
    Pois vós me destes, nesse lindo rosto,
    Todo um mundo de bênçãos pra minh'alma,
    Se a atração do amor nos une as mentes.

Rainha

    Grande rei da Inglaterra, meu senhor,
25   O grande diálogo que a minha mente,
    Por dia e noite, acordada ou em sonhos,
    Na companhia da corte ou rezando,
    Vem tendo com meu caro soberano,
    Dá-me a ousadia pra saudar meu rei
30   Co'os simples termos que me gera a mente,
    E um coração que a alegria orienta.

Rei Henrique
Sua beleza me vence, mas sua fala
Cheia da graça da sabedoria,
Quase me leva a um pranto de alegria,
Tal o contentamento do meu peito.
Lordes, recebam sorrindo o meu amor.

Todos
(Ajoelhando-se.)
Viva a rainha Margaret, a felicidade da Inglaterra!

(Fanfarra.)

Rainha
A todos agradeço.

Suffolk
Lord Protetor, com a sua permissão,
Eis os artigos da paz já assinada
Entre o nosso monarca e o rei da França,
Para dezoito meses, por consenso.

Gloucester
(Lê.)
"Imprimis. Fica acordado entre o rei da França, Charles, e William de la Pole, Marquês de Suffolk, embaixador de Henrique, rei da Inglaterra. O dito Henrique desposará a Lady Margaret, filha de Reignier rei de Nápoles, Sicília e Jerusalém, e a coroará rainha da Inglaterra, antes de trinta de maio próximo. Item. Fica ainda acordado entre eles que o ducado de Anjou e o condado de Maine serão liberados e entregues ao rei seu pai"...

(Ele deixa cair o papel.)

Rei Henrique
O que há, tio?

Gloucester
Perdão, meu bom senhor;
Um golpe repentino no meu peito
Cegou-me os olhos e eu não posso ler.

Rei Henrique
Meu tio Winchester, peço que leia.

CARDEAL

"Item. Fica mais acordado entre eles que o ducado de Anjou e o condado de Maine serão liberados e entregues ao rei seu pai, e ela envia-
da às próprias custas do rei da Inglaterra, sem ter qualquer dote."

REI HENRIQUE
Isso me agrada.
Senhor marquês, de joelhos, e eu o faço
Primeiro duque de Suffolk, com a espada.
Primo de York, dispensamos Sua Graça de
Ser Regente de partes da França
Até que se passem dezoito meses.
Sou grato, Winchester, Gloucester e York,
Buckingham, Somerset, Salisbury e Warwick;
Agradecemos a todos a honra
Por saudarem aqui minha rainha.
Entremos, e tomemos providências
Pra que ela seja logo coroada.

(*Saem REI, RAINHA e SUFFOLK. GLOUCESTER retém o resto.*)

GLOUCESTER
Pares do reino, pilares do estado,
A vós o duque Humphrey traz seu pranto,
Que é seu, e pranto do país inteiro.
O quê! Gastou o meu irmão Henrique
Bravura, ouro e gente nessas guerras?
Tantas vezes dormiu em campo aberto,
No frio inverno ou no escaldante estio,
Pra conquistar a França, sua herança?
Gastou a inteligência o mano Bedford
Pra manter por governo o conquistado?
Não receberam, Somerset e Buckingham,
Bravo York, Salisbury, e grande Warwick,
Cicatrizes em França e Normandia?
Não estudamos, eu e o tio Beaufort,
Junto ao sábio conselho deste reino,
Tanto tempo sentados na Assembleia,
Dia e noite, discutindo em detalhe
Como manter França e franceses presos?
E não foi Sua Alteza, infante ainda,
Coroado em Paris, a todo custo?
E agora morrem tais lutas e honras?
A glória de Henrique, o alerta de Bedford,
Seus grandes atos, tanto estudo, morrem?
Pares ingleses! Este trato é vergonha,

Fatal essa boda, que nos mata a fama,
Os seus nomes apaga da memória,
95 Destrói o que define a sua fama,
Arrasa em França os nossos monumentos,
E desfaz tudo o que jamais foi feito!

Cardeal
Que quer dizer, sobrinho, um tal discurso,
E tal peroração neste momento?
100 A França é nossa; e nós a manteremos.

Gloucester
Sim, manteremos, se o conseguirmos;
Mas agora ficou tudo impossível.
O duque Suffolk, que é quem manda agora,
Deu os ducados de Anjou e Maine
105 Ao pobre rei Reignier, cujos três títulos
Conflitam com a magreza de sua bolsa.

Salisbury
Pela morte de quem por nós morreu,
Os dois são a chave da Normandia!
Mas por que chora, bravo filho Warwick?

Warwick
110 Porque eles não são mais recuperáveis:
Com esperança de sua reconquista
Faria correr sangue, não meu pranto.
Anjou e Maine! Eu conquistei os dois;
As províncias se devem aos meus braços;
115 E as cidades por que eu fui ferido
São devolvidas com termos de paz?
Mort Dieu!

York
Que seja sufocado o duque Suffolk,
Que ofusca a fama desta brava ilha!
120 Meu coração devia ser trinchado
Antes que eu concordasse com o tratado.
Os reis ingleses sempre receberam
Muito ouro e dotes com suas mulheres;
Mas nosso rei tem de gastar do dele
125 Pra casar-se com quem não traz vantagens.

Gloucester
E foi um chiste nunca antes ouvido

               Suffolk inda pedir dízimo e meio
               Para custos e encargos do transporte!
               Ela devia ter ficado em França,
130   Sem comida, antes que...

   CARDEAL
               Milord de Gloucester, agora exagerou:
               Foi a vontade do rei nosso amo.

   GLOUCESTER
               Milord de Winchester, bem o conheço:
               Não é de minha fala que não gosta,
135   Mas a minha presença que o perturba.
               O rancor fala; em seu rosto, prelado,
               Vejo sua fúria. Se aqui fico mais
               Vão começar nossas antigas brigas.
               Adeus, milords; lembrem, quando eu me vá,
140   Que a perda da França é para já.

                                                    (Sai.)

   CARDEAL
               E lá se vai o Protetor em fúria.
               Todos sabem que é meu inimigo;
               Não, inimigo de todos aqui,
               E não muito amigo, eu creio, do rei.
145   Lembrem-se que ele é o mais consanguíneo,
               E herdeiro presuntivo da coroa:
               Se a boda desse um império a Henrique,
               E todo reino rico do ocidente,
               Teria por que ficar descontente.
150   Cuidado, não deixem que suas palavras
               Encantem seus corações; sejam sábios.
               Embora a gente comum o favoreça
               E o chame Humphrey, bom duque de Gloucester,
               Aplaudindo e gritando, bem alto,
155   "Que Jesus guarde sua Excelência!"
               Ou "Que Deus proteja o bom duque Humphrey!"
               Temo, senhores, que apesar do que faz
               Venha a ser um Protetor perigoso.

   BUCKINGHAM
               Por que protege ele o soberano
160   Que tem idade já para governar?
               Meu primo Somerset, junte-se a mim,
               E todos juntos, com o duque de Suffolk,
               Havemos de tirar Humphrey do posto.

CARDEAL
    'Stão me esperando negócios urgentes;
165   Mas logo eu irei ao duque Suffolk.

(Sai.)

SOMERSET
    Primo Buckingham, se o orgulho de Humphrey
    E se o seu alto posto nos afligem,
    É preciso observar o cardeal:
    Sua insolência é mais intolerável
170   Que a de todos os príncipes da terra:
    Sai Gloucester, será ele o Protetor.

BUCKINGHAM
    Não, Somerset; será um de nós dois,
    Mesmo apesar de duque ou cardeal.

(Saem BUCKINGHAM e SOMERSET.)

SALISBURY
    Na frente o Orgulho, a Ambição[1] o segue.
175   Enquanto os dois discutem promoções,
    Devemos nós trabalhar pelo reino.
    Eu jamais vi Humphrey, duque de Gloucester,
    Se comportar senão como um bom nobre.
    Porém já vi o cardeal vaidoso –
180   Bem mais soldado que homem da igreja,
    Se pavoneando qual senhor de tudo –
    Praguejar como um biltre e rebaixar-se
    De forma indigna para um governante.
    Warwick, meu filho e hoje meu conforto,
185   Seus atos, sua simples compostura,
    O fazem favorito dos comuns
    Atrás apenas do bom duque Humphrey;
    E, irmão York, os seus feitos na Irlanda,
    Que trouxeram civil disciplina,
190   E os seus feitos no coração da França,
    Quando foi o regente do monarca,
    Junto ao povo lhe dão temor e honra.
    Reverência à idade e o nome Nevil
    Não me dão pouco peso, se comando.
195   Unamo-nos, então, pro bem geral,
    Freando e suprimindo, no possível,

---

[1] Shakespeare herda da forma dramática medieval da alegoria essa personificação de característica do personagem. (N. T.)

           O orgulho do cardeal e Suffolk,
           E as ambições de Somerset e Buckingham;
           Apoiemos os atos do bom duque
200   Enquanto forem bons para o país.

     WARWICK
           Que Deus ajude Warwick pelo amor
           Que tem à terra e ao que lhe traz bem.

     YORK
           Assim diz York... *(À parte.)* que tem causa melhor.

     SALISBURY
           A cuidar disso logo eu digo amém.

     WARWICK
205   Amém! Sim, pai; mas Maine já está perdido!
           O Maine que também Warwick conquistou
           E guardaria até o último alento.
           Clamar a quem, meu pai; falo de Maine,
           Que reconquisto ou lá morro também.

                              (Saem SALISBURY e WARWICK.)

     YORK
210   Anjou e Maine doados aos franceses;
           Paris perdida, e até a Normandia
            Stá por um fio já que os dois se foram;
           Suffolk negociou os tais artigos,
           Os pares dizem sim, e o rei concorda
215   Em dar ducados por filha de um duque.
           Não os culpo; que mal isso lhes traz?[2]
           É o teu que eles dão, e não o deles.
           Pirata dá por nada o que pilhou;
           Compra amigos, agrada cortesãs,
220   Vivendo em festa até tudo acabar;
           Enquanto o tolo dono de tais bens
           Chora por eles, torce as pobres mãos,
           Abana a cabeça e fica ali, parado,
           Enquanto os que os levaram compartilham,
225   E passa fome sem ter o que é seu.
           Aflito, York tem de morder a língua
           Enquanto vão-se à toa as suas terras.

---

[2] É impossível encontrar em português condições para repetir tudo o que é feito com o som de "Maine": "main", em dois sentidos, e "slain", dão ênfase à revolta e indignação contra a perda do ducado. (N. T.)

         Eu creio que Inglaterra, França e Irlanda
         São unidas à minha carne e ossos
230   Tal como a brasa que queimou Alteia
         No coração do filho Calidon.³
         Anjou e Maine doados aos franceses!
         Más novas pra mim, que sonho com a França,
         Tanto quanto com o solo da Inglaterra.
235   Virá o dia de York ter o seu;
         E por isso ora junto-me eu aos Nevils
         E finjo amar o orgulhoso Humphrey,
         E em hora certa eu reclamo a coroa,
         O alvo dourado que eu quero acertar.
240   Não pode Lancaster sempre usurpar-me,
         Nem ter o cetro em sua mão infantil,
         Nem usar o diadema na cabeça
         Que só tem pra rezar, não pra coroa.
         Então, York, mantém-te por um pouco quieto,
245   Vela tu, enquanto os outros dormem,
         Pra espionar os segredos do estado;
         Até Henrique ficar tonto de amor
         Pela Rainha que custou tão caro,
         E Humphrey se desentender com os pares.
250   Levantarei então a rosa branca,
         Cujo perfume inundará os ares,
         E com as armas de York na minha flâmula,
         Eu lutarei contra a casa de Lancaster;
         Talvez eu faça ceder-me a coroa
255   Quem, inútil, derruba a pátria boa.⁴

                                                      (Sai.)

                        CENA 2
              Na casa do duque de Gloucester.

           (Entram o duque HUMPHREY e sua mulher ELEANOR.)

ELEANOR
         Por que se curva qual espiga velha
         Como um peso na seara de Ceres?⁵
         E por que franze o cenho o grande Humphrey,
         Como avesso aos favores deste mundo?

---

3 Quando Meleaguer, príncipe de Celidon, nasceu, as Parcas condicionaram sua vida ao controle de um ferro de marcar em brasa; durante anos sua mãe guardou o ferro frio, mas por ocasião da disputa pela pele de um javali que ele matara, ela, em fúria, esquentou o ferro e com isso matou o filho. (N. T.)

4 Shakespeare recorre ao monólogo para informar à plateia da fome de York pela coroa, porque ostensivamente ele tem de manter um comportamento muito correto. (N. T.)

5 Deusa da agricultura. (N. T.)

 5   Por que tem olhos tão fixos na terra,
     Olhando para o que lhe tolhe a vista?
     O que vê lá? O diadema de Henrique,
     Rico com todas as honras do mundo?
     Se assim for, esfregue a sua face
10   Até a cabeça o ter à sua volta.
     Estenda a mão para a glória do ouro.
     Não chega lá? A minha há de aumentá-la;
     E tendo ambos conseguido alçá-lo,
     Juntos erguemos a cabeça aos céus,
15   Sem nunca mais rebaixarmos a vista
     A conceder mais um olhar à terra.

   GLOUCESTER
     Oh doce Nell, se ama o seu senhor,
     Bane da mente o cancro da ambição!
     E possa a hora em que eu pensar tão mal
20   Contra o meu rei, sobrinho virtuoso,
     Ser o meu último e mortal alento;
     Maus sonhos nesta noite me entristecem.

   ELEANOR
     Que sonhos, meu senhor? Conte-os que eu
     Lhe pagarei narrando os que eu tive.

   GLOUCESTER
25   Pareceu-me que o meu bastão do cargo,
     Alguém, eu não sei quem, partiu em dois,
     Mas eu penso que fosse o cardeal;
     E em cada ponta do bastão quebrado,
     Vi as cabeças de Edmund Somerset,
30   E William de la Pole, duque de Suffolk.
     Foi o meu sonho, o que prediz Deus sabe.

   ELEANOR
     Bobagem! Isso só argumentava
     Que quem quebrar um só ramo de Gloucester
     Perde a cabeça só por presunção.
35   Porém escute-me, meu doce duque:
     Penso que o vi sentado, em majestade,
     Na igreja catedral de Westminster,
     No trono em que os reis são coroados;
     Com o rei e Margaret ajoelhados,
40   E posto em minha fronte o diadema.

   GLOUCESTER
     Eleanor, devo então admoestá-la:

Presunçosa mulher, mal educada,
Não é acaso a segunda no reino,
Mulher do Protetor, por ele amada?
45 Não tem a seu dispor prazeres mis,
Mais do que alcançam os seus pensamentos?
E fica aí insistindo em traições
Que derrubam a si e a seu marido
Da alta Honra pr'os pés da Desgraça?
50 Afaste-se de mim, não quero ouvi-la.

ELEANOR
O que, senhor! Fica tão zangado
Com Eleanor, por falar de seus sonhos?
Pois no futuro os guardo pra mim mesma,
Pra não ser condenada.

GLOUCESTER
55 Não se irrite; voltei a alegrar-me.

(*Entra um* MENSAGEIRO.)

MENSAGEIRO
Lord Protetor, deseja Sua Alteza
Que se apronte pra ir até Saint Albans,
Onde ele vai falcoar com a Rainha.

GLOUCESTER
Já vou. Por certo irá comigo, Nell.

ELEANOR
60 Sim, milord; o sigo em um instante.

(*Saem* GLOUCESTER *e o* MENSAGEIRO.)

Devo seguir; não posso ir na frente,
Enquanto Gloucester for assim humilde.
Fosse eu homem, duque, e consanguíneo,
Eu arrasava tudo o que é obstáculo
65 E andava nos pescoços sem cabeça;
Sendo mulher, não hei de descuidar
De meu papel no quadro da Fortuna.
Está aí, Sir John? Não tenha medo.
Estamos sós, só o senhor e eu.

(*Entra* HUME.)

HUME

70   Jesus a salve, real Majestade!

ELEANOR

Que diz? Majestade? Sou só Graça.

HUME

Mas com a graça de Deus e o meu conselho,
Vai ampliar-se o título de Sua Graça.

ELEANOR

O que diz, homem? Já foi consultar
75   Margery Jourdain, a bruxa de Eie,
Ou Bolingbroke, o esperto feiticeiro,
Pra saber se eles podem me ajudar?

HUME

Prometeram mostrar a Sua Alteza
Um espírito que vem das profundezas,
80   Que há de responder qualquer pergunta
Que Sua Graça apresentar a ele.

ELEANOR

Já basta; pensarei em tais perguntas.
Quando estiver de volta de Saint Albans
Veremos tudo isso realizado.
85   Eis sua recompensa, Hume; e alegre-se
Por ser parceiro em causa de importância.

(Sai.)

HUME

Alegrar-me com o ouro da duquesa!
Claro que vou. Mas, então, Sir John Hume!
Sele os lábios, não diga uma palavra:
90   Isso é caso de silêncio secreto.
Paga a duquesa pr'eu trazer a bruxa:
Ouro é bem-vindo, mesmo do diabo.
Mas tenho ouro que outros ventos trazem:
Não proclamo que é do cardeal,
95   Ou desse duque novinho de Suffolk;
Mas eu acho que sim; pois, na verdade,
Pois sabendo com o que Eleanor sonha,
Me empregam pra duquesa solapar,
E encher-lhe de conjurações o cérebro.

100 Dizem "Safado não precisa ajuda",
Mas eu ajudo o duque e o cardeal;
Cuidado, Hume, pois se não vai chamar
Ambos de um par de calhordas astutos.
É assim mesmo; e temo que, no fim,
105 Minha maldade acabe com a duquesa
Que, condenada, faz cair o duque.
De um modo ou outro, eu faço o ouro vir.

(Sai.)

CENA 3
O palácio.

(Entram três ou quatro Suplicantes *–* Peter, *o aprendiz do Armeiro sendo um deles.)*

1º Suplicante
Meus mestres, fiquemos juntos; o Lord Protetor já vem aí, e então podemos entregar nossas petições todas de uma vez.

2º Suplicante
Que o Senhor o proteja, pois ele é um bom homem. Que Jesus o abençoe!

(Entram Suffolk *e a* Rainha.*)*

Peter
5 Acho que é ele, com a rainha;
Eu vou ser o primeiro.

2º Suplicante
Volte, bobo! Esse é o duque de Suffolk, não o Lord Protetor.

Suffolk
Então, rapaz; o que quer comigo?

1º Suplicante
Desculpe, meu senhor; eu o tomei pelo Lord Protetor.

Rainha
(Lendo.)
10 "Ao meu Lord Protetor!" Então é a ele que vem pedir? Deixem me ver as outras; qual é o seu pedido?

1º SUPLICANTE

O meu, com a licença de Sua Graça, é contra John Goodman, homem do Lord Cardeal, por ter ficado com minha casa, mulher, e tudo.

SUFFOLK

Com a mulher também! Isso é sério. E a sua? Vejamos! *(Lê.)* "Contra o duque de Suffolk, por cercar as terras comuns de Long Melford." Mas como é isso, seu safado!

2º SUPLICANTE

Sinto muito, senhor, mas sou só o pobre pedinte por todo o nosso município.

PETER

Contra meu mestre, Thomas Horner, que falou que o duque de York é o dono certo da coroa.

RAINHA

Como é? O duque de York disse que ele é o herdeiro certo da coroa?

PETER

Que era o meu mestre? Não, que é isso; meu amo disse que era ele, e o rei um usurário.

RAINHA

Quer dizer um usurpador.

PETER

Isso, de verdade; um usurpador.

SUFFOLK

Quem está aí?

(Entra um LACAIO.)

Leve esse homem e mande um meirinho buscar seu amo agora mesmo. Ouviremos mais sobre o seu caso diante do rei.

(Sai com PETER.)

RAINHA

Quanto a você, que quer ser protegido
Pelas boas asas do Protetor,
Comece tudo de novo, pedindo a ele.

(Ela rasga a petição.)

Fora, ralé! É deixa-los ir, Suffolk.

Todos
Melhor ir embora.

(Saem.)

Rainha
Milord de Suffolk, é esse o jeito,
35   Esses os modos da corte da Inglaterra?
Esse o governo da ilha Britânica,
Essa a realeza do rei de Albion?
O rei Henrique pra sempre pupilo,
Sob o governo do sombrio Gloucester?
40   Sou eu rainha em título e aparência
Obrigada a ser súdita de um duque?
Pois eu lhe digo, Pole, que quando em Tours
Lutou na liça pelo meu amor,
Conquistando o coração das francesas,
45   Pensei que o rei assim se parecesse
Em bravura, em porte e cortesia:
Porém, ele só pensa em santidade,
Em contar em seu terço Ave Marias;
Seus campeões[6] são profetas e apóstolos,
50   Suas armas só frases do Evangelho,
Sua liça são livros, seus amores
São imagens de santos lá do céu.
Quem dera que os cardeais, reunidos,
O levassem pra Roma como Papa,
55   Com a tripla coroa na cabeça:
Essa é que é terra pra quem é tão santo.

Suffolk
Paciência, senhora; como a trouxe
Sua Alteza à Inglaterra, também hei
De na Inglaterra fazê-la contente.

Rainha
60   Além do altivo Protetor, temos Beaufort,

O clérigo mandão; Somerset, Buckingham,
O resmunguento York; e o menor desses
Tem mais poder na Inglaterra que o rei.

Suffolk
E entre todos esses que assim mandam

---
6 Campeões eram os cavaleiros que se apresentavam como defensores de determinada pessoa. (N. T.)

65   Ninguém no reino manda mais que os Nevils:
        Salisbury e Warwick são bem mais que pares.

   RAINHA

        Mas nenhum deles me irrita tanto
        Quanto a presunçosa mulher de Humphrey.
        Varre a corte, com tropas de damas
70   Bem mais imperatriz que duquesa:
        Quem aqui chega a toma por rainha:
        Seus trajes valem a renda de um duque,
        E ela debocha da nossa pobreza.
        Não hei eu de viver para vingar-me?
75   Rameira mal nascida como é,
        Gabou-se, há pouco, entre os seus sequazes,
        Que a cauda de seu vestido mais pobre
        Valia mais que as terras de meu pai,
        Antes deste me vender por dois ducados.

   SUFFOLK

80   Senhora, passei visgo em uma linha,
        Enfeitada com pássaros tão belos
        Que ela ali pousará, só para ouvi-los,
        Pra nunca mais voar e incomodá-la.
        Assim, deixe-a pra lá, senhora, e ouça:
85   É ousadia dar-lhe tais conselhos,
        Mesmo que não lhe agrade o cardeal,
        Temos de nos unir a ele e aos nobres
        Até 'star em desgraça o duque Humphrey.
        Quanto ao duque de York, sua queixa nova
90   A ele trará poucos benefícios:
        Um a um, capinamos todos eles,
        Até o leme estar firme em suas mãos.

                *(Fanfarra. Entram o REI, o DUQUE HUMPHREY DE GLOUCESTER, o CARDEAL
                BEAUFORT, BUCKINGHAM, YORK, SOMERSET, SALISBURY, WARWICK, e a DUQUESA
                DE GLOUCESTER.)*

   REI HENRIQUE

        A mim, senhores, não importa qual:
        Ou Somerset ou York, pra mim é o mesmo.

   YORK

95   Se York em França se desmereceu,
        Que lhe seja então negada a regência.

SOMERSET
>Se Somerset não merecer tal cargo,
>Que York seja regente; eu cedo a ele.

WARWICK
>Não é questão aqui ter Sua Graça
>Mérito ou não; e sim o York ter mais.

CARDEAL
>Conde abusado, ouça os seus maiores.

WARWICK
>Eu sou melhor que o Cardeal, no campo.

BUCKINGHAM
>Todos aqui são seus melhores, Warwick.

WARWICK
>Mas viverei pra ser melhor que todos.

SALISBURY
>Calma, filho; dê razões, Buckingham,
>Por que ser preferido Somerset.

RAINHA
>Porque, lhes digo, é o que o rei deseja.

GLOUCESTER
>Senhora, o rei já tem idade agora
>Para falar. Mulher não fala disso.

RAINHA
>Se tem idade, por que há de Sua Graça
>De ser o Protetor de Sua Excelência?

GLOUCESTER
>Senhora, eu sou o Protetor do reino,
>E se ele o quer, eu renuncio ao cargo.

SUFFOLK
>Pois renuncie, e deixe de insolências.
>Desde que virou rei – e outro não há –
>O bem geral tem ido água abaixo;
>No além-mar o Delfim prevaleceu;
>E os nobres pares todos deste reino
>Sua soberania tornou servos.

CARDEAL
         Torturou os comuns; bolsas do clero
         Sua extorsão deixou magras, vazias.

SOMERSET
         Suas casas, os trajes de sua esposa
         Muito custaram ao tesouro público.

BUCKINGHAM
         Na execução, a sua crueldade
         Com os criminosos foi além da lei,
         E é da sua piedade que dependem.

RAINHA
         A venda em França de cargos e vilas,
         Se conhecida, e não só suspeitada,
         O faria pular sem a cabeça.[7]

         (GLOUCESTER sai. A RAINHA deixa cair o leque.)

         Criada, apanhe o leque; ah, não quer?

         (Ela bate na orelha da duquesa.)

         Eu lhe peço perdão; era a senhora?

DUQUESA
         Sim, era eu, francesa presunçosa:
         Se minhas unhas chegam-lhe à beleza,
         Marco os dez mandamentos no seu rosto.

REI HENRIQUE
         Calma, tia; ela o fez sem querer.

DUQUESA
         Fez sem querer, bom rei? Tome cuidado;
         Ela irá comandá-lo qual bebê:
         Se aqui há machos que não usam calças,
         Ninguém bate sem paga em Eleanor.

                                                    (Sai.)

BUCKINGHAM
         Lord Cardeal, eu vou seguir Eleanor,

---

[7] A expressão "hop without thy head" era de humor cruel e muito popular na Inglaterra elisabetana. (N. E.)

Para saber o que faz o duque Humphrey:
A fúria dela, assim esporeada,
A fará cavalgar pra destruição.

(Sai.)

(Volta GLOUCESTER.)

GLOUCESTER

145 Senhores, esfriada a minha cólera,
Com uma volta inteira pelo pátio,
Eu vim falar de interesses públicos.
Quanto às suas objeções vis e falsas,
Se as provarem, eu estou sujeito às leis:
Que Deus tenha piedade de minha alma
150 Igual ao meu amor por rei e pátria!
Mas vamos à tarefa agora em pauta;
Pra seu regente no reino da França.
Digo, senhor, que York é o melhor homem

SUFFOLK

Mas antes de escolher dê-me licença
155 Pra mostrar-lhe razões, e nada fracas,
Por que York é o menos indicado.

YORK

E eu lhe digo, Suffolk, por que sou:
Primeiro, não bajulo sua vaidade;
Depois, porque se eu for nomeado,
160 Milord de Somerset mantém-me aqui
Sem armas, sem dinheiro ou equipagem,
Até Delfim ter em mãos toda a França.
Da outra vez fiquei à espera dele
Até a fome vencer Paris cercada.

WARWICK

165 Isso eu atesto; a ação mais nojenta
Que jamais cometeu traidor inglês.

SUFFOLK

Calado, teimoso Warwick.

WARWICK

Por que calar-me, imagem do Orgulho?[8]

---

[8] O Orgulho individualizado é marca da herança dos personagens alegóricos das Moralidades medievais. (N. T.)

(*Entram* Horner, *o Armeiro, e seu aprendiz* Peter, *sob escolta.*)

Suffolk

    Esse foi acusado de traição:
170   Que Deus ajude York a se explicar!

York

    Quem aqui acusa York de traição?

Rei Henrique

    O que quer dizer, Suffolk? Quem são esses?

Suffolk

    Se permite, Majestade, esse é o homem
    Que acusa o amo de alta traição;
175   Ele afirmou que Richard, duque de York
    É que é o herdeiro da coroa inglesa,
    E que Sua Majestade é usurpador.

Rei Henrique

    E foram essas, homem, suas palavras?

Horner

    Se permite Sua Majestade, eu nunca disse ou pensei nada disso: Deus
180   é testemunha de que sou falsamente acusado por esse vilão.

Peter

    Por estes dez ossos, meus senhores, ele disse isso pra mim no sótão,
    uma noite, na hora de limpar a armadura do duque de York.

York

    Vilão de estrume, vil trabalhador,
    Quero que morra por falar traição.
185   E eu imploro a Sua Majestade
    Que lhe aplique todo o rigor da lei.

Horner

    Ai, ai, me enforque, senhor, se jamais falei isso. Quem me acusa é meu
    aprendiz, que repreendi por erro no outro dia, e ele jurou de joelhos
    que se vingava. Eu tenho testemunhas; e imploro a Sua Majestade que
190   não perca um bom homem pela acusação de um vilão.

Rei Henrique

    Tio, o que diremos, pela lei?

Gloucester

    O seguinte, senhor, se eu for julgar:

	Que Somerset seja o regente em França,
	Pois isto deixa York em suspeição;
195	E para os dois que se marque uma data
	E local certo para se baterem,
	Se há testemunhas contra o aprendiz.

REI HENRIQUE

    É a lei, e assim resolve o duque Humphrey.

SOMERSET

    Humilde, eu lhe agradeço, Majestade.

HORNER

200   E eu aceito o combate de bom grado.

PETER

    Ai, ai, senhor, eu não sei lutar; tenha piedade, pelo amor de Deus! Isso é maldade contra mim. Senhor, tenha piedade de mim! Não vou saber dar um só golpe. Ai, Senhor, meu coração!

GLOUCESTER

    Moleque, ou luta ou é enforcado.

REI HENRIQUE

205   Vão os dois pra prisão. E o combate
Terá lugar no fim do mês que vem.
Somerset, venha ser logo embarcado.

(Fanfarra. Saem.)

CENA 4
No jardim de Gloucester.

(Entram MARGERY JOURDAIN, HUME, SOUTHWELL e BOLINGBROKE.)

HUME

    Vamos, mestres; lhes digo que a duquesa quer ver resultados de suas promessas.

BOLINGBROKE

    Mestre Hume, está tudo providenciado; a duquesa vai ver e ouvir nosso exorcismo?

HUME

5   Como não? Não tema por sua coragem.

BOLINGBROKE
Ouvi dizer que é mulher de espírito imbatível: mas é conveniente, mestre, que fique com ela lá em cima enquanto obramos aqui embaixo. Por favor deixe-nos;

(Sai HUME.)

Mãe Jourdain, fique deitada, chafurdando na terra; John Southwell, você lê, e deixe o resto obrar.

(Entra a DUQUESA, ao alto, seguida de HUME.)

DUQUESA
Disse bem, mestre; bem-vindos todos. Nesse negócio, quanto mais depressa melhor.

BOLINGBROKE
Calma, senhora, os magos têm sua hora:
Noite profunda, escura e silenciosa,
Hora da noite do incêndio de Troia,
De pio de coruja, uivo de cão,
De espíritos que deixam suas tumbas;
Essa é a hora pra tarefa em mãos.
Espere e não tema; os que conjuramos
Nós prendemos em círculo de encanto.

(Aqui começa a cerimônia adequada, e é feito o círculo: BOLINGBROKE ou SOUTHWELL lê, "Conjuro te" etc. Soam trovões e os raios luzem terrivelmente; então o Espírito se levanta.)[9]

ESPÍRITO
Adsum.[10]

M. JOURDAIN
　　　Asnath![11]
Pelo Deus eterno, cujo nome e força
Te fazem tremer, eu perguntarei;
E se não falas não escapas daqui.

ESPÍRITO
Pergunte o que quiser. 'Stá combinado!

---

[9] Em *Doutor Faustus*, de Marlowe, também há uma cena de conjuração de espíritos em que é feito um círculo, provavelmente de velas acesas. Os efeitos de trovão e raios eram usados para cenas assim. (N. T.)

[10] "Entrei", ou "aqui estou". (N. E.)

[11] Há a possibilidade de ela estar falando "Asmenoth", o guia do norte, de uma peça de Robert Greene; ou então, "Asmodeus". Asnath é um anagrama para "Sathan". De qualquer modo, fica clara que a própria bruxa não sabe bem o que diz. (N. E.)

BOLINGBROKE
        (Lendo.)
        Primeiro, o rei; o que há de ser dele?

ESPÍRITO
        Vive o duque que deporá Henrique;
        Mas este vive mais, com morte horrível.

        (À medida que o ESPÍRITO *fala, Southwell escreve as respostas.)*

BOLINGBROKE
        "Diga o destino que espera Suffolk."

ESPÍRITO
30   Na água é que ele morre e chega ao fim.

BOLINGBROKE
        "O que acontece ao duque Somerset?"

ESPÍRITO
        Que evite os castelos:
        'Stá mais a salvo em planície de areia
        Que onde ficam castelos construídos.
35   Acabem, eu mal posso me aguentar.

BOLINGBROKE
        Desce à escuridão e ao lago em fogo:
        Falso demônio, arreda!

        (Trovões e raios. Sai o ESPÍRITO.*)*
        (Entram YORK *e* BUCKINGHAM, *com sua guarda, e interrompem.)*

YORK
        Prendam esses traidores e seu lixo.
        Bruxa, nós a observamos bem de perto.
40   O quê? Senhora, está aí? O rei
        E o povo lhe são muito devedores:
        E Milord Protetor, não tenho dúvida,
        Há de pagá-la bem por ter tais méritos.

DUQUESA
        Não tão maus quanto os seus para com o rei,
45   Duque abusado, que ameaça sem causa.

BUCKINGHAM
Nenhuma, senhora. O que chama isto?
Fora co'eles! E que fiquem bem presos,
E separados. A senhora, conosco.
Stafford, leve-a consigo.

(*Saem, ao alto, a* DUQUESA *e* HUME, *escoltados.*)

50 Seus brinquedinhos ficam sob custódia.
E ora vão todos!

(*Saem* GUARDAS, *com* SOUTHWELL, BOLINGBROKE *etc.*)

YORK
Milord Buckingham, observou muito bem:
Bonita trama pra ser elaborada!
E vamos ler o que disse o Diabo.
55 O que temos aqui? *(Lê.)*
"Vive o duque que deporá Henrique;
Mas este vive mais, com morte horrenda."
Isso é só como "*Aio te, Aecida,*
Romanos vincere posse".[12] Adiante:
60 "Diga o destino do duque de Suffolk";
"Na água é que ele morre e chega ao fim."
"O que acontece ao duque Somerset?"
"Que evite os castelos;
'Stá mais a salvo em planície de areia
65 Que onde ficam castelos construídos."
Vamos, senhores,
É raro realizar-se um tal oráculo
Que é difícil de compreender.
O rei 'stá a caminho de Saint Albans;
70 Com ele, o esposo dessa grande dama;
As notícias lá vão com toda a pressa:
Um duro desjejum pro Protetor.

BUCKINGHAM
Sua Graça me permita, Lord de York,
Que eu seja o portador, para ter prêmio.

YORK
75 Com prazer, meu bom lord. Aí dentro, alguém!

---

[12] Famosa resposta ambígua do oráculo a Pirro, quando este indagou se venceria Roma. A frase tanto quer dizer "Afirmo que tu, descendente de Aeacus, podes conquistar os romanos" quanto "Afirmo que os romanos podem vencer a ti, descendente de Aeacus." (N. E.)

(Entra um LACAIO.)

Convide os lords de Salisbury e Warwick
Pra virem amanhã cear comigo.

(Saem.)

ATO 2

CENA 1
Saint Albans.

(Entram o Rei, a Rainha, Gloucester, Cardeal e Suffolk, com o Falcoeiro gritando.)

RAINHA
Creiam, senhores, junto do rio
Há anos não vejo caça tão boa:
Mas, concordem, o vento 'stava forte
E aposto que a Joana não saiu.[13]

REI HENRIQUE
5   Apontou bem o seu falcão, milord,
E como foi mais alto do que os outros![14]
Para, qual Deus, ver suas criaturas!
Aves e homens gostam de subir.

SUFFOLK
Não espanta, e o sabe Sua Alteza,
10   Que suba tanto o voo do falcão
Do Protetor, se o amo vai tão alto
E pensa acima do alcance da ave.

GLOUCESTER
Meu Senhor, é bem mesquinha e ignóbil
A mente que não voa mais que um pássaro.

CARDEAL
15   Eu sabia; vai acima das nuvens.

GLOUCESTER
Lord Cardeal, que quer dizer com isso?
Não é bom pra Sua Graça ir pro céu?

REI HENRIQUE
O tesouro da perene alegria.

CARDEAL
Seu céu está na terra; sua mente

---
13 O falcão fêmea não alçou voo. (N. T.)
14 O brasão de Gloucester incluía um falcão, de onde as ironias de Suffolk e do cardeal. (N. E.)

20 Vai pra coroa, o sonho do seu peito;
    Vicioso Protetor, par perigoso,
    Sempre bajulador de rei e povo!

GLOUCESTER
    Seu Sacerdócio é assim peremptório?
    Tantaene animis coelestibus irae?[15]
25 Um padre esquenta tanto? Meu bom tio,
    Como oculta tal mal em santidade?

SUFFOLK
    Mal nenhum; não mais do que calha bem
    Tão boa discussão a tão mau par.

GLOUCESTER
    Como quem, senhor?

SUFFOLK
                          Ora, o senhor mesmo;
30 Ou como o seu mandão Protetorado.

GLOUCESTER
    Todos sabem que Suffolk é insolente.

RAINHA
    E o senhor ambicioso, Gloucester.

REI HENRIQUE
                                        Paz,
    Boa rainha, não atice a briga;
    Abençoado é o que traz a paz.

CARDEAL
35 Que eu o seja pela paz que faço
    Com o vaidoso Protetor, co'a espada.

GLOUCESTER
          (À parte, para o cardeal.)
    Santo tio, quem dera que assim fosse!

CARDEAL
          (À parte, para GLOUCESTER.)
    Quando ousar.

---

15 A citação é da *Eneida*, de Virgílio: "Pode haver tanta ira em uma alma celeste?". Essa linha e as três próximas apresentam defeitos nas mais antigas edições, e nunca foi possível esclarecê-las no total. (N. T.)

GLOUCESTER

(À parte, para o CARDEAL.)
Quando ousar! Lhe digo, padre,
Desafio a Plantagenet, nunca!

CARDEAL

(À parte a GLOUCESTER.)
40 Como o senhor, eu sou Plantagenet,
Filho de John de Gaunt.

GLOUCESTER

(À parte, para o CARDEAL.)
Filho bastardo!

CARDEAL

(À parte, para GLOUCESTER.)
Não gosto de suas palavras!

GLOUCESTER

(À parte para o CARDEAL.)
Não meta seus aliados neste assunto;
Responda por si mesmo seus abusos.

CARDEAL

(À parte, para GLOUCESTER.)
45 Onde não ousa espiar; se ousar,
Hoje à noite, lado leste do bosque.

REI HENRIQUE
Como é, senhores?

CARDEAL
Creia, primo Gloucester,
Que se seu homem não se precipitasse,
Haveria mais caça.

(À parte para GLOUCESTER.)
Venha com espada de duas mãos.

GLOUCESTER
50 É certo, tio.

(À parte, para o CARDEAL.)
Está claro? No lado leste do bosque.

CARDEAL

>   *(À parte, para GLOUCESTER.)*
>   De acordo.

REI HENRIQUE

>   Que diz, meu tio Gloucester?

GLOUCESTER

>   Sobre falcões nada mais, meu senhor.
>
>   *(À parte, para o CARDEAL.)*
>
>   Pela mãe de Deus, raspo-lhe a coroa,
55 Ou não sei mais esgrimir.

CARDEAL

>   *(À parte, para GLOUCESTER.)*
>   Medice, teipsum...¹⁶
>   Protetor, pense e proteja a si mesmo.

REI HENRIQUE

>   O vento sobe, e também seus humores;
>   Como me abala o coração tal música!
>   Se gritam as cordas, se vai a harmonia.
60 Por favor, senhores, acabem com essa briga.
>
>   *(Entra alguém gritando "Um milagre!")*

GLOUCESTER

>   Que grita é essa? Homem, que milagre
>   Proclama aí?

ALGUÉM

>   É milagre! É milagre!

SUFFOLK

>   Chegue até o rei, pra contar-lhe o milagre.

ALGUÉM

>   Verdade! Um homem, no altar de Saint Albans,
65 Há meia hora recebeu sua vista;
>   Um que nunca tinha visto na vida.¹⁷

---

16 Citação incompleta, por ser tão conhecida: "Médico, cura a ti mesmo". (N. E.)
17 Parodia o episódio bíblico em *João 9*, em que Cristo dá o dom da visão a um homem. (N. E.)

Rei Henrique
　　Louvado seja Deus que, aos de fé,
　　Dá luz ao cego e consolo a quem sofre!

　　　(Entram o Prefeito de Saint Albans e seus colaboradores, trazendo Simpcox, o tal homem, em um cadeira, carregado por dois; sua Mulher e habitantes da cidade vêm atrás.)

Cardeal
　　Eis que aí chega o povo em procissão
70　　Pra apresentar o cego a Sua Alteza.

Rei Henrique
　　Grande foi seu conforto neste vale,
　　Mas dobram seus pecados com a visão.

Gloucester
　　Mais longe, mestres; que ele venha ao Rei:
　　Apraz a Sua Alteza lhe falar.

Rei Henrique
75　　Bom homem, conte-nos as circunstâncias,
　　Pra, por você, glorificarmos Deus.
　　Foi cego muito tempo, e agora vê?

Simpcox
　　Fui cego de nascença, Sua Graça.

Mulher
　　E foi mesmo.

Suffolk
80　　Que mulher é essa?

Mulher
　　A mulher dele, se apraz sua senhoria.

Gloucester
　　Se fosse sua mãe poderia afirmar com mais certeza.

Rei Henrique
　　Onde nasceu?

Simpcox
　　Em Berwick,[18] no norte, como Sua Graça.

---

[18] Cidade que faz fronteira com a Escócia, às margens do rio Tweed. (N. E.)

Rei Henrique

85 Pobre alma! Deus lhe fez grande graça;
Que não lhe passe um santo dia ou noite
Sem se lembrar do que o Senhor lhe fez.

Rainha

Diga, homem, veio aqui por acaso,
Ou foi por devoção ao santuário?

Simpcox

90 Deus sabe que foi devoção. Chamado
Por cem vezes ou mais, durante o sono,
Pelo santo, dizendo "Simon, vem;
Dê a meu santuário, que o ajudo."

Mulher

Isso é verdade; muitas, muitas vezes
95 Eu mesma ouvi a voz que o chamava.

Cardeal

É aleijado?

Simpcox

Sim, que Deus me acuda!

Suffolk

E como aconteceu?

Simpcox

Caí da árvore;

Mulher

Uma ameixeira.

Gloucester

Há quanto tempo é cego?

Simpcox

Nasci assim, senhor.

Gloucester

E sobe em árvore?

Simpcox

100 A vida inteira, quando eu era jovem.

Mulher
  Isso mesmo, e pagou caro essas subidas.

Gloucester
  Deve gostar muito de ameixas, para se arriscar tanto.

Simpcox
  Minha mulher queria tanto uns bagos,
  Que me obrigou a subir, com perigo.

Gloucester
105 É muito esperto! Mas isso não dá.
  Deixe-me ver seus olhos: feche e abra.
  Parece-me que não vê muito bem.

Simpcox
  Sim, senhor, claro como o dia, graças a Deus e a santo Albano.

Gloucester
  Garante, mesmo? De que cor é esta capa?

Simpcox
110 Vermelha, mestre; vermelha como sangue.

Gloucester
  Muito bem. E que cor a minha túnica?

Simpcox
  Preta, eu garanto. Preta como carvão.

Gloucester
  Então conhece a cor do âmbar-negro?

Suffolk
  No entanto, creio que jamais o viu.

Gloucester
115 Mas capas e túnicas viu muitas antes de hoje.

Mulher
  Jamais, antes de hoje, na vida inteira.

Gloucester
  Diga, moleque, qual é o meu nome?

SIMPCOX
    Não sei.

GLOUCESTER
    Qual o nome dele?

SIMPCOX
120   Não sei.

GLOUCESTER
    E nem o dele?

SIMPCOX
    Certo que não, senhor.

GLOUCESTER
    E o seu próprio nome?

SIMPCOX
    Saunder Simpcox, com sua licença, mestre.

GLOUCESTER
125   Sente-se, Saunder, maior mentiroso
    Da cristandade. Se nascesse cego
    Poderia saber os nossos nomes,
    Tão fácil quanto dá nomes às cores.
    Visão vê as cores; porém, num repente,
130   Saber-lhes os seus nomes, é impossível.
    Então o santo lhe fez esse milagre;
    Porém não crê ser sua astúcia grande
    O bastante para poder restaurar
    Ao aleijado outra vez as suas pernas?

SIMPCOX
135   Ai, mestre, se poderia!

GLOUCESTER
    O povo de Saint Albans não terá
    Um meirinho e alguns bons chicotes?

PREFEITO
    Temos, milord.

GLOUCESTER
    Pois que alguém vá chamá-lo.

PREFEITO

Rapaz, chame aqui nosso meirinho.

(*Sai um* LACAIO.)

GLOUCESTER

Agora tragam-me aqui um banquinho.
Moleque, se ainda pensa em salvar-se
Das chibatadas, pule o banco e corra.

SIMPCOX

Ai, ai, senhor; não fico em pé sozinho:
O senhor vai me torturar em vão.

(*Entra o* MEIRINHO *com os chicotes.*)

GLOUCESTER

Bem, moleque, é melhor encontrar suas pernas. Meirinho, bata nele até ele pular por sobre o banco.

MEIRINHO

Vamos, moleque, tire o seu colete.

SIMPCOX

Ai! Que hei de fazer? Não fico em pé.

(*Após uma primeira chibatada, ele salta por sobre o banco e sai com os outros atrás dele gritando "Um milagre!".*)

REI HENRIQUE

Oh Deus, vês isso e tanto o aturas?

RAINHA

Ri-me muito, vendo o vilão correr.

GLOUCESTER

Vão atrás do safado. E levem sua puta.

MULHER

Tem pena! Foi só por necessidade.

GLOUCESTER

Que sintam as chibatas nos mercados
Daqui a Berwick, que é de onde vieram.

(*Saem* PREFEITO, MEIRINHO, MULHER *etc.*)

CARDEAL
155   O duque Humphrey fez milagre, hoje.

SUFFOLK
          Pois fez pular e fugir o aleijado.

GLOUCESTER
          O senhor operou bem mais milagres;
          Quantas cidades fez sumir num dia!

(Entra BUCKINGHAM.)

REI HENRIQUE
          Que nova traz o nosso primo Buckingham?

BUCKINGHAM
160   A que me faz tremer por revelar:
          Umas pessoas voltadas para o mal,
          Com a proteção e a cumplicidade
          De Eleanor, mulher do Protetor,
          A chefe e líder da canalha toda,
165   Vêm tramando perigos contra o Estado,
          Junto com bruxas e com curandeiros:
          A todos apreendemos no ato,
          Fazendo espíritos subir da terra,
          Pedindo morte para o rei Henrique,
170   E inda outros do Conselho Privado,
          Como será mostrado a Sua Graça.

CARDEAL
          (À parte para GLOUCESTER.)
          E assim, Lord Protetor, por tais razões,
          Sua senhora vem vindo, de Londres.
          Tal nova vira o gume de sua arma;
175   Não acredito que mantenha o cargo.

GLOUCESTER
          Padre ambicioso, tenho o peito aflito,
          Dor e tristeza tomam-me os poderes;
          Vencido como estou, eu cedo a si
          Como a qualquer lacaio.

REI HENRIQUE
180   Deus! Que desastres criam os malvados,
          Trazendo confusão sobre si mesmos!

Rainha

    Veja, Gloucester, a mácula em seu ninho,
    E cuide pra que em si não haja faltas.

Gloucester

    Senhora, quanto a mim, que o céu confirme
185   O quanto eu amo o meu rei e o povo;
    Quanto à minha mulher, não sei dizer.
    Lamento ouvir dizer tudo o que ouvi:
    Nobre ela é: porém, se esqueceu
    Honra e virtude, e conversou com aqueles
190   Que mancham e violam a nobreza.
    Expulso-a de meu leito e companhia
    E a entrego à lei e à vergonha,
    Por desonrar o honesto nome Gloucester.

Rei Henrique

    Por esta noite aqui nós repousamos:
195   Amanhã para Londres voltaremos,
    Pra examinar a fundo essa matéria,
    Fazendo os ofensores prestar contas,
    Deixando que a Justiça pese a causa,
    Que braço resiste à causa justa.

(Clarinada. Saem todos.)

CENA 2
Londres. O jardim do duque de York.

(Entram York, Salisbury e Warwick.)

York

    E ora, milords de Salisbury e Warwick,
    Terminada a nossa ceia, permitam
    Que neste recanto eu tenha a liberdade
    De saber como julgam o meu direito,
5   Que é infalível, à coroa inglesa.

Salisbury

    Anseio por ouvir a história inteira.

Warwick

    Comece, caro York; se a causa é justa,
    Pode dispor dos Nevils como súditos.

York

    Então vamos:

10   O terceiro Eduardo teve sete filhos:[19]
      Primeiro, Edward, o Príncipe Negro;
      Segundo, William de Hatfield; terceiro,
      Lionel, duque de Clarence; e depois
      Vem John de Gaunt, duque de Lancaster;
15   Foi quinto Edmund Langley, duque de York;
      Sexto, Thomas Woodstock, duque de Gloucester;
      William de Windsor foi dos sete o último.
      Morreu antes do pai William de Gales,
      Deixando um filho único, Ricardo,
20   Que foi rei, após Eduardo Terceiro;
      Até que Bolingbroke, duque Lancaster,
      O primogênito de John de Gaunt –
      Que, coroado, foi Henrique Quarto –
      Tomou o reino, depondo o legítimo,
25   Mandou pra casa a rainha francesa,
      E o rei para Pomfret onde, sabem todos,
      Ricardo, o pobre, foi morto à traição.

WARWICK
      Pai, o duque de York disse a verdade;
      Assim chegaram à coroa os Lancaster.

YORK
30   Que a mantêm por força, e não por direito;
      Pois 'stando morto o filho do mais velho,
      Devem reinar herdeiros do segundo.

SALISBURY
      William de Hatfield morreu sem herdeiros.

YORK
      Mas Clarence, o terceiro, por quem eu
35   Reclamo o trono, foi pai de Felipa,
      Casada com Edmund, conde de March;
      Edmund gerou Roger, conde de March;
      Roger foi pai de Edmund, Anne e Eleanor.

SALISBURY
      Esse Edmund, reinando Bolingbroke,
40   Reclamou a coroa, ouvi dizer;
      E rei seria, se Owen Glendower
      Não o tivesse, preso, até morrer.
      Mas continue.

---

[19] York havia contado a história do conflito entre os Lancaster e os York na primeira parte de Henrique VI; aqui, repete a narrativa de modo a informar a plateia para que possa seguir a ação sem dificuldade. (N. E.)

York

                    Anne, a irmã mais velha,
             Minha mãe, sendo herdeira da coroa,
45   Casou com o conde de Cambridge, filho
             De Edmund Langley, o quinto dos sete.
             Ela dá-me o direito: era a herdeira
             De Roger, conde de March, filho
             Do Mortimer, marido de Filipa,
50   Filha única de Lionel de Clarence:
             Se o filho do mais velho deve herdar
             Antes que o do mais moço, eu sou o rei.

Warwick

             Que caminho é mais claro do que esse?
             A coroa de Henrique vem de Gaunt,
55   O quarto filho; York é do terceiro.
             Até findar-se a linhagem de Lionel,
             Não deveria reinar a de Lancaster:
             Mas não se findou, se ela floresce
             Em seus filhos, belos brotos do cepo.
60   Então, pai Salisbury, ajoelhemo-nos,
             Neste plano privado, os primeiros
             A saudar o verdadeiro monarca,
             Que tem por berço direito à coroa.

Salisbury

             Viva o monarca, Richard da Inglaterra!

York

65   Lords, obrigado. Mas não sou seu rei
             Até ter a coroa e a espada suja
             Com o sangue quente da casa de Lancaster;
             E isso não é feito de repente,
             Mas com planos secretos e silentes.
70   Façam como eu, em dias perigosos:
             Fechem o olhar à insolência de Suffolk,
             Ao orgulho de Beaufort, à ambição
             De Somerset, a Buckingham e o resto,
             Até que enredem o pastor do bando,
75   O virtuoso príncipe, o bom Humphrey.
             É o que buscam e, buscando isso,
             York profetiza que acharão suas mortes.

Salisbury

             Chega, milord. Conhecemos o que pensa.

WARWICK

    Meu peito diz que o conde de Warwick
    Há de fazer do duque de York um rei.

YORK

    E, Nevil, de minha parte eu garanto
    Que hei de viver pra fazer de Warwick
    Só menor do que o rei, nesta Inglaterra.

(Saem.)

CENA 3
Um tribunal.

(Fanfarras. Entram o REI, a RAINHA, GLOUCESTER, YORK, SUFFOLK; a duquesa de GLOUCESTER, MARGERY JOURDAIN, SOUTHWELL, HUME e BOLINGBROKE, escoltados.)

REI HENRIQUE

    À frente, Lady Eleanor, mulher de Gloucester.
    Diante de Deus e nós, sua culpa é grande;
    Esta é a sentença da lei, por pecados
    Que segundo a *Bíblia* merecem morte.
    Voltam os quatro pra prisão de origem;
    De lá, para o local da execução:
    A bruxa em Smithfield queima e vira cinzas,
    Os outros três vão direto pra forca.
    A senhora, por ter berço mais nobre,
    Perde sua honra para o resto da vida,
    E após três dias de vergonha pública
    No país viverá, em banimento,
    Com Sir John Stanley, na ilha de Man.

ELEANOR

    Bem-vindo o banimento; mais, a morte.

GLOUCESTER

    Eleanor, viu como a lei já a julgou:
    Não justifico quem a lei condena.

(Saem a duquesa ELEANOR e os outros prisioneiros, escoltados.)

    Choram-me os olhos, dói-me o coração.
    Ah, Humphrey, a desonra em sua idade
    Leva a cabeça, em dores, para a tumba.

20   Eu peço que me deixe ir, Majestade;
       Dor quer consolo, e a velhice, calma.

Rei Henrique
       Espere, Humphrey; antes de partir,
       Dê-me o bastão. Henrique de si mesmo
       Será Protetor; e Deus, eu espero,
25   Apoio, guia, e luz pra meus pés.
       Vá em paz, Humphrey, não menos amado
       Que quando era o Protetor do rei.

Rainha
       Não há razão por que um rei adulto
       Tivesse proteção como um menino.
30   Deus e Henrique serão os timoneiros,
       Entregue o seu bastão ao rei do reino.

Gloucester
       O meu bastão? Ei-lo aqui, nobre Henrique:
       De tão bom grado a si o entrego
       Quanto o seu pai Henrique o deu a mim;
35   De tão bom grado a seus pés o deponho
       Quanto por ambição outros o querem.
       Adeus, bom rei! No meu último sono
       Rezo que honra e paz cerquem seu trono.

                                                    (*Sai.*)

Rainha
       Agora Henrique é rei, Margaret rainha;
40   E o duque Humphrey mal é ele mesmo,
       Ao arcar de uma vez com dupla dor;
       Com a mulher banida, perde um membro;
       O bastão foi tomado; que ele fique
       Onde deve ficar, na mão de Henrique.

Suffolk
45   Curva-se o alto pinheiro e seus ramos;
       Livres do orgulho de Eleanor estamos.

York
       Deixem-no ir. Por favor, Majestade,
       Hoje é o dia marcado pro combate;
       Aqui estão ofendido e ofensor,
50   O armeiro e o aprendiz, prontos, pra liça,
       Se apraz a Sua Majestade vê-lo.

RAINHA
> Sim, bom senhor, pois foi com o propósito
> De ver tal luta que deixei a corte.

REI HENRIQUE
> Quero tudo como deve ser feito:
> Com o fim aqui, Deus defenda o direito!

YORK
> Nunca vi homem em pior estado
> Ou com mais medo, do que o desafiante,
> O aprendiz de armeiro, meus senhores.

> *(Entram por uma porta o ARMEIRO e seus vizinhos, que bebem à sua saúde. Ele está bêbado e entra carregando seu bastão com um saco de areia amarrado nele; um tambor toca à sua frente. Pela outra porta, seu APRENDIZ com tambor e saco de areia, e outros aprendizes, entram bebendo à sua saúde.)*

1º VIZINHO
> Aqui, vizinho Horner; bebo um copo de xerez; não tenha dúvidas; vai se sair muito bem.

2º VIZINHO
> E aqui, vizinho, vai um copo de *charneco*.[20]

3º VIZINHO
> E aqui um caneco de cerveja dupla;[21] vizinho; beba, e não tenha medo do seu homem.

HORNER
> Que venha mais uma rodada; e uma banana para o Peter!

1º APRENDIZ
> Aqui, Peter, bebo a você; e não tenha medo.

2º APRENDIZ
> Alegre-se Peter, e nada de medo do amo; briga aí pela honra dos aprendizes.

PETER
> Obrigado a todos: bebam e rezem por mim, por favor, pois acho que tomei meu último gole neste mundo. Se eu morrer, Robin, te dou meu avental, e a Will meu martelo; aqui, Tom, tome todo o meu dinheiro.

---
20 Uma espécie de vinho doce, de origem desconhecida mas que os editores acreditam ser de Portugal. (N. E.)
21 "Double beer" era uma cerveja mais forte. (N. E.)

Peço a Deus que o Senhor me abençoe, pois não sei enfrentar o amo, que aprendeu muito mais luta do que eu.

SALISBURY

(Para HORNER.) Vamos. Chega de conversa e mais golpes. *(Para PETER.)* Moleque, como é o seu nome?

PETER

É Peter, sim, senhor.

SALISBURY

Peter! E o que mais?

PETER

Tranco.²²

SALISBURY

Tranco! Pois deu um bom tranco em seu amo.

HORNER

Mestres, vim aqui, como se diz, instigado pelo meu homem, para provar que ele é canalha, e eu honesto: e quanto ao duque de York, juro por minha morte que jamais lhe quis mal, nem ao rei, nem à rainha; portanto, Peter, venha lá com seu golpe.

YORK

Depressa; esse aí já começa a enrolar a língua.
Toquem as trompas. Avancem os combatentes.

(Toca o alarma. Eles lutam, PETER derruba o outro.)

HORNER

Chega, Peter! Eu confesso; confesso a traição.

(Morre.)

YORK

Tomem sua arma. Rapaz, dê graças a Deus e ao vinho que ficou no caminho de seu amo.

PETER

(Ajoelhado.)
Meu Deus! Venci meus inimigos em todas essas presenças? Oh, Peter, você triunfou pelo direito.

---

22 No original "Thump"; sem traduzir o nome, o sentido da frase seguinte ficaria perdido. (N. T.)

REI HENRIQUE

90 Tirem esse traidor de nossa vista;
Pois sua morte prova a sua culpa:
E Deus, na justiça revelou-nos
A real inocência do rapaz,
Que ele esperava assassinar por mal.
95 Vem conosco, pra tua recompensa.

(Clarinada. Saem todos.)

CENA 4
Uma rua.

(Entram GLOUCESTER e seus homens, trajados de luto.)

GLOUCESTER

Por vezes cobre a nuvem belo dia;
E depois do verão ocorre sempre
O estéril inverno, com irado frio:
Alegrias e dores assim correm.
5 Que horas são?

EMPREGADO

Dez, senhor.

GLOUCESTER

Então é a hora que me foi marcada
Pra ver passar a duquesa punida:
É difícil pra ela a rua dura
Que terá de pisar com os finos pés.
10 Doce Nell, que humilhação enfrentar
O povo abjeto a observar-lhe o rosto,
Invejosos a rir de tal vergonha,
Que antes seguiam sua carruagem
Quando, em triunfo, percorria as ruas.
15 Aí vem ela; e eu tenho de secar
Meus olhos para ver sua miséria.

(Entra a DUQUESA DE GLOUCESTER, descalça, usando uma túnica branca, e com uma vela acesa na mão; com SIR JOHN STANLEY, o XERIFE e outros.)[23]

EMPREGADO

Se quiser, a tiramos do xerife.[24]

---
[23] Forma de punição pública da época em que o condenado devia vestir um camisolão branco e desfilar pelas ruas descalço e sem chapéu ou touca. (N. E.)
[24] "Sheriff" deriva de "shire reeve"; o cargo remonta à Inglaterra Anglo-saxã quando o país foi dividido em regiões administrativas

GLOUCESTER
    Por Deus, imóveis; deixem-na passar.

ELEANOR
    Pode, milord, olhar minha vergonha?
20   Faz penitência, então. Veja os olhares!
    Veja a insana multidão que aponta,
    E acenando a cabeça, olha pra si!
    Gloucester, esconda-se de olhos odientos,
    E bem trancado chora o meu vexame,
25   Exile os inimigos, seus e meus.

GLOUCESTER
    Paciência, doce Nell; esqueça a dor.

ELEANOR
    Gloucester, me ensine a esquecer de mim;
    Pois enquanto eu pensar ser sua esposa,
    E o senhor, o Protetor do reino,
30   Não creio que mereça ser levada
    Coberta de vergonha e frases vis,
    Seguida por ralé em regozijo
    Por ver-me o pranto ouvindo-me os suspiros.
    A pedra afiada que me arranha os pés,
35   O riso que acompanha o meu tropeço,
    Os conselhos pr'eu ver aonde piso.
    Ah, Humphrey, posso eu carregar tal canga?
    Crê que eu ainda volte a ver o mundo,
    Ou julgue bem os que gozam o sol?
40   O negro é a minha luz, noite o meu dia;
    Meu inferno, lembrar a minha pompa.
    Direi, às vezes, ser mulher de um duque,
    E ele, o príncipe que governava:
    Mas ele governou, e era tal príncipe,
45   Que ficou firme enquanto a sua duquesa
    Foi feita alvo de espanto e chacota
    De qualquer seguidor safado e inútil.
    Pois fique humilde, e enrubesça por mim,
    Bem quieto até que o machado mortal
50   Lhe caia em cima, e há de cair breve;
    Pois Suffolk, o que manda em tudo e todos,
    Junto com aquela que o odeia e a todos,

---

e com autonomia judicial denominadas "leets" e "shires". O xerife era o oficial representante do rei. Com a conquista normanda, a importância do xerife cresceu, e ele passou a ser responsável pelas prisões e pelas cortes judiciais, podendo prender e condenar. No século XIII a autoridade do xerife diminuiu, e na época de Shakespeare é ainda mais reduzida. O xerife aparece, em geral, nas peças históricas de Shakespeare e sua principal função é prender os adversários do rei. (N. E.)

                    E York, e o ímpio padre Beaufort,
                    Para o seu voo têm linhas de visgo,[25]
55   Que mais o enredam quando mais lutar.
                    Não tenha medo até ter preso o pé,
                    Nem se previna contra os inimigos.

        GLOUCESTER
                    Calma, Nell, não está mirando certo;
                    Tenho de errar, pra ser indiciado:
60   E com vinte vezes mais inimigos,
                    Cada um vinte com vezes mais poder,
                    Nenhum pode imputar-me alguma injúria,
                    Se eu for honesto, leal, e sem crimes.
                    Queria que a salvasse dessas penas?
65   Mas não some assim tão fácil o escândalo;
                    Mas eu, quebrando a lei, fico em perigo.
                    Nell, seu silêncio é que pode ajudá-la:
                    Por favor, dê paciência ao coração;
                    E poucos dias calarão o escândalo.

                        (Entra um ARAUTO.)

        ARAUTO
70   Convoco Sua Graça ao Parlamento
                    Em Bury, dia primeiro do mês que vem.

        GLOUCESTER
                    E nem pediram meu consentimento!
                    Isso é coisa secreta. Lá estarei.

                                            (Sai o ARAUTO.)

                    Nell, tenho de partir. Senhor Xerife,
75   Limite a pena às palavras do rei.

        XERIFE
                    Sua Graça, acaba aqui minha missão,
                    E Sir John Stanley ora é nomeado
                    Para escoltá-la até a ilha de Man.

        GLOUCESTER
                    Sir John, protege agora a minha esposa?

---

[25] O meio mais comum de se apanhar passarinhos e pequenas aves, àquela época, era passar visgo em cordões, onde ficavam presas as aves quando ali pousavam. (N. E.)

STANLEY
80   Foi-me imposta essa tarefa, Sua Graça.

GLOUCESTER
    Não a trate pior por eu pedir-lhe
    Que a trate bem. Este mundo dá voltas;
    E inda posso viver para servi-lo,
    Se a serve bem. E assim adeus, Sir John.

ELEANOR
85   Meu amo vai, e a mim não diz adeus?

GLOUCESTER
    Meu pranto prova que não posso falar.

(Saem GLOUCESTER e seus homens.)

ELEANOR
    Foi-se também? Pois que encontre consolo!
    Pra mim não há. Só a morte me alegra;
    A morte, cujo nome já temi
90   Por querer a eternidade na terra.
    Stanley, por favor, daqui me leve;
    Não importa pra onde, não suplico,
    Apenas leve-me pra onde ordenam.

STANLEY
    Ora, senhora, é pra ilha de Man;
95   Com tratamento digno de seu posto.

ELEANOR
    Isso é mau, pois todos me condenaram:
    Serei tratada então qual condenada?

STANLEY
    Qual duquesa, a mulher do duque Humphrey:
    E como tal é que será tratada.

DUQUESA
100   Xerife, adeus; passe melhor que eu,
    Mesmo tendo escoltado-me a vergonha.

XERIFE
    É o meu ofício, senhora; me perdoe.

ELEANOR
    Perdoo, adeus; cumpriu sua tarefa.
    Então, Stanley, podemos ir?

STANLEY
105   Cumprida a pena, tire a camisola
    E vá vestir-se pra nossa jornada.

ELEANOR
    A vergonha não sai com a camisola:
    Há de ser vista em meus mais ricos trajes,
    Há de mostrar-se em qualquer vestimenta.
110   Vamos, eu quero ver minha prisão.

(Saem.)

Ato 3

CENA 1
A abadia em Bury St. Edmunds.

(Fanfarra. Entram o Rei, a Rainha, o Cardeal, Suffolk, York, Buckingham, Salisbury e Warwick, para o Parlamento.)

Rei Henrique
Espanta-me não vir o duque Gloucester:
Não é de seu costume ser o último,
Seja o que for que o retém afastado.

Rainha
Não pode ver, ou não quer observar
5   A estranha alteração de seu aspecto?
Com que ar majestoso ele se tem,
Quão insolente ele vem se tornando,
Orgulhoso e mandão, tão diferente?
Houve tempo em que foi gentil e afável,
10 E apenas se alongava o nosso olhar,
Ele caía logo de joelhos,
Com todos lhe admirando a humildade.
Mas agora, até mesmo de manhã,
Quando todos se saúdam com bons dias,
15 Com o cenho franzido e olhar irado
Ele passa e os joelhos nunca dobram,
E desdenha o dever que merecemos.
Ninguém nota se ri o vira-lata,
Mas todos tremem quando um leão ruge;
20 E Humphrey, na Inglaterra, é homem grande.
Note que ele é seu próximo em linhagem;
E se caísse, é vez de ele subir.
Me parece não ser boa política,
Tendo em vista sua mente rancorosa,
25 E as vantagens que tem por sua morte,
Que se aproxime de sua pessoa
Ou que seja admitido no Conselho.
O povo, que ele bajulou, o ama,
E se quiser provocar um levante,
30 É um perigo todos o seguirem.
É primavera, 'stão rasas as raízes;
Se deixa, as ervas dominam o jardim
E sufocam as plantas por descuido.
Reverente cuidado por meu rei

35 Fez-me listar os perigos do duque.
Se tolice, são medos de mulher,
Que podem suplantar razões melhores,
Que aceitarei, com desculpas ao duque.
Milords de Suffolk, Buckingham e York,
40 Reprovem o meu gesto, se puderem;
Ou concluam que é válido o que eu digo.

Suffolk

Sua Alteza viu o Duque muito bem;
E fora eu o primeiro a expressar-se,
Diria o mesmo que diz. Sua Graça
45 A duquesa, eu juro, ao corrompê-lo,
Começou sua prática infernal;
Ou, se ele não soube desses graves erros,
O fascínio de sua alta linhagem,
Como o herdeiro mais próximo do rei,
50 Mais as vantagens de sua nobreza,
Levaram a loucura da duquesa
Aos planos vis pra queda do monarca.
Correm suaves as águas profundas,
E o aspecto doce cobre a vil traição.
55 Cala a raposa que caça o carneiro:
Não, meu soberano; Gloucester é um homem,
Não conhecido, que oculta os enganos.

Cardeal

Não criou ele, indo contra a lei
Estranhas mortes pra pequenos crimes?

York

60 Não cobrou ele, quando Protetor,
Imensa dinheirama, em todo o reino,
Para a tropa na França, sem mandá-la?
Quantas revoltas não provocou isso?

Buckingham

Faltas pequenas perto de ignoradas
65 Que o tempo há de mostrar no esperto duque.

Rei Henrique

Senhores, os seus cuidados por mim,
Para poupar espinhos aos meus pés,
São meritórios; mas, em sã consciência,
Meu tio Gloucester é tão inocente
70 De traição contra nossa real pessoa,

Quanto um carneiro ou uma pomba sem mal.
O duque é virtuoso e bom demais
Pra ter maus sonhos ou pra derrubar-me.

Rainha

Que perigo é maior que um tal engano?
Parece um pombo? É com penas de outros,
As dele são de corvo detestável:
Um carneirinho? A pele é emprestada,
Sua natureza é de lobo faminto.
Quem não pode enganar roubando aspectos?
Cuidado, meu senhor; o bem de todos
Só pede a ceifa desse homem mau.

(*Entra* Somerset.)

Somerset

Saúde ao nosso amado soberano!

Rei Henrique

Salve, Somerset. Que novas da França?

Somerset

Que em todo o território seus domínios
Já não existem; tudo foi perdido.

Rei Henrique

Frias novas pra mim; mas Deus o quis.

York

(*À parte.*)
Frias pra mim; eu sonhava com a França
Tanto quanto com a fértil Inglaterra.
Perdem-se no botão as minhas flores,
E as larvas vão comendo as minhas folhas;
Porém em breve eu dou remédio a isso
Ou troco o título por cova honrosa.

(*Entra* Gloucester.)

Gloucester

Felicidade ao meu senhor, o rei!
Peço perdão por ter me demorado.

Suffolk

Não, Gloucester; chegou cedo demais,

A não ser que mais leal se mostrasse,
E aqui o prendo por alta traição.

GLOUCESTER
Duque de Suffolk, não me vê corar
Ou tal prisão alterar meu semblante:
Um puro coração não se amedronta.
Há mais lama na mais pura das fontes
Que traição em meu peito contra o rei.
De que me acusam? De que sou culpado?

YORK
Pensam que recebeu suborno em França,
E, Protetor, sustou da tropa o soldo;
Razão por que a França foi perdida.

GLOUCESTER
Pensam assim? Quem são os que assim pensam?
Jamais roubei o soldo de um soldado,
Nem recebi suborno dos franceses.
Por Deus que, alerta, uma noite após outra
Tenho estudado o bem para a Inglaterra!
Um *doit*[26] qualquer recebido do rei
Qualquer vintém retido pra meu uso,
Seja usado contra mim quando julgado!
Não; muita libra de meu próprio cofre,
Pra não taxar os comuns já tão pobres,
Desembolsei pras tropas em serviço
Sem jamais pleitear restituição.

CARDEAL
É do seu interesse dizer isso.

GLOUCESTER
Por Deus eu juro que é só verdade.

YORK
Em seu Protetorado apareceram
'Stranhas torturas que à Inglaterra
Difamavam com tais vis tiranias.

GLOUCESTER
É sabido que enquanto Protetor

---

26 *Doit* era uma moeda holandesa de valor ínfimo, correspondendo a meio *farthing*, por sua vez uma quarta parte de um *penny*. (N. E.)

125	A piedade foi minha falha única;
	Cedendo às lágrimas do ofensor,
	Pagando com palavras suas faltas.
	Des' que não fosse assassino sangrento,
	Ou ladrão que atacasse viajantes,
130	Jamais impus o máximo da pena:
	Assassinato e sangue eu torturei
	Mais que qualquer outra transgressão.

SUFFOLK

	Milord, é fácil responder tais falhas;
	Mas de crimes maiores o acusam,
135	Dos quais não é tão fácil se livrar.
	Eu o prendo em nome de Sua Alteza,
	E aqui o entrego a milord Cardeal,
	Para que o guarde até o julgamento.

REI HENRIQUE

	Milord de Gloucester, é minha esperança
140	Que fique livre de qualquer suspeita;
	Minha consciência o diz inocente.

GLOUCESTER

	Meu rei, são perigosos estes dias.
	A Ambição sufocou a Virtude,
	E o Rancor deportou a Caridade;
145	A imunda Conspiração[27] é que manda;
	Foi exilada do reino a Justiça.
	Sei que o complô é contra a minha vida;
	Se minha morte trouxesse a esta ilha
	O bem e o fim da tirania deles,
150	Eu deixaria a vida de bom grado.
	Mas, este é o prólogo da peça deles.
	Milhares que nem sabem do perigo,
	Não chegarão ao fim dessa tragédia.
	O rubro olhar de Beaufort vem do mal,
155	O cenho negro de Suffolk, do rancor;
	Com sua língua, Buckingham derrama
	Toda a inveja que traz no coração;
	E o cão de York, que sonha em ter a lua,
	Cujo braço ambicioso eu segurei,
160	Com falsidades busca a minha vida.
	E a minha soberana, junto aos outros,

---

[27] O contínuo uso da forma alegórica comprova ser a peça obra do início da carreira de Shakespeare. (N. T.)

                    Sem causas a mim cobre de desgraças,
                    E faz de tudo para transformar
                    O meu real senhor em inimigo.
165   Todos aqui juntaram as cabeças –
                    Eu já notara bem os seus encontros –
                    Só pra acabar minha vida sem culpas.
                    Não faltarão as falsas testemunhas;
                    Muitas traições pesarão minha culpa.
170   Vai se cumprir o antigo ditado:
                    Pra espancar cão nunca falta bastão!

        CARDEAL
                    Meu rei, tais queixas são intoleráveis.
                    Se quem quer bem à sua real pessoa
                    For, pela ira e faca de traidor,
175   Assim caluniado e ofendido,
                    E o ofensor tão livre pra falar,
                    Vão esfriar-se os zelos por Sua Graça.

        SUFFOLK
                    Não feriu ele a nossa soberana
                    Com ignomínias, mesmo que cuidadas,
180   Como se houvesse pago delatores
                    De falsas tramas contra o seu governo?

        RAINHA
                    Eu deixo os perdedores reclamarem.

        GLOUCESTER
                    Fala mais que a verdade: eu perco, mesmo;
                    Malditos os que vencem com calúnias!
185   Perdedores assim têm de falar.

        BUCKINHAM
                    Ele nos prende aqui com distorções.
                    Lord Cardeal, ele é seu prisioneiro.

        CARDEAL
                    Homens, levem o duque, e bem guardado.

        GLOUCESTER
                    Assim o rei dispensa sua muleta,
190   Antes que as pernas sustentem seu corpo.
                    Assim, de perto enxotam seu pastor,
                    E os lobos brigam pra morder primeiro.

Quem dera fossem falsos meus temores;
Pois, meu rei, eu temo é por sua queda.

(Sai, escoltado.)

REI HENRIQUE
195 Milords, o que disser sua sabedoria
Façam, ou não, como se aqui 'stivéssemos.

RAINHA
O quê? Sua Alteza deixa o Parlamento?

REI HENRIQUE
Sim, pois meu peito 'stá afogado em dor,
Co'a inundação correndo dos meus olhos,
200 Meu corpo sufocado com miséria;
Há miséria maior do que o desencanto?
Ah, tio Humphrey, vejo em sua face
Mapa de honra e de fidelidade;
E ainda está por vir, bom tio, a hora
205 Em que o veja falso ou em que o tema.
Que estrela cadente, por inveja,
Faz com que esses nobres, e a rainha,
Queiram quebrar sua vida inocente?
Jamais fez mal a eles ou a outros;
210 E como o açougueiro com o bezerro,
Amarra o pobre e bate se este luta,
E o leva pro sangrento matadouro
Assim, e sem remorsos, o levaram,
E como a mãe que se agita gemendo,
215 Olhando pr'onde foi o seu filhote,
Sem poder mais do que chorar a perda,
Assim pranteio o caso do bom Gloucester
Com meu pranto impotente; e vendo o mal
Olho em vão, sem poder fazer-lhe bem;
220 Tão poderosos são seus inimigos,
Que choro o seu destino, e entre soluços
Digo "Quem é traidor? Gloucester, jamais".

(Sai.)

RAINHA
Senhores livres, sol derrete neve.
Meu amo Henrique é frio em grandes causas,
225 Tolo em piedade; e a sombra de Gloucester
O encanta como o triste crocodilo

Com dor apanha o incauto caminhante;
Ou como a cobra que enrolada na relva
Com suas cores mortais pica a criança
Que a julga boa só por ser bonita.
Não fossem todos mais sábios do que eu,
E creio julgar sabiamente agora,
Gloucester precisa deixar logo o mundo,
Para acabar com o medo que lhe temos.

CARDEAL

A morte dele é a política certa,
Porém nos falta ainda algum pretexto.
É preciso que morra pela lei.

SUFFOLK

Pra mim essa não é boa política:
O rei fará de tudo por sua vida;
Os comuns vão tentar salvar sua vida;
Os nossos argumentos são bem fracos,
E só desconfianças o condenam.

YORK

Então, por isso, não quer que ele morra.

SUFFOLK

Ora, York, ninguém no mundo o quer mais.

YORK

Ninguém tem mais razões que York pra isso.
Porém, Lord Cardeal e Milord Suffolk,
Digam se pensam, bem no fundo da alma,
Não ser o mesmo botar uma só águia
Pra proteger o pintinho do corvo,
Como Humphrey qual Protetor do rei?

RAINHA

Isso garante a morte do pintinho.

SUFFOLK

Certo, senhora; mas não é loucura
Fazer raposa cuidar do rebanho?
Que, acusada de assassino esperto
Tem suas culpas meio disfarçadas
Porque ainda não fez o que pretende?
Não; que ele morra, já que é uma raposa,
Que é inimiga nata do rebanho,

                    Antes que suje de sangue a queixada,
260   Como Humphrey, por traições[28] comprovadas.
                    Nem esmiúcem meios de o matar:
                    Ciladas, armadilhas, sutilezas,
                    Dormindo ou não, não nos importa como,
                    Desde que morra; pois é bom engano
265   Dar xeque-mate quem primeiro engana.

        RAINHA
                    Triplo nobre Suffolk, isso é bem dito.

        SUFFOLK
                    Só é resolução o que é feito;
                    Muito se diz sem intenção real:
                    Se o coração está de acordo com a língua,
270   E se vejo que o feito é meritório,
                    E salva o soberano do inimigo,
                    É só dizer que eu serei o seu padre.

        CARDEAL
                    Eu o desejo morto, Milord Suffolk,
                    Bem antes de poder vê-lo ordenado:
275   Se disser que consente e que o aprova,
                    Fique o carrasco pela minha conta;
                    A esse ponto eu zelo por meu rei.

        SUFFOLK
                    Eis minha mão; o feito vale a pena.

        RAINHA
                    O mesmo digo eu.

        YORK
280   E eu; e agora que os três já falamos,
                    Pouco importa quem julga o nosso voto.

                    (*Entra um* CORREIO.)

        CORREIO
                    Senhores, chego apressado da Irlanda,
                    Pra avisar que rebeldes, num levante,
                    Passam ingleses a fio de espada.
285   Mandem socorro, lords, cortem a ira

---

[28] A palavra "treasons" (traições) é proposta por Hudson, um dos primeiros editores de Shakespeare. No Fólio de 1623 aparece "reasons" (razões), mas a virtual totalidade dos estudiosos aceita "traições" em função do diálogo que precede a fala. (N. T.)

      Antes que o corte se torne incurável,
      Pois, sendo novo, há espera de cura.

  CARDEAL

      Precisa ser tapado a toda pressa!
      Que conselho nos dão pro caso grave?

  YORK

290   Como regente mandar logo Somerset.
      Convém mandar governante de sorte;
      Lembrem da sorte que ele teve em França.

  SOMERSET

      Se York, com sua política de astúcia
      Fosse o regente então, em meu lugar,
295   Não resistia tanto tempo em França.

  YORK

      Nem como fez a perderia toda.
      Preferiria eu perder a vida
      A voltar com tal carga de desonra,
      Ficando lá até perder-se tudo.
300   Mostre uma cicatriz em sua pele:
      Carne que fica inteira não triunfa.

  RAINHA

      Essa fagulha vai tornar-se incêndio,
      Se alimentada com vento e com calor.
      Chega, bom York; tranquilo, Somerset:
305   Sua fortuna, York, como regente,
      Poderia ter sido inda pior.

  YORK

      O quê? Pior que nada? É só vergonha!

  SOMERSET

      Se para todos, para si também.

  CARDEAL

      Milord de York, arrisque então seu fado;
310   Está em armas a plebe irlandesa,[29]
      Mesclando a terra com o sangue de ingleses:
      Lidere à Irlanda um conjunto de homens

---

29 O duque de York era irlandês de nascimento. (N. T.)

　　　　　　　Bem escolhidos, da vários condados,
　　　　　　　E tente a sorte contra os irlandeses.

　　　YORK

315　　　　　 Irei, milord, se o rei assim deseja.

　　　SUFFOLK

　　　　　　　Com a nossa autoridade ele consente,
　　　　　　　A nossa decisão ele confirma:
　　　　　　　Aceite, nobre York, essa tarefa.

　　　YORK

　　　　　　　Aceito; e arrebanhem os soldados
320　　　　　 Enquanto eu ponho ordem no que é meu.

　　　SUFFOLK

　　　　　　　Cumprirei a tarefa, milord York;
　　　　　　　Mas voltemos ao falso duque Humphrey.

　　　CARDEAL

　　　　　　　Não é preciso; lidarei com ele
　　　　　　　De modo a não tornar a incomodar-nos.
325　　　　　 'Stá acabado. O dia está no fim.

　　　SUFFOLK

　　　　　　　Milord, temos de conversar, nós dois.[30]

　　　YORK

　　　　　　　Milord de Suffolk, em catorze dias
　　　　　　　Espero em Bristol pelos meus soldados;
　　　　　　　Pois de lá é que embarco para a Irlanda.

　　　SUFFOLK

330　　　　　 Tudo estará cumprido, Milord de York.

　　　　　　　　　　　　　　　(*Saem todos menos* YORK.)

　　　YORK

　　　　　　　Agora, York, ou nunca, pense firme;
　　　　　　　Troque a dúvida por resoluções:
　　　　　　　Seja o que quer ser; sendo o que é,
　　　　　　　Melhor a morte, pois não lhe traz gozo.
335　　　　　 Que tenha medo pálido a ralé,
　　　　　　　Mas não chegue a seu coração real.

30　A fala atribuída a Suffolk segue a edição Fólio; há edições que atribuem a fala ao cardeal, como um aparte para Suffolk. (N. E.)

           Chovem ideias quais chuvas de abril,
           E todas pensam só em dignidade.
           Meu cérebro, ativo como a aranha,
340   Tece teias que prendem inimigos.
           Nobres senhores, que boa política
           Despachar-me daqui com muita tropa.
           Alimentaram a cobra faminta
           Que acalentam no peito a ser picado.
345   Faltavam-me os homens que me deram:
           Eu agradeço; porém tenham certeza
           Que deram boas armas a um insano.
           Enquanto treino esses homens pra Irlanda,
           Na Inglaterra instigo tempestade
350   Que dez mil almas manda a céu ou inferno;
           E a horrenda tempestade não se amaina
           Até ter minha cabeça o aro de ouro
           Que, como os raios do glorioso sol,
           Baixa a fúria do louco temporal.
355   Como instrumento desse meu intento
           Eu seduzi em Kent um cabeçudo,
           John Cade de Ashford,
           Para armar confusões, como ele sabe,
           Sob o título nobre de John Mortimer.
360   Eu vi na Irlanda esse teimoso Cade
           Enfrentar todo um grupo de irlandeses,
           Lutando até que suas coxas, com flechas,
           Ficarem parecendo um porco-espinho:
           E ao ser salvo eu ainda o vi
365   Levantar-se e dançar como um *morisco*[31]
           A sacudir as flechas como guizos.
           Por vezes, ardiloso e desgrenhado,
           Conversou com os *kern*,[32] seus inimigos,
           E sem ser descoberto me voltou
370   E avisou de suas vilanias.
           Esse diabo será meu substituto;
           Pois se assemelha ao John Mortimer morto
           Muito de perto em rosto, andar e fala:
           Por ele hei de saber que pensa o povo,
375   Como os afeta o reclamo dos York.
           Digamos que o prendam e torturem;
           Não sei de dor que lhe seja infligida
           Que o faça dizer que eu é que o mandei.

---

31 Morisco, no caso, não se refere a mouros mas aos *morris dancers*, que dançavam a esfusiante e grotesca *morris dance* do velho folclore inglês. Os dançarinos tinham guisos presos às pernas. (N. T.)
32 *Kern* eram soldados irlandeses com armas leves, bastante selvagens e corajosos. (N. T.)

            Se prosperar, e é provável que o faça,
380   Então eu volto da Irlanda com a tropa,
           Pra colher o que o safado plantou;
           Pois 'stando morto Humphrey, e o estará,
           E afastado Henrique, venho eu.

                                                                    (Sai.)

CENA 2
Bury St. Edmunds, Uma sala de Estado.

(Entram dois ou três que cruzam o palco correndo, vindo do assassinato do duque Humphrey.*)*

1º Assassino

           Vá procurar Milord Suffolk, e o informe
           Que despachamos o duque, como disse.

2º Assassino

           Quem dera ainda não! O que fizemos?
           Jamais viu homem penitente assim?

(Entra Suffolk.*)*

1º Assassino

5   Aí vem milord.

Suffolk

           Como é, amigos, liquidaram tudo?

1º Assassino

           Sim, meu bom senhor. Ele está morto.

Suffolk

           Disse bem. Podem ir à minha casa,
           Que vou recompensá-los por seu feito.
10   O rei e os nobres estão já bem perto.
           Prepararam bem a cama? Está tudo
           De acordo com as minhas instruções?

1º Assassino

           Tudo lindo, senhor.

Suffolk

                        Vão-se! Depressa!

                                                    (Saem os Assassinos.*)*

(Fanfarras. Entram o REI, a RAINHA, o CARDEAL BEAUFORT, SOMERSET e séquito.)

REI HENRIQUE

Chamem logo meu tio à minha presença;
15   Pois vamos julgar hoje Sua Graça,
Para ver se é culpado, como dizem.

SUFFOLK

Eu vou logo chamá-lo, meu senhor.

(Sai.)

REI HENRIQUE

A seus lugares, lords, e peço a todos
Que não julguem pior meu tio Gloucester
20   Do que provas verdadeiras e honradas
O demonstrem de fato ser culpado.

RAINHA

Deus nos livre que a malícia permita
Ser condenado um nobre não culpado!
Deus o livre de toda suspeição!

REI HENRIQUE
25   Grato, Meg. Tais palavras me consolam.

(Volta SUFFOLK.)

Mas por que tão pálido? Por que treme?
Onde está nosso tio? O que há, Suffolk?

SUFFOLK

Em seu leito, milord. Gloucester 'stá morto.

RAINHA

Pela Virgem! Que Deus não o permita!

CARDEAL
30   Julgou Deus em segredo; sonhei ontem
Com o duque mudo, sem poder falar.

(O REI desmaia.)

RAINHA

Que há, senhor? Socorro! O rei 'stá morto!

SOMERSET
    Levantem-no e torçam-lhe o nariz!

RAINHA
    Depressa! Ajuda! Abra os olhos, senhor!

SUFFOLK
35   'Stá revivendo; paciência, senhora.

REI HENRIQUE
    Deus do céu!

RAINHA
          Como passa o meu senhor?

SUFFOLK
    Console-se, meu rei! Ah, majestade!

REI HENRIQUE
    O que, deseja Suffolk consolar-me?
    Ele chegou com canto de corvo,
40   Com tom que me tirou força vital,
    E crê que o pipilar de um passarinho,
    A consolar com gritos peito oco,
    Pode apagar o som original?
    Não esconda veneno com açúcar;
45   Não me toque; afastem-se, eu ordeno:
    Seus toques são picadas de serpente.
    Não quero vê-lo, fatal mensageiro!
    Em seus olhos, tirania assassina
    Posta em seu trono assusta o mundo inteiro!
50   Não me olhe, os seus olhos me ferem:
    Mas não se afaste: venha, basilisco,
    E mate o inocente com o olhar:
    Pois, na sombra da morte há alegria,
    Na vida, morte dupla, morto Gloucester.

RAINHA
55   Por que agride assim o Milord Suffolk?
    Embora o duque fosse seu inimigo,
    Ele o lamenta, sendo um bom cristão;
    Quanto a mim, embora me odiasse,
    Se a água, pranto ou os gemidos,
60   Os suspiros de sangue o resgatassem,
    Me cegaria o pranto, e com suspiros
    Eu ficaria pálida qual prímula,

       Só para ter de novo o duque vivo.
       O que há de dizer de mim o mundo?
65   É sabido sermos nós poucos amigos;
       Podem julgar ser eu quem o afastou,
       Pode a calúnia ferir o meu nome,
       E eu desprezada em cortes principescas.
       Isso me custa sua morte. É bem triste
70   Ser rainha e coroada de infâmias!

   Rei Henrique
       Infeliz eu, por Gloucester desgraçado.

   Rainha
       Infeliz eu, mais desgraçada que ele.
       Por que se vira e esconde assim o rosto?
       Não sou leprosa imunda; olhe-me.
75   O quê? Agora é surdo qual serpente?
       Pois com veneno mate esta rainha.
       Seu conforto 'stá na tumba de Gloucester?
       Margaret, então, jamais foi sua alegria:
       Erija estátua dele e a adore,
80   E, de mim, faça imagem de taverna.
       Foi pra isso que eu quase naufraguei,
       Duas vezes negada a costa inglesa,
       Devolvida por ventos ao meu lar?
       Contra um prenúncio, em que o vento dizia:
85   "Evite o ninho de escorpião,
       Não pise nessas praia impiedosas"?
       Que fiz, senão maldizer esses ventos
       E aquele que os soltou de suas cavernas,
       Buscando a santa praia da Inglaterra
90   Ou então naufragar em dura rocha.
       Mas Eólo não quis ser assassinado,
       Deixando pra si a odiosa empresa:
       O mar revolto negou-se a afogar-me,
       Sabendo que o faria o rei na praia,
95   Com maldade salgada como o mar.
       As rochas, escondendo-se na areia,
       Não me quiseram rasgar com suas pontas,
       Pois seu coração de pedra, mais que elas,
       Podia matar Margaret no palácio.
100   Tão logo vi suas falésias brancas,
       De onde o tempo nos mandava embora,
       Fiquei no temporal de pé no deque,
       E quando o céu escuro já roubava
       De meu alerta olhar visão da terra,

105	Eu arranquei uma joia do pescoço...
	Um coração cercado de diamantes...
	Que atirei para a praia. O mar colheu-o,
	Como quis seu corpo o meu coração:
	Perdi então a vista da Inglaterra,
110	Pedi deixarem o coração meus olhos,
	Chamando de lente cega e fosca,
	Porque não viam mais a costa de Albion.
	Muito tentei que a língua de Suffolk –
	O agente de sua vil inconstância –
115	Que me encantasse, como fez Ascânio
	Quando, para encantar a insana Dido,
	Contou feito do pai, queimando Troia![33]
	Não sou, como ela, bruxa, e o senhor falso?
	Ai, não aguento mais! Morre, então, Margaret!
120	Pois Henrique lamenta esteja viva.

(Ruído fora. Entram WARWICK, SALISBURY e muitos comuns.)

WARWICK

    Corre aí, poderoso soberano,
    Que o bom duque Humphrey morreu traído,
    Por meio de Suffolk e do cardeal.
    Os comuns, como uma colmeia em fúria,
125   Querem seu líder, vão de lá para cá,
    Sem se importar quem ferem, na vingança.
    Eu acalmei o fogoso motim
    Até saberem como ele morreu.

REI HENRIQUE

    Que ele está morto, Warwick, é a verdade;
130   Mas como, só Deus sabe, não Henrique:
    Vá a seu quarto, veja o corpo inerte,
    E comente depois a morte súbita.

WARWICK

    Assim farei, senhor. Fique, Salisbury,
    Co'a rude multidão até que eu volte.

(Saem WARWICK e SALISBURY, com os comuns.)

REI HENRIQUE

135   Oh Deus, que julgas tudo, que eu não pense –
    Os pensamentos à alma me dizem
    Que morreu Humphrey por mãos violentas.

---

[33] Shakespeare interpreta mal a *Eneida*. Foi Cupido, com o aspecto de Ascânio, quem enfeitiçou Dido. (N. T.)

Se é suspeita falsa, Deus, perdoa;
Pois só a Ti pertence o julgamento.
140 Eu queria aquecer-lhe os lábios pálidos.
Com mil beijos, e inundar sua face
Com todo um mar de lágrimas salgadas,
Dizendo o quanto eu amo o tronco surdo,
Para sentir, na mão, mão insensível:
145 Porém tais cerimônias são em vão;

(É trazida para frente uma cama.)

E olhar sua terrena forma morta
Não é mais que aumentar a minha dor.

(Warwick abre as cortinas, mostrando o duque Humphrey em sua cama.)[34]

Warwick
Olhe esse corpo, grande e soberano.

Rei Henrique
Isso é olhar quão funda é a minha cova;
150 Pois com su'alma foi-se o bem terreno,
E, ao vê-lo, vejo a minha vida morta.

Warwick
Tão certo quando espera a minha alma
Viver com Aquele que a Si nos tomou
Pra livrar-nos da maldição do Pai,
155 Creio que mãos violentas atingiram
A vida do triplo-famoso duque.

Suffolk
É jura horrenda em língua tão solene!
Que base tem Lord Warwick pra jurá-la?

Warwick
O sangue congelado em sua face.
160 Já vi mortos de causas naturais,
Cinzentos, secos, pálidos, sem sangue,
Todo descido para o coração[35]
Que, no conflito que mantém com a corte,
O atrai pra mirar o inimigo;

---

[34] A cama estaria colocada no palco interior, oculta por uma cortina, que tem de ser afastada a fim de a cama ser trazida para a frente do palco. (N. T.)
[35] A crença da época era que o sangue todo desceria para o coração para que o moribundo pudesse lutar para sobreviver. (N. E.)

165 No coração esfria, e não retorna
Pra embelezar com cor de novo a face.
Vejam sua face, negra e ensanguentada,
Os olhos mais saltados do que em vida,
Co'o olhar horrível dos estrangulados;
170 Louco o cabelo, a narina alargada,
A mão aberta, como se agarrada
À vida, e derrotada pela força.
O cabelo está grudado nos lençóis,
Sua bela barba rude, em desalinho,
175 Como o trigo no temporal do estio.
Não pode ser senão assassinato;
O menor dos indícios o comprova.

SUFFOLK

Mas, Warwick, quem havia de matá-lo?
Por mim e Beaufort 'stava protegido;
180 E nós, Senhor, não somos assassinos.

WARWICK

Mas inimigos jurados de Humphrey,
E tendo sob sua guarda o bom duque:
Não creio que o tratasse como amigo,
E ele encontrou, na certa, um inimigo.

RAINHA

185 O senhor então suspeita os dois nobres
Da morte precoce do duque Humphrey.

WARWICK

Quem vê morto o vitelo, e ensanguentados,
A seu lado, o carniceiro e o machado,
Não o suspeita morte violenta?
190 Quem vê perdiz em ninho de milhafre
Pode pensar que lá já chega morta,
Mesmo sem sangue no bico do outro?
Assim se suspeita nessa tragédia.

RAINHA

É assassino Suffolk? Onde sua faca?
195 E Beaufort milhafre? Onde sua garra?

SUFFOLK

Eu não mato com faca homens dormindo;
Só tenho espada, que a paz enferruja,
Que hei de limpar no peito rancoroso

De quem me calunia com esse sangue.
Diga, se ousa, senhor de Warwickshire,
Que eu tenho culpa na morte do duque.

*(Saem C*ardeal *e outros.)*

WARWICK
O que não ouso frente ao falso Suffolk?

RAINHA
Ele não ousa acalmar seu espírito,
Nem deixar de ser crítico arrogante,
Nem com vinte desafios de Suffolk.

WARWICK
Calma, senhora, com respeito eu peço;
Cada palavra que diz pra defendê-lo
Ofende a sua real dignidade.

SUFFOLK
Lord obtuso, grosseiro de maneiras!
Se jamais dama traiu tanto o amo,
Sua mãe levou a seu vil leito
Alguma calhorda, e o cepo nobre
Teve enxerto mau, do qual é mau fruto,
Porém jamais da nobre estirpe Nevil.

WARWICK
Se a culpa da morte não o escudasse,
E eu roubaria a paga do carrasco,
Ao fazê-lo pagar dez mil vergonhas;
Se a presença do rei não me adoçasse,
Eu o faria, covarde, de joelhos
Implorar meu perdão pelo que disse,
E dizer que falava de sua mãe;
Que o senhor é que nasceu bastardo:
E ao fim de todos esses rituais,
Pagava-o[36] e mandava-o pro inferno,
Maldito sanguessuga de quem dorme!

SUFFOLK
Estará desperto quando eu o sangrar,
Se ousar sair comigo da presença.[37]

---

36 Segundo o Evangelho de Mateus, todos os que trabalham, mais ou menos, devem ser pagos. (N. T.)
37 A "presença" era o bastante para significar a presença do rei, diante de quem não poderiam bater-se os nobres. (N. T.)

WARWICK

    Se não sais já, eu o arrasto pra fora:
    Mesmo indigno, eu o enfrentarei
230   Pra prestar um serviço à alma do duque.

(Saem SUFFOLK e WARWICK.)

REI HENRIQUE

    Coração puro é a melhor armadura!
    Tem arma tripla quem tem causa justa,
    E está nu, mesmo que envolto em aço,
    Aquele que a injustiça corrompeu.

(Ruídos vindos de dentro.)

RAINHA

235   Que ruído é esse?

(Voltam SUFFOLK e WARWICK, ambos de espada em punho.)

REI HENRIQUE

    O que é isso, milords? De espada em punho
    Ante a nossa presença? Como ousam?
    Que clamoroso tumulto acontece?

SUFFOLK

    O traidor Warwick, com os homens de Bury,
240   Me atacaram, grande soberano.

(Entra SALISBURY.)

SALISBURY

    (Para os comuns, ao entrar.)
    Aguardem. Direi ao rei o que pensam.
    Senhor, por mim manda dizer o povo
    Que a não ser que Suffolk morra já,
    Ou que seja banido da Inglaterra,
245   Eles vêm agarrá-lo no palácio
    Pra muito torturá-lo até que morra.
    Por ele, dizem, morreu o bom duque;
    Por ele, dizem, temem sua morte;
    E só o instinto de amor e lealdade,
250   Livre de qualquer intento rebelde,
    Ou de contrair vontade sua,
    Que os faz reclamar seu banimento.
    Dizem, aflitos por sua pessoa,

	Que se quisesse dormir a Sua Alteza,
255	Dando ordens pra não ser perturbado,
	Sob pena de desagrado ou de morte,
	Mesmo que houvesse lei das mais rígidas,
	Vendo uma serpe, com sua língua dupla,
	Solerte deslizando pr'o senhor,
260	Seria necessário despertá-lo,
	Pra não sofrer, enquanto adormecido,
	Que o verme tornasse eterno esse sono.
	Portanto, afirmam: mesmo que o proíba,
	Eles hão de protegê-lo, queira ou não,
265	Contra cobras tão falsas quanto Suffolk,
	Por cuja peçonha e mordidas fatais
	Ao tio amado, que tão mais valia,
	Tiraram vergonhosamente a vida.

COMUNS

    (De fora.)
    Que o rei responda, Milord de Salisbury!

SUFFOLK

	É coisa dos comuns, campônios rudes,
270	Mandar ao rei uma mensagem tal;
	Mas o senhor, milord, teve prazer
	Em mostrar os seus dotes de orador.
	Mas a honra que Salisbury conquistou
275	Foi o ter sido o grande embaixador
	De uns pobres funileiros para o Rei

COMUNS

    (De fora.)
    Que o rei responda, ou nós atacamos!

REI HENRIQUE

	Vá Salisbury, e diga-lhes por mim
	Que agradeço o seu cuidado tão terno;
280	E que, mesmo sem ser estimulado,
	Já pensava em fazer o que me pedem;
	Pois de hora em hora prevê minha mente
	Mal ao Estado por meio de Suffolk:
	Portanto, juro, por Sua Majestade,
285	Cujo indigno deputado sou aqui,
	Que ele não há de infectar estes ares
	Mais que três dias, sob pena de morte.

(Sai SALISBURY.)

Rainha

    Que eu peça, Henrique, pelo gentil Suffolk!

Rei Henrique

    Dura rainha, que o diz gentil Suffolk!
290   Chega, eu lhe digo: se pedir por ele,
    Só faz ficar maior a minha ira.
    Só por dizê-lo, eu mantinha a palavra;
    Porém tendo jurado, é irrevogável.
    Se após três dias inda o encontrarem
295   Em qualquer terra da qual sou rei,
    Nem o mundo resgata sua vida.
    Venha, venha comigo, meu bom Warwick;
    Tenho graves assuntos a informar-lhe.

(Saem todos menos a Rainha e Suffolk.)

Rainha

    Tristeza e dor sejam seus companheiros!
300   O infortúnio e um coração aflito
    Sejam seus companheiros de folguedos!
    Esses são dois; feche o trio do Diabo!
    Siga seus passos a Vingança tripla![38]

Suffolk

    Deixe, doce rainha, a execração[39],
305   E deixe que seu Suffolk se despeça.

Rainha

    Mulher covarde eterna infeliz.
    Não tem espírito para maldizê-los?

Suffolk

    Malditos sejam! Mas por que praguejo?
    Se, qual mandrágora, juras matassem,
310   Eu podia inventar termos profundos,
    Duros, malditos, terríveis de ouvir,
    E proclamá-los com força entre dentes,
    E com tantos sinais de ódio letal
    Quantos tem a Inveja em sua caverna.
315   Com a língua tropeçando em termos duros,
    Os olhos a brilhar qual pederneira,

---

[38] A fala toda, é claro, refere-se ao Rei e a Salisbury. (N. E.)
[39] A relação amorosa entre a Rainha e Suffolk não tem base histórica, e foi elaborada a partir da crônica de Hall, que afirma que Margaret "entirely loved the Duke" (amava o Duque completamente), e que este era "the Queenes dearlinge" (o querido da Rainha). (N. E.)

Os cabelos em pé, como os de um louco,
Cada junta seria nova praga:
E a carga no meu peito explodiria,
Se não nos maldissesse. Bebam veneno!
Fel, ou pior, seja o melhor que provem!
Que só consigam sombra de ciprestes!
Que os seus filhos só vejam basiliscos!
Um doce toque a picada do réptil.
Sua música, o sibilar da cobra,
Orquestrada por guinchos de corujas!
E que os terrores do profundo inferno...

RAINHA
Já chega, doce Suffolk, de tormentos;
Pois pragas tais, como o sol na vidraça,
Ou como a arma supercarregada,
Podem tornar suas forças contra si.

SUFFOLK
Quis pragas, mas agora quer que eu pare?
Pois pela terra da qual sou banido,
Podia praguejar por longa noite,
Mesmo nu no topo da montanha,
Onde o frio jamais permite o verde,
E julgá-lo minuto de folguedos.

RAINHA
Mas imploro que pare. Dê-me sua mão,
Pra que eu a orvalhe com meu pranto;
E sem deixar que nela chova o céu
Para lavar o emblema da tristeza.
Ficasse impresso em sua mão meu beijo,
Pra que dele qual selo se lembrasse
Dos mil suspiros que por si são dados.
Vá-se, então, pr'eu medir essa tristeza
Só imaginada enquanto está aqui.
Como imagina a fome o satisfeito.
Hei de tê-lo de volta ou, 'steja certo,
Arriscarei ser eu mesma banida;
E banida já estou, se só de si.
Vá. Não fale. Parta agora mesmo.
Ainda não! Como amigos condenados
Se beijam e se abraçam por mil vezes,
Preferindo morrer a separarem-se.
Agora, adeus; e passe bem a vida.

SUFFOLK
    Assim, dez vezes 'stá banido Suffolk,
    Uma vez pelo rei, nove por si.
    Sem sua presença, não faz falta a terra;
    Um deserto é bastante povoado
360   Tivesse eu sua divina companhia:
    Pois onde está, aí está o mundo,
    Com todos os prazeres que há no mundo;
    Mas, onde não está, desolação.
    Não posso mais. Viva a vida feliz,
365   Minha alegria é só sabê-la viva.

(*Entra* VAUX.)

RAINHA
    Por que vai Vaux tão rápido? O que há?

VAUX
    Vou informar a Sua Majestade
    Que o cardeal Beaufort está nas últimas;
    Moléstia repentina o atacou,
370   Que o faz arfar, mas sempre sufocado,
    Blasfema contra Deus, maldiz os homens.
    Fala co'o espírito do duque Humphrey
    Como se o visse; e chama pelo rei,
    Segreda ao travesseiro, como a ele,
375   O que vai em sua alma tão pesada:
    Devo dizer a Sua Majestade
    Que ainda agora ele grita e o chama.

RAINHA
    Vai dar sua triste mensagem ao rei.

(*Sai* VAUX.)

    Ai, ai, que mundo! E que notícia é essa!
380   Mas por que choro à perda de uma hora
    E esqueço o exílio do querido Suffolk?
    Por que não choro apenas por meu Suffolk,
    Lutando contra as lágrimas das nuvens,
    Que enriquecem a terra, e as minhas choram?
385   Vá logo, então; o rei 'stá vindo aí;
    Se o encontram comigo, já está morto.

SUFFOLK
Se me afasto de si não tenho vida;
Morrer à sua frente, então, que é
Senão adormecer no seu regaço?
390 Aqui exalaria a alma ao ar,
Tão tranquilo quanto o bebê de berço
Que morre sugando o seio da mãe;
Enquanto, ao longe, irado e enlouquecido,
Clamando tê-la pra fechar meus olhos,
395 E ter seus lábios pra tapar-me a boca:
Devia, então, fazer voltar-me a alma,
Ou eu soprá-la dentro do seu corpo,
Pra que vivesse no mais doce Elíseo.
Morrer consigo é só brincar de morte;
400 Morrer distante é tortura na morte.
Pro bem ou para o mal, quero ficar.

RAINHA
A despedida é forte corrosivo,
Utilizado em mortais ferimentos.
Pra França, doce Suffolk! Dê notícias,
405 Pois 'steja onde estiver no nosso globo,
Tenho uma Iris que o encontrará,
Vá!

SUFFOLK
Eu vou.

RAINHA
Levando-me o coração.

(*Ela o beija.*)

SUFFOLK
Joia trancada no mais triste invólucro
Que jamais envolveu qualquer valor.
410 Nos afastamos qual barca que quebra,
Aqui vou para a morte.

RAINHA
Eu, por aqui.

(*Saem separadamente.*)

CENA 3
Um quarto de dormir.

(*Entram o Rei e Warwick, encontrando o Cardeal na cama.*)

Rei Henrique
    Como está? Fale, Beaufort, a seu rei.

Cardeal
    Se és a morte, dou-te o tesouro inglês,
    Bastante pra comprar uma outra ilha,
    Se me deixas viver, sem sentir dor.

Rei Henrique
5   Que sinal certo é esse de má vida,
    A chegada da morte assustar tanto!

Warwick
    Beaufort, seu soberano é que lhe fala.

Cardeal
    Podem julgar-me o quanto quiserem.
    Ele não morre na cama? Onde mais?
10   Posso eu forçar homem a viver?
    Não me torturem mais! Eu o confesso.
    Vivo de novo? Mostrem-me onde está.
    Eu dou mil libras pra poder olhá-lo.
    Não tem olhos, o pó já os cegou.
15   Penteiem-lhe os cabelos! Estão em pé,
    Fios com visgo pra prender-me a alma.
    Quero beber. E ao boticário peçam
    O forte veneno que eu lhe comprei.

Rei Henrique
    Ó tu, eterno Movedor dos céus!
20   Lance um gentil olhar ao desgraçado;
    Afaste o ativo demo intrometido
    Que cerca com tal força a alma infeliz,
    Purga-lhe o peito de tal desespero.

Warwick
    Cada golpe mortal traz riso horrível!

Salisbury
25   Não o perturbem; que vá em paz.

REI HENRIQUE
    Paz à sua alma, se assim o quer Deus.
    Cardeal, se pensa em paz celestial,
    Levante a mão, em sinal de esperança.
    Morreu; não fez sinal. Deus o perdoe!

WARWICK
    Morte má segue vida monstruosa.

REI HENRIQUE
    Não julgue. Somos todos pecadores.
    Fechem-lhe os olhos. Desçam as cortinas;
    Partamos todos em meditação.

(Saem.)

ATO 4

CENA 1

(Clarinada. Luta no mar. Fora, sons de artilharia. Entram um Tenente, um Mestre, um Contramestre, Walter Whitmore e soldados; com Suffolk, disfarçado, e dois Cavalheiros presos.)

TENENTE

    O dia, espalhafatoso e triste,
    Já deslizou para o seio do mar;
    Lobos uivando acordam os cavalos,
    Que puxam a noite patética e trágica,
5   Cujas asas sem força, sonolentas,
    Abraçam tumbas e, de suas bocas,
    Sopram no ar escuro os seus contágios.
    Tragam, portanto, os homens que ganhamos,
    Pois enquanto ancoramos na restinga
10   Eles pagam, na areia, seu resgate,
    Ou marcam com seu sangue a terra pálida.
    Pro mestre fica este prisioneiro;
    E o contramestre lucrará com este;
    O outro, Walter Whitmore, é sua parte.

1º CAVALHEIRO

15   Mestre, diga quanto é o meu resgate.

MESTRE

    Mil coroas, ou deixa aqui a cabeça.

CONTRAMESTRE

    O senhor paga o mesmo, ou perde a sua.

TENENTE

    O quê? Acham demais duas mil coroas,
    Tendo o nome e a pose de cavalheiros?
20   Cortem as duas cabeças.... pois morrem!
    As vidas que perdemos nessa luta
    Compensadas por vil quantia assim?

1º CAVALHEIRO

    Eu dou, senhor, e poupe a minha vida.

2º CAVALHEIRO

    Eu também; mando uma carta pedindo.

WHITMORE
25   Perdi meu olho até pô-los a bordo,
        Portanto vai morrer para vingá-lo.

        (Para SUFFOLK.)

        E se fosse por mim, morriam todos.

TENENTE
        Calma! Deixe-os viver, pelo resgate.

SUFFOLK
        Veja o meu Jorge;[40] eu sou um cavalheiro,
30   E peça o que quiser, que será pago.

WHITMORE
        Eu também; o meu nome é Walter Whitmore.
        O que o assusta? O que o faz ter medo?

SUFFOLK
        Seu nome, em cujo som 'stá minha morte.
        Um bruxo calculou meu nascimento,
35   E disse que por água eu morreria:
        Que isso não os faça pensar em sangue;
        Seu nome é Gualter,[41] bem pronunciado.

WHITMORE
        Gualter ou Walter, não me importa qual.
        E nunca foi o nome desonrado
40   Sem que a nossa espada lavasse a mancha;
        Quando, mascate, eu vender vingança,
        Que a minha espada quebre, como brasão,
        E que o mundo me chame de covarde!

SUFFOLK
        Seu prisioneiro, Whitmore, é um príncipe,
45   Duque de Suffolk, William de la Pole.

WHITMORE
        O duque de Suffolk, enrolado em trapos?

---

40 Uma medalha com a figura equestre de São Jorge era uma das insígnias da Ordem da Jarreteira, da qual Suffolk havia sido feito cavaleiro por Henrique V. (N. E.)

41 Este é uma dos vários casos de trocadilhos já dúbios no original e impossíveis de traduzir. "Walter" é semelhante à "water" (água). No Primeiro Fólio de 1623 o nome é escrito sem o "l". (N. T.)

SUFFOLK
    Mas os trapos não são parte do duque:
    Se Zeus se disfarçou, por que não eu?

TENENTE
    Mas não foi morto, e o senhor será.

SUFFOLK
50   Trapo humano, o sangue do rei Henrique,
    O honrado sangue da estirpe Lancaster,
    Não corre em qualquer cavalariço.[42]
    Não me beijou a mão, ou deu-me o estribo?
    Não seguiu minhas mulas, sem chapéu,
55   Alegre se eu lhe concedesse um aceno?
    Quantas vezes bebeu de minha taça,
    Comeu da minha mesa, ajoelhado,
    Quando eu festejava com a Rainha?
    Lembre-se disso, e abaixe essa crista.
60   Sim, esqueça esse orgulho mal nascido.
    E quantas vezes ficou nos corredores
    Só esperando que eu aparecesse.
    Minha mão escreveu a seu favor,
    E há de encantar sua língua irrequieta.

WHITMORE
65   Capitão, devo agora esfaqueá-lo?

TENENTE
    Primeiro eu, com palavras, como fez ele.

SUFFOLK
    Palavras não têm fio, escravo obtuso.

TENENTE
    Levem-no embora e, no parapeito,
    Cortem-lhe a cabeça.

SUFFOLK
            Mas nem ousa!

TENENTE
70   Poole!

---

[42] A afirmação de Suffolk é falsa; ele tinha apenas parentesco longínquo com Henrique VI. (N. T.)

SUFFOLK
          Poole?[43]

TENENTE
          Sim, canil, charco, poço imundo.
          Que mancha as fontes que a Inglaterra bebe;
          Vou represar a sua boca imensa
          Que devorava os tesouros do reino.
          Se beijou a rainha, beija a terra;
75   Sorriu quando morreu o duque Humphrey,
          Mas ante os ventos há de rir em vão.
          E há de ouvir seu sibilo de desprezo:
          Às megeras do inferno há de unir-se
          Por ter ousado casar rei poderoso
80   Com a filha de um rei que nada vale,
          Sem ter súdito, ouro ou diadema.
          Política satânica o fez grande,
          E, como Sylla,[44] estufou-se, ambicioso,
          Com pedaços do coração materno.
85   O senhor vendeu Anjou e Maine à França,
          E os normandos, revoltos por sua culpa,
          Não nos chamam senhor, e a Picardia
          Matou governadores, cercou fortes,
          Mandou pra casa feridos em farrapos.
90   O príncipe Warwick, e os Nevils todos,
          Que nunca em vão usaram suas espadas,
          Por odiá-lo 'stão agora em armas.
          E a casa de York sem a coroa
          Pela morte de um inocente rei,[45]
95   E a altiva e usurpadora tirania,
          Queima com o fogo da vingança e luta
          Pra fazer com que brilhem suas cores,
          Sob as quais aparece "*Invitis nubibus*".[46]
          Os comuns cá em Kent estão em armas;
100   Enfim, a indignidade e a miséria
          Atingiram até o real palácio.
          Por obra sua. Levem-no daqui.

SUFFOLK
          Quem dera eu ser um deus e mandar raios

---

43 O nome de família de Suffolk, de la Poole, é usado para trocadilhos: primeiro é chamado de "poole" e o som é o mesmo de "pool", piscina, lago, charco etc. Não há equivalente satisfatório para esse jogo de palavras. (N. T.)
44 Lucius Cornelius Sylla, século II, ditador responsável pelos primeiros banimentos de Roma. (N. T.)
45 Todos os partidários dos Yorks continuavam a atribuir tudo o que acontecia à usurpação da coroa de Ricardo II por Henrique IV. (N. T.)
46 Apesar das nuvens. (N. T.)

	Contra essa mísera e servil ralé.
105	Bem pouco cria orgulho: esse sujeito,
	Capitão de um barquinho, ameaça mais
	Que Bargulos, o pirata da Ilíria.
	Zangão não mata, saqueia a colmeia;
	Não poderia ser que eu morresse
110	Pelas mãos de um vassalo vil assim.
	O que diz me dá ira, não remorso.

TENENTE

Mas meus atos acabam com essa ira.

SUFFOLK

Eu levo à França cartas da rainha;
Faça-me agora cruzar o Canal.

TENENTE

115   O faço, Suffolk, cruzar pra sua morte.

SUFFOLK

Pene gelidus timor occupat artus.[47]
É a si que temo.

WHITMORE

Terá razão pra isso antes que eu o deixe.
O quê? Tem medo? Agora vai curvar-se?

1º CAVALHEIRO

120   Meu bom senhor, com cortesia implore.

SUFFOLK

	É rija a língua imperial de Suffolk,
	Só comanda, jamais pede favores.
	Longe de mim honrar qualquer um desses
	Com tom humilde; antes a cabeça
125	Abaixar-se no cepo que os joelhos
	Se dobrarem senão a Deus e ao rei:
	Antes dançar na ponta de alto poste
	Que tirar o chapéu a essa gentalha.
	Nobreza verdadeira não tem medo;
130	Aguento mais do que sabem fazer,

TENENTE

Levem-no embora. Chega de falar.

---

47 Em latim, no original: "O temor gélido quase domina meus membros". (N. E.)

SUFFOLK
    Soldados, mostrem tanta crueldade
    Que torne minha morte inesquecível.
    É comum a ralé matar os grandes:
135   Um espadachim romano, um bandido,
    Matou o doce Túlio.[48] A mão de Brutus
    Apunhalou Cesar; vis selvagens,
    Pompeu, o Grande; piratas a Suffolk.

(Saem Whitmore e outros, com Suffolk.)

TENENTE
    Quanto aos outros, que têm resgate certo,
140   Dou-me o prazer de deixar um partir livre:
    Você venha conosco; parta o outro.

(Saem todos menos o 1º Cavalheiro.)

(Volta Whitmore, como corpo de Suffolk.)

WHITMORE
    Fiquem aí o corpo e a cabeça,
    Pra rainha, sua amante, vir buscá-lo.

(Sai.)

1º CAVALHEIRO
    Espetáculo bárbaro e sangrento!
145   Seu corpo eu levarei até o rei:
    Se não vingá-lo, amigos o farão;
    Ou a rainha, a quem sempre foi caro.

(Sai com o corpo.)

CENA 2
Blackheath.

(Entram George Bevis e John Holland.)

BEVIS
    Vamos arranjar uma espada, nem que seja de ripa: eles estão de pé há dois dias.

HOLLAND
    Então precisam ainda mais de dormir agora.

---

48 Cícero. (N. T.)

BEVIS

Estou dizendo; Jack Cade, vendedor de tecidos, resolveu vestir toda a comunidade, virando-a toda pelo avesso, dando-lhe um novo brilho.

HOLLAND

Bem precisado, já que tudo estava muito gasto. Eu sempre digo que a alegria da Inglaterra acabou desde que apareceram os cavalheiros.

BEVIS

É uma época miserável! Ninguém respeita virtude em artesão.

HOLLAND

A nobreza acha vergonha usar avental de couro.

BEVIS

Pior ainda; no Conselho do Rei não há mais bons trabalhadores.

HOLLAND

Verdade; mas todos dizem "Trabalhem em sua vocação", que seria igual a "Que os magistrados sejam trabalhadores" e, portanto, nós devíamos ser magistrados.

BEVIS

Acertou em cheio; não há melhor indício de uma mente forte do que uma mão calejada.

HOLLAND

Estou vendo! Estou vendo! Lá está o filho de Best, o curtidor de Wingham.

BEVIS

Esse arranca a pele de nossos inimigos para fazer couro de cachorro.[49]

HOLLAND

E Dick, o açougueiro.

BEVIS

Então o Pecado foi abatido como boi, e a goela da Iniquidade cortada como a de bezerro.

HOLLAND

E Smith, o tecelão.

BEVIS

Argo,[50] já teceram o fio da vida.

---

[49] Couro de cachorro era usado para fabricar luvas. (N. T.)
[50] Troca o termo latino "ergo" que quer dizer "portanto" para "argo". (N. E.)

HOLLAND
Venha, venha; vamos juntar-nos a eles.

(Rufar de tambor. Entram CADE, DICK, o AÇOUGUEIRO e um CARPINTEIRO, com uma multidão.)

CADE
Nós,[51] John Cade, assim chamado por nosso suposto pai...

AÇOUGUEIRO
(À parte.)
Ou por roubar um caixote de arenques·

CADE
Pois nossos inimigos cairão diante de nós, inspirados com o espírito da derrubada de reis e príncipe... Exija silêncio.

AÇOUGUEIRO
Silêncio!

CADE
Meu pai era um Mortimer...[52]

AÇOUGUEIRO
(À parte.)
Era um homem honesto e muito bom com tijolos.

CADE
Minha mãe uma Plantagenet.

AÇOUGUEIRO
(À parte.)
Conheci muito bem; era parteira.

CADE
Minha mulher descende dos Lacies...

AÇOUGUEIRO
(À parte.)
Era mesmo filha de um mascate, e vendia muitos laços...

---

[51] Usa o plural real mas a seguir é explicado que "cade" era um caixote contendo quinhentos arenques. A partir deste momento há toda uma série de trocadilhos com os nomes e os ofícios dos revoltosos, impossíveis de traduzir no sentido e intenção com que são usados no original. (N. T.)

[52] Ligados ao duque de Clarence, por casamento, e por isso considerando-se usurpados pelos herdeiros do duque de Lancaster, mais moço do que ele. É por essa linhagem que os York reclamam o trono. (N. T.)

TECELÃO

Não nestes últimos tempos; não aguentando mais a trouxa, ela lava roupa em casa, mesmo.

CADE

Portanto, eu pertenço a uma casa honrada.

AÇOUGUEIRO

(À parte.)
Juro que é honrado o campo onde você nasceu, debaixo de uma sebe; pois seu pai só tinha casa na cadeia.

CADE

Sou valente...

TECELÃO

(À parte.)
Tem de ser, pedinte tem de ser valente.

CADE

Sou capaz de aguentar muita coisa.

TECELÃO

(À parte.)
Lá isso é; já o vi açoitado três dias seguidos no mercado.

CADE

Não temo espada nem fogo.

TECELÃO

(À parte.)
Espada, nem precisa; o casaco está duro de uso.

AÇOUGUEIRO

(À parte.)
Mas acho que deve ter medo de fogo, pois teve a mão marcada a fogo por roubar carneiros.

CADE

Sejam bravos, então; pois seu capitão é bravo e promete reformas. Na Inglaterra, sete pãezinhos de meio *penny* serão vendidos por um *penny*; a caneca de três doses vai dar dez doses; e vou fazer ser crime beber cerveja aguada. E o reino será comum a todos. E meu cavalo vai pastar em Cheapside.[53] E quando eu for rei, e serei rei...

---
53 A área de Cheapside era ocupada pelo maior mercado de Londres. (N. E.)

Todos

Deus salve Sua Majestade!

Cade

Obrigado, bom povo... não haverá dinheiro; todos vão comer e beber às minhas custas, e vou vestir todos na mesma libré, para todos se amarem como irmãos e me adorarem como seu senhor.

Açougueiro

Primeiro, vamos matar todos os advogados.

Cade

Já ia fazer isso. Não é uma tristeza que a pele de uma ovelha inocente vire pergaminho? E que esse pergaminho, rabiscado, possa acabar com um homem? Dizem que a abelha pica; mas eu digo que a cera é da abelha, pois assinei uma vez um coisa selada, e nunca mais fui realmente livre. Que é isso? Quem está aí?

(Entra um grupo, trazendo o Escrivão de Chartham.)

Tecelão

É o Escrivão de Chartham; ele sabe ler, escrever e fazer contas.

Cade

É monstruoso!

Tecelão

Ele prepara cadernos de cópia para meninos.

Cade

É um vilão!

Tecelão

Tem um livro no bolso com letras vermelhas.[54]

Cade

Então é bruxo!

Açougueiro

E tem mais, ele sabe fazer contratos e escrever com caligrafia de corte.

Cade

Lamento. O homem é um homem correto, dou a minha palavra; mas

---

[54] Provavelmente para alfabetização, com as maiúsculas em vermelho, geralmente com Emanuel escrito ao alto, significando "Deus está conosco". (N. T.)

se eu descubro que é culpado, ele morre. Venha cá, moleque; vou examiná-lo. Qual é o seu nome?

ESCRIVÃO
Emanuel.

AÇOUGUEIRO
Escrevem isso acima das letras. As coisas não estão boas para você.

CADE
Não se meta. Você costuma escrever seu nome, ou tem uma marca sua, como qualquer homem honesto?

ESCRIVÃO
Senhor, dou graças a Deus por ter sido bem educado e poder escrever o meu nome.

TODOS
Ele confessou; acabem com ele! É vilão e traidor.

CADE
Podem levar; enforquem ele com a pena e o tinteiro pendurados no pescoço.

(*Sai um deles levando o* ESCRIVÃO.)
(*Entra* MICHAEL.)

MICHAEL
Onde está o nosso general?

CADE
Estou aqui, "seu" indivíduo qualquer.

MICHAEL
Fuja! Fuja! Fuja! Sir Humphrey Stafford e seu irmão já estão perto, com as tropas do rei.

CADE
Firme, vilão, firme, ou eu o derrubo. Ele vai enfrentar homem tão bom quanto ele. Ele não é mais que um cavaleiro, não é?

MICHAEL
Não.

CADE
Para ficar igual a ele eu me faço cavaleiro agora mesmo. *(Se ajoelha.)*
Levante-se, Sir John Mortimer. *(Levanta-se)* Agora, vamos enfrentá-lo.

(Entram Sir Humphrey Stafford e seu irmão, com tambores e soldados)

STAFFORD
Ralé rebelde, vil lixo de Kent,
Nascidos pra a forca, larguem esse biltre:
Vão para casa, larguem esse biltre.
O rei perdoa a quem voltar atrás.

IRMÃO
Mas fica irado, e tende a ser sangrento,
Se insistem; portanto, cedam ou morram.

CADE
Com escravos de seda eu não me importo;
É a vocês, bom povo, que eu falo,
Sobre quem, no futuro, há de reinar;
Pois sou o herdeiro certo da coroa.

STAFFORD
Vilão! Seu pai era um estucador,
E você tosqueador, ou não é?

CADE
Adão foi jardineiro.

IRMÃO
E o que tem isso?

CADE
Isto: Edmund Mortimer, conde March,
Não casou com a filha do duque de Clarence?

STAFFORD
Sim, senhor.

CADE
Pois ela teve dois filhos de uma vez.

IRMÃO
É falso.

CADE
É a questão; digamos que é verdade.
O mais velho, dado a ama de leite,
Foi sequestrado por uma mendiga;
E, ignorando seu berço e seus pais,
Chegando à idade adulta foi pedreiro:
Sou filho dele; neguem se puderem.

AÇOUGUEIRO
É verdade, e por isso vai ser rei.

TECELÃO
Ele fez a chaminé da casa do meu pai, e os tijolos estão vivos até hoje, por testemunha; portanto, não neguem nada.

STAFFORD
E todos acreditam nesse pulha,
Que fala do que não sabe?

TODOS
Acreditamos! Portanto, pode ir embora.

IRMÃO
Jack Cade, o duque de York o instruiu nisso.

CADE
(À parte.)
Mentira, eu inventei sozinho. Pode ir, moço, e diga ao rei por mim, que graças a seu pai, Henrique v, em cujo tempo os meninos jogavam gude por coroas francesas, permito que ele reine; mas serei seu seu Protetor.

AÇOUGUEIRO
E além do mais queremos a cabeça de Lord Say, por ter vendido o ducado de Maine.

CADE
Com razão; pois a Inglaterra ficou caduca e capenga, com muletas que só o meu poder sustenta. Meus irmãos reis, eu lhes digo que Lord Say capou a comunidade e a deixou eunuca. Pior do que isso, ele fala francês e, portanto, é traidor.

STAFFORD
Ai, que ignorância grosseira e miserável!

CADE
Então, responda, se puder. Os franceses são nossos inimigos; e aí eu

pergunto: quem fala com a língua de um inimigo pode ou não pode ser um bom conselheiro?

Todos

Não, não: e por isso queremos a cabeça dele.

Irmão

Se uma fala gentil não prevalece,
Ataquemos com os soldados do rei.

Stafford

Vá, arauto: e por todas as cidades
Proclame que é traidor quem segue Cade;
Quem fugir antes do fim da batalha
Pode ser, ante a mulher e os filhos,
Como exemplo enforcado em sua porta.
E me siga quem é do rei amigo.

(Saem os dois Staffords e sua tropa.)

Cade

E quem ama os comuns, venha comigo.
Mostrem-se homens, pela liberdade.
Não vai sobrar nem lord nem cavalheiro:
Só poupem os sapatos remendados,
Pois esses são honestos, econômicos,
Que se ousassem passavam pr'este lado.

Açougueiro

Em ordem; eles marcham contra nós.

Cade

E nós ficamos mais em ordem quanto mais desordem. Vamos! Em frente!

(Saem.)

CENA 3
Outra parte de Blackheath.

(Alarmas para a batalha, na qual os dois Staffords são mortos. Entram Cade e o resto.)

Cade

Cadê Dick, o açougueiro de Ashford?

AÇOUGUEIRO

    Aqui, senhor.

CADE

    Eles caíram à sua frente como carneiros e bois; e você se comportou como se estivesse em seu próprio matadouro. Por isso, vou premiá-lo: a Quaresma será duas vezes mais comprida, e você terá licença para matar cem menos um.

AÇOUGUEIRO

    E nem preciso mais.

CADE

    Para falar a verdade, não merece menos. *(Ele veste a armadura de Sir Humphrey.)* Eu usarei este monumento da vitória, e os corpos serão arrastados pelas patas dos meus cavalos até eu chegar a Londres, onde teremos a espada do prefeito carregada à nossa frente.

AÇOUGUEIRO

    Se queremos progredir e fazer o bem, abra todas as prisões e solte os prisioneiros.

CADE

    Não se preocupe; eu garanto. Vamos, vamos marchar para Londres.

(Saem.)

CENA 4
Londres. O palácio.

(Entra o REI, com uma petição, e a RAINHA, trazendo a cabeça de SUFFOLK, o duque de Buckingham e LORD SAY.)

RAINHA

    (À parte.)
Dizem que a dor deixa a mente mais fraca,
Temerosa e até degenerada.
Pensa, então, na vingança e deixa o choro.
Como cessar o choro vendo isto?
A cabeça repousa no meu seio,
Mas onde o corpo, para o meu abraço?

BUCKINGHAM

    Que resposta dá Sua Graça à petição dos rebeldes?

Rei Henrique
                Eu mando um bispo santo convencê-los;
                Pois Deus impeça que essas almas simples
10   Morram pela espada! E eu, em pessoa,
                Antes que os ceife essa guerra sangrenta,
                Vou falar com seu general, Jack Cade.
                Espere, quero ouvir tudo de novo.

Rainha
                (À parte.)
                Vilões bárbaros! Este lindo rosto
15   Reinou qual um planeta sobre mim,
                Mas não pôde levar a se render
                Quem nunca mereceu sequer olhá-lo.

Rei Henrique
                Lord Say, Cade jura que quer sua cabeça.

Say
                Espero que Sua Graça pegue a dele.

Rei Henrique
20   Senhora, inda chora a morte de Suffolk?
                Eu temo, amor, que se morresse eu,
                Não choraria tanto assim por mim.

Rainha
                Não choraria, meu amor; morria.

                (Entra um Mensageiro.*)*

Rei Henrique
                Então? Que há? Por que toda essa pressa?

Mensageiro
25   Os rebeldes 'stão em Southwark; fujam!
                Jack Cade se proclama como Lord Mortimer,
                Diz que descende do duque de Clarence,
                Chama Sua Graça de usurpador,
                Jura que coroar-se em Westminster,
30   Sua tropa é uma multidão em trapos,
                Camponeses idiotas, grossos, rudes:
                A morte de Sir Humphrey e o irmão
                Deu-lhe fogo e coragem pr'avançar.
                Letrados, advogados, cavalheiros,
35   Chamam de lesmas falsas; vão matá-los;

REI HENRIQUE
    'Stão perdidos! Não sabem o que fazem.

BUCKINGHAM
    Meu bom rei, deve ir pra Kenilworth,
    Até termos as forças que os derrotem.

RAINHA
    Ah, se fosse vivo o Duque de Suffolk
    E essa ralé de Kent ficava quieta!

REI HENRIQUE
    Lord Say, esses traidores o odeiam;
    Venha conosco para Kenilworth.

SAY
    Ficaria em perigo sua pessoa.
    Meu aspecto é odioso aos olhos deles;
    Por isso eu permaneço na cidade,
    Na mais secreta possibilidade.

(Entra outro MENSAGEIRO.)

2º MENSAGEIRO
    Cade quase tomou a ponte de Londres;
    O povo foge e abandona as casas;
    Gente safada, querendo o butim,
    Adere ao traidor; e juram unidos
    Que hão de saquear cidade e corte.

BUCKINGHAM
    Não fique, meu senhor; vá a cavalo.

REI HENRIQUE
    Vamos, Margaret. E que Deus nos ajude.

RAINHA
    (À parte.)
    Eu não tenho esperança, morto Suffolk.

REI HENRIQUE
    Adeus, milord, não confie nos de Kent.

BUCKINGHAM
    Nem em ninguém, para não ser traído.

SAY
Eu só confio na minha inocência;
E por isso sou bravo e resoluto.

(Saem.)

CENA 5
Londres. A Torre.

(Entra LORD SCALES, na Torre, caminhando. Depois entram dois ou três cidadãos, embaixo.)

SCALES
Como é? Morreu Jack Cade?

1º CIDADÃO
Não, milord, e nem é provável que o matem; pois ganharam a Ponte, matando todos os que os enfrentavam. O prefeito pede que a Torre mande ajuda para defender a cidade dos rebeldes.

SCALES
5 Terá a ajuda que eu possa dispor.
Porém, aqui também tenho problemas;
Os rebeldes já atacaram a Torre.
Melhor é reunirem-se em Smithfield,
E para lá mandarei Matthew Goffe;
10 Lutem pelo rei, o país e a vida;
E passe bem, pois já tenho de ir-me.

(Saem.)

CENA 6
Londres. A rua Cannon.

(Entram JACK CADE e o resto; ele bate com seu bastão na Pedra de Londres.)

CADE
Agora Mortimer é senhor da cidade. Aqui, sentado na Pedra de Londres,[55] ordeno e comando que, aos custos da cidade, nas valas de xixi[56] só corra vinho durante o primeiro ano de nosso reinado. E, de agora em diante, será traição não me chamar de Lord Mortimer.

(Entra correndo um SOLDADO.)

---

55 A relíquia, que ficava na igreja de St. Swithin, na rua Cannon, era tida como um dos marcos do fórum londrino. (N. T.)
56 Em inglês, "Pissing Conduit"; tratava-se das valas perto da Royal Exchange por onde corria a água onde a população mais pobre pegava sua água. (N. E.)

Soldado

Jack Cade! Jack Cade!

Cade

Podem abatê-lo. *(Eles o matam.)*

Açougueiro

Se esse tiver juízo nunca mais o chama de Jack Cade; ele tinha sido avisado. Milord, há uma tropa reunida em Smithfield.

Cade

Então, vamos lutar com eles. Mas, primeiro toca fogo na Ponte de Londres e, se puder, queima a Torre também. Vamos embora.

(Saem.)

CENA 7
Londres. Smithfield.

(Alarma. Matthew Goffe é morto, com todo o resto. Então entram Jack Cade e seus companheiros.)

Cade

Muito bem. Agora um grupo vai derrubar o Savoy,[57] outros pr'os tribunais. Derrubem tudo.

Açougueiro

Tenho um pedido a fazer a Sua Nobreza.

Cade

Nobreza é bom; já ganhou, com essa palavra.

Açougueiro

Só que as leis da Inglaterra possam sair da sua boca.

Holland

(À parte.)
Pela missa, vão sair amargas; teve a boca furada por uma lança, e ainda não está curada.

Tecelão

(À parte.)
John, vai ser uma lei muito fedorenta, pois a boca dele fede de tanto comer queijo frito.

---

[57] A riquíssima residência londrina do duque de Lancaster. (N. T.)

CADE

Já pensei nisso; vai ser assim. Avante! Queimem todos os arquivos do reino; minha boca será o parlamento da Inglaterra.

HOLLAND

(À parte.)
Vamos ter estatutos muito cortantes, a não ser que os dentes dele sejam arrancados.

CADE

Daqui em diante, tudo vai ser em comum.

(Entra um MENSAGEIRO.)

MENSAGEIRO

Milord, um prêmio! Um prêmio! Vem aí Lord Say, que vendeu as cidades da França; que nos fez pagar vinte e um luíses e um xelim por libra, no último levantamento.

(Entra GEORGE, com LORD SAY.)

CADE

Por isso vai perder a cabeça dez vezes. E você, seu lord de *sayda*,[58] de sarja, de entretela! Agora está a queima-roupa de nossa real jurisdição. O que pode explicar à minha Majestade ter dado a Normandia a Monsieur Basimecu,[59] o Delfim de França? Fiquem sabendo que nesta presença, e na presença de Lord Mortimer, que eu sou a vassoura que deve limpar o reino de imundícies como a que você é. Você corrompeu traidoramente a juventude do reino, construindo uma escola; e, enquanto antigamente os livros de nossos ancestrais eram varas de contar e somar,[60] você fez que fosse tudo impresso e, contrário ao rei, sua coroa e dignidade, construiu uma fábrica de papel.[61] Vai ser provado, na sua cara, que você tem homens trabalhando para você que falam de substantivo, de verbo, e de palavras assim abomináveis para que um ouvido cristão aguente. Nomeou juízes de paz, para que chamassem diante dele uns pobres homens sobre assuntos para os quais eles não tinham capacidade de responder. E, além disso, os botou na prisão e, só por causa de eles merecerem, e muito, viver. Você cavalgava com tecidos nas patas,[62] não é?

---

58 Como Say é pronunciado "sei", é feito o trocadilho com "seda", que só os nobres usavam. (N. T.)
59 Uma deformação popular do grosseiro francês "baisse mon cul". (N. T.)
60 Nessas varas eram feitos cortes correspondendo aos valores das transações. (N. T.)
61 O papel só foi fabricado na Inglaterra pela primeira vez cerca de cem anos mais tarde. (N. T.)
62 Os tecidos que envolviam as patas dos cavalos às vezes bordados e com rendas, o que os fazia particularmente repugnantes a Cade e companhia. (N. T.)

SAY
35   E daí?

CADE
        Pois não tinha nada de deixar seu cavalo usar manta, quando homens mais honestos andam só de calça e jaqueta.

AÇOUGUEIRO
        E trabalham só de camisa, também, como eu, por exemplo, que sou açougueiro.

SAY
40   Homens de Kent...

AÇOUGUEIRO
        O que está dizendo de Kent?

SAY
        Nada senão *"Bona terra, mala gente"*.

CADE
        Podem levar! Podem levar! Ele fala latim.

SAY
        Ouçam-me, depois seja o que quiserem.
45   Kent, nos comentários que escreveu César,
        É dito o mais civilizado da ilha:
        O campo é doce, e é farto em riquezas;
        O povo liberal, valente e rico;
        E espero que não seja sem piedade.
50   Não vendi Maine, não perdi Normandia;
        E a vida eu daria por reavê-los.
        Sempre fiz a justiça com bondade;
        Moveu-me o pranto, mas nunca os presentes.
        Quando algo eu extorqui de suas mãos
55   Senão pro rei, o reino e vocês mesmos?
        Fiz muitas doações a estudiosos,
        Porque meu livro me levou ao rei.
        Sendo a ignorância a maldição de Deus,
        E o saber as asas que levam aos céus,
60   Se não 'stão possuídos por demônios,
        Não vão poder deixar de me poupar:
        Esta língua falou a muitos reis
        Para o seu bem...

CADE

Mas quando deu um só golpe no campo?

SAY

Os grandes têm mãos compridas. Muitas vezes
Matei com golpes gente que não vi.

GEORGE

Covarde! Então pegou-os pelas costas?

SAY

Só por seu bem fiquei assim tão pálido.

CADE

Um bofetão bem dado o deixa rubro.

SAY

Ficar sempre sentado, lendo causas,
Deixou-me com doenças e moléstias.

CADE

Tome sopa de aniagem, papa dura.

AÇOUGUEIRO

Está tremendo por quê, homem?

SAY

É doença, não medo, o que me ataca.

CADE

Vejo que acena com a cabeça para dizer "Ainda me acerto com vocês".
A cabeça fica mais firme em um poste. Podem levar e cortar fora.

SAY

Diga: qual foi minha maior ofensa?
Ostentei riqueza ou honra? Me digam.
Tenho cofres cheios de ouro extorquido?
Os meus trajes ofuscam com seu luxo?
A quem injuriei, pra que me matem?
Minhas mãos, de sangue, 'stão inocentes,
E o meu peito, de trama enganadora.
Oh, deixem-me viver!

CADE

(À parte.)
Suas palavras me trazem remorsos; vou freiá-los: vai morrer nem que

seja só por defender tão bem a vida. Podem levar. Tem demônio familiar na língua; não fala em nome de Deus. Levem-no, estou dizendo, e cortem logo essa cabeça: depois invadam a casa de seu genro, Sir James Cromer, cortem a cabeça dele, e tragam aqui as duas enfiadas em postes.

Todos

Assim será feito.

Say

Meus patrícios: se, em suas orações,
Deus fosse assim duro com vocês,
Como iriam passar as suas almas?
Cedam, portanto, e salvem minha vida.

Cade

Levem ele! E façam o que eu mando.

(*Saem um ou dois com* Lord Say.)

O maior par do reino não usará a cabeça nos ombros sem me pagar um tributo; não vai casar uma só moça sem me pagar com sua virgindade, antes dos outros. Os homens me terão *in capite*; e ordeno e mando que suas mulheres sejam tão livres quanto pode querer o coração ou a língua pode contar.

Açougueiro

Milord, vamos a Cheapside arrebanhar umas mercadorias com notas?

Cade

Vamos já.

Todos

Bravos!!!

(*Entra um com as duas cabeças.*)

Cade

Não fica mais bonito assim? Que os dois se beijem; pois se amavam muito quando vivos. Agora é melhor separá-los de novo, para que não tramem doar mais cidades à França. Soldados, esperem para carregar o saque até de noite; pois com esses aí carregados à nossa frente, cavalgaremos pelas ruas, fazendo os dois se beijarem em todas as esquinas.

(*Saem.*)

CENA 8
Southwark.

*(Alarma e retirada. Voltam de novo C*ADE *e sua ralé.)*

CADE

Subam a rua Fish, desçam a esquina de São Magno! Matem e derrubem! Joguem todos no Tâmisa! *(Toque de parlamentação.)* Que estou ouvindo? Alguém ousa ter a coragem de soar retirada ou parlamentação, quando eu dou ordens para matar?

*(Entram B*UCKINGHAM *e o V*ELHO CLIFFORD*.)*

BUCKINGHAM

5   Eles ousam, e hão de de perturbá-lo:
Cade, somos embaixadores do rei
Ante os comuns que você desviou;
E aqui proclamamos perdão pleno
Aos que o deixarem e voltem para casa.

CLIFFORD

10 Que dizem, patrícios? Não concordam
E cedem à piedade oferecida,
Ou seguem um rebelde, pra suas mortes?
Tirem os bonés, com "Deus salve o rei"!
Que quem o odeia, ou não honra seu pai,
15 Henrique Quinto, que tremeu a França,
Nos mostre suas armas e nos deixe.

TODOS

Deus salve o rei! Deus salve o rei!

CADE

O quê, Buckingham e Clifford são tão bravos? E vocês, campônios tolos, acreditam? Querem ser enforcados com seus perdões no pescoço?
20 Eu quebrei com minha espada as portas de Londres para me abandonarem na taverna em Southwark? Pensei que não iam largar as armas enquanto não recobrassem sua antiga liberdade; mas são todos covardes e traidores, gostam de viver como escravos da nobreza. Pois que eles quebrem suas costas com cargas, tirem suas casas, violem suas
25 mulheres e filhas nas suas caras. Eu me viro sozinho, e que a maldição de Deus caia sobre todos vocês!

TODOS

Vamos seguir Cade, vamos seguir Cade!

CLIFFORD

    É Cade o filho de Henrique Quinto,
    Pra que gritem tanto que hão de servi-lo?
30   Os leva ele ao coração da França,
    Ou faz dos mais humildes conde ou duque?
    Sem casa, ele não tem pr'onde fugir,
    E não sabe viver senão de saque,
    Ou por roubar seus amigos e nós.
35   Não é pena que, enquanto estão em luta,
    Os franceses, que vocês mal venceram,
    Já estejam ao mar para vencê-los?
    Penso que já, nesta luta civil,
    Eu os vejo mandar em toda Londres,
40   Chamando de "Villiago"[63] os que encontram.
    Melhor fracassem dez mil Cades calhordas
    Que pedir a um francês misericórdia.
    À França! À França! E ganhem o perdido;
    Poupem a Inglaterra, o seu rincão.
45   Henrique é rico, vocês, viris, fortes;
    Com Deus a seu lado, é certa a vitória.

TODOS

    Clifford! Clifford! Nós seguiremos o rei e Clifford!

CADE

    (À parte.)
    Alguma pena é soprada pra lá e pra cá tão fácil como essa multidão? O nome de Henrique Quinto os leva a mil travessuras, e os faz deixa-
50   rem-me abandonado. Vejo que juntam as cabeças para me apanhar. Minha espada que me abra aqui o caminho, pois ficar aqui não é bom. Apesar dos diabos e do inferno, passo bem no meio de vocês! E o céu e a honra são testemunhas de que não foi falta de resolução em mim, mas apenas a ignomínia e vileza das traições de meus seguidores que me fazem dar no pé.

                                                               (Sai.)

BUCKINGHAM

55   O quê? Fugiu? Pois que alguns o sigam;
    E o que trouxer ao rei sua cabeça
    Recebe mil coroas como prêmio.

                                                             (Saem alguns.)

---

[63] Em italiano, covarde. (N. T.)

Soldados, sigam-me; encontrarei
Meios para que fiquem bem com o rei.

(Saem.)

CENA 9
O castelo de Kenilworth.

(Clarinada. Entram o Rei, a Rainha e Somerset, no terraço.)

Rei Henrique
Será que houve rei que goza um trono
E poder, tão triste quanto eu sou?
Eu mal engatinhei deixando o berço
Que aos nove meses já fui feito rei;
5 Nunca um súdito já quis tanto ser rei
Quanto eu desejaria ser só súdito.

Buckingham
Saúde e boas novas, Majestade.

Rei Henrique
Está preso o Cade traidor, Buckingham?

(Entram multidões, com cordas no pescoço.)

Buckingham
Ele fugiu, senhor; a tropa entrega-se
10 E, humildes, com o arreio no pescoço,
Esperam, de Sua Alteza, vida ou morte.

Rei Henrique
Que abram os céus suas portas eternas
Pra receber o meu louvor e graças!
Soldados, redimiram suas vidas,
15 Mostrando seu amor por rei e reino:
Se continuam sempre assim pensando,
Henrique, mesmo quando infortunado,
Estejam certos, mostrará bondade.
E grato, assim, a todos eu perdoo,
20 E os dispenso, pra irem pr'as suas terras.

Todos
Deus salve o rei! Deus salve o rei!

(Entra um Mensageiro.)

MENSAGEIRO
>	Devo avisar a Sua Majestade
>	Que o duque de York voltou da Irlanda,
>	E, com tropa possante e numerosa
25	De irlandeses infantes e armados,
>	Marcha pra cá com brilhante equipagem;
>	E por enquanto proclama, enquanto avança,
>	Que só deseja afastas do senhor
>	O duque Somerset, que diz traidor.

REI HENRIQUE
30	Me desespero entre Cade e York;
>	Qual nave que, 'scapando da tempestade,
>	Na calma é assaltada por pirata.
>	Cade recuou, seus homens 'stão dispersos,
>	E agora York, em armas, vem atrás.
35	Eu peço, Buckingham, que vá encontrá-lo,
>	Indague que razão têm essas armas.
>	Diga que mando o duque para a Torre
>	E, Somerset, pra lá o remetemos
>	Até podermos tirar as tropas dele.

SOMERSET
40	Milord,
>	De boa vontade vou para a prisão
>	Ou pra a morte, pelo bem do país.

REI HENRIQUE
>	De qualquer modo, seja moderado,
>	Pois ele não atura termos rudes.

BUCKINGHAM
45	Já vou, senhor, e para agir, por certo,
>	De modo a tudo ser para o seu bem.

REI HENRIQUE
>	Mulher, melhor terei de governar,
>	Para não ser maldito o meu reinado.

(Fanfarra.)

(Saem.)

CENA 10
Kent. O jardim de Iden.

(Entra CADE.)

CADE

Que vergonha para a ambição! Vergonha para mim, que tenho uma espada mas estou morrendo de fome! Há cinco dias que me escondo na mata e nem ouso espiar para fora, pois o país inteiro está em alerta contra mim; e agora tenho tanta fome que, se me oferecessem mais mil anos de vida, não dava para aceitar. Por isso saltei o muro deste jardim, a fim de comer alguma alguma casquinha[64] ou folhinha, que não fazem mal em esfriar o estômago de um homem neste tempo quente. A palavra casquinha parece que nasceu para me ajudar, pois foi minha casquete que me protegeu os miolos contra uma alabarda; e muita vez, de tanto andar, sentia sede e ela serviu de pote para eu beber água; e agora volta a ser "casquinha" para eu poder comer.

(Entra IDEN.)

IDEN

Quem pode optar pelo ruído da corte
E não gozar a calma destas trilhas?
Esta herdade que me deixou meu pai
Me deixa alegre e vale todo um reino.
Não quero aumento que outro diminua,
Não sinto inveja de maior riqueza;
A mim basta manter o que já tenho,
E o pobre alegre deixar a minha porta.

CADE

(À parte.)

Lá vem o dono na terra para me pegar como mendigo, por invadir a propriedade sem licença. Ah, vilão, se me trair ganha mil coroas do rei, levando minha cabeça para ele; mas vou fazê-lo comer ferro como um avestruz[65] e engolir minha espada como se fosse um imenso alfinete, antes de nos separarmos.

IDEN

Sujeito grosseiro, seja quem for,
Não o conheço; por que então traí-lo?
Não bastasse invadir o meu jardim,
Como ladrão pra roubar a minha terra,

---

[64] Não há substituição exata para o jogo com a palavra "sallet", que tanto quer dizer salada quanto uma espécie de boina redonda. (N. T.)
[65] A expressão "eat iron like an ostridge" era comum na época, encontrada em várias obras. (N. T.)

              Meus muros, que têm dono, escalar,
30   Inda vem desafiar-me como esses termos?

    CADE

Desafiá-lo! Sim, pelo melhor sangue que jamais correu, e bem na sua cara. Olhe bem para mim: há cinco dias que não como carne; pois me ataque com seus cinco homens e se não deixo todos mortos e matados, peço a Deus que nunca mais tenha de comer grama.

    IDEN

35   Ninguém dirá, 'stando a Inglaterra firme,
              Que Alexander Iden, cidadão,
              Pegou armas contra um pobre faminto.
              Fixe nos meus esses seus olhos firmes,
              Pra ver se me derrota com olhares:
40   Braço a braço, você é bem menor;
              Sua mão é um dedo pro meu punho;
              Sua perna uma vara pr'esta maça;
              Meu pé luta com toda a sua força;
              E se eu levanto o meu braço pro ar,
45   Sua cova se cava já na terra.
              Palavra é que responde mais palavras,
              Mas minha espada faz o proibido.

    CADE

Juro que você é o maior campeão[66] que já ouvi falar! Aço, se entortar ou não picar esse palhaço grandão em pedacinhos de carne antes de eu repô-la na bainha, peço a Deus, de joelhos, que seja transformada em prego.

              (Eles lutam. CADE cai.)

Estou morto! Só a fome é que me matou: se dez mil diabos me atacarem, e me derem só dez das refeições que perdi, eu desafio a todos. Esmaeça, jardim, e seja daqui por diante local do enterro de todos que moram nesta casa, porque a alma inconquistada de Cade já fugiu.

    IDEN

              Foi Jack Cade que matei, monstro traidor?
              Por isso terá bênçãos minha espada,
              E há de ornar-me a tumba quando eu morra:
60   Esse sangue jamais será lavado,
              Mas usado qual túnica de arauto,
              Brazão da honra que ganhou seu amo.

---

66 A palavra é usada no sentido do cavaleiro que luta em nome de outra pessoa, para defendê-la. (N. T.)

CADE
> Iden, adeus; orgulhe-se de sua vitória. Diga a Kent[67] por mim que perdeu seu melhor homem, e exorta o mundo todo à covardia; pois eu, que nunca temi, fui vencido pela fome, não bravura.

(Morre.)

IDEN
> Que me injustiça, Deus é testemunha.
> Morre, lixo; e maldita a que o gerou!
> Se a minha espada lhe entrou no corpo,
> Pudera ela mandar-lhe a alma ao inferno.
> Daqui vou arrastá-lo pelos pés
> A um monte de lixo, a sua tumba;
> E lá eu corto essa cabeça infame.
> Que em triunfo eu levarei ao rei
> Deixando o tronco pra comida aos corvos.

(Sai.)

---

[67] Não é referência a uma pessoa mas, sim, ao condado. (N. E.)

ATO 5

CENA 1
Campo entre Dartford e Blackheath.

(Entra York, *com seu exército de irlandeses, com tambores e bandeiras).*

York

    Da Irlanda chega York, por seu direito,
    E arranca do fraco Henrique a coroa:
    Toquem os sinos; brilhem as fogueiras
    Pra saudar o rei legal da Inglaterra.
5   *Sancta majestas*,[68] quem não a compra caro?
    Que o que não sabe reinar obedeça;
    Esta mão deve só deve lidar com ouro:
    Não sei tornar ação minhas palavras
    Senão com espada ou cetro a equilibrá-las.
10   Um cetro ela terá; espada eu tenho,
    Para rasgar a flor-de-lis da França.

(Entra Buckingham.*)*

    Quem é? Buckingham vem me perturbar?
    Mandou-o o rei. Tenho de disfarçar.

Buckingham

    Se tem boa intenção, seja bem-vindo.

York

15   Aceito a saudação, Humphrey de Buckingham.
    É mensageiro ou vem por seu prazer?

Buckingham

    Mensageiro de Henrique, o nosso amo,
    Para indagar por que armas na paz;
    Ou por que, sendo súdito, como eu,
20   Contra sua jura de fidelidade
    Levanta a sua tropa sem licença,
    E ousa trazê-la tão perto da corte.

---

[68] Expressão usada por Ovídio em *Ars Amatoria*. (N. T.)

YORK
               (À parte.)
               Mal consigo falar, de tanta cólera:
               Poderia lutar co'armas de pedra
25   Só de ira por termos tão abjetos;
               E agora, como Ájax Telamonio,[69]
               Posso gastar a fúria em boi e ovelha.
               Eu sou mais bem nascido do que o rei,
               Ajo qual rei, mais real em pensamentos;
30   Mas tenho de sorrir por algum tempo,
               Até ficar mais forte, e Henrique fraco.
               Lhe peço, Buckingham, que me perdoe
               Por não ter respondido até agora;
               Pesa-me a mente com melancolia.
35   A causa de eu trazer aqui tropa
               É afastar Somerset do nosso rei,
               Por traidor de Sua Graça e do Estado.

BUCKINGHAM
               É muita presunção de sua parte:
               Mas se é só esse o alvo de suas armas,
40   O rei cedeu a esse seu reclamo:
               O duque Somerset está na Torre.

YORK
               Por sua honra diz que ele está preso?

BUCKINGHAM
               Por minha honra digo que está preso.

YORK
               Então, Buckingham, eu disperso a tropa.
45   Soldados, obrigado; eu os dispenso:
               Mas amanhã, no Campo de São Jorge,[70]
               Receberão seus soldos e o mais.

                              (Saem os SOLDADOS.)

               E que o meu rei, o virtuoso Henrique,
               Fique com meu herdeiro, com meus filhos,
50   Como prova de lealdade e amor:
               Por minha vida eu lhe mandarei todos:
               Terra, bens, cavalos, tudo o que tenho,
               Ele comanda, se Somerset morre.

---

69 Depois de ser derrotado por Ulisses, furioso, Ájax ataca carneiros pensando se tratar do exército; logo após, suicida-se. (N. E.)
70 Perto da igreja de São Jorge, o Mártir, no lado sul do Tâmisa, entre Southwark e Lambeth. (N. E.)

BUCKINGHAM

York, eu aplaudo a sua submissão:
Vamos juntos à tenda de Sua Graça.

(*Entram o* REI *e séquito.*)

REI HENRIQUE

Buckingham, não quer York nos fazer mal,
Já que marcham os dois de braços dados?

YORK

Em total submissão e humildade
York se apresenta a Sua Majestade.

REI HENRIQUE

O que pretende com as tropas que traz?

YORK

Banir daqui o traidor Somerset,
E lutar contra o vil rebelde Cade,
Que há pouco ouvi ter sido derrotado.

(*Entra* IDEN, *com a cabeça de* CADE.)

IDEN

Se homem de tão rude condição
Pode chegar à presença de um rei,
A Sua Graça apresento a cabeça
Do traidor Cade, que matei em combate.

REI HENRIQUE

A cabeça de Cade! Oh, Deus, és justo!
Deixem-me ver o seu rosto, já morto,
Que quando vivo tanto mal me trouxe.
Diga, amigo, você mesmo o matou?

IDEN

Eu mesmo, pra servir Sua Majestade.

REI HENRIQUE

Como se chama? Qual sua condição?

IDEN

Alexander Iden, esse é o meu nome;
Pobre fidalgo de Kent, que ama o rei.

BUCKINGHAM
    E se lhe apraz, milord, não calha mal
    Fazê-lo cavaleiro por seu ato.

REI HENRIQUE
    De joelhos, Iden. *(Ele se ajoelha.)*
    De pé, cavaleiro.
80   De recompensa lhe damos mil marcos;
    E doravante quero que nos sirva.

IDEN
    Possa Iden viver para merecê-lo,
    E viver sempre fiel a seu amo.

(Entram a RAINHA e SOMERSET.)

REI HENRIQUE
    Buckingham, eis a rainha, com Somerset:
85   Vá pedir-lhe que o esconda do duque.

RAINHA
    Nem por mil Yorks se esconde essa cabeça,
    Que firme vai olhá-lo face a face.

YORK
    Mas o que é isso? Somerset 'stá livre?
    Então solta o pensamento antes preso,
90   Deixa a língua igualar o coração.
    Devo aturar meus olhos verem Somerset?
    Falso rei! Quebra a palavra a mim dada,
    Quando sabe que não aturo abusos?
    Chamei-o rei? Mas nunca; não é rei;
95   Não 'stá apto a governar multidões,
    Se nem em um traidor pode mandar.
    Sua cabeça não serve pra coroa;
    Só tem mão pra bastão de peregrino,
    E não para adornar cetro de príncipe.
100   O ouro deve estreitar a minha fronte,
    Cujo franzido, qual lança de Aquiles,
    Só com uma alteração ou cura ou mata.
    Esta é que é mão para ostentar um cetro,
    E com ele em punho controlar as leis.
105   Afaste-se, pois já não reina mais
    Sobre aquele que o céu manda reinar.

SOMERSET
Monstruoso traidor. O prendo, York,
Por traição capital ao rei e ao reino.
De joelhos, traidor, pra pedir graça.

YORK
110 De joelhos, eu? Antes pergunte a estes
Se admitem que me ajoelhe a um homem.
Rapaz, traga meus filhos por fiança:

(Sai SERVIDOR.)

Sei que antes de me verem prisioneiro,
Empenham suas espadas[71] pr'eu ser livre.

RAINHA
115 Chamem Clifford; que venha aqui depressa,
Pra informar se os bastardos de York
Servem de fiança para o pai traidor.

(Sai SERVIDOR.)

YORK
Napolitana de sangue manchado,
Sem Nápoles,[72] flagelo da Inglaterra!
120 Os filhos York, que são mais bem nascidos,
Serão fiança de seu pai, e horror
De quem, como fiança, os recusar!

(Entram EDUARDO e RICARDO.)

Aí vêm eles; cumprirão o dito.

(Entram CLIFFORD e seu FILHO.)

RAINHA
E aí vem Clifford; pra negar a fiança.

CLIFFORD
125 Saúde e bem-estar, milord o rei. *(Ajoelha-se.)*

---

[71] Na época desses acontecimentos, na verdade, os filhos de York ainda eram meninos. (N. T.)
[72] Ela era filha de Reignier, rei titular de Nápoles, que jamais conseguiu efetivamente ocupar o trono que fora do seu pai. Os napolitanos eram vistos como dados à intriga e Nápoles era conhecida como cidade da sífilis. (N. T.)

YORK
    Sou grato, Clifford; que novas nos traz?
    Não, seu olhar zangado não me assusta:
    Somos seu rei; torne a ajoelhar-se;
    Por seu engano, nós o perdoamos.

CLIFFORD
130   Este é o meu rei, York; não cometo enganos;
    É grande engano seu pensar assim.
    Que vá pro hospício! O homem ficou louco?

REI HENRIQUE
    Sim, Clifford; a loucura e a ambição
    O levaram a opor-se a seu rei.

CLIFFORD
135   É um traidor, que ele vá pra Torre;
    E decepem-lhe a cabeça facciosa.

RAINHA
    Ele está preso, mas não obedece;
    Seus filhos, diz, hão de falar por ele.

YORK
    E não hão de?

EDUARDO
140   Sim, nobre pai, se as palavras servirem.

RICARDO
    E quando não, hão de falar as armas.

CLIFFORD
    Mas que ninhada de traidores vemos!

YORK
    No espelho assim se chama a sua imagem;
    Eu sou seu rei, você um traidor sórdido.
145   Chamem aqui pr'o cepo meus dois ursos[73]
    Pra que, só com o sacudir das correntes,
    Deixe abalados esses vira-latas:
    Por favor chamem Salisbury e Warwick.

---

[73] O brasão da casa de Warwick ostentava um urso, usando focinheira, e o poste a que costumava ser acorrentado o animal no cruel passatempo de "provocar o urso", com cães ferozes que atacavam o urso com os movimentos limitados pelas correntes. (N. T.)

(Entram os condes de Salisbury e Warwick.)

CLIFFORD

    São os ursos? A golpes os matamos,
150   Prendemos co'as correntes os "urseiros",
    Se ousar trazê-los pra praça dos jogos.

RICARDO

    Eu já vi vira-lata presunçoso
    Recuar e morder o urso preso;
    Porém solto, levar umas patadas;
155   E ganir alto, com o rabo entre as pernas:
    E um tal serviço é que hão de prestar
    Se resolverem enfrentar Lord Warwick.

CLIFFORD

    Fora, monte de ira, bolo amorfo,
    Tão torto em formas quanto nas maneiras!

YORK

160   Em pouco tempo havemos de esquentá-lo.

CLIFFORD

    Cuidado, para não sair queimado.

REI HENRIQUE

    Não sabe mais ajoelhar-se, Warwick?
    Que vergonha pr'os seus cabelos brancos,
    Salisbury, guiar mal seu louco filho!
165   Vai ser meliante em seu leito de morte,
    Com os óculos procurar preocupações?
    Onde está sua fé? E a lealdade?
    Se foi banida da cabeça em neve,
    Onde, na terra, encontrará seu porto?
170   Vai, numa cova, encontrar a guerra,
    Manchar com sangue sua velhice honrada?
    Por que 'stá velho e sem experiência?
    Ou por que a abusa, se a tem?
    Que vergonha! Dobre a mim o seu joelho,
175   Que já se curva pra tumba com a idade.

SALISBURY

    Senhor, debati muito com mim mesmo
    O direito do renomado duque;
    E a minha consciência vê Sua Graça
    Como o herdeiro do trono da Inglaterra.

REI HENRIQUE
    Mas não jurou fidelidade a mim?

SALISBURY
    Jurei.

REI HENRIQUE
    E ante o céu renega uma tal jura?

SALISBURY
    Sei que é pecado jurar um pecado,
    Pior manter uma jura pecando.
    Quem há de honrar uma jura solene
    Pra assassinar, ou pra roubar um homem,
    Forçar a castidade de uma virgem,
    De um órfão subtrair o patrimônio,
    Privar de seu direito um viúva,
    Sem ter razão pra cometer tais males
    Que o estar preso a um solene juramento?

RAINHA
    Traidor esperto dispensa sofismas.

REI HENRIQUE
    Chamem Buckingham, digam que se arme.

YORK
    Chame Buckingham, chame os seus amigos,
    Esta hora fatal maldiz a todos;
    Resolvi-me por morte ou dignidade.

CLIFFORD
    A primeira, se os sonhos se realizam.

WARWICK
    Pois vá deitar-se, pra sonhar de novo,
    E escapar da tormenta da batalha.

CLIFFORD
    'Stou pronto a enfrentar maior tormenta
    Que qualquer das que possa criar hoje;
    E isso escreverei no capacete
    Se o conhecesse pelo seu brasão.

WARWICK
    Pelo brasão de meu pai, o velho Neville,

205 Urso rampante acorrentado à maça,
Que hoje hei de ostentar no capacete –
Qual cedro que, no pico da montanha
Não perde as folhas nem na tempestade –
E que há de assustá-lo, por vê-lo.

CLIFFORD

210 E dele hei de arrancar esse seu urso,
Pra pisoteá-lo com o maior desprezo,
Apesar do "urseiro" que o protege.

JOVEM CLIFFORD

Então, às armas, pai vitorioso,
Pra esmagar o rebelde e seus asseclas.

RICARDO

215 Que vergonha! Não fale em desprezar
Pois hoje com Jesus há de jantar.

JOVEM CLIFFORD

Monstrengo, isso ninguém pode prever.

RICARDO

Se não no céu, no inferno há de comer.

(Saem, em direções opostas.)

CENA 2
Saint Albans.

(Alarma de batalha. Entra WARWICK).

WARWICK

Clifford de Cumberland, Warwick o chama:
Se não 'stiver se escondendo do urso,
Agora, quando a trompa soa o alarma,
E o ar se enche com os gritos dos mortos,
5 Clifford, eu digo, vem lutar comigo!
Vem, caro lord, Clifford de Cumberland,
Warwick 'stá rouco de chamá-lo às armas.

(Entra York.)

Meu nobre lord, que houve? A pé?

YORK
>O fatal Clifford matou meu cavalo;
>Porém eu enfrentei-o, taco-a-taco,
>E fiz comida de urubus e gralhas
>O corcel lindo que ele amava tanto.

(*Entra* CLIFFORD.)

WARWICK
>Pra um de nós, ou ambos, esta é a hora.

YORK
>Alto, Warwick! Escolha uma outra caça,
>Pois este cervo eu mesmo vou matar.

WARWICK
>Nobre York, sua luta é pela coroa.
>Como eu espero hoje ter sucesso,
>Só lamento partir sem atacá-lo.

(*Sai.*)

CLIFFORD
>O que vê York em mim, que o faz pausar?

YORK
>Eu deveria amar seu bravo porte,
>Se não fosse inimigo inabalável.

CLIFFORD
>E eu estimar e louvar sua proeza,
>Se não o visse ignóbil na traição.

YORK
>Pois que eu a use então contra sua espada
>Para mostrar que com justiça a expresso.

CLIFFORD
>Minha alma e corpo atiram-se à ação!

YORK
>Um dia horrível! Fique em guarda já.

CLIFFORD
>*La fin couronne les oeuvres*

(Eles lutam, CLIFFORD cai e morre.)

YORK

30   Trouxe-lhe paz a guerra, 'stá em calma.
Que tenha paz no céu a sua alma.

(Sai.)

(Entra o JOVEM CLIFFORD.)

JOVEM CLIFFORD
Vergonha e confusão! Tudo é derrota:
Medo produz desordem, e esta fere
O que deve guardar. Guerra do inferno,
Que os céus em ira fazem seu ministro,
35   Joga, no peito gélido dos nossos,
As brasas da vingança! Que não fujam!
Quem se dedica com verdade à guerra
Não ama a si; e aquele que a si ama
Não é por essência, só por acaso,
40   Um bravo.

(Vê o pai morto.)

Que acabe o mundo vil,
E que as previstas chamas do Juízo
Entrelacem o céu e a terra juntos;
Que agora ecoem as trompas maiores
E os sons particulares e mesquinhos
45   Cessem. Foi fadado, meu pai querido,
Que perdesse na paz a juventude,
Ficasse sábio em seus anos maduros,
E, na idade do respeito e do repouso
Morresse em quartelada? Esta visão
50   Torna meu peito em pedra; e enquanto meu,
Pedra será. Não poupa York os velhos;
Nem eu, ora, os bebês; lágrimas virgens
Serão pra mim como o orvalho pro fogo;
E a beleza, que até tiranos poupam,
55   Pra ira em chamas será óleo e fibra.
Doravante não sei mais de piedade;
Se vir um infante da casa de York,
Eu hei de trinchá-lo em tantos pedaços
Quantos em que Medeia fez Absirtus:[74]

---

[74] Irmão que Medeia matou para atrasar os que a perseguiam; ela cortou em pedaços e foi atirando-os pelo caminho quando, seguindo Jasão e o Velocino de Ouro, fugia de seu pai. (N. T.)

60 Na crueldade eu buscarei a fama.
Venha, ruína da casa dos Cliffords;
Como Eneias arcou com o velho Anquises,[75]
Farão consigo os meus ombros viris;
Mas a carga de Eneias 'stava viva,
65 Não tão pesada quanto a minha dor.

(Sai, carregando o pai.)
(Entram Ricardo e Somerset para lutar. Somerset é morto.)

Ricardo
Jaza aí mesmo:
Sob mesquinho cartaz de uma taverna.
"O Castelo" em Saint Albans, Somerset
Deu fama ao bruxo com a sua morte.[76]
70 Espada, peito, apurem sua fúria:
O monge reza, o nobre vinga a injúria.

(Sai.)
(Luta. Evoluções. Entram o Rei, a Rainha, e outros.)

Rainha
Vamos, milord! Não tarde, é um vexame!

Rei Henrique
Pode-se fugir do céu? Fica, Margaret.

Rainha
É feito de quê? Nem luta, mas não foge;
75 Agora é viril, sábio, correto,
Ceder ao inimigo, e garantir-nos
Como podemos, isso é, fugindo.

(Ao longe, uma fanfarra.)

Se for preso, chegamos bem no fundo
De nossa fortuna; mas, se escapamos,
80 Poderemos, sem seu desinteresse,
Chegar a Londres, onde é amado,
E onde a racha da nossa fortuna
Pode ser tapada.

---

[75] Após a queda de Troia, Eneias fugiu, carregando nas costas seu pai Anquises. (N. T.)
[76] A profecia, feita muito antes, de que Somerset devia temer castelos é o que o texto, excessivamente conciso, sugere. (N. T.)

(*Entra o* Jovem Clifford.)

Jovem Clifford

85
    Sem esperar bons truques no futuro,
    Seria blasfêmia instá-los a fugir;
    Mas é preciso; derrota incurável
    Reina nos corações das nossas tropas.
    Busquem socorro! E havemos de viver,
    Pra vê-los fado igual a este ter.

(*Saem.*)

CENA 3
Campo perto de Saint Albans.

(*Alarma. Retirada. Entram* York, Ricardo, Warwick, *e Soldados, com tambores e bandeiras.*)

York

    Do velho Salisbury, quem me dá novas?
    Leão de inverno, cuja ira esquece
    As velhas contusões e até o tempo,
    E como no frescor da juventude
5
    Revive a cada hora? O grande dia
    Nada vale, e nem nada ganhamos
    Se Salisbury perdemos.

Ricardo

    Nobre pai,
    Três vezes hoje levantei-o à sela,
10
    Três vezes o montei, três o afastei
    Persuadindo-o a não tentar mais;
    Mas sempre no perigo o encontrei;
    E como reposteiro de um palácio
    Pendia sua vontade em velho corpo.
15
    Mas, nobre como sempre, ei-lo que chega.

(*Entra* Salisbury.)

    Por minha espada que lutou bem hoje;

Salisbury

    E todos nós também. Graças, Ricardo;
    Deus sabe quanto tenho para viver;
    E agradou-lhe que três vezes hoje
20
    Me salvasse você de morte certa.

Meus senhores, não temos o que temos:
Não basta o inimigo fugir hoje,
Pois tem poder pra se recuperar.

YORK

Nossa segurança' stá em segui-los;
Pois dizem que o rei fugiu pra Londres,
Pra convocar corte de Parlamento: [77]
Nós temos de impedir que o convoquem.
Que diz Lord Warwick? Vamos atrás deles?

WARWICK

Não atrás; muito à frente, se pudermos.
Palavra que este foi um grande dia:
Saint Albans, que venceu o grande York,
Será lembrada pela eternidade.
Soem as trompas! Pra Londres, enfim!
E sejam muitos os dias assim!

(Saem.)

---

[77] Um parlamento formado pelo Rei e seus conselheiros. (N. T.)

Henrique VI

Parte 3

Introdução
BARBARA HELIODORA

O terceiro texto com o nome de *Henrique VI* completa o estudo das consequências da incompetência de um rei. Primeiro por sua minoridade, a seguir por seu temperamento e falta absoluta de vocação para o governo, Shakespeare faz, do terceiro representante da dinastia Lancaster, Henrique VI, uma lição objetiva de que ser uma boa pessoa e um bom rei são coisas radicalmente diversas; a incapacidade de Henrique para preencher o cargo que ocupa é o fio condutor das três partes da ação, ao longo das quais se prolonga a luta pelo poder que essa falha fundamental provoca: a primeira leva à perda da França, a segunda ao início do conflito dentro da própria Inglaterra e, finalmente, na terceira com a disputa atingindo a própria figura do rei, com a coroa indo e vindo entre Henrique e Eduardo IV, o primeiro York, filho do duque que tanto sonhou e lutou pelo trono, mas morreu sem alcançá-lo.

Em seu conjunto, as três partes de *Henrique VI* demonstram o caminho pelo qual o conflito doméstico e o mau governo prejudicam o país e acabam levando ao pior dos reis, Ricardo III. Nesta terceira parte a fome do poder de Ricardo é brilhantemente apresentada; se no início ele não abandona o irmão Eduardo quando George Clarence adere ao sogro Warwick, pensando ver em Henrique maiores oportunidades de vitória, a triste e deformada figura deixa bem claro que só fica do lado do irmão mais velho por ter em mira o trono. Mais para o final da peça, no entanto, temos os inspirados trechos em que ele fala de sua ambição, enquanto a cena da morte do piedoso Henrique VI prepara cuidadosamente a crueldade que vai reger o reinado de Ricardo III.

O conjunto dos três *Henrique VI* configura o nascimento da "peça histórica", que Shakespeare criou ao impor na forma, como no conteúdo, um conceito colhido dos personagens e da ação de uma peça que passa a fazer bem mais do que simplesmente anotar, sem qualquer visão crítica, os acontecimentos que têm lugar durante um reinado, como acontece na forma pré-shakespeariana da "peça crônica". Muito embora se trate de obras escritas no início da carreira, é notável a segurança com que Shakespeare manipula, nesse conjunto, mais de cem personagens, e já sabe deixar marcada sua assinatura de que, para ele, personagem é caráter, e a ação é expressão desse caráter.

Via de regra, é difícil estabelecer com a precisão a data da composição de grande parte das peças escritas por Shakespeare, mas as três partes de *Henrique VI* não há dúvida de que datam, no máximo de 1592, quando morreu Greene. Foi um pouco mais tarde, no mesmo ano, que apareceu em letra de forma a primeira referência a Shakespeare como autor dramático, no ofensivo folheto de Robert Greene *A Groatsworth of Wit bought with a Million of Suffering (Um tostão de sabedoria comprado com um milhão de sofrimento)*. Se na peça a Rainha Margaret é acusada de esconder seu coração de tigre numa pele de mulher, no panfleto Greene acusa Shakespeare de esconder seu coração de tigre da pele de um ator. Como prova cabal de que William Shakespeare é o poeta atacado, Greene ainda se refere a ele como "Shake-scene" ("Sacode-cenas"), óbvia brincadeira com seu nome.

Concluído o ciclo de vida de Henrique VI, a peça deixa tudo pronto para escrever *Ricardo III*, a consequência de tudo o que aconteceu no reino do último Lancaster. Se aqui um bom homem pode ser um mau rei, na peça seguinte fica evidente o desastre que é para o país um mau rei que é também um mau homem.

LISTA DE PERSONAGENS

Rei Henrique VI
Edward, príncipe de Gales, seu filho
Luís XI, rei da França

Duque de Somerset
Duque de Exeter
Conde de Oxford } do Partido do Rei Henrique e dos Lancasters
Conde de Northumberland
Conde de Westmoreland
Lord Clifford

Richard Plantageneta, Duque de York

Eduardo, conde de March, filho de York, e mais tarde Rei Eduardo IV
George, mais tarde duque de Clarence } filhos do Duque de York
Ricardo, mais tarde duque de Gloucester e Rei Ricardo III
Edmund, conde de Rutland

Duque de Norfolk
Marquês de Montague
Conde de Warwick
Conde de Pembroke } do Partido do Duque de York
Lord Falconbridge
Lord Hastings
Lord Stafford

Sir John Mortimer } dois tios do Duque de York
Sir Hugh Mortimer

Henry, Conde de Richmond
Conde de Rivers, irmão de Lady Grey
Sir William Stanley
Sir John Montgomery
sir john somerville
Tutor de Rutland
Prefeito de York
Prefeito de Coventry
Tenente da torre
Um Nobre
Dois Carcereiros
Um Caçador
Um Filho que matou seu Pai
Um Pai que matou seu Filho
Rainha Margaret
Lady Elizabeth Grey, mais tarde rainha do Rei Eduardo IV
Lady Bona, irmã da Rainha da França

Soldados, Serviçais, Mensageiros, Sentinelas etc.

A cena: Inglaterra e na França.

Obs. são adotados em português apenas os nomes daqueles que foram reis e são conhecidos em nossos livros de história: assim, Edward de York será Eduardo IV e Richard de Gloucester será Ricardo III; já o filho de Henrique VI, que morreu Príncipe de Gales, mantém a forma inglesa Edward. É importante observar que o Duque de York é Richard de York ou Richard Plantageneta, e não será rei mas sim pai dos futuros reis Eduardo IV e Ricardo III. Lady Grey, depois de coroada, torna-se Rainha Elizabeth, esposa de Eduardo IV.

ATO 1

CENA 1
Londres. O Parlamento.

(Fanfarra. Entram o Duque de York, Eduardo, Ricardo de York, Norfolk, Falconbridge, Warwick[1] e soldados, usando rosas brancas[2] em seus chapéus.)

Warwick

Como escapou o rei de nossas mãos?[3]

York

Quando seguindo os que foram pro Norte
O maroto fugiu, deixando os homens:
E então o grande Lord Northumberland[4],
5 Sempre surdo se o toque é retirada,
Animou a tropa triste e, ele mesmo,
Lord Clifford e Lord Stafford, ombro a ombro,
Invadiram-nos o centro e morreram
Pela espada de um soldado qualquer.

Eduardo

10 O duque de Buckingham, pai de Stafford,
Foi morto ou 'stá ferido gravemente;
Parti o seu visor com um golpe certo.
É verdade, meu pai, o sangue é dele.

Falconbridge

E este, irmão,[5] é do conde de Wiltshire,
15 Que enfrentei quando as tropas se encontraram.

Ricardo

Fala por mim, e conta-lhes meus atos.

(Atira ao chão a cabeça do Duque de Somerset.)

---

1 Warwick apoia York e, depois, o filho dele, Eduardo. Quando vai à França representar o rei nas tratativas para o casamento com Lady Bona e recebe a notícia que Eduardo se casara com Lady Grey, Warwick passa a apoiar o direito de Henrique e do príncipe de Gales. (N. E.)

2 A rosa branca é a insígnia da Casa dos Yorks, e a vermelha da Casa dos Lancasters. (N. E.)

3 A peça começa com uma referência à Batalha de St. Albans, de 1455, com que terminou a Parte 2 de *Henrique VI*. O autor omite a passagem de cinco anos entre o evento e os acontecimentos de agora. Historicamente, o rei Henrique não esteve presente na batalha. (N. E.)

4 Destemido como seu antepassado Hotspur, morto em batalha pelo príncipe Hal na Parte 1 de *Henrique IV*. (N. E.)

5 Há edições que substituem Faulconbridge por Montague. Segundo Tucker Brooke, Faulconbridge desapareceu do elenco antes da estreia da peça, sendo substituído em sua funcionalidade por Montague. Restam, de tal substituição, algumas referências a "irmão". (N. E.)

YORK
Ricardo foi o meu mais bravo filho.
'Stá morta Sua Graça Milord Somerset?

NORFOLK
Destino igual tenham todos os Lancasters!

RICARDO
20 Quero o mesmo pra cabeça de Henrique!

WARWICK
Eu também, York, vitorioso príncipe.
Antes de o ver sentado nesse trono
Que agora usurpa[6] a linhagem dos Lancasters,
Eu juro ao céu que não fecho estes olhos.
25 Este é o palácio para rei temido,
Este o trono real: tome-o, York,
Pois ele é seu, não do filho de Henrique.

YORK
Warwick, se me ajudar, eu o farei;
Pois pela força nós aqui chegamos.

NORFOLK
30 Ajudemos a todos; quem foge, morre.

YORK
Grato, bom Norfolk. Lords, fiquem comigo;
E, tropa, acampe aqui comigo hoje.

(Eles sobem.)[7]

WARWICK.
E quando o rei chegar, não o agridam,
A não ser que use força pra expulsá-los.

YORK
35 A rainha hoje chama o Parlamento,
Porém não nos espera em seu Conselho.
Por fala ou força hoje venceremos.

---

6 Ricardo II, da família York, havia sido forçado a abdicar em prol de Henrique IV, dos Lancasters. Os Lancasters são vistos pelos Yorks como usurpadores. (N. E.)

7 A rubrica é da época; o termo é usado no sentido teatral de "subir", ou seja, ir para o fundo do palco. No caso lá estaria o trono, provavelmente no palco interior. (N. T.)

RICARDO
  Assim, armados, fiquemos aqui.

WARWICK
  Este será parlamento sangrento,
40   Se não for rei o York Plantageneta,
  E deposto Henrique, cuja covardia
  Faz o inimigo debochar de nós.

YORK
  Não me deixem, então; tenham coragem,
  Pois hei de tomar posse do que é meu.

WARWICK
45   Nem o rei, nem aquele que o mais ama,
  O mais vaidoso dos que apoiam Lancaster,
  Alça voo se Warwick toca o sino [8]
  Plantageneta eu planto, e quem ousar,
  Que lhe arranque a raiz. Firme, nobre York,
50   No seu reclamo da coroa inglesa.

(YORK se senta no trono.)
(Fanfarra. Entram o REI HENRIQUE, CLIFFORD, NORTHUMBERLAND, EXETER e outros, com rosas vermelhas nos chapéus.)

REI HENRIQUE
  Vejam, senhores, que o rebelde senta
  Na cadeira de Estado! Quer, eu creio,
  Com a força de Warwick, falso nobre,
  Subir ao trono e reinar qual rei.
55   Northumberland, seu pai ele matou,
  E o seu, Clifford[9]; juraram vingar-se
  Dele, seus filhos, parentes e amigos.

NORTHUMBERLAND
  Se assim não for, que o céu se vingue de mim!

CLIFFORD
  Nessa esperança Clifford chora em aço.

WESTMORELAND
60   Aturar isso? Vamos derrubá-lo:
  Queimo de raiva; não posso aturá-lo.

---

8 A imagem do voo e do sino vêm da falcoaria: pequenos sinos eram amarrados nos pés dos falcões para aterrorizar as vítimas. (N. E.)

9 O pai de Clifford fora morto por York no fim de *Henrique VI Parte 2*; no início de *Henrique VI Parte 3* Clifford busca vingança contra os Yorks, não poupando nem a criança. (N. E.)

Rei Henrique
Tenha paciência, conde Westmoreland.

Clifford
Paciência é pra poltrões iguais a ele:
Não sentaria ali com seu pai vivo.
65 Caro senhor, aqui no Parlamento
É que atacamos a família York.

Northumberland
Falou bem, primo; isso é o que faremos.

Rei Henrique
Não sabem que a cidade os favorece,
E que eles têm os soldados que querem?

Exeter
70 Mas morto o duque, todos fogem logo.

Rei Henrique
O coração de Henrique não admite
Tornar o Parlamento um matadouro!
Primo Exeter, só falas e ameaças
São as armas com que guerreia Henrique.
75 Traidor duque de York, deixe o meu trono,
E ajoelhado implore por piedade
A mim, seu soberano.

York
Eu sou seu.[10]

Exeter
Vergonha! Ele é que o fez duque de York.

York
Como o condado, essa era minha herança.

Exeter
80 Seu pai, outrora, traiu a coroa.

Warwick
Exeter hoje é traidor da coroa
Já que segue esse Henrique usurpador.

---

10 No original *I am thine*, indica que York se considera soberano de Henrique. Adiante, Henrique deserdará seu filho em prol dos filhos de York, e este, então, o reconhece como rei. (N. E.)

CLIFFORD
    E quem devo seguir, senão meu rei?

WARWICK
    Exato, Clifford; a Richard de York.

REI HENRIQUE
85   Fico eu de pé, e o senhor no meu trono?

YORK
    Contente-se; é assim que deve ser.

WARWICK
    Ele é o rei; seja o duque de Lancaster.

WESTMORELAND
    Ele é rei e também duque de Lancaster;
    É isso o que lhe afirma Westmoreland.

WARWICK
90   E o nega Warwick. Parece esquecer
    Que fomos nós que o expulsamos do campo,
    Matamos o seu pai e, embandeirados,
    Cruzamos a cidade pro palácio.

NORTHUMBERLAND
    Disso, e com tristeza, eu lembro, Warwick;
95   E há de lamentá-lo, com sua casa.

WESTMORELAND
    Plantageneta, de ti e teus filhos,
    E teus parentes, ceifarei mais vidas
    De que as gotas do sangue de meu pai.

CLIFFORD
    Não insista; pr' eu não mandar-lhe, Warwick,
100   Em lugar de palavras, mensageiro
    Que há de vingá-lo sem sair daqui.

WARWICK
    Pobre Clifford, desprezo suas ameaças.

YORK
    Querem que mostre meu título à coroa?
    Se não, nossas espadas o defendem.

Rei Henrique

105 Que título, traidor, tem à coroa?
Como o é, foi seu pai duque de York,
Seu avô Mortimer, conde de March.
Mas eu sou o filho de Henrique Quinto,
Que fez curvarem-se o Delfim e a França,
110 Conquistando suas vilas e províncias[11].

Warwick

Não fale em França, que perdeu inteira.

Rei Henrique

Não a perdi; foi o Lord Protetor:
Fui coroado com só nove meses.

Ricardo

Já tem idade agora, mas a perde.
115 Pai, arranque-lhe a coroa da cabeça.

Eduardo

Faça-o, pai; e coloque-a na sua.

Falconbridge

Meu bom irmão, que honra e ama as armas,
Vamos lutar; chega de cavilações.

Ricardo

Se soam trompas e tambores, o rei foge.

York

120 Silêncio, meus filhos!

Northumberland

Silêncio, tu; o rei Henrique fala.

Warwick

Primeiro, Plantageneta; ouçam todos;
E o senhor também atento e calado,
Pois quem o interromper não escapa vivo.

Rei Henrique

125 Plantageneta, por que destronar-me?
Não nascemos Plantagenetas ambos,
De dois irmãos de uma mesma linhagem?

---

[11] Este é o enredo de *Henrique V*. (N. E.)

Supondo fosse rei por seu direito,
Pensa que eu deixaria o real trono
130 Onde sentaram meu avô e pai?
Antes com guerra despovoar meu reino;
Sim; e as cores que em França ostentaram
E agora em dor se mostram na Inglaterra,
Sejam minha mortalha. Por que tremem?
135 O meu direito é bem maior que o dele.

Warwick
Prove-o, Henrique, e será nosso rei.

Rei Henrique
Henrique Quarto conquistou o trono[12].

York
Por rebelar-se e derrubar seu rei.

Rei Henrique
(À parte.)
O que dizer? O meu direito é fraco.

(A todos.)
140 Não pode um rei adotar seu herdeiro?

York
E daí?

Rei Henrique
Se pode, então eu sou seu rei legítimo;
Pois Ricardo, ante numerosos lords,
Abdicou em favor de Henrique Quarto,
145 Meu pai, o seu herdeiro, e eu, o deste.

York
Ele ergueu-se contra seu soberano[13]
E o fez à força abdicar da coroa.

Warwick
Supondo que não fosse constrangido,
Prejudicava isso a sua coroa?

---

12 Este é o enredo de *Ricardo II*. (N. E.)
13 York aponta que foi Henrique IV quem ergueu-se contra o legítimo Ricardo II. (N. E.)

EXETER
150 Não lhe cabia demitir-se da coroa
E sim deixar reinar o seu herdeiro.

REI HENRIQUE
E agora é contra nós, duque de Exeter?[14]

EXETER
Peço perdão, mas o direito é dele.

YORK
Por que sussurram, e não me respondem?

EXETER
155 Diz-me a consciência que ele é o rei legítimo.

REI HENRIQUE
(À parte.)
Voltam-se todos para ele, em revolta.

NORTHUMBERLAND
Plantageneta, apesar do que clama,
Não pense ser deposto assim Henrique.

WARWICK
Será deposto, a despeito de tudo.

NORTHUMBERLAND
160 Engano; não será poder do sul,
De Essex, Norfolk, Suffolk ou de Kent,
Que o enchem de orgulho e presunção,
Que há de plantar o duque, a meu despeito.

CLIFFORD
Meu rei Henrique, com direito ou não,
165 Jura Clifford lutar para defendê-lo:
Que o chão se abra e me engula assim vivo
Se me ajoelho a quem matou meu pai!

REI HENRIQUE
Suas palavras, Clifford, me revivem!

YORK
Deixe a coroa, Henrique de Lancaster.
170 O que resmungam e conspiram, lords?

---

[14] A troca de palavras entre Henrique e Exeter é sussurrada apenas entre os dois, como indica a fala seguinte de York. (N. E.)

Warwick
Faça o que é certo ao principesco York
Ou encho a casa com homens armados,
E acima do trono onde se senta
Escreverei com sangue "usurpador".

(Ele bate com o pé no chão, e aparecem soldados.)

Rei Henrique
175 Milord de Warwick, ouça uma palavra:
Permitam-me reinar até morrer.

York
Se confirma a coroa a mim e aos meus,
Há de reinar em paz enquanto viva.

Rei Henrique
Retire os seus soldados, que eu o faço.

Warwick
180 Capitão, leve-os pra Tuthill Fields.

(Saem os Soldados.)

Rei Henrique
Fico contente assim; Richard Plantageneta,
Goze do reino após a minha morte.

Clifford
Mas que mal faz o príncipe seu filho!

Warwick
Mas que bem faz a si e à Inglaterra!

Westmoreland
185 Medroso, vil, desesperado Henrique!

Clifford
Injuriou a si mesmo e a nós todos!

Westmoreland
Não fico para ouvir acordos tais.

Northumberland
Nem eu.

CLIFFORD
  Vamos, primo, contar tudo à rainha.

WESTMORELAND
  Adeus. Rei covarde e degenerado,
  Em quem não resta uma fagulha de honra.

(Sai.)

NORTHUMBERLAND
  Que seja presa da casa de York,
  Preso a tais atos sem virilidade!

(Sai.)

CLIFFORD
  Que seja aniquilado em guerra horrível,
  Ou viva abandonado e desprezado!

(Sai.)

WARWICK
  Fique conosco, Henrique; não os ouça.

EXETER
  Eles não cedem; só querem vingança.

REI HENRIQUE
  Ah, Exeter!

WARWICK
    Senhor, por que suspira?

REI HENRIQUE
  Não por mim, Warwick, mas pelo meu filho,
  Que deserdei me opondo à natureza.
  Mas que assim seja: *(Para YORK.)* aqui lego a coroa
  A si e a seus herdeiros pra sempre;
  Com a condição de aqui jurar que cessa
  Essa guerra civil e, enquanto eu viva,
  Honrar-me como rei e soberano;
  E nem por hostilidade ou traição
  Destronar-me para assumir o reino.

YORK
  Faço de livre vontade a jura e a cumpro.

(Descendo de onde está o trono.)

Warwick
Viva o rei Henrique! Abrace-o, Plantageneta.

Rei Henrique
210 Viva o senhor, e seus brilhantes filhos!

York
E estão conciliados York e Lancaster.

Exeter
Maldito quem quer vê-los inimigos!

(Clarinada. Descem todos do plano no trono.)

York
Adeus, meu bom senhor; aqui despeço-me;
Indo daqui pro meu castelo em Wakefield

(Sai com filhos.)

Warwick
215 Eu fico em Londres, com a minha tropa.

(Saem.)

Norfolk
Eu vou pra Norfolk, com seus seguidores.

(Saem.)

Falconbrigde
E eu pro mar, de onde pra aqui vim.

(Sai.)

Rei Henrique
E eu, triste e dorido, para a corte.

(Entram a Rainha Margaret e o Príncipe de Gales.)

Exeter
Chega a rainha, e com aspecto irado:
220 Vou esconder-me.

REI HENRIQUE
  E eu também, Exeter.

RAINHA
  Não; não fujam de mim, que eu os sigo.

REI HENRIQUE
  Paciência, doce rainha, e eu fico.

RAINHA
  Quem pode ser paciente em tais extremos?
  Maldito! Antes morresse eu donzela,
225 Jamais o visse ou parisse seu filho,
  Vendo-o pai tão antinatural.
  Mereceu ele perder seu direito?
  Se o amasse metade do que eu amo,
  Ou sentisse a dor que outrora senti,
230 O alimentado como eu com seu sangue,
  Perderia o sangue de seu peito
  Antes de fazer herdeiro o cruel duque,
  E deserdar o seu único filho.

PRÍNCIPE
  Não pode deserdar-me assim, meu pai:
235 Se é rei, por que não hei de o suceder?

REI HENRIQUE
  Perdoem-me, Margaret, e meu doce filho:
  Eu fui forçado por Warwick e o duque.

RAINHA
  Forçado? É rei e pode ser forçado?
  Envergonha-me ouvi-lo. Vil poltrão,
240 Destruiu a si mesmo, ao filho e a mim;
  E deu tanto poder ao ramo York,
  Que só há de reinar se eles deixarem.
  Vincular a coroa a ele e os filhos
  Não é apenas cavar seu sepulcro,
245 E entrar nele bem antes da hora certa?
  Warwick Chanceler, Calais com Salisbury,
  Falconbridge no comando do canal,
  O duque, novo Protetor do reino...
  Se acha a salvo? Assim está, também,
250 Em meio aos lobos, tremendo, o cordeiro.
  'Stivesse eu aqui, mulher e tola,
  Furavam-me os soldados com suas lanças

                    Antes que eu concordasse com tal gesto;
                    Mas o senhor prefere a vida à honra:
255   E já que o faz, aqui me divorcio
                    De sua mesa, Henrique, e de seu leito,
                    Até que o Parlamento anule a lei
                    Que faz meu filho não herdar o trono.
                    Os lords do Norte, que o repudiaram,
260   Seguirão minhas cores desfraldadas;
                    E o farão, para vergonha sua
                    E pra ruína da linhagem York.
                    Assim o deixo. Filho, agora vamos;
                    'Stá pronta a tropa, nós a seguiremos.

        REI HENRIQUE
265   Espere e ouça o que eu digo, gentil Margaret.

        RAINHA
                    Já falou muito: melhor é ir embora.

        REI HENRIQUE
                    Bom filho Edward,¹⁵ não fica comigo?

        RAINHA
                    Sim, pra ser morto por seus inimigos.

        PRÍNCIPE
                    Quando voltar do campo com a vitória
270   Eu o verei; agora sigo a ela.

        RAINHA
                    Vamos, filho; mais nada de demoras

                                    (Saem a RAINHA MARGARET e o PRÍNCIPE.)

        REI HENRIQUE
                    Coitada! Seu amor a mim e ao filho
                    É que a leva a explodir assim em ira.
                    Que ela se vingue no odioso duque,
275   Cujo orgulho, com as asas do desejo,
                    Vive da minha carne e a do meu filho!
                    A perda dos três lords me come o peito:
                    Vou escrever-lhes em termos amigos.
                    Venha, primo; será meu mensageiro.

---

15 A forma Edward, para o príncipe, o distingue de Eduardo, filho de York, que será Eduardo IV. (N. E.)

EXETER

280   E espero reconciliar a todos.

(Fanfarra. Saem.)

CENA 2
O castelo Sandal.

(Entram EDUARDO, RICARDO e MONTAGUE.)

RICARDO

Mesmo caçula, irmão, peço licença.

EDUARDO

Não; sou melhor no papel de orador.

MONTAGUE

Porém minhas razões são muito fortes.

(Entra o DUQUE DE YORK.)

YORK

Que é isso, filhos e irmão;[16] em luta?
5   Quem começou e por que é a briga?

EDUARDO

Não há briga, é pequena discussão.

YORK

Sobre o quê?

RICARDO

Algo que toca a Sua Graça e a nós...
A coroa inglesa, que é sua, pai.

YORK
10   Minha, menino? Só com Henrique morto.

RICARDO

Não depende de morte o seu direito.

---

[16] Montague é chamado de irmão, porém na realidade é sobrinho de York. (N. E.)

EDUARDO

    Se é herdeiro, deve ter já o gozo:
    Se permite que os Lancasters respirem,
    Acabará, meu pai, por perder tudo.

YORK

15   Eu jurei que ele reinasse tranquilo.

EDUARDO

    Por um reino, se quebra qualquer jura:
    Eu quebro mil, para ser rei um ano.

RICARDO

    Deus não permita que traia uma jura.

YORK

    Serei traidor, se começo uma guerra.

RICARDO

20   Se me deixa falar, provo o contrário.

YORK

    Não pode, filho; sabe que é impossível.

RICARDO

    Jura não vale, se não for jurada
    Diante de um magistrado verdadeiro,
    Com autoridade sobre quem o jura.
25   Henrique não a tem; é usurpador;
    Vendo assim que foi ele que o depôs,
    Sua jura, senhor, é vã e frívola.
    Portanto, às armas! E pense, meu pai,
    O quanto é doce usar uma coroa,
30   Dentro de cujo arco está o Elísio,[17]
    E tudo, que o poeta diz feliz.
    Mas por que demoramos? Não descanso
    Enquanto não tingir a rosa branca
    Com o fraco sangue do peito de Henrique.

YORK

35   Chega, Ricardo; eu serei rei, ou morro.
    Irmão, há de ir pra Londres muito em breve,
    E açodar Warwick para a nossa empresa.
    Tu, Ricardo, vais ao duque de Norfolk,

---

[17] A obra, do início da carreira de Shakespeare, reflete nessa passagem a ideia do prazer do gozo de uma coroa terrena, que aparece muito forte no *Tamburlaine* de Christopher Marlowe. (N. T.)

Pra contar-lhe em segredo o nosso plano.
Tu, Eduardo, irás buscar Lord Cobham,
A quem se juntam os homens de Kent:
Confio neles, já que são soldados,
São alertas, corteses, decididos.
Enquanto assim se ocupam, o que me resta
Senão marcar a data do levante,
Mas sem que o rei, ou qualquer Lancaster,
Saiba pra onde tende o meu caminho.

(Entra um Mensageiro.)

Esperem: quais as novas? Por que veio?

Mensageiro

A rainha e os nobres lords do Norte
Querem cercá-lo aqui neste castelo.
Ela está perto, com vinte mil homens;
É melhor reforçá-lo, meu senhor.

York

Com minha espada. Pensa que a tememos?
Fiquem comigo, Eduardo e Ricardo;
Montague, meu irmão, parte pra Londres.
Que Warwick, Cobham, e mais todo o resto
A quem do rei fizemos protetores,
Com habilidade se tornem mais fortes,
E não confiem no simplório Henrique.

Montague

Já vou, irmão; e com certeza os ganho:
E humilde faço as minhas despedidas

(Sai.)

York

Sir John e Sir Hugh Mortimer, meus tios,
Em boa hora os vi chegar a Sandal:
A tropa da rainha vem cercar-nos.

Sir John

Não poderá; a enfrentamos no campo.

York

O quê, com cinco mil homens?

RICARDO
Com quinhentos, meu pai, se necessário.
Um general mulher? Por que temê-la?

(Uma marcha, ao longe.)

EDUARDO
Tambores; vamos pôr a tropa em ordem,
Sair e começar logo a batalha.

YORK
Cinco pra vinte! A diferença é grande,
Mas não duvido, tios, da vitória.
Eu já ganhei muita batalha em França,
Quando o inimigo era de dez pra um:
Por que não ter sucesso agora, então?

(Saem.)

CENA 3
Um campo de batalha entre o castelo Sandal e Wakefield.

(Alarma, entram RUTLAND e seu TUTOR.)

RUTLAND
Pra onde hei de fugir e escapar deles?
Ai, Tutor, lá vem Clifford, o sangrento!

(Entram CLIFFORD e SOLDADOS.)

CLIFFORD
Capelão, fora! É salvo por ser padre.
Mas quanto à cria do maldito duque,
Cujo pai matou o meu, esse morre.

TUTOR
E eu, senhor, lhe faço companhia.

CLIFFORD
Levem-no embora, soldados!

TUTOR
Clifford, se mata um menino inocente,
Será odiado de Deus e dos homens.

(Sai arrastado por SOLDADOS.)

CLIFFORD

10 Que é isso? Já está morto, ou é o medo
    Que o faz fechar os olhos? Hei de abri-los.

RUTLAND

    Parece com o leão olhando a presa
    Que treme sob as garras assassinas;
    Ele anda assim, insultando sua presa,
15 Até despedaçá-la, desmembrá-la.
    Ah, gentil Clifford; mate-me com a espada,
    E não com esse olhar ameaçador.
    Bom Clifford, ouça-me antes que eu morra:
    Sou mesquinho demais pra sua ira;
20 Vingue-se em homens; deixe-me viver.

CLIFFORD

    É em vão, menino; o sangue de meu pai
    Corta o caminho das suas palavras.

RUTLAND

    Que o sangue de meu pai torne a abri-lo;
    Ele é homem, Clifford; enfrente a ele.

CLIFFORD

25 Nem sua vida e mais as de seus manos
    São vingança bastante pra mim;
    Nem mais os seus antepassados
    Pendendo, apodrecidos, de correntes,
    Aplacam minha ira ou me aliviam.
30 Ver qualquer um da linhagem de York
    É uma Fúria que me toma a alma;
    E até que eu elimine tal linhagem,
    Sem deixar um só vivo, 'stou no inferno.
    Portanto...

           (Levanta a mão.)

RUTLAND

35 Deixe que eu reze antes de morrer!
    Pra si, pra que tenha pena de mim.

CLIFFORD

    Só tenho a pena que tem o meu punhal.

RUTLAND

    Eu nunca lhe fiz mal, por que me mata?

CLIFFORD

    O fez seu pai.

RUTLAND

                Mas antes de eu nascer.
    Pelo filho que tem, sinta piedade;
    Pois Deus é justo e, em vingança, ele pode
    Ter morte miserável como a minha.
    Deixe que eu passe a vida na prisão,
    E quando de algum modo eu o ofender,
    Que eu morra então, e não sem causa agora.

CLIFFORD

    Seu pai matou o meu; portanto, morra.

    (Apunhala-o.)

RUTLAND

    Di faciant laudis summa sit ista tuae![18]

CLIFFORD

    Veja! Estou chegando, Plantageneta![19]
    Que o sangue de seu filho em minha lâmina
    Enferruje-me a arma até seu sangue
    Secar com este, pr'eu limpar os dois.

CENA 4
No mesmo local.

(Alarma. Entra o DUQUE DE YORK.)

YORK

    A tropa da rainha vence em campo.
    Meus dois tios morreram ao salvar-me;
    Meus seguidores, diante do inimigo,
    Viram e fogem, como naus ao vento,
    Ou ovelhas caçadas pelos lobos.
    Deus sabe o que houve com meus filhos:
    Mas isto eu sei, que agiram todos eles
    Qual quem nasce pra fama, em vida ou morte.
    Três vezes Ricardo abriu-me o caminho,
    Gritando "Coragem, pai! Lute agora!"
    As mesmas três, Eduardo, veio a mim,

---

18 Em latim, no original: "Que os deuses façam desta a sua maior glória". Das *Heroides* de Ovídio, o autor favorito de Shakespeare. (N. E.)
19 Ele se refere ao Duque de York, pai de Rutland, que será capturado e morto na cena seguinte. (N. E.)

                    Co'a curva espada púrpura de sangue
                    Daqueles que ousaram enfrentá-lo.
                    Debandando os mais nobres guerreiros,
15   Clamava Ricardo "Não cedam nunca!"
                    E Eduardo "A coroa ou a morte!
                    Um cetro ou um sepulcro aqui na terra!".
                    E atacavam de novo; mas, ai, ai,
                    Novo revés, como um cisne que vi
20   Lutar sem esperanças com a maré,
                    Gastando as forças com ondas imensas.

                         (Breve fanfarra, ao longe.)

                    Os caçadores fatais me perseguem,[20]
                    'Stou fraco, não escapo à sua fúria;
                    Se forte, não fugia à sua fúria.
25   Já escoou-me a areia da vida;
                    Aqui fico e aqui me acaba a vida;

                         (Entram a RAINHA MARGARET, CLIFFORD, NORTHUMBERLAND, o jovem PRÍNCIPE, e SOLDADOS.)

                    Venham, sangrento Clifford e Northumberland,
                    Desafio sua fúria a crescer mais:
                    Sou seu alvo, e aguardo aqui seu tiro.

        NORTHUMBERLAND
30   Ceda à nossa mercê, York orgulhoso.

        CLIFFORD
                    Mercê igual à que seu cruel braço
                    Deu de sinal ao matar o meu pai.
                    Ora caiu Fáeton[21] de seu carro,
                    E anoiteceu o meio-dia em ponto.

        YORK
35   Qual fênix, minhas cinzas vão gerar
                    Ave que há de vingar-se contra todos;
                    Nessa esperança ergo ao céu os olhos,
                    E desprezo o que a mim possa ser feito.[22]
                    Não avançam por quê? Têm tanto medo?

---

20 A expressão é estranha; sugere Dover Wilson que se trate de algum jogo de palavras da época. (N. T.)
21 Na mitologia grega, Fáeton, filho de Apolo, não consegue conduzir o carro do sol e cai. As frequentes referências a deuses e heróis da Antiguidade são prova do quanto, no início de sua carreira, Shakespeare procurava aproximar-se dos recursos usados pelos dramaturgos antecessores. (N. E.)
22 Fica clara a força da influência de Sêneca sobre Shakespeare nesse início de carreira, quando este atribui a York, no momento da morte, atitude de heroísmo estoico. (N. E.)

CLIFFORD

  Assim luta o covarde já sem fuga;
  A pomba bica a presa aguda do falcão;
  Ladrão sem esperança para a vida,
  Que urra invectivas a oficiais.

YORK

  Mas Clifford, pense um pouco, 'inda uma vez,
  Revendo no pensar o meu passado;
  Se por corar não pode olhar-me o rosto,
  Morda essa língua que me diz covarde,
  E lembre que este cenho o fez fugir.

CLIFFORD

  Não vou trocar palavra por palavra,
  Mas devolver quatro golpes em um.

   (Puxa a espada.)

RAINHA

  Espere, bravo Clifford; por mil causas
  Quero mais longa a vida do traidor.
  Está surdo de fúria; fale Northumberland.

NORTHUMBERLAND

  Pare, Clifford! Não merece ele a honra,
  Nem para matá-lo, de picar-lhe um dedo.
  O que vale, se um cão lhe mostra os dentes,
  Alguém meter a mão entre essas presas,
  Quando pode, com o pé, dar cabo dele?
  Prêmio, na guerra, é o valor do momento,
  E dez pra um não diminui valor.

   (Eles agarram YORK, que se debate.)

CLIFFORD

  Luta assim o garnisé co'a armadilha.

NORTHUMBERLAND

  Ou o coelho, quando cai na rede.

YORK

  Assim fala o ladrão de seu butim,
  E cede o homem bom a maior número.

NORTHUMBERLAND

65 Que quer Sua Graça seja feito agora?

RAINHA
    Meus bravos Clifford e Northumberland,
    Façam ficar de pé neste montículo
    Quem esticou os braços pra montanhas,
    Mas cujas mãos só dividiram nuvens.
70 *(Para York.)* É quem queria ser rei da Inglaterra?
    Foi quem levou festança ao parlamento,
    Pregou sermão sobre sua linguagem?
    Onde 'stá a filharada pra ajudá-lo –
    Eduardo bonitão, George mulherengo,
75 E onde anda o prodígio corcunda,
    Dicky[23], o moleque sempre resmungando
    Estimulando o pai em seus motins?
    E onde está o queridinho Rutland?
    Veja York: meu lenço eu manchei com sangue
80 Que o bravo Clifford, com a ponta da faca,
    Fez jorrar bem do peito do menino;
    Se a água sai de seus olhos com a morte,
    Eu lho dou pra secar as suas faces.
    Pobre York; se eu não o odiasse tanto,
85 Lamentaria o seu mísero estado.
    Por favor chore, pra alegrar-me, York.
    O quê, o ódio o secou de tal modo
    Que por Rutland não caia uma só lágrima?
    É tão paciente? Deveria estar louco,
90 E para enlouquecê-lo é que eu debocho.
    Esperneie, para eu dançar cantando.
    Quer paga, vejo, pra me divertir;
    York não consegue falar sem coroa.
    Uma coroa pra York! Nobres, curvem-se:
95 Segurem-no, enquanto eu a coloco.

    (Ela coloca nele uma coroa de papel.)

    Viva, senhor! Como parece rei!
    Do rei Henrique ele tomou o trono,
    Era este aqui seu herdeiro adotado.
    Mas como foi que esse Plantageneta
100 Tão logo coroou-se, com perjúrio?
    Não devia ser rei, segundo penso,
    Antes de Henrique dar sua mão à Morte.

---

[23] Dick, diminutivo de Richard, é usado aqui como insulto. (N. E.)

HENRIQUE VI Parte 3 *Ato 1* Cena 4

                    Quis coroar-se com a glória de Henrique,
                    Roubar-lhe às têmporas o diadema
105   Em vida sua, contra a jura santa?
                    A falta é por demais imperdoável!
                    Pois cortem-lhe a coroa e a cabeça;
                    Aproveitem a pausa pra matá-lo.

        CLIFFORD
                    A tarefa me cabe, por meu pai.

        RAINHA
110   Esperem, quero ouvir suas orações.

        YORK
                    Loba da França, pior que seus lobos,
                    Com mais veneno na língua que a víbora!
                    Como cai mal a quem é de seu sexo
                    Triunfar como a mais torpe amazona
115   Sobre a dor de quem derrota o Fado!
                    Não fosse a sua máscara imutável,
                    Que o hábito do mal despudorou,
                    Tentaria, rainha, enrubescê-la.
                    Lembrar de onde veio, e de quem veio,
120   Bastaria, se vergonha tivesse:
                    O seu pai, que diz ser o rei de Nápoles,
                    Duas Sicílias e Jerusalém,
                    É menos rico que plebeu inglês.
                    Foi ele que a ensinou a insultar?
125   Não fica bem, orgulhosa rainha;
                    Senão pra confirmar velho ditado:
                    Pobre mata cavalo com galopes.[24]
                    A beleza é o orgulho das mulheres,
                    E Deus sabe ser seu quinhão pequeno.
130   A virtude é que as torna admiradas;
                    E o oposto em si nos deixa estarrecidos.
                    Controle as faz parecerem divinas;
                    A falta dele as faz abomináveis.
                    A senhora é o oposto do que é bom,
135   Como os antípodas são para nós,
                    Ou como o sul para o setentrião.
                    Oh, tigre envolto em pele de mulher![25]
                    Como pôde sangrar uma criança,

---

24 Ditado preconceituoso que corresponde, vagamente, a "quem nunca comeu melado, quando come se lambuza"; como os pobres não tinham cavalos, quando conseguem um, não sabem tratá-los. (N. T.)

25 Esse verso é famoso porque no primeiro documento impresso a respeito de Shakespeare, Richard Greene, a fim de atacá-lo, escreve "Oh coração de tigre envolto na pele de um ator!", uma prova de que em 1592 o sucesso de William Shakespeare já incomodava outros dramaturgos. (N. T.)

Mandar o pai usar o lenço em sangue,
140 E ainda ter um rosto de mulher?
Elas são suaves, ternas, maleáveis;
Mas a senhora é pétrea e sem remorsos.
Quer ver-me em fúria? Tem o seu desejo.
Quer ver-me em pranto? Tem o seu desejo.
145 A fúria sopra ventos encharcados,
E quando ela se acalma, vem a chuva.
Meu pranto é como um ritual pra Rutland,
Que conclama vingança por sua morte
Contra ti, Clifford vil, e a francesa.

NORTHUMBERLAND
150 Essa paixão a mim comove tanto
Que mal consigo proibir-me as lágrimas.

YORK
Um rosto assim, faminto canibal
Não tocaria, e nem tingia em sangue;
Mas a senhora é bem mais implacável –
155 Dez vezes mais – do que o tigre da Hircânia.
Um pai infeliz chora, cruel rainha.
Molhou no sangue de meu filho o lenço,
E eu lavo o sangue com as minhas lágrimas.
Guarde o lenço, para gabar-se disso:
160 E se contar a história verdadeira,
Quem a ouvir se lavará em lágrimas,
Hão de chorar até meus inimigos,
Dizendo "mas que feito lastimável!"
Tome a coroa, e a minha maldição;
165 E, quando de consolo precisar,
Receba o que, de sua mão eu colho!
Duro Clifford me leve deste mundo:
A alma pro céu, o sangue em suas cabeças!

NORTHUMBERLAND
Matasse ele toda a minha gente,
170 Não poderia eu deixar de chorá-lo,
Ao ver tanta tristeza em sua alma.

RAINHA
O quê, choramingando, Northumberland?
Pense no mal que ele fez a nós todos,
Que isso seca num instante as suas lágrimas.

CLIFFORD
175   Por minha jura e a morte de meu pai!

                  (Apunhala-o.)

RAINHA
             E aqui compenso a doçura do rei.

                  (Apunhala-o.)

YORK
             Abra as portas do céu, bondoso Deus! *(Morre.)*

RAINHA
             Fora a cabeça, e a impalem nas portas;
             Pra York poder olhar sua cidade.

                                         (Fanfarra. Saem.)

ATO 2

CENA 1
Uma planície perto de Mortimer's Cross no condado de Hereford.

(Marcha. Entram EDUARDO, RICARDO e suas tropas.)

EDUARDO

Como estará o nosso pai, o príncipe?
Não sei dizer se ele escapou ou não
Do ataque de Northumberland e Clifford.
Se preso, nós teríamos notícias;
5   Se morto, nós teríamos notícias;
Se escapasse, devia haver notícias.
Como está meu irmão? Por que tão triste?

RICARDO

Não posso me alegrar até saber
Que aconteceu ao nosso pai valente.
10   Na batalha eu o vi pra lá, pra cá,
Até que o vi desafiando Clifford.
Pareceu-me que, em meio à tropa toda,
Agia qual leão entre bovinos;
Ou como um urso, cercado por cães,
15   Que, com seus dentes faz alguns chorarem,
E o resto fica ao longe, só latindo.
Assim o nosso pai, com os inimigos;
Fugiam estes ante o pai guerreiro:
Já é prêmio bastante ser seu filho.
20   Veja abrir-se o portão de ouro da aurora,
Que diz o seu adeus ao sol dourado;[26]
Como se mostra ele assim tão jovem,
Qual um rapaz que salta para o amor!

(Três sóis aparecem no ar.)

EDUARDO

'Stou ofuscado, ou vejo ali três sóis?

RICARDO

25   Três sóis gloriosos, cada um perfeito;
Não separados por grupos de nuvens,
Mas isolados em céu lindo e claro.

---

26 A aurora, diz ele, se despede do sol pelo período em que ele vai brilhar no céu. (N. T.)

>   Vejam! Eles se abraçam e se beijam,
>   Como jurando liga inviolável:
> 30   São agora uma chama, luz, ou sol.
>   Isso no céu agoura algum evento.
>
>   EDUARDO
>   É estranho, ninguém nunca falou nisso.
>   Creio que incita a nós, irmãos, pro campo,
>   Pra que nós, filhos de Plantageneta,
> 35   Cada um já brilhando por seus méritos,
>   Mesmo assim reunamos nossas luzes
>   Pra iluminar a terra, e esse o mundo.
>   Seja o que for que augura, de hoje em diante,
>   No meu brasão eu hei de ter três sóis.
>
>   RICARDO
> 40   Melhor três luas,[27] se me dá licença;
>   Dá mais amor à fêmea do que ao macho.
>   *(Entra um MENSAGEIRO, soando uma trompa.)*
>   Quem é você, cujo cenho anuncia
>   Que sua língua traz história triste?
>
>   MENSAGEIRO
> 45   Alguém que foi um triste espectador
>   Quando foi morto o nobre duque de York,
>   Seu principesco pai, meu amo amado!
>
>   EDUARDO
>   Não diga mais; o que ouvi já basta.
>
>   RICARDO
>   Diga como morreu; quero saber.
>
>   MENSAGEIRO
> 50   Foi cercado por muitos inimigos,
>   Plantou-se, como a esperança de Troia,[28]
>   Aos gregos que queriam tomar Troia.
>   Mas cede à quantidade o próprio Hércules;
>   E muitos golpes, só de machadinha,
> 55   Machucam e derrubam o carvalho.
>   Muitas mãos subjugaram o seu pai;
>   Mas mataram-no Clifford e a rainha,

---

27 Não há solução satisfatória para a tradução desses dois versos: Eduardo fala em "three suns" (três sóis), que soa exatamente como "three sons" (três filhos); Ricardo responde "Melhor três filhas". Usei a referência à lua por esta ter sempre identidade feminina. (N. T.)

28 Assim Virgílio, na *Eneida*, se refere a Heitor, o maior herói troiano. (N. E.)

Que ao duque coroaram com deboche,
Rindo-se dele; e, ao chorar de dor,
60 Deu-lhe a rainha vil, pra secar pranto,
Lenço molhado com o inocente sangue
Do doce Rutland, morto por Clifford:
Depois de ofensas e provocações,
Cortaram-lhe a cabeça e, nos portões
65 De York a colocaram; 'inda está lá,
O espetáculo mais triste que vi.

EDUARDO
Doce duque de York, nosso sustento
Se foi, e nós ficamos sem apoio.
Oh Clifford, fanfarrão! Ora matou
70 A flor dos cavaleiros europeus;
Só o venceu por meio da traição.
Pois frente a frente não o venceria.
A minh'alma está presa em seu palácio:
Quem dera ela escapasse, pr'o meu corpo
75 Poder, neste chão, ter o seu repouso!
Doravante já não posso alegrar-me;
Nunca, nunca, terei mais alegria.

RICARDO
Eu não posso chorar; a água em mim
Mal me apaga a fornalha do peito;
80 Nem minha língua expressa a sua dor;
O ar que eu gastaria ao falar nisso
Ateia as brasas do meu peito em fogo,
Com chamas que quer abafar o pranto.
Chorar torna menor a minha dor:
85 É pra bebês; pra mim, vingança e golpes!
Ricardo, carrego o seu nome; ou o vingo
Ou eu morro famoso por tentá-lo.

EDUARDO
O nome, o nobre duque lhe deixou;
O ducado e o assento são pra mim.

RICARDO
90 Pois se é filho da ave principesca,
Prove a linhagem olhando pro sol:[29]
Pra título e ducado, trono e reino,
Ou são seus esses, ou não é seu filho.

---

[29] A "ave principesca" é a águia, que representa um rei ou príncipe. A águia podia olhar diretamente para o sol, crença que teve origem no grande alcance do olhar da águia. (N. E.)

(Marcha. Entram Warwick, Marquês Montague e suas tropas.)

Warwick

Então, meus caros nobres; quais as novas?

Ricardo

95 Grande Lord Warwick, se nós lhe contarmos
As nossas novas, e cada palavra
Qual punhal nos ferir até o fim,
Estas trariam mais dor do que as feridas.
Nosso pai, o duque de York, foi morto!

Eduardo

100 Warwick! Warwick! Esse Plantageneta
Que a si prezava como à salvação,
Morreu nas mãos do implacável Clifford.

Warwick

Há dez dias, cobria em pranto a nova,
E agora, pr'aumentar a sua dor,
105 Devo narrar-lhes o que aconteceu.
Depois da luta sangrenta de Wakefield,
Em que seu pai deu o último suspiro,
Notícias, que velozes nos chegaram,
Tivemos de sua perda e morte dele.
110 'Stando em Londres, com o rei sob minha guarda,
Juntei à minha tropa alguns amigos,
E muito bem armado – assim pensava –
Fui enfrentar a rainha em St. Albans,
Por garantia tendo o rei comigo;
115 Pois meus espias já me advertiam
Que ela atacava com toda a intenção
De acabar com a lei do Parlamento
Em que o rei jura dar-lhe a sucessão.
Pois em St. Albans nós nos encontramos,
120 E ambos os lados lutaram com fúria:
Porém, se foi a frieza do rei,
Que olhava, doce, a rainha guerreira,
Que roubou a coragem de meus homens;
Ou as notícias dos sucessos dela,
125 Ou medo da crueldade de Clifford,
Que promete aos cativos sangue e morte,
Não sei dizer; mas falando a verdade,
As armas deles pareciam raios;
Nossa tropa, corujas de asas lentas,
130 Ou foice preguiçosa na colheita,

Lutou como se bate em um amigo.
Estimulei-os com sua justa causa,
Prometi pagamento e grandes prêmios;
Foi em vão; lhes faltava coração,
135 E foi-se a esperança da vitória.
Fugimos todos; o rei para a rainha;
Lord George, o seu irmão, Norfolk e eu,
Com toda a pressa viemos encontrá-lo;
Soubemos na fronteira que aqui estava,
140 Armando um novo grupo pra lutar.

EDUARDO

Bom Warwick, onde está o duque Norfolk?
E George, quando voltou para a Inglaterra?[30]

WARWICK

O duque e a tropa estão a umas seis milhas;
E quanto ao seu irmão, chegou há pouco,
145 Da tia, a duquesa da Borgonha,
Trazendo as tropas de que precisamos.

RICARDO

É estranho retirar-se o bravo Warwick[31];
Por perseguir é que sempre foi louvado,
Jamais pelo escândalo da fuga.

WARWICK

150 E nem agora saberá de escândalos;
Mas saberá que a minha forte destra
Há de arrancar de Henrique o diadema,
E de seu punho retirar o cetro,
Nem que ele seja valente na guerra
155 Como é famoso por piedade e oração.

RICARDO

Eu o sei bem, Lord Warwick; não me culpe:
Eu falo por amor às suas glórias.
Mas que fazer nestes tempos incertos?
Descartar nossos casacos de aço,
160 Embrulhar-nos em vestes enlutadas,
Contar Ave-Marias em rosários?
Ou nos elmos de nossos inimigos,

---

30 Consta das fontes usadas por Shakespeare que George e Ricardo haviam sido mandados para a Borgonha, a fim de ficarem em segurança enquanto Eduardo lutava pelo trono. Na peça, eles voltam mais cedo, e a referência fica um tanto sem sentido. (N. T.)

31 Em inglês, *'Twas odds, belike, when valiant Warwick fled*, onde *odds* tem sido interpretada como *adversidade*; portanto, o sentido é que Warwick se retira da luta porque estava em desvantagem. (N. E.)

Mostrar com armas vingança devota?
Se é assim, é bom começar logo.

WARWICK

165 É por isso que Warwick procurou-os,
E por isso o meu mano Montague
Seguiu-me, lords. A rainha insultuosa,
Com Clifford e o altivo Northumberland,
E outras aves de plumagem vaidosa,
170 Moldaram o macio rei de cera.
Ele jurou ser sua a sucessão
Em ato que lavrou o Parlamento;
E agora a corja foi toda pra Londres
Para frustrar a jura e, além disso,
175 Tudo o que possa fazer mal aos Lancasters.
Sua força, creio, é de trinta mil:
Com os amigos que o nosso conde March
Poderá conquistar entre os galeses,
Chegamos nós a vinte e cinco mil,
180 Ora, Avante! Marchemos contra Londres,
E cavalgando corcéis espumejantes,
Gritemos "Carga contra os inimigos!"
Sem que nenhum dê volta ou parta em fuga.

RICARDO

Agora, sim, ouvi o grande Warwick.
185 Que nunca ninguém veja dia de sol
Que grite "Retirada!" onde está Warwick.

EDUARDO

Lord Warwick, em seu ombro é que me apoio;
E só quando cair – que Deus nos livre! –
Cai Eduardo, o que o céu impeça!

WARWICK

190 Não mais conde de March, mas duque de York:
E que ao trono real suba depois;
Rei da Inglaterra há de ser proclamado
Em cada burgo por onde passarmos;
E quem pro ar não jogar seu boné
195 Há de perder, pela ofensa, a cabeça.
Rei Eduardo, bons Ricardo e Montague,
Não fiquemos aqui a sonhar fama;
Soem as trompas, vamos à tarefa.

RICARDO

                Fosse de aço o coração de Clifford,
200   Cujos atos o mostram ser de pedra,
                Eu hei de perfurá-lo, ou dar o meu.

EDUARDO

                Toque, tambor! Por mim, Deus e São Jorge!

                    (Entra um MENSAGEIRO.)

WARWICK

                Então? Que novas traz?

MENSAGEIRO

                O duque Norfolk manda que eu lhes diga
205   Que estão vindo a rainha e grande tropa;
                E convoca um conselho imediato.

WARWICK

                De acordo; nobres guerreiros, partamos!

                                                    (Saem.)

CENA 2
Diante de York.

(Fanfarra. Entram o REI HENRIQUE, a RAINHA MARGARET, o PRÍNCIPE DE GALES, CLIFFORD e NORTHUMBERLAND, com tambores e cornetas.)

RAINHA

                Bem-vindo, meu amo, à cidade de York.
                Lá está a cabeça do arqui-inimigo
                Que desejou usar sua coroa:
                A coisa não lhe alegra o coração?

REI HENRIQUE

5   Como a rocha a quem teme quebrar nela:
                Ver tal visão me deixa a alma inquieta.
                Não se vingue, meu Deus; não tenho culpa,
                E nem, consciente, quebrei minha jura.

CLIFFORD

                Meu senhor, isso é muita leniência;
10   Deve esquecer tal piedade danosa.
                A quem voltam leões olhares doces?
                Não à fera que quer roubar-lhe a toca.

A que mão lambe o urso da floresta?
Não a que fere, à vista, seus filhotes.
15 Quem escapa a picada da serpente?
Não o que finca o pé em suas costas.
O verme vira contra quem o pisa,
A pomba bica pra guardar as crias.
Quis sua coroa o ambicioso York,
20 Ao seu sorriso ele cerrou o cenho;
Apenas duque, quis o filho rei,
Pai amoroso que aprimora a estirpe;
E o senhor, que é rei e tem bom filho,
Chegou a concordar em deserdá-lo,
25 O que o apresenta qual pai sem amor.
O bicho irracional cuida da cria;
E embora o rosto humano o amedronte,
A fim de proteger filhotes tenros,
Quem não viu, até mesmo os que têm asas
30 Outrora usadas pra fugir com medo,
Fazer guerra ao que violou seu ninho,
Dando a vida pra defender os filhos?
Com vergonha, siga os exemplos deles!
Não será lastimável que o bom filho
35 Perca o direito por erro do pai,
Para dizer mais tarde aos próprios filhos
"O que eu herdei de avô e bisavô
Meu descuidado pai deu de presente"?
Que vergonha seria! Olhe o rapaz,
40 E que esse rosto viril, tão promissor
De sucesso, lhe fortaleça o peito
Pra manter o que é seu e dá-lo a ele.

REI HENRIQUE
Fez Clifford bem seu papel de orador,
Apresentando argumentos tão fortes.
45 Mas diga, Clifford, se jamais ouviu
Que não tem bom sucesso o que é mal ganho?
E foi sempre feliz aquele filho
Cujo pai foi pro inferno por usura?
Deixarei ao meu filho meus bons atos,
50 Quem me dera meu pai só os seus deixasse!
Todo o resto é mantido a um preço tal
Que traz, pra conservá-lo, mais mil vezes
Cuidados que o prazer de sua posse.
Ah, York, tomara saibam seus amigos
55 O que me dói ver ali sua cabeça!

Rainha

Anime-se, senhor; eis o inimigo!
Coragem pouca enfraquece a tropa.
Jurou sagrar seu filho cavaleiro;
Tire a espada, e dê-lhe o toque agora.
Ajoelhe-se, Edward.

Rei Henrique

Edward, levanta-te já cavaleiro;
E tira a espada só pro bem ordeiro.

Príncipe

Meu caro pai, com licença real
Como herdeiro aparente a usarei;
E por tal causa luto até a morte.

Clifford

Falou agora como real príncipe.

(Entra um Mensageiro.)

Mensageiro

Comandantes reais, alerta agora;
Pois com uma tropa de trinta mil homens
Chega Warwick, que apoia o duque de York;
E nas cidades que cruzam, marchando,
O dizem rei, e muitos o acompanham.
Preparem sua tropa; 'stão chegando.

Clifford

Peço que Sua Alteza deixe o campo:
Brilha a rainha mais com a sua ausência.

Rainha

Sim, e deixe-nos à nossa fortuna.

Rei Henrique

Que é a minha; portanto, vou ficar.

Northumberland

Mas resolvido, então, a combater.

Príncipe

Meu real pai, anime esses seus nobres,
Estimule quem luta em sua defesa.
Co'a espada nua, pai, grite "São Jorge".

(Marcha. Entram Eduardo, George, Ricardo, Warwick, Norfolk, Montague e soldados.)

EDUARDO

Perjuro Henrique, vai pedir clemência,
E pôr-me na cabeça o diadema,
Ou quer buscar fado mortal no campo?

RAINHA

Moleque, insulte seus apaniguados!
Será correto, assim de forma ousada,
Desafiar assim seu rei legal?

EDUARDO

Eu sou rei dele, que deve ajoelhar-se:
Ele adotou-me, fez-me seu herdeiro:
Depois quebrou a jura; e ouvi dizer
Que como rei – dele é só a coroa –
A senhora instigou, no Parlamento,
Lei que dá o que é meu para o seu filho.

CLIFFORD

E com razão, também:
Quem sucede a um pai, senão seu filho?

RICARDO

Está aí, açougueiro? Eu perco a fala!

CLIFFORD

Sim, corcunda; para a si responder.
Ou ao mais orgulhoso de sua laia.

RICARDO

Foi, ou não, quem matou o jovem Rutland?

CLIFFORD

E o velho York, mas não 'stou saciado.

RICARDO

Por Deus, milords, deem o sinal pra luta.

WARWICK

Como é, Henrique; não cede a coroa?

RAINHA
Ousa falar o linguarudo Warwick?
Quando nos encontramos em St. Albans,
Trabalharam as pernas mais que as mãos.

WARWICK
Foi minha vez de fuga; agora é a sua.

CLIFFORD
Já disse o mesmo antes, mas fugiu.

WARWICK
Não me enxotou qualquer bravura sua.

NORTHUMBERLAND
E nem a sua o obrigou a ficar.

RICARDO
Northumberland, a si sempre respeito.
Chega de negociar; eu mal contenho
A execução do que quer o meu peito
Em Clifford, assassino de criança.

CLIFFORD
Matei seu pai: era ele criança?

RICARDO
Sim, qual covarde falso e traiçoeiro,
Como matou o doce mano Rutland;
Mas antes do poente há de chorá-lo.

REI HENRIQUE
Chega de ofensas, lords, quero falar.

RAINHA
Se não desafiá-los, cale a boca.

REI HENRIQUE
Não imponha limite à minha língua:
Sou o rei; falar é meu privilégio.

CLIFFORD
Senhor, a ferida motivo deste encontro
Não cura a fala; é melhor o silêncio.

RICARDO

    Então, carrasco, puxe a sua espada.
    Em nome d'O que nos criou, garanto
125   Que a bravura de Clifford está na língua.

EDUARDO

    Diga, Henrique: vai dar-me o meu direito?
    Mil homens que comeram de manhã
    Não jantam, se não cede essa coroa.

WARWICK

    Se não ceder, será por sua culpa;
130   Pois com justiça York usa a armadura.

PRÍNCIPE

    Se é certo o que Warwick diz ser certo,
    Não há errado, e tudo estará certo.

RICARDO

    Não sei quem o gerou; mas sua mãe
    Está presente nessa sua língua.

RAINHA

135   Mas em você não 'stão nem pai nem mãe,
    Pois parece um monstrengo deformado,
    Que os Fados mandam que todos evitem,
    Qual fel de sapo ou dente de lagarto.

RICARDO

    Ferro de Nápoles, que ingleses douram,
140   Cujo pai usa um título de rei
    Como um riacho chamado de mar –
    Não se envergonha, vindo de onde vem,
    Que a língua lhe revele o baixo berço?

EDUARDO

    Lasca de palha vale mil coroas
145   Pra rameira reconhecer quem é.
    A grega Helena foi muito mais bela,
    Mesmo com seu marido, um Menelau;[32]
    Nem foi traído o irmão de Agamêmnon
    Quanto por si o foi esse seu rei.
150   O pai dele brilhou por toda a França,
    Domou o rei, humilhou o delfim;
    E se houvesse ele casado a seu nível,

---

[32] Menelau aqui usado como definição clássica de homem traído pela mulher; o rapto de Helena por Páris teria sido o motivo da Guerra de Troia. (N. E.)

	Talvez 'inda gozasse dessa glória;
	Porém, levando uma mendiga ao leito,
155	Pagando ele, por seu pai, as bodas,[33]
	Na hora o sol tornou-se chuvarada,
	Que lavou dele o que o pai fez na França,
	E em casa provocou muita revolta.
	Nasceu do seu orgulho este tumulto;
160	Se fosse humilde talvez preservasse
	O meu título, que então 'inda dormia;
	E por piedade a esse doce rei,
	Guardava pr'outro dia esse reclamo.

GEORGE

    Nosso sol trouxe a sua primavera,
165 Mas seu verão não nos trouxe proveito;
    Nós ceifamos por isso suas raízes.
    E embora o fio atinja alguns de nós,
    Saiba que, após nosso primeiro golpe,
    Não paramos até vê-la por terra,
170 Ou nosso sangue encharca sua colheita.

EDUARDO

    Com tal resolução a enfrentamos;
    Não nos agrada mais parlamentar,
    Se nega ao rei direito de falar.
    Soem as trompas! Cores desfraldadas!
175 Ou pra vitória ou pra covas honradas.

RAINHA

    Espere, Eduardo.

EDUARDO

    Não, intriguenta; não espero mais:
    Sua fala, hoje, mata mil ou mais.

(Saem.)

CENA 3
Um campo de batalha entre Townton e Saxton, no condado de York.

(Fanfarras. Evoluções. Entra WARWICK.)

WARWICK

    Exausto, como atleta na corrida

---

[33] A exigência de o próprio Henrique pagar as despesas da festa do casamento, dada a pobreza do pai da noiva, e o fato de a princesa não trazer alianças foram dos itens que mais irritaram os ingleses. (N. T.)

Aqui me sento para respirar;
Pois golpes recebidos, e outros pagos,
De meu tendões esgotaram as forças,
E, apesar dos pesares, vou parar.

(Entra Eduardo, correndo.)

EDUARDO

Sorria o céu, ou golpeie-me a morte,
Num mundo irado, o meu sol 'stá nublado.

WARWICK

Então, senhor? Que houve? Há esperanças?

(Entra George.)

GEORGE

Tudo é só perda, e triste desespero;
A tropa 'stá perdida; é a ruína.
O que aconselha? Para onde fugimos?

(Entra Ricardo.)

RICARDO

Ah, Warwick, por que assim se retirou?
Bebeu a terra o sangue de seu mano,
Que a lança de Clifford fez jorrar;
E que gritou, com os suspiros da morte,
Qual um triste clamor ouvido ao longe,
"Vingue-me, Warwick! Vingue a mim, irmão!"
E, debaixo do ventre do cavalo,
Que ensopava as patas com seu sangue,
O bravo nobre entregou sua alma.

WARWICK

Que a terra se embebede com meu sangue;
Pra não fugir, matarei meu cavalo.
Por que ficamos, quais mulheres fracas,
Chorando as perdas, e o inimigo ruge;
E só olhamos, como se a tragédia
Fosse encenada por falsos atores?
De joelhos, aqui, eu juro a Deus
Não parar nunca mais, não hesitar,
Até que a morte feche estes meus olhos
Ou que a fortuna me doe a vingança.

EDUARDO

    Ah, Warwick, também fico de joelhos,
    E co'esta jura ligo as nossas almas!
    E, com os joelhos nesta terra fria
    Levanto mãos e coração a Ti,[34]
35   Que elevas e pões abaixo reis,
    Implorando-Te, se assim o desejares,
    Que se este corpo é presa do inimigo
    Mesmo assim Teus portões fiquem abertos,
    Deixando entrar est'alma pecadora!
40   Adeus, até outra vez nos encontrarmos,
    Seja onde for, no céu ou nesta terra.

RICARDO

    Irmão, dê-me sua mão; e suave Warwick,
    Que meus braços cansados o abracem:
    Eu, que não choro, me derreto em dor
45   Se este inverno nos corta a primavera.

WARWICK

    Avante! Uma vez mais, um bom sucesso!

GEORGE

    Procuremos, unidos, nossas tropas,
    Deixando ir quem não quiser ficar;
    E chamando pilastras os que ficam;
50   E, se vencermos, prometendo prêmios
    Como os que ostentam os heróis olímpicos.
    Isso trará bravura a peitos fracos;
    'Inda há esperança de vida e vitória.
    Não demoremos mais; avante, juntos.

(Saem.)

CENA 4
Uma outra parte do campo.

(Evoluções. Entram RICARDO e CLIFFORD.)

RICARDO

    Agora, Clifford, o peguei sozinho.
    E pense que este braço é para York,
    Este pra Rutland; ambos pra vingá-los,
    Mesmo que um muro de aço o cercasse.

---

[34] A maiúscula mostra que a jura é voltada para a divindade; entretanto, o termo *"kingmaker"* ("fazedor de reis") é usado em referência a Warwick. (N. E.)

CLIFFORD

 5 E agora, Ricardo, o vejo só.
    Esta mão é que matou a York, seu pai,
    E esta a que matou seu irmão Rutland;
    Este, o peito que vibrou com tais mortes,
    E aplaudiu a mão que aos dois matou,
10 E que pretende a si fazer o mesmo.
    Então, à luta!

(Eles lutam, chega WARWICK, CLIFFORD foge.)

RICARDO

    Não, Warwick; vá em busca de outra caça;
    Eu mesmo é que vou matar esse lobo.

(Saem.)

CENA 5
Uma outra parte do campo.

(Alarma. Entra o REI HENRIQUE, só.)[35]

REI HENRIQUE

    Essa batalha vai como a manhã,
    Quando as nuvens enfrentam luz crescente,
    Quando o pastor, soprando em suas unhas,
    Não consegue dizer se é dia ou noite.
 5 Ora fica pra cá, qual forte mar,
    Que avança co'a maré e enfrenta o vento;
    Ora pra lá, quando esse mesmo mar
    Recua, obrigado pelo vento.
    Ora vence a maré, e ora o vento;
10 Agora um é melhor, o outro, agora;
    Face a face, lutando por vitória,
    Nenhum é conquistado, e nem conquista,
    Tão iguais são as forças dessa guerra.
    Neste montinho[36] agora eu vou sentar
15 E, a quem quiser, Deus faça triunfar.
    Minha rainha, Margaret, e mais Clifford,
    Me expulsam da batalha, proclamando
    Que só prosperam quando eu estou ausente.
    Quisera eu, Deus, morrer neste momento!
20 Que há no mundo senão sofrimento?

---

35 A batalha de Towton prossegue e o piedoso Henrique contempla sua infelicidade, idealizando o mundo pastoral. Com a entrada do filho que matou o pai e do pai que matou o filho, Henrique comenta sobre a brutalidade da guerra civil. (N. E.).

36 Retoma-se a imagem do montinho de terra (molehill) que também aparece no ato 1, cena 4, em que York recebe a coroa de papel e o lenço com sangue de seu filho de Margareth e Clifford. (N. E.)

Oh Deus! Como seria boa a vida,
Se eu fosse apenas um homem do campo,
Sentado sobre um monte, como agora,
Talhando em lenho relógios de sol,
Nos quais veria passar os minutos,
E quantos deles fazem uma hora,
E quantas delas formarão um dia,
E quantos dias passarão num ano,
Quantos anos na vida de um mortal.
Sabendo disso, repartia o tempo:
Por tantas horas olho o meu rebanho,
Por tantas horas devo descansar,
Por tantas horas fico contemplando,
Por tantas horas devo divertir-me;
Tanto tempo estão prenhes as ovelhas,
Em tanto tempo se desmama a cria,
Em tanto tempo posso tosquiá-la.
E assim minutos, horas, dias, anos,
Bem vividos, na forma que lhes cabe,
Levariam o velho à sepultura.
Que bela a vida assim! Que paz! Que encanto!
Não é mais doce a sombra que a folhagem
Dá ao pastor que vela o seu rebanho
Do que a que dá dossel todo dourado
Ao rei, que vê em tudo a falsidade?
Por certo ela é mil vezes mais suave.
E, ainda, o rude queijo do pastor,
O magro caldo que carrega ao campo,
E o sono bom que tira sob as árvores,
E usufrui em segurança e gosto,
São bem melhores que o manjar dos reis,
Do que seus vinhos em copos dourados,
Do que o esculpido leito em que se deita
Para encontrar cuidados e traições.

(Alarma. Entra um Filho que matou seu pai, com o corpo em seus braços.)[37]

FILHO

Mau é o vento que a ninguém traz bem.
Esse homem, que matei em mano a mano,
Talvez carregue um tanto de moedas;
E eu, que acaso as tiro dele agora,
Acaso cederei meu corpo e elas

---

[37] A cena revela a influência da peça do gênero Moralidade sobre Shakespeare, no início da sua carreira. A lembrança de mortes semelhantes na Guerra das Rosas era muito forte entre os ingleses. (N. T.)

60 A quem me faça o mesmo, antes da noite.
Quem é? Meu Deus! O rosto de meu pai,
Que, sem querer, matei nesse conflito.
Tristes tempos, que geram tais eventos!
Vindo de Londres, com o rei, eu ataquei;
65 Meu pai, servidor do conde Warwick,
Lutou por York, obedecendo o amo;
E eu, que dele recebi a vida,
Aqui, com as minhas mãos, tirei-lhe a sua.
Deus, perdão, não sabia o que fazia:
70 Perdão, pai, por não o ter conhecido.
Meu pranto lava essas marcas sangrentas,
E calo, até que ele chegue a seu fim.

REI HENRIQUE
Cena patética! Tempos sangrentos!
Quando lutam leões por suas tocas,
75 Sofrem ovelhas com a inimizade.
Chora, infeliz; junto o meu pranto ao teu;
Que corações e olhos, como a guerra,
Ceguem com pranto e se quebrem de dor.

(Entra um PAI que matou seu filho, com o corpo em seu braços.)

PAI
Tu, que a mim resististe com tal força,
80 Dá-me o teu ouro, se é que ouro tens,
Pois com mais de cem golpes o comprei.
Vejamos; esse é rosto de inimigo?
Ai, não, não, é o do meu único filho!
Ah, menino, se inda te resta vida,
85 Levanta os olhos! Vê que chuvaradas
Batem com a tempestade do meu peito
Nessas feridas que matam meus olhos!
Piedade, Deus, destes tempos terríveis!
Que estratagemas e carnificinas,
90 Errados, vis, e antinaturais
Essa luta mortal traz todo dia!
Rapaz, teu pai gerou-te muito cedo,
Tarde demais vi que tirei-te a vida!

REI HENRIQUE
Dor após dor! Sofrer e mais sofrer!
95 Que a minha morte suste tal tristeza!
Tenham piedade, doces céus, piedade!
Tem rosas brancas e rubras seu rosto,

                    Cores fatais de casas em conflito:
                    Esta sugere bem o rubro sangue;
100   A outra, penso, suas faces pálidas.
                    Floresça uma das rosas, seque a outra!
                    Pois se lutam, vão fenecer mil vidas.

    Filho

                Como há de a mãe, pela morte de um pai,
                Jamais repreender-me o que me baste!

    Pai

105   Como há de a esposa, pelo filho morto,
                Jamais chorar com lágrimas bastantes!

    Rei Henrique

                Como há de a pátria, por ações tão trágicas,
                Condenar o seu rei, sem ser bastante!

    Filho

                Algum filho chorou tanto seu pai?[38]

    Pai

110   Algum pai gemeu tanto por seu filho?

    Rei Henrique

                Algum rei sofreu tanto por seus súditos?
                Grande é sua dor; maior a minha.

    Filho

                Vou levá-lo, e chorar tudo o que quero

(Sai, levando o corpo.)

    Pai

                De meus braços farei tua mortalha;
115   Meu coração, meu filho, é a tua tumba,
                Pois dele a tua imagem não sai mais.
                Meus suspiros são o dobre dos sinos;
                Nessas exéquias teu pai 'stá tão triste,
                Por tua perda, e por não ter mais outros,
120   Quanto Príamo na perda dos seus.
                Que se matem; daqui vou te levar,
                Matei a quem não podia matar.

(Sai, carregando o corpo.)

---

[38] A formalidade de antífona destas últimas falas são claro indício da influência das velhas Moralidades, no início da carreira de Shakespeare. (N. T.)

Rei Henrique

    Oh, homens tristes, pela dor curvados,
    Eu sou um rei mais triste que os seus fados.

(Alarmas. Evoluções. Entram a Rainha Margaret, o Príncipe e Exeter.)

Príncipe

125   Fuja, pai! Seus amigos já fugiram,
    E Warwick urra qual touro irritado.
    Depressa! Pois a morte nos persegue!

Rainha

    Monte, senhor, e depressa pra Berwick.
    Eduardo e Ricardo, quais dois galgos
130   Que já puseram os olhos na lebre,
    Com olhos que refulgem só de ira,
    E aço sangrento em suas mãos em fúria,
    Vêm logo atrás; portanto, parta logo.

Exeter

    Depressa, que a vingança vem com eles.
135   Não pare pra explicações; vá depressa
    Ou então siga-me, que eu vou na frente.

Rei Henrique

    Não; me leve consigo, meu bom Exeter.
    Não que tema ficar. Mas quero ir
    Onde a rainha o deseja. Avante! Vamos!

CENA 6
Uma outra do campo.

(Um forte alarma. Entra Clifford, ferido, com uma flecha em seu pescoço.)

Clifford

    Apaga-se a minha vela. Morre aqui
    A luz que, viva, deu luz a Henrique.
    Eu temo agora a ruína dos Lancasters
    Mais que minh'alma deixar o meu corpo.
5   Meu duro amor lhe angariou amigos;
    Minha queda derrete o aglomerado,
    Faz fraco Henrique, fortalece York.
    O povo é como a mosca de verão:
    Pra onde voa ela? Só pro sol.
10   Quem brilha agora, senão o inimigo?

Se Febo não tivesse concordado
Que Fáeton guiasse os seus cavalos,
O carro, em chama, não queimava a terra!
Tivesse Henrique reinado qual rei,
Como fizeram o seu pai e o deste,
Sem ceder chão à linhagem de York,
E eles não cresceriam como moscas;
Eu e dez mil neste reino infeliz
Não deixaríamos viúvas tristes;
E teria mantido o trono em paz.
Quem ama as ervas, se não for o vento?
Não é leniência que gera o ladrão?
O pranto é vão, a ferida incurável;
Não há fuga, nem força pra impedi-la:
Não perdoa o inimigo impiedoso;
E nem mereço eu deles piedade.
O ar entrou nestes cortes mortais,
E a enxurrada de sangue me enfraquece.
Venham, York, Ricardo, Warwick e os mais;
Furem-me o peito; eu matei seus pais.

(Ele desmaia. Alarma e retirada. Entram EDUARDO, GEORGE, RICARDO, MONTAGUE, WARWICK e soldados.)

EDUARDO

Respirem, lords. O sucesso pede pausa
Que alise os cenhos franzidos da guerra.
Tropas caçam a sangrenta rainha
Que leva Henrique, mesmo sendo rei,
Como a vela, redonda co'a rajada,
Comanda a argósia através das ondas.
Creem ter Clifford fugido com eles?

WARWICK

É impossível ter ele escapado;
E embora o diga aqui, em sua frente,
Seu irmão o marcara para a tumba;
Esteja onde estiver, tem de estar morto.

(CLIFFORD geme e morre.)

RICARDO

Que alma é essa, que parte tão triste?
O gemido separa a vida e a morte.
Vejam quem é.

EDUARDO

                A batalha acabou,
45   Amigo ou não, merece cortesia.

RICARDO

        Revogue a compaixão, pois esse é Clifford
        Que, não contente de podar o galho,
        Ao ceifar Rutland quando florescia,
        Fincou faca fatal no próprio tronco
50   De onde floria aquele tenro ramo –
        Nosso pai principesco, o duque de York.

WARWICK

        Devem descer dos portões a cabeça,
        A de seu pai, que Clifford lá postou;
        E que esta ocupe o espaço deixado;
55   Respondendo medida por medida.

EDUARDO

        Tragam essa coruja[39] malfazeja
        Que só a morte trouxe a nós e aos nossos:
        Agora a morte calou os seus gritos
        E está calada a língua ameaçadora.

WARWICK

60   Já está privado de compreensão.
        Fale, Clifford; não sabe quem lhe fala?
        A morte sombreou-lhe a luz a vida,
        E ele não vê nem ouve o que dizemos.

RICARDO

        Quem dera ouvisse! E, quem sabe, ouça:
65   Talvez esteja fingindo por malícia,
        Pra não ouvir provocações iguais
        Às que ouviu nosso pai, quando o matou.

GEORGE

        Se assim pensa, agride-o com palavras.

RICARDO

        Clifford, peça piedade e não a obtenha.

EDUARDO

70   Clifford, faça em vão sua penitência.

---

39 Tida como ave de mau agouro. (N. E.)

WARWICK

    Clifford, invente escusas pra seus crimes.

GEORGE

    E nós, torturas vis pra suas culpas.

RICARDO

    Tanto amou York, e eu sou filho dele.

EDUARDO

    Tanto lamentou Rutland, e eu o lamento.

GEORGE

    Onde o capitão Margaret, pr'ajudá-lo?

WARWICK

    Pragueje como outrora a esse deboche.

RICARDO

    Nenhuma praga? Mas, vai mal o mundo
    Se Clifford não pragueja contra amigos.
    Já vejo que está morto e, por minh'alma,
    Se essa mão lhe comprasse duas horas
    Pra que, em desprezo, eu pudesse ofendê-lo,
    A outra mão a cortaria e com sangue,
    Eu afogava aquele cuja imensa
    Sede não aplacaram York nem Rutland.

WARWICK

    Mas está morto. Cortem-lhe a cabeça,
    E a ponham onde está, ora, a de York.
    E pra Londres, em marcha triunfal,
    Pra coroar o rei desta Inglaterra;
    De onde Warwick, por mar, irá à França,
    Pedir, pra sua rainha, a Lady Bona.
    Hão de juntar-se, assim, as duas terras;
    E, amiga a França, não há de temer
    Que volte à vida o inimigo vencido;
    Pois se não pode ele ferir muito,
    O seu zumbido incomoda os ouvidos.
    Primeiro, quero vê-lo coroado;
    E, depois, pra Bretanha de além-mar,
    Tratar tal casamento, se assim quer.

Eduardo

  Que seja como quer, meu doce Warwick;
100 Pois em seus ombros eu ergo o meu trono
  E nunca hei de buscar empreendimento
  Sem seu conselho e sua concordância.
  Ricardo, faço-o aqui duque de Gloucester,
  E George, de Clarence; Warwick, como nós,
105 Faça e desfaça o que achar melhor.

Ricardo

  Que eu seja Clarence, sendo George de Gloucester,
  É ameaçador ao ducado de Gloucester[40].

Warwick

  Que é isso, é tola tal observação:
  Seja duque de Gloucester. E ora, a Londres!
110 Pra serem confirmados os seus títulos.

(Saem.)

---

40 As crônicas da Inglaterra relatam que três duques de Gloucester antes deste Ricardo tinham tido morte violenta. (N. E.)

ATO 3

CENA 1
Uma propriedade no norte da Inglaterra.

*(Entram dois G*UARDAS*, portando bestas.)*[41]

1º GUARDA

Escondidos à sombra do arvoredo,
Esperamos os cervos que vêm logo;
E, acobertados, nós faremos mira
Do principal entre todos os cervos.

2º GUARDA

5   Lá da colina nós miramos ambos.

1º GUARDA

Não pode ser; o ruído da besta
Assustaria o rebanho, e eu erraria.
Fiquemos aqui os dois, mirando o grande;
E pra acabar com o tédio dessa espera
10 Eu conto o que me aconteceu um dia,
Neste mesmo lugar onde hoje estamos.

2º GUARDA

Lá vem um homem; espere que passe.

*(Entra o R*EI HENRIQUE*, disfarçado, com um livro de orações.)*

REI HENRIQUE

Da Escócia eu fugi, por puro amor,
Para saudar minha terra sonhada.
15 Não, Harry, Harry; a terra não é sua;
Foi-se o seu trono; arrancaram-lhe o cetro,
A água lavou o óleo que o ungiu;
Não há joelho que o chame de César,
Nem humildes clamando por direitos;
20 Ninguém o busca pra acertar o erro:
Como um outro ajudar, e não a mim?

1º GUARDA

A pele desse cervo vale um soldo:
É o rei de antes; vamos agarrá-lo.

---

41 A besta é uma arma medieval mecanizada e usada para flechas, semelhante a um arco. (N. E.)

Rei Henrique
>Que eu a abrace, dura Adversidade[42],
>Pois diz o sábio que é o melhor caminho.

2º Guarda
>Que 'stá esperando? Vamos agarrá-lo.

1º Guarda
>Calma; vamos ouvir um pouco mais.

Rei Henrique
>Minha rainha e filho 'stão na França,
>Pedindo ajuda; enquanto o grande Warwick
>Foi lá pedir a mão da irmã do rei
>Para Eduardo. Se isso for verdade,
>Pobres mulher e filho; perdem tempo,
>Pois Warwick é orador muito sutil,
>E Luís ganho com palavras ternas.
>Sendo assim, Margaret pode conquistá-lo,
>Pois é mulher que merece piedade:
>Seus suspiros vão atingir-lhe o peito;
>Seu pranto corta coração de mármore;
>O tigre é manso, quando está chorando;
>Até Nero se mancha com remorsos
>Ao ver e ouvir suas dores e suas lágrimas.
>Porém, veio pedir, Warwick vem dar;
>Um lado pede ajuda para Henrique,
>O outro pede esposa para Eduardo.
>Ela chora e diz deposto Henrique,
>Ele sorri, e diz no trono Eduardo;
>Ela, coitada, mal fala de dor;
>Warwick proclama o rei, disfarça o crime,
>E apresenta argumentos muito fortes,
>E acaba por tirar o rei da pobre,
>Que promete a irmã e, 'inda mais,
>Dá apoio e suporte ao rei Eduardo.
>Margaret, assim será, e está, por isso,
>Depois do desencanto, abandonada.

2º Guarda
>Quem é você, com esses reis e rainhas?

---

[42] Ecoa a passagem sobre a necessidade de abraçar a adversidade que está no *Evangelho de Mateus* e no *Livro Comum de Orações*. (N. E.)

Rei Henrique
   Mais que pareço, e menos que nasci:
   Um homem, pelo menos; menos, nunca.
   Homens falam de reis; por que não eu?

2º Guarda
   Mas você fala como se fosse rei.

Rei Henrique
60   E o sou, em pensamento; é o que basta.

2º Guarda
   Mas se é rei, cadê sua coroa?

Rei Henrique
   'Stá no meu coração, não na cabeça;
   Não tem brilhantes, nem gemas da Índia,
   E nem é vista: é o contentamento;
65   Coroa que é bem raro um rei gozar.

2º Guarda
   Se é coroado com contentamento,
   Contente há de ficar com essa coroa,
   Contente de ir conosco; pois pensamos
   Ser o rei que Eduardo, o rei, depôs;
70   E nós, súditos dele que, leais,
   Vamos prendê-lo, por ser inimigo.

Rei Henrique
   Então, jamais quebraram uma jura?

2º Guarda
   Jura assim, nunca; e nem o faremos.

Rei Henrique
   Onde moravam, quando eu era rei?

2º Guarda
75   Neste país, onde continuamos.

Rei Henrique
   Eu fui ungido rei aos nove meses;
   O meu pai e o meu avô foram reis,
   Vocês juraram lealdade a mim:
   Digam, então, não quebraram sua jura?

2º Guarda

 Só fomos súditos enquanto era rei.

Rei Henrique

 E eu 'stou morto? Não respiro agora?
 Gente simples, juraram sem saber.
 Se um sopro afasta a pluma do meu rosto
 E o vento sopra de volta pra mim,
 Obedecendo meu sopro pra ir,
 E obedecendo quando sopra o outro,
 A rajada mais forte sempre ganha.
 E assim, tão leve, é também o povo.
 Mas não quebrem as juras; tal pecado
 Não cometam, por meu pedido tímido.
 Podemos ir; o rei é comandado;
 Sejam reais, e ao comando eu obedeço.

1º Guarda

 Somos bons súditos do rei Eduardo.

Rei Henrique

 E de Henrique seriam novamente
 Se ele sentasse onde se senta Eduardo.

1º Guarda

 Ordenamos, por Deus e pelo rei,
 Que siga os oficiais.

Rei Henrique

 Por Deus, avante! Obedeçam seu rei;
 E o que Deus quiser, que faça o rei;
 Ao que ele quiser, eu me submeto.

(Saem.)

CENA 2
Londres. O palácio.

(Entram o Rei Eduardo, Ricardo – duque de Gloucester –, George – Duque de Clarence – e Lady Elizabeth Grey.)

Rei Eduardo

 Irmão de Gloucester, no campo, em St. Albans,
 O esposo desta dama, Sir John Grey[43],

---

[43] Grey foi sagrado cavalheiro por Henrique VI e morto em St. Albans, como está em *Ricardo III*. (N. E.)

Morreu e teve as terras confiscadas.
Sua causa agora é ter de volta as terras;
E, com justiça, é impossível negá-las,
Porque, na luta contra a Casa York,
É que perdeu a vida o cavalheiro.

RICARDO

Sua Alteza faz bem em concedê-las;
É uma desonra negá-las a ela.

REI EDUARDO

Sim, com efeito; mas faço uma pausa.

RICARDO

(À parte, para George.)
Então é isso?
Vejo que a dama tem o que ceder,
Antes que o rei atenda ao seu pedido,

GEORGE

(À parte, para Ricardo.)
Como ele caça bem; fareja o vento!

RICARDO

(À parte, para George.)
Silêncio!

REI EDUARDO

Viúva, pensarei no seu pedido;
Venha depois, saber o decidido.

LADY GREY

Não suporto demoras, meu bom rei:
Que me responda Sua Alteza agora;
O que lhe aprouver me satisfaz.

RICARDO

(À parte, para George.)
Ai, viúva; terá, certo, suas terras,
E se tiver prazer no prazer dele,
Ficando perto, pega uma venérea.

GEORGE

(À parte, para Ricardo.)
Não corre perigo, a não ser que caia.

RICARDO

        (À parte, para GEORGE.)
25   Deus não permita!⁴⁴ Pois ele aproveita.

REI EDUARDO

    Quantos filhos já tem, Viúva? Diga-me.

GEORGE

        (À parte, para RICARDO.)
    Creio que vai pedir um filho a ela.

RICARDO

        (À parte, para GEORGE.)
    Raios, se não prefere dar-lhe dois.

LADY GREY

    Três, meu gracioso senhor.

RICARDO

        (À parte.)
30   Terá quatro, fazendo o que ele quer.

REI EDUARDO

    É triste perder as terras do pai.

LADY GREY

    Se é triste, senhor, ceda ao que peço.

REI EDUARDO

    Deem-nos licença; vou testar-lhe o espírito.

RICARDO

        (À parte.)
    Ora, tem toda, pois terá licença
35   Desde bem moço até usar muleta.⁴⁵

        (RICARDO e GEORGE se afastam.)

REI EDUARDO

    Senhora, diga-me: ama os seus filhos?

LADY GREY

    Com tanto amor quanto amo a mim mesma.

---

44 Toda invocação gratuita de Deus era considerada condenável, tida como praguejar. (N. T.)

45 A muleta será usada por velhice ou por doença sexual. O tom debochado dos dois irmãos em relação a Lady Grey são o prelúdio do clima de conflito interno que está presente durante todo o reinado de Eduardo. (N. T.)

REI EDUARDO
    Faria muito pra fazer-lhes bem?

LADY GREY
    Para o bem deles, faço mal a mim.

REI EDUARDO
    Faça então bem, com as terras do pai.

LADY GREY
    Para tanto é que o busquei, Majestade.

REI EDUARDO
    E eu lhe digo como obter as terras.

LADY GREY
    De modo tal que eu sirva a Sua Alteza.

REI EDUARDO
    Que serviço me presta, se eu as der?

LADY GREY
    O que ordenar, estando, ao meu alcance.

REI EDUARDO
    Mas fará objeções ao que lhe peço.

LADY GREY
    Não, meu senhor; só me sendo impossível.

REI EDUARDO
    Pode fazer o que eu quero pedir.

LADY GREY
    Então eu faço o que Sua Graça ordena.

RICARDO
    (À parte, para GEORGE.)
    Insiste bem; e a chuva gasta o mármore.

GEORGE
    (À parte, para RICARDO.)
    'Stá rubra em chamas! E a cera derrete.

LADY GREY
    Por que hesita? Não diz qual a tarefa?

REI EDUARDO
    A tarefa é simples; amar o rei.

LADY GREY
    É fácil de cumprir, já que sou súdita.

REI EDUARDO
    De bom grado eu lhe cedo, então, as terras.

LADY GREY
    Mil vezes grata, me retiro, então.

RICARDO
    (À parte, para GEORGE.)
    'Stá feito; ela o selou com reverência.

REI EDUARDO
    Espere – eu falo dos frutos do amor.

LADY GREY
    Dos frutos do amor falo, meu bom amo.

REI EDUARDO
    Porém, eu temo que em outro sentido.
    Que amor julga eu queira conseguir?

LADY GREY
    Até a morte, gratidão e preces;
    O que a virtude pede, e que concede.

REI EDUARDO
    Não, palavra, não falo desse amor.

LADY GREY
    Então não quis dizer o que eu pensava.

REI EDUARDO
    Mas, agora, entrevê meu pensamento.

LADY GREY
    A minha mente nunca há de ceder
    Ao que quer Sua Alteza, se é o que penso.

REI EDUARDO
    Serei claro, quero deitar consigo.

LADY GREY
70 Claro, e eu prefiro deitar na prisão.

REI EDUARDO
Não ganha, então, as terras do marido.

LADY GREY
Meu dote, então, será minha virtude;
Pois não as comprarei a um preço tal.

REI EDUARDO
Com isso prejudica muito os filhos.

LADY GREY
75 Com isso faço mal a mim e a eles;
Mas, poderoso, tal proposta alegre
Não combina com meu triste pedido:
Permita-me partir, com sim ou não.

REI EDUARDO
Sim, se diz sim ao meu pedido,
80 Não, se diz não ao meu comando.

LADY GREY
É não, senhor. Acabou o meu preito.[46]

RICARDO
(À parte, para GEORGE.)
Não agrade à viúva; franze o cenho.

GEORGE
(À parte, para RICARDO.)
Não há cristão com corte mais grosseira.

REI EDUARDO
(À parte.)
Seu aspecto proclama o seu pudor,
85 A fala, inteligência incomparável;
Os seus dons desafiam o mesmo rei;
Ela será meu amor – ou rainha.
Que diz a ser rainha de Eduardo?

LADY GREY
É mais fácil de dizer do que o fazer;

---

[46] Esse diálogo rápido, de versos alternados, é a *stichomythia*. (N. T)

90   Sou súdita, eu sirvo pra brincar
Porém não sirvo para soberana.

Rei Eduardo
Doce viúva, por quem sou eu juro
Não dizer mais do que o que quer minh'alma;
Que é ter o prazer do seu amor.

Lady Grey
95   É mais do que estou pronta a concordar.
Sou humilde demais pra ser rainha,
Boa demais pra ser sua concubina.

Rei Eduardo
'Stá sofismando. Disse minha rainha.

Lady Grey
É mau meus filhos o chamarem pai.

Rei Eduardo
100   Não pior do que quando as minhas filhas
A chamem mãe. É viúva e tem filhos;
E, pela mãe de Deus, sendo solteiro,
Tenho outros tantos. É coisa bem feliz
Ser pai de tantos filhos.
105   Não discuta. Será minha rainha.

Ricardo
(À parte, para George.)
O pai espiritual já absolveu.

George
(À parte, para Ricardo.)
Tais confissões sempre têm condições.

Rei Eduardo
Imaginem, irmãos, do que falamos.

Ricardo
A viúva não gostou; 'stá irritada.

Rei Eduardo
110   Julgariam estranho se a casasse.

GEORGE
    Com quem, senhor?

REI EDUARDO
        Ora, comigo, Clarence.

RICARDO
    Seria maravilha de dez dias.

GEORGE
    Que é um mais do que demoram elas.[47]

RICARDO
    Um a mais, pra maravilha espantosa.

REI EDUARDO
115   Podem brincar, meus irmãos; mas digo a ambos
    Que concedi-lhes as terras do marido.

    (Entra um NOBRE.)

NOBRE
    Senhor, Henrique, o seu inimigo,
    Foi preso e está às portas do palácio.

REI EDUARDO
    Que seja transportado para a Torre;
120   E vamos nós ver quem o capturou,
    Pra indagar como foi feito.
    Venha, viúva. Tratem-na com honra.

    (Saem todos menos RICARDO.)

RICARDO
    Eduardo é de tratar mulher com honra.
    Quisera-o desgastado até os ossos,
125   Pra que não gere ramos com esperanças,
    Que me roubem o sonho áureo que tenho!
    Mas entre eu e o que quer a minh'alma –
    E enterrado o sensual Eduardo –
    Há Clarence, Henrique e o jovem Edward,
130   E inesperados frutos de seus corpos,
    Pra ter o espaço antes que eu me plante –[48]

---

47 *"Nine days wonder"*, "maravilha de nove dias", é o que se diz em inglês, a respeito de grande novidade que não dura. (N. T)
48 A ideia de Ricardo "plantar-se" no trono é coerente com as imagens de ramos e frutos e com o nome Plantageneta. (N. T)

    Triste premonição pr'o meu intento!
    Então, só sonho com a soberania,
    Como quem para sobre um promontório,
135 Vê longe a praia em que quer pisar,
    Desejando que o pé iguale os olhos,
    Repreendendo o mar que os dois separa,
    E diz que o seca pra ter seu desejo:
    Tão longe dela, assim quero a coroa,
140 E repreendo o que me afasta dela;
    E digo que essas causas cortarei,
    Bajulando a mim mesmo com o impossível.
    Meu olhar e meu peito correm muito,
    Se minha mão e força não os igualam.
145 Pra Ricardo, digamos, não há reino:
    Que outro prazer pode dar-me esse mundo?
    Serei feliz no colo de uma dama,
    Cobrirei meu corpo de ornamentos
    Pra encantar damas com palavra e aspecto.
150 Que pensamento vil! Menos provável
    Que alcançar vinte coroas de ouro!
    Ora, o amor me abandonou no útero,
    E pr'eu não respeitar suas leis suaves
    Subornou a Natureza, que é frágil,
155 Pra fazer do meu braço um ramo seco;
    Criar uma montanha em minhas costas,
    De onde a Deformidade ri de mim;
    Me deu pernas de alturas diferentes;
    Criou desproporção por toda parte,
160 Como um caos, ou ursinho cuja mãe
    Ainda não lambeu para dar forma.[49]
    Serei um homem para ser amado?
    É grotesco embalar tal pensamento!
    Se a terra, então, não me dá alegria
165 Senão as de ordenar e dominar
    Pessoas bem melhores do que eu mesmo,
    Farei meu céu o sonhar com a coroa,
    E viver num inferno aqui na terra
    Até a cabeça deste tronco torto
170 'Star empalada em coroa de ouro.
    Mas como hei de chegar até a coroa?
    Há muitas vidas entre o alvo e eu.
    Como o perdido em floresta espinhosa,
    Que quebra espinhos e os espinhos rasgam,

---

[49] Uma lenda popular afirmava que os filhotes de ursos nasciam disformes e, aos lambê-los, a mãe lhes dava a forma correta. (N. T)

	Procurando e perdendo o seu caminho,
175	Procurando e perdendo o seu caminho,
	Sem saber onde está o campo aberto,
	Mas a buscá-lo sempre, em desespero.
	Assim busco a coroa da Inglaterra.
	Ou consigo esquecer esse tormento,
180	Ou com machado em sangue encontro a trilha.
	Eu sei sorrir, eu sei matar sorrindo,
	Mostrar-me alegre com o que me tortura,
	Lavar com falsas lágrimas as faces,
	Mudar de rosto a cada situação.
185	Afundarei mais barcos que a sereia,
	Matarei mais que o olhar do basilisco,
	Discursarei melhor do que Nestor;[50]
	Como Sinon, tomarei outra Troia.[51]
	Sei colorir-me qual camaleão,
190	Mudar de forma melhor que Proteu,[52]
	Ensinar truques a Maquiavel.
	Capaz disso, eu não pego essa coroa?
	Ora, mesmo mais longe, eu a agarrava.

(Sai.)

CENA 3
França. O palácio do rei.

(Fanfarra. Entram Luís, o Rei da França, sua irmã Bona, seu Almirante, chamado Bourbon; o Príncipe Edward, a Rainha Margaret, e o Conde de Oxford. Luís senta-se e torna a levantar.)

Rei Luís

Bela Margaret, Rainha da Inglaterra,
Sente-se; não combina com seu título
E berço 'star de pé e Luís sentado.

Rainha

Não, poderoso rei; agora Margaret
Tem de abaixar as velas, pra servir
Onde mandam os reis. Já fui, confesso,
Rainha de Albion,[53] em dias dourados;

---

50 A eloquência de Nestor é notada em Homero e mais ainda em Ovídio, sendo este último um grande favorito de Shakespeare. (N. T)
51 O grego que, fingindo ter-se virado contra os gregos, convenceu os troianos a deixarem entrar na cidade o famoso "cavalo de Troia". (N. T)
52 "O velho do mar", divindade menor grega, o "pastor das baleias", que tinha o dom de se transformar no que quisesse, a fim de escapar de quem o perseguisse. (N. T)
53 Antiga personificação da Inglaterra. O nome seria celta ou uma referência aos alvos rochedos de Dover, ou até mesmo a Albion, filho de Netuno. (N. T)

Porém o acaso pisoteou meu título,
E com desonra atirou-me ao chão;
Devo sentar de acordo com meu fado
E conformar-me com meu triste estado.

REI LUÍS

Diga, rainha, por que desespera?

RAINHA

Pelo que me enche de pranto os olhos,
Freia-me a língua, me afoga em cuidados.

REI LUÍS

Seja o que for, seja sempre quem é
E sente-se comigo *(Ela se senta ao lado dele.)*
                Não se curve
À canga da Fortuna e, resoluta,
Cavalgue triunfante sobre o fado.
Conte-me com clareza a sua dor;
Podendo, a França lhe trará alívio.

RAINHA

Essas doces palavras me encorajam;
Então, nobre Luís, seja informado
Que Henrique, único homem a quem amo,
Passou de rei a pobre homem banido,
E a viver na Escócia, abandonado,
Enquanto o ambicioso Eduardo York,
Usurpa o real título e o trono
Do rei legal e ungido da Inglaterra.
Essa é a causa de eu, a pobre Margaret,
Com meu filho, o herdeiro de Henrique,
Vir implorar o seu auxílio justo;
Se a nós esse faltar, vai-se a esperança.
Quer ajudar, mas sem poder, a Escócia;
Iludidos, o nosso povo e nobres.
Nos assaltam, derrotam nossa tropa,
Deixando-nos no estado em que nos vê.

REI LUÍS

Grande rainha, acalme a tempestade,
Enquanto achamos meios de cortá-la.

RAINHA

Mais eu espero, mais aumenta a dor.

REI LUÍS

40 Mais eu demoro, mais aumenta o auxílio.

RAINHA

A dor real é sempre impaciente,
E aí vem quem gera a minha dor.

(Entra WARWICK.)

REI LUÍS

Quem entra, ousado, até nossa presença?

RAINHA

O amigo de Eduardo, o conde Warwick.

REI LUÍS

45 Bem-vindo, bravo Warwick! O que o traz?

(Ele desce do trono. Ela levanta-se.)

RAINHA

Chegou uma segunda tempestade;
Pois Warwick move ventos e marés.

WARWICK

Da parte do bravo Eduardo de Albion,
Meu amo e soberano, seu amigo,
50 Eu venho, com bondade e amor sincero,
Primeiro, cumprimentar a Sua Alteza,
Depois para propor liga de amizade,
E mais, pra confirmar essa amizade
Com laço nupcial, se conceder
55 Lady Bona, sua virtuosa irmã,
Ao rei inglês em legal matrimônio.

RAINHA

(À parte.)
Se isso vingar, foi-se a causa de Henrique.

WARWICK

(Para BONA.)
Graciosa dama, em nome de meu rei,
Eu tenho ordens pra, com sua licença,
60 Beijar-lhe a mão e, com a minha língua,
Falar do amor que traz no coração;

　　　　　　　　Onde a Fama, entrando em seus ouvidos,
　　　　　　　　Colocou sua beleza e sua virtude.

　　RAINHA
　　　　　　　　Rei Luís, Lady Bona, ouçam, antes
65　　　　　　　De responder a Warwick. Seu pedido,
　　　　　　　　Não tem origem no amor de Eduardo,
　　　　　　　　Mas, sim, no Engano da Necessidade;
　　　　　　　　Pois como há de um tirano governar
　　　　　　　　Sem comprar alianças do estrangeiro?
70　　　　　　　Basta lembrar, pra provar que é tirano,
　　　　　　　　Que Henrique vive; e que, estando morto,
　　　　　　　　Aqui tem Edward, que é seu filho e herdeiro.
　　　　　　　　Cuide, Luís, que tal liga e tal boda
　　　　　　　　Não o levem pra perigo e desonra;
75　　　　　　　Pois se um momento reina o usurpador,
　　　　　　　　O céu é justo, e o tempo mata o erro.

　　WARWICK
　　　　　　　　Margaret ofensiva!

　　PRÍNCIPE
　　　　　　　　　　　Por que não rainha?

　　WARWICK
　　　　　　　　Porque seu pai Henrique é usurpador;
　　　　　　　　Não é mais príncipe que ela rainha.

　　OXFORD
80　　　　　　　Warwick renega o grande John de Gaunt,
　　　　　　　　Que dominou grande parte da Espanha;
　　　　　　　　Depois de John de Gaunt, Henrique Quarto,
　　　　　　　　Espelho de saber para os mais sábios;
　　　　　　　　E depois dele o sábio Henrique Quinto,
85　　　　　　　Que por valor conquistou toda a França:
　　　　　　　　De linha tal descende o nosso Henrique.

　　WARWICK
　　　　　　　　Oxford, por que não faz igual discurso
　　　　　　　　Sobre como perdeu Henrique Sexto
　　　　　　　　Tudo o que conquistara Henrique Quinto?
90　　　　　　　Sorri por isso a nobreza francesa.
　　　　　　　　Quanto ao mais, descreve um *pedigree*
　　　　　　　　De umas seis décadas – tempo ridículo
　　　　　　　　Pra dar direito ao valor de um reinado.

OXFORD

    Warwick fala contra o seu senhor,
    Que por trinta e seis anos respeitou,
    Sem queimar de rubor com tal traição?

WARWICK

    E Oxford, que lutou pelo que é certo,
    Enfeita a mentira com um *pedigree*?
    Deixe Henrique, e chame Eduardo rei.

OXFORD

    Chamar meu rei a quem eu devo a ordem
    Para que meu irmão, Lord Aubrey Vere,
    Fosse morto? E mais, também, o meu pai,
    Já no declínio da idade mais terna,
    Que a Natureza já levava à Morte?
    Não, Warwick; enquanto vivo, este braço
    Só há de sustentar a Casa Lancaster.

WARWICK

    E eu a de York.

REI LUÍS

    Rainha, príncipe Edward e Oxford,
    Eu lhes peço que se afastem um pouco
    Pra que eu conferencie mais com Warwick.

(Eles se afastam.)

RAINHA

    Que as palavras de Warwick não o encantem!

REI LUÍS

    Diga, Warwick, por sua consciência,
    Eduardo é rei legítimo? Não quero
    Ligar-me a ele se não for legal.

WARWICK

    Nisso eu empenho o meu crédito e honra.

REI LUÍS

    E tem a graça do agrado do povo?

WARWICK

    'Inda mais pelos azares de Henrique

REI LUÍS
    Mais ainda, e abandone os fingimentos,
    Diga-me a dimensão de seu amor
120   Por Bona, nossa irmã.

WARWICK
              Tamanha quanto
    Fica bem a um monarca como ele.
    Muitas vezes o ouvi dizer, jurar,
    Que o seu amor era uma planta eterna,
    Com a raiz bem plantada na Virtude,
125   Folhas e frutos ao sol da Beleza,
    Livres de inveja, porém não de dor.
    Se a Lady Bona não o aceitar.

REI LUÍS
    Então, irmã, responda com firmeza.

BONA
    Seu aceite ou recusa será meu:
130   *(Para Warwick.)* Confesso que por vezes, antes de hoje,
    Ouvindo os méritos do seu senhor,
    Temperei com critério meu desejo.

REI LUÍS
    Minha irmã, Warwick, será de Eduardo.
    E redijam-se depressa os artigos
135   Qual o quinhão que o rei dará a ela,
    Que o dote dela há de ter peso igual.
    Venha até cá, rainha, e testemunhe
    Que Bona irá casar com o rei inglês.

PRÍNCIPE
    Com Eduardo, não com o rei inglês.

MARGARET
140   Pérfido Warwick, por malícia sua
    Essa aliança esvazia meu preito:
    Antes de vir, Luís amava Henrique.

REI LUÍS
    E sempre amigo dele e de Margaret:
    Mas se é fraco o seu título à coroa,
145   E o sucesso de Eduardo assim o mostra,
    É razoável que me sinta livre
    Pra não dar o auxílio prometido.

Das minhas mãos terá toda a bondade
Que o seu título e o meu lhe possam dar.

WARWICK

150 Henrique vive bem, hoje, na Escócia,
Nada tendo, não pode perder nada.
Quanto à senhora, nossa outrora rainha,
Tem um pai em condições de mantê-la,
E é melhor perturbá-lo do que à França.

RAINHA

155 Cale essa boca, Warwick sem vergonha,
Fazedor e destruidor de reis![54]
Daqui não parto até, com fala e pranto,
Com verdade, levar Luís a ver
Sua manobra e o falso amor do amo,
160 Pois são dois pássaros de igual plumagem.

(Fora, trompa de CORREIO.)

REI LUÍS

Warwick, essas são novas para um de nós.

(Entra o CORREIO.)

CORREIO

(Para WARWICK.) Senhor Embaixador, esta é para si,
Do seu irmão, marquês de Montague;
(Para LUÍS.) De nosso rei pra Sua Majestade:
165 *(Para MARGARET.)* Esta pra si, porém não sei de quem.

(Todos leem suas cartas.)

OXFORD

Vejo que a nossa rainha e senhora sorri, enquanto Warwick franze o cenho.[55]

PRÍNCIPE

E Luís, irritado, bate o pé; que tudo seja pelo bem!

REI LUÍS

Que novas, Warwick? Rainha, quais as suas?

---

[54] Warwick era conhecido como "*the kingmaker*", "fazedor de reis". (N. E.)
[55] Como sempre, em Shakespeare, cartas e comentários sobre elas são escritos em prosa. (N. E.)

HENRIQUE VI Parte 3 *Ato 3* Cena 3

RAINHA

170   As minhas me enchem de alegria o peito.

WARWICK

O meu, de dor e descontentamento.

REI LUÍS

O quê? O rei casou com Lady Grey?
E, pra adoçar o que ambos forjaram,
Manda um papel pedindo paciência?
175   É essa a aliança que buscou na França?
E ousa ainda debochar de nós?

RAINHA

É o que eu já dissera antes, Majestade:
Prova que Eduardo ama e é honesto Warwick.

WARWICK

Meu rei Luís, diante dos céus eu juro,
180   Pela esperança de alcançar o céu,
Que não me mancha esse erro de Eduardo –
Não mais meu rei, já que me desonrou,
E mais a ele, tendo consciência.
Esqueci eu que por causa dos Yorks
185   O meu pai teve morte antes do tempo?
Esqueci minha sobrinha abusada?
A ele empalei com a coroa real?
Tirei de Henrique seu direito inato?
Para ser pago, ao fim, só com vergonha?
190   Vergonha dele! Eu mereço honra;
Pra reparar a honra que perdi
A ele eu repudio e volto a Henrique.
Nobre rainha, esqueça antigas queixas;
Doravante serei seu servidor.
195   Eu vingarei a ofensa a Lady Bona,
E Henrique eu hei de replantar no trono.

RAINHA

Sua fala muda o ódio em amor, Warwick;
E eu perdoo e esqueço antigos erros,
E o louvo por ser amigo de Henrique

WARWICK

200   Tão amigo, tão verdadeiro amigo,
Que, se concede apoio ao rei Luís,
Com alguns grupos de tropas seletas,

Eu mesmo as desembarco em nossa costa,
E tiro, em guerra, o tirano do trono.
Não há de socorrê-lo a recém-noiva,
E quanto a Clarence, pelas suas cartas,
É bem provável que se afaste dele,
Que casou por luxúria, não por honra,
Força ou segurança de seu país.

BONA

Irmão, como será vingada Bona,
Senão por ajudar essa rainha?

RAINHA

Senhor, que vida pode ter Henrique,
Se não o salva de seu desespero?

BONA

A minha causa é a da rainha inglesa.

WARWICK

E a minha, Lady Bona, unida à sua.

REI LUÍS

E a minha à dela, à sua e à da rainha.
Por isso, então, resolvo firmemente,
Que terão nosso auxílio.

RAINHA

E eu, humilde, agradeço a todos.

REI LUÍS

Então, correio inglês, volta depressa
E diz a teu suposto rei Eduardo,
Que Luís da França envia mascarados
Pra sua folia com a noivinha nova.
Com o que viste, põe medo no teu rei.

BONA

Diz-lhe que espero que enviúve logo,
Que por ele usarei luto de amor.

RAINHA

Diz que o meu luto eu já abandonei,
E já 'stou pronta pra minha armadura.

WARWICK

Diz-lhe que me ofendeu e que, por isso

230 Dele tiro a coroa em pouco tempo.
     Eis aqui tua paga; vai.

(Sai o Correio.)

REI LUÍS
              Lord Warwick,
     Junto com Oxford e cinco mil homens,
     Cruze os mares e desafie Henrique;
     E, quando certo, esta nobre rainha
235 E o príncipe os seguem com reforços.
     Mas, antes de partir, deixe-me claro
     Que me garantem sua lealdade?

WARWICK
     Assim garanto firme lealdade:
     Se concordarem a rainha e o príncipe,
240 Minha filma mais velha, que me é cara,
     Darei a ele em santo matrimônio.

RAINHA
     Sim, eu concordo, e agradeço a proposta.
     Edward, meu filho, ela é linda e boa,
     E então aperte logo a mão de Warwick;
245 E com a mão o eterno compromisso
     Que só a filha dele será sua.

PRÍNCIPE
     Eu a aceito, pois sei que o merece;
     E com meu juramento dou-lhe a mão.

(Ele e WARWICK apertam-se as mãos.)

REI LUÍS
     O que esperamos? Convocada a tropa,
250 O Lord Bourbon, nosso alto almirante,
     Por mar os leva na esquadra real.
     Que Eduardo caia na matança,
     Por desprezar uma dama da França.

(Saem todos menos WARWICK.)

WARWICK
     Vim de Eduardo como embaixador,
255 Volto mortal inimigo jurado:
     Minha tarefa era um casamento,

Mas guerra é a resposta do pedido.
Não tinha mais ninguém pra ser palhaço?
Pois só eu mudo em dor a palhaçada.
Mais que ninguém, eu o levei ao trono,
Serei ora o primeiro a derrubá-lo:
A miséria de Henrique não me alcança
Mas, pro deboche, eu buscarei vingança.

(Sai.)

ATO 4

CENA 1
Londres. O palácio.

(Entram Ricardo, George, Somerset e Montague.)

Ricardo
    Então, meu irmão Clarence, o que pensa
    Da nova boda com a Lady Grey?
    Não fez escolha bela o nosso irmão?

George
    Não sabe como fica longe a França?
5   Como esperar até Warwick voltar?

Somerset
    Chega; não falem nisso: eis o rei.

(Fanfarra. Entram o Rei, com séquito; Lady Grey, como Rainha Elizabeth; Pembroke. Stafford, Hastings e outros. Ficam quatro de um lado e quatro de outro.)

Ricardo
    E a sua noiva[56] bem escolhida.

George
    Quero dizer-lhe bem claro o que penso.

Rei Eduardo
    Que pensa da minha escolha, irmão Clarence,
10   Que está assim pensando, descontente?

George
    Tão bem quanto Luís da França e Warwick,
    Tão fracos de coragem e critério
    Que não se ofendem com o nosso abuso.

Rei Eduardo
    Se eles se ofenderem, é sem causa;
15   São só Luís e Warwick; eu sou Eduardo,
    Rei de Warwick e seu; faço o que quero.

---

56 O termo usado é *"bride"*, literalmente "noiva". É tradição, na Inglaterra como nos Estados Unidos, chamar *"bride"* a mulher até um ano de casada. (N. T.)

RICARDO
    E vai ter o que quer; é o nosso rei.
    Porém, boda impensada raro é certa.

REI EDUARDO
    Mano Ricardo, também se ofendeu?

RICARDO
20 Deus me livre eu querer ver separados
    Quem Deus uniu; e seria uma pena
    Dividir quem tão bem 'stá atrelado.

REI EDUARDO
    À parte o seu desprezo e implicância,
    Dê-me razão por que a Lady Grey
25 Não seria a minha esposa e rainha.
    E peço a Somerset e Montague
    Que digam, o que pensam, com franqueza.

GEORGE
    Na minha opinião, o rei Luís
    Agora é inimigo, pela troça
30 Da boda que foi feita à Lady Bona.

RICARDO
    E Warwick, que cumpria sua missão,
    Foi desonrado com este casamento.

REI EDUARDO
    E se eu aplaco o rei Luís e Warwick
    Com invenção que hei de conceber?

MONTAGUE
35 A ligação com a França por aliança
    Fortificava mais a nossa terra
    Contra estrangeiros, que a boda local.

HASTINGS
    Não sabe Montague que a Inglaterra,
    Sendo leal a si fica segura?

MONTAGUE
40 Mas mais segura com o apoio da França.

HASTINGS
    Melhor usar que confiar na França!

                    Melhor o apoio de Deus e dos mares,
                    Que Ele nos deu por cerca impenetrável,
                    E defendamo-nos com o apoio deles:
45   Com eles, cabe a nós a segurança.

        GEORGE
                    Co' essa fala Lord Hastings já merece
                    Ter a herdeira de Lord Hungerford. [57]

        REI EDUARDO
                    Por quê? Minha vontade é que a concede.

        RICARDO
                    Sua Graça, creio eu, não agiu bem
50   Ao dar a filha e herdeira de Lord Scales,
                    A um filho de sua noiva amantíssima;
                    Ela mais merecia a mim ou Clarence;
                    Porém sua noiva anulou seus irmãos.

        GEORGE
                    De outro modo não daria a herdeira
55   De Lord Bonville ao filho de sua esposa,
                    E seus irmãos buscando o que puderem.

        REI EDUARDO
                    Pobre Clarence! Então é por mulher
                    Que 'stá inconformado? Hei de arranjá-la.

        GEORGE
                    Se pra si mesmo não pensou direito,
60   E foi tão fútil, dê-me permissão
                    Pra fazer corretagem de mim próprio;
                    E, para isso, vou deixá-lo em breve.

        REI EDUARDO
                    Ficando ou indo, Eduardo é rei,
                    E não atado ao desejo de irmãos.

        RAINHA ELIZABETH
65   Senhores, antes de Sua Majestade
                    A mim dotar com o posto de rainha,
                    Com justiça terão de admitir
                    Que não nasci de uma linhagem ignóbil;
                    Outras, piores, tiveram tal fado.
70   Não cubram de pavor minha alegria.

---

[57] Elizabeth, rica herdeira. (N. T)

REI EDUARDO
    Meu amor, não bajule os ofendidos:
    Que dores ou perigos podem vir-lhe,
    Tendo a constante amizade de Eduardo,
    O rei que ambos têm de obedecer?
75   Que hão de obedecer, como hão de amá-la,
    Pois, senão, buscam o ódio em minhas mãos;
    Mesmo assim, terá minha proteção,
    E eles a vingança da minha ira.

RICARDO
    (À parte.)
    Eu ouço, digo pouco, e penso mais.

(Entra um CORREIO vindo da França.)

REI EDUARDO
80   Mensageiro, que cartas traz da França?

CORREIO
    Senhor, nenhuma, e poucas palavras;
    Porém tais que, sem ter eu perdão prévio,
    Não ouso relatar.

REI EDUARDO
    Vamos: eu o perdoo. Seja breve,
85   Diga as palavras tal como as ouviu.
    Como responde Luís nossas cartas?

CORREIO
    Quando parti, são estas a que disse:
    "Diga ao suposto rei, o falso Eduardo,
    Que Luís de França manda mascarados
90   Pra festejar com ele e a nova noiva".

REI EDUARDO
    É tão bravo? Talvez julgue-me Henrique.
    Lady Bona, que diz do casamento?

CORREIO
    Eis suas palavras, ditas com desdém:
    "Diga que espero que enviúve logo,
95   E que usarei por ele flores murchas".

REI EDUARDO
    Não a culpo; é o menos que podia;

Foi a ofendida. E a rainha de Henrique?
Ouvi dizer que estava no palácio.

CORREIO

Mandou dizer "Meu luto já acabou,
E já 'stou pronta para a armadura".

REI EDUARDO

Na certa pensa brincar de amazona.
E Warwick, o que disse a tais injúrias?

CORREIO

Mais irritado contra Sua Alteza
Que os outros todos, cuspiu-me as palavras:
"Diga-lhe que ninguém me ofende à toa,
Portanto, em breve eu lhe tiro a coroa".

REI EDUARDO

Ousa o traidor emitir tais palavras?
Pois vou armar-me, 'stando prevenido:
Os presunçosos terão guerra e paga.
São ora amigos, Margaret e Warwick?

CORREIO

Sim, meu rei, e de tal modo unidos
Que casa Edward com a filha de Warwick.

GEORGE

Creio, a mais velha. A caçula é de Clarence.
Adeus, meu irmão-rei; e fique firme,
Eu caso com a outra filha de Warwick;
Não tenho reino, mas, em casamento,
Eu não serei o seu inferior.
Quem ama a mim e a Warwick, que me siga.

(Sai GEORGE, seguido por SOMERSET.)

RICARDO

(À parte.)
Eu, não; meu pensamento vai mais longe;
Não amo Eduardo, mas, sim, a coroa.

REI EDUARDO

Clarence e Somerset juntam-se a Warwick!
Mas eu estou armado pro pior,
E a pressa é crucial em casos graves;

		Pembroke e Stafford, ambos, em meu nome
125		Recrutem tropa, aprontem-se pra guerra;
		Já prontos, eles, breve, desembarcam:
		E eu, em pessoa, os sigo logo, logo.

(Saem Pembroke e Stafford.)

		Mas antes de partir, Hastings e Montague,
		Quero entender. Os dois, de todo o resto,
130		São por tudo os mais próximos de Warwick:
		Digam se a ele amam mais que a mim.
		E, se assim for, partam ambos para ele;
		A falso amigo eu prefiro inimigos.
		Porém, se são em verdade leais,
135		Garantam-no co'alguma jura amiga,
		Pra que eu jamais de algum dos dois suspeite.

Montague
		Deus ajude a Montague a ser leal!

Hastings
		E Hastings, pela causa de Eduardo!

Rei Eduardo
		Irmão Ricardo, fica do nosso lado?

Ricardo
140		Sim, apesar do que há pra enfrentar.

Rei Eduardo
		Assim sinto-me certo da vitória.
		Não percam tempo; vamos, com presteza
		Encontrar Warwick e sua tropa francesa.

CENA 2
Uma planície do condado de Warwick.

(Entram Warwick e Oxford, na Inglaterra, com soldados franceses.)

Warwick
		Confie em mim, senhor; vai tudo bem;
		O povo corre em massa para nós

(Entram George e Somerset.)

Vejam, aí vêm Somerset e Clarence.
Digam logo, milords; somos amigos?

GEORGE

5   Não há por que temer, senhor.

WARWICK

Então, bem-vindo a Warwick, meu bom Clarence;
Bem-vindo, Somerset; é covardia
Não confiar num nobre coração
Que, em sinal de amor, empenha a mão;
10 Senão, creria que o irmão de Eduardo
Fosse um amigo falso desta empresa.
Venha, bom Clarence; minha filha é sua.
Que resta agora mas, co'a noite escura,
Seu irmão acampado com desleixo,
15 Sua tropa espreitando nas cidades,[58]
Ele servido por pequena guarda,
Senão, quando quisermos, surpreendê-lo?
Nossos espias julgam seja fácil:
Como Ulisses e o bravo Diomedes,
20 Com viril esperteza penetraram
Pelas tendas de Resus,[59] e levaram
Consigo os fatais cavalos trácios,
Nós, co'a coberta do manto da noite,
Liquidamos a guarda de Eduardo
25 E o capturamos – não digo matamos,
Pois não desejo mais que surpreendê-lo –
Os que me seguem nessa tentativa
Louvem Henrique, junto com seu líder.

(Todos gritam "Henrique!".)

Porém partamos em silêncio agora;
30 Por Warwick, amigos, Deus e São Jorge!

(Saem.)

CENA 3
O acampamento de Eduardo, perto de Warwick.

(Entram três SENTINELAS que guardam a tenda do REI.)

---

[58] A frase não faz sentido, mas no original fica preservado *"towns"*, que todos supõem ser um erro nascido em algum estágio da transmissão do texto, para o qual ninguém conseguiu sugerir correção válida. (N. T.)

[59] Resus é herói troiano, derrotando graças a uma traição, que aparece em versões da Guerra de Troia posteriores a Homero. (N. T.)

1º Sentinela

Vamos, mestres; cada um pra seu posto:
O rei já está sentado pra dormir.

2º Sentinela

O quê? Assim? Não vai pra cama?

1º Sentinela

Ora, não. Pois fez solene jura
De não dormir de forma natural
Até ser derrotado ele ou Warwick.

2º Sentinela

O dia, então, deve ser amanhã.
Se Warwick 'stá tão perto quanto dizem.

3º Sentinela

Mas diga, por favor, qual é o nobre
Que descansa com o rei em sua tenda?

1º Sentinela

Lord Hastings, que é seu maior amigo.

3º Sentinela

Ah, é assim? Por que o rei ordena
Que os amigos se instalem nas cidades
Mas fica ele no frio do campo?

2º Sentinela

A honra cresce, com maior perigo.

3º Sentinela

Eu só queria conforto e silêncio;
São melhores que honra perigosa.
Soubesse Warwick onde ele está agora,
Não me espantava viesse acordá-lo

1º Sentinela

A não ser que estas lanças o impeçam.

2º Sentinela

Por que guardamos a tenda do rei
Senão para impedir seus inimigos?

(*Entram* Warwick, George, Oxford, Somerset *e soldados franceses, todos em silêncio.*)

WARWICK
>   Essa é a tenda; lá está a sua guarda.
>   Avante, amigos! Honra agora ou nunca!
>   Se me seguirem, pegamos Eduardo!

1º SENTINELA
>   Quem vai lá?

2º SENTINELA
>   Fala, ou morre.

>   *(WARWICK e os outros gritam "Warwick! Warwick!" e atacam a Guarda, que foge gritando "Armem-se! Armem-se!" com WARWICK e os outros a segui-los. Tocam os tambores, soam as cornetas, entram WARWICK, SOMERSET, e o resto, trazendo o REI em sua longa camisa de noite, sentado em uma cadeira. RICARDO e HASTINGS fogem através do palco.)*

SOMERSET
>   Quem está fugindo ali?

WARWICK
>   Ricardo e Hastings; deixem que se vão;
>   'Stá aqui o duque.

REI EDUARDO
>   Ora, quando partiu
>   Chamou-me rei.

WARWICK
>   Mas as coisas mudaram.
>   Sendo humilhado como embaixador,
>   Rebaixei-o da condição de rei.
>   E agora dou-lhe o ducado de York.
>   Ai, ai, como há de governar um reino
>   Sem saber como se usa embaixadores,
>   Ou contentar-se com uma só esposa,
>   Ou ser fraterno pra com seus irmãos,
>   Ou pensar sobre o bem-estar do povo.
>   Ou defender-se de seus inimigos?

REI EDUARDO
>   Meu irmão Clarence, 'stá aí também?
>   Então, Eduardo terá de cair.
>   Mas, Warwick, a despeito de tropeços,

		Do senhor e de todos os seus cúmplices,
45		Eduardo irá sentir-se sempre um rei.
		Mesmo a Fortuna me alterando o posto,
		Minha mente é maior que a sua roda.[60]

WARWICK
Pois seja em mente, então, rei da Inglaterra.

(Tira a coroa dele.)

Mas a coroa inglesa é de Henrique,
50 Rei de verdade; e o senhor uma sombra.
Milord de Somerset, a meu pedido,
Manda ser transportado o duque Eduardo
Ao meu irmão, arcebispo de York:
Após lutar com Pembroke e sua corja,
55 Hei de segui-lo, pra dar a resposta
Que lhe manda Luís e Lady Bona.
Pelo momento, adeus, duque de York.

REI EDUARDO
Se o fado manda, o homem obedece;
Ninguém resiste ao vento e à maré.

(Eles o conduzem para fora, à força.)

OXFORD
60 O que resta, senhores, a fazer,
Senão guiar pra Londres nossa tropa?

WARWICK
Sim, essa é a nossa primeira tarefa,
Libertar da prisão o rei Henrique
E o ver sentado no trono real.

(Saem.)

CENA 4
Londres. O palácio.

(Entram a RAINHA ELIZABETH e RIVERS.)

RIVERS
Por que, senhora, mudança tão rápida?

---

60 A figura da Roda da Fortuna era das mais consagradas na Idade Média; segundo ela, todos que sobem, caem, porém também existe a possibilidade de os que estão embaixo subirem. (N. E.)

Rainha Elizabeth

    Irmão Rivers, será que ainda não soube
    A desgraça em que 'stá o rei Eduardo?

Rivers

    O quê? Perdeu uma batalha para Warwick?

Rainha Elizabeth

5   Pior; perdeu sua real pessoa.

Rivers

    'Stá morto o meu soberano?

Rainha Elizabeth

    Quase morto; foi feito prisioneiro;
    Seja traído por um guarda falso,
    Ou por ser apanhado de surpresa,
10 Pelo que me foi dado compreender.
    Foi agora entregue ao bispo de York,
    Nosso inimigo, já que é irmão de Warwick.

Rivers

    Essas novas, confesso, são bem tristes;
    Mas seja forte nessa dor tamanha:
15 Warwick pode perder o que hoje ganha.

Rainha Elizabeth

    Até então, só a esperança ajuda;
    Eu, porém, abandono o desespero
    Por amor à semente no meu ventre:
    Só isso me controla os sentimentos,
20 E ajuda a carregar, humilde, a dor.
    Isso me faz reter as minhas lágrimas,
    E estrangula a sangria dos suspiros,
    Para que, sufocado ou afogado
    Não morra o herdeiro da coroa inglesa.

Rivers

25 Senhora, pr'onde foi Warwick agora?

Rainha Elizabeth

    'Stou informada de que foi pra Londres
    Pra coroar Henrique novamente.
    Depois, caem os amigos de Eduardo
    Pr'evitar a violência do tirano –

30	Ninguém confia em quem já traiu.
	Eu vou agora buscar santuário,[61]
	Para salvar os direitos do herdeiro;
	Lá fico a salvo de forças e fraudes.
	É bom fugirmos enquanto nós podemos;
35	Se Warwick nos pegar, todos morremos.

(Saem.)

CENA 5
Um parque perto do castelo Middleham, no condado de York.

(Entram Ricardo, Lord Hastings, Sir William Stanley e outros.)

RICARDO

    E, ora, Lord Hastings e Sir William Stanley,
    Parem de se indagar por que razão
    Os trouxe onde o parque é mais escuro.
    Todos já sabem que o rei, meu mano,
5   Está preso com o bispo, em cujas mãos
    Tem conforto e uma grande liberdade,
    E muitas vezes, com escolta fraca,
    Vem caçar justo aqui, pra distrair-se.
    Eu o avisei, por recursos secretos,
10 Que viesse pra cá, a esta hora,
    Como para o exercício costumeiro,
    Onde acharia amigos e um cavalo
    Pra libertá-lo de seu cativeiro.

(Entra o Rei Eduardo, e um Caçador com ele.)

CAÇADOR

    Por cá, senhor; vem por aqui a caça.

REI EDUARDO

15 Não; por aqui. 'Stão lá os caçadores.
    Meu irmão Gloucester, Hastings, e os mais.
    'Stão perto pra roubar caça do bispo?

RICARDO

    Irmão, a causa e o tempo pedem pressa;
    'Stá na borda do parque o seu cavalo.

REI EDUARDO

20 Mas pr'onde vamos?

---

[61] Quem buscasse a proteção da Igreja ficava livre de perseguição por pelo menos quarenta dias. (N. E.)

HASTINGS
> Para Lynn, milord;
> De lá, por mar, pra Flandres.

RICARDO
> Bem pensado. Era essa a minha ideia.

REI EDUARDO
> Será bem pago o seu empenho, Stanley.

RICARDO
> Depressa! Não é hora pra falar.

REI EDUARDO
> E o caçador, o que diz? Vem conosco?

CAÇADOR
> Melhor do que acabar aqui, na forca.

RICARDO
> Então, vamos; e chega de demoras.

REI EDUARDO
> Bispo, enfrente Warwick escudado;
> E reze para ver-me coroado.

(Saem.)

CENA 6
Londres. A Torre.

(Fanfarra. Entram o REI HENRIQUE, GEORGE DE CLARENCE, WARWICK, SOMERSET, o jovem RICHMOND, OXFORD, MONTAGUE e o TENENTE DA TORRE.)

REI HENRIQUE
> Mestre tenente, ora que Deus e amigos
> Do real trono tiraram Eduardo
> Transformando a prisão em liberdade,
> Temor em esperança, dor em glória,
> Quanto lhe devo por minha soltura?

TENENTE
> Não cobra o súdito do soberano;
> Mas, se for atendida humilde prece,
> Peço o perdão a Sua Majestade.

Rei Henrique
    Por quê, tenente? Por tratar-me bem?
    Eu hei de compensar sua bondade,
    Pois a mim fez da prisão um prazer;
    Prazer como o que a ave engaiolada
    Imagina, depois de pensar muito,
    E sentir a harmonia de onde mora,
    Esquecer que perdeu a liberdade.
    Mas Warwick, após Deus, me libertou,
    E agradeço mais a Deus e a si;
    Deus foi o autor, o senhor o instrumento.
    Assim, pra derrotar a má Fortuna,
    Vivendo humilde, onde ela não me alcança,
    E pra que à gente desta santa terra
    Não traga males minha má estrela,
    Mesmo, Warwick, que eu ainda use a coroa,
    Abro mão do governo em seu favor,
    Pois é feliz em todos os seus feitos.

Warwick
    Sua Graça é famosa por virtude,
    E o vemos sábio, além de virtuoso,
    Vendo e evitando os males da Fortuna,
    Pois poucos se harmonizam co'as estrelas;
    E eu condeno Sua Graça apenas
    Por me escolher sendo o posto de Clarence.

George
    Mas, não, Warwick; merece governar
    Aquele a quem o céu, quando nasceu,
    Cedeu os louros e o ramo de oliva,
    Como bênção pra paz e para guerra;
    De peito aberto eu cedo o meu lugar.

Warwick
    E escolho Clarence para Protetor.

Rei Henrique
    Deem-me então as mãos, Warwick e Clarence:
    E, além das mãos, juntem-se os corações,
    Pra não haver conflitos no governo.
    Faço os dois Protetores do país,
    Enquanto em vida humilde e devoção
    Eu passo os dias que ainda são meus
    Em repúdio ao pecado e loas a Deus.

Warwick

    Clarence, como responde ao soberano?

George

    Que concorda, se Warwick 'stá de acordo;
    Dependendo de si minha fortuna.

Warwick

    Com relutância, eu devo concordar.
    Na mesma canga, somos sombra dupla
    Desse corpo de Henrique, e em seu lugar;
    Eu arcando com o peso do governo
    Ganhando ele a fama e o repouso.
    E, Clarence, o mais necessário agora
    É o proclamar que Eduardo é traidor,
    E confiscar suas terras e seus bens.

George

    Que mais? Determinar a sucessão.

Warwick

    E a Clarence não faltará parte nisso.

Rei Henrique

    Como primeira de suas tarefas,
    Eu lhes peço – pois não comando mais –
    Que sua rainha e o meu filho Edward
    Sejam buscados na França bem depressa;
    Pois até vê-los aqui, por temor,
    A minha liberdade 'stá em eclipse.

George

    Será feito, e depressa, soberano.

Rei Henrique

    Milord de Somerset, quem é o jovem
    Que merece assim tanto cuidado?

Somerset

    Henrique, conde de Richmond, meu amo.

Rei Henrique

    Venha cá, esperança da Inglaterra.

(Ele pousa a mão sobre a cabeça do jovem.)

          Se minha imaginação vê verdades,
70   Esse jovem será a paz da pátria.
          Seu rosto é de tranquila majestade;
          Sua cabeça, feita pra coroa;
          Sua mão, para o cetro; e ele mesmo
          Há de adornar, um dia, o real trono.
75   Cuidem-no bem, milords, pois ele, ao fim.
          Vai compensar o mal feito por mim.

                    (Entra um Correio.)

    WARWICK
          Quais as novas, amigo?

    CORREIO
          Que Eduardo escapou de seu irmão,
          Fugindo, ao que se diz, para a Borgonha.

    WARWICK
80   Amargas novas! Como escapou ele?

    CORREIO
          Foi transportado por Ricardo Gloucester
          E por Lord Hastings, que o ajudou
          A tirá-lo em tocaias na floresta
          Dos caçadores da guarda do bispo;
85   Onde sempre saía pra caçar.

    WARWICK
          Meu irmão descuidou de sua guarda.
          Partamos, soberano, pra buscar
          Remédio pra qualquer nova ferida.

                    (Saem todos menos Somerset, Richmond e Oxford.)

    SOMERSET
          Não me agrada, senhor, que fuja Eduardo;
90   Pois Borgonha na certa há de ajudá-lo,
          E muito em breve teremos mais guerras.
          Assim como a profecia de Henrique
          Sobre o fado de Richmond me alegrou,
          Eu tremo com o prenúncio de conflitos,
95   Que podem fazer mal a ele e a nós.
          Portanto, Oxford, evitando o pior,
          Vamos mandá-lo logo pra Bretanha,
          Até que o fim dessas lutas de ódio.

OXFORD

Assim seja; pra Bretanha ele irá,
E a toda pressa isso se dará.

(Saem.)

CENA 7
Diante de York.

(Fanfarra. Entram o REI EDUARDO, RICARDO, HASTINGS e soldados.)

REI EDUARDO

Mano Ricardo, Hastings, e mais todos,
Até aqui a Fortuna ajudou-nos
E disse que de novo eu trocarei
O meu azar pela coroa de Henrique.
Cruzamos bem, em ida e volta, o mar,[62]
Trazendo a boa ajuda de Borgonha;
Que resta então, já que nós chegamos
De Ravenspurgh até os portões de York,
Senão entrar no que é o nosso ducado?

(HASTINGS bate nos portões de York.)

RICARDO

Portões fechados! Mano, não me agrada;
Pois homens que tropeçam na soleira
São alertados pros perigos dentro.

REI EDUARDO

Não nos espantam tais avisos, homem;
Por bem ou mal nós havemos de entrar,
Pois aqui virão ter nossos amigos.

HASTINGS

Senhor, bato de novo, pra chamá-los.

(Entra, acima, nas muralhas, o PREFEITO DE YORK e seus IRMÃOS.)[63]

PREFEITO

Avisado de que para aqui vinham,
Pra nossa proteção fechei as portas,
Já que somos fiéis ao rei Henrique.

---

[62] Nessa dramaturgia não realista, dois versos são o bastante para cobrir não só a viagem como a estada de Eduardo na Borgonha e sua volta à Inglaterra. (N. T.)
[63] "Irmãos", aqui, é usado no sentido de seus companheiros na governança da cidade. (N. T.)

Rei Eduardo

20
Senhor prefeito, se Henrique é seu rei,
Eduardo, ao menos, é duque de York.

Prefeito

É verdade, e por menos não o tomo.

Rei Eduardo

Eu só lhe cobro, então, o meu ducado,
E dou-me por contente só com isso.

Ricardo

25
(À parte.) Mas se consegue enfiar o nariz,
Segue, com jeito, o corpo da raposa.

Hastings

Senhor prefeito, fica assim, em dúvida?
Abra, pois somos amigos de Henrique.

Prefeito

Assim o diz? Então eu abro as portas.

(Ele desce.)[64]

Ricardo

30
Capitão sábio; se convence fácil!

Hastings

O bom velho só quer tudo tranquilo,
Mas sem depender dele; se entrarmos,
Estou certo de logo persuadirmos,
A ele e aos irmãos, a pensar certo.

(Entram, no palco inferior, o Prefeito e dois vereadores.)

Rei Eduardo

35
Essas portas só devem ser fechadas
Durante a noite ou em tempo de guerra.
Nada tema, senhor; e dê-me as chaves;

(Toma-lhe as chaves.)

Defende Eduardo o senhor, a cidade,
E todos que lhe são sua lealdade.

---

64 Até esse momento o prefeito havia falado no palco superior. (N. T.)

(Marcha, entra Sir John Montgomery, com tambores e soldados.)

RICARDO
40   Irmão, se não me engano, está chegando
     Sir John Montgomery, leal amigo.

REI EDUARDO
     Sir John, bem-vindo; por que vem armado?

MONTGOMERY
     Pra ajudar no mal tempo o rei Eduardo,
     Dever de todo súdito leal.

REI EDUARDO
45   Graças, Montgomery; mas, de momento,
     Esquecemos o título à coroa,
     Sendo duque até Deus querer o resto.

MONTGOMERY
     Pois então passe bem, que eu vou partir:
     Eu vim servir um rei, e não um duque.
50   Toque o tambor, e partamos em marcha.

(Os tambores começam a rufar.)

REI EDUARDO
     Sir John, espere, enquanto debatemos
     Como, a salvo, retomar a coroa.

MONTGOMERY
     Mas debater o quê? Falando claro:
     Se aqui não proclamar-se nosso rei,
55   O deixo ao seu destino e me retiro
     Pra combater quem vier socorrê-lo.
     Lutar por quê, se não almeja o título?

RICARDO
     Irmão, por que ficar com filigranas?
     Resolva-se, e reclame sua coroa.

REI EDUARDO
60   Tendo mais força, a reclamaremos:
     Até então, disfarça-se a intenção.

HASTINGS
     Chega de escrúpulos; vamos às armas!

RICARDO
>Mentes sem medo conquistam coroas.
>Irmão, agora mesmo o proclamamos;
>E o próprio grito lhe trará amigos.

REI EDUARDO
>Como quiserem, pois é meu direito,
>E Henrique só usurpa o diadema.

MONTGOMERY
>Fala assim o meu real soberano,
>E agora sou o campeão[65] de Eduardo.

HASTINGS
>Toquem, clarins, e proclamem Eduardo.
>Soldado, leia a proclamação.

(Dá-lhe um papel. Clarinada.)

SOLDADO
>"Eduardo Quarto, pela graça de Deus, rei da Inglaterra e da França, senhor da Irlanda etc."

MONTGOMERY
>A quem negar o direito de Eduardo,
>Desafio em combate singular.

(Atira no chão sua luva.)

TODOS
>Viva Eduardo Quarto!

REI EDUARDO
>Graças, bravo Montgomery, e a todos!
>Se me vale a Fortuna, os recompenso.
>Por esta noite, aportamos em York,
>E ao se alçar o carro da manhã
>Acima da fronteira do horizonte,
>Partimos contra Warwick e sua gente,
>Pois Henrique, bem sei, não é soldado.
>Perverso Clarence, como lhe vai mal
>Seguir Henrique, abandonando o irmão!
>Mas enfrentamos a você e a Warwick.

---

65 Um defensor oficial de alguém ou de uma causa, que luta como seu representante. (N. T.)

Vamos, bravos; enfrentem o momento;
Se superado, é bom o pagamento.

(Saem.)

CENA 8
Londres. O palácio do bispo.

(Fanfarra. Entram o Rei Henrique, Warwick, Montague, George, Oxford e Exeter.)

Warwick
Que dizem, lords? Da Bélgica vem Edward,
Com fortes alemães e holandeses,
Atravessando a salvo o Mar Estreito,[66]
E com suas tropas chega logo a Londres;
5   Muitos, do alegre povo, a eles juntam-se.

Rei Henrique
Com mais homens, podemos rechaçá-los.

George
É fácil apagar fogo pequeno
Que, de outro modo, nem rio sufoca.

Warwick
No condado de Warwick tenho amigos,
10 Calmos na paz, mas ousados na guerra;
A esses eu convoco e, filho Clarence,
Agite em Suffolk, Norfolk, e em Kent,
Cavaleiros que aqui venham consigo;
Meu irmão Montague, em Buckingham,
15 No condado de Leicester e em Northampton,
Busque os que queiram ouvir seu comando:
Oxford, que é alvo de amor tão grande,
Conclame seus amigos no condado.
Meu soberano, com amantes súditos,
20 Como ilha cercada pelo mar,
Ou Diana cercada por suas ninfas,
Fica em Londres até virmos a ele.
Partam, milords, a resposta é demora.
Adeus, meu soberano.

Rei Henrique
25 Adeus, Heitor, esperança de Troia.

---
[66] O "Mar Estreito" é, naturalmente, o Canal da Mancha. (N. T.)

GEORGE
>Provando ser leal, beijo-lhe as mãos.

REI HENRIQUE
>Tenha sucesso, resoluto Clarence.

MONTAGUE
>Confiança, senhor; e me despeço.

OXFORD
>Eu juro lealdade, e digo adeus.

REI HENRIQUE
>Doce Oxford, amado Montague,
>E a todos mais, um alegre até breve.

WARWICK
>Amigos, encontramo-nos em Conventry.

(Saem todos menos HENRIQUE e EXETER.)

REI HENRIQUE
>Neste palácio eu me repouso um pouco.
>Meu primo Exeter, que pensa agora?
>Creio que a tropa que traz Eduardo
>Não tem poder para enfrentar a minha.

EXETER
>O meu temor é que seduza os outros.

REI HENRIQUE
>Eu não temo; a virtude me deu fama:
>Não tapei meu ouvido a seus clamores;
>Não protelei pedidos com demoras;
>Com piedade cuidei suas feridas;
>Com doçura afastei as suas dores;
>Tive piedade por correrem lágrimas;
>Eu nunca desejei suas riquezas,
>E nem os oprimi com muito imposto,
>Nem nunca usei vingança pra seus erros.
>Por que amar Eduardo mais que a mim?
>Não, Exeter, fazer o bem faz bem;
>E quando o leão bajula o carneirinho,
>Este não deixa nunca de o seguir.

(Gritos, fora, "Um York! Um York!".)

EXETER
> Ouça, meu senhor, que gritos são esses?

(Entram o Rei Eduardo, Ricardo e soldados.)

Rei Eduardo
> Removam logo esse Henrique tão tímido;
> E novamente me proclamem rei.
> De fontezinhas é que fluem rios;
55
> Tapada a fonte, o meu mar vem secá-los,
> E se estufa com a sua maré baixa.
> Levem-no à Torre. E que ele não fale.

(Saem alguns levando o Rei Henrique.)

> Mudemos para Conventry o caminho,
> Onde inda resta o presunçoso Warwick.
60
> Brilha o sol; qualquer demora feita,
> Traz frio inverno e congela a colheita.

Ricardo
> Vamos logo; juntemos nossas forças,
> Para apanhar de surpresa o traidor:
> Guerreiros, marchem logo para Conventry.

(Saem.)

ATO 5

CENA 1
Conventry.

(Entram Warwick, prefeito de Conventry, dois mensageiros, e outros, ao alto, nas muralhas.)[67]

WARWICK
Onde está o mensageiro de Oxford?
A que distância está seu amo, amigo?

1º MENSAGEIRO
Perto de Dunsmore, marchando pra cá.

WARWICK
E a que distância está meu irmão Montague?
Onde o correio que chegou de Montague?

2º MENSAGEIRO
Já quase em Daintry, e com grande tropa.

(Entra Sir John Somerville.)

WARWICK
Somerville, que diz o meu amado filho?
Onde julga que esteja agora Clarence?

SOMERVILLE
Em Southam o deixei, com suas forças,
E espero que aqui esteja em duas horas

(Ouve-se o rufar de tambores.)

WARWICK
Clarence está chegando; ouço os tambores.

SOMERVILLE
Não é, senhor. Southam fica pra cá:
Os tambores que ouve vêm de Warwick.

WARWICK
Quem são? Algum amigo inesperado?

---

67 Indicação do uso do palco superior. (N. T.)

SOMEVILLE
15   Já 'stão perto; o senhor saberá logo.

(Marcha. Entram EDUARDO, RICARDO e SOLDADOS.)

REI EDUARDO
     Soldado, toque parlamentação.

RICARDO
     'Stá na muralha o carrancudo Warwick.

WARWICK
     Mas que azar! Chegou o devasso Eduardo?
     Seduzida por sono ou por suborno
20   A guarda não nos avisou do avanço?

REI EDUARDO
     Então, Warwick, vai abrir as portas,
     Falar com gentileza, ajoelhar-se
     Chamar Eduardo rei, pedir piedade,
     E conseguir perdão por seus ultrajes?

WARWICK
25   Não; mas se retira daqui suas tropas,
     Diz a quem deve a elevação e a queda,
     Penitente, chama Eduardo patrono,
     Crê que será ainda... duque de York?

RICARDO
     Pensei que ia dizer, ao menos, rei;
30   Ou o chiste saiu a contragosto?

WARWICK
     Um ducado não é um bom presente?

RICARDO
     Bom demais, dado por um mero conde;
     Eu o farei servir por tal presente.

WARWICK
     Fui eu quem deu o reino a seu irmão.

REI EDUARDO
35   Então é meu, se é só presente seu.

WARWICK
>Não é Atlas para arcar com tal peso;
>Sendo fraco, Warwick o retomou;
>Henrique é o meu rei, Warwick seu súdito.

REI EDUARDO
>O rei de Warwick é prisioneiro meu;
>Responda então, galante Warwick:
>Que vale um corpo, se não tem cabeça?

RICARDO
>O pobre Warwick não tem mais prudência;
>Quando pensou que, roubando o dez simples,[68]
>O rei tinha sumido do baralho!
>Deixou o pobre Henrique no bispado,
>E é dez para um que o encontrará na Torre.

REI EDUARDO
>É isso mesmo; porém ainda é Warwick.

RICARDO
>Isso, e aproveite, Warwick; ajoelhe-se.
>Melhor malhar quando o ferro está quente.

WARWICK
>Melhor com um golpe amputar esta mão,
>E atirá-la co'a outra em sua cara,
>Que abaixar tanto a vela pra atacá-lo.

REI EDUARDO
>Veleje com maré e tempo amigos,
>Esta mão, presa a seus cabelos negros,
>Quente ainda a cabeça decepada,
>Há de escrever no pó, com seu sangue:
>"Não vai mais co'o vento Warwick mutável".

(Entra OXFORD, com tambores e bandeiras.)

WARWICK
>Que belas cores! É Oxford que chega.

OXFORD
>Oxford, Oxford, chega Oxford por Lancaster!

---

[68] A maior carta em um jogo de cartas, abaixo das que eram chamadas de "corte" ou "cartas reais". (N. T.)

(Ele e suas forças entram na cidade.)

RICARDO

60   Co'a porta aberta, entremos nós também.

REI EDUARDO

Que atrás de nós façam o mesmo outros.
Fiquemos bem alertas, pois, sem dúvida,
Eles hão de oferecer resistência;
Ou, sendo a cidade mal defendida,
65   Lá mesmo derrotamos os traidores.

WARWICK

Bem-vindo, Oxford, de quem precisamos.

(Entra MONTAGUE, com tambor e bandeiras.)

MONTAGUE

Montague! Montague chega para Lancaster!

(Ele e suas forças entram na cidade.)

RICARDO

E, com o irmão, pagará a traição
Com o preço de seus corpos e seu sangue.

REI EDUARDO

70   Quanto mais dura, maior é a vitória:
Prevejo muitos ganhos e conquista.

(Entra SOMERSET, com tambor e bandeiras.)

SOMERSET

Somerset! Somerset chega pra Lancaster!

RICARDO

Dois de seu nome, dois duques Somerset.
Foram mortos pela Casa de York,
75   Será o terceiro, pela minha espada.[69]

---

[69] Três duques de Somerset na Guerra das Rosas. Um é mencionado no primeiro ato da peça, e este representa os outros dois. Shakespeare salienta o papel dos três, pois nas fontes usadas, é o duque de Exeter quem aparece no episódio dramatizado nesta cena. (N. T.)

(Entra George, com tambor e bandeiras.)

Warwick
    E eis que agora chega George de Clarence
    Com grande força pr'enfrentar o irmão;
    Nele supera o peso do direito
    A natureza do amor fraternal.

George
80   Clarence! Clarence para Lancaster!

Rei Eduardo
    Et tu, Brute! Também golpeia César?
    Vamos parlamentar com o vil Clarence.

(Toque de parlamentação. Ricardo e George sussurram.)

Warwick
    Venha Clarence; virá se Warwick chama.

(George arranca a rosa vermelha do chapéu e a atira em Warwick.)[70]

George
    Pai Warwick, sabe o que quer dizer isso?
85   Com isso atiro em si a minha infâmia.
    Não desmorono a casa de meu pai,
    Cujas pedras ele ligou com meu sangue,
    Pr'erigir a casa de Lancaster. Supõe
    Ser Clarence tão amargo e anormal
90   Que manuseie instrumentos de guerra
    Contra seu próprio irmão e rei legítimo?
    Talvez insista em minha santa jura,
    Porém mantê-la é maior impiedade
    Que a de Jefté ao imolar a filha.
95   Tanto choro o delito cometido
    Que, para ficar bem nas mãos do mano,
    Me afirmo aqui seu mortal inimigo;
    E resolvido a, onde o encontrar –
    E o encontrarei se der um passo fora –
100   Persegui-lo por me ter desviado.
    Vaidoso Warwick, eu o desafio,
    E, enrubescido, busco o meu irmão.
    Perdão, Eduardo; hei de redimir-me:

---

[70] Essa rubrica deixa claro que os atores usavam roupas elisabetanas, e não as armaduras medievais que vestem os atores hoje em dia. (N. T.)

>   Ricardo, não olhe assim minhas falhas,
> 105   Pois nunca mais hei de ser inconstante.

REI EDUARDO
>   Mais bem-vindo, e dez vezes mais amado
>   Que se nunca tivesse nosso ódio.

RICARDO
>   Bem-vindo, Clarence; age como irmão.

WARWICK
>   Grande traidor, perjuro e sem justiça!

REI EDUARDO
> 110   Warwick, sai da cidade pra lutar?
>   Ou o cobrimos nós com essas pedras?

WARWICK
>   Não busco aqui poleiro pra defesa!
>   Eu parto dentro em breve pra Barnet
>   Onde, se ousar, o enfrento em batalha.

REI EDUARDO
> 115   Sim, Warwick; Eduardo ousa, e guia;
>   Milords, pro campo! São Jorge e vitória!

(Saem.)

(Marcha. WARWICK e sua companhia seguem.)

CENA 2
Um campo de batalha perto de Barnet.

(Fanfarra, evoluções. Entram o REI EDUARDO, trazendo consigo WARWICK ferido.)

REI EDUARDO
>   Com sua morte morre o nosso medo;
>   Pois Warwick era um ogro pra todos.
>   Agora espere, Montague; o busco
>   Pra seus ossos juntarem-se aos do irmão.

(Sai.)

Warwick

  Ai, quem 'stá aí? Avance, amigo ou não,
  E diga quem venceu, se York ou Warwick?
  Por que indago o que o corpo em trapos diz?
  O sangue, a inércia e o coração já mostram
  Que devo dar ante o machado o cedro,
  Que foi abrigo de águia principesca,
  E à cuja sombra dormiram leões;
  Ramos, mais altos que o tronco de Zeus
  De frio e vento abrigaram ramagens,
  E estes olhos, que a morte agora apaga,
  Já brilharam qual sol do meio-dia
  Pr'achar segredos e traições no mundo;
  As rugas, que hoje transbordam sangue,
  Foram chamadas sepulcros de reis;
  Pois que rei não podia eu enterrar?
  E quem sorria ao meu cenho fechado?
  Minha glória hoje rola em sangue e pó!
  Meus parques, meus solares e alamedas
  Me abandonaram, e nas mãos me resta
  Apenas a medida do meu corpo.
  O que são, senão pó, pompa e poder?
  A vida é incerta, e temos de morrer.

  (Entram Oxford e Somerset.)

Somerset

  Ah, Warwick, inda fosse como nós,
  E retomávamos o já perdido.
  Da França traz grande tropa a rainha,
  Soube agora. Se pudesse fugir!

Warwick

  Se pudesse, eu não fugia. Ah, Montague,
  Se está aí, irmão, tome-me a mão,
  E com os lábios, retém-me ainda a alma!
  A mim não ama, irmão; pois se me amasse
  Seu pranto lavaria o sangue frio
  Que, me selando a boca, impede a fala.
  Depressa, Montague, pois senão, morro.

Somerset

  Ah, Warwick; Montague já expirou;
  E no último alento chamou Warwick,

40 Recomendando-se a seu bravo irmão.
     Mais queria falar; e o que falou
     Soou como um canhão em grande abóboda,
     Sem ser compreendido; mas, ao fim,
     Eu pude ouvir, soando qual gemido,
45   "Warwick, adeus!".

Warwick

             Que Deus leve su'alma!
     Fujam, milords, e salvem-se, pois Warwick
     Lhes diz adeus, até vê-los no céu. *(Ele morre.)*

Oxford

     Juntemo-nos à tropa da Rainha!

(Saem.)

CENA 3
Um outra parte do campo.

(Entra o Rei Eduardo, em triunfo, com Ricardo, George e os outros.)

Rei Eduardo

     Co'a graça da fortuna na ascendente,
     Ganhamos a guirlanda da vitória:
     Mas no meio do brilho deste dia
     Vislumbro ameaçadora nuvem negra
5   Que vem de encontro a nosso sol radioso
     Antes de ele deitar-se no ocidente.
     Falo, milord, das forças da Rainha;
     Na Gália levantou e pr'aqui vêm,
     Segundo ouvi dizer, pra combater-nos.

George

10   Pouco vento dispersa essa tal nuvem,
     E a sopra para a fonte de onde veio;
     Os próprios raios secam-lhe o vapor;
     Nem toda nuvem gera tempestade.

Ricardo

     São trinta mil, parece, os da rainha,
15   E Oxford e Somerset juntam-se a ela:
     Se puder respirar, estejam certos,
     A força dela fica igual à nossa.

REI EDUARDO

　　Temos aviso, de caros amigos,
　　Que é pra Tewkesbury que eles caminham.
20　E nós, vitorioso em Barnet,
　　Lá iremos, co' o afã que nos apressa;
　　Nossa tropa há de aumentar na marcha,
　　Em todos os condados que cruzarmos.
　　Vamos! Rufem os tambores! Coragem!

(Saem.)

CENA 4
Uma planície perto de Tewkesbury.

(Fanfarra. Marcha. Entram a Rainha Margaret, o Príncipe Edward, Somerset, Oxford e soldados)

RAINHA

　　Milords, os sábios não choram as perdas,
　　Mas, com alegrias, buscam compensá-las.
　　Mesmo que o mastro se parta, no mar,
　　Rompam-se os cabos, se vá a firme âncora,
5　E o mar engula metade dos homens,
　　Está vivo o piloto. É certo que ele
　　Largue o timão e qual grumete aflito
　　Junte o seu pranto às águas do oceano,
　　Dando mais força ao que já tinha muita;
10　E, enquanto geme, se estraçalha a nau,
　　Que indústria e coragem salvariam?
　　Que vergonha! Que grande erro é esse!
　　Warwick foi nossa âncora; e daí?
　　Montague o nosso mastro; e daí?
15　Nossos mortos, o cordame; e daí?
　　Não pode Oxford ser uma outra âncora?
　　Nossos franceses, as velas e o cordame
　　E novatos, por que não Ned[71] e eu
　　Tentarmos ser pilotos responsáveis?
20　Não trocaremos o timão por pranto,
　　Manteremos o curso contra os ventos,
　　Evitando a ameaça de naufrágios.
　　Pra onda são iguais loa e ofensa.
　　Não é Eduardo só um mar cruel?
25　Clarence, traidor, areia movediça?

---
71 Ned é o apelido clássico de Edward, na Inglaterra. (N. E.)

             Ricardo, mais que rochedo fatal?
             De nossa pobre nau, são inimigos.
             Digamos que nadam – ai, ai, só pouco!
             Pisam na areia – e afundam logo,
30   Sobem nas pedras – e a maré os leva,
             Ficam famintos; é uma morte tripla.
             Acaso queira algum fugir de nós,
             Não há mais esperança com os irmãos
             Do que ondas, rochas e areias.
35   Então, coragem! Pelo inevitável,
             Pranto e lamento são coisa infantil.

     PRÍNCIPE
             Mulher assim valente, me parece,
             Tais palavras, se um covarde as ouve,
             Enchem-lhe o peito com magnanimidade,
40   E o fazem, nu,[72] derrotar guerreiros.
             Eu não creio que aqui haja nenhum;
             Se suspeitasse algum de ser medroso,
             Permitiria que partisse logo,
             Pra no perigo não contagiar
45   Um outro, pra deixá-lo igual a ele.
             Se há algum – e Deus não o permita! –
             Que parta antes dele precisarmos.

     OXFORD
             Mulheres e crianças tão valentes,
             E homens fracos, é vergonha eterna.
50   Bravo príncipe! Seu famoso avô
             Em si revive; tenha longa vida,
             Pra sua imagem renovar sua glória!

     SOMERSET
             Quem não quiser lutar com tal promessa,
             Vá-se deitar de dia e, qual coruja,
55   Provoque riso se visto acordado.

     RAINHA
             Obrigada, bons Somerset e Oxford.

     PRÍNCIPE
             Lhes é grato quem não tem nada mais.

                  (Entra um MENSAGEIRO.)

---
[72] Desarmado. (N. E.)

MENSAGEIRO

    Aprontem-se, milords. Eduardo chega,
    Pronto pra luta; tenham, pois, coragem,

OXFORD

60   Eu não duvido; é a sua política
    Agir com pressa, e ver-nos sem preparo.

RAINHA

    Aquece o meu coração sua energia.

OXFORD

    Aqui acampamos; daqui não saímos.

(Fanfarra, e marcha. Entram o REI EDUARDO, RICARDO, GEORGE e SOLDADOS.)[73]

REI EDUARDO

    Homens, lá está o espinhoso bosque
65   Que a ajuda do céu e a sua força
    Devem ver arrasado antes da noite.
    Não preciso aquecer o seu calor;
    Pois sei que estão em chamas pra queimá-lo.
    Deem o sinal pra luta; e, agora, avante!

RAINHA

70   Lords, fidalgos; cada palavra minha
    Meu pranto contradiz; pois cada uma
    é bebida com as lágrimas dos olhos.
    Digo, então, só: seu soberano, Henrique,
    O inimigo prendeu e usurpou,
75   Seu reino é um matadouro de seus súditos;
    Suas leis, anuladas; o ouro, gasto;
    Aquele é o lobo que o saqueou;
    A sua luta é justa. E então, por Deus,
    Sejam valentes, deem sinal pra luta.

(Alarma. Retirada. Evoluções. Saem.)

CENA 5
Uma outra parte do campo.

(Entram o REI EDUARDO, RICARDO, GEORGE, e SOLDADOS; com a RAINHA MARGARET, OXFORD e SOMERSET, PRISIONEIROS.)

---

[73] Este é um exemplo claro de como a encenação era realizada com base em convenções. Entrando os personagens de um partido por uma das portas que ladeavam o palco interior, e os do outro pela outra, a plateia não teria dificuldade em aceitar que cada grupo estava acampado distante do outro. (N. T.)

Rei Eduardo
>   Chegam ao fim tumultuosas lutas.
>   Levem já Oxford pro castelo Hames:⁷⁴
>   De Somerset, cortem logo a cabeça.
>   Vão; levem-nos daqui. Não quero ouvi-los.

Oxford
>   Não quero perturbá-lo com palavras.

Somerset
>   Nem eu; aceito humilde o meu destino.

(Saem Oxford e Somerset, escoltados.)

Rainha
>   Nos despedimos das dores deste mundo,
>   Até a doçura de Jerusalém.⁷⁵

Rei Eduardo
>   Foi proclamado que quem trouxer Edward
>   Terá um prêmio e, ele, a sua vida?

Ricardo
>   Foi; porém veja que está vindo o rapaz.

(Entram soldados, com o Príncipe Edward.)

Rei Eduardo
>   Tragam o bravo; ouçamos o que diz.
>   Já pica espinho assim inda tão novo?
>   Edward, que explicações pode nos dar,
>   Pra portar armas e agitar meu povo,
>   E todo mal que contra mim armou?

Príncipe
>   Fale qual súdito, vaidoso York;
>   Veja-me aqui porta-voz de meu pai;
>   Entregue o trono e, ante mim, de joelhos,
>   Enquanto eu lhe devolvo suas palavras,
>   Que queria, traidor, que eu lhe dissesse.

---

[74] Exemplo da manipulação dos fatos por Shakespeare: Oxford não esteve presente em Teweksbury: ele fugiu depois da batalha de Barnet, mas foi capturado na Cornualha e despachado para o castelo de Hames, na França. (N. T.)

[75] A frase é um tanto nobre demais para a personalidade de rainha Margaret, mas tem base na Bíblia, onde o céu é chamado de Nova Jerusalém. (N. T.)

Rainha

    Quem dera o pai fosse assim resoluto!

Ricardo

    Pra que pudesse sempre andar de saia,
    E não com as calças que roubou de Lancaster.

Príncipe

    Deixe as fábulas do Esopo p'ro inverno;
    Casos de cães não calham com o momento.

Ricardo

    Como praga, hei de cobrar tais palavras.

Rainha

    Claro; nasceu pra ser praga de todos.

Ricardo

    Levem daqui essa presa ofensiva.

Príncipe

    Melhor levar o corcunda ofensivo.

Rei Eduardo

    Chega, menino, ou eu lhe encanto a língua.

George

    Um menino sem modos e abusado!

Príncipe

    Sei meu dever; mas não sabem os seus.
    Ao lascivo Eduardo, o perjuro George,
    E também ao deformado Dick, eu digo:
    Sou seu superior; todos, traidores,
    Que usurpam meu direito, e o do meu pai.

Rei Eduardo

    Pois tome, imagem de quem tanto grita. *(Apunhala-o.)*

Ricardo

    Caiu? Pois eu acabo a sua agonia *(Apunhala-o.)*

George

    E aqui, por acusar-me de traidor. *(Apunhala-o.)*

RAINHA
    Ai, mate-me também!

RICARDO
                E com prazer

(Faz gesto para matá-la.)

REI EDUARDO
    Pare, Ricardo. Já fizemos muito.

RICARDO
    Por que há de viver para falar?

REI EDUARDO
    Desmaiou? Façam-na recuperar-se.

RICARDO
45   Clarence, dê ao rei as minhas escusas:
    Parto pra Londres. Por assunto sério;
    Antes que cheguem lá, haverá novas.

GEORGE
    O quê?

RICARDO
    A Torre! Arranco-os de lá.

                                    (Sai.)

RAINHA
    Meu doce Ned, fale com sua mãe!
50   Não fala? Ai, traidores e assassinos!
    Os que mataram César não sangraram,
    Não ofenderam, nem mereceram culpa,
    Se compararmos o seu crime a este.
    Ele era um homem, este, uma criança;
55   Homem não volta a fúria pra criança.
    Que nome dar-lhe, pior que assassinos?
    Meu coração explode se eu falar;
    Mas falo; e que me exploda o coração.
    Açougueiros e vilões! Vis canibais!
60   Que doce planta ceifaram tão cedo!
    Não têm filhos, açougueiros, senão

Sua lembrança traria remorsos:
E se um dia tiverem filhos seus,
Vejam-lhe assim ceifada a juventude
Como cortaram desse príncipe a sua!

Rei Eduardo

Fora! Levam-na daqui até à força.

Rainha

Não me levem! Despachem-me aqui:
Use a espada; eu perdoo a minha morte.
O quê, não pode? Faça-o então, Clarence.

George

Pelo céu, não lhe darei esse conforto.

Rainha

Bom Clarence, doce Clarence, faça-o.

George

Mas não me ouviu jurar que não faria?

Rainha

Mas foi o seu costume perjurar-se.
Foi pecado; mas ora é caridade.
Não? E onde o açougueiro diabólico?
Ricardo, o feio Ricardo, onde está?
Não 'stá aqui; matar é a sua esmola;
Jamais recusa auxílio a quem quer sangue.

Rei Eduardo

Fora, digo; ordeno que a removam.

Rainha

Que a si e aos seus venha o que veio a ele!

(Sai, levada à força.)

Rei Eduardo

Para onde foi Ricardo?

George

Para Londres, com pressa; e, como penso,
Pra, na Torre, fazer ceia sangrenta.

REI EDUARDO
    Faz depressa o que lhe vem à cabeça.
85   Pra lá marchemos; desobrigue os comuns,
    Com grato soldo, e vamos para Londres,
    Ver como está nossa doce rainha:
    A esta altura, já me teve um filho.

(Saem.)

CENA 6
Londres. A Torre.

(Entram o REI HENRIQUE e RICARDO, com o TENENTE, nas muralhas.[76])

RICARDO
    Bom dia, milord. Sempre com seu livro?

REI HENRIQUE
    Sim, meu bom milord – ou, antes, milord?
    Bajular é pecado; "bom" é quase:
    "Bom Gloucester" ou "Bom diabo" é o mesmo,
5   Ambos grotescos; não "meu bom senhor".

RICARDO
    (Para o tenente.) Rapaz, deixe-nos sós, pra conversar.

(Sai o TENENTE.)

REI HENRIQUE
    Assim do lobo foge o mau pastor;
    Logo o cordeiro entrega a sua lã,
    E, a seguir, a garganta ao açougueiro.
10   E que cena de morte fará Roscius?[77]

RICARDO
    Suspeita ronda a mente do culpado;
    Ladrão vê um polícia em cada arbusto.

REI HENRIQUE
    A ave que foi presa pelo arbusto[78]
    Treme de medo ao passar por outro;

---

[76] Indício de uso do palco superior para sugerir o isolamento da cela em que está preso o rei. (N. T.)
[77] Roscius foi um grande ator trágico da Antiguidade. (N. E.)
[78] Pelo número de vezes que aparece na obra de Shakespeare, tudo indica que o principal meio de se apanhar aves naquela época era passar visgo em folhas, galhos finos ou fios. (N. T.)

15 E eu, pobre macho de uma doce ave,
    Tenho nos olhos o objeto fatídico
    Que prendeu e matou o meu filhote.

RICARDO

    Como foi tolo aquele rei de Creta
    Que ensinou ao filho o ofício da ave!
20 Pois, mesmo alado, o tolo se afogou.[79]

REI HENRIQUE

    Sou Dédalus; meu pobre filho, Ícaro;
    Minos, teu pai, cortou nosso caminho;
    O sol que derreteu as asas dele,
    É teu irmão Eduardo. Tu, o mar,
25 Cujo golfo engoliu a vida dele.
    Mata-me com arma, e não com palavras!
    Meu peito aceita mais o teu punhal
    Que o ouvido esse trágico relato.
    Mas vieste por quê? Por minha vida?

RICARDO

30 Pensa acaso que eu seja algum carrasco?

REI HENRIQUE

    Acusador 'stou certo que não és;
    Se matar inocente é ser carrasco.
    Então, pois sim, tu és mesmo carrasco.

RICARDO

    Matei seu filho por ser presunçoso.

REI HENRIQUE

35 Se, à primeira presunção, te matassem,
    Não viverias pra matar meu filho.
    Assim profetizo: muitos milhares,
    Que ignoram hoje as razões do meu medo,
    Hão de chorar com seus olhos de velhos,
40 Como hão os de viúvas e de órfãos –
    Pais por filhos, viúvas por maridos,
    Órfãos por morte precoce dos pais –
    Pra lamentar a hora em que nasceste.
    A coruja piou mal no teu parto;

---

[79] No original, há um jogo de palavras para o qual não temos possível tradução: "fool" é tanto tolo quanto filho (ou bebê) e "fowl" é ave. Na época de Shakespeare, "fool" e "fowl" eram pronunciados do mesmo modo, e não como hoje em dia. (N. E.)

45 Guinchou a gralha, a prever mau tempo;
    Uivaram cães, zuniram tempestades;
    Nas chaminés se esconderam os corvos,
    As pegas[80] matracam em discórdia;
    Tua mãe teve mais que dor de mãe,
50 Mas pariu menos que uma mãe espera,
    A saber, essa massa deformada.
    Que não é fruto de uma boa árvore.
    Ao nascer, tinhas dentes nessa boca,
    Sinal que ao mundo vinhas pra morder:
55 E se é verdade o que dizem, vieste...

RICARDO
    Basta. Morre, profeta, com sua fala. *(Apunhala-o.)*
    Para isto, entre outros mais, fui ordenado.

REI HENRIQUE
    Para muita matança mais que esta.
    Perdoe, Deus, meus pecados, e a ti. *(Morre.)*

RICARDO
60 Então o sangue ambicioso de Lancaster
    Cai pelo chão? Pensei que subiria.
    Como chora o rei morto a minha espada!
    Que jorre pranto púrpura como esse
    Dos que desejam a queda dos Yorks!
65 Se acaso resta fagulha de vida,
    Que vá pro inferno, e diga que eu mandei...

    (Torna a apunhalar o REI.)

    Eu, sem piedade, sem amor, sem medo;
    É bem verdade o que me disse Henrique:
    Cheguei ao mundo co'as pernas pra frente.
70 Pois não tinha eu razão para apressar-me,
    Para arruinar o que nos usurpou?
    A parteira assustou-se; outras gritaram
    "Jesus, socorro! Já nasceu com dentes!"
    O que é verdade, e quer dizer, bem claro,
75 Que hei de rosnar, morder, bancar o cão;
    Pois já que os céus assim me deformaram,

---

80 No original, "pies" que é a abreviatura do pássaro "magot-pie", aparece também em *Macbeth*. (N. E.)

	Que fale o inferno, me entortando a mente:
	Não tenho irmão, não me assemelho a irmão,
	E o amor, palavra que abençoa o velho,
80	Reside em homens que são parecidos,
	E não em mim. Eu sou só, sozinho.
	Cuidado, Clarence; estás na minha luz.
	Mas eu farei teu dia escurecer;
	Espalharei no ar tais profecias
85	Que Eduardo lhe terá medo mortal,
	E eu te mato, pr'acabar o medo.
	O Rei Henrique e o filho já se foram;
	É a vez de Clarence e, depois, o resto.
	Ou subo ao topo ou eu, pra mim, não presto,
90	Atiro o corpo em um quarto afastado,
	E Henrique fica alegre com seu fado.

(Sai, com o corpo.)[81]

CENA 7
Londres. O palácio.

(Fanfarra. Entram o Rei Eduardo, a Rainha Elizabeth, George, Ricardo, Hastings, uma Ama com o Príncipe Infante e séquito.)

Rei Eduardo

	Sentamos novamente em real trono,
	Recomprado com o sangue do inimigo.
	Que bravos inimigos, nós ceifamos
	Como trigo no outono, em seu orgulho!
5	Três duques Somerset, de fama tripla
	De campeões fiéis e resistentes;
	Dois Cliffords, tanto o pai quanto o herdeiro;
	E dois Northumberlands – homens mais bravos
	Jamais ao som de trompas cavalgaram;
10	E mais os ursos[82] Warwick e Montague,
	Que tinham na corrente o leão rei,
	E abalavam florestas quando urravam.
	Foi-se o que ameaçava o nosso trono,
	E nossos pés têm seguro repouso.
15	Venha cá, Bess, pr'eu beijar o menino.
	Por si, meu Ned, teus tios e eu mesmo

---
81 Em várias peças se repete a cena de um personagem sair levando o corpo de outro, que morreu em cena. Como não havia cortina e nem possibilidade de blackout, essa era e melhor solução para mortes em cena (que de modo geral são evitadas). (N. E.)
82 A referência é ao brasão da família, onde aparecia um urso. (N. E.)

　　　　　Sofremos frio inverno de armadura,
　　　　　A pé lutamos ao sol escaldante.
　　　　　Pra que tu possas ter teu trono em paz;
20　　　　Será tua a colheita desses grãos.

　　RICARDO
　　　　　　(À parte.)
　　　　　Eu acabo co'a colheita plantada;
　　　　　Pois se ninguém me olha ainda no mundo,
　　　　　Meu ombro grosso é destinado a cargas;
　　　　　E ou carrego o mundo, ou quebro as costas.
25　　　　Ele abre o caminho e eu executo.

　　REI EDUARDO
　　　　　Clarence e Gloucester, amem a rainha;
　　　　　Meus irmãos, beijem o sobrinho príncipe.

　　GEORGE
　　　　　O meu dever pra com sua majestade
　　　　　Eu selo com meu beijo neste infante.

　　RAINHA
30　　　　Graças a Clarence; grata aos dois irmãos.

　　RICARDO
　　　　　O amor à da qual floriu
　　　　　Fica provado pelo beijo ao fruto.
　　　　　(À parte.) É mais como o que Judas deu ao mestre,
　　　　　Fingindo não querer-lhe qualquer mal.

　　REI EDUARDO
35　　　　É deleitoso o trono em que me sento,
　　　　　Com a paz do povo e o amor dos irmãos.

　　GEORGE
　　　　　O que planeja Sua Graça para Margaret?
　　　　　Reignier, seu pai, vendeu ao rei da França
　　　　　As Sicílias, e até Jerusalém,
40　　　　Pois de lá nós pedimos o resgate.

　　REI EDUARDO
　　　　　Pois peguem e despachem-na pra França.
　　　　　O que nos resta, senão só gastar
　　　　　O tempo com triunfos e espetáculos,

Que calhem bem co'os prazeres da corte?
45 Que soem trompas! Adeus, agonias!
Aqui começam as nossas alegrias!

(Saem.)

Henrique VIII

Introdução
Barbara Heliodora

Henrique VIII foi sempre tida como sendo a última peça de William Shakespeare, sendo o texto (de boa qualidade editorial) incluído no Primeiro Folio de 1623. Tudo indica que a peça tenha sido escrita no início de 1613, porque foi durante a estreia desse texto, no dia 29 de junho de 1613, que o Teatro Globe foi totalmente destruído por um incêndio. Essa data coloca a composição depois da "aposentadoria" oficial do poeta, em 1612, como principal dramaturgo da companhia, que ficou famosa com o nome de "Os Homens do Lord Camerlengo", mas que, desde a morte de Elizabeth I e a ascensão de James I, passou a ter o título de "Os Homens do Rei".

Já havia algum tempo que John Fletcher vinha escrevendo peças para a companhia, e a colaboração deste com Shakespeare em *Henrique VIII* é tão universalmente aceita como no caso das duas outras obras de colaboração hoje em dia aceitas como parcialmente deste último. Os debates sobre o que é de autoria de um ou de outro têm sido acalorados, mas de modo geral todos acabam aceitando quase que exatamente o que coloca James Spedding, em 1850, o primeiro a sugerir a dupla autoria. A certa altura foi sugerido que Shakespeare tivesse esboçado a estrutura geral, mas não só Shakespeare, a essa altura, vivia em Stratford, e Fletcher em Londres, como também a estrutura (ou a falta dela) na peça difere de tudo o que Shakespeare fez antes, em sua carreira: em lugar de uma série de acontecimentos que se afunilam em direção a um objetivo crítico – no caso das peças históricas sempre o bom governo na Inglaterra – *Henrique VIII* apresenta uma série de quedas de poderosos: principalmente as do duque de Buckingham, do cardeal Wolsey, e da rainha Catarina, mais ou menos alinhavadas em torno da figura do Rei Henrique VIII.

Na verdade, em nenhuma outra peça de Shakespeare encontramos retratação tão ambígua de um rei: por um lado era preciso mostrá-lo como indeciso quanto a seu casamento com Catarina de Aragão: só tendo dúvidas, mas continuando católico, era possível fazê-lo aceitar e apoiar Wolsey por tanto tempo, mas sem um viés protestante não era possível validar seu casamento com Ana Bolena, e o resultado é uma figura mais caprichosa do que forte.

A figura que resulta mais digna, na peça inteira é justamente a primeira mulher do rei, a espanhola tia do imperador Carlos I que, reza a tradição, ofendera de algum modo Wolsey, fazendo com isso que o cardeal iniciasse toda a história das dúvidas sobre o casamento do rei com a viúva de seu irmão Arthur (que morreu ainda príncipe de Gales). A intenção de Wolsey era levar Henrique a casar-se com a duquesa de Alençon, irmã do rei da França, estabelecendo assim uma frente unida contra o imperador.

Todos esses aspectos levam à convicção de que *Henrique VIII* seja uma obra de colaboração, e a divisão de autoria mais consagrada é a seguinte:

Fletcher	Shakespeare
Prólogo	Ato 1, cenas 1 e 2
Ato 1, cenas 3 e 4	Ato 2, cenas 3 e 4

Ato 2, cenas 1 e 2	Ato 3, cena 2
Ato 3, cena 1	1-203
cena 2, 204-459	Ato 5, cena 1
Ato 4, cenas 1 e 2	
Ato 5, cenas 1, 2, 3 e 4	
Epílogo	

Como não há qualquer tipo de comprovação externa da parceria de Fletcher, essa divisão foi alcançada por meio de toda uma série de evidências internas, tais como expressões características usadas em outras obras do autor mais jovem, hábitos de uso de formas de contração, incidência de finais fracos nos versos, bem como de variantes de grafia em palavras usadas por ambos, ou o fato de Fletcher parecer mais preocupado em usar finais enfáticos em determinadas situações. Apesar de nenhum dos aspectos tratados ser suficientemente forte em si para determinar a presença de Fletcher, o conjunto tem peso considerável, principalmente quando comparado com casos semelhantes na composição de "Dois Parentes Nobres", hoje já quase que universalmente aceita como sendo dos dois autores, e que desde sua publicação leva os nomes dos dois.

Um dos aspectos que para mim mais diferenciam Fletcher de Shakespeare é o do elogio aberto à realeza. De todos os elisabetanos, é bem possível que Shakespeare seja o mais comedido e discreto nessa área: as referências a Elizabeth, em *Sonho de uma noite de verão*, indiretas e poéticas, são bem diversas dos escancarados louvores de Fletcher na fala de Cranmer por ocasião do batizado da nova filha de Henrique VIII, que encontram meios de atribuir dotes extraordinários não só a ela como também a seu herdeiro, James I, em cujo reinado estava escrevendo.

Da mesma maneira distanciando os dois estão os diálogos entre personagens secundários, sem maior importância: sempre que estes se dão, em Shakespeare, sente-se presente a preocupação com a vida do país, com o bem-estar da comunidade; porém quando o autor é Fletcher, o clima é quase que exclusivamente de boatos ou intrigas pessoais.

O aspecto mais ingrato da separação do texto entre os autores é o serem os dois maiores momentos de Wolsey, o da despedida à grandeza perdida e o dos conselhos a Cromwell, atribuídos a Fletcher, os mais shakespearianos da obra. Os debates, por mais esmiuçados que sejam, sempre continuarão a encontrar defensores da autoria única, apesar de podermos lembrar, mais, que os sentidos duplos do Prólogo e do Epílogo são mais óbvios e grosseiros do que as muitas instâncias em que o mesmo recurso é usado na maioria das obras de Shakespeare.

Talvez possamos concluir, com esse trabalho de colaboração, que não foi assim tão fácil para William Shakespeare aposentar-se da profissão à qual tão apaixonadamente se dedicara por quase vinte e cinco anos.

Lista de Personagens

Rei Henrique VIII
Cardeal Wolsey
Cardeal Campeius
Cranmer, arcebispo de Canterbury
Gardiner, bispo de Winchester
Bispo de Lincoln
Duque de Buckingham
Duque de Norfolk
Duque de Suffolk
Conde de Surrey
Lord Abergavenny
Lord Sands (Sir Walter Sands)[1]
Lord Conselheiro
Lord Camerlengo
Sir Henry Guilford
Sir Thomas Lovell
Sir Nicholas Vaux
Sir Anthony Denny
Brandon[2]
Cromwell, empregado de Wolsey
Dr. Butts, médico do Rei
Griffith, cavalheiro do cerimonial da Rainha Katherine
Capuchius, embaixador do Imperador Carlos V
Garter King-At-Arms[3]
Cavalheiros
Sargent-At-Arms
Porteiro
Criado
Porteiro da Câmara do Conselho
Secretário de Wolsey
Pajem de Gardiner
Um pregoeiro, um mensageiro e um empregado
Rainha Katherine, mulher do Rei Henrique, depois divorciada
Ana Bolena, dama de honra, depois rainha
Velha Senhora, amiga de Ana Bolena
Patience, aia da Rainha Katherine

---

[1] Com a compactação do tempo e das ações, Shakespeare usa o título de *Lord* antes de chamá-lo de *Sir*, porque inverteu a ordem de alguns acontecimentos. (N. T.)
[2] Brandon é, provavelmente, o Duque de Suffolk, cujo nome de família era Brandon. (N. E.)
[3] Como o nome seguinte, do quadro de servidores da Ordem da Jarreteira. (N. T.)

Lordes, ladies, bispos, juízes, cavalheiros e padres; o lord prefeito de Londres e vereadores; sacristães, escribas, guardas, empregados e povo; mulheres a serviço da rainha Katherine; espíritos.

A cena: Londres e Kimbolton.

O PRÓLOGO

   Não venho pra fazer rir; tudo agora
   Está pesado e franzido por fora,
   Triste, importante, ferindo o estado;
   Quadro nobre, de pranto molhado.
5 É o visto. Quem pode sentir piedade
   Derrame lágrimas, se tem vontade,
   Pois o assunto merece. E os que deram
   Seu dinheiro, esperando acreditar,
   Podem ver aqui verdade. E os que vieram
10 Só pro espetáculo, e licença deram
   Pra quietos verem a peça passar,
   Garanto que há de lhes render,
   E muito, em duas horas. Só, apenas,
   Os que vieram por cenas obscenas,
15 Escudos a bater, ou ver um camarada
   Roupa rota de amarelo enfeitada,
   Se desapontará. Plateia amiga,
   Mesclar verdade com o tipo de intriga
   De bobos e brigas, mais que ofender
20 Além do cérebro, o nosso querer
   De só mostrar que é real e vivo,
   Sem afastar o amigo compreensivo.
   E se são famosos, por caridade,
   Como os mais lúcidos desta cidade,
25 Fiquem triste como queremos. Vejam
   As pessoas da nossa nobre história
   Como eram vivas, pensem vê-las grandes
   E as seguem grande turba suarenta,
   De amigos. E vejam, com atenção séria,
30 O poder passar logo pra miséria:
   Quem rir aqui, eu digo, num lamento,
   Chora no dia de seu casamento.

ATO 1

CENA 1
Londres, uma sala na corte.

(Entra por uma porta o Duque de Norfolk. Pela outra o Duque de Buckinghan e o Lord Abergavenny.)

BUCKINGHAM
Bom dia, que prazer. E como passa
Des'que o vimos na França?

NORFOLK
Obrigado,
Bem de saúde e sempre admirador
Do que lá pude ver.

BUCKINGHAM
Forte sezão
5 Deixou-me no meu quarto, enquanto
Os sóis da glória, essas luzes dos homens
Se viram em Andren.[4]

NORFOLK
E entre Guynes e
Arde; lá estive, vi-os se saudarem
E, apeados, como demoraram
10 Quando, abraçados, os dois se juntaram
Assim, que outros quatros haviam
O peso que formavam.

BUCKINGHAM
E, o tempo todo,
Eu prisioneiro no quarto.

NORFOLK
E perdendo
Essa visão de glória: dizem todos
15 Que a pompa, antes solteira, está casada
Com outra maior que ela. E cada dia

---

4 O vale de Andren estava na mão dos ingleses e Arde, na dos franceses. Para consolidar a aliança com Francisco I da França, Henrique VIII se encontrou com ele em 1520 no famoso Campo das Tendas de Ouro (Field of the Cloth of Gold) no vale de Andren. O encontro, onde esteve presente grande parte da aristocracia inglesa, foi preparado pelo cardeal Wolsey e visava deixar claro para Carlos I, da Espanha, que França e Inglaterra estavam unidas contra a Espanha. (N. E.)

>   É mestre do seguinte, até que o último
>   Reuniu maravilhas. Os franceses,
>   Hoje dourados quais deuses pagãos,
> 20   Brilham mais que os ingleses; e amanhã
>   Estes fazem da Inglaterra a Índia:
>   Nos homens se viam minas. Os pajens,
>   Querubins dourados; e as damas todas,
>   Que nunca trabalharam, perspiravam
> 25   Com o orgulho que arcavam; seu labor
>   As mostrava quais quadros. A mascarada
>   Era sem par; mas a noite seguinte
>   A fazia mendiga. Iguais em brilho
>   Os reis eram por vez o melhor
> 30   Ou o pior, segundo se mostravam.
>   Louvava-se o presente; mas se os dois
>   'Stavam presentes diziam ser um só,
>   Sem língua pra escolher ou criticar.
>   E esses dois sois, por arautos chamados
> 35   Pra um desafio, em armas se mostravam
>   Além do imaginável, fazia,
>   Por torná-la possível, que se cresse
>   Na história de Bevis.[5]

BUCKINGHAM
>   Exagera!

NORFOLK
>   Pela minha nobreza e meu hábito
> 40   De honrar a honestidade, a festa toda
>   Por língua de orador perderá vida,
>   Por mais que diga. Tudo era real;
>   Nada quebrava tal disposição;
>   A ordem mostrava tudo; e o que o fez
> 45   Preencheu bem a função.

BUCKINGHAM
>   Quem guiou,
>   Ou seja, quem fixou o corpo e os membros
>   De toda essa função, não se sabe?

NORFOLK
>   Alguém que nos promete os elementos
>   Em tal evento.

---

[5] Sir Bevis era um grande herói de histórias medievais, cantado em prosa e verso, como na tradição popular; aparece no romance anônimo *Sir Bevis of Hamtoun*. (N. E.)

BUCKINGHAM
                    Mas quem é, milord?

NORFOLK
50   Tudo ordenado, com critério, a mando
            Do reverando cardeal de York.

BUCKINGHAM
            O diabo o leve: pois ninguém ou nada
            Lhe escapa a ambição. O que tem ele
            A ver com tais vaidades? Me espanta
55   Que essa bola de banha, em seu volume
            Não corte os raios do saudável sol
            E os esconda da terra.

NORFOLK
                              Senhor, deve
            Ter nele estofo pra atingir tais fins;
            Pois sem base em ancestrais que possam
60   Abrir caminho a sucessores, nem
            Com serviços prestados à coroa,
            Sem grandes aliados, como a aranha
            Cria sua própria teia e, ai, exibe
            A força de seu mérito que o promove,
65   Uma dádiva dos céus que a ele compra
            Lugar junto do rei.

ABERGAVENNY
                        Não sei dizer
            O que lhe deu o céu. Melhor visão
            Que o penetre; mas vejo seu orgulho
            Espreitar nele todo: de onde veio?
70   Se não do inferno, o demo é sovina,
            Ou já dera tudo antes, e ele cria
            Um inferno só dele.

BUCKINGHAM
                              Por que diabos,
            Na viagem francesa, tomou a si
            (Sem informar o rei) determinar
75   Quem deveria servi-lo? Fez a lista
            De toda a fidalguia, e a maioria
            Que teve mais encargos, recebeu
            Dele menos honras; com sua letra,
            Deixa fora o honrado conselho,
80   Os faz de mensageiros.

ABERGAVENNY

                        Já ouvi
Que ao menos três parentes meus
Tiveram seus acervos tão podados,
Que ao que foram jamais voltam.[6]

BUCKINGHAM

                              E muitos
Estão quebrados, co'as casas que jogaram
Nessa jornada. O que fez tal vaidade
Senão administrar a difusão
De assunto inútil.

NORFOLK

                      Com tristeza eu penso
Que a nossa paz co'a França não nos vale
O preço que custou a festa.

BUCKINGHAM

                          Todo mundo,
Após o vendaval que se seguir,
O pensou inspirado e dentro em pouco
Já era profecia; e a tempestade,
Rasgando as roupas da paz, previa
Breve quebra da mesma.

NORFOLK

                            E se deu logo,
Pois a França forçou a liga, e reteve
Em Bordeaux nossos bens comerciais.

ABERGAVENNY

Por isso calou-se o embaixador?

NORFOLK

                                   Sim.

ABERGAVENNY

Isso é que é trato de paz, e adquirido
A preço exagerado.

BUCKINGHAM

                     Toda essa história
Armou o cardeal.

---

6 Os pares do reino receberam cartas demandando grandes somas para financiar a viagem do rei, o que muito os desagradou, especialmente a Buckingham. (N. E.)

NORFOLK
                    Com a sua licença,
O Estado nota essa luta privada
Entre Sua Graça e o cardeal. E o aconselho
– E isso de alguém que lhe quer o melhor
Em honra e segurança) que avalie
105 A malícia e o poder do Cardeal
Em seu conjunto; e pense mais, ainda,
Que ao efeito desse ódio não falta
A ministro no poder. Sabe que ele
É vingativo, e eu sua espada
110 É afiada: é longa e, diz-se mais,
Alcança longe; e onde ela não vai
Ele a atira. Aceite o meu conselho,
Que é saudável. E se encontra tal pedra,
Melhor evitá-la.

(Entra o CARDEAL WOLSEY, com sua bolsa carregada à sua frente, alguns de sua guarda, e dois secretários, com papéis; o cardeal, ao passar, fixa o olhar em BUCKINGHAM, e BUCKINGHAM nele, ambos com grande desdém.)

WOLSEY
115 O administrador do duque Buckingham?
Onde está o relatório?

1º SECRETÁRIO
                    Aqui, senhor.

WOLSEY
Está pronto e presente?

1º SECRETÁRIO
                    Ao seu dispor.

WOLSEY
Nós saberemos mais, então; e Buckingham
Vai abrandar o seu olhar.

(Saem o CARDEAL e seu SÉQUITO.)

BUCKINGHAM
120 Esse cão açougueiro é venenoso,
E não tenho poder pra amordaçá-lo;

>   Melhor não acordá-lo. Livro de um pobre
>   Vale mais que sangue nobre.⁷

NORFOLK

>   Irritou-se?
>   Peça a Deus paciência, que é o remédio
> 125   Que sua doença pede.

BUCKINGHAM

>   Leio em seus olhos
>   Matéria contra mim, em seu olhar
>   Vi ofensa e desprezo; neste instante
>   Conspira contra mim; foi ver o rei:
>   Vou também, com duro olhar.

NORFOLK

>   Milord, fique
> 130   Faça a razão questionar sua cólera
>   Sobre o que faz: subir altas montanhas
>   Requer um passo lento. A ira assemelha
>   Cavalo que galopa sem controle,
>   Que para exausto; não há outro inglês
> 135   Que me aconselhe melhor que o senhor;
>   Trate a si mesmo como a um amigo.

BUCKINGHAM

>   Irei ao rei. E minha boca honrada
>   Cala a insolência desse vil de Ipswich⁸
>   Ou mostra que não há mais hierarquia.

NORFOLK

> 140   Não atice o seu fogo contra ele
>   A ponto de queimar-se. Com a corrida,
>   A pressa de vencer o concorrente
>   Pode perder com a vitória: não sabia
>   Que o fogo que atiça o licor para esquentá-lo
> 145   Parece que o aumenta, mas o gasta?
>   Digo que na Inglaterra não há alma
>   Melhor para o guiar que o senhor mesmo,
>   Quando com a seiva da razão apaga
>   Ou atenua o fogo da paixão.

---

7 A ideia era que um filho de açougueiro pobre, como o cardeal Wolsey, porém educado em livros, pudesse se alçar acima da nobreza. (N. E.)

8 Ipswich não era dos bairros nobres de Londres, e o duque se refere, de novo, às modestas origens de Wolsey. (N. E.)

BUCKINGHAM

150 Senhor, eu lhe sou grato, e vou seguir
Sua receita: mas esse presunçoso
(Que não nomeio por raiva mas por
Motivos sérios) por inteligência
E provas claras quais fontes em julho,
155 Das quais se vê a areia no fundo,
Sei corrupto e traidor.

NOLFOLK

Traidor não diga.

BUCKINGHAM

Direi ao rei, e com juras tão fortes
Quanto rochas: essa santa raposa,
Ou lobo, ou ambos (pois é tão faminto
160 Quanto sutil, tão dado à malícia
Quanto capaz dela) com mente e posto
Infectando um ao outro; sim, recícopros,
Só pra mostrar sua pompa tanto em França
Quanto em casa, sugere ao rei meu amo
165 Esse novo tratado; a entrevista
Que tão caro custou e, como vidro,
Quebrou no enxaguar.[9]

NORFOLK

Palavra, é verdade.

BUCKINGHAM

Pode crer; o ardiloso cardeal
170 Delineou os artigos do trato
Como quis; e foram ratificados
Quando disse "Assim seja", com o proveito
De muleta pra morto. Mas, se o padre
Cortesão o fez, 'stá bem; pois Wolsey
175 (Que não pode errar) o fez. A seguir
(O que parece um tipo de filhote
Da cadela traição), o grande Carlos,[10]
Fingindo querer ver a sobrinha rainha
(Era essa a desculpa, porém veio
180 Segredar com Wolsey) visitou-nos;
Ele temia que o acordo feito
Entre Inglaterra e França, com amizade,

---

9 O termo original é esse, que tem várias interpretações: torcido, forçado, falseado, etc. (N. T.)
10 A visita de Carlos V se deu, segundo Holinshed, em outra ocasião. (N. T.)

    Criasse preconceitos, pois, do acordo,
    Previa para si ameaça e males:
185 Em segredo tratou com o cardeal,
    Eu penso (e estou certo que o imperador
    Pagou sem prometer, e recebeu
    Sem preitear) que, com o caminho feito,
    E todo em ouro, o imperador pediu
190 Que ele alterasse o caminho do rei,
    Quebrando a dita paz. Se o rei soube
    (E o será por mim) que assim o cardeal
    Compra e vende sua honra com quer,
    Pra sua própria vantagem.

NORFOLK
                    Eu lamento
195 Ouvir isso dele, e gostaria fosse
    Algum engano.

BUCKINGHAM
                Nem uma só sílaba:
    Eu o retratarei na exata forma
    Que ele terá nas provas.

(Entra BRANDON, um SARGENTO de armas à sua frente, e dois ou três da Guarda.)

BRANDON
    Cumpra sua ordem, sargento.

SARGENTO
                        Senhor
200 Milord duque de Buckingham, e conde
    De Hereford, Stafford e Northampton, eu
    O prendo por alta traição, em nome
    De nosso soberano rei.

BUCKINGHAM
                Milord,
    A rede me apanhou; e eu morrerei
205 Sob calúnia e conluio.

BRANDON
                    Sinto muito
    Ver-lhe tomada a liberdade, e ser
    Testemunha do fato. Sua Alteza
    Quer que vá para a Torre.

BUCKINGHAM

                    Não me adianta
Dizer-me inocente; pois 'stou manchado
Co'a tinta que faz preto o branco. Seja
Feita a vontade do céu. Obedeço.
Milord Abergavanny, passe bem.

BRANDON
Não; ele lhe faz companhia.

      (Para ABERGAVANNY.)

                    O rei
Deseja que vá pra Torre, até saber
O que se determina.

ABERGAVANNY

                    E que eu veja
Ser feita a vontade do céu. Por mim
Será obedecido o rei.

BRANDON

                    A ordem
Real inclui Lord Montacute, e os corpos
Do confessor do duque, John de la Car,
Um tal Gilbert Pert, seu conselheiro...

BUCKINGHAM
Sim, são ramos da trama; e só, espero.

BRANDON
Um monge cartucho

BUCKINGHAM
                    Nicholas Hopkins.

BRANDON
                                        É.

BUCKINGHAM
O meu feitor é falso; e o cardeal
Mostrou-lhe ouro; tem data a minha morte;
Sou a sombra do pobre Buckingham,
Cuja figura agora as nuvens cobrem
Escurecendo o sol. Milord, adeus,

                                  (Saem.)

CENA 2
Londres. Uma sala de conselho.

(Fanfarra. Entra o Rei Henrique, apoiado no ombro Cardeal, os nobres, e Sir Thomas Lovell: o Cardeal se acomoda aos pés do Rei, à sua direita. Um Secretário do cardeal está à sua disposição.)

Rei Henrique
    A minha vida, sua própria essência,
    Agradecem seu cuidado: 'stive à beira
    De grande conspiração, e agradeço
    A ter sufocado. Que venha aqui
5   O homem de Buckingham. Em pessoa
    Quero ouvir confirmada a confissão,
    E cada ponto da traição do amo
    Narrar de novo.

    (Ouve-se fora pedido de passagem para a rainha, que é escoltada pelo Duque de Nolfolk. Entram a Rainha, Norfolk e Suffolk; ela se ajoelha. O Rei se levanta do trono, levanta-a, beija-a, e a faz sentar-se ao lado dele.)

Katherine
    Não, devo ajoelhar-me; sou pedinte.

Rei Henrique
10   Fique a nosso lado; meio pedido
    Não se diz; pois tem meio poder meu.
    A outra metade já lhe é concedida;
    Repita e tome o pedido.

Katherine
                  Obrigada.
    Que ame a si mesmo, e nesse amor
15   Não ignore a sua honra e nem
    A dignidade de seu posto, é a essência
    De meu pedido.

Rei Henrique
                Continue, senhora.

Katherine
    Têm vindo queixar-se a mim, e não poucos,
    Bons e honestos, por ter chegado a eles
20   Cobranças que atingem o coração
    De suas lealdades; com as quais,

                    Embora, cardeal, com muito amargas
                    Queixas contra o senhor, nem o rei,
                    Nosso amo, que o céu protege de máculas – nem ele escapa
25   De linguajar grosseiro, que até ferem
                    Os flancos da lealdade, e parecem
                    Gritos de revolta.

        NORFOLK
                                    Não só parecem,
                    Se apresentam; pois com esses impostos,
                    Os tecelões não conseguem manter
30   Os que deles dependem, despedindo
                    Os que fiam, cardam, tingem, tecem,
                    Que sem outro ofício, e por fome,
                    E desespero, sem outros recursos,
                    Ousam tudo e ora, num levante
35   Espalham perigo a todos.

        REI HENRIQUE
                                    Que impostos?
                    Sobre o quê? Que taxas? Lord Cardeal,
                    Se o dizem culpado, como nós, por isso,
                    Sabe de alguma taxa?

        WOLSEY
                                    Se permite,
                    Conheço pequena parte de tudo
40   Que vai no Estado, e sou só o primeiro
                    A saber atos de outros.

        KATHERINE
                                    Não, meu senhor,
                    Não sabe mais que os outros, porém trama
                    Coisas bem conhecidas, não saudáveis
                    Para os que as não sabem, mas por força
45   Têm de conhecê-las. Tais extorsões
                    (Que o rei deveria notar) são todas
                    Horríveis de se ouvir; porém arcar
                    Com o peso quebra as costas. Todos dizem
                    Que o senhor as concebe; e, se não,
50   O acusam demais.

        REI HENRIQUE
                                    Sempre a extorsão:
                    Qual a natureza, como é imposta
                    Essa extorsão.

KATHERINE

                Sei que sou muito ousada
Pra com sua paciência, mas arrisco,
Ante o perdão que deu. A dor dos súditos
55   Vem de ordens, que arranca de um e todos
Um sexto de seu acervo, a ser entregue
Sem demora; e dá desculpa para isso
Sua guerra em França; bocas, então, ousam,
Línguas cospem seus deveres, e gelam
60   Nos peitos lealdade; só blasfêmias
Se ouve em lugar de preces; e agora
A obediência dócil hoje é escrava
Do calor da vontade. A Sua Alteza
Imploro que se volte para isso;
65   Nada é mais urgente.

REI HENRIQUE

                Por minha vida,
Isso é contra o nosso prazer.

WOLSEY

                        E pra mim,
Não tenho nisso mais que uma só voz,
E nada me é passado sem a sábia
Aprovação dos juízes; se me traem
70   Línguas ignorantes que não conhecem
Meus dotes ou pessoa, mesmo assim
O porvir dirá feito meu, e eu digo
Que é o fado do posto, ou o tropeço
Que a virtude supera; não podemos
75   Nos omitir em ações necessárias
Por medo de acusações malignas
Que, peixes famintos, seguem naus
Bem equipadas, porém sempre acabam
Buscando em vão. Nossos feitos maiores,
80   Mal interpretados (por quem foi fraco)
Ou não são nossos ou são proibidos;
E os que merecem menos são cantados
Como os melhores. E ficando imóveis,
Com medo da ação ser condenada,
85   Nós criamos raízes aqui mesmo;
E viramos estátuas.

REI HENRIQUE

                O bem feito
E com cuidado é isento do medo;

           Porém as coisas feitas sem exemplo
           Provocam medo. Há algum precedente
90   Pra nova ordem? Não creio que haja.
           Não se remove os súditos da lei,
           É impor vontade. Um sexto do acervo?
           É soma assustadora; Se tiramos
           Da árvore rama, casca e madeira,
95   Mesmo que assim, depois, fique a raiz,
           O ar seca a seiva. A todo condado
           Onde há questão, envie-se uma carta,
           Com perdão para todos que negaram
           Obediência ao mandado; faça logo,
100   Fica tudo a seu cargo.

       WOLSEY
                   (Para o SECRETÁRIO.)
                                  Uma palavra.
           Que a carta vá pra todos os condados,
           Com o perdão do rei. O povo pobre
           Não me ama: que seja proclamado
           Que tal revogação e tal perdão
105   Venham por empenho nosso; logo, logo
           Darei mais instruções.

                                              (Sai o SECRETÁRIO.)
                   (Entra o ADMINISTRADOR.)

       KATHERINE
           Lamento muito que o duque de Buckingham
           Não 'steja em suas graças.

       REI HENRIQUE
                                 Dói a muitos:
           O cavalheiro é sábio, tem linda a palavra,
110   Não há quem deva mais à natureza;
           Foi instruído só por grandes mestres,
           Só de si mesmo sempre teve ajuda:
           Porém se dotes nobres se revelam
           Fora de ordem, corrompe-se a mente,
115   Com vícios dez vezes mais feios
           Que a beleza de antes. Pois tal homem,
           Contado entre as maravilhas (e nós,
           Ouvindo embevecidos, não sentíamos
           Em sua hora um minuto), vestiu,
120   Senhora, em hedionda veste as graças
           Outrora suas, e tornou-se tão preto

        Como se no inferno. Ouvirá aqui
        (Este era o seu homem de confiança)
        Sobre ele coisas que ferem a honra.
125   Peça-lhe que torne a narrar as práticas
        Que muito afetam, mesmo pouco ouvidas.

WOLSEY
        Venha, e com espírito ousado relate
        O que, qual súdito bom conseguiu
        Do duque de Buckingham.

REI HENRIQUE
                    Sem ressalvas.

ADMINISTRADOR
130   Primeiro, como sempre, todo dia
        Infecta o seu falar, diz que se o rei
        Morre sem filhos, irá agir de modo
        Que o cetro seja seu. Essas palavras
        Eu o ouvi pronunciar ao genro,
135   Lord Aberga'nny, e prometeu, com juras
        Vingança ao Cardeal.

WOLSEY
                    Repare, Alteza,
        Que perigo o conceito desse ponto,
        Sem amizade à sua alta pessoa,
        Sua vontade é maligna e se estende,
140   Aos seus amigos.

KATHERINE
                Sábio cardeal,
        Fale com caridade.

REI HENRIQUE
                  Continue;
        Que base tem seu título à coroa,
        Se nós falhamos? Ouviu, algum dia,
        Ele falar no assunto?

ADMINISTRADOR
                  Ele é guiado
145   Por profecias vãs de Nich'las Henton.

REI HENRIQUE
        Quem é Henton?

ADMINISTRADOR
                    Senhor, frade cartuxo,
Seu confessor, que sempre o alimenta
Com ideias de reinado.

Rei Henrique
                        E como o sabe?

ADMINISTRADOR
Logo antes de Sua Alteza ir pra França,
150   Estando o duque em Rose,[11] que é na paróquia
De São Lourenço Poultney, perguntou-me
O que era comentado, entre os londrinos,
Sobre a viagem à França. Respondi
Que temiam a perfídia da França,
155   Pra perigo do rei; e, logo, o duque
Disse que era real o medo, e que temia
Que fossem verdadeiras as palavras
Ditas por santo monge, que mandara
Varias vezes pedir pra marcar hora
160   John de la Car, meu capelão, pr'ouvi-lo;
E que, após a confissão, solenemente
Jurou que, o que afirmava, o capelão
Não podia contar a ninguém vivo,
E só a mim contar, em confiança,
165   O que segue: "nem o rei nem seu sangue
(Diga ao duque) vai prosperar; e diga-lhe
Que lute para ter o amor do povo,
Pois o duque reinará na Inglaterra."

KATHERINE
Se o bem conheço, era o gerente do duque,
170   Demitido a pedido dos colonos.
Cuidado: lança bile contra um nobre
E perde sua nobre alma alma; cuidado;
De coração lhe rogo.

Rei Henrique
                    Não o impeça:
Continue.

ADMINISTRADOR
                Por minh'alma, é verdade.

---

[11] Famoso Grammar School, fundado em 1561, instalado em um solar que, em certo momento, pertenceu ao duque de Buckingham. (N. E.)

175   Eu disse ao duque que ilusões satânicas
Podiam enganar o monge, e era
Perigoso ruminá-las, pois forjam
Desígnios que, se são acreditados,
São iguais a elas; respondeu "Bobagem,
180   A mim não fazem mal;" e que se o rei
Findasse em sua última doença,
O cardeal e mais Sir Thomas Lovell
Perdiam as cabeças.

REI HENRIQUE
                Tão grosseiro?
Há malícia no homem. Inda há mais?

ADMINISTRADOR
185   Sim, senhor.

REI HENRIQUE
            Continue.

ADMINISTRADOR
        'Stando em Greenwich,
Após ter Sua Alteza reprovado o duque
Sobre Sir William Bulmer...

REI HENRIQUE
        Lembro-me bem; um meu servo jurado
190   Que o duque guardou para si; e daí?

ADMINISTRADOR
        "Se" (disse) "eu houvesse sido preso
Na Torre, como pensava, eu faria
O papel que meu pai sonhou fazer
Com o usurpador Ricardo, a quem em Salisbury
195   Pediu audiência que, se concedida,
Ao parecer saudar, com submissão,
Iria apunhalá-lo."

REI HENRIQUE
              Que traidor!
WOLSEY
        Senhora, pode o rei estar seguro
O duque estando livre?

KATHERINE
              Queira Deus.

REI HENRIQUE

Há mais a ser revelado. O que diz?

ADMINISTRADOR

Depois de "duque seu pai" e de "faca"
Ele esticou-se, uma mão na adaga,
A outra no peito e, olhando pro alto,
Proferiu praga horrível, proclamando
Que, sendo maltratado, superava
O pai tanto quanto a execução
Supera a hesitação.

REI HENRIQUE

E atinge o alvo
De nos apunhalar; ele está preso,
Chame-o pro julgamento; se encontrar
Piedade na lei, que a tenha; se não,
Que não a busque em nós. De dia ou noite
Ele é grande traidor!

(Saem.)

CENA 3
Uma sala na corte.

(Entram o LORD CAMERLENGO e LORD SANDS.)

CAMERLENGO

É possível que os encantos da França
Mudem assim os homens?

SANDS

Novidades,
Embora sejam de extremo ridículo,
(E até efeminadas) são seguidas.

CAMERLENGO

O único proveito que os ingleses
Trouxeram da viagem foram tiques
De rosto – e são espertos para usá-los;
Pois quando os assumem, todos juram
Que seus narizes foram conselheiros
De Pepino e Clotário, tal a pose.[12]

---
12 Pepino e Clotário foram reis dos francos. (N. E.)

SANDS

    'Stão todos com pernas novas e mancas,
    Não domadas, que não sabem o passo,
    E têm a espinha torta.

CAMERLENGO

                    É o fim das coisas;
    Usam roupas de talho tão pagão
15   Que parecem ter gasto a cristandade.
    Que há de novo, Sir Thomas Lovell?

(Entra SIR THOMAS LOVELL.)

LOVELL

                          Nada,
    A não ser a nova proclamação
    Junto ao portão da corte.

CAMERLENGO

                    E do que trata?

LOVELL

    Reforma pros galantes viajores
20   Que falam de brigas e de alfaiates.

CAMERLENGO

    Me alegra; e peço nossos *monsiers* creiam
    Poder ser sábios cortesãos ingleses
    Que não viram o Louvre.

LOVELL

                    Ou têm eles
    (É a condição) de abandonar os restos
25   De tolice e plumas trazidas da França,
    Bem como seus requintes de ignorância
    Como lutas e fogos de artifício,
    Ofendendo os melhores que eles
    Com erudição alheia, renunciando
30   A sua fé em tênis e meias compridas,
    Calças com bolhas,[13] e viagens tolas,
    Tornando a compreender homens honestos,
    Ou evitar velhos amigos; nesse caso,
    Podem *cum privilegio* "oui" embora
35   Seu resto de mal, debaixo de risos.

---

[13] As referências a meias longas e calças com bolhas são tiradas de documentos da época, que muitas vezes ninguém sabe exatamente o que representam. (N. T.)

SANDS
É hora de dar remédio; sua doença
Se alastra.

CAMERLENGO
As damas hão de sentir falta
De loucuras tão fúteis!

LOVELL
Ah, por certo,
Haverá dor; pois os filhos das mães
Com truques rápidos de deitar damas.
Não têm iguais em canções e rabecas.

SANDS
Que o diabo os "rabeque", graças por irem,
Pois agora não podem transformar-se;
Nobres campestres como eu, agora
Há tempos fora do jogo, já podem
Ter seu simples canto ouvido, e até
Acertar a música.

CAMERLENGO
Bem, Lord Sands,
Não caiu seu dente de potro?[14]

SANDS
Não,
Não enquanto eu tiver coice.[15]

CAMERLENGO
Sir Thomas,
Para onde vai?

LOVELL
Vou ver o cardeal,
Onde o senhor também vai.

CAMERLENGO
É verdade;
Oferece esta noite grande ceia
A lords e ladies; lá irá estar
A beleza do reino, eu lhes prometo.

---

14 A expressão era comum na época em relação à potência sexual nos mais velhos. (N. T.)
15 Continuação de jogo de palavras do mesmo gênero. (N. T.)

LOVELL

55 O clérigo tem mente generosa,
Sua mão é fértil como a nossa terra;
Cobre tudo de orvalho.

CAMERLENGO

                          É nobre, é certo;
Disse outra coisa certa boca negra.[16]

SANDS

Pode ser; tem os meios: nele,
60 A poupança é pior que a heresia;
Homens assim têm de ser generosos,
São usados como exemplos.

LOVELL

                  São, porém
Poucos dão tão grandes. É a minha barca;
O senhor vem comigo; bom Sir Thomas,
65 Vamos nos atrasar, o que eu não quero,
Pois 'stou marcado, com Sir Henry Guilford
Pra ser porteiro esta noite.

SANDS

                  Às suas ordens.

(Saem.)

CENA 4
Palácio St. James (Casa York).

(Oboés. Pequena mesa sob dossel para o CARDEAL, *mesa maior para os convidados. Entram* ANA BOLENA *e várias outras damas e cavalheiros, como convidados, por uma porta; por outra porta entra* SIR HENRY GUILFORD.*)*

GUILFORD

Senhoras, bem-vindas; de Sua Graça,
Saudações; esta noite ele dedica
À alegria e a todas: ele espera
Que nenhuma beleza traga aqui
5 Um só cuidado: quer todos contentes,
O quanto amigos, vinhos, boas vindas
Trazem aos bons.

---
[16] Boca negra era o termo para boca maldizente. (N. T.)

*(Entram o L*ORD *C*AMERLENGO*, L*ORD *S*ANDS *e L*OVELL*.)*

                    Milord, 'stá atrasado;
Só pensar neste grupo encantador
Deu-me asas.

CAMERLENGO

                    Porque é jovem, Sir Harry.

SANDS

        Sir Thomas Lovell, se o cardeal
Fosse meio o mundano que sou eu
Algumas achariam comer rápido,
Antes de repousar, mais agradável:
É uma doce reunião de belas.

LOVELL

        Se o senhor fosse agora confessor
De uma ou duas dessas.

SANDS

                    Eu lhes daria,
Penitências suaves.

LOVELL

                    Quão suaves?

SANDS

        Tão suaves quanto um colchão de plumas.

CAMERLENGO

        Doces senhoras, não querem sentar-se?
Sir Harry as senta lá; eu, deste lado:
Sua Graça chega. Mas não, não congelem,
Duas mulheres juntas fica frio;
Milord Sands, mantenha-as acordadas:
Sente-se entre essas damas.

SANDS

                    Com prazer,
E obrigado; com licença, damas,
Se eu disser insanidades, desculpem-me;
Saí a meu pai.

ANA

                    Senhor, era louco?

Sands

Muito louco, demais até, no amor;
Mas não mordia; como eu agora,
Beijava as vinte em um respiro.

Camerlengo

                    Ótimo!
Ora 'stão bem sentadas: cavalheiros,
Mas pagam penitência, se essas damas
Se aborrecerem.

Sands

              Quanto às que me cabem,
Deixem comigo.

(Oboés. Entra o Cardeal Wolsey, que ocupa sua cadeira.)

Wolsey

Bem-vindos, amigos; a nobre dama
Ou cavalheiro que não seja alegre,
Não é meu amigo. Assim eu saúdo
A saúde de todos. *(Bebe.)*

Sands

                Que gentil;
Com taça aonde caiba o que sou grato,
Poupa-me o muito falar.

Wolsey

            Milord Sands,
Eu lhe sou grato: alegre os seus vizinhos:
Senhoras, não 'stão alegres; senhores,
Quem tem a culpa?

Sands

              Quando o vinho tinto
Chegar às suas faces, nós calaremos
Com sua falação.

Ana

          Mas como brinca,
Milord Sands.

Sands

            Sim, quando faço o meu jogo:

      À sua saúde; e o que lhe dedico
      É uma coisa...

ANA
          Que não pode mostrar-me.

      (Tambor e trompa; tiros de canhão.)[17]

SANDS
      Eu lhe disse que já vinham.

WOLSEY
            Quem?

CAMERLENGO
50   Que alguém vá ver quem é.

                 (Sai um CRIADO.)

WOLSEY
            Que voz guerreira,
      E o que é isso? Não se assustem, damas;
      São todas protegidas pela lei.

      (Volta o CRIADO.)

CAMERLENGO
      O que há?

CRIADO
          Um nobre grupo de estranhos,
      Ao que parece. Já desembarcaram[18]
55   E estão vindo para cá, embaixadores
      De grandes príncipes.

WOLSEY
           Lord Camerlengo,
      Fala francês, vá dar-lhes boas vindas;
      Receba-os por favor, e traga-os
      Até aqui; e este céu de beleza
60   Sobre eles brilhará. Que alguns os sirvam.

(Sai o CAMERLENGO com seguidores. Todos se levantam. São retiradas as mesas.)

---

17 Trata-se de um canhão pequeno, especial para ocasiões comemorativas. (N. T.)
18 O rei, com frequência, se deslocava em barca, pelo rio Tâmisa, dentro e fora da cidade. (N. T.)

Será curada a quebra do banquete.
A todos, boa digestão; e mais
Boas-vindas desejo a cada um.

>   *(Oboés. Entram o Rei e outros, mascarados, vestidos como pastores. Introduzidos pelo Lord Camerlengo. Cruzam diretamente até diante do Cardeal, e o saúdam.)*

Que nobre companhia; o que desejam?

Camerlengo

Porque não sabem inglês, me pediram
Que dissesse a Sua Graça: por ouvirem
Falar desta assembleia nobre e bela
Que aqui se reunia, não puderam

>   *(Por respeito que nutrem ao belo)*

Senão deixar seus rebanhos e implorar
Licença para ver as nobres damas,
Um'hora de festa com elas.

Wolsey

                    Diga-lhes,
Milord, que honram minha casa, e eu
Lhes agradeço e peço que festejem.

>   *(As damas são escolhidas. o Rei escolhe Ana Bolena).*

Rei

Jamais toquei mão mais linda: Beleza,
Só agora a conheço.

>   *(Música. Dança.)*

Wolsey

Milord.

Camerlengo

        Sua Graça?

Wolsey

                Diga-lhes por mim:
Deve haver entre eles um, por si
Mais digno que eu deste trono, e a quem

      (Se o conhecesse) com amor e dever
80   O entregaria.

  CAMERLENGO
        Assim farei. *(Sussurra.)*

  WOLSEY
    O que dizem?

  CAMERLENGO
         Confessam que um tal
    Existe, porém querem que Sua Graça
    O descubra, que ele aceita.

  WOLSEY
          Vejamos!
    Com a licença de todos; vou fazer
85   A escolha real.

  REI
      (Tirando a máscara.)
         Achou-o, Cardeal;
    Comanda aqui uma bela assembleia:
    Não fosse clérigo, Cardeal,
    E o julgaria mal.

  WOLSEY
        Fico contente
    Que Sua Graça brinque.

  REI
          Camerlengo,
90   Diga: Quem é aquela bela dama?

  CAMERLENGO
    Senhor, é filha de Sir Thomas Bullen,
    Visconde Rochford, dama da rainha.

  REI
    Palavra que é graciosa. Coração,
    Seria rude se eu a escolhesse
95   Sem beijá-la. Saúde, cavalheiros,
    Que a façam todos.

  WOLSEY
    Sir Thomas Lovell 'stá pronto o banquete
    Na outra sala?

LOVELL

     'Stá, milord.

WOLSEY

         Eu temo
Que a dança tenha aquecido Sua Graça.

REI
100   Demais, eu temo.

WOLSEY

        É mais fresca, milord,
A outra sala.

REI

  Que entrem as damas todas. Doce par,
  Não devo abandoná-la. Alegria,
  Bom cardeal: tenho várias saúdes
105   A beber pelas belas; e uma dança
  Para guiá-las; e depois sonhamos
  Qual é a favorita. Toque a música.

(Saem, com fanfarras.)

ATO 2

CENA 1
Uma rua.

*(Entram dois C*avalheiros*, por portas diferentes.)*

1º Cavalheiro
    Onde vai tão depressa?

2º Cavalheiro
                  Deus o salve:
Até o salão,[19] pra saber o destino
Do grande Buckingham.

1º Cavalheiro
                  E eu lhe poupo
Esse trabalho. Só falta a cerimônia
Da volta do prisioneiro.

2º Cavalheiro
    Esteve lá?

1º Cavalheiro
    Certo que estive.

2º Cavalheiro
                  Conte o que se deu.

1º Cavalheiro
    É fácil concluir.

2º Cavalheiro
                  Culpado, então?

1º Cavalheiro
    Lá isso foi, e depois condenado.

2º Cavalheiro
    Eu lamento.

1º Cavalheiro
               E muitos outros também.

---

[19] Segundo o historiador Holinshed, Buckingham foi acusado no salão de Westminster. (N. T.)

2º Cavalheiro
    Mas como se passou?

1º Cavalheiro
    Eu já lhe digo. Nosso grande duque
    Veio à corte e, das acusações
    Declarou-se inocente, e invocou
15 Grandes razões pra derrotar a lei.
    O advogado do rei, por outro lado,
    Mostrou-nos confissões, provas, exames,
    De várias testemunhas, que o duque
    Pediu pra ouvir de novo, a viva voz;
20 Contra ele estão seu administrador,
    Seu chanceler Sir Gilbert Perk, John Car,
    Seu confessor, e mais o diabólico
    Monge Hopkins, que armaram tudo.

2º Cavalheiro
                                    Ele
    É o que fez profecias?

1º Cavalheiro
                            Ele mesmo;
25 Todos o acusaram. Ele tentou
    Afastar de si tudo; mas não pôde,
    E, com tais testemunhos, os seus pares
    O disseram culpado de traição.
    Ele foi sábio na defesa; mas
30 Tudo foi lamentado ou esquecido.

2º Cavalheiro
    Como se comportou, depois de tudo?

1º Cavalheiro
    Quando o trouxeram do novo, para ouvir
    Dobrar o sino de seu julgamento,
    Ficou agoniado, suou muito,
35 Precipitou-se ao dizer algo em cólera:
    Porém voltou a si e, docemente,
    Mostrou até o fim nobre paciência.

2º Cavalheiro
    Não creio que tema a morte.

1º Cavalheiro
                            Não, por certo,

                    Nunca foi fraco; mas a causa
40   Ele lamenta um pouco.

   2º CAVALHEIRO
                                    Na verdade,
                    Tudo vem do cardeal.

   1º CAVALHEIRO
                                        É provável,
                    Pelo visto. O primeiro foi Kildare,
                    Demitido do posto na Irlanda.
                    E o conde Surrey despachado à toa,
45   Pra não ajudar o pai.[20]

   2º CAVALHEIRO
                                        Esse truque
                    Foi ato de malícia.

   1º CAVALHEIRO
                                        Que, ao voltar,
                    Ele há de vingar; tem sido notado
                    (Por muitos) que a quem o rei favorece
                    O cardeal concede novo posto,
50   Bem distante da corte.

   WOLSEY
                                        Todo o povo
                    O odeia à morte; e minha consciência
                    Lhe quer cova bem funda; quanto ao duque,
                    Todos amam, e o dizem generoso,
                    Espelho da cortesia...

                    (*Entra* BUCKINGHAM, *vindo de seu julgamento, funcionários da corte
                    à sua frente, o machado com o fio voltado para ele, alabardas a
                    cada lado, compalhado por* SIR THOMAS LOVELL, SIR NICHOLAS VAUX, SIR
                    WALTER SANDS, *povo etc.*)

   1º CAVALHEIRO
                                        Fique aí,
55   E veja a nobre ruína de que fala.

   2º CAVALHEIRO
                    Bem perto, para vê-lo.

---

20 Era comum, na época, usar "pai" ("*father*") significando "sogro" ("*father-in-law*"). (N. E.)

BUCKINGHAM

                    Boa gente,
Os que aqui vêm por piedade de mim,
Ouçam-me, depois vão-se e esqueçam-me.
Eu fui hoje julgado de traidor,
E morro como tal; mas sabe o céu,
E tenho consciência que me dana
Com o machado, se não sou fiel.
Não me queixo da lei por minha morte,
Pois foi justa, segundo essas premissas:
Aos que desejaria mais cristãos,
Sejam eles o que for, eu perdoo;
Mas que não busquem glória na malícia,
Nem construam seu mal matando grandes,
Ou, inocente, há de gritar meu sangue.
Não espero mais vida neste mundo,
Nem peço, mesmo sendo o rei mais pródigo
Em perdões que eu em erros. Aos que me amam,
E com ousadia vêm chorar por Buckingham,
Seus nobres amigos, a quem deixar
Só dói a ele, pois morre sozinho;
Venham comigo até o fim, quais anjos,
E ao vir o longo divórcio do aço,
Façam das preces doces oferendas,
Levando-me a alma aos céus. Por Deus, vamos.

LOVELL

Imploro a sua graça a caridade
Que se trouxe no peito alguma queixa
Contra mim, que me perdoe agora.

BUCKINGHAM

Sir Thomas Lovell, lhe dou meu perdão
Como queria ser perdoado: a tudo.
Não há ofensa contra mim com a qual
Não esteja em paz: nenhuma negra inveja
Me entra na cova. Saúdo Sua Graça,
E, se ele falar de Buckingham, lhe digam
Que ele partiu pro céu: minhas juras e preces
São do rei; e até partir minh'alma
Eu inda o abençoo. Que ele viva
Mais do que tenho tempo pra contar;
Que ele reine pra sempre amando e amado;
E quando, velho, o tempo lhe der fim,
Que ele e a bondade façam uma só tumba!

LOVELL
        Devo levar Sua Graça até o rio,
        Onde o entrego a Sir Nicholas Vaux,
        Que o leva até seu fim.

VAUX
                    Alerta, aí em baixo,
        'Stá vindo o duque; preparem a barca,
100   E que ela esteja pronta e equipada
        Segundo sua grandeza.

BUCKINGHAM
                    Não, Sir Nicholas,
        Deixe estar; riria de mim a pompa.
        Aqui cheguei Lord Alto Condestável,
        Duque Buckingham; agora Edward Bohun;
105   Porém mais rico que os acusadores,
        Que não sabem o que é verdade: mas selo[21]
        Com meu sangue, que hão de sofrer por isso.
        Meu nobre pai, duque Henry de Buckinham,
        Foi o primeiro contra o cruel Ricardo,
110   Indo ao socorro de seu servo Bannister;
        Inquieto, foi traído pelo vil
        E caiu sem defesa; Deus o tenha.
        A seguir o real Henrique Sétimo,
        Sentindo as suas perdas restaurou
115   Em mim seus títulos, e dessa ruína
        De novo fez-me nobre. E ora seu filho
        Henrique Oitavo, vida, honra, nome,
        Tudo o que é bom, me tira de um só golpe
        Pra sempre deste mundo; o que me deixa
120   Um pouco mais feliz que o infeliz pai,
        Sendo iguais em fortuna, sendo ambos
        Destruídos por servos que amavam:
        Serviço infiel e antinatural.
        O céu é o fim de tudo; os que me ouvem,
125   Tenham do moribundo como certo:
        Onde são liberais de amor e gestos,
        Cuidado com os excessos; tais amigos,
        Que têm seus corações, quando percebem
        Qualquer marca na fortuna, vão caindo
130   De quem deu, como água; e só se encontram
        Onde os querem afogar. Meu bom povo,

---

[21] Para qualquer documento se tornar válido, era preciso que fosse aposto ao mesmo o selo pessoal de quem o baixava. (N. T.)

Rezem por mim; agora vou deixá-los,
Meu último momento já chegou:
Passem bem;
E ao quererem lembrar-se de algo triste,
Falem de minha queda. Deus, perdão.

(Saem o Duque e a escolta.)

1º Cavalheiro
É tudo triste. E invoca, temo,
Maldições numerosas pras cabeças
De seus autores.

2º Cavalheiro
Se o duque é inocente,
Inda mais triste; e eu posso sugerir
Um mal que vem daí, se for assim,
Maior que este.

1º Cavalheiro
Que anjos o impeçam:
O que pode ser? Não me julga fiel?

2º Cavalheiro
O segredo é tamanho que requer
Fidelidade pra ocultá-lo.

1º Cavalheiro
Diga;
Não falo muito.

2º Cavalheiro
E eu em si confio;
Saberá; não ouviu, por esses dias,
Vários boatos da separação
Do rei e de Catarina?

1º Cavalheiro
Mas sem crer;
Pois quando os ouviu, ficou irado,
E na hora ordenou ao lord prefeito,
Que os calasse, e controlasse a língua
Dos que falavam.

2º Cavalheiro
Pois essa calúnia

Agora é verdade; e cresce de novo
Com um maior frescor, tido por certo
Que o rei vai arriscar-se. O cardeal,
Ou alguém perto dele, por malícia
Pra com a rainha, citou-lhe um escrúpulo
Que a ela derrota; e tudo é confirmado
Com a chegada do cardeal Campeius,
Para esse fim, parece.

1º CAVALHEIRO
É do cardeal;
Só pra vingar-se do imperador,
Que não o fez, como era seu desejo,
Arcebispo de Toledo, a ideia.

2º CAVALHEIRO
Foi bem no alvo; mas não é cruel
Que ela sofra por isso? O cardeal
Tem o que quer, e ela cai.

1º CAVALHEIRO
É uma pena.
É muito aberto aqui, pra falar disso;
Procuremos local mais discreto,

(Saem.)

CENA 2
Uma sala na corte.

(Entra o LORD CAMERLENGO, lendo uma carta.)

CAMERLENGO
"Milord, os cavalos que mandou buscar, com o maior cuidado eu vi bem escolhidos, domados e equipados. São jovens e belos, e da melhor raça que há no Norte. Quando estavam prontos para ir para Londres, um homem do lord CARDEAL, com um mandato e poder supremo, os tirou de mim, pela seguinte razão: seu amo deve ser servido antes de qualquer súdito, senão antes do REI, o que calou nossas bocas, senhor."
Temo que sim; pois bem, que ele os tenha; E creio que terá tudo.

(Entram, encontrando o LORD CAMERLENGO, os DUQUES DE NORFOLK e SUFFOLK.)

NORFOLK
Bom dia, Lord Camerlengo.

CAMERLENGO
   Bom dia a ambas as suas graças.

SUFFOLK
   O que está fazendo o rei?

CAMERLENGO
                     Deixei-o só,
   Com tristes pensamentos.

NORFOLK
                     Por quê?

CAMERLENGO
   O casamento com a mulher do irmão
   Lhe aborda a consciência.

SUFFOLK
         (À parte.)
                     Sua consciência
   Aborda uma outra dama.

NORFOLK
                     Isso é verdade;
   É coisa do cardeal. O rei-cardeal,
   Um padre cego, herdeiro da fortuna,
   Faz o que quer. O rei inda há de ver.

SUFFOLK
   Deus o queira; se não, não se conhece.

NORFOLK
   Com santidade arma as suas tramas,
   E com que zelo agora separa
   A nós do imperador (sobrinho-neto
   Da rainha). Ele mergulha na alma
   Do rei e lá espalha perigos, dúvidas,
   Torturando a consciência com medos,
   E desesperos sobre o casamento:
   E nisso tudo, pra ajudar o rei,
   Aconselha o divórcio, que lhe perde
   A joia que pendurou vinte anos
   Em seu pescoço, sem perder o brilho;
   Aquela que o ama com a excelência
   Que os anjos amam bons homens; aquela
   Que no mais duro golpe da fortuna
   Inda abençoa o rei: não é piedoso?

CAMERLENGO

    Deus me livre de tais conselhos. É certo
    Que em toda parte línguas dizem isso,
    E choram bons corações. Os que ousam
    Examinar a trama vê seu alvo,
    A irmã do rei da França. Que o céu abra
    Um dia os olhos do rei, que hoje dormem
    Pr'esse mau homem.

SUFFOLK

                E libertem a nós.

NORFOLK

    Devemos rezar
    E muito, por nossa libertação
    Desse homem potente que torna
    De príncipes em pajens; nossas honras[22]
    Formam um monte só, na frente dele,
    Pra fazer o que quiser.

SUFFOLK

                Quanto a mim,
    Não o amo e nem temo, é o que penso:
    Me fiz sem ele, e assim permaneço
    Se o rei quiser; suas bênçãos e pragas
    São pra mim o mesmo, não creio nelas.
    O conheci, e o conheço; e o deixo
    Pra quem o fez vaidoso, o Papa.

NORFOLK

    Vamos entrar, e com outros assuntos,
    Tirar o rei dos problemas que o tomam:
    Milord nos faz companhia?

CAMERLENGO

                Perdão,
    Tenho outra tarefa do rei; e além disso
    Vão ver que a hora é má, pra perturbá-lo:
    Saúde.

NORFOLK

    Obrigado, Lord Camerlengo.

(Sai o LORD CAMERLENGO, e o REI afasta a cortina e fica sentado, pensativo.)[23]

---

22 "Honra" tem não só o sentido que tem em português mas também o de títulos, posses, posições. (N. T.)
23 Esta é uma rara rubrica da época que indica claramente a separação do palco interior do exterior por uma cortina. (N. T.)

SUFFOLK
    Como está triste. Tem aspecto aflito.

REI HENRIQUE
60   Quem está aí?

NORFOLK
    Deus queira não estar zangado.

REI HENRIQUE
    Quem está aí? Quem ousa se intrometer
    Em minha meditação privada?
    Quem sou eu? Hein?

NORFOLK
    Um bom rei que perdoa toda ofensa
65   Feita sem malícia: a nossa intrusão
    Traz negócios de Estado, que trazemos
    Para a real palavra.

REI HENRIQUE
    São ousados:
    Eu lhes direi a hora pra negócios:
    Isto é hora pra assuntos temporais?

(Entram WOLSEY e CAMPEIUS, com um documento.)

70   Quem é? Meu bom Lord Cardeal? Meu Wolsey,
    Paz da minha ferida consciência;
    É cura para um rei;
    (Para Campeius.) Bem-vindo
    A meu reino, mui sábio reverendo;
75   Use-o, e a nós: *(Para Wolsey.)*, bom senhor, cuidado
    Pr'eu não falar demais.

WOLSEY
    É impossível;
    Nós queremos apenas uma hora
    De conferência a sós.

REI HENRIQUE
    (Para NORFOLK e SUFFOLK.)
    Por favor, saiam.

NORFOLK

(À parte, para SUFFOLK.)
80 Não é orgulhoso o padre?

SUFFOLK

(À parte, para NORFOLK.)
                    Nem um pouco,
Em seu posto, não ficava eu assim;
Não pode continuar.

NORFOLK

(À parte, para SUFFOLK.)
                    Se continua,
Me arrisco a atacá-lo!

SUFFOLK

(À parte para NORFOLK.)
                    Também eu.

(Saem NORFOLK e SUFFOLK.)

WOLSEY

A Sua Alteza deu exemplo sábio
85 A outros príncipes, ao falar claro
De seu escrúpulo à cristandade:
Quem poderá irar-se? Ou pôr malícia?
Os espanhóis, com ela por seu sangue,
Têm de confessar, se há bondade neles,
90 Ser justo o julgamento. Os rábulas,
(Se sábio houver algum por estes reinos)
'Stão livres: Roma, berço da justiça,
A seu nobre convite, nos envia
Pra falar em seu nome, esse bom homem,
95 O justo e sábio cardeal Campeius,
Que outra vez apresento à Sua Alteza.

REI HENRIQUE

E uma vez mais o recebo em meus braços,
Grato pelo amor do santo conclave;
Foi meu desejo receber tal homem.

CAMPEIUS

100 Tem Sua Alteza o amor dos visitantes,
Sendo tão nobre: à mão de Sua Alteza

Entrego o meu despacho; seu teor,
Manda a corte de Roma que milord
O cardeal de York se junte a mim
Em julgamento imparcial do assunto.

Rei Henrique

Dois iguais: saberá logo a rainha
Que o senhor já chegou. Onde está Gardiner?

Wolsey

Sei que Sua Majestade sempre a amou
Tanto que não poderá negar-lhe
Que damas menos nobres, pela lei,
Podem ter eruditos pra inquiri-las.

Rei Henrique

E ela os terá, enquanto o meu aplauso
Vai, sabe Deus, pro que agir melhor:
Cardeal, chame o secretário Gardiner.
É novo e o acho competente.

(Entra Gardiner.)

Wolsey

(À parte, para Gardiner.)
Dê-me a mão: eu lhe desejo sucesso;
Agora é do rei.

Gardiner

(À parte, para Wolsey.)
                Porém sempre às ordens
De sua graça, que me fez subir.

Rei Henrique

Venha aqui, Gardiner. *(Andam e sussurram.)*

Campeius

Milord de York, não 'stava o doutor Pace
No lugar desse homem? Sim, estava.

Campeius

Não era tido como sábio?

Wolsey

                Era.

CAMPEIUS
Creia que muitos pensam mal, pela cidade,
Até de si, cardeal.

WOLSEY
De mim? Como?

CAMPEIUS
125 Dizem, sem disfarçar, que o invejava,
E temendo que a virtude o elevasse,
Tanto o fez viajar que, por tristeza,
Ficou louco e morreu.

WOLSEY
Que o céu o tenha:
Pra cristão, isso basta; e os boatos,
130 São sempre condenados. Era um tolo,
Tinha de ser virtuoso. Esse, agora,
Se dou ordens, faz tudo o que mandei,
Por isso o tenho perto. Ouça, irmão,
Não podemos ouvir inferiores.

REI HENRIQUE
135 Diga isso à rainha com bons modos.

(Sai GARDINER.)

O lugar indicado, que me ocorre,
Pra novas sábias é o dos Frades Negros:[24]
Lá falarão dessas coisas tão sérias.
Mande preparar tudo, Wolsey. Milord,
140 Não dói a qualquer homem de saúde
Deixar tal leito? Mas é a consciência;
É muito tenra, e eu devo deixá-la.

(Saem.)

CENA 3
Uma sala nos apartamentos da rainha.

(Entram ANA BOLENA e uma SENHORA IDOSA.)

ANA
Não é aí tampouco que isso dói:

---
24 Assim eram chamados os beneditinos, segundo a cor de suas vestes. Os Frades Brancos eram os dominicanos. (N. T.)

        Tendo ele vivido tanto com ela,
        E ela tão boa que ninguém, jamais,
        A diria desonrada (e eu juro
5   Que ela nunca fez mal) – e ora, depois
        De ver do trono passar tanto o sol,
        Sempre crescendo em majestade e pompa,
        É muito mais amargo abandonar
        Do que era doce a princípio; e depois disso
10   Mandá-la embora, dá pena bastante
        Pra comover monstros!

    SENHORA
                        Corações duros
        Derretem-se por ela.

    ANA
                        Antes nunca
        A pompa conhecesse; é só do mundo,
        Mas se luta e fortuna divorciam
15   Dela o que a tem, o sofrimento é igual
        Ao que afasta corpo e alma.

    SENHORA
                            Coitada,
        Ela lhe é estranha agora.

    ANA
                            E inda mais
        Merece ela piedade; é melhor
        Ter seu berço entre os mais pobres
20   E com os humildes viver em contento
        Ser içada até dourada e triste altura
        A ter coroa de dor.

    SENHORA
                    'Star contente
        É o melhor.

    ANA
                    Por minh'honra e virgindade,
        Não quero ser rainha.

    SENHORA
                        Pois eu, sim;

25 Por isso dava ao demo a virgindade,
Qual a senhora, sem a hipocrisia;
Com belezas de mulher como as suas,
Tem coração de mulher, que suspira
Por títulos, riqueza e realeza;
30 Aliás, bênçãos, que (sem fingimentos)
Cabem, em sua consciência de pelica,
Se a esticar um pouco.

ANA

      Não, eu juro.

SENHORA

Eu juro, eu juro... Não quer ser rainha?

ANA

Nem por toda a riqueza sob o céu.

SENHORA

35 Estranho; um vintém falso me alugava
Velha assim, pra ser rainha: mas, diga,
Que tal duquesa? Tem braços e pernas
Para arcar com tal título?

ANA

       Não; verdade.

SENHORA

Então é muito fraca; desça um pouco,
40 Eu não seria um conde em seu caminho
Só por enrubescer; se as suas costas
Não arcam com esse peso, tal fraqueza
Não gerava um menino.

ANA

      Como fala!
Eu juro que não seria rainha
45 Por nada.

SENHORA

    Pela pequena Inglaterra[25]

---

[25] O condado de Pembroke era assim conhecido. A referência, dúbia, tanto pode ser ao fato de Ana ter sido feita marquesa de Pembroke quanto, por exemplo, a um filho do rei, comumente chamado simplesmente de "Inglaterra", e mais vários outros significados da época. (N. T.)

        Arriscava embolar-se;[26] quanto a mim,
        Bastava o de Carnarvon, embora lá
        Não haja mais que o nome.[27] Quem vem lá?

        (Entra o Lord Camerlengo.)

CAMERLENGO

        Bons dias; que valeria saber
50   O segredo da conversa?

ANA

                    Milord,
        Nem a pergunta; não vale o indagar:
        Chorávamos a dor de nossa ama.

CAMERLENGO

        Um assunto gentil, e que calha bem
        Pra duas boas damas; há esperança
55   Que tudo saia bem.

ANA

                    Deus queira, amén.

CAMERLENGO

        Sua mente é gentil, e o céu dá bênçãos
        A criaturas tais. Possa a senhora
        Sentir que sou sincero, e que se nota
        Suas altas virtudes. O soberano
60   Afirma o seu respeito, e já pretende
        Conceder-lhe nada menos que a honra
        De marquesa de Pembroke e, ao título,
        Acrescenta mil libras anuais,
        E mais sustento.

ANA

                    Eu não sei qual o aspecto
65   De minha obediência eu devo agora;
        Mais que meu tudo é nada; minhas preces
        São palavras vazias, e os meus votos
        Valem mais que vaidades; prece e votos
        São o que posso dar. Tenha a bondade
70   De expressar gratidão e obediência,

---

26 A senhora, sempre com segundas intenções, fala do fato de uma bola ser inserida no brasão real, tanto quanto da eventual gravidez de Ana. (N. T.)

27 Possivelmente por esse condado ser tido com pobre e infértil. (N. T.)

                    Qual donzela corada, a Sua Alteza,
                    Por cujo bem e realeza eu rezo.

        CAMERLENGO
                    Senhora, eu aprovo esse bom conceito
                    Que o rei tem de si. *(À parte.)* Bem a conheço;
75   Nela beleza e honra se mesclaram
                    Para apanhar o rei; quem sabe ainda
                    Se dessa dama pode vir a gema
                    Pra iluminar a ilha. Vou ao rei,
                    Dizer que lhe falei.

        ANA
                                Meu bom senhor.

                                            (Sai o LORD CAMERLENGO.)

        SENHORA
80   Então é assim; vejam só,
                    Esmolo na corte há dezesseis anos,
                    (Sou cortesã mendiga), sem poder
                    Chegar na hora exata uma só vez
                    Pra receber dinheiro: e a senhora
85   Que é peixe novo (que vergonha)
                    Tem fortuna impingida, a boca cheia
                    Antes de abri-la.

        ANA
                                Tudo é muito estranho.

        SENHORA
                    Que gosto tem? Amargo? Não é pouco.
                    Outrora houve uma dama (a história é velha)
90   Que não queria ser rainha, e nem mesmo
                    Por toda a lama do Egito; já conhece?

        ANA
                    A senhora está brincando.

        SENHORA
                                        No seu tom,
                    Canto mais que cotovia; marquesa?
                    Mil libras anuais, só por respeito?
95   Sem outra obrigação? Por minha vida,
                    Prevejo outras mil; honra tem cauda
                    Maior que a saia dele; as suas costas

Já aguentam duquesa. Diga lá,
Não está já mais forte?

ANA

Boa senhora,
100 Divirta-se com a própria fantasia,
Mas deixe-me de fora. Pois que eu morra,
Se isso alegra o meu sangue; fico fraca
Pensando no que vem.
A rainha está triste, nós erramos
105 Com a longa ausência; por favor não conte
A ela o que eu ouvi aqui.

SENHORA

O que me julga?

(Saem.)

CENA 4
No mosteiro beneditino.

(Fanfarras de tropas e cornetas. Entram dois SACRISTÃOS, com varinhas de prata; depois dois ESCRIBAS com vestes de doutor; a seguir o ARCEBISPO DE CANTEBURY, só; depois dele os BISPOS DE LINCOLN, ELY, ROCHESTER e ST. ASAPH: com eles, a pequena distância, segue um CAVALHEIRO, carregando a bolsa com o grande selo e um chapéu de CARDEAL; depois dois PADRES, cada um portando uma cruz de prata: depois um CAVALHEIRO introdutor, sem chapéu, acompanhado por um SARGENTO-DE-ARMAS que carrega a maça; depois dois CAVALHEIROS portando duas varas de prata; depois deles, lado a lado, os dois CARDEAIS, dois NOBRES, com a espada e a maça. O REI toma seu lugar sob o dossel de estado. Os dois CARDEAIS sentam-se abaixo dele, como juízes. A RAINHA toma lugar a alguma distância do REI. Os BISPOS colocam-se a cada lado do tribunal, como se em um consistório: abaixo deles, os ESCRIBAS. Os NOBRES sentam-se junto dos BISPOS. Os demais atendentes ficam de pé, na ordem certa, pelo palco.)

WOLSEY

Enquanto é lida a comissão de Roma,
Que haja silêncio.

REI

E é necessário?
Ela já foi lida publicamente,

                    Sua autoridade reconhecida;
5   Podem poupar o tempo.

        WOLSEY
                                    Bem; prossigam.

        ESCRIBA
                    Diga, Henrique, rei da Inglaterra, veio à corte.

        ARAUTO
                    Henrique, rei da Inglaterra etc.

        ESCRIBA
                    Diga. Catarina, rainha da Inglaterra veio à corte.

        ARAUTO
                    Catarina, rainha da Inglaterra etc.[28]

                    (A RAINHA não responde, levanta-se de sua cadeira, vai até o tribunal, ajoelha-se diante do REI, e então fala.)

        RAINHA
10   Quero que me faça o certo e o justo,
                    E tenha piedade de mim; pois sou
                    Uma pobre mulher, uma estrangeira,
                    Nascida em outra terra, sem aqui
                    Ter juízes isentos, ou certeza
15   De amigos ou processo neutros. Ai,
                    Em que o ofendi? Por que razão
                    Desagradou-lhe o meu comportamento,
                    Pra que quisesse me ver afastada,
                    Longe de suas graças? Sabe o céu
20   Que fui esposa humilde e fiel,
                    Sempre agradável à sua vontade,
                    Temendo provocar seu desprazer,
                    Sim, sujeita à sua dor ou alegria,
                    Segundo a percebia. Em que momento
25   Jamais eu contradisse o seu desejo,
                    Ou não o tornei meu? Que amigo seu
                    Eu não tentei amar, mesmo sabendo,
                    Ser meu inimigo? Que amigo meu,
                    Sendo alvo de sua ira, teve ainda

---

28 Essas palavras foram literalmente copiadas das Crônicas de Holinshed, provavelmente até mesmo a inclusão do "etc". (N. T.)

30   Minha afeição? Não o advertia eu
        Que a partir de então o despedia?
        Lembre que fui essa esposa obediente
        Por mais de vinte anos, abençoada
        Com muitos filhos seus.[29] Se for possível
35   Ao longo desse tempo relatar
        – E provar – algo contra a minha honra,
        Jura de boda, amor, ou meu dever
        Para com sua sagrada pessoa,
        Então, por Deus, me afaste e, com desprezo,
40   Feche pra mim a porta, e então me entregue
        À mais fera justiça. Meu senhor,
        O rei seu pai sempre foi reputado
        Um príncipe prudente, de excelente
        E inigualável critério: Fernando,
45   Meu pai, o rei de Espanha, era tido
        O mais sábio dos príncipes reinantes
        Desde muito. Não há quem questione
        Terem tido eles dois conselhos sábios
        De vários reinos que, após muito estudo
50   Declararam legal a nossa boda.
        Por isso imploro, meu senhor, me poupe
        Até eu ter o conselho de amigos,
        Que buscarei na Espanha. Não o tendo,
        Que Deus lhe dê seu prazer.

    WOLSEY
                                    Aqui tem,
55   Senhora (que os escolheu) reverendos
        De integridade e sapiência ímpar;
        Os eleitos da terra, reunidos
        Pra defender sua causa. É, então, inútil
        Protelar o julgado, tanto seja
60   Por sua própria paz quanto também
        Pra corrigir o que inquieta o rei.

    CAMPEIUS
        Foi claro e certo; portanto, senhora,
        É justo que a sessão ora proceda,
        E sem demora os seus argumentos
65   Sejam ouvidos.

    CATARINA
                    Milord Cardeal,
        A si eu falo.

---

[29] Catarina teve 5 filhos com Henrique VIII, porém apenas Maria, depois rainha, sobreviveu. (N. E.)

Wolsey
                    A seu dispor, senhora.

Catarina
              Senhor, 'stou quase em lágrimas, porém
              Lembrando ou sonhando sermos rainha,
              Por certo filha de rei, minhas lágrimas
70   Viram chispas de fogo.

Wolsey
                              Paciência.

Catarina
              A terei, quando o senhor for humilde;
              Não, antes, ou Deus me pune. Acredito
              (Segundo circunstâncias) que o senhor
              Seja meu inimigo, e o recuso
75   Para ser meu juiz. Foi quem soprou
              Essa brasa entre meu senhor e mim
              (Que o orvalho de Deus esfriou) e digo
              O abomino; sim, do fundo d'alma
              Recuso qual juiz quem, novamente,
80   Digo ser meu malévolo inimigo,
              E nunca amigo da verdade.

Wolsey
                                Eu afirmo
              Que fala fora de si; pois foi sempre
              Pilar da caridade, e se mostrado
              De humor gentil, e até muito mais sábia
85   Que a norma das mulheres. Me ofende,
              Não penso mal de si, nem sou injusto
              Pra com ninguém: o que fiz até hoje
              E o que farei, tem sempre a garantia
              De ter as instruções do consistório,
90   Sim, todo o de Roma. A senhor acusa-me
              De insuflar esta brasa. Isso eu nego;
              O rei está presente; e se souber
              Que renego meus atos, poderia
              Ferir-me com razão a falsidade,
95   Como a senhora feriu a verdade.
              Se souber que 'stou livre do que acusa,
              Fico também isento de censura
              A ele cabe curar-me, e será cura

Afastar tais pensamentos de si:
E antes que Sua Alteza fale, eu peço
Que a senhora desdiga o que pensou,
E não diga mais isso.

CATARINA
                    Não, meu senhor;
Sou mulher simples, muito fraca,
Pr'opor sua malícia. Fala baixo,
Ostentando o seu cargo com a aparência
De muita humildade: porém, seu coração
É pleno de arrogância, ódio, orgulho.
Graças à sorte e aos favores do rei
Foi galgando degraus até chegar
Até mandar no poder, e suas palavras
(Suas criadas) o servem, a seu prazer,
Dizendo o que desejar. Pois eu digo
Que cuida mais de sua honra pessoal
Do que de seu ofício espiritual;
Repito que o recuso como juiz,
E apelo ao Papa aqui, perante todos,
Pra que ouça o meu caso, e ser por ele
Julgada.

(Ela faz uma reverência ao REI, e vai sair.)

CAMPEIUS
A rainha é obstinada.
Teimosa ante a justiça, acusadora,
Desdenha seu julgado; não faz bem.
Está saindo.

REI HENRIQUE
                    Chamem-na de novo.

ARAUTO
Rainha Catarina da Inglaterra, volte à corte.

INTRODUTOR
Madame, está sendo chamada.

CATARINA
Por que o ouve? Por favor, afaste-se,
E volte, se chamado. Deus me ajude,
Me abusam a paciência. Saia.
Aqui não fico; não, nem nunca mais

Por essa causa hei de aparecer
Em qualquer corte deles.

(Sai a Rainha com seu séquito.)

Rei Henrique

                    Pois vá, Kate;
Se algum homem no mundo lhes disser
Que tem melhor mulher, não creiam nele,
Pois é falso.; você é uma só
(Se suas grandes qualidades, doçura,
Santa humildade, postura de esposa,
Que obedece ao mandar; e se seus dotes
Soberanos e piedosos falassem)
Rainha das rainhas: nobre em sangue,
E com nobreza sempre verdadeira,
Se teve junto a mim.

Wolsey

                    Meu bom senhor,
É com toda a humildade que lhe peço
A bondade de declarar, pra todos
Que aqui o ouvem (pois, roubado e atado,
Devo aqui ficar livre, embora não em tudo,
Ou já, fique satisfeito) se um dia
A Sua Alteza eu falei desta causa
Ou pus em seu caminho escrúpulo
Que o fizesse questionar; ou jamais
Falei-lhe, sem agradecer a Deus
Por tal real esposa, uma palavra
Que pudesse prejudicar seu título,
Ou tocasse a pessoa dela.

Rei Henrique

                    Cardeal,
"Stá desculpado e, por minha honra,
Livre de tudo; mas, por certo, sabe
Ter muitos inimigos, que não sabem
Por que o são e, como vira-latas,
Latem se ouvem latir; por alguns desses
Foi irada a rainha; não tem culpa,
Mas quer ser inocentado? Sempre quis
Deixar dormir esse assunto; sem querer
Vê-lo agitado; e muita vez barrou
Falas que a ele levavam; palavra
Que digo bem do cardeal nesse ponto,

              E o declaro isento. O que levou-me a ele,
165   Ouso dizer, e peço sua atenção:
              Chegou qual sugestão, e eu atendi;
              Minha consciência primeiro tocou-se,
              E teve escrúpulos por algo dito
              Pelo bispo de Bayonne, embaixador
170   Que a França aqui mandou pra discutir
              Um casamento entre o duque de Orleans[30]
              E minha filha Mary; no processo,
              Ele, antes de um acerto final,
              (Digo, o bispo) pediu mais algum tempo,
175   Até seu amo, o rei, determinasse
              Se era legítima a nossa filha,
              De nosso casamento co'a ex-rainha,
              Outrora esposa de meu irmão. Isso
              Entrou no seio de minha consciência
180   Com força penetrante, e fez tremer
              Todo o meu peito, e abriu passagem
              Para uma multidão de reflexões que entrou,
              Pressionando a advertência. Senti logo,
              Não ter a bênção do céu, que ordenara
185   À natureza que, se o ventre dela
              Concebesse de mim macho, não desse
              Mais serviços de vida do que a cova
              Dá aos mortos; pois os seus filhos homens
              Morreram ao ser feitos, ou depressa,
190   Tão logo o mundo os visse. E pensei
              Que era um julgamento, que o meu reino
               (Que vale um grande herdeiro) não teria
              De mim tal alegria. Assim seguiu-se
              Pesar eu o perigo pro meu reino
195   Sem um herdeiro, o que me fez passar
              Por grandes dores: e assim, à deriva,
              No mar da consciência tomei rumo
              Pro remédio a respeito de que estamos
              Agora reunidos: quer dizer,
200   Queria apaziguar a consciência
              Que me deixou doente, e inda está mal,
              Por muitos reverendos e doutores
              De nossa terra. Em particular fui
              A si, Milord de Lincoln; sei que lembra
205   A opressão sob a qual eu sofria
              Quando o busquei.

---

30 Segundo filho de rei da França, tornou-se depois Henrique II da França. (N. E.)

LINCOLN
                    E muito bem, senhor.

REI HENRIQUE
        Falei muito, mas diga o senhor mesmo
        O quanto me satisfez.

LINCOLN
                        Lembro, Alteza,
        Que a princípio a questão me abalou tanto,
210   Trazendo em si um tal teor de Estado,
        E as terríveis sequelas, que emiti
        A ousada opinião que tinha em dúvida,
        E sugeri a Sua Alteza o curso
        Que está seguindo aqui.

REI HENRIQUE
                            Busquei-o então,
215   Milord de Canterbury, e então obtive
        Permissão pr'este conselho: não omiti
        Nenhum dos reverendos desta corte,
        E agi com a permissão de cada um,
        Com sua mão e selo; então, procedam,
220   Já que não é por qualquer aversão
        À boa rainha, mas pontas e espinhos
        Das razões que aleguei para o instalarmos.
        Provem ser legítimo o casamento,
        E minha vida e honra estão contentes
225   De gastar nosso tempo mortal indo com ela
        (Catarina, a rainha) ante a presença
        Pura de quem criou o mundo.

CAMPEIUS
                            Alteza,
        Na ausência da rainha é justo e próprio
        Que adiemos a corte pr'outro dia;
230   No meio tempo, é preciso implorar
        Pra que a rainha desista do apelo
        A sua santidade.

REI HENRIQUE
            (À parte.)
                        Eu já percebo
        Que os cardeais brincam comigo: odeio
        A preguiçosa lentidão de Roma.

235 Meu sábio e bem-amado servo, Cranmer,[31]
Por favor volte; sei que estando próximo
Já chega meu conforto. – Feche-se a corte;
Eu digo, andem logo.

(Saem todos, da mesma maneira por que entraram.)

---

[31] No aparte, o rei se dirige a Cranmer que está ausente, em viagem ao continente para sondar as opiniões sobre a dissolução do casamento de Henrique e Catarina. (N. E.)

ATO 3

CENA 1
Um cômodo nos apartamentos da rainha.

(Entram a Rainha e suas aias, trabalhando.)

CATARINA
Tome o alaúde, tenho dores n'alma;
Cante, e as disperse; deixe o seu trabalho.
Canção
Orfeu fez árvores com o canto,
5 *E os picos, com seu gelado manto,*
Curvavam-se ao seu cantar:
Com seu canto, as plantas e as flores,
Até a chuva, o sol e as cores
A primavera vão gerar.
10 *E tudo o que o ouve cantar*
Até mesmo as ondas do mar,
Pende a cabeça pra dormir:
A sua arte é de tal porte
Que à dor no peito traz a morte,
15 *No sono, ou morrendo ao ouvir.*

(Entra um Cavalheiro.)

CATARINA
O que foi?

CAVALHEIRO
Se permite Sua Graça, os dois cardeais
Na sala de recepção.

CATARINA
Querem falar-me?

CAVALHEIRO
Assim lhes apraz, senhora.

CATARINA
Peça a eles
20 Que se aproximem.

(Sai o Cavalheiro.)

O que hão de querer

Comigo, mulher fraca e em desgraça?
Não gosto dessa vinda; e agora penso
Que deviam ser homens bons e justos,
Mas o traje não faz o monge.

(Entram os dois cardeais, Wolsey e Campeius.)

WOLSEY

                Alteza.

CATARINA

25   Me veem parte dona de casa;
Quem dera toda, ante o pior que vem:
Que desejam de mim, lords reverendos?

WOLSEY

Por favor, nobre dama, retiremo-nos
Pra local mais privado, onde daremos
30   Conta do que nos traz.

CATARINA

              Falem aqui.
Nunca fiz nada que minha consciência
Exigisse cantos; quem me dera todas
Pudessem falar com alma tão livre.
Milords, não me importa (tão mais feliz
35   Sou que muitas) que as minhas ações
Fossem julgadas por toda língua e olho,
Mesmo pesadas por maledicências,
Tão clara é a minha vida. Se a causa
Por que me buscam, e nela eu sou esposa,
40   Falem alto: a verdade é sempre aberta.

WOLSEY

Tanta est erga te mentis integritas Regina sereníssima...[32]

CATARINA

Meu bom senhor, latim, não:
Não sou relapsa desde que aqui vim,
Pra não falar a língua na qual vivo;
45   Língua estranha faz mais suspeita a causa:
Fale inglês; várias aqui o agradecem,
Se fala verdade, por sua pobre ama;

---

[32] Holinshed menciona que o Cardeal inicia a fala em latim, que diz: "Tal é a integridade de minha mente frente a vós, Serena Majestade..." (N. E.)

                    Que tem sido injustiçada. Cardeal,
                    Até mesmo o pior de meus pecados
50   Se absolve em inglês.

        WOLSEY
                                    Nobre senhora,
                    Sinto que a minha integridade gere
                    (Como o serviço a Sua Majestade e a si)
                    Do que é leal, suspeita assim tão grande;
                    Não vimos com intenções de a acusar,
55   Ou de manchar sua honra abençoada,
                    Nem por traição trazer-lhe sofrimento –
                    Já os tem demais, senhora; é pra saber
                    Seu pensamento sobre o grande abismo
                    Entre o rei e a senhora, e informar
60   (Sendo honestos) a nossa opinião,
                    E conforto à sua causa.

        CAMPEIUS
                                    Honrada dama,
                    Milord York, por sua nobre natureza,
                    Seu zelo e obediência a Sua Graça,
                    Esquecendo (homem bom) sua censura
65   A ele e sua verdade (exagerada),
                    Oferece, como eu, em prol da paz,
                    Seu serviço e conselho.

        CATARINA
                        (À parte.)
                                    Pra trair-me.
                    A ambos agradeço a boa vontade;
                    Falam quais homens bons (e Deus os faça)
70   Porém eu dar resposta, de repente,
                    A ponto de tal peso, e sobre a honra,
                    (Ou minha vida), com tão pobre espírito,
                    A dois homens tão graves e tão sábios,
                    Palavra que não sei. Eu trabalhava
75   Com minhas damas, sem pensar (Deus sabe)
                    Em tais homens ou em tal assunto;
                    Em nome da que fui (pois sinto estar
                    No último momento de grandeza)...
                    Deem-me pra isso mais tempo e conselhos:
80   Sou mulher sem amigos ou esperança.

        WOLSEY
                    Senhora, fere o amor do rei com medos,
                    São legião seus amigos e esperanças.

CATARINA

    Que na Inglaterra pouco me adiantam;
    Algum inglês quer ser meu conselheiro?
85 Ou amigo, contra o prazer do rei
    (Ou tão insano que é honesto)
    E é súdito vivo? Não, amigos,
    Os que pesaram bem meus sofrimentos,
    E em quem confio, não vivem mais aqui;
90 Estão (como meus confortos) bem longe,
    Em meu país, milords.

CAMPEIUS

                    Quisera, Alteza,
    Que sem dores ouvisse o meu conselho.

CATARINA

                              Como?

CAMPEIUS

    Deixar sua causa à proteção do rei,
    Que é amoroso e bom. Será melhor
95 Pra sua honra e pra sua causa,
    Pois indo a julgamento pela lei,
    Cairá em desgraça.

WOLSEY

                    Ele está certo.

CATARINA

    Só diz o que ambos querem, minha ruína:
    Isso é conselho cristão? Que vergonha.
100 Mas o céu é mais alto, com um juiz
    Que rei nenhum corrompe.

CAMPEIUS

                    Isso é engano.

CATARINA

    Ainda pior. Julguei-os homens santos,
    Com almas de virtudes cardeais;
    Mas só encontro pecados cardeais;
105 Corrijam-se, senhores. Trazem calma?
    É o cordial que trazem à infeliz,
    Uma mulher desprezada e risível?
    Não lhe quero metade do que sofro,

          Sou mais caridosa. Mas, os aviso;
110   Pensem, por Deus, pra que não logo, logo,
          Pese em si a minha carga de dores.

     WOLSEY
          Senhora, isso não passa de tolices;
          Torna em inveja o bem que oferecemos.

     CATARINA
          E me tornam em nada. Hão de sofrer
115   Como falsos profetas. Gostariam
          Se tivessesm justiça ou piedade
          (Se fosse algo mais que esses seus hábitos)
          De ver-me a causa em mãos que me odeiam?
          Ai, ele já baniu-me de seu leito,
120   Como de seu amor, há muito. 'Stou velha,
          E tudo o que me liga ainda a ele
          É minha obediência. O que posso
          Ter mais que esta desgraça? Seus estudos
          São minha maldição.

     CAMPEIUS
                              Pior, seu medo.

     CATARINA
125   Eu vivi tanto (e deixem-me falar
          Se a virtude é sozinha) boa esposa?
          Uma mulher (e o digo sem vaidade)
          De quem ninguém um dia suspeitou?
          Não foi sempre do rei minha afeição?
130   Amei-o após o céu? Obedeci?
          Não o amei quase até a idolatria?
          Quase esqueci de orar pra confortá-lo?
          E esta é a recompensa? Está errado;
          Tragam-me uma mulher fiel ao marido,
135   Que nunca sonhou prazer que não dele,
          E a essa mulher (quando deu tudo)
          Juntem ainda honra e paciência.

     WOLSEY
          Está-se afastando do bem que buscamos.

     CATARINA
          Não desejo, milord, arcar com a culpa
140   De abdicar gostosamente o título

Que o seu amo me deu; somente a morte
Me divorcia de tais honras.

WOLSEY

Ouça.

CATARINA

Quem dera eu jamais ter conhecido
O solo inglês, ou a bajulação que gera:
145 Rostos de anjos, mas corações dúbios.
O que será de mim, agora, pobre?
Sou a mulher mais infeliz que vive.
Pobres moças, onde estão suas fortunas?
Naufragada em reino sem piedade,
150 Sem amigo ou família que me chore,
Quase sem direito à tumba: qual lírio,
Outrora, florescendo, ama do campo,
Pendo a cabeça e morro.

WOLSEY

Se Sua Graça
Ao menos visse que os fins são honestos,
155 'Staria mais tranquila. Mas por que
Lhe faríamos mal? Os nossos postos,
A nossa profissão são contra isso;
Devemos curar dores, não criá-las.
Por favor pense no que está fazendo,
160 Como se pode ferir e, de vez,
Cortar o contato com o rei, desse modo.
Coração real beija a obediência,
Tanto a ama; mas contra a teimosia
Ele se incha, vira tempestade.
165 O seu temperamento é terno e nobre,
Calma é a sua alma; pense sermos
O que somos, de paz, amigos, servos.

CAMPEIUS

Senhora, assim verá. Sua virtude
Ofende com esses medos femininos.
170 Grandes espíritos sempre descartam
Tais dúvidas quais moedas falsas.
Cuide pra não perder o amor do rei.
Quanto a nós (se nos confia nisto)
'Stamos prontos pra tudo, a seu serviço.

CATARINA

175 Façam como quiserem, e desculpem-me:
Se o meu comportamento foi errado,
Sabem que sou mulher, falha de espírito
Pra responder com siso tais pessoas.
Ajam por mim perante Sua Alteza;
180 Tem meu amor, e todos têm-me as preces
Enquanto eu tiver vida. Reverendos,
Aconselhem-me; lhes implora agora
Quem não pensou, ao pôr os pés aqui,
Pagar tão caro por sua dignidade.

(Saem.)

CENA 2
Uma sala na corte.

(Entram o Duque de Norfolk, o Duque de Suffolk, o Lord Surrey e o Lord Camerlengo.)

NORFOLK

Se agora reunirem suas desgraças,
E firmes as forçarem, o cardeal
Não pode se aguentar. Porém, se perdem
O que a hora oferece, não prometo
5 Que não hão de aguentar novas desgraças,
Além das atuais.

SURREY

         Fico contente
De usar a ocasião que se apresente
Pra relembrar meu nobre sogro, o duque,[33]
E vingá-lo.

SUFFOLK

         Que nobre já ficou
10 Sem condenação dele, ou, ao menos,
Um tanto desconsiderado? E quando
Viu ele o selo da nobreza em alguém
Além de em si mesmo?

CAMERLENGO

         Falem claro:
O que merece ele de nós eu sei;

---

[33] Duque de Buckingham, mencionado em cena anterior. (N. E.)

15 O que podemos fazer-lhe (com a hora
   Sendo pra nós) eu temo. Se não puder
   Barrar-lhe o acesso ao rei, nada tentem
   Contra ele; pois é com bruxaria
   Que usa a língua do rei.

NORFOLK
                       Não tenha medo,
20 Seu encanto acabou: o rei achou
   Assuntos contra ele que maculam
   Pra sempre o mel que fala. E está bem fixo
   (E pra sempre) no desprazer do rei.

SURREY
   Senhor, eu quero novas como essas
25 De hora em hora.

NORFOLK
                   Creia que é verdade.
   Contradições no caso do divórcio
   'Stão reveladas; e ele se mostra
   Como eu queria ver meu inimigo

SURREY
   Como se soube?

SUFFOLK
                 Foi estranho.

SURREY
                              Como?

SUFFOLK
30 Cartas suas ao Papa se perderam,
   E chegaram ao rei, onde se lia
   Que ele pedira a Sua Santidade
   Demora no processo do divórcio,
   Pois, se aprovado, "Eu sinto", dizia
35 "Que o rei se emaranhava em afeição
   Por aia da rainha, Ana Bolena".

SURREY
   O rei leu isso?

SUFFOLK
                   Acredite.

SURREY

      E isso basta?

CAMERLENGO

  O rei já percebeu como ele cava
  E alisa seu caminho. Mas seus truques
40 Naufragaram, e ele traz remédio
  Pra doente já morto. O rei já está
  Casado com a bela dama.

SURREY

      Quem dera.

SUFFOLK

  Se o desejo o faz alegre, milord,
  Lhe digo que já o tem.

SURREY

      Nossa alegria
45 Siga a união.

SUFFOLK

      Digo amém.

NORFOLK

      Nós também.

SUFFOLK

  Há ordens pra que seja coroada:
  Tudo isso é novidade, e ainda há
  Quem não a tenha ouvido. Mas, milords,
  Ela é grande criatura, é completa
50 Em mente e aspecto. Acredito que dela
  Teremos muitas bênçãos, e o país
  Jamais esquecerá.

SURREY

      Será que o rei
  Vai engolir a carta do cardeal?
  Que Deus nos livre!

NORFOLK

      Amém.

SUFFOLK

      De modo algum.

55 Vespas zumbindo junto ao seu nariz
Vão apressar a ferroada. Campeius
Fugiu pra Roma sem dizer adeus,
Deixou a causa sem resolução,
É agente de nosso cardeal,
60 Para apoiar-lhe a trama. E eu garanto
Que o rei 'stá revoltado.

CAMERLENGO
                    Deus o faça
Ficar ainda mais.

NORFOLK
                    Porém, milord,
Quando volta Cranmer?

SUFFOLK
Ele voltou, trazendo opiniões
65 Que apoiam o rei em seu divórcio,
Vindas de quase todos os conselhos
Da Cristandade. Breve (creio eu)
Vão proclamar essas segundas núpcias,
E a coroação. Catarina agora
70 Não é rainha, mas princesa, apenas,
A viúva de Artur.

NORFOLK
                    Esse tal Cranmer
Tem grande mérito, e se esforçou muito
No interesse do rei.

SUFFOLK
                    E tem, verão,
Por isso um arcebispado.

NORFOLK
                    Dizem.

SUFFOLK
                    E é.

(Entram WOLSEY e CROMWELL.)

75 O cardeal.

NORFOLK
                    Vejam, aborrecido.

WOLSEY

    Entregou, Cromwell, o pacote ao rei?

CROMWELL

    Em suas mãos, no quarto.

WOLSEY

                    E ele abriu
O embrulho?

CROMWELL

              Logo a seguir.
Quebrou o selo e, quando foi olhar,
O fez com ar sério; havia algum cuidado
Em seu aspecto. E pediu que o senhor
Viesse esta manhã.

WOLSEY

                Ele está pronto
Para sair?

CROMWELL

              Eu creio que já está.

WOLSEY

    Deixe-me um pouco.

(Sai CROMWELL.)

(À parte.) Será com a duquesa de Alençon,
Irmã do rei da França. Tem de ser.
Ana Bolena? Não; Bolenas, não.
Há mais que carinhas lindas. Bolena?
Não, nada de Bolenas. Quero novas
De Roma, já. Marquesa de Pembroke?[34]

NORFOLK

    'Stá descontente.

SUFFOLK

                Vai ver que já soube
Que o rei afia a ira.

SURREY

              E está afiada
Pra dar-lhe sua justiça.

---

34 O novo título de Ana Bolena. (N. E.)

WOLSEY

    (À parte.) Aia da rainha? Pai cavalheiro?
    Ama da ama? Rainha da rainha?
    A vela queima mal, tira-se o ar,
    E ela apaga. Eu sei que é virtuosa
    E tem valor. Mas sei também que é
    Luterana convicta,[35] que só faz mal
    À nossa causa, se ficar no peito
    Do rei recalcitrante. E ainda nasce
    Um outro arqui-herege, Cranmer, que
    Se insinuou nos favores do rei,
    E é seu o oráculo.

NORFOLK

    Algo o irrita.

(Entra o REI, lendo um documento, com LOVELL.)

SURREY

    Espero seja algo que reteze
    As cordas do coração.[36]

SUFFOLK

    O rei! O rei!

REI HENRIQUE

    Mas que imensa riqueza acumulou
    Como só sua! E que gastos, por hora
    Parecem jorrar dele! Que poupança
    Lhe arrecadou tudo isso? Meus senhores,
    Viram o cardeal?

NORFOLK

    Vimos, milord;
    Aqui o observávamos. Algum tumulto
    Toma seu cérebro; ele morde os lábios,
    Se assusta, para, olha para o chão,
    E leva o dedo à têmpora; depois,
    Sai apressado pra parar de novo,
    Bate no peito, e logo ergue os olhos
    Pra lua: e nas poses mais estranhas
    O vimos postar-se.

---

[35] Wolsey representa a Igreja Católica e levanta objeções a Ana Bolena, que era luterana, além da diferença de classe, já que o pai era apenas cavalheiro. (N. E.)

[36] Para os elisabetanos, essas cordas do coração eram uma realidade, provavelmente originadas da ideia das cordas de um instrumento que sendo suficientemente esticadas, quebram. (N. T.)

REI HENRIQUE

                  Sim, é possível
120   Que haja uma revolta em sua mente;
Mandou-me esta manhã papeis pr'eu ler
Quando quisesse; e saibam que encontrei
(Por minha consciência, inesperado.)
Um enorme inventário, que dá conta,
125   De suas várias baixelas, seu tesouro,
Tecidos, mobiliários, ornamentos,
De tanta ostentação que muito excedem
Posses de um súdito.

NORFOLK

                  Foi Deus que o quis.
Algum espírito o incluiu na pasta
130   Pra abençoar seus olhos.

REI HENRIQUE

                  Se pensávamos
Que só pensasse acima desta terra,
Fixando o espiritual, então devia
Morar com tais ideias, porém temo
Que pensamentos abaixo da lua
135   Nunca são sérios.

(O REI se senta, segreda a LOVELL, que vai até o CARDEAL.)

WOLSEY

                  Que Deus me perdoe.
Que Deus o abençoe.

REI HENRIQUE

                  Bom milord,
Cheio de assuntos celestes, o inventário
De grandes graças são da mente
E, pensando assim nelas, mal tem tempo
140   Pra roubar do espírito um momento
Pra ser auditor terreno; e por isso
O julgo mau feitor, e fico alegre
De o ver nisso meu igual.

WOLSEY

                  Meu senhor,
Para os ofícios santos tenho tempo;
145   E tempo pra pensar nos afazeres
Com que arco pr'o Estado. A natureza

>   Exige tempo pra preservação,
>   Ao qual, fraco mortal, entre os irmãos,
>   Eu tenho de atender.

    REI HENRIQUE
>   E disse bem.

    WOLSEY

150
>   E ponha Sua Alteza uma só canga,
>   (Se eu der motivos) o que faço bem,
>   E disser bem.

    REI HENRIQUE
>   Falou bem de novo.
>   E falar bem é quase boa ação,
>   Mas palavras não são atos. Meu pai
155
>   Disse que o amava, e atos coroaram
>   Sua palavra de si. Desde que reino
>   Guardei-o junto ao coração, não só
>   Usando-o onde tinha altos proveitos,
>   Mas podando minhas posses pra chover
160
>   Em si minha abundância.

    WOLSEY
>   *(À parte.)*
>   O que é isso?

    SURREY
>   *(À parte.)*
>   Que o Senhor o aumente.

    REI HENRIQUE
>   Não o fiz
>   Primeiro homem do Estado? Diga, eu peço,
>   Se o que lhe digo tem qual verdadeiro:
>   E se confessa-o, diga mais
165
>   Se é nosso devedor ou não. Que diz?

    WOLSEY
>   Meu soberano, confesso suas graças
>   Que em mim jorraram todo dia, e foram
>   Bem mais que meus estudos pedem, mais
>   Que merece os trabalhos feitos . E estes
170
>   Ficaram sempre aquém de meus desejos,
>   Apesar dos esforços: os meus alvos
>   Têm sido meus na medida em que buscam
>   O bem de sua sagrada pessoa,

E o bem do Estado. Pelas suas graças,
Que a mim cobriram (sem que as merecesse)
Só posso dar minha fiel gratidão,
Preces por si, e minha lealdade
Que sempre foi e há de ser crescente.
Até que a mate o inverno da morte.

Rei Henrique

Boa resposta: um súdito fiel
Fica aí ilustrado; e a honra dela
É sua recompensa, como o é
Do crime a punição. Eu subentendo
Que como a minha mão o adornou,
Meu peito o amou, meu poder o cobriu
Mais do que a outro, assim sua mão e peito,
Seu cérebro e seus todos outros dotes
Deveriam, sem contar o dever,
Só por amor, digamos, me veria
Mais amigo que qualquer um.

Wolsey

                   Proclamo
Que sempre obrei pro bem de Sua Alteza,
Mais do que para o meu: e será sempre
(Mesmo que o mundo quebre o seu dever,
E o afaste de sua alma, e perigos
Forem mais que imaginamos, e tenham
As mais horrendas formas) meu dever,
Como a rocha ante o pavor de um dilúvio,
No caso de algum rio extravazar,
Inabalável e seu.

Rei Henrique

              Fala um nobre:
Notem, senhores, que seu peito é fiel,
Pois o ouviram abri-lo. *(Dá-lhe o papel.)*
                                       Leia isso,
E isso, e depois quebre o seu jejum
Com o apetite que restar.

*(Sai o Rei, franzindo o cenho para o cardeal;
os nobres correm atrás dele, sorrindo e sussurrando.)*

Wolsey

                      Que é isso?
Que ira é essa? Como a mereci?
Saiu com ar zangado, qual se a ruína

        Lhe saltasse dos olhos. Um leão
        Olha assim o caçador que o feriu;
        Depois o mata. Vou ler o papel;
        Deve ser fonte da raiva. E é mesmo;
210   O papel me destrói; é uma listagem
        Do mundo de riquezas que juntei
        Para meus fins (e, ganhando o papado,
        Alçar pra Roma os amigos). Que erro!
        Assim caem os tolos: que demônio
215   Fez-me pôr o segredo no pacote
        Que ao rei mandei? Será que há conserto?
        Algo que apague tudo de seu cérebro?
        Sei que isso o abala; porém sei
        De um modo que, com jeito, e apesar
220   De tudo me salva. Que é isto? "Ao Papa"?
        A carta, vejo, que a história toda
        Mandei ao Papa. Agora, então, adeus:
        Minha grandeza já atingiu o ápice,
        E, do meridiano dessa glória,
225   Eu corro pro poente. Hei de cair
        Qual estrela cadente ao fim da tarde,
        Pra nunca mais ser visto.

(Voltam, para encontrar Wolsey, os Duques de Norfolk e Suffolk, o Conde de Surrey e o Lord Camerlengo.)

Norfolk

        Deseja o rei, cardeal, ordená-lo
        A entregar, agora, o grande selo
230   Em nossas mãos, e ficar confinado
        Em sua casa de bispo de Winchester,
        Até ter mais notícias dele.

Wolsey

                      Esperem:
        Onde estão suas ordens? Só palavras
        Não têm peso.

Suffolk

                      E quem ousa ir-lhes contra
235   Se são vontade da boca do rei?

Wolsey

        Até ter mais que palavras pra ordem
        (As de sua malícia), saibam, lords,
        Que ouso, e tenho, de negá-las. Vejo

240 Com que pobre metal se faz a inveja.
Com que alegria veem-me a desgraça,
Como alimento, e parecem brilhar
Com tudo o que a mim só traz ruína!
Pois que sigam seus cursos de malícia;
Devem ter garantias cristãs, e na certa
245 Hão de ter recompensas. Este selo,
Que pedem com violência, o próprio rei
(Seu e meu amo) com sua mão deu-me;
Pra que o gozasse, com o título e as honras
A vida toda; e, por sua bondade,
250 Juntou cartas-patente. Quem o toma?

SURREY

O rei que o deu.

WOLSEY

Deve ser ele, então.

SURREY

Padre, é um traidor orgulhoso.

WOLSEY

Mentira;
Em dois dias, vaidoso lord, verá
Que tais palavras queimam sua língua.

SURREY

255 Sua ambição, rubro pecado,[37] roubou da pátria
O nobre Buckingham, que era meu sogro;
As cabeças de todos os cardeais
(Co'a sua e o que o senhor tem de melhor)
Não valem um fio dele. Maldito:
260 Enviou-me em missão para a Irlanda,
Pra longe, afastado do rei e todos
Que o defendessem contra suas calúnias;
Enquanto por bondade e mercê santa
O absolveu com um machado.

WOLSEY

Sim, e tudo
265 Que esse falante lord deixa a meu crédito,
Eu digo falso. Pela lei o duque
Teve sua paga. E que fui inocente

---

[37] Referência à cor dos trajes de Cardeal. (N. E.)

De malícia pessoal quanto ao seu fim,
Seu nobre júri e falsos atos falam.
270 Amando palavras, milord, diria
Que a si faltam a honestidade e a honra,
E que no ser leal e verdadeiro
Para com o rei, meu real amo eterno,
Sou mais sólido que jamais foi Surrey,
275 Ou que o amam mais tolo.

SURREY

                Por minh'alma,
Não fosse essa batina e sentiria
Minha espada em seu sangue. Meus senhores,
Poderão suportar tanta arrogância
Desse sujeito? Sendo assim tão tímidos,
280 Acovardados por trapo escarlate,
Adeus, nobreza: a Sua Graça há-de
Caçar-nos, com o boné, quais cotovias.[38]

WOLSEY

Vê bondade qual veneno.

SURREY

                Sim, bondade
Que traz pra si a riqueza da terra,
285 Ou lha entrega, cardeal, por extorsão;
Bondade de cartas interceptadas
Que escreve ao Papa contra o rei: bondade,
Se me provoca, que há de ser notória.
Lord Norfolk, como é nobre verdadeiro
290 E respeita o bem comum, a condição
De nossa nobreza humilhada, e filhos
(Que, se esse vive, mal serão fildalgos)
Formam a soma dos pecados deles,
Que coletou da vida. O espantarei
295 Mais que sino santo ao cardeal[39]
Quando beijava a rameira em seus braços.

WOLSEY

Eu poderia desprezar esse homem
Se a caridade não o impedisse.

---

38 Um dos modos para se apanhar cotovia era o agitar espelhos para tontear a ave, e depois apanhá-la com os bonés, então usados como chapéu. (N. T.)

39 Referência ao sino que toca quando o padre eleva a hóstia para consagração. (N. E.)

NORFOLK

    As acusações, milord, vêm do rei:
    Afora isso, imundas.

WOLSEY

                Mais brilhante
    E sem mácula será minha inocência,
    Vendo o rei a verdade.

SURREY

                Nada o salva:
    Tenho boa memória, e lembro bem,
    Alguns desses artigos, e os afirmo.
    Se, rubro, disser "Culpado", cardeal
    Mostra alguma honestidade.

WOLSEY

                Pois fale,
    Desafio o seu pior; se enrubesço
    É por ver nobre assim de más maneiras.

SURREY

    Melhor perdê-las que a cabeça; chega.
    Sem que o rei o soubesse ou aprovasse,
    Conseguiu, qual legado, cercear
    A jurisdição de todos os bispos.

NORFOLK

    No que escrevia a Roma e outros príncipes,
    Estava inscrito, *Ego et Rex meus*,[40]
    Fazendo assim com que o soberano
    Fosse seu servo.

SUFFOLK

                E mais, sem que o soubessem
    O rei e o conselho, quando foi
    Embaixador junto ao imperador,
    Ousou levar consigo o grande selo.

SURREY

    E mais, mandou imensa comissão
    Concluir, com Gregório de Cassado,[41]

---

40 Significa "Eu sou o rei"; é uma acusação de Norfolk quanto a Wolsey se colocar como mais poderoso que o rei. (N. E.)
41 Gregório de Cassado era o embaixador inglês na corte do Papa em Roma, trabalhando tanto para o rei quanto para Wolsey na questão do divórcio. (N. E.)

                    Sem que o soubessem o rei e o Estado,
                    Acordo entre Sua Alteza e Ferrara.

    SUFFOLK

                    E por mera ambição o senhor fez
325   Seu chapéu ser cunhado em nossa moeda.⁴²

    SURREY

                    E mais, que transferiu grandes quantias
                    (Como as ganhou, consulte sua consciência)
                    Pra fornir Roma e preparar caminhos
                    Pra ter mais dignidades, em prejuízo
330   De todo o reino. E muitas questões mais
                    Que, sendo todas suas e odiosas,
                    Me manchariam a boca.

    CAMERLENGO

                                  Milord,
                    É virtude não ofender quem cai:
                    As leis já veem seus erros, deixe que elas
335   Os corrijam, não o senhor. Eu choro
                    Vendo tão pequeno o grande.

    SURREY

                                          Perdoo-o.

    SUFFOLK

                    Lord cardeal, apraz ao rei agora,
                    Por tudo o que fez recentemente,
                    Por poder legatório, neste reino,
340   Cair no âmbito do *praemunire*,⁴³
                    Ver ordenado contra si agora,
                    Sequestro de seus bens, terras e casas,
                    De móveis e utensílios, e que fique
                    Fora da proteção real. São ordens.

    NORFOLK

345   Aqui o deixamos, pra meditar como
                    Viver melhor. E quanto à teimosia
                    Quanto a nos devolver o grande selo,
                    O rei o saberá, (na certa) grato.
                    E passe bem, lord pequeno cardeal.

                                    (Saem todos menos WOLSEY.)

---

42 Wolsey cunhou moedas com sua insígnia, usurpando assim o monopólio do rei em fazê-lo. (N. E.)
43 *Praemunire*, do latim medieval, diz respeito a evitar a intromissão das leis de Roma na Inglaterra. (N. E.)

WOLSEY

Passar bem, com o pouco bem que a mim querem.
É um longo adeus à grandeza que eu tive.
É a condição humana: hoje germina,
Tem folhas de esperança, depois flores,
E arca bem com o fulgor de suas honras:
Um dia mais, vem geada mortal,
E quando pensa, em conforto e segurança,
Que amadurece, ela morde a raiz,
E ele cai, como eu. Eu me arrisquei,
Qual menino que nada com balões,[44]
Há vários anos, neste mar de glória,
Pra lá de onde dá pé; e o meu orgulho
Por fim faltou-me, me deixando agora,
Velho e cansado de luta, à mercê
De torrente que me leva para sempre.
Vãs pompa e glória do mundo, as odeio:
Meu coração acorda. Que infeliz
É o que depende do favor dos príncipes!
Há, entre aquele sorriso com que sonha,
De um doce príncipe, e sua ruína,
Mais dores do que têm guerra ou mulher;
E quando cai, ele cai como Lúcifer,
Sem ter mais esperanças.

(Entra CROMWELL, que para, estarrecido.)

O que há, Cromwell?

CROMWELL

Não tenho poder pra falar.

WOLSEY

Assusta-o
Meu infortúnio? Inda pode espantar-se
Com o declínio de um grande? Não; se chora,
Caí, mesmo.

CROMWELL

Como está, senhor?

WOLSEY

Bem;
E nunca tão feliz, meu bom Cromwell;

---

44 Balões ou bexigas, feitos com pele de animais, que serviam para flutuar. (N. E.)

　　　　　Agora me conheço, sinto em mim
　　　　　Paz acima de honrarias humanas,
380　　　Uma consciência calma. O rei curou-me,
　　　　　E humilde eu lhe agradeço; destes ombros,
　　　　　Colunas arruinadas, por piedade,
　　　　　Tiraram carga que afunda uma esquadra.
　　　　　As honras pesam, Cromwell; e são carga
385　　　Demais pra quem espera ir pro céu.

Cromwell

　　　　　Alegra-me saber que fez bom uso.

Wolsey

　　　　　Assim espero: agora posso, penso
　　　　　(Com a fortaleza de uma alma livre)
　　　　　Aguentar mais misérias, bem maiores
390　　　Que as que ousam trazer-me os inimigos.
　　　　　Quais as novas?

Cromwell

　　　　　　　　　　　A maior e pior
　　　　　É sua queda ante o rei.

Wolsey

　　　　　　　　　　　Deus o abençoe.

Cromwell

　　　　　Outra é a escolha de Sir Thomas More
　　　　　Para ocupar seu posto.

Wolsey

　　　　　　　　　　　É inesperado;
395　　　Mas é um homem sábio. Que ele goze
　　　　　Muito tempo em favor, faça justiça
　　　　　Segundo a verdade e sua consciência,
　　　　　E que, ao fim, seus ossos abençoados
　　　　　Tenham tumba de pranto de órfãos.
400　　　Que mais?

Cromwell

　　　　　　　　　　　Que Cramner voltou e é bem-vindo,
　　　　　E Lord Arcebispo de Canterbury.

Wolsey

　　　　　Isso é novo, mesmo.

CROMWELL

               E que a Lady Ana,
Com quem o rei se casou em segredo,
Foi hoje exposta a todos, qual rainha,
405   Indo à capela; e agora só se fala
Em sua coroação.

WOLSEY

          Foi esse o peso que me derrubou.
O rei deixou-me; minhas glórias todas,
Nessa mulher eu perdi para sempre.
410   Nenhum sol fará brilharem-me as honras,
Ou de novo dourar os que viviam
Do meu sorriso. Deixe-me só, Cromwell;
Hoje sou pobre coitado sem mérito
Pra ser seu mestre e amo. Busque o rei;
415   (Cujo sol jamais se ponha) eu lhe disse
Que é fiel, e ele o promoverá.
Qualquer lembrança minha o tocará
(Tem nobre natureza) e o impedirá
De perder seus serviços. Meu bom Cromwell,
420   Não lhe falhe; sirva-o agora, e garanta
Um futuro seguro.

CROMWELL

                 Meu senhor
Devo deixá-lo? Devo abandonar
Amo tão bom, tão nobre e verdadeiro?
Que os que não têm de ferro o coração
425   Notem que Cromwell o deixa em tristeza.
Eu servirei o rei; mas minhas preces
Pra toda a eternidade hão de ser suas.

WOLSEY

          Cromwell, jamais pensei em verter lágrimas
Nesta miséria. Porém, sua verdade
430   Honesta fez-me agir como mulher.
Mas, sequemos os olhos; ouça, Cromwell:
Quando eu for esquecido, e o serei,
Dormindo em mármore, e ninguém, jamais,
Falar em mim, diga que eu o ensinei;
435   Diga que Wolsey, que trilhou a glória,
E conheceu toda forma de honra,
O fez subir (superando a ruína),
Via segura, que o amo perdeu.
Olhe-me a queda; o que me arruinou:

440   Cromwell, lhe digo, abandone a ambição,[45]
         Por ela caíram anjos; como pode o homem,
         Imagem do Criador, vencer por ela?
         Ame-se ao fim; e preze os que o odeiam;
         O corrupto não ganha mais que o honesto.
445   Porta na mão direita, sempre, a paz,
         Que silencia invejas. Seja justo;
         Sem medo, aspire só ao bem da pátria,
         À verdade de Deus: e se cair,
         Cromwell, será como mártir.
450   Sirva o rei; e conduza-me pra dentro,
         Pra fazer inventário do que tenho,
         Ali tudo é do rei. Minha batina
         E a lealdade ao céu são tudo, agora
         Que ouso chamar de meu. Cromwell, Cromwell,
455   Servisse eu a Deus com meio zelo
         Do que ao rei eu dei, e não 'staria
         Agora nu diante do inimigo.

CROMWELL
         Paciência, senhor.

WOLSEY
                   A tenho. Adeus
         Ao mundo, minha esperança é do céu.

(Saem.)

---

45 Cromwell não segue o que recomenda Wolsey e termina decapitado, em 1540, por heresia e traição. (N. E.)

ATO 4

CENA 1
Uma rua.

(Entram dois Cavalheiros, que se encontram.)

1º Cavalheiro
  Prazer em revê-lo.

2º Cavalheiro
  　　　　　　　Ao senhor também.

1º Cavalheiro
  Veio tomar seu lugar para ver
  A Lady Ana em sua coroação?

2º Cavalheiro
  É meu intento. No último encontro
5 Saía Buckingham do tribunal.

1º Cavalheiro
  É bem verdade. Um momento triste,
  E este alegre.

2º Cavalheiro
  　　　　　　É mesmo: os cidadãos
  Hoje expuseram suas reais mentes,
  (Quando lhes dão seus direitos, exageram)
10 Celebrando este dia com espetáculos,
  Quadros vivos e honras.

1º Cavalheiro
  　　　　　　　　As maiores,
  E nunca, digo, mais aproveitadas.

2º Cavalheiro
  Posso ousar indagar o que contém
  O papel em sua mão?

1º Cavalheiro
  　　　　　　　É justo a lista
15 Dos que hoje reclamam novos cargos,
  Como é costume na coroação.
  O duque Suffolk é o primeiro e quer

                Ter a casa civil; depois vem Norfolk,
                Pra ser conde marechal; leia o resto.

        2º CAVALHEIRO
20   Grato. Se não conhecesse os costumes
                Seria devedor desse papel:
                Mas, por favor, pr'onde foi Catarina,
                A rainha-princesa? E como está?

        1º CAVALHEIRO
                Posso dizer-lhe. O lord arcebispo
25   De Canterbury, junto com alguns outros
                Padres sábios, todos de sua ordem,
                Organizaram tribunal em Dunstable,
                Perto de Amphill, onde estava ela,
                Ao qual, chamada, não compareceu:
30   Resumo: por não ter comparecido,
                E pelo escrúpulo que ocorreu ao rei,
                Ela foi, pelos sábios, divorciada,
                E aquele casamento sem efeito:
                Depois, foi transferida pra Kimmalton,
35   Onde está, e doente.

        2º CAVALHEIRO
                              Como é boa!
                Soam as trompas; já vem a rainha,

                        (Oboés. A Ordem da Coroação:
                        1. Uma fanfarra alegre.
                        2. Depois, dois juízes.
                        3. O LORD CAMERLENGO, com bolsa e maça à sua frente.
                        4. Um coro cantando. Música.
                        5. O PREFEITO DE LONDRES, levando a maça. Depois o representante da JARRETEIRA, com seu brasão de armas, e na cabeça uma coros de cobre dourado
                        6. O MARQUÊS DE DORSET, portando um cetro de ouro, na cabeça meia coroa de ouro. Com ele, o CONDE DE SURREY, portando o bastão de prata com a pomba, coroado com a coroa de conde, e usando Colar de SSS.[46]
                        7. O DUQUE DE SUFFOLK, em seus trajes de Estado, sua coroa na cabeça, portanto um longo bastão branco, por ser Chefe da Casa Civil. Com ele, o DUQUE DE NORFOLK, com o bastão vermelho de marechal, coroa na cabeça. Colares de SSS.
                        8. Um dossel, carregado por quatro dos Cinque-ports, sob o qual a

---

46 Um colar grosso, feito do ouro maciço, com os elos em forma de "S". (N. E.)

Rainha, em seu manto; os cabelos, ricamente adornados de pérolas, coroada. A cada lado seu os Bispos de Londres e Winchester.
9. A velha Duquesa de Norfolk, com uma tiara de ouro, ornada de flores, carrega a cauda da rainha.
10. Certas ladies e condessas, com pequenos aros de ouro, sem flores.)

(Saem, tendo primeiro atravessado o palco em sua ordem e pompa de estado, e então, uma grande fanfarra de trompas.)

2º Cavalheiro
Um desfile real; alguns conheço;
Quem leva o cetro?

1º Cavalheiro
      O marquês de Dorset.
Com o conde de Surrey com o bastão.

2º Cavalheiro
40 Bravo homem; e aquele deve ser
O duque Norfolk.

1º Cavalheiro
     Sim. Casa civil.

2º Cavalheiro
Esse é Norfolk?

1º Cavalheiro
     É.

2º Cavalheiro
(Olhando a rainha.)
     Deus a abençoe.
Tem o rosto mais doce que eu já vi.
Por minh'alma, senhor, ela é um anjo;
45 O rei prende no braço as Índias todas,
E muito mais, quando abraça essa dama;
Não culpo sua consciência.

1º Cavalheiro
       Quem leva
O dossel sobre ela são os barões
Dos Cinque-ports.

2º Cavalheiro
50 São felizes, de estar tão perto dela.

E vejo que a que leva sua cauda
É a velha e nobre duquesa de Nolfork.

1º CAVALHEIRO
Isso mesmo, e as outras são condessas.

2º CAVALHEIRO
Vi por suas coroas. São estrelas.

1º CAVALHEIRO
E algumas cadentes.

2º CAVALHEIRO
                 Chega disso.

(O fim da procissão sai; toca a fanfarra.)
(Entra um terceiro CAVALHEIRO.*)*

1º CAVALHEIRO
Deus o salve. Aonde andou se afogueando?

3º CAVALHEIRO
Na multidão da abadia, onde não
Cabia mais um dedo. Sufocado
Pelo cheiro de tanta alegria.

2º CAVALHEIRO
                       Viu
A cerimônia?

3º CAVALHEIRO
          Vi.

1º CAVALHEIRO
               E como foi?

3º CAVALHEIRO
Valeu a pena ver.

2º CAVALHEIRO
              Conte-nos tudo.

3º CAVALHEIRO
O melhor que puder. Um rico fluxo,
De lords e ladies, levou a rainha

	A seu lugar no coro, e se afastou
65	Para longe; com graça ela sentou-se
	Pra descansar por uma meia hora,
	Em rico trono, e deixou bem exposta
	Toda a sua beleza para o povo.
	Creia: é a melhor mulher que até hoje
70	Deitou-se com um homem: e quando o povo
	Pode vê-la assim, veio um barulho
	Como o de velas numa tempestade,
	Tão forte e variado. Chapéus, capas,
	(E até coletes) voaram, e se os rostos
75	Fossem soltos, 'stariam perdidos.
	Nunca vi tanta alegria. Fêmeas prenhes,
	Quase em sua hora, qual aríetes
	De velhas guerras, furavam a turba
	E a faziam rolar. E homem algum
80	Poderia dizer "É minha esposa",
	Tal a mistura.

1º Cavalheiro
       E depois, que houve?

2º Cavalheiro
    Levantou-se sua graça e, com modéstia,
    Andou até o altar e, ajoelhada,
    Com olhos santos para o céu, rezou;
85 Depois, de pé, curvou-se para o povo;
    Quando, pelo arcebispo Canterbury
    Tinha todas as marcas de rainha,
    O óleo santo, a coroa de Eduardo,
    Bastão, pomba da paz, e tudo o mais
90 Pousados nela: e, isso feito, o coro
    Co'a mais polida música do reino,
    Entoou o *Te Deum*.[47] E ela partiu,
    E com a mesma pompa retornou de novo
    Ao palácio de York, pra onde é a festa.

1º Cavalheiro
95 Senhor, não deve mais dizer de York;
    Co'a queda do cardeal, foi-se esse título.
    Ele agora é do rei, chamado Whitehall.

3º Cavalheiro
    Eu sei, porém o nome antigo volta,
    De tão recente.

---

47 Hino de louvor significando "Nós te louvamos, ó Deus". (N. E.)

2º CAVALHEIRO

    Quais eram os bispos
Vistos a cada lado da rainha?

3º CAVALHEIRO

Stokesley e Gardiner,[48] um de Winchester,
Até há pouco secretário do rei,
E o outro, Londres.

2º CAVALHEIRO

    Esse de Winchester
Não é bem um amante do arcebispo,
O virtuoso Cranmer.

3º CAVALHEIRO

    O mundo o sabe:
Mas não há rixa profunda; e na hora
Cranmer terá um amigo que não foge.

2º CAVALHEIRO

E, diga, quem é esse?

3º CAVALHEIRO

    Thomas Cromwell,
Homem muito estimado pelo rei,
Um grande amigo. O rei lhe deu comando
Do tesouro das joias,[49]
E já é do conselho privado.

2º CAVALHEIRO

Ele merece mais.

1º CAVALHEIRO

    E há de tê-lo.

3º CAVALHEIRO

Tomem, cavalheiros, o meu caminho,
Que é o da corte, e são meus convidados:
Tenho algum prestígio; e, caminhando,
Lhes direi mais.

AMBOS

    Senhor, às suas ordens.

(Saem.)

---

48 John Stokesley era Bispo de Londres e Gardiner secretário do rei e Bispo de Winchester. (N. E.)
49 O guardião das joias da coroa, guardadas na Torre de Londres. (N. E.)

CENA 2
Kimbolton.

*(Entra a ex-rainha C*ATARINA*, doente, conduzida entre G*RIFFITH*, seu principal ajudante-de-ordens, e P*ATIENCE*, sua aia.)*

GRIFFITH

    Como está?

CATARINA

          Com doença fatal, Griffith:
As pernas, ramos que pendem pra terra,
Deixando a carga; pegue uma cadeira;
Agora, creio, sinto-me melhor.
Não me contou, Griffith, ao trazer-me,
Que o honradíssimo cardeal Wolsey
Morreu?

GRIFFITH

         Sim, senhora; porém julguei
Que, em sua dor, não tivesse notado.

CATARINA

    Por favor, Griffith, como morreu ele?
Se bem, caminhou certo, à minha frente,
Pra dar exemplo.

GRIFFITH

            O que dizem todos
É que depois de o conde de Northumberland
Prendê-lo em York, o arrastou consigo,
Como grande culpado, ante o júri,
Adoeceu de repente, e de tal modo
Que nem cavalgar mais pôde.

CATARINA

            Coitado.

GRIFFITH

    Em pequenas etapas chega a Leicester,
E fica na abadia, onde o abade,
Com mais todo o convento o reverenciou,
E a quem disse as palavras: "Pai abade,
Um velho, batido por ventos de Estado,
Vem aqui repousar ossos cansados:

　　　　　　Deem-lhe um canto no chão, por caridade".
　　　　　　E foi pro leito, onde a doença faminta
25　　　　　O perseguiu; e três noites mais tarde,
　　　　　　Perto das oito horas, como ele
　　　　　　Próprio previra, muito arrependido,
　　　　　　Após meditações, prantos e dores,
　　　　　　A este mundo devolveu suas honras,
30　　　　　Ao céu sua parte santa, e dormiu.

　　　　CATARINA
　　　　　　Que descanse, e seus erros pesem pouco;
　　　　　　Mas permita-me, Griffith, falar dele.
　　　　　　Com caridade, ainda. Foi um homem
　　　　　　De imensa ambição, a ombrear-se
35　　　　　Sempre com príncipes. Que ao sugeri-lo,
　　　　　　Unia o reino; a simonia grassava;
　　　　　　A sua opinião era sua lei;
　　　　　　Mentia ao rei, e era sempre ambíguo
　　　　　　Em fala e intenção. E sem piedade
40　　　　　(A não ser com o que ia ele arruinar);
　　　　　　Suas promessas, tão grande quanto foi,
　　　　　　O desempenho, o nada que hoje é;
　　　　　　Era corrupto em seu próprio corpo,
　　　　　　Mau exemplo pro clero.

　　　　GRIFFITH
　　　　　　　　　　　　　　Nobre dama,
45　　　　　Ficam os males em bronze, e as virtudes
　　　　　　Escrevemos na água. Sua Alteza
　　　　　　Deixa que eu fale bem dele?

　　　　CATARINA
　　　　　　　　　　　　　　Bom Griffith,
　　　　　　Dizer não é malícia.

　　　　GRIFFITH
　　　　　　　　　　　　　　O cardeal,
　　　　　　Mesmo de berço humilde, foi talhado
50　　　　　Pra grandes honras. Quase que do berço,
　　　　　　Foi erudito, sólido e maduro,
　　　　　　Um sábio bem falante e persuasivo;
　　　　　　Vaidoso e amargo pr'os que não o amavam,
　　　　　　Mas, para os que o buscavam, doce estio.
55　　　　　Sempre insatisfeito na ganância
　　　　　　(O que é pecado), em conceder, senhora,

        Era um príncipe: e que o comprovem
        Os gêmeos de saber que ele criou em
        Ipswich e Oxford;[50] um morto com ele,
60   O outro, inacabado, tão famoso,
        Tão excelente, e ainda crescendo,
        Que a cristandade sempre o cantará.
        Sua queda trouxe-lhe felicidade,
        Pois só então, sentindo-se pequeno,
65   Pôde encontrar as bênçãos de assim ser;
        E pra aumentar as honras deste mundo
        Que lhe deram, morreu temente a Deus.

CATARINA
        Quando eu morrer não desejo outro arauto,
        Ninguém fale do que fiz em vida,
70   Pra preservar minha honra impoluta,
        Senão Griffith, esse cronista honesto.
        Quem odiei em vida, fez-me agora
        Com verdade e moderação piedosas,
        Honrar as suas cinzas; paz pra ele.
75   Tenha paciência, deixe-me humilhar-me;
        Vou perturbá-lo pouco mais. Bom Griffith,
        Faça os músicos tocarem a elegia
        Que quero pro meu dobre, enquanto penso
        Na harmonia celeste pr'onde eu vou.[51]

        (Música triste e solene.)

GRIFFITH
80   Ela dorme; fiquemos quietos, aia,
        Pra não acordá-la; quieta, Patience.

A VISÃO
        (Entram, caminhando solenemente um após o outro, seis personagens, vestidos em longas vestes brancas, usando na cabeça guirlandas de louros, e máscaras douradas sobre os rostos, com ramos de louro ou palmas nas mãos. Primeiro, eles fazem solenes reverências a ela, depois dançam: e, em certas evoluções, os primeiros dois sustentam uma guirlanda extra sobre a cabeça dela, quando os outros quatro fazem solenes reverências. Depois, os dois que seguravam a guirlanda entregam a mesma aos próximos dois, que observam a mesma sequência em suas

---

50 A primeira era a cidade natal de Wolsey. Quanto à faculdade criada em Oxford, existe até hoje, com o nome de Christ Church. (N. T.)
51 Após a morte, a alma ouvia a música das esferas celestes. (N. E.)

evoluções, e seguram a guirlanda sobre a cabeça dela. Quando então (como se por inspiração) ela faz (em seu sono) gestos de regozijo, e levanta as mãos para os céus. E assim, dançando, eles desaparecem, carregando consigo a guirlanda. A música continua.)

CATARINA
Espíritos da paz, pr'onde se vão?
E aqui me deixam, pra trás, na desgraça?

GRIFFITH
Senhora, aqui estamos.

CATARINA
Não chamo a si:
85 Não viu ninguém entrar?

GRIFFITH
Não, senhora.

CATARINA
Não? Mas não viu a tropa abençoada
Me chamar pr'o banquete, cujos rostos
Me iluminavam com brilhantes raios?
Prometeram felicidade eterna,
90 E deram-me guirlandas que eu sinto
Inda não merecer, mas que hei de usar.

GRIFFITH
Alegra-me, senhora, que bons sonhos
Lhe tomem a mente.

CATARINA
Que saia a música;
Tem som ríspido e pesado.

(A música cessa.)

PATIENCE
Não notaram
95 Quanto Sua Graça mudou, de repente?
Como está longo o rosto! 'Stá tão pálida!
E fria como a terra! Veja os olhos!

GRIFFITH
Ela se vai; ore.

PATIENCE
                    Que o céu a tenha.

                (Entra um Mensageiro.)

MENSAGEIRO
                    Se quer Sua Graça...

CATARINA
                        Como é abusado;
100   Não mereço mais respeito?

GRIFFITH
                            É culpado;
                    Sabe que ela não perde sua grandeza,
                    E é rude assim. De joelhos.

MENSAGEIRO
                    Peço humilde perdão a Sua Alteza,
                    A pressa me alterou. Estão dizendo
105   Que o rei mandou um cavalheiro vê-la.

CATARINA
                    Permita que entre, Griffith; porém este,
                    Não quero mais ver.

                                        (Sai o Mensageiro.)

                (Entra o Lord Cappuchius.)

                        Se a visão não falha,
                    Será o embaixador do imperador,
                    Meu sobrinho, e o seu nome é Cappuchius.

CAPPUCHIUS
110   E seu servo, senhora.

CATARINA
                            Meu senhor,
                    Nomes e títulos mudaram muito
                    Em mim, desde que me conhece. Qual é
                    Seu desejo comigo?

CAPPUCHIUS
                            Nobre dama,
                    Primeiro é o meu serviço a Sua Graça;

                Depois, o rei me pede que a visite,
                Lamentando sua fraqueza e, por mim,
                Envia-lhe os seus votos principescos
                E sinceros de que tenha conforto.

CATARINA

                Meu bom senhor, vem tarde esse conforto,
                Como o perdão após a execução;
                Em tempo, esse remédio me curava;
                Agora, meu conforto está nas preces.
                Como está Sua Alteza?

CAPPUCHIUS

                                Com saúde.

CATARINA

                Que esteja sempre assim, e que floresça,
                Quando eu morar com vermes, e meu nome
                For banido do reino. Patience, a carta
                Que eu a fiz escrever, já mandou?

PATIENCE

                                Não.

CATARINA

                Senhor, humilde eu peço que a entregue
                A meu senhor o rei.

CAPPUCHIUS

                                Pois não, senhora.

CATARINA

                Na qual eu recomendo à sua bondade
                O fruto de nosso amor, sua filha
                (E bênçãos, como orvalho, caiam nela)
                Pedindo dar-lhe educação virtuosa
                (Ela é jovem, e de modéstia inata,
                Há de merecer bem) e a ame um pouco
                Em memória da mãe que a ele amou
                O céu sabe o quanto. E peço também
                Que em sua nobreza tenha piedade
                De minhas tristes aias, tão fieis
                Por tanto tempo às minhas fortunas,
                Dentre as quais nem uma só, eu garanto,

                    (E eu não minto)⁵² deixa de merecer,
                    Por seu comportamento e honestidade,
                    Um bom marido (que ele seja nobre),
145   E terão sorte os homens que as tiverem.
                    Peço, enfim, por meus homens, todos pobres,
                    (E a pobreza não os afastou de mim)
                    Para que tenham seus salários pagos,
                    E um pouco mais, pra que de mim se lembrem.
150   Prouvesse ao céu dar-me vida mais longa,
                    E meios, não me despediria assim.
                    É só esse o teor e, bom senhor,
                    Por todos que mais ama neste mundo,
                    E se deseja paz cristã à almas,
155   Seja amigo desses pobres e, ao rei,
                    Peça que me atenda nisso.

    GRIFFITH
                                        Se o não faço,
                    Que eu perca a própria condição de homem

    CATARINA
                    Sou grata. E, bom milord, me recomende
                    Com a maior humildade a Sua Alteza:
160   Diga-lhe seu problema agora deixa
                    Este mundo, e que morrendo o abençoo,
                    E assim faço; minha visão se apaga.
                    Milord Griffith, adeus. Não, Patience,
                    Não me deixe ainda. Devo deitar-me,
165   Chamem mais mulheres; e me recubram
                    Com flores castas, pra que o mundo saiba
                    Que como casta esposa vou pra tumba.
                    Que eu seja embalsamada. A ex-rainha,
                    Qual rainha filha de um rei, enterrem.
170   Não posso mais.

                                        (Saem, conduzindo CATARINA.)

---

52 Na hora da morte, falava-se a verdade. (N. E.)

ATO 5

CENA 1
Uma galeria na corte.

(Entra GARDINER, BISPO DE WINCHESTER, um PAJEM com uma tocha diante dele, e encontram SIR ROBERT LOVELL.)

GARDINER

    Já é uma, menino?

PAJEM

    Já bateu.

GARDINER

    Estas são horas pra necessidades,
    Não festas; recompor a natureza
    Com repouso, e não pra disperdiçarmos
5   Nosso tempo. Boa noite, Sir Thomas:
    Onde vai tão tarde?

LOVELL

    Veio do rei?

GARDINER

    Vim, Sir Thomas; 'stá jogando *primero*[53]
    Com o duque de Suffolk.

LOVELL

    Devo ir vê-lo,
    Antes que ele se deite. Já me vou.

GARDINER

10   Já, não, Sir Thomas Lovell: o que há?
    Parece estar com pressa; e não havendo
    Ofensa nisso, dê a seu amigo
    Um toque sobre as novas. Casos que andam
    (Como fantasmas) pela meia-noite,
15   São bem mais violentos que os negócios
    Tratados de dia.

LOVELL

    Senhor, o prezo,

---

53 Primeiro era um jogo de cartas muito popular na corte entre 1530 e 1640. (N. E.)

          E em seu ouvido deixava segredos
          Bem maiores. 'Stá parindo a rainha,
          Dizem que sofre muito, e se teme
20   Que acabará com o trabalho.

     GARDINER
                              Eu rezo
          Muito pelo fruto, que venha a termo
          E viva; porém o tronco, Sir Thomas,
          Bem podia secar.

     LOVELL
                              E eu quase, penso,
          Diria amém, porém a consciência
25   Me diz que a dama é boa, e que merece
          Melhores votos nossos.

     GARDINER
                         Mas, Sir Thomas,
          O senhor é daqueles cavalheiros
          De que eu gosto: é sábio e religioso,
          E eu garanto que nada estará bem,
30   Não estará, Sir Thomas Lovell, digo,
          Até Cranmer e Cromwell (as mãos dela),
          Mais ela, morrerem.

     LOVELL
                              Fala de dois
          Dos mais notáveis no reino: e Cromwell,
          Já, além do tesouro, é o mestre
35   Do arquivo e secretário do rei. Mais,
          Está por carregar mais promoções
          Que o tempo vai trazer. E do arcebispo,
          Mão e língua do rei, quem ousará
          Dizer uma sílaba?

     GARDINER
                         Sei, Sir Thomas,
40   Que há os que ousam, e eu me arrisquei
          A falar dele: e neste dia ainda,
          Eu creio, digo-lhe, ter conseguido
          Persuadido os nobres do conselho
          Ser ele (e todos nós sabemos ser)
45   Grande arqui-herege, uma pestilência
          Que infecta a terra; e assim provocados

                    Informaram o rei que, ouviu a queixa
                    E, por sua graça e preocupação
                    Quanto a possíveis males, ordenou
50   Que amanhã, de manhã, seja reunido
                    O conselho. Ele é erva má, Sir Thomas,
                    Devemos arrancá-lo. Não desejo
                    Mais retê-lo: boa noite, Sir Thomas.

                                        (Saem GARDINER e seu PAJEM.)

LOVELL

                    Boa noite, milord. Seu servidor.

                    (Entram o REI e SUFFOLK.)

REI HENRIQUE
55   Charles, não quero jogar mais esta noite.
                    Estou longe, e você é bom demais.

SUFFOLK
                    Eu nunca, antes, o havia vencido.

REI HENRIQUE
                    Por pouco, Charles,
                    Nem vai ganhar, estando eu concentrado.
60   E Lovell, quais as novas da rainha?

LOVELL
                    Eu não pude entregar pessoalmente
                    Sua mensagem, porém por suas mulheres
                    Enviei-a, e ela lhe agradece
                    Humildemente e pede que Sua Alteza
65   Ore por ela.

REI HENRIQUE
                                O que está dizendo?
                    Ore por ela? Ela está gritando?

LOVELL
                    Diz a aia que cada dor parece
                    Ser um golpe de morte.

REI HENRIQUE
                                Ai, coitada.

Suffolk

      Que Deus, gentil, a livre de seu pelo,
70   Com trabalho tranquilo, que resulte
      Em lhe dar um herdeiro.

Rei Henrique

                        É meia-noite.
      Charles, vá deitar-se, e em suas orações
      Lembre a rainha. Eu quero ficar só,
      Pois eu devo pensar no que aos outros,
75   Não seria amigável.

Suffolk

                        E eu desejo
      A Sua Alteza boa noite, e à ama
      Hei de lembrar nas preces.

Rei Henrique

                        Boa noite.

                                          (Sai Suffolk.)

      (Entra Sir Anthony Denny.)

      O que há, senhor?

Denny

      Trago comigo milord o arcebispo,
80   Assim como ordenou-me.

Rei Henrique

                        Canterbury?

Denny

      Sim, meu senhor.

Rei Henrique

                        Verdade; onde ele está?

Denny

      Aguarda o seu prazer.

Rei Henrique

                        Mande-o entrar.

                                          (Sai Denny.)

LOVELL

>   *(À parte.)*
> Isso é sobre o que nos falou o bispo;
> Que sorte estar aqui.

(Entram CRANMER e DENNY.)

REI HENRIQUE
85
> Evite a galeria.

(Lovell parece ficar.)

> Já disse. Saia.
> O que é?

(Saem LOVELL e DENNY.)

CRANMER

>   *(À parte.)*
> Eu temo. Por que tal ar zangado?
> É seu aspecto cruel. Algo vai mal.

REI HENRIQUE
90
> Então, milord? Deve querer saber
> Por que o chamei?

CRANMER

>   *(Ajoelhando-se.)*
> É meu dever estar a seu dispor.

REI HENRIQUE
>   Ora levante-se,
> Meu bom e amável Lord de Canterbury:
> Vamos dar uma caminhada juntos;
95
> Tenho novas pra si. Dê-me sua mão.
> E me dói repetir o que se segue.
> Tenho ouvido, sem querer, estes dias,
> Queixas sérias, e repito, senhor,
> Muito sérias contra si que, pesadas
100
> Levaram-me e ao conselho convocá-lo
> A apresentar-se hoje, onde eu sei
> Não terá liberdade de purgar-se
> Mas, até serem julgadas todas elas,
> Que há de responder, terá de ter
105
> Muita paciência e conformar-se
> Em residir na Torre; conselheiro,

                Se assim não procedermos, não teremos
                Testemunha contra si.

        CRANMER
                        (Ajoelhando-se.)
                                    Fico grato,
                E, alegre, eu aproveito a ocasião
110   Bem levantada, na qual o meu joio
                E trigo voam separados. Pois bem sei
                Que ninguém tantas línguas caluniam
                Quanto a mim.

        REI HENRIQUE
                                De pé, meu bom Canterbury,
                Sua íntegra verdade tem raízes
115   Em nós, seu amigo. Dê-me a mão; de pé;
                Caminhemos. Mas, por Santa Maria,
                Que homem é o senhor? Eu esperava
                Que me entregasse petição, a fim
                De eu me esforçar por reunir aqui
120   O senhor e quem o acusa, sendo ouvido
                Sem maiores demora.

        CRANMER
                                        Bravo amo,
                Meu bem é a verdade e a honestidade;
                Se essas falharem, junto aos inimigos
                Eu hei de triunfar sobre mim mesmo,
125   Sem tais virtudes. Eu a nada temo
                Que contra mim se diga.

        REI HENRIQUE
                                        Mas não sabe
                Como o mundo o encara, o mundo inteiro?
                Seus inimigos são muitos e grandes,
                Seus atos dessa mesma proporção,
130   E nem sempre justiça e verdade levam
                Honra à virtude: pense como é fácil
                Poder corrupto achar corruptos crápulas
                A jurar contra si? É coisa muito feita.
                É oposto com força, e com malícia
135   De grande porte. Espera ter mais sorte
                Da boca de perjuros, que o seu amo,
                Cujo ministro é, quando viveu
                Nesta maldosa terra: vamos, vamos,
                Vê numa fresta o que é um precipício,
140   E busca a destruição.

CRANMER

      Deus e Sua Alteza
Salvam minha inocência, ou eu caio
Nessa armadilha.

REI HENRIQUE

       Coragem, amigo,
Não avançarão mais do que eu ceda:
Console-se, e pela manhã não deixe
De apresentar-se a eles. Se, acaso,
O comprometem tais acusações,
Use da negação mais persuasiva
A seu alcance, com a veemência
Que a ocasião pedir. E se argumentos
Não lhe trouxerem remédio, este anel
Entregue a eles, com apelação a nós,
Feita diante deles. Vejam: chora:
Palavra que é honesto. Mãe de Deus,
Eu juro que é leal, e que sua alma
Não tem igual no reino. Vá pra casa,
E faça como eu disse.

          (Sai CRANMER.)

      Estrangulou
As palavras no pranto.

  (Entra uma SENHORA IDOSA; LOVELL a segue.)

GUARDA

  (Fora.)
     Volte! Como?

SENHORA

   Não volto, pois as novas que eu trago
Valem minha ousadia. Que bons anjos
Voem sobre a real cabeça, e o recubra
Sob suas santas almas.

REI HENRIQUE

       Pelo aspecto
Leio suas novas. Pariu a rainha?
Diga logo, um menino.

SENHORA

       Sim, meu amo,
Um lindo menino: que Deus, no céu,

165 A Abençoe pra sempre: é uma menina,
Que promete meninos. A rainha
Quer que a visite, meu senhor, a fim
De conhecer a estranha; igual a si
Como duas cerejas.

REI HENRIQUE
                    Lovell!

LOVELL
                    Sim?

REI HENRIQUE
170 Dê-lhe cem marcos. Vou ver a rainha.

(Sai o REI.)

SENHORA
Cem marcos? Pelo céu, eu quero mais.
Qualquer pajem recebe assim tão pouco.
Quero mais, nem que tenha de arrancá-lo.
Por isso disse que a menina é parecida?
175 Ou ganho mais, ou nego; e enquanto é quente
O assunto eu reclamo.

(Saem.)

CENA 2
Antessala e câmara do conselho.

(Entram CRANMER, ARCEBISPO DE CANTERBURY, seguidos de MENSAGEIROS. Guardas de serviço às portas.)

CRANMER
Estou na hora, mas o cavalheiro
Do conselho, mandado me buscar,
Pediu-me pressa. Fechado? Que é isso?
Quem está aí? Não me conhece?

(Entra um GUARDA.)

GUARDA
                    Sim;
5 Porém não posso ajudá-lo.

CRANMER
           Por quê?

GUARDA
           Sua Graça deve aguardar aqui.

CRANMER
                              Como?

           (Entra o DOUTOR BUTTS.)

BUTTS
           (À parte.)
           Isso é uma grande malícia. Eu me alegro
           De acaso ter passado aqui.
           Irei logo informar o rei.

                                          (Sai BUTTS.)

CRANMER
           (À parte.)
10   É Butts, o médico do rei; ao passar
           Vi como olhou seriamente pra mim:
           Tomara não me proclame a desgraça:
           Tudo isto é arte de alguém que me odeia
           (Que Deus os mude; nunca usei malícia)
15   Pra sufocar-me a honra. E que, humilhado,
           Aguarde à sua porta, um conselheiro
           Entre meninos, pajens e lacaios.
           Para agradá-los, hei de ter paciência.

           (Entram o REI e BUTTS em uma janela, ao alto.)[54]

BUTTS
           Venha ver visão estranha.

REI HENRIQUE
                              Qual, Butts?

BUTTS
20   Sua Alteza já a viu muitas vezes.

REI HENRIQUE
           Eu, mesmo? Qual é?

---
54 A rubrica, que é de época, refere-se ao uso do palco superior. (N. T.)

BUTTS
                    Veja ali, milord,
        A nova honra dada a Canterbury,
        Que mantém sua dignidade entre pajens,
        E meninos de recado.

REI HENRIQUE
                    É verdade.
25   É assim que se honram uns aos outros?
        É bom que haja um mais alto; eu julgava
        Compartilhassem toda a honestidade,
        E as maneiras, pra não admitir
        Que um homem de seu posto, junto a nós,
30   Tivesse que agradar os seus caprichos,
        E à porta, como um entregador:
        Pela Virgem, que isso é calhordice;
        Deixe-os estar, e feche essa cortina:
        Nòs ouviremos mais, em pouco.

>   *(Uma mesa de conselho é trazida para a cena, com cadeiras e bancos, colocados sob o dossel de Estado. Entra o LORD CHANCELER, que se coloca na extremidade alta da mesa, do lado esquerdo; fica vazia um lugar acima dele, para Canterbury. O DUQUE DE SUFFOLK, o DUQUE DE NORFOLK, SURREY, LORD CAMERLENGO, GARDINER, que se sentam, em ordem, a cada lado. CROMWELL fica no extremo inferior, como secretário.)*

CAMERLENGO
35   Fale da pauta, senhor secretário;
        Por que nos reunimos?

CROMWELL
                    Se permitem,
        A causa mor é o Lord de Canterbury.

GARDINER
        Sabe ele disso?

CROMWELL
                    Sabe.

NORFOLK
                    Quem 'stá esperando?

GUARDA
        Fora, milords?

GARDINER
                    Sim.

GUARDA
                    Milords o arcebispo;
            Que há meia hora aguarda o seu prazer.

CHANCELER
            Que entre.

GUARDA
                    Sua Graça pode entrar.

                (CRANMER se aproxima da mesa do conselho.)

CHANCELER
            Bom milord arcebispo, eu sinto muito
            Sentar nesta presença e ver vazia
            Aquela cadeira; somos só homens,
            De natureza frágil, todos súditos
            Da carne; poucos são anjos; e dessa
            Fragilidade e erros, nosso mestre,
            O senhor desviou-se e não foi pouco:
            Quanto ao rei, suas leis, e saturando
            O reino, por ensino e capelães
            (Segundo dizem) com novas ideias
            Várias e perigosas, que são heresias,
            E, sem reforma, são perniciosas.

GARDINER
            Essa reforma tem de vir depressa,
            Nobres lords, pois os que domam cavalos
            Não os montam, para amansar co'as mãos,
            Mas, com freio e bridão na boca, esporeiam
            Até que os obedeçam. Se admitirmos
            Só por conforto, ou piedade infantil
            À honra de um só homem, tal contágio,
            Não tem mais cura; e o que se segue, então?
            Comoções, levantes, males gerais
            A todo o Estado, como bem o norte
            Da vizinha Alemanha nos atesta,
            Com lembranças recentes e patéticas.

CRANMER
            Senhores, até hoje, no progresso

De minha vida e obra, eu labutei,
E com estudo, pra que o que eu ensino,
E o curso de minha autoridade
70 Sejam um só, e seguro; e o alvo
Sempre o de fazer o bem; não existe
(E eu falo com o meu coração aberto)
Homem que mais deteste, ou que combata,
Em sua consciência ou seu ofício,
75 Mais que eu os que atacam a paz pública:
Deus impeça que o rei jamais encontre
Peito menos fiel. Homens que fazem
Da inveja e da malícia alimento,
Ousam comê-lo. E aos senhores imploro
80 Que, por justiça, quem me acusa agora,
Seja quem for, me encare face a face,
E acuse livremente.

SUFFOLK
                    Não, milord.
Não pode. O senhor é conselheiro,
E, sendo assim, ninguém ousa acusá-lo.

GARDINER
85 Senhor, por termos causas mais potentes,
Seremos rápidos consigo. Apraz ao rei,
E achamos nós, que pra julgar melhor,
O senhor vai ficar preso na Torre,
Onde, voltando a ser apenas cidadão,
90 Verá quantos hão de ousar acusá-lo,
Bem mais, na certa, do que está esperando.

CRANMER
Meu bom Lord de Winchester, agradeço:
Foi sempre amigo; por vontade sua,
Sei que verei em si juiz e jurado,
95 Sempre piedoso. Vejo que o seu alvo
É a minha perda. O amor e a humildade
Calham melhor ao padre que a ambição:
Volte a ganhar de novo almas errantes,
Não as perca; que eu vá inocentar-me,
100 Do peso com que me fere a paciência,
Duvido menos do que a culpa o fere
Por fazer mal todo dia. E basta,
Que a reverência ao cargo me intimida.

GARDINER
Milord, milord, o senhor é sectário,

105 Essa é a verdade; a tinta é descoberta
Pelos homens que o entendem e a suas falhas.

CROMWELL
Milord de Winchester, está um pouco,
Perdão, demais cortante; homens nobres,
Mesmo se erram, merecem respeito
110 Pelo que já fizeram. É cruel,
Ferir quem cai.

GARDINER
                    Meu senhor secretário,
Atente pra sua honra; é o pior
Aqui de todos pra falar.

CROMWELL
                    Por quê?

GARDINE
Não sei então que o senhor favorece
115 A nova seita? Não é firme.

CROMWELL
                    Firme?

GARDINER
Não é.

CROMWELL
        Se fosse ao menos meio honesto,
O povo oraria por si, não por seu medo.

GARDINER
Eu lembrarei tal ousadia.

CROMWELL
                    Lembre.
E também sua vida ousada.

CHANCELER
                    É demais;
120 Se envergonhem.

GARDINER
                    Já acabei.

CROMWELL
> E eu.

CHANCELER
> Então, milord, já concordaram
> Todas as vozes: a partir de agora
> O senhor irá preso para a Torre,
> Onde fica, até o prazer do rei
125 > Nos ser informado; de acordo, lords?

TODOS
> Sim.

CRANMER
> Não há, então, piedade possível?
> Tenho de ir para a Torre, milords?

GARDINER
> E o que esperava? O senhor nos perturba:
> Que a guarda fique a postos.

(Entra a GUARDA.)

CRANMER
> Para mim?
130 > Devo ir pra lá qual traidor?

GARDINER
> Recebam-no,
> E levem-no pra Torre.

CRANMER
> Esperem, lords;
> Tenho algo a dizer. Olhem, milords:
> Graças a este anel, sai minha causa
> Das garras dos cruéis, e é conduzida
135 > A juiz muito nobre, o rei meu amo.

CHANCELER
> É o anel do rei.

SURREY
> E não é falso.

SUFFOLK
> Pelo céu, o anel certo: eu bem lhes disse,

                    Ao rolarmos tal pedra perigosa,
                    Que sobre nós cairia.

         NORFOLK
                                      Creem, lords,
  140   Que o rei permitiria que um só dedo
                    Desse homem sofresse?

         CAMERLENGO
                                     Agora é certo;
                    Quão mais cara é sua vida pra ele?
                    Quisera não estar nisso.

         CROMWELL
                                Suspeitei,
                    Quando busquei boatos e denúncias
  145   Contra esse homem, cuja honestidade
                    O demo e seus discípulos invejam,
                    Que no fogo que armavam queimariam.

              (Entra o REI, franzindo o cenho para eles, e toma seu lugar.)

         GARDINER
                    Temido soberano, ao céu devemos
                    Diária gratidão por ter tal príncipe,
  150   Além de bom e sábio, religioso:
                    Alguém que, obediente, faz da igreja
                    Alvo maior da honra, e reforçando
                    Esse dever real, só por respeito,
                    Em sua real pessoa vem julgar
  155   A causa entre ela e seu ofensor.

         REI HENRIQUE
                    Foi sempre bom em bajulação, Bispo.
                    Mas saiba, já não busco adulações,
                    São por demais baixas e transparentes
                    Pra disfarçar ofensas, e não podem
  160   Tocar-me. Qual cão, de língua de fora,
                    Vocês procuram me ganhar, mas seja
                    Por quem quer que me tomem, eu sei bem
                    Da sua natureza vil, sangrenta

                         (Para Cramer.)

                    Bom Senhor, sente-se. Que o mais audaz,
  165   Mais orgulhoso, o que mais ousar

>   Dentre esses Lords apenas erga um dedo
>   Contra vós, e por tudo o que é sagrado,
>   Melhor seria ele morrer de fome
>   Que crer que esse lugar não lhe pertence.

    SURREY
170   Se lhe apraz...

    REI HENRIQUE
>   Mas não, senhor, não é o caso.
>   Pensei ter homens de entendimento
>   E sapiência em meu conselho.
>   Acaso foi decente assim deixar
175   Um homem tão excelso
>   Merecem tal título – honesto, ali
>   A esperar como um lacaio à porta?
>   Vergonha! Minhas ordens os forçaram
>   A se esquecerem assim do seu lugar?
180   Eu quis que se julgasse um conselheiro,
>   Não um criado; há alguns dentre vós;
>   Eu bem o vejo, mais por malícia
>   Que por integridade, o julgariam
>   Com todo o rigor, se lhes fosse dado;
185   E em minha vida jamais lhes será.

    CAMERLENGO
>   Permita, mais temido soberano,
>   Que a minha voz peça o perdão de todos.
>   A prisão foi pensada – se é que há fé
>   Entre os homens – apenas precededor
190   O julgamento e sua purgação
>   Perante o mundo, e nunca por malícia,
>   Eu sei, em mim.

    REI HENRIQUE
>   Pois muito bem, senhores, com respeito
>   Levem-no, tratado como merece
195   Pois não posso negar que se um príncipe
>   Deve a um seu súdito por seus serviços
>   E seu grande afeto, eu estou em dívida.
>   Não mais demorem, abracem-no todos.
>   Sejam amigos, senhores! Meu Lord
200   Da Cantuária, há algo que devo
>   Pedir-lhe, e o senhor não vai negar:
>   Ou seja, uma jovem e bela moça

Pede padrinho para o batismo:
Será o senhor padrinho e responsável.

CRANMER

205 O maior rei hoje vivo só tem glória
Por essa honra; mas, como o mereço
Eu, que sou súdito pobre e humilde?

REI HENRIQUE

Vamos, milord, poupe suas colheres;[55]
Terá duas nobres parceiras consigo: a velha
210 Duquesa de Norfolk e a Lady Marquesa de Dorset; lhe agradam?
Novamente, milord Winchester, insisto:
Abrace e ame esse homem.

GARDINER

                              De coração
E amor fraterno o faço.

CRANMER

                              E que o céu
Testemunhe pra mim quanto isso é caro.

REI HENRIQUE

215 Bom homem, seu pranto atesta o que sente;
A voz comum assim é confirmada,
Que diz: "Faça a milord de Canterbury
Um mal, e o terá pra sempre amigo".
Milords, nós perdemos tempo; anseio
220 Tornar cristã minha recém-nascida.
Se ora os fiz um, milords, fiquem unidos:
Foram honrados, e eu fortalecido.

(Saem.)

CENA 3
Na entrada da corte.

(Ruído e tumulto fora: entram o PORTEIRO e seu AJUDANTE.)

PORTEIRO

Parem já com esse barulho, seus vagabundos; pensam que a corte é praça pública? Escravos grosseiros, chega de gritaria.

---

55 Na época, os padrinhos, por ocasião do batismo, ofereciam ao afilhado uma dúzia de colheres, que tinham no cabo a efígie dos doze apóstolos. (N. T.)

ALGUÉM

>   *(Fora.)*
>   Bom porteiro, eu pertenço às provisões.

PORTEIRO

>   Pertence à forca, e vá se enforcar, patife; isto é lugar pra se gritar? Peguem-me doze paus de macieira, e dos fortes; estes aqui são gravetos: eu lhes parto as cabeças; querem ver batizados? procuram bolo e cerveja por aqui, safados?

AJUDANTE

>   Senhor, tenha paciência; é impossível
>   (A não ser que os varramos com canhões)
>   Enxotá-los, ou pôr para dormir
>   Nessa manhã de maio,[56] que esperavam:
>   Não adianta puxar nem empurrar.

PORTEIRO

>   Como entraram, e se agarraram?

AJUDANTE

>   Isso eu não sei; como sobe a maré?
>   O mais que pude, com chicote curto
>   (E veja o que sobrou dele), eu bati;
>   Eu não poupei ninguém.

PORTEIRO

>   Mas não fez nada.

AJUDANTE

>   Não sou Sansão, Sir Guy e nem Colbrand,[57]
>   Para moer ninguém; mas se poupei
>   Quem tem cabeça, seja moço ou velho,
>   Macho ou fêmea, cornudo ou corneador,
>   Que nunca mais veja um lombo,[58]
>   Nem sequer de uma vaca, Deus a tenha.

ALGUÉM

>   *(Fora.)*
>   Não ouviu, mestre porteiro?

---

56 Os dias ensolarados da primavera, em maio, acabam por levar os jovens a festas, principalmente as ao ar livre. (N. T.)
57 Heróis de grande força. Colbrand era um imenso gigante, e Sir Guy, conde de Warwick, o matou. (N. T.)
58 No original, "*chine*", e ninguém até hoje soube exatamente o que a palavra quer dizer. Mas o *Dicionário Oxford* sugere que seja uma região "acima dos omoplatas". Creio que o indefinido "lombo" seja a melhor sugestão. (N. T.)

PORTEIRO

    Já estou indo, meu bom filhote;
    Moleque, mantenha fechada a porta.

AJUDANTE

    O que o senhor quer que eu faça?

PORTEIRO

    O que deve fazer, senão derrubar aí umas dúzias deles? Isto é Moo'rfields, pra festa? Ou será que chegou à corte algum índio, com sua grande ferramenta, pr'as mulheres nos cercarem? Cruz credo, é uma turba de fornicadores, aí na porta! Por minha consciência cristã, esse batizado vai geral mais mil, pois aqui estão pai, padrinho, e tudo junto.

AJUDANTE

    As colheres têm de aumentar: tem um cara perto da porta que, pela cara, devia ser um brazeiro, pois acho que tem vinte dias-de-cão[59] no nariz; quem está perto dele está sob o equador, e livre de outras penitências: esse dragão acertei três vezes na cabeça, e três vezes me atirou fogo pelo nariz: fica ali feito um morteiro, pronto pra nos estourar, Tinha a mulher de um dono de armarinho, muito tola, perto dele, que me xingou até seu chapéu-cumbuca cair da cabeça, por atear combustão no Estado. Errei uma vez o meteoro, acertei na mulher, que gritou "Cacete", e eu vi que uns quarenta caceteiros vinham socorrê-la, das lojas no Strand, que é a casa dela; eles chegaram bem perto, e eu ia me aguentando, quando de repente uma fila de meninos, atrás deles, me atiraram tal chuva de pedras que eu recolhi a honra e os deixei ganhar; estou certo que o diabo estava no meio deles.

PORTEIRO

    É a molecada que faz barulho no teatro, briga por maçãs mordidas, que só a multidão da colina da Torre, ou seus irmãos de Limehouse[60] são capazes de aturar. Mandei uns três para o *Limbo Parum*, onde hão de dançar uns três dias, junto ao banquete dos meirinhos[61] que está por vir.

    (*Entra o* LORD CAMERLENGO.)

CAMERLENGO

    Misericórdia; que multidão, aí!
    E ainda cresce; vêm de toda parte,

---

59 Os quarenta dias que antecedem o advento de Sírius, a estrela-cão, dia 11 de agosto, tido como o dia mais quente e insalubre de todo o ano. (N. T.)
60 Por uma sequência de trocadilhos intraduzíveis, os frequentadores do local, principalmente marinheiros, acabam sendo ligados à figura do diabo. (N. T.)
61 Comentário irônico sugerindo que os que iam presos tomavam parte em um banquete ao serem ali recebidos. (N. T.)

Como pra feira; onde estão os porteiros,
Os preguiçosos; armaram uma boa!
Que turba deixaram entrar; são todos
Seus amigos do subúrbio? Vai sobrar
Um grande espaço, é claro, pr'as senhoras
Que passarem depois do batizado.

PORTEIRO
Senhor, somos só homens, e o possível,
Sem ser esquartejados, nós fizemos:
Nem soldado os segura.

CAMERLENGO
                    Pois eu digo
Que se o rei me culpar, eu pego todos
Na hora, pelos pés; e nas cabeças
Sapeco grandes multas: preguiçosos,
Ficaram só correndo atrás de bêbados,
Em lugar do serviço. Ouçam, trombetas;
Estão já voltando do balizado;
Vão abrir, na multidão, um caminho
Para as tropas passarem bem,
Ou vão todos dois meses pra cadeira.

PORTEIRO
Passagem pra princesa.

AJUDANTE
                    Oh, grandalhão,
Afaste-se, ou lhe dou dor de cabeça.

PORTEIRO
Os junto do dossel, saiam da grade,
E se não, eu espeto essas cabeças.

(Saem.)

CENA 4
A corte.

(Entram trompas, tocando; então dois VEREADORES, O LORD PREFEITO, JARRETEIRA, CRANMER, DUQUE DE NORFOLK, com o bastão de marechal, o DUQUE DE SUFFOLK, dois nobres carregando dois receptáculos de pé, para os presentes de batisado:depois quatro nobres carregando um dossel, sob o qual a DUQUESA DE NORFOLK, madrinha, carregando a criança, ricamente vestida, com um manto etc.; a cauda é

carregada por uma dama; segue-se a Marquesa de Dorset, *que é outra madrinha, e damas. A tropa passa uma vez pelo palco, e o Representante da Ordem da* Jarreteira *fala.*)

Jarreteira

Que o céu, de sua bondade infinita, mande vida próspera, longa e sempre feliz, à altíssima e poderosa princesa da Inglaterra, Elizabeth.

(Fanfarra. Entra o Rei *e a guarda.)*

Cranmer

(Ajoelhando-se.)
E a Sua Real Graça, e à rainha,
Os meus nobres parceiros e eu pedimos
5   Que conforto e alegria, à linda dama
Que o céu mandou para alegrar seus pais,
Chova pra sempre.

Rei Henrique

Obrigado, arcebispo:
Que nome tem?

Cranmer

Elizabeth.

Rei Henrique

10 De pé; *(O* Rei *beija a menina.)*
Meu beijo é bênção: que Deus a proteja,
Em cujas mãos ponho sua vida.

Cranmer

Amém.

Rei Henrique

Caras comadres, foram muito pródigas;
Eu agradeço muito, e ela também,
15 Tão logo fale inglês.

Cranmer

Quero falar,
Pois o céu o pede; e o que disser,
Ninguém julgue lisonja; é a verdade.
Esta infanta real – que Deus a guarde –
Embora inda no berço, já promete
20 Mil bênçãos a esta nossa terra,
Que florirão com o tempo. Ela há de ser

(Embora não vivamos para vê-lo)
Modelo aos príncipes de sua época,
E aos que virão depois. Nunca Sabá
25   Foi tão rica em virtudes condizentes
Quanto esta alma pura. Todas as graças
Principescas fazem dela algo impar,
E todas as virtudes que o bem cercam
São duplas nela. Nutriu-a a verdade;
30   Seus guias são os santos pensamentos;
Temida e amada, terá do povo bênçãos
Seu inimigo, qual trigal ao vento,
Curva-se à dor: o bem cresce com ela;
Com ela o povo há de comer em paz,
35   Sob a vinha que planta, e cantará
Cantos alegres de paz com os vizinhos.
Veremos Deus; e aqueles que a cercam
Nela lerão a perfeição da honra,
E, daí, sua grandeza, não por sangue.
40   Nem morrerão com ela suas bênçãos,
Pois como faz o fênix fabuloso,
Suas cinzas criarão um outro herdeiro
Tão admirável quanto é ela mesma,
A sua bênção deixará pr'alguém
45   (Quando o céu a chamar deste negror)
Que, das cinzas sagradas de sua honra
Subirá, qual estrela, com igual fama,
Fixa pra sempre. Paz, fartura, amor,
Verdade e terror, servos da infanta,
50   Virão a ele, e nele crescerão;
E cada vez que o sol brilhar no céu
Sua honra e a grandeza de seu nome,
Farão nações; e ele florescerá,
E como o cedro há de expandir seus ramos
55   Sobre toda a planície. Os nossos netos
Hão de ver isso, abençoando o céu.

REI HENRIQUE
O senhor diz maravilhas.

CRANMER
Para o bem da Inglaterra ela será
Princesa idosa, anos a verão,
60   E nem um dia sem algo a coroá-lo.
Quisera não; mas ela há de morrer,
Tem de morrer, como os santos, e virgem,

              Há de passar qual um lírio sem manchas
              Para a terra, chorada pelo mundo.

      REI HENRIQUE
65   Milord arcebispo,
              Agora fez-me homem; nunca, antes
              Desta feliz criança, criei nada.
              Esse oráculo alegre me agradou
              Tanto que, ao chegar no céu, só quero
70   Olhar o que ela faz, e louvar Deus.
              Grato a todos. Ao senhor, lord prefeito,
              E seus irmãos eu fico devedor:
              Fiquei honrado por sua presença,
              E hão de ver-me grato. Sigam, lords.
75   Para ver a rainha, que entristece
              Se não agradecer-lhes. Ninguém hoje
              Tem negócios em casa; todos ficam;
              A pequena faz desse um dia santo.

                                                        (Saem.)

EPÍLOGO

Dou dez por um que a peça não agrada
A todos; por uns, só calma é buscada
E o sono de uma hora; esses, não raro,
Assustamos co'as trompas e, é claro,
Dirão que ela é nada; outros podem vir
Pr'ouvir a cidade ofendida – e rir –
O que também não foi feito; e tememos
Que o único aplauso que teremos
Para esta peça, vem das muitas loas
Aqui tecidas a mulheres boas,
Pois uma nós mostramos: com um sorriso,
E aprovação, todo homem de siso
Mostra que está conosco; e, ao aplaudir,
Fará o que sua dama irá pedir.

Ricardo II

Introdução
Barbara Heliodora

Cerca de três anos depois de haver concluído sua primeira tetralogia histórica, que tratava da Guerra das Rosas, e depois também de haver escrito *Rei João*, desligada de qualquer dos dois ciclos, Shakespeare começou um novo conjunto, que na verdade corresponde a período anterior ao das quatro primeiras peças, e de certo modo aponta as causas remotas da Guerra Civil que estas últimas retratavam. Como autor dramático, o poeta se mostrava agora incomparavelmente mais maduro, mais senhor da linguagem da literatura dramática, ainda mais hábil na transformação do fato histórico em material dramático e teatral.

Toda a sua habilidade seria necessária para escrever *Ricardo II*, pois a censura política continuava vigorando com força, e a deposição de um monarca era assunto particularmente delicado aos olhos de Elizabeth I. Se no primeiro conjunto (as três partes de *Henrique VI* e *Ricardo III*) Shakespeare havia investigado, de modo mais específico, a luta pelo poder e a ambição dos que cercam o rei, no segundo (*Ricardo II*, as duas partes de *Henrique IV* e *Henrique V*) ele fala muito mais profundamente sobre a relação do poderoso com o poder, e como cada rei encara sua posição, seus deveres, seus privilégios.

Como Henrique VI, Ricardo II herda a coroa ainda criança; seu pai, Eduardo, o Príncipe Negro, de Gales, é morto em batalha ainda jovem, e quando Eduardo III morre, é o neto Ricardo, de nove anos, quem herda a coroa. Se a Henrique VI faltaram sempre capacidade mental e vocação para o mando, o que o deixou a vida toda vítima dos que queriam exercer o poder em seu lugar, Ricardo cresceu com plena consciência de seus privilégios, porém sem ter tomado o mesmo interesse por seus deveres. De todos os reis de que Shakespeare trata, Ricardo é o único que crê no que viria a ser chamado de teoria do direito divino dos reis, e acredita que sua posição o deixa acima do bem e do mal, livre para fazer o que quiser, do modo que quiser.

Famoso por sua beleza e pela realeza de seu aspecto, com sua mera presença Ricardo abortou um levante contra ele aos catorze anos, o que ainda mais o deixou convicto de ser dono de dotes excepcionais. A peça abre com uma cena de grande "pompa e circunstância", condições nas quais Ricardo aparece bem e se sente melhor: com grande formalidade, Henry Bolingbroke, duque de Hereford (filho do tio do rei, John de Gaunt, duque de Lancaster), e Thomas Mowbray, duque de Norfolk, se acusam mutuamente de traição, desvio de verbas e, o que é mais grave, o primeiro acusa o segundo de ser responsável pelo assassinato de Thomas de Woodstock, duque de Gloucester, outro tio do rei. Ricardo, com grande solenidade, tenta conciliar os dois e, não conseguindo, ordena que os dois se encontrem em combate singular.

O rei impede o combate e condena ambos ao exílio, sendo mais rígido com Mowbray, que tão bem o serviu. Mas o ato crucial de Ricardo tem base em sua ilusão de poder absoluto: quando morre o tio Lancaster, o duque mais poderoso de toda a Inglaterra, ele irresponsavelmente sequestra os bens que deviam ser herdados pelo filho exilado. O sensato mas fraco tio York chama sua atenção para o fato de que, com tal gesto, Ricardo nega a hereditariedade, o próprio princípio graças ao qual ele é rei; pior, com seu gesto ele perde o apoio de toda a nobreza, pois se o rei toma o que pertencia a alguém do gabarito de Lancaster, nem um só nobre poderia ter a certeza de que poderia deixar o que tinha a seus herdeiros.

O tema principal da peça tem por base justamente as falhas morais de Ricardo, e propõe em princípio a seguinte questão: o que é melhor, um mau rei legítimo ou um bom rei usurpador? O caminho que Shakespeare encontrou para superar os problemas da censura, o de uma aparente isenção, é brilhantemente executado: Ricardo II é criado com todo o encanto pessoal que lhe era sempre atribuído, e particularmente favorecido, como personagem, nos dois últimos atos, que cobrem a perda do trono e a morte, em que sua autodramatização é feita em termos de rara beleza; por outro lado, Henry Bolingbroke, o primo que o depõe, tem apresentação mais seca e severa, mas com dedicação inabalável à Inglaterra e ao bem-estar de seu povo.

A ação é de tal modo conduzida que fica efetivamente criada a impressão de que o Duque de Hereford, sem ambição, foi conduzido ao trono tanto pelos acontecimentos quanto pelo comportamento de Ricardo. Se, nas três peças sobre Henrique VI, o Duque de York se diz súdito fiel, mas em mais de um monólogo revela sua delirante ambição, em Ricardo II Shakespeare não dá a Bolingbroke, antes de ele vir a ser coroado, um único monólogo, e, portanto, não temos qualquer indicação concreta de que seu objetivo ao voltar à Inglaterra fosse o trono.

Já tem sido dito que os dois conjuntos de quatro peças formam, na verdade, uma única obra, da qual a Inglaterra é a protagonista. Não há dúvida de que esse pode ser um modo perfeitamente válido de interpretar o todo, porém as quatro segundas falam de período anterior ao das quatro primeiras. Embora elas façam parte de um todo, cada uma pode ser lida ou encenada separadamente, e se sustenta por si, pois há uma ação central individual. Ricardo II fica, na verdade, entre as mais independentes e as mais belas.

Lista de Personagens

Rei Ricardo II
John de Gaunt, duque de Lancaster, tio do rei
Henry Bolingbroke, duque de Hereford, filho de John de Gaunt, mais tarde rei Henrique IV
Thomas Mowbray, duque de Norfolk
Duquesa de Gloucester, viúva de Thomas de Woodstock, duque de Gloucester
Lord Marechal
Duque de Aumerle, filho do duque de York
Dois Arautos
Sir Henry Greene
Sir John Bushy
Sir John Bagot
Edmund de Langley, duque de York, tio do rei
Henry Percy, conde de Northumberland
Lord Ross
Lord Willoughby
Isabel, a rainha, esposa de Ricardo II
Um Criado do Duque de York
Harry Percy, apelidado Hotspur, filho do conde de Northumberland
Lord Berkeley
Conde de Salisbury
Um Capitão Galês
Bispo de Carlisle
Sir Stephen Croope
Duas Damas que servem à rainha Isabel
Um Jardineiro e seu Ajudante
Lord Fitzwater
Um Lorde
Duque de Surrey
Abade de Westminster
Duquesa de York
Sir Piers Exton
Seu Criado
Um cavalariço da cocheira do rei Ricardo
Comandante da prisão em Pomfret
Guardas, soldados e criados

A cena: Inglaterra e Gales.

ATO 1

CENA 1
Castelo de Windsor.

(*Entram o Rei Ricardo, John de Gaunt e outros nobres e criados.*).

RICARDO

Velho Gaunt, venerando e honrado Lancaster,
Foi por teu compromisso e tua jura
Que aqui trouxeste o teu filho, o ousado Hereford,
Pr'aqui provar troante acusação,
Que o ócio até agora não me deixou atender,
Contra o duque de Norfolk, Thomas Mowbray?

GAUNT

Foi, senhor.

RICARDO

Dize-nos, mais: já dele indagou
Se acusa o duque por malícia antiga,
Ou, como é justo que o faça um súdito,
Tendo por base alguma traição sua?

GAUNT

No que pude filtrar do que me disse,
Por parecer ver nele algum perigo
A Vossa Majestade, e não malícia.

RICARDO

Chama-os aqui ao trono, e face a face,
Cenho a cenho, haveremos de ouvir
Que dizem acusado e acusador.
Ambos são bravos, ambos 'stão irados,
Raivosos como o mar, e afogueados.

(*Entram Bolingbroke e Mowbray.*)

BOLINGBROKE

Anos de belos dias deem os fados
Ao meu bom rei, meu soberano amado!

MOWBRAY

E cada dia mais feliz que o outro,

                    Até que o céu, por inveja da terra,
                    Dê título imortal à sua coroa!

         RICARDO
                    Sou grato a ambos, porém um bajula,
25   Como o deixa evidente a vossa vinda,
                    E a acusação mútua de alta traição:
                    Primo Hereford, o que aqui alegas
                    Contra o duque de Norfolk, Thomas Mowbray?

         BOLINGBROKE
                    Primeiro – e o céu me seja testemunha!
30   Com toda a devoção do amor de um súdito,
                    Por zelo da segurança do príncipe,
                    E isento de qualquer ódio nefando,
                    Venho eu, acusador, à tua presença.
                    E agora a ti me volto, Thomas Mowbray,
35   E ouve o meu saudar, pelo que digo,
                    O meu corpo confirma aqui na terra,
                    E responde no céu a minha alma.
                    Tu és não só traidor, és um canalha,
                    Bom demais para o ser, mau pra viver,
40   Pois quanto mais cristalino é o céu,
                    Mais feia fica a nuvem que o atravessa.
                    De novo, pra tornar mais grave o tom,
                    Com o nome de traidor te estufo a goela,
                    E quero – se apraz ao rei – onde estou
45   Provar co'a espada o que a língua afirmou.

         MOWBRAY
                    Não falta o zelo a essas palavras frias.
                    Não são júri de briga de mulher,
                    Ou barulheira de línguas ansiosas,
                    Que podem arbitrar a nossa causa;
50   O sangue quente terá de esfriar.
                    Porém não sou tão dócil e paciente
                    Pra ser calado e não ter o que dizer.
                    Primeiro, a honra ao monarca me impede
                    De soltar rédea a um discurso livre,
55   Senão, com pressa, estavam devolvidos
                    À tua goela o nome de traidor.
                    Afastem-lhe o alto sangue azul,
                    E o parentesco com o meu soberano,
                    Aqui o desafio, e cuspo nele,
60   Chamando-o de covarde e de canalha,
                    O que sustento, e ainda dou vantagem,

                    E o desafio, até mesmo indo a pé
                    Aos picos dos Alpes congelados,
                    Ou qualquer outra parte inabitável
65   Que inglês algum jamais ousou pisar.
                    No entanto, isto me prove a lealdade,
                    Juro por tudo que ele é falso e mente.

    BOLINGBROKE
                        (Joga a luva.)
                    Covarde trêmulo, eu atiro a luva¹
                    Negando o parentesco com o meu rei,
70   E deixando de lado o sangue real,
                    Que por medo, e não respeito, alegaste.
                    Se o culpado temor te deixa forças
                    Bastantes pra aceitá-la, então apanha-a.
                    Por esse, e os ritos mais de um cavaleiro,
75   Farei valer contra ti, braço a braço,
                    Tudo o que disse ou pior, se possível.

    MOWBRAY
                        (Apanha a luva.)
                    Aqui a tomo, e juro, pela espada
                    Que neste ombro me fez cavaleiro,
                    Que te respondo em qualquer nível justo,
80   Ou prova feita pra cavalaria;
                    E, montado, que eu não desmonte vivo,
                    Se for traidor ou lutar contra as leis!

    RICARDO
                        (Para BOLINGBROKE.)
                    De que o nosso primo acusa Mowbray?
                    Deve ser grave pra gerar em nós
85   Sequer um mau pensamento contra ele.

    BOLINGBROKE
                    Ouça o que digo, co'a vida eu o provo:
                    Que Mowbray recebeu oito mil nobres,²
                    Suposto adiantamento para a tropa,
                    Que ele reteve para fins ignóbeis,
90   Como falso traidor, vilão doloso.
                    Digo mais, e o provarei em batalha,
                    Ou aqui ou no vergel mais distante
                    Jamais corrido por olhar inglês,

---

1 Jogar luva ou gorro significa desafiar o adversário em combate. (N. E.)
2 Moeda de ouro que valia cerca de meia libra. (N. E.)

95	Que as traições todas que, há dezoito anos,
	Foram tramadas nesta nossa terra,
	Têm como início e fonte o falso Mowbray.
	E ainda digo mais, e mais sustento
	Com a sua vida má, bem comprovar
	Que é seu o plano da morte de Gloucester,
100	Por saber incitar inimizades,
	Para a seguir, qual covarde traidor,
	Livrar-lhe a alma por rios de sangue,
	Sangue que, como o de Abel, me chama,
	Das cavernas sem língua desta terra,
105	A clamar por justiça e punição.
	E, pela glória da minha linhagem,
	Ou este braço o faz, ou perco a vida.

RICARDO

Que tom agudo tem tua acusação!
Thomas de Norfolk, que dizes a isso?

MOWBRAY

110 Que o soberano afaste um pouco o rosto,
Peça ao ouvido um pouco de surdez,
Até que eu diga, à mancha de seu sangue,
O quanto odeia Deus um mentiroso.

RICARDO

Tenho imparciais olhos e ouvidos.
115 Fosse ele meu irmão, o meu herdeiro,
E ele é só filho do irmão de meu pai,
Por honra deste cetro agora eu juro,
Ser próximo ao meu sagrado sangue
Em nada o isenta ou torna parcial
120 A firmeza e a retidão da minh'alma.
Ele é meu súdito, como o é Mowbray:
Fala livre e sem medo, eu te permito.

MOWBRAY

Pois até o coração, Bolingbroke,
Passando pela goela falsa, mentes.
125 Para Calais foram três partes do obtido,
Pagando a tropa de Sua Majestade;
A outra reservei, com permissão,
Já que meu soberano estava em débito
Comigo pelo resto das despesas
130 Que tive em França buscando a rainha:[3]

---

[3] Historicamente, foi o próprio rei quem buscou Isabel, correndo as despesas por conta de Mowbray e Aumerle. (N. E.)

>   Engole essa mentira. E quanto a Gloucester,
>   Não o matei, mas por desgraça minha
>   Fui negligente em meu dever no caso.⁴
>   Quanto ao senhor, nobre duque de Lancaster,
> 135   Honrado pai deste meu inimigo,
>   Outrora atentei contra tua vida,
>   Ofensa que até hoje dói-me a alma,
>   Mas antes da recente comunhão
>   O confessei, e com rigor pedi
> 140   Perdão a Vossa Graça, e espero tê-lo.
>   Esse, o meu crime. Quanto a todo o resto,
>   Nasce só do rancor desse vilão,
>   Um canalha, um traidor degenerado,
>   O que afirmarei com este meu corpo,
> 145   Lançando, em troca, a minha própria luva
>   Aos pés desse traidor tão arrogante,
>   Para provar que sou um fidalgo leal
>   Ao melhor sangue que traga ele no peito.
>   Com pressa, e de coração pediria
> 150   Que Vossa Majestade marque o dia.

RICARDO

>   Cavaleiros irados, sigam minhas ordens;
>   Vamos purgar tal ira sem sangrar –
>   Sem sermos médico, damos receita:
>   Funda é a incisão pela malícia feita.
> 155   Esquecer, perdoar, entrar em acordo:
>   Não se sangra este mês, dizem doutores.
>   Tio, que finde na fonte o calor:
>   Acalmo Norfolk; o seu filho, o senhor.

GAUNT

>   Vai bem à minha idade buscar paz.
> 160   Joga a luva do duque, meu rapaz.

RICARDO

>   E Norfolk jogue a dele.

GAUNT

>   Harry, hesitas?
>   Diz a obediência que eu não me repita.

RICARDO

>   Norfolk, nós já pedimos. É um engano.

---

4 Mowbray é propositadamente obscuro na passagem, com o objetivo de proteger-se e ao rei, implicados na morte do duque. (N. E.)

MOWBRAY

(Ajoelhando-se.)
Atiro a mim aos pés do soberano.
165   Comanda a minha vida, o brio, não:
Devo a primeira, mas reputação
Que, morto, em minha cova há de brilhar,
Pra a desonra não há de ma levar.
'Stou desgraçado, a honra maculada,
170   Ferido por calúnia envenenada,
Só o sangue dele é bálsamo pra cura,
Pois é o veneno.

RICARDO

Controla essa ira.
Dá-me a luva. Leão doma leopardo.[5]

MOWBRAY

Mas não o muda.[6] Sem arcar com o fardo
175   Da vergonha, eu entrego. Soberano,
O tesouro mais puro da vida do humano
É um nome sem jaça– se manchado,
Nós somos lama, ou barro pintado.[7]
Joia trancada em cofre colossal
180   É o brio altivo num peito leal.
Minha honra e vida o tempo ligou.
Tira-me a honra, e a vida acabou.
Senhor, eu quero à luta a honra submeter;
Por ela eu vivo, por ela hei de morrer.

RICARDO

185   Primo, devolve a luva; dá esse sinal.

BOLINGBROKE

Que Deus me salve de um pecado tal.
Diante de meu pai ser humilhado?
Ou, pálido, manchar meu alto estado
Diante desse calhorda? Antes que a boca
190   Me manche a honra por razão tão pouca,
E negocie assim, meus fortes dentes
Rasgarão a causa vil da recusa de meu não,
E a cuspirão, com o sangue dessa hora,
Em Mowbray, que é onde a vergonha mora.

(Sai GAUNT.)

---

5 Ricardo indica que a força do leão, seu emblema heráldico, doma o leopardo, emblema de Mowbray. (N. E.)
6 Referência ao livro de Jeremias 13.23: "Pode o mouro mudar sua pele, ou o leopardo as manchas?" Metaforicamente, são as manchas morais. (N. E.)
7 Referência ao Gênesis e à imagem dos seres humanos virem do barro da terra. (N. E.)

RICARDO

195 Nasci não pra pedir, mas pra mandar;
Se os dois amigos não pude tornar,
Responderão co'a vida em luta, é certo,
Em Coventry, na festa de São Lamberto.[8]
Lá, com o arbítrio de lanças e espadas,
200 Finda o conflito de iras inchadas.
Se não os acalmamos, numa liça,
Com a vitória, há de revelar a justiça.
E marechal, que os teus homens de armas
Se aprontem pra reger esses alarmas.

(Saem.)

CENA 2
Na casa de John de Gaunt.

(Entram JOHN DE GAUNT e a DUQUESA DE GLOUCESTER.)

GAUNT

A minha parte no sangue de Woodstock[9]
A mim provoca mais que os teus reclamos
Pr'agir contra os que o assassinaram;
Porém, com a punição nas mãos do autor
5 Da falta, não podemos corrigi-la.[10]
Entreguemos a nossa luta ao céu,
Que ao ver a hora certa aqui na terra,
Há de chover vingança em quem pecou.

DUQUESA

Só até isso te leva o sangue irmão?
10 Não há mais fogo em teu sangue de velho?
Os sete filhos de Eduardo – e entre eles
Tu és um – eram sete claros frascos
Do teu sangue, ou sete ramos de um galho.
Alguns secaram pela natureza,
15 Alguns foi o Destino que cortou;
Mas Thomas, meu senhor e minha vida,
Frasco sagrado de tão nobre sangue,
Ramo florido de raiz real,
Foi partido, o seu néctar derramado,
20 Foi cortado, e murchou o seu verão,
Pelo golpe sangrento do assassino.

---
8 Coventry está a noroeste de Londres. A festa de São Lamberto é comemorada em 17 de setembro. (N. E.)
9 Gaunt se refere a seu irmão, Thomas de Woodstock, duque de Gloucester. (N. E.)
10 Gaunt indica que o rei é o responsável pelo assassinato de Gloucester. (N. E.)

Ah, Gaunt, era o teu sangue! Aquele leito,
Aquele ventre, o molde do teu corpo,
Fizeram dele um homem; mesmo vivo,
Morreste nele, e em certa medida
Tu consentes na morte de teu pai
Vendo morrer teu desgraçado irmão,
Que era o molde de teu pai em vida.
Não fales de paciência; é desespero.
Se vês, assim, teu irmão trucidado,
Deixas a descoberto a tua vida,
Ensinas o assassino a abater-te.
Chamamos paciência nos humildes
O que no peito nobre é covardia.
Que dizer? Pra salvar tua própria vida,
Tens de vingar a morte do meu Gloucester.

GAUNT

Essa luta é de Deus: Seu substituto,
Seu deputado ungido ante Seus olhos,
Causou-lhe a morte, e se foi malfeito,
Que o céu se vingue, mas eu não levanto
Um braço irado contra o Seu ministro.

DUQUESA

Onde então posso queixar-me, ai, ai?

GAUNT

A Deus, que é das viúvas defensor.

DUQUESA

Assim farei, e adeus, meu velho Gaunt.
Tu vais pra Coventry, onde hás de ver
O primo Hereford lutar contra Mowbray.
Que a lança leve os males de meu Thomas
Quando Hereford ferir o assassino!
Ou se perder a primeira passada,
Que em Mowbray pesem tanto os seus pecados
Que se quebre a espinha do cavalo,
Atirando na liça o cavaleiro,
Presa cativa de meu primo Hereford!
Adeus, tua antiga cunhada vai agora
Andar com a dor por essa vida afora.

GAUNT

Adeus, irmã, tenho de ir a Coventry.
É o mesmo ficar contigo ou ir comigo!

DUQUESA
Uma palavra mais: a dor que bate, salta
Não com o vazio, mas com grande peso.
60 Despeço-me inda antes do começo,
Mesmo acabada a tristeza não finda.
Dá lembranças ao teu irmão York.
É tudo. Não, não partas logo assim,
Não tão depressa, mesmo sendo o fim.
65 Há outra coisa. Pede-lhe – o quê? –
Que venha logo a Plashy[11] visitar-me.
Ai, ai, que veria lá o velho York
Senão quartos vazios, paredes desnudas,
Ambientes sem gente, pisos mudos,
70 Que ouviria de mim senão gemidos?
Dá-lhe minhas lembranças, que não venha
Procurar a tristeza que lá mora.
Desolada, vai pra lá a que morre.
E diz-lhe adeus o meu pranto que corre.

(Saem.)

CENA 3
A liça em Coventry.

(Entram o LORD MARECHAL e o LORD AUMERLE.)

MARECHAL
Lord Aumerle, 'stá armado Henry Hereford?

AUMERLE
Todo pronto, e ansioso por entrar.

MARECHAL
O duque de Norfolk, brioso e ousado,
Só espera os clarins do acusador.

AUMERLE
5 E então os combatentes, preparados,
Esperam só chegar Sua Majestade.

(Os clarins soam e o REI entra com os nobres. Quando ocupam seus lugares, entra o acusado MOWBRAY, armado.)

RICARDO
Indaga, marechal, do combatente,

---

[11] Plashy é a propriedade do duque de Gloucester, em Essex. (N. E.)

A causa de mostrar-se aqui, em armas.
Pede seu nome e, segundo as regras,
10 Que ele jure ser justa a sua causa.

MARECHAL
          (Para MOWBRAY.)
Por Deus e o rei, declara aqui teu nome,
Por que aqui vens armado em cavaleiro,
Contra que homem vens, e qual a causa.
Jura a verdade como cavaleiro,
15 E assim o céu defenda tua bravura!

MOWBRAY
Sou Thomas Mowbray, duque de Norfolk,
E estou aqui com a palavra engajada –
E Deus não deixe traí-la um fidalgo –
Pra defender minha fé e lealdade
20 A Deus, meu rei, e a meus sucessores,
Contra o duque de Hereford que me acusa.
E, com a graça de Deus, este meu braço,
Ao defender-me, comprove que ele
Traiu a Deus, ao rei e a mim.
25 E, verdadeiro, que o céu me defenda!

(Os clarins soam. Entra BOLINGBROKE, acusador, de armadura.)

RICARDO
Indaga, marechal, do cavaleiro,
Qual o seu nome e por que vem aqui
Assim escudado nos trajes da guerra.
E formalmente, obedecendo às regras,
30 Nos fale da justiça de sua causa.

MARECHAL
          (Para BOLINGBROKE.)
Qual o teu nome? Por que vens aqui
Diante do rei nesta liça real?
Contra quem vens? Qual tua querela?
E, pelo céu, fala qual cavaleiro!

BOLINGBROKE
35 Harry de Hereford, Lancaster e Derby
Sou eu, e vim aqui provar com armas,
Pela graça de Deus e meu valor
Na liça contra Norfolk, Thomas Mowbray,
Que ele é traidor infame, e perigoso

40   A Deus, ao rei Ricardo e a mim.
            E, verdadeiro, que o céu me defenda!

    MARECHAL
            E, sob pena de morte, ninguém ouse
            Só por desfaçatez tocar a liça
            Senão o marechal e os oficiais
45   Encarregados da ordem da luta.

    BOLINGBROKE
            Lord Marechal, quero beijar a mão
            E ajoelhar-me ante o meu soberano,
            Pois Mowbray e eu aqui estamos
            Pra peregrinação longa e exaustiva.
50   Com cerimônia devemos partir,
            E os amigos deixar com amor.

    MARECHAL
                (Para RICARDO.)
            O acusador saúda-te, Majestade,
            E pede a graça de beijar-te a mão.

    RICARDO
            Nós desceremos a fim de abraçá-lo.
55   Primo Hereford, se a tua causa é justa,
            Que tenhas sorte nesta real luta!
            Adeus, meu sangue, que hoje derramado,
            Terá lamento, não será vingado.[12]

    BOLINGBROKE
            Que o pranto não profane o olho real
60   Por mim, se morto por lança de Mowbray!
            Confiante como o voo do falcão
            Contra um pássaro, luto contra ele.
            (Para o MARECHAL.) Senhor amado, de ti me despeço,
            (Para AUMERLE.) De ti, meu nobre primo Lord Aumerle.
65   Trato com a morte sem estar doente,
            Saudável, jovem, respirando alegre.
            Como inglês numa festa, reservei
            O melhor para o fim, pra ser mais doce.
            (Para GAUNT.) A ti, autor terreno do meu sangue,
70   Cujo espírito jovem em mim vive
            E com duplo vigor a mim sustenta
            Pr'alcançar vitória além de mim,

---

12 A ideia subjacente é que se Bolingbroke for morto, isso comprova sua culpa. O rei indica que lamentará a morte sem, entretanto, vingá-la. (N. E.)

　　　　　　Reforça com orações minha armadura,
　　　　　　E com tua bênção afia a minha lança,
75　　　　　Pra que ela entre na malha de Mowbray,
　　　　　　Brilhando mais o nome John de Gaunt
　　　　　　Com a bravura dos atos de seu filho.

　　　GAUNT
　　　　　　Deus te defenda em tua boa causa.
　　　　　　Sê qual relâmpago na execução,
80　　　　　E que teus golpes, sempre redobrados,
　　　　　　Caiam como trovões assustadores
　　　　　　No elmo do inimigo pernicioso!
　　　　　　Com sangue jovem, sê valente e vive!

　　　BOLINGBROKE
　　　　　　Minha inocência e São Jorge me guiem!

　　　MOWBRAY
85　　　　　Seja qual for o fado que hoje eu tenha,
　　　　　　Vive ou morre fiel ao rei Ricardo
　　　　　　Um cavalheiro íntegro e leal.
　　　　　　Jamais cativo com peito mais livre
　　　　　　Largou os seus grilhões e abraçou
90　　　　　A alforria dourada e sem limites,
　　　　　　Do que minh'alma dança e comemora
　　　　　　A festa desta luta com o inimigo.
　　　　　　Poderoso senhor, pares amigos,
　　　　　　Venham de minha boca anos felizes.
95　　　　　Gentil e alegre como para o esporte
　　　　　　Vou lutar; a verdade me dá sorte.

　　　RICARDO
　　　　　　Adeus, Milord, 'stou certo de encontrar
　　　　　　A virtude e a bravura em teu olhar.
　　　　　　Que a prova ora comece, marechal.

　　　MARECHAL
100　　　　Harry de Hereford, Lancaster e Derby,
　　　　　　Toma tua lança, e que Deus traga o direito!

　　　BOLINGBROKE
　　　　　　Qual torre de esperança eu digo amém.

　　　MARECHAL
　　　　　　　　(Para um SOLDADO.)
　　　　　　Leva esta lança a Thomas, duque de Norfolk.

1º ARAUTO

    Harry de Hereford, Lancaster e Derby,
105   Aqui por Deus, o rei e por si mesmo,
    Sob pena de ser tido como falso,
    Para provar que Thomas, duque de Norfolk,
    Traiu a Deus, ao rei e a ele mesmo,
    Desafia-o a mostrar-se para a luta.

2º ARAUTO

110   Eis aqui Thomas, o duque de Norfolk,
    Sob pena de ser tido como falso,
    Pra defender-se e também provar
    Que Henry de Hereford, Lancaster e Derby,
    Foi desleal com Deus, o rei e com ele,
115   Com coragem, e de livre vontade,
    Esperando o sinal pra começar.

MARECHAL

    Que toquem os clarins, e ambos avancem.
    Parai; o rei baixou seu bastão.

RICARDO

    Ponde de lado os elmos e as espadas,
120   E que ambos retomem seus assentos.
    (Para os NOBRES.) Vinde conosco e que as trompas ressoem
    Quando dissermos o arbitrado aos duques.
    (Para BOLINGBROKE e MOWBRAY.) Aproximai-vos,
    Ouvi o que decidimos co'o conselho.
125   Pra não mancharmos o solo do reino
    Com o caro sangue que ele alimentou,
    E por odiarmos o quadro hediondo
    De feridas civis de armas vizinhas,
    E por julgarmos que o orgulho alado
130   De pensamentos que sonham com os céus
    Os guiou à rivalidade odienta,
    Pra acordar nossa paz que, em nossa terra,
    Dorme no berço um sono de criança,
    Que despertado por rufar tão alto,
135   Com o ressoar dos gritos dos clarins,
    E o odioso bater de armas metálicas,
    Possa assustar a paz deste rincão,
    Fazendo-nos andejar em sangue irmão,
    Nós te banimos deste território,
140   Meu primo Hereford, sob pena de morte.
    Até que dez verões tragam colheitas,
    Não hás de ver de novo estes domínios,
    Mas só pisar o chão do banimento.

BOLINGBROKE
          Assim seja, e há de ser o meu consolo:
145   Saber que o sol que te aquece me ilumina,
          E os raios de ouro que aqui derrama
          Hão de atingir-me e dourar-me o exílio.

RICARDO
          Norfolk, a tua pena é mais pesada,
          E eu com relutância a pronuncio.
150   Não hão de terminar as horas lentas
          Dos limites sem fim do teu exílio;
          Não há esperança no "nunca mais voltes"
          Que eu te imponho, sob pena de morte.

MOWBRAY
          Sentença dura, amado soberano,
155   Que jamais esperei desses teus lábios;
          Prêmio mais alto, não pena profunda
          Como a de ser atirado no mundo,
          Mereci das mãos de Vossa Majestade.
          A língua que aprendi quarenta anos,
160   O inglês nativo, devo abandonar,
          Pois minha língua não terá mais uso
          Que uma viola ou harpa sem as cordas,
          Ou instrumento precioso no estojo,
          Ou que se aberto vai cair em mãos
165   Que não sabem tocá-lo com harmonia.
          Minha língua foi presa numa jaula
          Com as grades duplas de dentes e lábios,
          E a ignorância, insensível e estéril,
          É o carcereiro que me vai guardar.
170   Estou velho demais pra governantas,
          Tenho idade demais pra ser aluno.
          Sua sentença é morte muda e viva:
          Eu só respiro na língua nativa.

RICARDO
          Não adianta buscares compaixão;
175   Dada a sentença, vai-se a ocasião.

MOWBRAY
          Eu deixo então a luz da minha terra,
          Para viver no negror da noite eterna.

RICARDO
          Voltai, e levai convosco um juramento.

                    (Para ambos.) Em nossa espada pousai as mãos banidas.
180   E jurai, por dever devido a Deus
                    Nosso quinhão convosco nós banimos
                    Manter o voto que ora ministramos:
                    Nenhum dos dois, sendo fiéis a Deus,
                    Há de buscar no exílio o amor do outro,
185   Nem hão de olhar a face um do outro,
                    Nem escrever, saudar ou conciliar
                    A tempestade desse ódio criado,
                    Nem se encontrarem de caso pensado
                    Pra conceber ou nutrir qualquer mal
190   Contra nós, contra o estado, povo, ou terra.

    BOLINGBROKE
                    Eu juro.

    MOWBRAY
                    E eu, de manter tudo.

    BOLINGBROKE
                    Norfolk, meu inimigo permanente:
                    A esta altura, se o deixasse o rei,
                    Já voaria a alma de um de nós,
195   Banida do sepulcro desta carne,
                    Como é a carne banida do reino.
                    Confessa seres traidor antes de ir-te;
                    Pra viagem tão longa, não carregues
                    O peso enorme da alma culpada.

    MOWBRAY
200   Não, Bolingbroke, se jamais fui traidor,
                    Suma o meu nome do livro da vida,
                    E seja eu do céu também banido!
                    Do que tu és, Deus, tu e eu sabemos,
                    E em breve, eu temo, vai sofrer o rei.
205   Adeus, senhor. Não me perco sozinho;
                    Afora a pátria, o mundo é o meu caminho.

                                                                    (Sai.)

    RICARDO
                    Meu tio, pelo espelho de teus olhos
                    Vejo um triste coração. Teu aspecto triste
                    Do número desses banidos anos
210   Tirou quatro. *(Para BOLINGBROKE.)* Seis invernos passados,
                    Volta bem-vindo de teu banimento.

BOLINGBROKE

 Quanto tempo, em palavra tão pequena!
 Triste frio e da primavera a chama
 Assim acabam, se um rei o proclama.

GAUNT

215 Sou grato ao rei porque, pensando em mim,
 Corta quatro anos do exílio do meu filho,
 Porém pouca vantagem ganho nisso;
 Pois antes que os seis anos dessa ausência
 Mudando as luas tragam tal momento
220 Minha lâmpada seca e luz mortiça[13]
 Com a idade já serão noite sem fim.
 O meu naco de vela já queimado,
 Cego com a morte, não mais hei de vê-lo.

RICARDO

 Meu tio inda tem anos pra gozar.

GAUNT

225 Mas nem um só que o meu rei possa dar:
 Cortar meus dias podes, com dor vã,
 Mas não podes me dar um amanhã;
 Podes ajudar o tempo a me enrugar,
 Mas não privar de marcas seu vagar;
230 Minha morte à palavra foi vendida,
 Mas, morto, reino algum me compra a vida.

RICARDO

 Teu filho foi banido por consenso,
 E tua língua deu voto a favor:
 Por que lastimas, então, nossa justiça?

GAUNT

235 Muito doce ao provar é indigesto.
 Pediste-me qual juiz; quem dera, ai, ai,
 Que me pedisses argumentos de pai.
 Se não fosse meu filho, e sim estranho,
 Pena menor ele teria ganho.
240 Evitei ser julgado parcial
 Com a própria vida acabei, afinal.
 Pensei que alguém presente me dissesse
 Não crer que pena tão severa eu desse;

---

13 A vida humana é, como na Bíblia, comparada à luz; Gaunt vê sua morte como uma lâmpada seca, uma luz que se esgota. (N. E.)

245   Porém com minha língua concordaram
E que eu fizesse mal a mim deixaram.

RICARDO

Meu primo, adeus e tio, faze-o ir,
Pra seu exílio, ele tem de partir.

(Clarinada. Saem o REI RICARDO e séquito.)

AUMERLE

Primo, adeus, do que a ausência nos priva
Que o papel nos dê em notícia viva.

MARECHAL

(Para BOLINGBROKE.)
250   Milord, não digo adeus. Também montado,
Enquanto em terra, estarei a teu lado.

GAUNT

(Para BOLINGBROKE.)
Por que ser tão avaro de palavras,
Que nem sequer saúda teus amigos?

BOLINGBROKE

Para dizer-lhes adeus elas me faltam.
255   A língua não é farta em seu ofício
Para expressar a dor de um coração.

GAUNT

Tua dor é a de ausência temporária.

BOLINGBROKE

Sem alegria, só há dor no tempo.

GAUNT

Só seis invernos? Passam num instante.

BOLINGBROKE

260   Para o triste, cada hora são dez.

GAUNT

Imagina que é uma viagem de prazer.

BOLINGBROKE

Meu coração suspira com esse engano,
Sendo esta peregrinação forçada.

GAUNT

    A soturna passagem de teus passos
265   Julga só fundo fosco contra o qual
    Há de brilhar a joia do retorno.

BOLINGBROKE

    Muito ao contrário. O tédio dos meus passos
    Só me fará lembrar por quanto mundo
    Eu me afasto das joias que amo.
270   Não tenho de servir aprendizado,
    Em outras terras para, no seu fim,
    Já livre não poder dizer senão
    Que da tristeza fui um aprendiz?

GAUNT

    Todo local que vê o olho do céu
275   É para o sábio porto e doce abrigo.
    Ensina isso à tua precisão –
    Virtude maior é a necessidade.
    Não te julgues banido pelo rei,
    Mas o rei, por ti. A dor pesa mais
280   Quando é sustentada com fraqueza.
    Vai porque te mandei em busca de glória,
    Não por teres sido exilado. Supõe
    Que pestilência corre em nossos ares,
    E que partes pra ter clima melhor.
285   Pensa que o que sonha tua alma
    'Stá aonde vai, e não de onde veio.
    Pensa em aves que cantam como músicos,
    E que é a corte essa relva que pisas;
    As flores, damas; cada passo teu,
290   Um compasso encantado, ou uma dança;
    Pois a dor que corrói perde em poder
    Ante o homem que dela assim descrer.

BOLINGBROKE

    Quem pode segurar na mão o fogo
    Só por pensar no congelado Cáucaso?
295   Ou embotar as dores do apetite
    Só por pensar que está em um banquete?
    Quem brinca nu nas neves de dezembro
    Só por dizer que o estio está fervendo?
    Ó, não! A apreensão do bom faz-nos
300   Sentir ainda mais o pior,
    O veneno da presa é mais doído
    Se não se corta o ponto que é mordido.

GAUNT

Vamos, filho, um pouco eu vou contigo;
Por não ser jovem é que não te sigo.

BOLINGBROKE

305 Adeus, ó terra inglesa, doce solo,
Mãe e ama que sempre me nutriram.
Vá aonde for, direi, sempre outra vez,
Sou exilado, mas nascido inglês.

(Saem.)

CENA 4
A corte.

(Entra o REI com BAGOT e GREENE por uma porta, e o LORD AUMERLE pela outra.)

RICARDO

Nós reparamos.[14] Primo Aumerle,
Até onde escoltou o altivo[15] Hereford?

AUMERLE

Levei o altivo Hereford, como o chamas,
Até a outra estrada, onde o deixei.

RICARDO

5 E, dize, muitas lágrimas caíram?

AUMERLE

Minha, nenhuma; vento do nordeste,
Porém, ventando frio em nossos rostos
Talvez tenha irritado algum catarro,
E feito alguma lágrima correr.

RICARDO

10 Que disse nosso primo ao despedir-se?

AUMERLE

"Passe bem."
E como o peito me impedia a língua
De profanar o termo, então fingi
Que tanto 'stava oprimido de tristeza

---
14 A fala indica que o rei entra em cena em meio a uma conversa com Greene e Bagot. Possivelmente o que o rei repara é que Bolingbroke corteja o povo. (N. E.)
15 No original, "high" com o duplo sentido de ser nobre e arrogante. (N. E.)

15   Que nela se enterravam as palavras.
Se "passe bem" tornasse horas mais longas,
E acrescentasse anos ao exílio,
De mim ele teria um monte deles;
Mas como não, de mim não tirou um.

RICARDO

20   É nosso primo, primo, mas não sei
Se quando o tempo terminar o exílio
Nosso parente verá seus amigos.
Eu mesmo e Bushy, aqui, Bagot e Greene,
Vi-mo-lo cortejando o povaréu,
25   E como entrava nos seus corações
Com cortesia humilde e familiar;
Que reverência gastou com os escravos,
Cortejando artesãos com seu sorriso,
E arcando com paciência o seu destino,
30   Para levar, banidos, seus afetos.
Ele tira o chapéu a uma peixeira,
Dois carroceiros dizem "Vá com Deus"
E o seu joelho pagou tal tributo
Com "Grato, meus patrícios, meus amigos",
35   Como, mudado, o reino fosse dele,
E ele o herdeiro pr'os nossos súditos.

GREENE

Mas já foi, e com ele tais ideias.
Porém agora os rebeldes na Irlanda
Exigem providências, meu senhor,
40   Antes que a lentidão lhes dê mais meios
Pra ganho deles e perda pro rei.

RICARDO

Iremos em pessoa a essa guerra.
E se os cofres, por corte muito grande
E generosidade, estão mais leves,
45   Somos forçados a arrendar o reino,
Com a renda assim obtida financiando
As questões que enfrentamos. Não bastando,
Os regentes, aqui, têm carta branca
Para, sabendo quais os homens ricos,
50   Fazê-los subscrever somas em ouro,
Que atenderão às nossas necessidades,
Pois logo partiremos para a Irlanda.

(Entra Bushy.)

Bushy, quais as novas?

BUSHY

O velho Gaunt está muito doente,
Foi repentino e, a toda pressa,
Pede a Vossa Majestade que o visite.

RICARDO

Onde está ele?

BUSHY

No palácio Ely.

RICARDO

E agora, meu Deus, inspire o médico
A levá-lo pra cova bem depressa!
O forro de seus cofres vestirão
Nossos soldados nas guerras da Irlanda.
Vamos, senhores, vamos visitá-lo,
Rezando pra, depressa, chegar tarde.

TODOS

Amém.

(Saem.)

ATO 2

CENA 1
No palácio Ely.

(Entram JOHN DE GAUNT, doente, *o* DUQUE DE YORK *etc.)*

GAUNT

Será que o rei não vem par'eu expirar
Aconselhando bem sua juventude?

YORK

Não te apoquentes, nem percas teu fôlego;
Todo conselho em seu ouvido é vão.

GAUNT

5   Dizem que a língua de quem está morrendo
Chama tanta atenção quanto a harmonia.
Quem só tem pouco tempo não o gasta;
Quem diz na dor só diz o que é verdade.
Ouve-se mais quem mais não vai dizer
10 Que o jovem, pra quem tempo é um jardim;
Deixa mais marca quem 'stá pra morrer.
O sol poente, a música no fim,
Como é mais doce o doce que acabou,
É o escrito sobre o tempo que passou.
15 Mesmo o rei sempre surdo tendo sido,
À minha morte ele há de dar ouvidos.

YORK

Estão tapados com bajulação,
Como loas, de que os sábios gostam tanto,
Versos lascivos, de sons venenosos,
20 A que o ouvido do jovem sempre ouve,
Novas da moda na garbosa Itália,
Que a nossa terra hoje macaqueia,
A se arrastar em vil imitação.
Que vaidade aparece neste mundo,
25 Desde que seja nova, até corrupta,
Que não chegue depressa aos seus ouvidos?
Mas demora o conselho a ser ouvido,
Onde o capricho luta com o bom senso.
Não guies quem já tem a sua estrada;
30 Não gastes o fôlego, já quase nada.

GAUNT
Eu me sinto um profeta iluminado
E, ao expirar, pra ele isto eu prevejo:
Sua chama impudente será breve
Pois o fogo violento se consome.
Perdura a chuva fina, não a forte.
Cansa-se logo o que corre demais;
Engasga-se quem, sôfrego, abocanha;
A vaidade, que é corvo insaciável,
Depois de tudo o mais, come a si mesma.
Este trono de reis, ilha coroada,[16]
Trono de Marte, terra majestosa,
Este outro Éden, quase um paraíso,
Forte que a natureza fez pra si
Contra o contágio e contra a mão da guerra;
Esta raça feliz, pequeno mundo,
Pedra preciosa presa em mar de prata,
Que a serve na função de uma muralha
Ou fosso defensivo de uma casa
Contra a inveja de povos infelizes;
Esta gleba, este reino, esta Inglaterra,
Ventre fértil que gerou tantos reis,
Bravos em sangue, notáveis por berço,
Famosos por seus feitos, mundo afora,
Por serviço cristão de cavaleiros
Como o sepulcro, entre os judeus teimosos,
Daquele que é o resgate deste mundo,
O abençoado filho de Maria.
Esta terra de almas tão queridas,
Cara por sua fama em todo o mundo,
'Stá arrendada, eu afirmo, morrendo,
Retalhada em pedaços de meeiros.
Inglaterra, cercada pelo mar,
Mas que repele o invejoso sítio –
De Netuno, hoje é presa de vergonha,
De pergaminhos podres e manchados.
A Inglaterra, que outrora conquistava,
Derrotou-se, em conquista vergonhosa.
Findasse o escândalo com a minha vida,
Como seria boa a minha morte!

(Entram o REI, a RAINHA, AUMERLE, BUSHY, GREENE, BAGOT e WILLOUGHBY.)

---
16 A passagem é das mais famosas de Shakespeare, celebrando, com eloquência patriótica, a nação. (N. E.)

York

70 Chegou o rei, tem calma, ele é jovem;
    Potro refuga quando sente a rédea.

Rainha

    Como está o nosso nobre tio Lancaster?

Ricardo

    Como está? Como passa o velho Gaunt?[17]

Gaunt

    Como o nome condiz com meu estado,
75 O velho Gaunt 'stá mesmo muito velho.
    A dor me motivou longo jejum,
    Não fica magro quem não come carne?
    De vigília ante uma pátria que dorme,
    E ficar de vigília traz magreza.
80 O prazer que alimenta muitos pais
    Pra mim é jejum – o rosto de um filho,
    Com tal jejum a mim emagreceste.
    'Stou magro para a cova, como a cova
    Cujo ventre de mim só terá ossos.

Ricardo

85 Doente brinca assim com o próprio nome?

Gaunt

    Miséria é que debocha de si mesma.
    Como queres matar meu nome em mim,
    Pra bajulá-lo, rei, eu brinco assim.

Ricardo

    Bajula o agonizante quem está vivo?

Gaunt

90 Não; os vivos bajulam os que morrem.

Ricardo

    Porém morrendo diz que me bajula.

Gaunt

    Não, tu estás morrendo; eu, doente.

---

17 O nome "Gaunt" é devido ao fato de John de Gaunt ter nascido em Ghent, na atual Bélgica; a palavra, em inglês, significa macilento, magro e acabado. (N. T.)

Ricardo

Pois eu, saudável, te vejo doente.

Gaunt

O que me fez vê que o doente és tu,
95 E quão me faz mal ver-te tão mal.
O teu leito de morte é a tua terra,
Onde tu, com reputação enferma
E sendo paciente descuidado,
Entregas para a cura o corpo ungido
100 Aos médicos que a ti contaminaram.
Há mil bajuladores na coroa
Que não abraçam mais que tua cabeça,
Mas mesmo presos só nesses limites
Jogam fora não menos que tua pátria.
105 Se o teu famoso avô fosse profeta
E visse o neto destruir seus filhos,
Não deixaria isso ao teu alcance,
Depondo-te, antes que tivesses posse
Do que possuis só pra seres deposto.
110 Primo, se fosses regente do mundo,
Seria triste o arrendar desta terra;
Mas se no mundo só tens esta terra,
Não é pior fazeres tão mal a ela?
Aqui és senhorio, não és rei,
115 Com a terra escravizada pela lei,
E tu...

Ricardo

Um tolo esquálido e enlouquecido,
Usando os privilégios da doença
Ousa, com essas geladas advertências,
Nos deixar pálidos, e o real sangue
120 Fugir com fúria de onde deve estar.
Pois pela majestade do meu trono,
Não sendo filho do grande Eduardo,
Por essa tua língua que corre tão solta
A cabeça te arrancaria dos ombros.

Gaunt

125 Não me poupes, filho do mano Edward,
Só por ser eu filho do pai dele Eduardo;[18]

---

[18] Em inglês: "O, spare me not, my brother's Edward's son, /For that I was his father Edward's son". Gaunt se refere ao seu irmão Edward, o príncipe Negro, pai de Ricardo II, e ao rei Eduardo III. (N. E.)

     Pois desse sangue, como o pelicano,[19]
     Tu já colheste e bebeste em orgias.
     Meu irmão Gloucester, uma boa alma,
130   Que o céu o tenha em meio a almas boas,
     Há de ser depoente e testemunha
     Que não tens pejo de espalhar seu sangue.
     Junta-te agora à doença que tenho,
     E com a foice torta da velhice
135   Corta logo esta flor que já murchou.
     Tua vergonha não morre contigo!
     Que te atormente sempre o que te digo!
     Levem-me ao leito e, após, à tumba em dor.
     Só quer viver o que tem honra e amor.

                                 (Sai.)

RICARDO
140   Pois que morra o que é velho e adoentado,
     Quem 'stá assim deve ser enterrado.

YORK

     Majestade, eu imploro que o aqui dito
     Seja imputado à moléstia e à velhice;
     Eu juro que ele te ama e tanto o sente
145   Quanto Hereford, estando aqui presente.

RICARDO

     Verdade; o amor dos dois é bem igual.
     Que assim seja; o meu é tal e qual.

     (Entra NORTHUMBERLAND.)

NORTHUMBERLAND
     Majestade, Gaunt a ti se recomenda.

RICARDO
     E o que diz?

NORTHUMBERLAND
         Nada mais, tudo está dito:
150   A língua que tocou não tem mais cordas;
     Palavras, vida, tudo, já gastou.

---

19 Gaunt acusa Ricardo II de se alimentar do sangue da própria família. De acordo com a fábula, a mãe pelicano alimenta o filho com seu sangue, indicando o autossacrifício. A imagem é recorrente na obra shakesperiana, reaparecendo em *Eduardo III*, *Hamlet* e *Rei Lear*. (N. E.)

YORK

Que logo York possa acabar assim!
A morte é pobre, mas à dor traz fim.

RICARDO

A fruta podre é a que cai assim;
155 Foi-se o tempo na trilha do romeiro.
Mas chega. Quanto à Irlanda e seus guerreiros,[20]
Vamos vencer esses aventureiros,
Que são o fel onde o fel não existe,
E onde só eles podem habitar.
160 Como causa tão grande gasta muito,
Para ajudar-nos, hoje sequestramos
Prata, dinheiros, rendas e o que é móvel,
Que possuía o nosso tio Gaunt.

YORK

Como ter paciência, e quanto tempo
165 O dever me fará aturar erros?
Nem Gloucester morto, ou Hereford exilado,
Repreensões de Gaunt, males da pátria,
As restrições ao pobre Bolingbroke
Pra suas núpcias, nem minha desgraça,[21]
170 Me trouxeram às faces amargura,
Ou franziram meu cenho para o rei.
Dos filhos de Eduardo eu sou o último,
Dos quais teu pai, de Gales, foi o primeiro.
Leão algum na guerra rugiu mais,
175 Nem foi cordeiro mais gentil na paz,
Que aquele jovem bravo e principesco.
Tu tens seu rosto, pois tal era ele
Quando tinha a idade que tens hoje.
Mas só ficava irado com os franceses,
180 Não com os amigos; sua nobre mão
Ganhava o que gastava, e não gastava
O que ganhara, triunfante, o pai.
Não derramou o sangue da família,
Mas foi sangrento com seus inimigos.
185 Ai, Ricardo! Não fosse tanta a dor
E York jamais iria comparar...

RICARDO

Que aconteceu, meu tio?

---

20 Referência à lenda segundo a qual São Patrício expulsou as cobras da Irlanda. (N. E.)
21 Ricardo impediu o casamento de Bolingbroke com uma princesa francesa, denunciando-o como traidor do rei da França. York a certo momento retirara-se para seu castelo, por sentir-se ofendido. (N. T.)

YORK

                    Ah, meu rei,
Se quiseres, me perdoa; mas, se não,
A falta de perdão não me incomoda.
Será que queres tomar, em tuas mãos,
O que pertence a Hereford, exilado?
Não morreu Gaunt? E Hereford não está vivo?
Não era justo Gaunt? Hereford, fiel?
Não mereceu teu tio ter herdeiro?
E esse herdeiro não é filho de mérito?
Tirar-lhe seus direitos é, do tempo,
Tirar as suas leis e tradições.
Sem que venha amanhã depois de hoje,
Negas a ti mesmo. Pois por que és rei,
Senão por sequência e sucessão?
E por Deus – e Deus que não o permita –
Se errando privas Hereford do que é dele,
Negas as patentes que hoje ele reclama
Por intermédio de seus advogados,
Sua libré, e a homenagem que te presta.
Em tua cabeça chovem mil perigos,
Perdes mil corações que hoje te amam,
E em minha paciência enfias ideias
Que honra e fidelidade não admitem.

RICARDO

Pensa o que quiseres. Nesta mão serrarei
As suas terras, bens, pratas de lei.

YORK

Não o verei. Meu senhor, passar bem.
Ninguém pode prever o que aí vem;
Mas maus caminhos só levam a crer
Que bom proveito o mal não pode ter.

                                      (Sai.)

RICARDO

Vá logo, Bushy, ao conde de Wiltshire,
E pede-lhe que a Ely se dirija
Pra falar disso. Depois de amanhã
Vamos pra Irlanda, pois está na hora.
E nomeamos, 'stando nós ausentes,
O tio York regente da Inglaterra;
Pois ele é um homem justo, e nos ama.

Rainha, amanhã nos separamos;
Vamos gozar este tempo que é pouco.

(Saem o Rei, a Rainha, Aumerle, Bushy, Greene e Bagot.)

NORTHUMBERLAND
225   Pois bem, senhores, Lancaster 'stá morto.

ROSS
         E vivo, pois seu filho agora é o duque.

WILLOUGHBY
         Mal, mal, em título; em rendas, não.

NORTHUMBERLAND
         Mas por justiça muito rico em ambos.

ROSS
         Meu grande coração quebra em silêncio
230   Antes que a língua o possa aliviar.

NORTHUMBERLAND
         Dize o que pensas, e que nunca mais fale
         Quem te magoar em função do que dizes.

WILLOUGHBY
         O que queres dizer pro duque de Hereford?
         Se for assim, que sejas ousado, homem;
235   Meu ouvido só quer ouvir bem dele.

ROSS
         Não há bem que eu possa lhe fazer,
         Se não for bem apiedar-me dele,
         Assim privado de seu patrimônio.

NORTHUMBERLAND
         Por Deus que é uma vergonha que tais erros
240   Se abatam sobre um príncipe real,
         Do nobre sangue desta terra em queda.
         Perdeu-se o rei, guiado na baixeza
         Por sabujos; e o que estes informarem
         Meramente por ódio contra nós,
245   O rei condena com severidade,
         Em nós, nossas famílias e herdeiros.

Ross

    O povo ele pilhou com altos impostos,
    E perdeu-lhes o amor. Multando os nobres
    Por lutas tolas, perdeu-lhes o amor.

Willoughby

250   E todo dia cria taxações,
    Contas em branco, doações forçadas.
    E só Deus sabe aonde vai tudo isso.

Northumberland

    Não foi pra guerras, pois não guerreou,
    Cedendo sempre, em acordos servis,
255   O que os avós ganharam combatendo;
    Ele gastou mais na paz que eles na guerra.

Ross

    O conde Wiltshire arrendou o reino.

Willoughby

    O rei, quebrado, foi à bancarrota.

Northumberland

    Culpa e devassidão o cobrem hoje.

Ross

260   Não tem dinheiro pra guerra irlandesa,
    Apesar dos impostos excessivos,
    Se não roubar o bom duque banido.

Northumberland

    Um seu parente – rei degenerado!
    Mas ouvimos rugir a tempestade
265   E não buscamos contra o tempo abrigo;
    Vemos o vento maltratar as velas,
    E sem as recolhermos, nós morremos.

Ross

    Nós vemos todo o mal que nos espera,
    E o perigo se torna inevitável
270   Por consentirmos em tudo que o causa.

Northumberland

    Não; nas vazias órbitas da morte
    Vislumbro a vida, mas dizer não ouso
    Como estão perto as novas que consolam.

WILLOUGHBY
>Dize o que pensas, como nós dissemos.

ROSS
>Tem confiança e fala-nos, Northumberland.
>Nós todos somos um e, ao falar-nos,
>É como se pensasses. Sejas ousado.

NORTHUMBERLAND
>Então: eu recebi de Le Port Blanc,
>Baía na Bretanha, informações
>De que Harry de Hereford, com Lord Cobham
>Filho de Ricardo, conde de Arundel,
>Ora afastado do duque de Exeter,
>O irmão, que foi prelado em Canterbury,
>Sir Thomas Erpingham e Sir John Ramston,
>Sir John Norbery, Sir Robert Waterton
>E mais Francis Quoint,
>Armados pelo duque da Bretanha,
>Com oito grandes navios e três mil soldados,
>Estão vindo pra cá a toda pressa,
>E devem tocar breve a costa norte.
>Podiam chegar antes, mas esperam
>Que antes o rei embarque para a Irlanda.
>Se desta escravidão vamos nos livrar,
>Curando a asa quebrada da nação
>E redimindo a coroa empenhada,
>Limpando o pó que oculta o ouro do cetro,
>E dando à majestade seu aspecto,
>Venham comigo logo a Ravenspurgh;
>Mas se enfraqueceis, por temer fazê-lo,
>Ocultai tudo, e eu, só, provo o meu zelo.

ROSS
>Pois vamos! Só duvida o que tem medo.

WILLOUGHBY
>Com o meu cavalo, eu chegarei mais cedo.

(Saem.)

CENA 2
No castelo de Windsor.

(Entram a RAINHA, BUSHY e BAGOT.)

BUSHY

    Vossa Majestade está triste demais.
    E juraste, despedindo-se do rei,
    Deixar de lado esse peso nocivo,
    E ter disposição bem mais alegre.

RAINHA

5   Para agradar o rei – mas por mim mesma
    Não o posso fazer, porém não sei
    Por que hospedaria tal tristeza,
    Senão por despedir-me de hóspede tão doce
    Como é o meu Ricardo. Porém penso
10   Que a Fortuna em seu ventre está gerando
    Alguma dor pra mim, e a minha alma
    Treme por nada; por algo está sofrendo,
    Que é mais que a despedida do meu rei.

BUSHY

    Cada tristeza gera vinte sombras,
15   Que parecem tristezas, mas não são.
    Porque teus olhos, vidrados de pranto,
    De uma coisa fazem mil objetos.
    São perspectivas que, ao serem vistas,
    Só mostram confusão; mas bem olhadas
20   Mostram forma. E Vossa doce Majestade,
    Vendo mal a partida do amo,
    Vê mais formas de dor que ele pra prantear;
    Mas, se olhar bem, vai ver que são só sombras
    Do que não é. Então, gentil rainha,
25   Não chores mais que a partida, não há mais
    A ser visto, ou só a falsa dor
    Que não mostra o real, só fantasias.

RAINHA

    Pode ser, mas o fundo de minh'alma
    Me diz bem outra coisa. E sendo assim
30   Só posso ficar triste, sim, tão triste
    Que mesmo sem pensar, meu pensamento
    Me pesa quase ao desfalecimento.

BUSHY

    São só ideias, graciosa senhora.

RAINHA

    Pode ser, porém ideias nascem

35 De alguma dor antiga, não as minhas,
    Pois o nada gerou as minhas dores,
    Ou gerou algo o nada que me dói.
    É o contrário o que me possui.
    Eu não sei o que é; seja o que for,
40 Não tenho nome pr'essa minha dor.

    (Entra Greene.)

Greene

Bom dia, Majestade! Meus senhores.
Espero que o rei não tenha ido pra Irlanda.

Rainha

Por que espera? Esperamos que tenha,
Pois a sua esperança está na pressa.
45 Por que espera não tenha embarcado?

Greene

Pra que, nossa esperança, manobrasse
Pra tirar a esperança do inimigo,
Que já botou pé forte nesta terra:
Bolingbroke anulou o banimento,
50 E com armas em punho já chegou
A Ravenspurgh.

Rainha

    Não o permita Deus!

Greene

É verdade, senhora, e o que é pior,
O Lord Northumberland, com o filho Percy,
Os Lords Ross, Beaumond e Willoughby,[22]
55 Com amigos fortes, correm para ele.

Bushy

Não foi Northumberland já proclamado
Traidor, com mais os outros revoltosos?

Greene

Já foi; o que levou o conde Worcester
A quebrar seu bastão e demitir-se,
60 Indo com ele o pessoal da corte
Pra Bolingbroke.

---

22 Alguns dos nobres que apoiam Bolingbroke em seu retorno à Inglaterra, segundo o relato de Holinshed. (N. E.)

Rainha

Greene é parteira desta minha dor,
E Bolingbroke o herdeiro do sofrer.
Minh'alma partejou o seu prodígio,
E eu, exausta mãe recém-parida,
Acrescentei tristeza à minha dor.

Bushy

Mas não te desespere.

Rainha

                    E quem me impede?
Desespero-me, e vejo inimiga
A esperança enganosa. É uma sabuja,
Parasita, que só protela a Morte,
Que tenta dissolver os nós da vida,
Aos quais, no fim, a Esperança se agarra.

(Entra York.)

Greene

Eis que chega o duque de York

Rainha

Já carregado com os sinais da guerra;
O seu aspecto é todo de problemas!
Por Deus, meu tio, traz algum conforto.

York

Se o fizesse, negava o pensamento;
Conforto há no céu; 'stamos na terra,
Onde só vemos cruzes, dor e penas.
Seu marido foi salvar o distante,
Mas outros fazem com que perca em casa.
Deixou-me aqui pra sustentar a terra,
Que velho e fraco nem a mim sustento.
Agora chega o mal de seus excessos,
Pondo à prova os amigos que o adularam.

(Entra um Criado.)

Criado

Quando cheguei, seu filho já partira.

YORK
Ah, já? Pois tudo vá pr'onde quiser!
Os nobres fogem, o povo está frio,
E vai voltar-se pro lado de Hereford.
Rapaz, procura em Plashy minha irmã Gloucester,
E pede-lhe que me mande mil libras.
Eis meu anel.

CRIADO
Senhor, eu me esqueci de relatar:
Hoje passei por lá, ao vir pr'aqui,
E sinto ter de dar-te novas tais.

YORK
Que foi, rapaz?

CRIADO
Uma hora antes, morrera a duquesa.

YORK
Misericordioso Deus, que onda de males
Corre assim, junta, pra terra que sofre!
Não sei o que fazer. Quisera Deus
Des'que mentindo não o provocasse,
Ter o rei me matado com meu mano.
Ninguém mandou notícias para a Irlanda?
Que dinheiros teremos pr'estas guerras?
(Para a rainha.) Vamos, irmã – perdão, minha sobrinha.
(Para o criado.) Vai a casa, rapaz, e encha carroças
Com o armamento que achar por lá.

(Sai o CRIADO.)

Senhores, ides juntar as vossas tropas?
Saber eu o que fazer com tudo isso
Que veio ter-me às mãos em tal desordem,
Não o acrediteis. Os dois são parentes:
Um, meu rei, a quem tanto a minha jura
Quanto o dever exigem que eu defenda;
O outro, primo, que o rei injustiçou,
E a consciência manda compensar.
Algo faremos. *(Para a rainha.)* E a ti, minha prima,
Hei de guardar. Senhores, os vossos homens
Tragam Berkeley, com a pressa possível.

              Eu devia ir a Plashy,
120   Mas não há tempo. Está tudo confuso
              E cada roca já não tem seu fuso.

                                          (Saem York e a Rainha.)

    BUSHY
              Está bom o vento pra dar notícias à Irlanda,
              Mas nada volta. Recrutarmos tropa
              Que tenha as proporções da do inimigo
125   É mais que impossível.

    GREENE
              E estarmos perto do rei, em amor,
              Nos traz o ódio dos que não o amam.

    BAGOT
              São os comuns tão mutáveis, cujo amor
              Fica nos bolsos; quem os esvazia
130   Lhes enche só de ódio os corações.

    BUSHY
              E nisso o rei é sempre condenado.

    BAGOT
              Se julgam eles, nós também o somos,
              Por ter estado sempre junto ao rei.

    GREENE
              Refugio-me no castelo em Bristol,
135   Pois o conde de Wiltshire já está lá.

    BUSHY
              Vou junto, pois a única tarefa
              Que para nós fará o povo odioso
              Será a de cortar-nos em pedaços.
              (Para Bagot.) Não vens conosco?

    BAGOT
140   Não, vou pra Irlanda, procurar o rei.
              Adeus, e se acontece o que prevemos,
              Separados, nunca mais nos veremos.

    BUSHY
              Só se York derrotar a Bolingbroke.

GREENE
    Pobre duque, a tarefa que ele encara
145   É todo um mar gota a gota secar.
    Pra cada amigo, mil vão debandar.
    Então, adeus, não nos veremos mais.

BUSHY
    Talvez um dia.

BAGOT
        Temo que jamais.

(Saem BUSHY e GREEN por uma porta e BAGOT por outra.)

CENA 3
Em Gloucestershire.

(Entram BOLINGBROKE e NORTHUMBERLAND.)

BOLINGBROKE
    Inda estamos, senhor, longe de Berkeley?

NORTHUMBERLAND
    Acredita-me, milord,
    Sou um estranho aqui em Gloucestershire.
    Estes ventos selvagens, trilhas duras,
5   Alongam o caminho e o entediam,
    Porém tua conversa foi qual mel
    Que fez doce deleite o que é difícil.
    Mas imagino quão cansativo
    O caminho de Ravenspurgh a Cotshall
10 Foi para Ross e Willoughby sem ela,
    Que repito ter disfarçado muito
    O tédio de viagem longa assim.
    A deles só adoça a esperança
    De gozar da benesse que hoje é minha,
15 E esperar é ter quase a alegria
    Da alegria em si. E eles, cansados,
    Hão de julgar mais curto o seu caminho
    Sonhando com esta tua companhia.

BOLINGBROKE
    Vale bem menos minha companhia
20 Que tuas boas palavras. Quem vem lá?

(Entra HARRY PERCY.)

NORTHUMBERLAND

    Esse é meu filho, o jovem Harry Percy,[23]
    Que vem mandado por meu irmão Worcester.
    Como passa o teu tio, Harry?

PERCY

    Pensava ter de ti notícias dele.

NORTHUMBERLAND

25   Ele não está com a rainha?

PERCY

    Não, senhor. Ele abandonou a corte,
    Partiu o bastão e mandou dispersar
    O pessoal do rei.

NORTHUMBERLAND

                Mas, qual a razão?
    Não estava resolvido, quando o vi.

PERCY

30   Porque a ele proclamaram traidor.
    E ele, então, já foi pra Ravenspurgh
    Oferecer serviço ao duque de Hereford,
    Mandando que eu, em Berkeley, descobrisse
    Quanta tropa York conseguiu por lá,
35   E, ao sabê-lo, ir pra Ravenspurgh.

NORTHUMBERLAND

    Rapaz, não te lembras do duque de Hereford?

PERCY

    Não, senhor, pois não posso esquecer
    O que nunca lembrei. Pois eu, que saiba,
    Jamais o tinha visto em minha vida.

NORTHUMBERLAND

40   Pois conheça-o agora. Este é o duque.

PERCY

    Senhor, o meu serviço eu te ofereço,
    Embora ainda verde, fraco, jovem,

---

23 O Harry Percy histórico, também chamado Hotspur em Henrique IV Parte 1, era mais velho que Bolingbroke. Shakespeare escolhe torná-lo mais jovem para já preparar a rivalidade entre o príncipe Hal e ele. (N. E.)

                    Mas que o tempo amadurece e firma
                    Para serviço mais forte e meritório

        BOLINGBROKE
45   Eu agradeço, jovem, e estou certo
                    De que em nada eu me tenho tão feliz
                    Quanto em minh'alma honrar os meus amigos
                    E se minha sorte cresce com teu amor,
                    Ela mesma será tua recompensa.
50   A mão confirma o que o coração jura.

                        (Dá a mão à PERCY.)

        NORTHUMBERLAND
                    A que distância está Berkeley, e o que faz
                    O velho York com sua tropa armada?

        PERCY
                    O castelo é ali, além do bosque,
                    Está defendido por trezentos homens,
55   Nele estando os Lords York, Berkeley e Seymor,
                    E ninguém mais famoso ou respeitado.

                        (Entram ROSS e WILLOUGHBY.)

        NORTHUMBERLAND
                    Eis aí os Lords Ross e Willoughby
                    Que ainda sangram de espora e pressa.

        BOLINGBROKE
                    Bem-vindos. Porém sabei que apoiam
60   Um traidor exilado. O meu tesouro
                    É apenas gratidão que, enriquecida,
                    Há de pagar tanto amor e trabalho.

        ROSS
                    Vossa presença já nos enriquece.

        WILLOUGHBY
                    E vale muito mais que este trabalho.

        BOLINGBROKE
65   Ser grato é o erário único do pobre,
                    Porém, se a minha sorte amadurece,
                    Dar-me-á tesouros. Quem vem lá?

(Entra Berkeley.)

NORTHUMBERLAND
   Creio que seja o Milord Berkeley

BERKELEY
   Minha mensagem é pro Lord Hereford.

BOLINGBROKE
70   Minha resposta, senhor, é pra Lancaster.
   Se vim buscar tal nome na Inglaterra,
   Nos teus lábios devo encontrar tal título,
   Antes de responder ao que disser.

BERKELEY
   Não te enganes, senhor; eu não pretendo
75   Privar a tua honra de um só título.
   Venho ver-te, senhor, por qualquer título,
   De parte do regente desta terra,
   Duque de York, pra saber o que te instiga
   A aproveitares desta hora de ausência
80   Para assustar o povo assim armado.

(Entra York.)

BERKELEY
   Eu não preciso que fales por mim;
   Eis que chega Vossa Graça, nobre tio!

(Ajoelha-se.)

YORK
   Respeita o coração, não o joelho,
   Que se dobra por falsidade e engano.

BOLINGBROKE
85   Vossa Graça, tio...

YORK
   Não me venhas com graças ou com tios,
   De traidor não sou tio; e essa "graça"
   Profana a boca de quem a perdeu.
   Por que essas pernas banidas, proibidas,
90   Ousam tocar de novo a terra inglesa?
   E ainda mais – por que ousam marchar

                    Tantas milhas por seu seio adentro,
                    Assustando as aldeias com essa guerra
                    E a ostentação de armas detestadas?
95   Vieste por 'star ausente o rei ungido?
                    Rapaz insano, o rei ficou aqui;
                    Seu poder jaz em meu peito leal.
                    Tivesse eu hoje a quente juventude
                    De quando Gaunt, seu pai, e eu
100   Salvamos juntos o Príncipe Negro
                    Das garras de milhares de franceses,
                    Mais que depressa iria este meu braço,
                    Detento da velhice, castigar-te,
                    Dando castigo a essa tua falta!

        BOLINGBROKE
105   Bom tio, faze-me ver minha falta:
                    De que espécie, e onde está?

        YORK

                    A espécie é a pior possível;
                    Rebelião e traição detestável;
                    Foste banido, e assim mesmo vens aqui,
110   Antes que se esgotasse o tempo exato,
                    Brandindo armas contra o soberano.

        BOLINGBROKE
                    Quando banido, fui banido Hereford;
                    Porém, ao vir, eu venho como Lancaster.
                    E, nobre tio, imploro a Vossa Graça
115   Que tenha olhar isento pros meus erros.
                    É meu pai, pois eu penso ver em ti
                    O velho Gaunt em vida. Então, meu pai,
                    Vais permitir que eu seja condenado
                    Um nômade infeliz, com os meus direitos
120   Roubados, como as posses, e doados
                    A arrivistas? Pra isso eu nasci?
                    Se o meu primo é rei desta Inglaterra,
                    Tem ele de me ver duque de Lancaster.
                    O senhor tem um filho, o nobre Aumerle;
125   Morresses antes, e fosse ele espezinhado,
                    Teria um pai no tio Gaunt
                    Pra combater-lhe os males, e os vencer.
                    É-me negada a imissão de posse,
                    Que tenho, pra provar, cartas-patente.
130   Os bens paternos gastos ou vendidos,

E todos eles foram mal-usados.
             Que queres que eu faça? Eu ouso, como súdito,
             Segundo a lei; me negam advogados.
             E por isso em pessoa é que reclamo
135   A herança que tenho por linhagem.

    NORTHUMBERLAND
             O nobre duque foi muito ofendido.

    ROSS
             E cabe a Vossa Graça corrigi-lo.

    WILLOUGHBY
             Seus bens dão importância a gente vil.

    YORK
             Lords da Inglaterra, deixai que vos diga:
140   Senti as injustiças ao meu primo
             E fiz tudo o que pude pra poupá-lo.
             Porém vir ele assim, de arma em punho,
             Trinchar e não abrir o seu caminho,
             Ganhar o certo com o erro – é impossível.
145   E quem o apoia se ele age assim
             Cultua a rebelião e é rebelde.

    NORTHUMBERLAND
             O nobre duque jura que aqui veio
             Só pelo seu; e por direito a isso
             Todos juramos dar-lhe nossa ajuda.
150   E que seja infeliz quem quebrar a jura!

    YORK
             Só vejo em que resultam essas armas.
             Não posso consertar, eu lhes confesso,
             Pois meu poder é fraco e malformado.
             Mas se pudesse, por Quem me deu vida,
155   Havia de prendê-los, submetendo-os
             À piedade soberana do rei.
             Como não posso, fiquem informados
             De que permaneço neutro. E assim, adeus,
             A não ser que desejais repousar
160   Por esta noite aqui no castelo.

    BOLINGBROKE
             Oferta, tio, que nós aceitamos.

		Mas devemos, também, persuadir-te
		A ir a Bristol, que hoje está nas mãos
		De Bushy, Bagot, mais os seus asseclas,
165		Ervas daninhas da comunidade
		Que eu jurei arrancar e jogar fora.

YORK

Talvez eu vá; mas devo refletir,
Pois eu sou contra o desrespeito à lei.
Sois bem-vindos, sendo amigos ou não;
170   Coisas sem cura, curadas estão.

(Saem.)

CENA 4
Um acampamento em Gales.

(Entram o Conde de Salisbury e um Capitão galês.)

CAPITÃO

Esperamos dez dias, Milord Salisbury,
Com esforço mantendo a tropa unida
E nunca chegam notícias do rei;
E ora vamos dispersar-nos. Adeus.

SALISBURY

5   Dá-nos um dia mais, fiel galês:
O rei tem toda a confiança em ti.

CAPITÃO

Dizem que o rei 'stá morto. Não ficamos.
O loureiro secou em nossa terra,
Meteoros assustam as estrelas,
10   A branca lua a terra vê vermelha,
Profetas veem terríveis mudanças,
'Stá triste o rico, e pula o salafrário;
Um por temer perder o que hoje tem,
O outro por gozar com ódio a guerra.
15   Tudo anuncia que o rei cai ou morre.
Adeus, os meus patrícios já fugiram.
Morto Ricardo, todos se retiram.

(Sai.)

SALISBURY

Ah, Ricardo, com o olhar da mente triste

20 Vejo sua glória como o risco de uma estrela,
Que cai do céu pra vileza terrena.
Seu sol se põe chorando no ocidente,
Prevendo tempestades, infortúnio e agitação.
Quem era amigo já serve o inimigo,
E leva a boa fortuna consigo.

(Sai.)

ATO 3

CENA 1
Bristol. Diante do castelo.

(Entram BOLINGBROKE, YORK, NORTHUMBERLAND, trazendo BUSHY e GREENE, prisioneiros.)

BOLINGBROKE
Trazei cá esses homens.

(Entram BUSHY e GREEN como prisioneiros.)

Bushy e Greene, não vos perturbo as almas,
Já que deveis deixar logo vossos corpos,
Falando de vossas vidas perniciosas,
5   Por caridade. Mas a fim de lavar
Vosso sangue destas mãos, ante os presentes
Direi algumas causas de vossas mortes:
Desencaminhastes o rei, vosso príncipe,
Que era feliz por seu sangue e linhagem,
10 Deixando-o infeliz e deformado.
De certo modo, com os vícios das horas,
Vós o haveis afastado da rainha,
Tomando posse do leito real,[24]
Marcando as faces da bela rainha
15 Com lágrimas nascidas desses males.
Eu mesmo – por sorte do berço príncipe,
Próximo ao rei em sangue e afeição –,
Fizestes com que ele me julgasse mal.
Vi-me curvado por vossas injúrias,
20 Suspirando em inglês a céus estranhos,
E amarguei o pão do banimento
Enquanto os dois comiam meu acervo,
Desmatavam meus parques e florestas,
Meus brasões arrancavam das janelas,
25 E de mais tudo, sem deixar sinal
A não ser a palavra de outros homens
Para o mundo saber que sou um nobre.
Tudo isso e mais, e duas vezes mais,
É que vos condena à morte. Agora levai-os,
30 Pra execução e para a mão da morte.

---

[24] Em outras passagens da peça, não há indícios da separação entre o rei e a rainha; entretanto, as Crônicas de Holinshed mencionam a devassidão e o adultério no leito real. (N. E.)

BUSHY

 A execução pra mim é mais bem-vinda
 Que Bolingbroke para a Inglaterra. Adeus.

GREENE

 Meu consolo é que o céu quer nossas almas,
 Mas manda a injustiça para o inferno.

BOLINGBROKE

35 Milord Northumberland, despachai-os logo.
 Saem Northumberland e os prisioneiros.
 Disseste-me, tio, que hospedais a rainha.
 Por Deus, que seja tratada com carinho;
 Eu a saúdo com o maior respeito.
40 Cuida que isso lhe seja transmitido.

YORK

 Já enviei a ela um homem meu
 Com cartas de tua afeição por ela.

BOLINGBROKE

 Grato, bondoso tio. Milords, vamos
 Lutar contra Glendower e seus cúmplices:
45 Primeiro, trabalhar; depois, a folga.

(Saem.)

CENA 2
Na costa de Gales.

(Tambores, clarins, bandeiras. Entram o REI RICARDO, AUMERLE, o BISPO DE CARLISLE e soldados.)

RICARDO

 Esse é o castelo de Barkloughly?[25]

AUMERLE

 É, meu senhor. Agradam-te tais ares
 Depois de tão jogado pelo mar?

RICARDO

 Só podem agradar: eu choro de alegria
5 Só de pisar em meu reino de novo.

---

25 Seguindo a fonte Holinshed, Shakespeare grafa errado o nome do castelo, atualmente chamado Harlech. (N. E.)

(Toca o solo.)

       Terra amada, com as mãos eu te saúdo,
       Embora cascos rebeldes te firam.[26]
       Como mãe junto ao filho após ausência
       Brinca co'as lágrimas no doce encontro,
10   Assim, chorando e rindo, eu te saúdo,
       E te dou o favor das mãos reais.
       Não alimentes o inimigo, ó terra!
       Nem o consoles com teus doces frutos.
       Que as aranhas que sugam teu veneno,
15   Com os grandes sapos, coalhem seu caminho,
       Atrapalhando esses pés traiçoeiros
       Que te pisam com passo usurpador.
       Urzes que queimam, aguilhoai o inimigo
       Na flor que qualquer deles colha acaso.
20   Peço que ponhas víboras à espreita,
       Cujo toque mortal de línguas duplas
       Mate o inimigo de teu soberano.
       Não caçoeis do meu pedido, lords;
       Esta terra me sente, e estas pedras
25   Serão soldados antes que o vosso rei
       Venha a falhar, diante dos rebeldes.

CARLISLE

       Senhor, não temas. O Poder que te fez rei
       Tem poder pra manter-te sempre rei.
       Deves abraçar os meios que o céu dá,
30   Não ignorá-los. Senão, quer o céu
       Porém nós não; os céus nos oferecem
       E recusamos os meios pro socorro.

AUMERLE

       Ele diz que nós somos negligentes,
       E Bolingbroke, nos vendo confiantes,
35   Aumenta a força, em tropas e armamento.

RICARDO

       Primo desolado! Não sabes, então,
       Que quando está oculto o olho do céu,[27]
       Atrás do globo, iluminando o inferno,

---

26 Ricardo já sabe do retorno e do golpe de Bolingbroke mas ainda ignora a execução de seus favoritos e que o exército de Salisbury se dispersou. (N. E.)

27 O olho do céu é o sol. Ao longo da peça, o rei é comparado ao sol, fonte de luz e energia, esplendor cósmico e instância divina na terra. Quando a sorte de Ricardo muda, o sol passa a ser associado a Bolingbroke. Ricardo torna-se o sol que se põe e derrete diante do sol de Bolingbroke. (N. E.)

           Ladrões e assaltantes se aventuram
40   A ousar por aqui morte e ultraje?
           Mas quando ele aparece aqui na terra,
           Acendendo os pinheiros do oriente,
           E joga luz em culpas e cavernas,
           Mortes, traições e odiosos pecados,
45   Sem o manto da noite pra cobri-los
           Ficando nus entreolham-se tremendo?
           E quando Bolingbroke, ladrão traidor,
           Que nestes dias vem gozando a noite
           Enquanto nós vagamos co'os antípodas,
50   Nos vir surgir em nosso trono ao leste,
           A traição o fará enrubescer,
           Incapaz de enfrentar a luz do dia,
           Assustado e tremendo com o pecado.
           Nem toda a água do rude oceano
55   Lava de um rei o óleo que o ungiu.
           E um hálito terreno não depõe
           O deputado eleito do Senhor.
           Pra cada um que com Bolingbroke brande
           Seu aço contra o ouro da coroa
60   Deus tem, em sua paga, por Ricardo,
           Para lutar um anjo em si perfeito.
           E o homem cai, se o céu é pelo direito.

           (Entra SALISBURY.)

           Bem-vindo, Lord, onde está a tua tropa?

   SALISBURY
           Nem mais perto ou mais longe, meu bom rei,
65   Que este braço fraco; a língua triste
           Só me leva a falar de desespero.
           Temo que um dia de atraso, senhor,
           Tenha nublado os teus dias na terra.
           Chama o ontem, faze o tempo voltar,
70   E terás doze mil homens armados!
           Mas hoje, infeliz dia atrasado,
           Tira-te amigos, posses e alegrias;
           Os galeses, ouvindo que morreras,
           Dispersados, buscaram Bolingbroke.

   AUMERLE
75   Coragem, meu senhor, por que tão pálido?

   RICARDO
           Há pouco o sangue de vinte mil homens

Triunfavam em mim, porém fugiram.
E até que aqui me venha sangue igual
Não é certo ficar pálido e morto?
80 Junto a mim ninguém está assegurado,
Meu brio pelo tempo foi manchado.

AUMERLE
Coragem, meu senhor, pensa em quem és.

RICARDO
Eu me esquecera. Não sou eu o rei?
Covarde majestade, acorda! Dormes.
85 O nome rei não vale vinte mil?
Arma-te, nome! Um vil súdito fere
A tua glória. Não olheis para baixo,
Favoritos do rei, não estais no alto?
Pensemos alto. Eu sei que o tio York
90 Tem tropas para nós. Mas quem vem lá?

(Entra SCROOPE.)

SCROOPE
Tenha o meu rei mais saúde e alegria
Do que lhe dá a minha língua aflita.

RICARDO
O coração está pronto para ouvir.
O seu pior será perda terrena.
95 Perdi meu reino? Ora, era só cuidados.
Que perda é livrar-se de cuidados?
Luta Bolingbroke pra ser meu igual?
Maior não pode ser. Se serve a Deus,
Nós também O servimos, qual colega.
100 O povo se revolta? Não há cura.
Rompem seus votos com Deus e comigo.
Proclamai fim e perda em voz bem alta,
Pior é a morte, e essa vem sem falta.

SCROOPE
Como é bom ver-te assim, tão preparado
105 Para ouvir novas de calamidade.
Como uma tempestade inesperada
Quando a prata do rio cobre as margens,
Como se o mundo se acabasse em lágrimas,
Tão acima das margens ruge a raiva
110 De Bolingbroke, que cobre a terra em susto,

        Com aço e corações ainda mais duros.
        Barbas brancas armaram calvas fracas
        Contra o senhor. Meninos de voz fina
        Lutam pra falar alto e armam seus ossos
115   Quase de moça contra a tua coroa;
        E até os mendigos curvam seus bastões
        Malignamente contra o teu estado;
        As rendeiras atiram velhos bilros
        Contra o trono; velhos e novos gritam.
120   Nem sei dizer como vai tudo tão mal.

Ricardo

        Pois bem demais contas novas tão más.
        Onde estão Bagot e o conde Wiltshire?
        O que se deu com Bushy? Onde está Greene?
        Como deixam perigoso inimigo
125   Pisar as nossas terras com tal calma?
        Se vencer, vou querer suas cabeças
        Por terem feito sua paz com Bolingbroke.

Scroope

        Paz com ele encontraram, meu senhor.

Ricardo

        Víboras tais não terão redenção!
130   Cães, cuja bajulação todos compram!
        Cobras que picam quem as acalenta!
        Três Judas, cada um pior que Judas!
        Fizeram paz? Pois que o maldito inferno
        Venha a queimar suas almas maculadas!

Scroope

135   Vejo que o amor, mudando a qualidade,
        É transformado em vil e fatal ódio.
        Perdoa as suas almas, pois sua paz
        Foi feita co'as cabeças, não co'as mãos.
        A morte é que feriu os que maldizes,
140   E eles jazem em solo consagrado.

Aumerle

        Bushy, Greene, e o conde de Wiltshire, mortos?

Scroope

        Todos perderam a cabeça em Bristol.

Aumerle

        Onde está meu pai York com sua tropa?

RICARDO

        O que importa? Ninguém fale em consolo.
145   Vamos falar de tumbas, vermes, epitáfios,
        Fazer do pó papel e, usando o pranto,
        Escrever de tristezas nesta terra.
        Devemos escolher testamenteiros.
        Mas não, pois o que temos pra testar
150   Senão ao chão nosso corpo deposto?
        Tudo o que é nosso é de Bolingbroke.
        Só podemos chamar de nossa a morte
        E o pequeno pedaço de chão árido
        Que serve de coberta aos nossos ossos.
155   Peço por Deus, sentemo-nos no chão,
        Pra relembrar tristes mortes de reis:
        Alguns depostos, ou mortos na guerra,
        Ou por fantasmas dos que depuseram.
        Outros assassinados pela esposa,
160   Pois na oca coroa que circunda
        A cabeça mortal de todo rei,
        A morte tem seu reino e ali impera,
        Rindo de sua pompa e de seu trono.
        Concede-lhe que – um dia – represente
165   Ser monarca temido ao simples gesto,
        Inflamando-lhe a chama da vaidade,
        Como se a carne que sustenta a vida
        Fosse bronze invencível; distraindo-o,
        Pra no fim, com minúsculo alfinete,
170   Furar o muro do castelo e adeus,
        Ó, reis. Cubri então vossas cabeças,
        Não zombeis com pompa da carne e sangue,
        Desprezai tradições e cerimônias,
        Pois me tomastes sempre por um outro:
175   Vivo também de pão, tenho desejos,
        Sujeito a isso eu sofro, eu busco amigos.
        Como podeis dizer-me que sou rei?

BISPO DE CARLISLE

        Senhor, os sábios nunca choram dores,
        Antes buscam cortar razões pro choro.
180   O medo do inimigo corta a força,
        Tua fraqueza aumenta a força dele,
        E teu desvario luta contra ti mesmo.
        Temer é morte – não há nada pior;
        Morrer lutando mata a própria morte,
185   Morrer temendo é a vergonha da sorte.

AUMERLE

    Meu pai tem tropas; procura por ele
    E faze de um só membro um corpo inteiro.

RICARDO

    Dissestes bem. Vaidoso Bolingbroke,
    Nosso duelo será um juízo final.
190   A sombra do temor se foi no ar,
    Pelo que é nosso é bem fácil lutar.
    Scroope, onde está a tropa de meu tio?
    Que fale doce esse aspecto bravio.

SCROOPE

    Julgam os homens pela cor do céu
195   O que é de se esperar pra cada dia.
    Faze o mesmo, por este aspecto meu:
    O que direi traz mais melancolia.
    Sou qual torturador que, pouco a pouco,
    Inda prolonga o mal que é pra ser dito:
200   Teu tio York juntou-se a Bolingbroke,
    Já entregou os castelos do norte,
    E os fidalgos sulistas armados
    Ao lado dele.

RICARDO

                    Já disseste o bastante.
    (Para Aumerle.) Maldito sejas, primo, por lançar-me
205   Da minha adaptação ao desespero!
    Que dizes agora? Como me confortas?
    Juro por Deus que odeio para sempre
    Quem me falar ainda de consolo.
    Vamos a Flint, no castelo eu definho.
210   Rei escravo da dor à dor se curva.
    Dispersai minha tropa; que eles vão arar
    A terra para germinar a esperança
    Que eu não tenho. Ninguém mais me fale
    Pra mudar, pois conselho nada vale.

AUMERLE

215   Uma palavra.

RICARDO

                    Faz-me mal dobrado
    O que com a língua me quer bajulado.

Dispensai todos; parta quem já ia.
Na minha noite, é de meu primo o dia.

(Saem.)

CENA 3
Gales. Diante do castelo de Flint.[28]

(Entram, precedidos por bandeiras e tambores, BOLINGBROKE, YORK, NORTHUMBERLAND *e séquito.)*

BOLINGBROKE
Por tal inteligência ora sabemos
Que os galeses se foram, e que Salisbury
Foi encontrar o rei, recém-chegado
Com uns poucos amigos a esta costa.

NORTHUMBERLAND
5 As notícias são boas, senhor,
Ricardo escondeu perto sua cabeça.

YORK
Seria próprio ao Lord Northumberland
Dizer "o rei Ricardo". Triste o dia
Em que o rei escondesse a cabeça!

NORTHUMBERLAND
10 Engana-se Vossa Graça; pra ser breve
Deixei de fora o título.

YORK
Houve tempo
Em que se fosse assim breve com o rei,
Ele o teria, para abreviar-te,
Privado do tamanho da cabeça.

BOLINGBROKE
15 Não vás mais longe do que deves, tio.

YORK
Não tomes mais do que deves, primo,
Pra não errar. Os céus nos veem de cima.

---
28 A cena é o primeiro encontro de Ricardo e Bolingbroke após o banimento deste. Representa uma grande virada nos acontecimentos, momento em que o equilíbrio de poder se altera. (N. E.)

BOLINGBROKE
    Eu sei, meu tio, e jamais me oponho
    Ao que os céus querem. Mas quem chega?

    (Entra PERCY.)

20   Bem-vindo, Harry. Não cede o castelo?

PERCY
    E está com régia guarda, senhor,
    Pra impedir-te a entrada.

BOLINGBROKE
    Régia? Mas nele não há rei.

PERCY
                Sim, meu senhor,
    Há nele um rei. O rei Ricardo encontra-se
25   Nos limites daquela pedra e cal.
    E com ele estão os Lords Aumerle e Salisbury,
    Sir Stephen Scroope, além de um sacerdote
    De alto respeito, porém qual, não sei.

NORTHUMBERLAND
    Provavelmente Carlisle.

BOLINGBROKE
                  Nobres lords,
30   Ide às muralhas do velho castelo,
    E com um toque de parlamentação
    Proclamai a seus ouvidos arruinados:
    Henry Bolingbroke
    Ajoelhado beija as mãos do rei,
35   Jurando sujeição e lealdade
    À sua real pessoa. Aqui chegado,
    Deponho armas e tropas a teus pés,
    Des'que seja anulado o meu exílio,
    E restauradas livres minhas terras.
40   Senão, uso a vantagem de minha tropa
    E assento o pó do estio só com sangue
    Que choverá de ingleses massacrados.
    E o quão distante de meu pensamento
    Está que uma chuva tal venha encharcar
45   A terra verde de meu rei Ricardo,
    Fica mostrado por quanto me inclino.
    Ide dizer isso enquanto nós marchamos

Sobre o tapete verde da planície.
Marchemos sem que rufem os tambores,
Pra que das velhas torres do castelo
Possam ver como estamos bem armados.
Creio que o rei Ricardo e eu devemos
Nos enfrentar não menos imponentes
Que o fogo e a água quando o seu encontro
Traz pranto às faces nubladas do céu.
Seja ele o fogo, eu a água que cede;
Dele a fúria, enquanto a minha chuva
Cai sobre a terra, e não sobre ele.
Avançai, e notai o ar do rei Ricardo.

(Toque de parlamentação fora, respondido de dentro. Clarinada. Entram, na muralha, Ricardo, Carlisle, Aumerle, Scroope e Salisbury.)

Vede, vede, apareceu o rei Ricardo,
Como um sol triste e enrubescido
Vindo da porta fogosa do leste,
Quando entrevê que há nuvens invejosas
Querendo escurecer a sua glória
No caminho que trilha pro Ocidente.

YORK

Mas parece sempre um rei. Seu olhar
Brilha qual o da águia, projetando
A sua majestade. Ai, ai, que pena
O mal manchar figura tão serena!

RICARDO

(Para Northumberland.)

Espantados, ficamos esperando[29]
Pra ver-te ajoelhar, respeitoso,
Julgando-nos ser o teu rei legítimo;
E se o somos, como ousam as tuas juntas
Falhar em teu dever diante de nós?
Não sendo, mostra-nos a mão de Deus
Que nos dispensou de nossa tarefa,
Pois sabemos que mão de carne e osso
Não poderá nosso cetro empunhar
Sem profanar, roubar, ou usurpar.
Se crês que outros, pelo teu exemplo,
Perderam suas almas, nos traindo,

---

29 Ricardo, que aparece no palco superior, distancia-se de Northumberland ao utilizar o plural majestático ao invés do tom mais próximo com que o tratara anteriormente. (N. E.)

                    Deixando-nos estéreis, sem amigos,
                    Sabei, senhor, que Deus onipotente,
                    Recruta lá no céu, a meu favor,
85   Hostes de fel que hão de golpear
                    Teus filhos não nascidos, não gerados,
                    Vassalos que me querem atingir
                    E ameaçam-me a glória da coroa.
                    E dize a Bolingbroke, que vejo ali,
90   Que cada passo dado em minha terra
                    É vil traição. Pois veio para abrir
                    O sangrento testamento da guerra.
                    Mas antes que ele em paz tenha a coroa
                    Vão sangrar as coroas de dez mil,
95   Que, maculando a flor da face inglesa,
                    Mudarão a palidez da paz virgem
                    Em rubra indignação, e hão de regar
                    Com sangue inglês a relva das pastagens.

          NORTHUMBERLAND
                    (Ajoelhando-se.)
                    Que o Rei do Céu impeça o nosso rei
100   De vir a ser atingido por armas,
                    Civis ou não! Teu mais que nobre primo,
                    Bolingbroke, humilde te beija as mãos,
                    E jura, pela tumba tão honrada
                    Onde jazem os ancestrais reais,
105   Pelo sangue real das veias de ambos,
                    Rios que nascem de uma só cabeça,
                    Pela mão do guerreiro e morto Gaunt,
                    E a honra e o valor que traz consigo,
                    – E mais não pode ser jurado ou dito –
110   Que sua vinda não almeja mais
                    Que seus reais direitos, e te implora
                    De joelhos perdão imediato,
                    Que sendo de tua parte concedido,
                    Fará enferrujar a arma brilhante,
115   Para a cocheira mandará corcéis,
                    Dando a vós um coração fiel.
                    Isso ele jura por ser justo e príncipe.
                    E eu, como fidalgo, creio nele.

          RICARDO
                    Northumberland, assim responde o rei:
120   Teu nobre primo é bem-vindo aqui,
                    E tudo o que ele pede, com justiça,
                    Será aceito, sem contradição;

Com essa mesma elegância de palavra
Faça-o escutar a nossa saudação.
(Para Aumerle.) Nós não nos rebaixamos, primo, quando
Falamos bem, estando assim tão mal?
Vamos chamar Northumberland de volta,
Desafiar o traidor, e assim morrer?

AUMERLE

Senhor, lutemos com boas palavras
Até o tempo nos dar armas e amigos.

RICARDO

Ó Deus! Que jamais a minha língua,
Que decretou o horrível banimento
Desse orgulhoso, agora o retirasse
Co'esses tons doces! Fosse eu tão grande
Quanto esta dor, ou menor o meu nome!
Pudesse eu esquecer quem eu já fui!
Ou não lembrar quem devo ser agora!
Incha-me o coração? Bate calado,
Já que o inimigo a nós dois vai bater.

(NORTHUMBERLAND avança.)

AUMERLE

Já retorna de Bolingbroke o duque.

RICARDO

Que deve o rei fazer? Deve render-se?
O rei o faz. Deve ele ser deposto?
O rei o aceita. Ou terá de perder
O nome de rei? Por Deus, que se vá.
Eu darei minhas joias por um terço;
Meus lindos palácios por uma ermida;
Meus trajes pelos trapos de um mendigo;
As minhas taças por um prato rude;
Meu cetro por bastão de peregrino;
Meus súditos por santos esculpidos;
Meu vasto reino por pequena cova,
Bem pequenina, uma cova obscura,
Ou serei enterrado em uma estrada,
Uma comum, onde os pés dos súditos
Possam pisar na cabeça do rei.
No coração, em vida eles já pisam;
E enterrado, por que não na cabeça?
Estás chorando, Aumerle, meu doce primo?

         Nosso pranto maldito traz mau tempo.
160   Pranto e vento vão matar o trigo,
         Que falte tudo à terra revoltada.
         Ou devemos brincar com as nossas dores
         Num desafio de quem chora mais,
         Juntando as lágrimas num só lugar,
165   Até que elas nos cavem duas covas
         Dentro da terra e digam que dois primos
         Cavaram tumbas com o pranto dos olhos!
         Isso não fica bem? Porém já vejo
         Que por falar à toa o faço rir.
170   Notável príncipe, Milord Northumberland,
         Que diz rei Bolingbroke? Sua Majestade
         Deixa Ricardo vivo até que morra?
         Tu te curvas, e Bolingbroke diz sim.

NORTHUMBERLAND
         Senhor, no pátio baixo ele te espera
175   Para falar-te, não podes descer?

RICARDO
         Pra baixo eu vou, qual brilhante Faéton
         Que não controla as suas montarias.
         No pátio baixo? Onde os reis se abaixam,
         Chamado por traidor, para agradá-lo!
180   Pro pátio baixo? Embaixo? Desce, rei!
         Canta a coruja, não a cotovia, eu sei.

                                              (Saem ao alto.)

BOLINGBROKE
         Que diz o rei?

NORTHUMBERLAND
                    A dor no coração
         Faz com que fale co'o frenesi de um louco,
         Mas vem.

         (Entram o REI RICARDO e seu SÉQUITO, embaixo.)

BOLINGBROKE
                    Todos se afastem,
185   E mostrem seu dever à Majestade,
         (Ele se ajoelha.) Meu bondoso senhor.

RICARDO
>Meu primo, não humilhes o teu joelho
>Fazendo-o beijar terra tão baixa.
>Eu preferia ter-lhe o amor no peito
>Que ver, com desagrado, a reverência.
>Sobe, primo; teu coração 'stá alto
>Até aqui, embora ajoelhado.

BOLINGBROKE
>Meu bom senhor, eu só busco o que é meu.

RICARDO
>O teu é teu, como eu sou teu, com tudo.

BOLINGBROKE
>Seja só meu, meu notável senhor,
>No que eu servir merecer teu amor.

RICARDO
>E o merece. Merecem sempre ter
>Os que com força têm caminho firme.
>*(Para YORK.)* Meu tio, as tuas mãos. Não, seca os olhos.
>O pranto mostra o amor, mas não a cura.
>*(Para BOLINGBROKE.)* Jovem que sou, não posso ser teu pai,
>Porém, primo, já podes ser herdeiro.
>O que quiseres eu dou, e com vontade,
>Pois a força nos diz o que devemos.
>É pra Londres que devo ora marchar?

BOLINGBROKE
>Sim, meu senhor.

RICARDO
>Não posso, então, negar.

(Clarinada. Saem.)

CENA 4
O jardim do duque de York.[30]

(Entram a RAINHA e duas DAMAS.)

---

30 A cena tem função córica ao oferecer um momento de reflexão sobre o desgoverno de Ricardo. A alegoria da Inglaterra como um jardim, inaugurada na fala de Gaunt no ato 2, cena 1, é aqui retomada. (N. E.)

Rainha

Que jogos vamos ter neste jardim,
Pr'afastar pensamentos de problemas?

Dama

Vamos jogar croquê, senhora.

Rainha

Vou pensar nos tropeços deste mundo,
E que na vida jogo em viés errado.

Dama

Vamos dançar, senhora.

Rainha

Minhas pernas não seguem a alegria
Com o coração marcando ritmo triste:
Portanto, dança não, menina. Uma outra coisa.

Dama

Contar histórias, ama.

Rainha

                    Alegres ou tristonhas?

Dama

 Uma ou outra.

Rainha

                Nenhuma, jovem,
Pois como a alegria está faltando
Há de lembrar-me da tristeza;
E se for triste, tanta é a minha dor,
Que marca mais a falta de alegria.
Não preciso lembrar o que já tenho,
Nem devo lamentar o que me falta.

Dama

Eu vou cantar.

Rainha

             'Stá bem, se tem motivos,
Porém a mim agradaria mais chorando.

Dama

Se te fizesse bem, eu choraria.

RAINHA
Se chorar adiantasse, eu cantaria,
E não usava mais as tuas lágrimas.

(Entra um JARDINEIRO com dois AJUDANTES.)

Esperai; aí vêm os jardineiros.
Vamos ficar à sombra dessas árvores.
Aposto a minha dor contra alfinetes
Que falarão do Estado; fazem-no todos
Quando há mudanças: a dor traz mais dor.

JARDINEIRO
(Para um AJUDANTE.)
Prende aquele abricó que se balança,
E, criança travessa, obriga o pai
A curvar o seu peso exagerado
Pra sustentar os galhos recurvados.
(Para o outro ajudante.) Vai lá, e qual carrasco
Corta a cabeça dos galhos crescidos
Que pareçam demais para o conjunto:
Tem de ser tudo qual nosso governo.[31]
Se tratares disso eu vou arrancar
As más ervas que sugam, sem proveito,
O solo fértil das flores saudáveis.

AJUDANTE
Por que devemos, em nosso terreno,
Manter a ordem, forma e proporção,
Mostrando, qual modelo, um estado firme,
Se em nossa terra, cercada por mar,
Pululam ervas, sufocam as flores,
Não se podam pomares e nem sebes,
Desmancham-se os canteiros, e ervas boas
'Stão cheias de lagartas?

JARDINEIRO
                    Fica quieto.
Quem permitiu o caos na primavera
Vê a si mesmo caindo no outono.
As ervas que abrigou o seu copado,
Que o comiam, com ar de sustentá-lo,
Bolingbroke arrancou pela raiz...
Falo do conde Wiltshire, Bushy, Greene.

---

31 A comparação entre o jardim e o reino é aqui explicitada. As ervas daninhas são os maus políticos que cercam o rei. O mesmo grupo de imagens reaparece em diversas peças, notadamente em *Hamlet* já no primeiro solilóquio quando o mundo é comparado a um jardim abandonado "Em que só o que é mau na natureza/Brota e domina." (N. E.)

AJUDANTE

    O quê, 'stão mortos?

JARDINEIRO

    'Stão, e Bolingbroke
Prendeu o rei esbanjador. Que pena
55 Que ele não cuidasse de sua terra
Como nós do jardim! Nós, quando é hora,
Podamos bem as árvores frutíferas,
Pra que não exagerem seiva e sangue,
E por ricas demais resultem mal.
60 Se ele o fizesse aos grandes e aos que crescem,
Talvez vivesse para dar, e ele provar,
Os frutos do dever. Galhos inúteis
Cortamos, pra que os férteis sobrevivam.
Fazendo assim inda usava a coroa,
65 Que perdeu por gastá-la aí, à toa.

AJUDANTE

    Mas pensa então que o rei será deposto?

JARDINEIRO

    Rebaixado ele já está, e deposto
Sem dúvida será. Chegaram cartas
Pr'um amigo do bom duque de York,
70 Com notícias negras.

RAINHA

    Ai, eu sufoco, à falta de falar!
Tu, velho Adão, que cuidas do jardim,
Como ousa a tua língua dar tais novas?
Que Eva, que serpente, sugeriu-te
75 Fazer o homem cair uma outra vez?
Por que proclamas que o rei foi deposto?
Será que ousas, barro sem valor,
Prever a sua queda? Dize-me como
Soubeste essa má nova? Fala, vil!

JARDINEIRO

80 Perdão, senhora, não é alegria
Contar tais novas, mas são verdadeiras.
O rei Ricardo está nas mãos possantes
De Bolingbroke. Após ambos pesados,
Teu senhor ficou só no prato dele,
85 Feito mais leve por vaidades várias.
Porém no prato do alto Bolingbroke,

Com ele está a nobreza da Inglaterra;
           E a diferença derrubou Ricardo.
           Se fores a Londres, vais acabar vendo
90   Que digo só o que o povo está sabendo.

     Rainha

           Hábil desgraça, de passos tão leves,
           Não me pertence a embaixada que trazes,
           E sou a última a saber? Tu pensas
           Que servida no fim essa tristeza
95   Demora mais? Partamos, por favor,
           Para em Londres buscar o rei da dor.
           Então eu nasci pra com a minha tristeza
           De Bolingbroke enfeitar a grandeza?
           Jardineiro, por contares-me novas tais
100   Que enxertos teus não floresçam jamais.

                                   (Saem a Rainha e as Damas.)

     Jardineiro

           Pobre rainha, se isso a melhorasse
           Quem dera a maldição funcionasse.
           Caiu aqui seu pranto, e no lugar
           Um canteiro de arruda eu vou plantar.
105   A rude arruda crescerá sem demora,
           Honrando aqui a rainha que chora.

                                                  (Saem.)

ATO 4

CENA 1
A grande sala de Westminster.

(Entram, como se para o Parlamento, Bolingbroke, Aumerle, Northumberland, Percy, Fitzwater, Surrey, *o* Bispo de Carlisle, *o* Abade de Westminster, um outro Lord, *o* Arauto, Oficiais *e* Bagot.*)*

Bolingbroke
Trazei Bagot.

(Entra Bagot *com outros.)*

Agora, Bagot, conta livremente
Que sabes da morte do nobre Gloucester,
Quem planejou com o rei, e quem cumpriu
5 A sangrenta tarefa do seu fim.

Bagot
Que fique em frente a mim o Lord Aumerle.

Bolingbroke
(Para Aumerle.*)*
Primo, avança, e olha bem para esse homem.

Bagot
Lord Aumerle, sei que a tua língua ousada
Não desdiz o que outrora declarou.
10 Quando a morte de Gloucester foi tramada,
Eu te ouvi dizer "Não tem meu braço
Tamanho pr'alcançar, da corte inglesa,
Em Calais, a cabeça de meu tio?".
Entre o mais que foi dito nessa hora,
15 Ouvi-te então dizer que recusavas
Antes oferta de cem mil coroas
Que o retorno ao país de Bolingbroke,
Acrescentando a bênção que seria
A morte desse primo.

Aumerle
Nobres, príncipes,
20 Que devo responder a alguém tão vil?
Seria certo desonrar meu berço
Se aqui o punisse como meu igual?

Ou faço isso, ou mancho a minha honra
Com acusação de lábios caluniosos.

(Ele joga a luva.)

25 Eis minha luva, meu selo de morte,
Que te manda pro inferno. Mentes, eu digo,
E hei de mostrar que o que disseste é falso
Com o teu sangue, mesmo sendo baixo
Demais para manchar a minha espada.

BOLINGBROKE

30 Bagot, para; não a apanharás.

AUMERLE

Exceto um, eu te queria o melhor
Dentre os presentes a acusar-me assim.

FITZWATER

Se tua bravura exige berço igual,
Eis minha luva, Aumerle, pra desafio.

(Ele joga a luva.)

35 Pelo sol que me mostra onde estás,
Eu te ouvi dizer, vangloriando-te,
Que foste a causa da morte de Gloucester.
Mesmo que o negues vinte vezes, mentes;
E a tua mentira eu devolvo ao teu peito,
40 Onde nasceu, com este meu punhal.

AUMERLE

Não ousas viver para isso, covarde.

FITZWATER

Por Deus, quem dera fosse agora mesmo.

AUMERLE

Irás pro inferno por isso, Fitzwater.

PERCY

Mentira, Aumerle, pois ele é tão honrado,
45 No caso, quanto o senhor é injusto;
E pra dizer que o és, eis minha luva,

(Ele joga a luva.)

              Que em si o há de provar até o extremo
              De tua vida mortal. Se o ousas, toma-a.

       AUMERLE
              Se o não fizer, que me apodreça a mão
50   E nunca mais possa brandir a espada
              Sobre o brilho do elmo do inimigo!

       OUTRO LORD
                    (Ele joga a luva.)
              Que a terra ostente a minha, falso Aumerle,
              E te incite à luta com tantas mentiras
              Quantas as que se escondem em teu traidor ouvido
55   De sol a sol. A honra assim empenho;
              Agarra-a pra provar-te, se o ousas.

       AUMERLE
              Quem mais me acusa? Enfrento a todos!
              Eu trago mil espíritos no peito
              Pra responder a vinte mil que tais!

       SURREY
60   Milord Fitzwater, eu me lembro bem
              Da hora em que conversou com Aumerle.

       FITZWATER
              É verdade, estavas então presente,
              Podes afirmar comigo que é verdade.

       SURREY
              Tão falso quanto o céu é verdadeiro.

       FITZWATER
65   Mentes, Surrey.

       SURREY
                              Menino desonrado,
              Essa mentira vai pesar-me a espada
              De tal modo que minha vingança
              Fará que o mentiroso também pese
              Na terra qual caveira de seu pai.
70   Para prová-lo, eis meu penhor de honra:

                    (Joga a luva.)

              Apanha a luva e luta, se é que ousas.

FITZWATER
Que bom esporear o que já corre!
Se ouso comer, beber e respirar,
Ouso enfrentar Surrey num deserto
E cuspir-lhe ao afirmar que mente,
E mente, e mente. Eis meu compromisso,
Que é pregá-lo ao meu forte castigo.
Se aspiro viver bem na nova era,
Digo que Aumerle tem a culpa que acuso.
E ouvi ainda dizer Norfolk banido
Que o próprio Aumerle enviou homens seus
Para em Calais matar o nobre duque.

AUMERLE
Que algum cristão me ajude a garantir

(Pega outra luva e a atira.)

Que Norfolk mente – e aqui o desafio
Se ele puder voltar pra defender-se.

BOLINGBROKE
Tais diferenças só terão resposta
Com o perdão de Norfolk – que o terá,
Mesmo meu inimigo, restaurado
A terras e vivendas. E ao voltar
Terá lugar a prova contra Aumerle.

CARLISLE
Nunca virá a honra desse dia.
Muitas vezes lutou o banido Norfolk
Por Jesus Cristo em campos cristãos,
Ostentando no peito a cruz de Cristo
Contra os pagãos, sarracenos e turcos.
E cansado de guerras, retirou-se
Para a Itália, e em Veneza entregou
Seu corpo ao chão de tão doce país,
E a alma a Cristo, o grande capitão
Sob cujas cores tanto guerreou.

BOLINGBROKE
O quê, bispo, Norfolk está morto?

CARLISLE
Assim como eu estou vivo, meu senhor.

BOLINGBROKE

    Que a doce paz conduza a sua alma
    Ao seio de Abraão! Lords apelantes,
    Vossas diferenças ficam em suspenso
    Até marcarmos a data da luta.

    (Entra York.)

YORK

    Grande Lancaster, venho procurar-te
    Da parte de Ricardo, depenado,
    Que humilde te adota como seu herdeiro
    Cedendo o cetro às tuas mãos reais.
    Ascende ao trono do qual ele desce,
    E viva Henrique, o quarto desse nome!

BOLINGBROKE

    É em nome de Deus que subo ao trono.

CARLISLE

    Que Deus não o permita!
    Deixai que fale, na presença, o último,
    Mas, parece, o melhor para a verdade.
    Quem dera a Deus que em presenças tão nobres
    Tivéssemos juiz nobre o bastante
    Para o nobre Ricardo! Tal nobreza
    O ensinaria a suportar tal crime.
    Pode algum súdito julgar seu rei?
    Quem aqui de Ricardo não é súdito?
    Não se julga ladrão em sua ausência,
    Nem mesmo quando a culpa é clamorosa.
    Deve a imagem do Todo-Poderoso,
    Seu capitão, preposto, deputado,
    Ungido e coroado há tantos anos,
    Ser julgado por seu inferior
    E em sua ausência? Que Deus não permita
    Que em solo cristão almas polidas
    Cometam ato tão obsceno e imundo!
    Eu sou um súdito que fala a súditos,
    Que Deus mandou falar pelo seu rei.
    Milord Hereford, a quem chamam rei,
    É vil e orgulhoso traidor de seu próprio rei,
    E se o coroarem, profetizo:
    O sangue inglês vai adubar a terra
    E o futuro chorar ato tão sórdido.
    A paz irá pra turcos e infiéis,

140 E aqui, no lar da paz, guerras terríveis
Vão confundir linhagens e parentes.
A desordem, terror, medo e motim
Aqui hão de viver, e o nosso nome
Será campo de Gólgota, e caveiras,
145 Se fizerem lutar casa com casa,
Terão a divisão mais dolorosa
Que já caiu nesta terra maldita.
Impedi, não permitais ato tal,
Pr'os netos não chorarem esse mal.

NORTHUMBERLAND
150 Argumentaste muito bem. E por isso
És preso agora por alta traição.
Milord Westminster, que fique a teu cargo
Guardá-lo bem até seu julgamento.
Concedeis, Lords, o que vos pede o povo?

BOLINGBROKE
155 Trazei Ricardo, pra que à vista do povo
Ele abdique, e possamos continuar
Sem suspeição.

YORK
　　　　　　　　Eu serei sua escolta.

BOLINGBROKE
Os senhores, milords, que aqui prendemos,
Buscai vossos avalistas pra defesa.
160 Pouco devemos nós ao vosso amor,
Pouco esperamos ter ajuda vossa.

(Voltam YORK, com RICARDO, e oficiais carregando as insígnias reais.)

RICARDO
Por que sou eu chamado até um rei
Antes que eu deixe reais pensamentos
Com que eu reinei? Inda não aprendi
165 A bajular, curvar o meu joelho.
Dá algum tempo à dor, pra que me ensine
A ser submisso. Inda me lembro bem
Que me aduláveis. Não eram meus homens?
Não me gritaram, vez ou outra, "Viva!"
170 Como Judas a Cristo? Ele, em doze,
Teve onze, eu nem um só fiel em milhares.
Deus salve o rei! E ninguém diz amém?

Sou padre e sacristão? Então, amém.
Deus salve o rei! Mesmo não sendo eu ele;
E amém também se o céu julgar-me ele.
A que serviço eu me vejo aqui?

YORK

Pra de livre vontade executar
O que a majestade gasta sugeriu:
Ora abrir mão de teu posto e coroa
A Henry Bolingbroke.

RICARDO

(Para um CRIADO.)
Dá-me a coroa. *(Para BOLINGBROKE.)* Primo, aqui a toma.
Vê, primo, Minha mão deste lado, aí a tua.
A coroa de ouro agora é um poço[32]
Com dois baldes que enchem um ao outro:
O mais vazio sempre dança no ar;
O outro, cheio, no fundo, invisível.
O que é cheio de lágrimas sou eu,
Que bebo dores ante a tua subida.

BOLINGBROKE

Pensei que de bom grado abdicavas.

RICARDO

Sim, à coroa; às dores não.
Podes depor-me das glórias que gozei,
Porém, das dores sou ainda rei.

BOLINGBROKE

Parte das dores co'a coroa me dás.

RICARDO

Tua dor de tirar-me as minhas não há.
A minha dor é velha, do passado,
O teu sofrer agora é conquistado.
Minhas dores eu tenho, mesmo as dando,
Vão com a coroa, comigo ficando.

BOLINGBROKE

Estás de acordo em deixar a coroa?

---

32 Imagem importante na peça, que representa o conceito de tragédia medieval em que quando um sobe, o outro cai. O balde que dança no ar é Bolingbroke, vazio e ilegítimo; Ricardo é o balde que desce, cheio de lágrimas. (N. E.)

RICARDO

200 Sim, não; não, sim, pois não devo ser nada.
Nada não nega, a abdicação foi dada.³³
Vede agora eu acabar comigo:
Eu dou o que me pesou na cabeça,

(BOLINGBROKE aceita a coroa.)

Este canhestro cetro em minha mão,

(BOLINGBROKE aceita o cetro.)

205 E o orgulho de ser rei no coração.
Eu lavo com o meu pranto a minha unção,
Com minha mão eu dou minha coroa,
Com minha língua eu nego a sagração,
Com minha voz libero os juramentos.
210 Eu repudio a pompa e a majestade,
Abro mão de castelos e de rendas,
Renego minhas leis e meus decretos.
Deus perdoe a quem quebra jura a mim,
Deus guarde toda jura feita a ti!
215 Que eu, sem nada, não tenha cuidado,
E tu benesses pelo conquistado.
Viva quem hoje este meu trono encerra,
E breve tenha eu cova na terra.
Deus salve o rei, quem era rei deseja;
220 E te dê sol e vida benfazeja.
Que falta agora?

NORTHUMBERLAND
(Dando papéis a RICARDO.)
Nada; a não ser ler aqui
Estas acusações e graves crimes
Que em pessoa ou por outros cometeste
Contra o Estado e o bem da nossa terra.
225 Tal confissão permite a muitas almas
Ver a justiça da deposição.

RICARDO

Será preciso? Devo porfiar
Minhas loucuras? Bom Northumberland,
'Stivessem registradas tuas ofensas,

---

33 Ricardo não é um líder tão competente quanto Bolingbroke, mas compreende a importância dos rituais ligados à majestade; não permitindo que o primo apareça como o líder que tomou o poder de um rei inoperante, abdica e oferece, com grande teatralidade, a coroa a Bolingbroke. (N. E.)

230 Não seria vergonha, entre os presentes,
Fazer leitura pública? Ao fazê-lo,
Teria de encontrar um fato odioso,
Incluindo a deposição de um rei,
E a quebra da corrente de uma jura,
235 Marca que dana no livro do céu.
Não; todos os que em torno aqui me olham,
Quando tanta desgraça aqui me acua,
Mesmo os que lavam as mãos qual Pilatos,
Fingindo ter piedade, são Pilatos
240 Que me entregam à minha amarga cruz,
E esse teu pecado nada lava.

NORTHUMBERLAND
Milord, depressa, assina esses artigos.

RICARDO
Meus olhos lacrimejam, não enxergo.
Porém o sal não chega a cegar tanto
245 Que eu aqui não veja só traidores.
Porém, se volto os olhos pra mim mesmo,
Vejo em mim um traidor igual ao resto.
Pois aqui minha alma concordou
Em desnudar de pompa o real corpo;
250 Tornar soberania em vil escrava,
Tornar o Estado vil, o rei um súdito.

NORTHUMBERLAND
Milord...

RICARDO
Eu não sou teu lord nem de ninguém;
Tu me insultas. Não tenho nome ou título;
255 Até o nome que recebi na pia[34]
Foi usurpado. Ai, ai, dia aziago,
Que após desperdiçar tantos invernos,
Não sei o nome pelo qual chamar-me!
Quem me dera ser só um rei de neve,
260 Postado ante o sol de Bolingbroke,
E assim me derreter em pingos d'água!
Bom rei, ó grande rei, mas não tão bom,
Se no país minha voz ainda é prata,
Que ela diga que tragam já um espelho
265 Que me mostre qual rosto eu hoje tenho,
Já que perdeu a sua majestade.

---

34 Pia batismal. (N. E.)

BOLINGBROKE
Que alguém procure e traga aqui um espelho.

(Sai um Criado.)

NORTHUMBERLAND
Lê o papel enquanto vem o espelho.

RICARDO
Não me tortures, demo, antes do inferno.

BOLINGBROKE
Não deves insistir mais, Milord Northumberland.

NORTHUMBERLAND
Não ficam satisfeitos os comuns.

RICARDO
Hão de ficar. Eu lerei o bastante
Quando for encarar o próprio livro
Com meus pecados todos, que sou eu.

(Entra alguém com um espelho.)

Dá-me o espelho. É nele que eu vou ler.
Rugas tão rasas? Não vibrou-me a dor
Tamanhos golpes nesse rosto meu
Sem ferir fundo? Espelho adulador,
Igual a meus amigos de bons tempos,
'Stás me enganando. Este rosto é o rosto
Cujo teto abrigava, dia a dia,
Uns dez mil homens? Era este o rosto
Que como o sol fazia olhos piscarem?
É este o rosto que arrostou loucuras
Mas perdeu arrostando Bolingbroke?
Foi quebradiça a glória deste rosto
E quebradiço como a glória é o rosto,

(Ele espatifa o espelho atirando-o ao chão.)

Aí está ele, partido em cem lascas.
Vê, rei calado, a moral desse jogo:
Como depressa a dor destrói-me o rosto.

BOLINGBROKE
A imagem da tua dor destruiu
A imagem do teu rosto.³⁵

RICARDO
                    Dize de novo.
A imagem da minha dor? Vejamos:
Eu sei que a minha dor é toda interna,
295   E as formas aparentes de lamento
São sombra e imagem da dor invisível
Que incha em silêncio torturando a alma.
Lá fica a substância. Rei, te sou grato
Pela bondade, tu não só me dás
300   Causa para sofrer, como 'inda ensinas
Como chorá-la. Eu te peço um favor,
E depois parto, sem mais perturbar-te.
Será que o tenho?

BOLINGBROKE
É só pedir, bom primo.

RICARDO
305   Bom primo! Eu sou mais que qualquer rei,
Pois, quando rei, os meus bajuladores
Eram só súditos, mas sendo súdito
Eu tenho aqui um rei a bajular-me.
Sendo tão grande, não devo implorar.

BOLINGBROKE
310   Mas pede.

RICARDO
               E o terei?

BOLINGBROKE
                    Terás.

RICARDO
Então dá-me licença para partir.

BOLINGBROKE
                    Para onde?

---

35 Corresponde à célebre passagem "The shadow of your sorrow hath destroyed / The shadow of your face." (N. E.)

RICARDO

    Para onde for, mas longe de teus olhos.

BOLINGBROKE

    Guardas, aí, conduzi-o pra Torre.

RICARDO

    Conduzi, muito bem! É conduzindo
315   Que conseguem subir quando um rei cai.

(Sai RICARDO, com a guarda.)

BOLINGBROKE

    Quarta-feira que vem terá lugar
    Nossa coroação. Milords, preparai-vos.

(Saem todos menos o BISPO DE CARLISLE, o ABADE DE WESTMINSTER e AUMERLE.)

ABADE

    Que espetáculo triste aqui nós vimos.

CARLISLE

    Pior virá. Os que estão por nascer
320   Com os espinhos de hoje vão sofrer.

AUMERLE

    Bom padre, não há plano ou invenção
    Que livre o reino desse vil borrão?

ABADE

    Milord,
    Antes que eu fale abertamente nisso,
325   Não só receberás o sacramento
    Pr'ocultar meu intento, e pra cumprir
    Tudo aquilo que eu venha a engendrar.
    Vejo em teu cenho o descontentamento,
    Dores no coração, pranto nos olhos.
330   Vem cear comigo; hei de mostrar
    Plano para melhor dia chegar.

(Saem.)

ATO 5

CENA 1
Londres. Uma rua no caminho para a Torre.

(Entram a Rainha e suas aias.)

RAINHA

O rei vem por aqui. Este é o caminho
Pra infeliz torre que ergueu Júlio César,[36]
A cujo seio de aço meu marido
Condenou o orgulhoso Bolingbroke.
Descansemos aqui, se o chão rebelde
Serve à mulher do legítimo rei.

(Entra Ricardo, sob guarda.)

Silêncio! Vede, ou melhor, não vejais,
Minha rosa fanada, mas sim, vede
Pra que a piedade não as torne orvalho,
E o lave de novo com lágrimas de amor.
Ó tu, modelo da antiga Troia![37]
Mapa da honra! Tumba de Ricardo,
E não o rei Ricardo! Doce abrigo,
Por que se hospeda em ti tamanha dor,
E o triunfo se muda pras tavernas?

RICARDO

Não te unas à tristeza, minha bela,
Pra ressaltar meu fim. Pensa, minh'alma,
Que a pompa anterior foi sonho alegre,
Mas, despertos, a nossa realidade
Mostra-se esta. Sou irmão, doçura,
Da mais triste indigência, e ela e eu
Juntos vamos morrer. Foge pra França,
Recolhe-te a alguma casa religiosa.
De um mundo santo teremos coroas,
Depois de jogar fora estas daqui.

RAINHA

O quê? Em forma e mente o meu Ricardo
Mudou e enfraqueceu? Tirou-lhe o primo

---

36 Acreditava-se que a Torre de Londres fora construída por Júlio César para servir de prisão. (N. E.)
37 Londres é a nova Troia. (N. E.)

Também o intelecto? E o coração?[38]
O leão que agoniza estende a pata
E arranha pelo menos terra, louco
Por 'star vencido, e tu, qual escolar,
Aceitas castigo, beijas a cruz,
Com humildade bajulas os furiosos,
Quando és leão, e rei dos animais?

RICARDO

De animais, e se o não fossem eles,
Teria sido um feliz rei de homens.
Boa ex-rainha, vai logo pra França.
Pensa-me morto, e que me dás agora,
Como em leito de morte, adeus pra sempre.
Nas longas noites frias, junto ao fogo
Com velhos bons, conta a eles histórias
De tempos dolorosos, já passados;
E por fim, ao dar boa-noite,
Podes narrar-lhes minha triste história,
E os que a ouvirem irão deitar-se aos prantos,
Pois a lenha insensível vai ouvir
A tua língua de tons comoventes,
E com pranto apagar, de pena, o fogo,
Chorando alguns com cinzas ou carvão
Por ver deposto o seu rei legítimo.

(Entra NORTHUMBERLAND.)

NORTHUMBERLAND

Milord, mudou de ideia Bolingbroke;
Deves ir pra Pomfret, e não para a Torre.
E pra senhora também temos ordens:
A toda pressa deves ir para a França.

RICARDO

Northumberland, escada com a qual
Rei Bolingbroke ascendeu ao meu trono,
Não hão de ter passado muitas horas
Depois disto, sem que o pecado cresça
E estoure em corrupção; e hás de pensar,
Mesmo que a ti ele der meio reino,
Que é pouco, já que deste tudo a ele.
E pensar ele que, se sabes o caminho
Pra plantar novos reis, irás de novo,

---

38 O coração é o lugar da coragem. (N. E.)

                    Com a mínima desculpa, encontrar outro
65   Pra tirá-lo de seu trono usurpado.
                    O amor dos homens maus acaba em medo,
                    O medo em ódio, e o ódio torna os dois
                    Em ameaça e morte merecida.

        NORTHUMBERLAND
                    Que só minha cabeça pague a culpa.
70   Despede-te, pois tens de partir logo.

        RICARDO
                    Duplo divórcio! Homens maus, violam
                    Boda dobrada: minha com a coroa,
                    E ainda a minha com a minha esposa.
                    Com um beijo apago os votos entre nós.
75   Mas não, pois com um beijo foram feitos.
                    Conde, separa-nos: eu para o norte,
                    Para onde o clima é frígido e doente;
                    Minha mulher pra França, de onde, em pompa,
                    Veio adornada como um maio doce,
80   E é devolvida num breve Finados.

        RAINHA
                    Temos de ser divididos, separados?

        RICARDO
                    Sim, a mão da mão e o coração do coração.

        RAINHA
                    Deportai-nos os dois. Mandai o rei comigo.

        NORTHUMBERLAND
                    Isso é bondade, porém má política.

        RAINHA
85   Então, pr'onde ele vai, deixai-me ir.

        RICARDO
                    Pr'os dois, chorando, sua dor unir.
                    Chorando eu por ti e tu por mim,
                    Melhor longe do que perto, assim.
                    Vai suspirando, fico aqui gemendo.

        RAINHA
90   Pra tão longe, cada passo dois valendo.

RICARDO

    Dois gemidos por cada passo dado,
    Vou caminhar com o coração pesado.
    Seja breve com a dor nosso noivado;
    Casar com ela prolonga o mal passado:
95   Cala-nos um beijo, na separação;
    Dando-te o meu, ganho o teu coração.

(Eles se beijam.)

RAINHA

    Dá-me de volta o meu, não quero arcar
    Com o ter teu coração para o matar.

(Eles se beijam.)

    Com o meu de volta, vai-te agora, amor,
100   Para que eu busque matá-lo de dor.

RICARDO

    Bajulamos a dor com esta demora;
    Que fale só a dor, depois de agora.

(Saem, RICARDO e NORTHUMBERLAND por uma porta e a RAINHA e damas por outra.)

CENA 2
Na casa do duque de York.

(Entram o DUQUE DE YORK e a DUQUESA.)

DUQUESA

    O senhor prometeu contar-me o resto
    Quando o pranto cortou-te a narrativa
    Da vinda dos dois primos para Londres.[39]

YORK

    Onde parei?

DUQUESA

            Foi na triste parada, milord,
5   Em que mãos tresloucadas, das janelas
    Jogavam lixo sobre o rei Ricardo.

---

[39] A cena relata a entrada triunfal de Bolingbroke trazendo Ricardo prisioneiro. Historicamente os dois cruzaram Londres em dias separados. (N. E.)

York

  E depois o importante Bolingbroke,
  Montado num fogoso garanhão,
  Que, presunçoso com quem levava,
10   Lento e pomposo seguia o caminho;
  E "Salve, Bolingbroke!" todos gritavam.
  Parecia falar toda janela,
  Tantos ávidos olhares de moço e velho
  Com fome eram lançados pelos vãos
15   Sobre seu rosto; e as paredes todas,
  Qual imagem pintada, proclamavam
  "Que Deus te guarde! Viva Bolingbroke!".
  E ele, virando para um lado e outro,
  Sem chapéu, mais humilde que o cavalo,
20   Respondia "Obrigado, meus patrícios".
  E assim fez, ao longo de todo o caminho.

Duquesa

  Pobre Ricardo! O que fazia ele?

York

  Como no palco os olhos da plateia,
  Depois que um bom ator saiu de cena,
25   Mal olha pro que entra depois dele,
  Achando sua fala um tédio só,
  Assim, com mais desprezo, aquela gente
  Olhou Ricardo, sem dizer "Que Deus te guarde!".
  Nenhuma língua deu-lhe boas vindas.
30   Jogaram pó em sua cabeça ungida,
  Que ele limpou com triste suavidade.
  Se ao rosto em luta entre o pranto e riso,
  Sinais de sua dor e paciência,
  Deus não houve dado maior força,
35   Os corações teriam derretido,
  E até os bárbaros tido piedade.
  Porém a mão do céu está em tudo,
  E fazer-lhe a vontade nos acalma.
  A Bolingbroke agora eu obedeço,
40   E a ele devo honrar, a qualquer preço.

  (Entra Aumerle.)

Duquesa

  Lá vem meu filho Aumerle.[40]

---

40 Historicamente, Aumerle era filho de York com a primeira esposa, Isabela de Castilho, que morre cinco anos antes da ação

YORK

                                Que foi Aumerle,
E não o é mais, por gostar de Ricardo.
Ora devemos chamá-lo só de Rutland.[41]
Cabe a mim responder, no parlamento,
Por sua lealdade ao novo rei.

DUQUESA

Bem-vindo, meu filho. Quais as violetas
Que ora brilham na nova primavera?

AUMERLE

Não sei, senhora, e a mim pouco importa,
Uma ou nenhuma para mim dá no mesmo.

YORK

Pois segue a primavera com cuidado,
Pra não seres antes da hora podado.
Que ouves de Oxford? Seguem os festejos?

AUMERLE

Que eu saiba, seguem, meu senhor.

YORK

Irás pra lá, eu sei.

AUMERLE

Pretendo ir, se Deus não me impedir.

YORK

Que selo é esse que pende em teu peito?
Por que empalideces? Eu quero ver.

AUMERLE

Não é nada.

YORK

                Pois pode, então, ser visto.
Quero saber; deixa-me ver o escrito.

AUMERLE

Eu peço a Vossa Graça que me perdoe;

---

dramatizada; a duquesa de York aqui representada é a madrasta, Joan Holland, sobrinha do rei e tia pelo casamento com York. (N. E.)

41 O duque de Aumerle perdeu o título por ter sido acusado de participação na morte de Gloucester, retendo apenas o título de conde de Rutland. (N. E.)

York

É coisa de pequena consequência,
Mas que tenho razões pra não mostrar.

York

E eu tenho razões pra querer ver.
Eu temo, eu temo...

Duquesa

Mas por que temer?
Com certeza entrou para um bando qualquer
Pra vestir-se de gala no triunfo.

York

Um bando? Pra metido nesse bando
Bandear-se? Mulher, não sejas tola.
Menino, deixa-me ver aqui.

Aumerle

Peço perdão, mas não posso mostrar.

York

Faço questão e digo que me mostres.

(Ele arranca o papel do peito do rapaz e o lê.)

Vil traição! Vilão! Traidor! Calhorda!

Duquesa

Do que se trata, Milord?

York

Alguém, aí! Vá selar meu cavalo!
Misericórdia! Que traição é essa?

Duquesa

Ora, o que foi, Milord?

York

Tragam-me as botas! Selem meu cavalo!
Por minha honra, minha vida e jura,
Eu entrego o traidor.

Duquesa

O que é que houve?

York

Cala-te, tola.

DUQUESA

                Não me calo.
Do que se trata, Aumerle?

AUMERLE

Silêncio, boa mãe, é coisa pouca
Que eu pagarei com a vida.

DUQUESA

                            Com tua vida!

YORK

As minhas botas. Eu irei ao rei.

(Entra um CRIADO com as botas.)

DUQUESA

85   Bate-lhe, Aumerle. O rapaz 'stá em transe.
Sai, vilão! Nunca mais quero ver-te!

YORK

As minhas botas, digo.

DUQUESA

Mas por que, York? Que vais fazer?
Não ocultas uma transgressão de um filho?
90   Acaso temos outros? Ou teremos?
Já não passou o tempo em que fui fértil?
Vais tirar-me o meu filho nesta idade?
Vais roubar-me o feliz nome de mãe?
Ele não tem teu rosto? Não é teu?

YORK

95   Mulher tola e insana,
Queres esconder essa conspiração?
Doze deles tomaram comunhão
E todos juntos juraram que irão
Matar o rei em Oxford.

DUQUESA

                        Mas ele não vai;
100   Prendê-lo-emos aqui; assim não se mistura.

YORK

Tola, se fosse vinte vezes filho
O acusaria.

DUQUESA

    Se por ele houvesses
Gemido como eu, tinhas piedade.
Mas compreendo; estás desconfiando
105   Ter sido eu infiel ao teu leito,
E ser ele bastardo, não teu filho.
Doce York, meu marido, esquece isso;
Não há dois homens assim tão iguais,
Não tem sinal de mim ou no meu sangue,
110   Mas o amo.

YORK

    Quero passar, teimosa!

(Sai.)

DUQUESA

Vai atrás, Aumerle! Monta o cavalo dele,[42]
E antes dele chegue até o rei;
Antes que te acuse, implora por perdão.
Chegarei logo – mesmo estando velha,
115   Até York posso galopar com pressa;
E do chão jamais hei de levantar
Enquanto Bolingbroke não perdoar. Vai logo.

(Saem.)

CENA 3
Castelo de Windsor.

(Entram BOLINGBROKE, *agora rei* HENRIQUE IV, PERCY *e outros* LORDES.*)*[43]

REI HENRIQUE

Ninguém sabe do meu filho vadio?[44]
Eu não o vejo há já uns bons três meses.
Se eu sofro de uma praga, essa praga é ele.
Só peço a Deus, senhores, que o descubrais.
5   É perguntar nas tavernas de Londres,
Pois dizem que são essas que frequenta,
Com companheiros desclassificados,
Daqueles que circulam por ruelas,

---

42 A duquesa pede que o filho intercepte York e lhe tome o cavalo, impedindo-o de chegar ao rei. A passagem pode conter um erro de impressão e ser "Mount thee upon thy horse" e não "his horse". (N. E.)

43 A cena representa Bolingbroke pela primeira vez como rei coroado. (N. E.)

44 A pergunta sobre o paradeiro do filho, o arruaceiro Príncipe Hal, cria um paralelo com o filho de York, Aumerle, traidor da coroa. Hal não aparece nesta peça, mas a menção de seu nome sugere que Shakespeare tivesse em mente a criação de Henrique IV, Parte 1.

     Batem relógios, roubam os que passam.
     E ele, vagabundo efeminado,
     Faz seu ponto de honra defender
     Malta tão reles.

PERCY
     Milord, faz uns dois dias vi o príncipe,
     E contei-lhe os festejos que houve em Oxford.

BOLINGBROKE
     E que disse o garboso?

PERCY
     Respondeu que iria a um bordel,
     Pegar a luva de uma meretriz,
     Usá-la como pluma e, desse jeito,
     Ganhar de qualquer um que o desafie.

REI HENRIQUE
     Devasso e sem conserto! Mesmo assim
     Nele ainda há fagulhas de esperança,
     Que podem vir com o tempo a tomar vida.
     Quem vem lá?

          (Entra AUMERLE, assustado.)

AUMERLE
               Onde o rei?

REI HENRIQUE
                    Que queres dizer,
     Meu primo, com olhar tão transtornado?

AUMERLE
          (Ajoelhando-se.)
     Deus te salve, Majestade! Eu imploro
     Uma conversa a sós com Vossa Graça.

REI HENRIQUE
          (Para os LORDS.)
     Retirai-vos, e deixai-nos sozinhos.

               (Saem PERCY e os outros LORDES.)

     Dize-me agora, primo, qual é o problema?

AUMERLE

    Fiquem plantados na terra os meus joelhos,
    E cole a língua no céu do meu palato,
    Se sem perdão eu me levanto ou falo.

REI HENRIQUE

    A falta é planejada ou cometida?
    Se for a primeira, mesmo sendo hedionda,
    Pra ganhar teu amor eu te perdoo.

AUMERLE

    (Levantando-se.)
    Dá-me licença pra girar a chave,
    Pra não entrar ninguém até o fim.

REI HENRIQUE

    Como quiseres.

    (AUMERLE tranca a porta. O DUQUE DE YORK bate à porta e grita.)

YORK

    (De fora.)
    Eu te aviso, senhor, tem cuidado.
    Estás com um traidor em tua companhia.

REI HENRIQUE

    (Para AUMERLE.)
    Eu o domino.

    (Puxa a espada.)

AUMERLE

    Para a mão irada;
    Não há por que temer.

YORK

    Abri a porta.
    Cuidado, rei insensato. O amor
    Me faz falar traição? Abre essa porta,
    Ou eu a ponho abaixo.

    (Entra YORK.)

REI HENRIQUE

    Fala, tio,
    Retoma o fôlego e dize-nos qual é
    O perigo que devo eu enfrentar.

YORK
Lê esta carta e ficarás sabendo
A traição que por pressa não te conto.

(Dá a HENRIQUE a carta.)

AUMERLE
Lembra-te, lendo, do que prometeu.
50   Arrependi-me, não leias o meu nome,
Meu coração não se liga ao escrito.

YORK
Mas ligou-se, na hora de assiná-lo.
Senhor, eu arranquei-a do traidor;
A penitência é de medo, não de amor.
55   Esquece o ter piedade, se a piedade
É serpente que morderá teu peito.

BOLINBROKE
Conspiração odiosa, forte, ousada!
Ó, pai leal de um filho traiçoeiro!
Fonte prateada, pura, imaculada,
60   De onde esse rio, atravessando a lama,
Fez sua água correr, tornar-se imunda,
O transbordo do bom tornado mal.
E é a sua abundância de bondade
Que dá perdão à mácula do filho.

YORK
65   Será então cafetina do vício;
Em sua vergonha vai-se a minha honra,
Qual quando um filho esbanja o ouro do pai.
Minha honra vive se morre a desonra;
Ou, com a desonra, eu vivo na vergonha.
70   Mata-me, se ele vive. Com o alento dado,
Vive o traidor, executa-se o honrado

DUQUESA
(De fora.)
Senhor! Peço por Deus! Deixa-me entrar!

REI HENRIQUE
Que aguda voz pedinte grita assim?

DUQUESA
(De fora.)
Mulher e tua tia, rei, sou eu.

75   Ouve-me! Por piedade, abre essa porta!
      Quem nunca mendigou vem mendigar.

   REI HENRIQUE
      Nossa cena mudou; de coisa séria
      Virou agora "A Mendiga e o Rei".⁴⁵
      Admite tua mãe, primo malvado,
80   Sei que vem implorar por teu pecado.

      (AUMERLE abre a porta e entra a DUQUESA DE YORK.)

   YORK
      Se o perdoar, pedindo quem pedir,
      Desse perdão mais crimes hão de vir.
      Cortada a junta podre, o resto é são;
      Ficando ela, tudo é podridão.

      (Entra a DUQUESA.)

   DUQUESA
         (Ajoelhando-se.)
85   Rei, não creias nesse homem desalmado!
      Sem amor, ninguém é por ele amado.

   YORK
      Louca mulher, que vieste atrapalhar?
      Mais um traidor, velha, assim queres criar?

   DUQUESA
      Sê paciente, York. Senhor, escuta-me.

   REI HENRIQUE
90   Levanta, tia.

   DUQUESA
            Ainda não, imploro:
      Pra sempre de joelhos andarei
      E um dia alegre sequer eu verei
      Até dar-me alegria, meu senhor,
      Perdoando o meu filho transgressor.

   AUMERLE
         (Ajoelhando-se.)
95   Junto à minha mãe que pede, os meus joelhos dobram.

---

45 Referência à balada popular sobre o rei Copétua e a mendiga por quem se apaixona. (N. E.)

York

    E eu os meus, contra tudo o que obram.
    Terás mau fim, se cederes ao que é proposto!

Duquesa

    Apela ele com severidade? Olha só pro seu rosto.
    Não chora, e ele implora de mau jeito.
100   Ele fala de boca; nós, do peito;
    Pede fraco, deseja ser negado;
    Nós, de alma, e de coração pesado.
    Suas juntas velhas querem se esticar,
    Mas as nossas ao chão vão se ligar;
105   Ora com hipocrisia e falsidade,
    E nós co'a mais profunda integridade.
    Oramos com mais força; à nossa prece
    Concede a graça que a oração merece.

Rei Henrique

    Tia, de pé!

Duquesa

            Não me levanto, não.
110   Dize "de pé" só depois de "perdão".
    Se qual ama tivesse de te ensinar,
    Com "perdão" começaria a falar.
    Nunca sonhei com uma palavra só,
    Mas teu "perdão" mostrará que tens dó,
115   Sendo bem curta, ela é muito adoçada,
    E pra lábios de reis é indicada.

York

    Dize como um francês, *"pardonne moy"*.[46]

Duquesa

    Queres um perdão que o perdão destrói?
    Ah, meu amargo senhor e marido,
120   Que contra o mundo quer o mundo tido!
    Dize "perdão" no nosso inglês natal,
    Esse francês compreendemos mal.
    Já fala o olhar; pois que a língua o imite,
    Ou que no ouvido o coração palpite,

---

46 *"Pardonne-moy"*, naturalmente, é corruptela de "pardonnez-moi" ("perdoe-me"), e o "moy" final é pronunciado "mói". Para os ingleses da época, é claro, chamar alguém de francês era chamá-lo de traidor. (N. E.)

125   E, ouvindo o nosso pranto a implorar,
         Venha, por pena, esse "perdão" tentar.

Rei Henrique
         Tia, de pé.

Duquesa
                    Não imploro por isso.
         Ter teu perdão é só meu compromisso.

Rei Henrique
         Eu o perdoo, e Deus que o faça a mim.

         (York e Aumerle se erguem.)

Duquesa
130   Que vista linda, ajoelhada assim!
         Porém, que medo! Diga-o novamente:
         Não nega o dito, perdoar duplamente
         Antes o fortalece!

Rei Henrique
                    E é de coração
         Que o perdoo.

Duquesa
         (Levantando-se.)
                    E é deus neste meu chão.

Rei Henrique
135   Mas pro falso cunhado e o abade,
         Com o resto da malta que juntaram,
         O fim virá qual cão nos calcanhares.
         Bom tio, ajuda-me a enviar tropas
         A Oxford, onde estão esses traidores.
140   Pois neste mundo eles não viverão,
         Pois eu os pego ao saber onde estão.
         Adeus, meu tio; e meu primo também:
         Sejas digno de prece tão sofrida.

Duquesa
         Que Deus te dê, meu filho, nova vida.

         (Saem o Rei Henrique por uma porta, e por outra, a Duquesa de York e Aumerle.)

CENA 4
Castelo de Windsor.

(Entram Exton e criados.)

EXTON

Não repararam no que disse o rei?
"Amigo algum me livra desse medo?"
Não foi assim?

CRIADO

Nessas mesmas palavras.

EXTON

"Amigo algum", disse ele, duas vezes,
E repetiu duas vezes, não foi isso?

CRIADO

Foi.

EXTON

E ao dizê-lo me olhou, como pedindo,
Como dizendo "Quisera eu que fosses
Quem me livrasse desse terror no peito",
Ou seja, o rei em Pomfret. Vem, vamos.
Amigo seu, livrá-lo-ei do inimigo.

(Saem.)

CENA 5
Uma prisão no castelo de Pomfret.

(Entra Ricardo, só.)

RICARDO

Venho estudando como comparar[47]
Esta prisão onde eu vivo com o mundo;
Porém, por ser o mundo populoso,
E aqui, de criatura, ser só eu,
Não posso. Porém hei de consegui-lo.
Faço da mente a fêmea de minh'alma;
A alma, o pai, e os dois hão de criar
Pensamentos que geram outros mais.
Com esses populando o meu mundinho,
Com a mesma variedade deste mundo,

---

47 Com destreza verbal, Ricardo admite seus erros, redimindo-se para a plateia de seus demandos. Conclui o solilóquio com a ideia de uma mesma natureza e igual miséria de que partilham homens e reis. (N. E.)

Pois pensamento não para. Os melhores,
Os de coisas divinas, são mesclados
Co'escrúpulos que fazem a palavra
Lutar contra a palavra.
15 Como "Venham a mim, crianças", mas
"É mais difícil atingir o céu que
Um camelo passar por uma agulha".
Os pensamentos de ambição planejam
Incríveis maravilhas: unhas fracas
20 Rasgam passagem pelas duras pedras
Das muralhas que são minha prisão.
E, não podendo, morrem no apogeu.
Os de contentamento se bajulam
Só por não serem as primeiras vítimas
25 E nem as últimas, como idiotas
Que sentados no tronco se consolam
Com os outros que ali já se sentaram.
Pensando assim eles sentem alívio
Depositando os próprios infortúnios
30 Nas costas dos que antes já sofreram.
Assim de mim eu faço muita gente,
Ninguém contente. Por vezes sou rei,
Mas co'a traição eu sonho em ser mendigo,
Que é o que sou. Mas depois a penúria
35 Convence-me de que era melhor ser rei;
Então sou rei de novo, e logo, logo,
Perco a coroa para Bolingbroke,
E não sou nada. Mas, seja o que for,
Nem eu, e nem homem algum,
40 Aceitará o nada até 'star bem
Em não ser nada. *(Tocam música.)* É música que eu ouço?
Mantenha-se o ritmo; como é irritante a música
Quando o andamento e a divisão se quebram.
Assim a música da nossa vida.
45 E nisso eu tenho ouvido bem sensível,
Pra condenar se a corda desafina.
Mas pro conjunto de meu tempo e posto
Não tive ouvido pra queda do ritmo.
Gastei meu tempo, e hoje o tempo me gasta.
50 O tempo fez de mim o seu relógio:
Ideias são minutos, que suspiram
Marcando, em meu olhar, o mostrador,
A hora que o meu dedo, que é ponteiro,
Fica indicando, ao me limpar as lágrimas.
55 Saibam que o som que anuncia as horas,
São os gemidos de meu coração;

O sino, os suspiros; pranto, gemidos
Mostram minutos e horas. Mas meu tempo
Corre só para Bolingbroke gozar,
Enquanto eu bato as horas como um tolo.
A música enlouquece. Que ela pare;
Pois embora ela cure quem está louco,
A mim parece que enlouquece o são.

(A música cessa.)

Mas seja abençoado quem ma dá.
Pois é sinal de amor; e amar Ricardo
É joia rara em um mundo de ódio.

(Entra um Cavalariço da cocheira real.)

CAVALARIÇO
Salve, príncipe real!

RICARDO
Sou grato, nobre.
O último entre nós é muito caro.
O que és? E por que vieste aqui,
Onde não vem ninguém senão o cão
Que, com comida, mantém viva a dor?

CAVALARIÇO
Pobre ajudante de cocheira, rei,
Quando foste rei, que, indo para York,
A muito custo conseguiu licença,
Pra ver o rosto do meu rei de outrora.
Como me doeu o coração
Quando, em Londres, vi na coroação
Bolingbroke montado em seu malhado Barbary,
Que o senhor tantas vezes cavalgara,
E que eu tratei com tamanho cuidado!

RICARDO
Montou em Barbary? Pois dize-me, amigo,
Como se comportou Barbary debaixo dele?

CAVALARIÇO
Tão vaidoso que desdenhava o chão.

RICARDO
Por levar Bolingbroke nas suas costas!

85 Quando doente comeu pão da minha mão,
A mão real que o honrou com carinhos.
Nem sequer tropeçou? E nem caiu?
Pois todo orgulho não cai, para quebrar
O pescoço do usurpador montado?
90 Perdão, cavalo! Por que hei de ofendê-lo,
Criado para respeitar os homens,
Pra carregá-los? Eu não sou cavalo,
Porém carrego carga qual jumento,
Surrado pelo alegre Bolingbroke.

(Entra alguém trazendo carne para Ricardo.)

CARCEREIRO
(Para o Cavalariço.)
95 Sai, rapaz; já não podes mais ficar.

RICARDO
(Para o Cavalariço.)
Se me amas, é hora de sair.

CAVALARIÇO
Calado, o coração é que diz tudo.

(Sai.)

CARCEREIRO
Milord, por favor, queres começar?

RICARDO
Prova primeiro, como é de costume.

CARCEREIRO
100 Não ouso, meu senhor. Sir Piers Exton,
Vindo do rei, deu ordens que o proíbem.

RICARDO
(Bate no Carcereiro.)
Malditos sejais tu e Henry Lancaster!
Chega de paciência, ela me cansa.

CARCEREIRO
Socorro! Socorro! Socorro!

(Entram correndo os assassinos.)

RICARDO

105 Que foi? Por que me assalta assim a morte?
A tua mão dá-me a arma mortal.
Vais ocupar o teu quarto no inferno!

(EXTON *o golpeia e derruba.*)

Essa mão vai queimar no fogo eterno,
Que ousa me atingir. Tua mão, Exton,
110 Manchou com sangue o rei e sua própria terra.
Sobe, alma minha! Bem alto hás de viver,
Quando a carne cair, para morrer.

(*Morre.*)

EXTON

Em seu sangue real tinha bravura.
Ambos matei; fosse minha ação pura!
115 O demônio que antes me aplaudia
Agora diz que o inferno é que o aprecia.
O rei morto ao rei vivo eu vou levar.
Deixando o resto aqui, para enterrar.

(*Saem.*)

CENA 6
O castelo de Windsor.

(*Fanfarra. Entram* REI HENRIQUE, YORK, *com outros* LORDES *e* SÉQUITO.)

REI HENRIQUE

Tio York, a notícia mais recente
É que os rebeldes com fogo destruíram
A nossa Cicester em Gloucestershire,
Mas vencidos ou mortos não sabemos.

(*Entra* NORTHUMBERLAND.)

5 Bem-vindo, milord. Quais tuas novas?

NORTHUMBERLAND

Sejas feliz em teu sagrado trono.
Já mandei pra Londres as cabeças
De Salisbury, Spencer, Blunt e Kent:
Os meios por que foram derrotados
10 Neste papel aqui 'stão anotados.

REI HENRIQUE
>   Sou grato, doce Percy, pelo feito,
>   E juntarei mais honra ao teu direito.

(Entra FITZWATER.)

FITZWATER
>   Milord, mandei de Oxford para Londres
>   As cabeças de Broccas e de Seely,
>   Dois perigos do grupo de traidores
>   Que tentaram, em Oxford, derrubar-te.

REI HENRIQUE
>   Eu lembrarei, Fitzwater, do teu ato;
>   E quão grande é teu mérito, de fato.

(Entram PERCY e o BISPO DE CARLISLE.)

PERCY
>   O traiçoeiro abade de Westminster,
>   Pesada a melancólica consciência,
>   Ao túmulo entregou a sua carne.
>   Porém Carlisle 'stá vivo, pra sofrer
>   A sentença do rei por seu orgulho.

REI HENRIQUE
>   Carlisle, eis teu destino:
>   Vai pr'um local secreto, mais piedoso
>   Que os que tem tido, e vive lá a vida.
>   Vivendo em paz, não há morte sofrida;
>   Se tive sempre a tua inimizade,
>   Em ti sempre houve toques de hombridade.

(Entra EXTON com o caixão.)

EXTON
>   Grande rei, num caixão eu te apresento
>   Teu temor enterrado. Jaz aqui
>   Teu inimigo de maior poder,
>   Ricardo de Bordeaux, eu trago num leito.

REI HENRIQUE
>   Não te agradeço, Exton, o teu feito,
>   Um ato infame que com mão danosa
>   Atinge a mim e a esta terra famosa.

EXTON
        De tua boca nasceu minha ação.

REI HENRIQUE
        Não ama o fel o que tem precisão,
        Nem eu a ti. Queria-o enterrado,
40   Odeio quem matou, não o matado.
        A culpa é a paga desse teu labor,
        De mim não terás prêmio e nem favor;
        Com Caim pelas sombras vais andar,
        Sem nunca o rosto em dia ou luz mostrar.

(Saem EXTON e seus homens, com o caixão.)

45   Imensa dor na alma vou sentir,
        Marcado assim de sangue pra subir.
        Vinde chorar comigo o que lamento,
        Usando luto após este momento.
        Irei até à Terra Abençoada
50   Lavar o sangue desta mão culpada.
        Vinde juntar-se ao meu lamento duro,
        Velando esse ataúde prematuro.

(Saem levando o caixão.)

Ricardo III

Tradução
Anna Amélia de Queiroz Carneiro de Mendonça
e
Barbara Heliodora

Introdução
BARBARA HELIODORA

Escrita entre 1592 e 1593, logo depois da terceira e última parte de Henrique VI, e diversamente desse conjunto de três peças que não tem rótulo especial de gênero, a última obra da primeira tetralogia shakespeariana chama-se *A tragédia de Ricardo III*, e dá clara ênfase ao binômio causa/efeito e à total responsabilidade de cada personagem por seus atos. Assim, Shakespeare começava a trilhar o caminho que o levaria, sete anos mais tarde, às grandes tragédias. Para a primeira tentativa bem-sucedida nessa linha, o poeta não usou o modelo grego, quase desconhecido na Inglaterra elisabetana. Usando a experiência das moralidades no sentido das confrontações radicais entre bem e mal, Shakespeare nelas se inspira, aproveitando vários aspectos de um de seus personagens mais tradicionais, o Vício da Dissimulação, cujos humor e alegria ao fazer o mal aparecem em Ricardo sem que haja qualquer referência a isso nas biografias que lhe serviriam de fonte. De Sêneca o poeta tirou as constantes referências à vingança, o diálogo verso a verso e verbalmente imbricado da *stichomythia*, o caráter tirânico de Ricardo, os fantasmas que propiciam vitória e derrota antes da batalha final, a *hybris* de Hastings e Buckingham, por exemplo, supremamente confiantes em seu sucesso logo antes de suas quedas, e a natureza de fúria da velha rainha Margaret. Até mesmo o lirismo, que por vezes Sêneca tentara imitar da tragédia grega, aparece na grande cena (Ato 4, Cena 4) em que o majestoso conjunto de três mulheres lamenta seus infortúnios.

Se, de modo geral, os vilões são mais fáceis de serem idealizados e encenados do que "anjos de candura", eles podem representar um grande obstáculo para seu criador. Ao eleger um vilão tirânico como protagonista, o autor esbarra em alguns problemas básicos: há perda de potencial trágico, na medida em que a queda do personagem identificado com o mal não leva o espectador à angustiante sensação do "desperdício trágico", podendo a derrocada ser vista como punição merecida; não menos importante, há perda de simpatia, de solidariedade, por parte da plateia. Diante da figura de Ricardo III, Shakespeare encontrou solução para tais problemas tornando o personagem fascinante por sua capacidade de dissimulação e ousadia: ao testemunhá-la, envolta em fenomenal senso de humor (negro), o espectador, se não lhe é solidário, é tomado de curiosidade em saber se Ricardo irá ou não conseguir tudo aquilo a que se propõe logo na primeira cena do Ato 1. Revelando diretamente à plateia seus planos em relação à coroa, Ricardo pode, então, exibir seus extraordinários dotes de ator (de Vício da Dissimulação), interpretando o papel de tímido, injustiçado, simplório, rejeitado, perante os que o rodeiam. É crucial para o bom funcionamento da peça que ele não se comporte como vilão na frente dos que com ele participam da ação. Se não fosse essa a intenção do autor, ele não perderia tanto tempo oferecendo informação diversa diretamente ao público.

A ambição de Ricardo, sua intenção de conquistar a coroa, seu distanciamento em relação aos sentimentos humanos ficariam ainda mais claros para o público elisabetano, que, poucos meses antes, assistira à Parte 3 de *Henrique VI*, onde Ricardo tem falas altamente definidoras de toda a sua personalidade, como:

> Farei meu céu sonhar com a coroa,
> E viverei um inferno nesta terra
> Até a cabeça deste tronco torto
> 'Star enfiada em coroa de ouro.
> [...]
> Eu sei sorrir, eu sei matar sorrindo,
> Ficar contente com o que me tortura,
> Lavar com falsas lágrimas as faces,
> Mudar meu rosto pra cada momento.
> Afundarei mais barcos que a sereia,
> Matarei mais que o olhar do basilisco,
> Discursarei melhor do que Nestor,
> Dissimulado, enganarei como Ulisses,
> Como Sinon tomarei outra Troia.
> Sei colorir-me qual camaleão,
> Mudar de forma melhor que Proteu,
> Ensinar truques a Maquiavel.
> Capaz disso, eu não pego essa coroa?
> Mesmo mais longe eu inda a agarrava.
> (Ato 3, Cena 2)
> ou
> Eu, sem piedade, sem amor, sem medo,
> Não tenho irmão, não me assemelho a irmão,
> E o amor, palavra que o velho abençoa,
> Reside em homens que são parecidos,
> E não em mim. Eu sou eu só, sozinho.
> (Ato 5, Cena 6)

Esse total repúdio a qualquer ação ligada ao bem, essa ausência de identificação com outros seres humanos, essa total privação do "leite da bondade humana" a que se refere Lady Macbeth são essenciais para a identidade negativa de Ricardo, pois em Shakespeare o mal é estéril e o bem, fértil. Numa época de florescimento pleno do Humanismo, era crucial mostrar os aspectos anti-humanos do protagonista, e em Ricardo III tais aspectos são sublinhados pelas numerosas imagens de animais usadas em relação a ele por outros personagens.

O famoso monólogo que abre a peça tem outra função notável, a de constituir-se em uma das duas linhas mestras do arco de ação da obra, estipulando o que Ricardo quer e como pensa em obtê-lo. Já na Cena 3 do mesmo ato temos outra fala monumental – as maldições lançadas pela ex-rainha Margaret sobre quase toda a facção York, mais intensamente sobre Ricardo. A partir desse momento podemos acompanhar a ação como uma série de etapas que marcam, de um lado, a realização dos sonhos de Ricardo, de outro, a materialização das maldições de Margaret. O mais impressionante nessa construção, que assim descrita pode parecer primária, é sua considerável complexidade, bem como o fato de não resultar maniqueísta, mas, antes, antifônica – o que acaba por emprestar ao processo geral da ação uma aura de ritual, cujo coroamento é o exorcismo do mal e a consequente purificação da Inglaterra.

É necessário um esclarecimento a respeito da presença de Margaret na Inglaterra durante o reinado de Ricardo III, algo completamente anti-histórico: Margaret, viúva de Henrique VI e muito conhecida do público por sua fortíssima participação nas três primeiras peças da tetralogia (partes 1, 2 e 3 de *Henrique VI*), é arbitrariamente trazida de volta à Inglaterra para ter, em *Ricardo III*, função puramente córica. Sem interferir diretamente nos acontecimentos, sem participar do desenvolvimento da trama, Margaret tem como função trazer para a consciência do público todo o conflito que por tanto tempo abalara a Inglaterra, de forma altamente dramática e, quanto ao estilo, perfeitamente coerente com a aparição dos fantasmas na véspera da batalha.

Contando com mais elementos do que qualquer outra obra de Shakespeare (são mencionados, com falas, nada menos que 54 personagens) e uma ação ricamente multifacetada, porém sempre relacionada ao tema único da trajetória do tirano, Ricardo III nem sempre foi bem recebida pelos estudiosos, principalmente por aqueles mais ligados à forma neoclássica e todo o seu cortejo de teorias pseudoaristotélicas. Nos pequenos teatros à italiana, nos quais a iluminação, ou a falta dela, tornava impossível o uso do palco em toda a sua profundidade, toda aquela movimentação, aquela rapidíssima mudança de espaço e tempo, parecia absolutamente inviável: a única conclusão possível era a de que o autor da peça era um incompetente. A diferença, claro, era o palco elisabetano, despojado de recursos cenográficos complexos, onde apenas a palavra do poeta é necessária para criar um mundo cênico no qual os atores são visíveis em todos os cantos do palco. Não se trata, por certo, de mera questão de quantidade de atores em cena, mas, antes, de o autor poder pôr em cena, dando quase uma sensação de simultaneidade, acontecimentos e personagens que, separadamente, vão tecendo os fios que compõem a teia completa da obra. Por exemplo, a partir da informação inicial dada pelo próprio Ricardo a respeito de seu verdadeiro caráter e suas reais intenções, o público tem condições de reagir inteligente e criticamente ante essa grande variedade de quadros, e só ele, por isso mesmo, pode configurar o todo a partir dessas visões parciais que lhe são sucessivamente oferecidas. Por meio do total domínio dos recursos do palco elisabetano, Shakespeare pôde criar o distanciamento indispensável para que o público viesse a refletir sobre o que via em cena.

É fundamental que se tenha em mente a severa censura político-religiosa que existia na Inglaterra Tudor. Subindo ao trono no momento em que nascia o conceito de monarquia nacional, Henrique VII (o Richmond triunfante do final de *Ricardo III*) conseguiu acabar com a Guerra das Rosas ao casar-se com a última York, aos poucos conquistando para si boa parte do poder antes pertencente à nobreza, agora enfraquecida pela guerra civil. Seu filho Henrique VIII fortaleceu-se ainda mais ao romper com a Igreja Católica e ao fundar a Igreja Anglicana, da qual se tornou líder, transformando-se assim em rei-pontífice, primeiro chefe de Estado ocidental totalmente independente de Roma, livre tanto para nomear bispos quanto para não pagar o dízimo.

Os Tudor foram o que de mais próximo a Inglaterra teve de monarcas absolutos, porém todos eles tiveram de negociar com o Parlamento, que desde 1322 controlava as verbas – de que Henrique VIII, por exemplo, estava sempre necessitado por ser muito gastador. Por outro lado, estava há muito consolidada a ideia de que o rei, tanto quanto o papa, era representante de Deus na Terra, embora apenas para assuntos temporais. Tal ideia acabava por gerar a convicção de que o rei não errava nunca, não podendo o monarca ser julgado por seus governados. O grande problema para um autor como Shakespeare era encontrar reis em cujos reinados houvessem ocorrido acontecimentos por meio dos quais lhe fosse possível expressar seus pensamentos ou indagações, sem acabar preso ou executado. Conhecendo Plutarco, Shakespeare sabia que era possível e legítimo avaliar os governantes; no caso, a fama de seu protagonista, filho mais moço de Ricardo Plantageneta, duque de York, que tantos anos lutara para conquistar a coroa, e irmão de Eduardo IV, o primeiro rei York, já era suficientemente ruim para que não fosse particularmente chocante a afirmação de que ele fora um monstro assassino.

É preciso não esquecer que Shakespeare está escrevendo teatro, não uma biografia de Ricardo III: seu objetivo é completar o caminho iniciado nas três partes de *Henrique VI* e mostrar que a incompetência no governo acaba por levar ao pior dos reis. Se a imagem desejada é a do pior dos reis, é melhor começar a ação quando Eduardo IV está morrendo, eliminando assim qualquer chance de serem mencionados os dez anos de excelente administração realizada por Ricardo, então duque de Gloucester, no norte da Inglaterra durante o reinado do irmão. A menoridade de um rei dera margem, sessenta anos antes, ao início da Guerra das Rosas; um novo rei menor oferece a Ricardo aquele momento de insegurança no reino que lhe parece propício a um eficiente golpe de Estado. Se a censura reclamasse, Shakespeare só teria de alegar que esses eram exatamente os fatos que ele encontrara nas crônicas de Hall e Holinshed, bem como na famosa, embora inacabada, biografia de Ricardo III feita por Sir Thomas More. É claro que o fato de o herói sem jaça que derrota Ricardo no final da peça ser avô da rainha Elizabeth só podia facilitar sua posição diante da censura...

Ricardo III foi muitas vezes criticada por julgarem alguns que sua estrutura de confrontação entre bem e mal é excessivamente formal e antifônica, mas o fato é que, desde sua estreia, a peça tem gozado de extraordinária popularidade. Caso único entre as peças históricas, sempre populares na Inglaterra, *Ricardo III* teve nada menos que seis edições individuais (no pequeno formato do *in quarto*) antes de ser incluída na memorável primeira edição das obras completas, em 1623. Essa popularidade jamais diminuiu, e a força do protagonista, que domina a obra quantitativa e qualitativamente, continua a deixar o público fascinado, pois o poeta o distancia de nós o suficiente para que possamos rir com seu humor, tanto quanto para constatarmos que sua ascensão e queda só são possíveis em um mundo no qual os nobres e poderosos são intrigantes e carreiristas – e só dois assassinos mercenários discutem com mais preocupação a questão da salvação da alma –, no qual a corrupção e o abandono de critérios éticos foram propiciados por um mau governo. Para livrar a Inglaterra de um tal desmando moral seria necessário, ao menos dramaticamente, um exorcismo, tal como aquele representado pela batalha de Bosworth Field, na qual morrem Ricardo, a Guerra das Rosas e a Idade Média na Inglaterra.

Não posso aqui deixar de dizer do meu prazer em ter o privilégio de redigir a introdução a esta belíssima tradução de *Ricardo III*, de autoria de minha mãe, Anna Amélia de Queiroz Carneiro de Mendonça, que por vinte e cinco anos permaneceu inédita.

Lista de personagens

RICARDO, duque de Gloucester, futuro Rei Ricardo III
DUQUE DE CLARENCE, George, irmão de Ricardo (depois, seu Fantasma)
SIR ROBERT BRAKENBURY
LORD HASTINGS, camarista (depois, seu Fantasma)
LADY ANNE, viúva de Eduardo, príncipe de Gales, filho de Henrique VI (depois, seu Fantasma)
RAINHA ELIZABETH, mulher do rei Eduardo IV
LORD RIVERS, irmão da rainha Elizabeth (depois, seu Fantasma)
LORD GREY, filho da rainha Elizabeth (depois, seu Fantasma)
MARQUÊS DE DORSET, filho da rainha Elizabeth
DUQUE DE BUCKINGHAM (depois, seu Fantasma)
STANLEY, conde de Derby
RAINHA MARGARET, viúva do rei Henrique VI
SIR WILLIAM CATESBY
CAVALHEIRO
DOIS ASSASSINOS
GUARDIÃO DA TORRE
REI EDUARDO IV
SIR RICHARD RATCLIFFE
DUQUESA DE YORK, mãe de Ricardo, Eduardo IV e Clarence
MENINO, MENINA (filhos de Clarence)
ARCEBISPO DE YORK
RICARDO, duque de York, caçula de Eduardo IV (depois, seu Fantasma)
EDUARDO, príncipe de Gales, primogênito de Eduardo IV (depois, seu Fantasma)
CARDEAL BOURCHIER
SIR THOMAS VAUGHAN (DEPOIS, SEU FANTASMA)
BISPO DE ELY, John Morton
DUQUE DE NORFOLK
DOIS BISPOS (Shaa e Penker)
PAJEM
SIR JAMES TYRREL
MENSAGEIROS
CHRISTOPHER URSWICK
XERIFE
CONDE DE RICHMOND, depois rei Henrique VII
CONDE DE OXFORD
SIR JAMES BLUNT
SIR WALTER HERBERT
CONDE DE SURREY
FANTASMA DE EDUARDO, príncipe de Gales, filho de Henrique VI
FANTASMA DE HENRIQUE VI

Nota: Gloucester se pronuncia Gloster, e Leicester se pronuncia Lester. (N. E.)

ATO 1

CENA 1
Londres. Uma rua.

(Entra Ricardo, duque de Gloucester, sozinho.)

RICARDO

    Agora, o inverno de nosso desgosto
    Fez-se verão glorioso pelo Sol de York,[1]
    E as nuvens que cobriam nossa casa
    'Stão todas enterradas no oceano.
5   Nossas frontes ostentam as coroas
    Da glória, os braços erguem-se em estátua;
    O alarma foi mudado em bons encontros;
    As marchas, em compasso de alegria.
    E a guerra – com o semblante transformado –,
10   Em vez de galopar corcéis hirsutos
    Para aterrar as almas do inimigo,
    Vai saltitar no quarto de uma dama
    Ao lascivo tanger de um alaúde.
    E eu, sem jeito para o jogo erótico,
15   Nem para cortejar o próprio espelho;
    Que sou rude, e a quem falta a majestade
    Do amor para mostrar-me a uma ninfa;
    Eu, que não tenho belas proporções,
    Malfeito de feições pela malícia
20   Da vida, inacabado, vindo ao mundo
    Antes do tempo, quase pelo meio,
    E tão fora de moda, meio coxo,
    Que os cães ladram se deles me aproximo;
    Eu, que nesses fraquíssimos momentos
25   De paz, não tenho um doce passatempo
    Senão ver minha própria sombra ao Sol
    E cantar minha própria enfermidade:
    Já que não sirvo como doce amante,
    Para entreter esses felizes dias,
30   Determinei tornar-me um malfeitor
    E odiar os prazeres destes tempos.
    Armei conspirações, graves perigos,
    Profecias de bêbados, libelos,
    Para pôr meu irmão Clarence e o rei

---

[1] O sol ("sun") era o emblema do Rei Eduardo, filho ("son") de York. Impossível reproduzir em português o trocadilho no original "son"/"sun". (N. E.)

35 Dentro de ódio mortal, um contra o outro.
E se o Rei Eduardo for tão firme
Quanto eu sou falso, sutil e traiçoeiro,
Inda este dia Clarence será preso,
Pois uma profecia diz que "G"[2]
40 Será o algoz dos filhos de Eduardo.
Fujam, pensamentos. Aí vem Clarence.

(*Entram* CLARENCE, *com a guarda, e* BRAKENBURY.)

Bom dia, irmão. Que quer dizer esta guarda
Que tens em volta?

CLARENCE

            Sua Majestade,
Para garantir minha segurança,
45 Mandou que me escoltassem para a Torre.

RICARDO

Por que motivo?

CLARENCE

            É que meu nome é George.

RICARDO

Ai, senhor, mas não é por culpa tua;
Deveria acusar os teus padrinhos.
Mas talvez tenha ele um outro intento,
50 Que sejas novamente batizado
Na Torre. Mas o que há? Posso saber?

CLARENCE

Poderás saber quando eu souber,
Mas ainda não sei. Pelo que falam,
Ele vem dando ouvido a profecias
55 E tirou do alfabeto a letra G,
Dizendo que um mago lhe revelou
Que pelo "G" sua estirpe se deserda;
Como meu nome é George, tem G, logo,
Deduz seu pensamento que sou eu.
60 Essas e outras tolices semelhantes
Fizeram Sua Majestade prender-me.

RICARDO

Isso acontece aos que a mulher domina:

---

[2] O prenome de Clarence é George; Ricardo é o duque de Gloucester. Portanto a profecia é ambígua e vale para os dois. (N. E.)

                    Não é o rei que te manda pra Torre,
                    Mas Lady Grey,³ sua mulher; é ela
65   Que o leva e que o amolda a tais extremos.
                    Não foram ela e esse homem de respeito,
                    Anthony Woodeville, seu irmão,
                    Que o fizeram mandar Hastings pra Torre,
                    De onde virá a sair inda hoje?
70   Não 'stamos seguros, irmão, não 'stamos.

          CLARENCE
                    Ninguém está a salvo, co'a exceção
                    De amigos da rainha e dos arautos
                    Que rastejam entre o rei e a senhora Shore.⁴
                    Tu não soubeste da humilde súplica
75   Que Hastings fez a ela pra ser solto?

          RICARDO
                    Clamando humildemente a tal,
                    O camarista obteve a liberdade.
                    Eu te digo que, agora, o que nos cabe,
                    Para obtermos o favor do rei,
80   É servi-la e vestir sua libré.
                    A viúva ciumenta e desprezada,
                    E ela mesma – uma vez que nosso irmão
                    As fez damas da corte – são, as duas,
                    Poderosas comadres neste reino.

          BRAKENBURY
85   Peço perdão a Vossas Senhorias,
                    Mas Sua Majestade deu-me o encargo
                    De impedir as conversas em segredo,
                    Sobre assunto qualquer, com seu irmão.

          RICARDO
                    Ah, sim. E, por favor, Brakenbury,
90   Pode participar do que falamos:
                    Não tramamos traição. Dizemos
                    Que o rei é letrado e é virtuoso,
                    Que sua nobre rainha, entrada em anos,
                    Formosa e serena, não é ciumenta;
95   Que a esposa de Shore tem pés formosos,
                    Tem lábios de cereja, belos olhos,

---

3 A rainha Elizabeth, esposa do rei Eduardo, era viúva de Sir John Grey. (N. E.)
4 Jane Shore que, efetivamente, não aparece na peça, é viúva de um ouvires; torna-se amante do rei e depois de Hastings. (N. E.)

Seus amigos são finos cavalheiros.
O que me diz, senhor? Irá negá-lo?

BRAKENBURY
Sobre isso, meu senhor, eu nada opino.

RICARDO
Nada co'a senhora Shore? Pois eu lhe digo
Que quem trata com ela, a não ser um,
Deve fazê-lo a sós, secretamente.

BRAKENBURY
Quem é esse, senhor?

RICARDO
Seu marido, biltre. Queres atraiçoar-me?

BRAKENBURY
Peço perdão a Vossa Senhoria,
Mas devo proibir essa conversa
Em conferência com o nobre duque.

CLARENCE
Conhecemos seu dever, e obedecemos.

RICARDO
Somos abjetos servos da rainha
E devemos, portanto, obedecer.
Adeus, irmão. Eu vou até o rei
E, assim, qualquer missão que me confies,
Chamar de irmã a viúva de Eduardo,
Por exemplo, eu farei para salvar-te.
Este rude humilhar do amor fraterno
A mim afeta mais do que imaginas.

CLARENCE
A nenhum de nós dois isso é agradável.

RICARDO
Pois bem, tua prisão não será longa:
A ti libertarei, ou serei preso
Em teu lugar. Espera e tem paciência.

CLARENCE
Não tenho alternativa. Agora, adeus.

(Saem CLARENCE, BRAKENBURY e a guarda.)

RICARDO
>Segue o caminho de onde não se volta,
>Ingênuo Clarence! Eu te estimo tanto
>Que mando em breve tua alma aos céus,
>Se praz aos céus tomar de nossas mãos
>Um tal presente. Mas quem vem aí?
>É Hastings, inda agora libertado.

(Entra Lord Hastings.)

HASTINGS
>Bons dias para o meu gracioso lord!

RICARDO
>O mesmo ao meu cortês lord camarista,
>Seja bem-vindo ao ar da liberdade!
>Como enfrentou, senhor, sua prisão?

HASTINGS
>Com paciência, como prisioneiro.
>Mas viverei, senhor, para dar graças
>Aos que causaram a minha prisão.

RICARDO
>Por certo, e assim também o fará Clarence,
>Pois que seus inimigos são os dele,
>E, como no seu caso, o dominaram.

HASTINGS
>Pena é que a águia esteja enclausurada
>E os milhafres pilhando em liberdade.

RICARDO
>Que notícias nos vêm do exterior?

HASTINGS
>Nenhuma vem tão má como as de casa.
>O rei, doente, fraco, melancólico;
>Por sua vida temem muito os médicos.

RICARDO
>Por São João, esta nova é mesmo má.
>Já há muito ele vive em má dieta,
>Consumindo demais a real pessoa.
>Não suporto sequer pensar no assunto.
>Ele está de cama?

HASTINGS

Está.

RICARDO

Vá na frente, eu o sigo sem demora.

(*Sai* HASTINGS.)

150 Espero que não viva, mas não deve
Morrer antes que George alcance os céus.
Vou atiçar seu ódio contra Clarence
Com mentiras e fortes argumentos,
E, se não falho em meu profundo intento,
155 Clarence não vive nem um dia mais.
Isto feito, que Deus leve Eduardo
E deixe o mundo em glória para mim!
Caso-me co'a gentil filha de Warwick:[5]
Por que razão matei-lhe o esposo e o pai?
160 O melhor a fazer, pra compensar,
É tornar-me para ela pai e esposo.[6]
Isso farei, não tanto por amor
Mas por um outro intento, mais secreto,
Que preciso alcançar, ao desposá-la.
165 Mas 'stou correndo adiante do cavalo:
Clarence inda respira, enquanto Eduardo
Ainda vive e reina. Eles indo embora,
Irei colher o que semeio agora.

(*Sai.*)

CENA 2
Londres. Outra rua.

(*Entram o corpo de* HENRIQUE VI, *com guardas armados,* LADY ANNE, *chorando,* TRESSEL *e* BERKELEY.)

ANNE

Pousai, pousai a vossa honrada carga –
Se honra pode jazer amortalhada –,
Enquanto eu faço ouvir o meu lamento
Pela queda fatal do nobre Lancaster;
5 Pobre estátua gelada de um rei santo!
Pálidas cinzas da casa de Lancaster!
Restos exangues de seu sangue real!

---

5 O conde de Warwick era conhecido como o "fazedor de reis". Anne Neville, sua filha, aparece como viúva do príncipe Eduardo, mas historicamente foi apenas sua noiva. (N. E.)
6 Pai significa aqui sogro ("father-in-law"). (N. E.)

　　　　　Possa eu invocar o teu espectro
　　　　　Para ouvir o lamento da pobre Anne,
10　　　Esposa de Eduardo, esse teu filho
　　　　　Apunhalado pela mesma mão
　　　　　Que te causou essas mortais feridas!
　　　　　Nas chagas donde te escapou a vida
　　　　　Lanço o bálsamo inútil dos meus olhos.
15　　　Maldito o coração de quem as fez,
　　　　　E o sangue de quem fez correr teu sangue.
　　　　　Caia a desgraça sobre o desalmado
　　　　　Que nos desgraça com a tua morte,
　　　　　Horror maior que o que desejo às víboras,
20　　　Às aranhas e aos sapos rastejantes
　　　　　Ou a qualquer outro animal imundo!
　　　　　Se tiver filhos, sejam natimortos,
　　　　　Ou trazidos à luz antes do tempo,
　　　　　E com aspecto aleijado e desumano
25　　　Que assuste a própria mãe que anseia vê-los;
　　　　　E que sejam herdeiros desta praga!
　　　　　Se tiver uma esposa, que ela sofra
　　　　　Maior miséria pela sua morte
　　　　　Que eu pela tua e a de meu senhor!
30　　　Levai agora a vossa santa carga
　　　　　A Chertsey,[7] para lá ser enterrada,
　　　　　Tendo sido trazida de São Paulo.
　　　　　Mas, se estais cansados de seu peso,
　　　　　Parai, enquanto eu choro o rei Henrique.

　　　　　　　　(Entra RICARDO.)

　　　RICARDO
35　　　Parai, vós que o levais, e descansai-o.

　　　ANNE
　　　　　Que negro feiticeiro vos conjura
　　　　　A deter nossos gestos caridosos?

　　　RICARDO
　　　　　Vilões, baixai o corpo, ou por São Paulo
　　　　　Farei cadáver quem desobedecer!

　　　CAVALHEIRO
40　　　Senhor, deixai passar este ataúde.

---

[7] Monastério perto de Londres, onde fica uma famosa abadia às margens do Tâmisa. (N. E.)

RICARDO

Para, tu, cão danado, ao meu comando!
Ergue a alabarda acima do meu peito,
Ou, por São Paulo, aos meus pés te golpeio
E te esmago, miserável, pela audácia!

(Os guardas abaixam o caixão.)

ANNE

45   O quê? Todos tremem? Estão com medo?
Ai, não posso acusar-vos, sois mortais,
E olhos mortais não fitam o demônio.
Vai-te, emissário horrível dos infernos!
Tu tiveste poder sobre o seu corpo,
50   Mas não terás su'alma. Vai-te embora.

RICARDO

Doce santa, não sejas tão malvada.

ANNE

Demônio vil, por Deus, não nos perturbe,
Pois fizeste da terra, antes serena,
Teu inferno de dor e imprecações.
55   Se tens prazer em ver teus feitos bárbaros,
Aqui tens bom exemplo das desgraças.
Olha aqui tua obra, carniceiro!
Vejam, senhores, como as chagas secas[8]
De Henrique jorram sangue das aberturas.
60   Envergonha-te, monstro deformado,
Tua presença é que produz tal sangue
Nas veias frias onde já não corre.
Teus feitos, desumanos e perversos,
Provocam esse fluxo inexplicável.
65   Deus, que o criaste, vinga a sua morte!
Terra, que seu sangue bebe, vinga tal morte!
Abata o céu, com um raio, esse assassino;
Ou abra a terra a boca e o coma vivo,
Como absorve o sangue desse terno rei
70   Trinchado por mão vinda dos infernos!

RICARDO

Senhora, não sabeis da caridade,
As leis que com o bem pagam o mal.

---

8 Os ferimentos sangravam na presença do assassino, segundo a crença da época. (N. E.)

ANNE
Tu ignoras, vilão, a lei de Deus:
Não há fera sem toque de piedade.

RICARDO
75 Não o tenho, portanto, não sou fera.

ANNE
Milagre! Um diabo diz a verdade!

RICARDO
Mais espanta ver anjo em tanta fúria.
Admitai, mais perfeita das mulheres,
Que eu me liberte de supostos crimes,
80 E pelas circunstâncias eu me absolva.

ANNE
Admita, ó mais corrupto dentre os homens,
Tantos crimes notórios que permitem
Que eu te maldiga nestas circunstâncias.

RICARDO
Bela, mais que a língua pode expressar,
85 Dai-me uma trégua para desculpar-me.

ANNE
Monstro mais que torpe, pra desculpar-se
Não podes fazer mais que te enforcares.

RICARDO
No desespero, eu só me acusaria.

ANNE
Desesperando, tu te escusarias,
90 Cumprindo uma vingança merecida
Sobre ti, assassino de outros homens.

RICARDO
E se não os matei?

ANNE
                Então 'stão vivos.
Mas 'stão mortos por ti, demônio imundo.

RICARDO
Não matei vosso marido.

ANNE

> Então 'stá vivo.

RICARDO

95 > Não 'stá, foi morto pelas mãos de Eduardo.

ANNE

> Mentes, garganta ignóbil. Margaret
> Viu teu cutelo quente com seu sangue,
> O mesmo que uma vez contra ela ergueste,
> E teus irmãos souberam afastar.

RICARDO

100 > Fui provocado pela sua língua,
> Que lançou sobre mim os crimes deles.

ANNE

> Provocou-te o teu cérebro sangrento,
> Que nada mais sonhou do que matanças.
> Não mataste este rei?

RICARDO

> Eu o admito!

ANNE

105 > Admites, porco-espinho?[9] Deus permita
> Que pagues no inferno pelo teu crime.
> Ele era doce, bom, e virtuoso!

RICARDO

> Melhor pro rei dos Céus, que ora o guarda!

ANNE

> Está no céu, pr'onde não irás nunca.

RICARDO

110 > Ele que me agradeça se o ajudei
> A ir pro céu, que é melhor do que a terra.

ANNE

> A ti só te convém o próprio inferno.

RICARDO

> Outro lugar também, se ouso dizê-lo.

---

9 Alusão derrogatória ao emblema heráldico de Ricardo, que era o Javali. (N. E.)

ANNE
A prisão.

RICARDO
Vosso quarto de dormir.

ANNE
115 Desgraçado do quarto em que dormires.

RICARDO
É certo, até que eu vá dormir convosco.

ANNE
Assim espero.

RICARDO
Eu sei. Gentil Lady Anne,
Depois desse vivo encontro que tivemos,
Entremos num sistema mais sereno:
120 Não é o causador das duras mortes
De Henrique e Eduardo, os dois Plantagenetas,[10]
Tão censurável quanto o executante?

ANNE
Tu foste a causa e mais o odioso efeito.

RICARDO
Vossa beleza foi a causa e o efeito –
125 Beleza que surgia no meu sono
E que exigia que eu matasse o mundo
Para que eu repousasse em vosso seio.

ANNE
Se o acreditasse, afirmo-te, assassino,
Destruiria eu mesma esta beleza
130 Arrancando-a da face com as unhas.

RICARDO
Estes olhos jamais tolerariam
Esse desastre, que não se daria
Se eu estivesse por perto; e como o mundo
É todo iluminado pelo Sol,
135 Eu sou por ela, meu dia, minha vida.

---

10 A Casa Real da qual descendiam tanto os Lancaster – Henrique e Eduardo – quanto os York – o próprio Ricardo e irmãos. (N. E.)

ANNE
> Negra noite encobriu-te a luz do dia,
> E a tua vida sombreou a morte.

RICARDO
> Não te acuses assim, pois tu és ambas.

ANNE
> Antes fosse, pra vingar-me de ti.

RICARDO
140
> É contra a natureza esse desejo,
> O de vingar-se daquele que te ama.

ANNE
> É um desejo bem justo e natural,
> Vingar-me de quem me matou o esposo.

RICARDO
145
> Quem te privou assim de teu marido
> Fê-lo para te dar melhor marido.

ANNE
> Não há na terra alguém melhor do que ele.

RICARDO
> Há quem te ame melhor do que ele amava.

ANNE
> Quem é?

RICARDO
>   Plantageneta.

ANNE
>   Isso ele era.

RICARDO
> O mesmo nome, mas um ser melhor.

ANNE
150
> Onde ele 'stá?

RICARDO
>   Aqui.

(Ela cospe nele.)

Cospes em mim?

ANNE
Antes fosse pra ti mortal veneno!

RICARDO
Veneno nunca teve tal doçura.

ANNE
Nunca caiu sobre animal tão sujo.
Vai-te daqui! Tu infectas os meus olhos.

RICARDO
155 Os teus, senhora, infectam mais os meus.

ANNE
Antes fossem serpentes e matassem!

RICARDO
Antes causassem morte repentina,
Pois agora eles me matam em vida.
Teus olhos põem nos meus salgadas lágrimas,
160 Enchem-nos de vergonha e de tristeza,
Estes olhos, que nunca de remorsos
Choraram, nem vendo meu pai e irmão,
York e Eduardo, quando estes choravam
Ao ouvir o clamor feito por Rutland
165 Quando Clifford brandiu sobre ele a espada;[11]
Nem quando ouviram o teu pai guerreiro
Contar a triste morte de meu pai
Soluçando e chorando qual criança,
De forma a comover os que o cercavam,
170 Que choravam qual árvore na chuva.
Meus olhos de homem riam-se das lágrimas,
E o pranto que esses males não causaram
Tua beleza causou, cegando-os.
Nunca implorei amigo ou inimigo,
175 Meu lábio nunca soube usar ternuras.
Mas, hoje, essa beleza é a recompensa
Que suplico e que me leva a falar.

(Ela olha com desdém para ele.)

---
11 Referência aos acontecimentos da peça anterior, *Henrique VI Parte 3*. (N. E.)

Não ensina a teus lábios a ironia,
Foram feitos pro beijo, não pro desprezo.
180 Se tens um coração que não perdoa,
Olha, aqui tens este afiado gume;
Se o queres esconder em peito amante
E libertar esta alma que te adora,
Eu o ofereço aberto ao rude golpe,
185 E peço a morte, humilde e de joelhos.

(Fica de joelhos e ela avança com a espada.)

Não hesites, pois eu matei Henrique,
Mas foi tua beleza que o exigiu.
Vamos, golpeia; assassinei Eduardo,
Mas foi teu lindo rosto que o mandou.

(Ela deixa cair a espada.)

190 Apanha a espada ou fica, então, comigo.

ANNE

Levanta, falso; quero ver-te morto,
Mas não hei de ser eu o teu carrasco.

RICARDO

Diz-me então que me mate, eu o farei.

ANNE

Isso eu já disse.

RICARDO

Foi em meio à raiva:
195 Diz outra vez, e só com essa palavra
A mão que já matou o amor menor
Por teu amor mata este amor maior.
De ambas as mortes tu serás culpada.

ANNE

Quisera conhecer teu coração.

RICARDO

200 Está desenhado em minha fala.

ANNE

Creio que ambos são falsos.

RICARDO

Então é falso o homem.

ANNE

Bem, guarda a tua espada.

RICARDO

Diz que estamos em paz.

ANNE

205 Isso verás depois.

RICARDO

Mas terei esperança?

ANNE

Só dela vive o homem.

RICARDO

Toma, aceita este anel.

ANNE

Tomar não é ceder.

(Coloca o anel no dedo.)

RICARDO

210 Assim como este anel serve ao teu dedo,
Teu peito há de abrigar meu coração.
Use-os ambos, pois ambos te pertencem
Se a este pobre servo é permitido
Suplicar-te um favor à mão graciosa,
215 Tu lhe darás felicidade eterna.

ANNE

O que é?

RICARDO

Mas deixe de lado essas exéquias
Àquele que tem causas mais profundas
Pra prenteá-las, e vás logo pra Crosby,
220 Onde – após enterrar o rei em Chertsey
E regar-lhe o jazigo com meu pranto
Arrependido – correrei a ver-te.

Por diversas razões, eu te suplico,
Concede-me essa graça.

ANNE

225 De todo o coração; e eu me consolo
De ver como te tornas penitente.
Tressel e Berkeley, acompanhem-me.

RICARDO

Diz-me um adeus.

ANNE

É mais do que mereces,
Mas, como me ensinaste a agradar-te,
230 Imagina que eu já me despedi.

(Saem LADY ANNE, TRESSEL e BERKELEY.)

RICARDO

Continuai, senhores, o cortejo.

CAVALHEIRO

Para Chertsey, senhor?

RICARDO

Pra Whitefriars. Aguardem minha chegada.

(Saem todos, menos RICARDO.)

Nesse tom, que mulher foi cortejada?
235 Nesse tom, que mulher foi conquistada?
Eu a terei, mas não por muito tempo.
Eu, que matei seu esposo e o pai dele,
Encontrá-la no extremo do seu ódio,
Com maldições na boca, água nos olhos,
240 Junto à prova sangrenta do meu ódio,
Tendo Deus, consciência e tantas forças
Contra mim, sem amigos do meu lado
A não ser o diabo e o fingimento,
E conquistá-la! O mundo contra um nada!
245 Será que já esqueceu o bravo príncipe
Eduardo, seu senhor, que há só três meses
Por raiva apunhalei em Tewkesbury?[12]
O mais doce e formoso cavalheiro,

---

12 A batalha de Tewkesbury foi vencida pelos York. (N. E.)

	Formado pela for da natureza,
250	Jovem, valente, de real linhagem,
	No mundo inteiro sem um outro igual:
	E ela rebaixou-se a olhar pra mim,
	Que matei esse belo e doce príncipe
	E a fiz viúva em um leito triste?
255	Para mim, que não sou nem a metade
	De Eduardo? Eu, o coxo e malformado?
	O meu ducado por um vintém,
	Caso me conheça completamente!
	Pois vejam que ela acha – embora eu não –
260	Que sou um homem guapo e até correto.
	Terei de encomendar um novo espelho,
	Pagar toda uma penca de alfaiates,
	Pesquisar moda pr'adornar meu corpo:
	Se com este aspecto consegui favor,
265	Vou sustentá-lo co'o que há de caro.
	Mas antes jogo esse em sua cova
	Pra voltar, lamentoso, ao meu amor.
	Sol, brilha até que eu compre um espelho
	E veja a minha sombra quando eu passo.

(Sai.)

CENA 3
Londres. Um aposento no palácio.

(Entram a Rainha Elizabeth, Lord Rivers e Lord Grey.)

Rivers

Tenha paciência, Sua Majestade
Logo recobrará sua saúde.

Grey

Ter pensamentos maus só o piora.
Assim, por Deus, mantenha-se serena,
5 Alegre-o, com olhares de mais ânimo.

Elizabeth

Se ele morre, o que me acontecerá?

Rivers

Só o mal do perder um tal senhor.

Elizabeth

Perder um tal senhor inclui mil males.

GREY

    O céu lhe deu a bênção de um bom filho
10   Para ser seu conforto se ele morre.

ELIZABETH

    Ele é criança, e na minoridade
    Terá como tutor Ricardo Gloucester,
    Um homem contra mim e contra vós.

RIVERS

    Foi resolvido que é o protetor?[13]

ELIZABETH

15   Foi resolvido, mas não confirmado.
    Mas assim tem de ser, se o rei se for.

(Entram BUCKINGHAM e STANLEY.)

GREY

    Chegam os Lords Buckingham e Derby.

BUCKINGHAM

    Boa tarde, senhora, a Vossa Graça.

STANLEY

    Deus vos faça contente como outrora!

ELIZABETH

20   A condessa de Richmond,[14] Milord Derby,
    Mal poderá dizer amém à prece.
    Conquanto ela seja sua esposa,
    E não goste de mim, bom lord, afirmo
    Que não o odeio pelo orgulho dela.

STANLEY

25   Eu vos suplico, não acrediteis
    Na inveja de seus falsos detratores,
    Ou, se a acusam com real motivo,
    Vede sua fraqueza qual nascida
    Mais de doença do que de maldade.

RIVERS

30   Já viste hoje o seu rei, Milord Derby?

---

13 Título de quem governaria durante a minoridade do monarca. (N. E.)
14 Margaret Tudor, condessa de Richmond, era mãe do conde Richmond, mais tarde Henrique VII, e esposa em segunda núpcias de lord Stanley. (N. E.)

STANLEY
    Agora mesmo o duque aqui e eu
    Voltamos da visita a Sua Majestade.

ELIZABETH
    Que lhes parece o seu estado agora?

BUCKINGHAM
    Muito bom, ele fala alegremente.

ELIZABETH
35   Deus lhe dê vida! Conversaram muito?

BUCKINGHAM
    Sim, senhora. Ele quer ver feita a paz
    Entre teus irmãos e o duque Gloucester,
    E entre eles e o lord camarista;
    E mandou convocá-los junto a ele.

ELIZABETH
40   Que bom seria! – Mas não será nunca.
    E a felicidade 'stá perto do fim.

(Entram RICARDO, HASTINGS e DORSET.)

RICARDO
    Não posso suportar tanta calúnia!
    Mas quem é que se queixou junto ao rei
    Que sou violento e não lhes tenho amor?
45   São Paulo! Como amam pouco o rei
    Enchendo seus ouvidos com discórdias.
    Por não saber ser falso e adulador,
    Sorrir, dissimular, fazer mesuras,
    Curvaturas francesas, macaquices,
50   Passo por inimigo rancoroso.
    Não pode alguém ser simples, sem malícia,
    Sem que esses rebotalhos carreiristas
    Abusem logo da sinceridade?

GREY
    A quem, de entre nós todos, dirigi-vos?

RICARDO
55   A ti, que não és nobre nem honesto.

Quando te injuriei? Que mal te fiz?
A ti? A ti? Ou a qualquer um do grupo?
Malditos sejam todos! Sua Graça –
A quem Deus guarde melhor do que desejam –
Não pode repousar um só momento
Sem que o perturbeis com vossas queixas.

ELIZABETH

Irmão Gloucester[15], não confundas as coisas.
O rei, por sua própria decisão,
E não premido por nenhum vassalo,
Talvez em vista do teu ódio íntimo,
Que transparece no teu próprio aspecto
Contra meus filhos, meus irmãos e eu mesma,
Chamou-te, pra saber qual é a causa
Do teu rancor, buscando removê-la.

RICARDO

Não sei; o mundo se tornou tão vil
Que as garriças procuram suas presas
Onde nem águias conseguem pousar.
Se João-Ninguém tornou-se um cavalheiro,
Há muitos cavalheiros João-Ninguém.

ELIZABETH

Vamos, nós entendemos o que dizes.
Invejas meu sucesso e meus amigos.
Deus não nos faça precisar de ti!

RICARDO

Mas Deus faz que de ti hoje eu precise.
Nosso irmão está no cárcere a teu mando,
Eu, na desgraça, e toda essa nobreza,
Humilhada, enquanto que honrarias
São concedidas todo dia àqueles
Que há dois dias atrás eram ninguém.

ELIZABETH

Por Deus, que me elevou a estas alturas
Do destino feliz em que eu vivia,
Nunca instiguei Sua Majestade
Contra o duque de Clarence; ao contrário,
Fui fiel advogada em seu favor.
Tu fazes-me uma injúria vergonhosa,
Se lanças tal suspeita falsa e vil.

---

15 Irmão aqui significando cunhado. (N. E.)

RICARDO

    Podes negar que foste tu a causa
    Da recente prisão de Milord Hastings...

RIVERS

    Pode, senhor, pois...

RICARDO

    Pode sim, Lord Rivers! Quem não o sabe?
95   Pode inda muito mais que negar isso:
    Pode ajudar-te a prosperar deveras,
    Depois negar sua ingerência nisso,
    E pôr as honrarias em teu nome.
    O que é que ela não pode? Ai, ela pode...

RIVERS

100   Que é que ela pode?

RICARDO

    Ora, pode casar-se com um rei,
    Um belo jovem, um gentil mancebo.
    Sua avó teve sorte bem pior.[16]

ELIZABETH

    Lord Gloucester, sofro há muito tempo
105   Teus desaforos e alusões irônicas.
    Por Deus, vou informar Sua Majestade
    Dessas grosserias que eu suporto.
    Preferiria ser uma criada
    A ser rainha nestas condições.
110   Insultos, ironias, e calúnias...

    (Entra, por trás, a RAINHA MARGARET.)[17]

    Não folgo em ser rainha da Inglaterra.

MARGARET

    (À parte.)
    E peço a Deus que venha a folgar menos!
    Teu estado, honra e posto é a mim que deves!

RICARDO

    O quê? Ameaças de contar ao rei?

---

16 Referência à avó de Rivers que se casou abaixo de sua classe. (N. E.)

17 Margaret, viúva de Henrique VI, foi mantida na Inglaterra por cinco anos após a batalha de Tewkesbury e depois exilada para a França. Shakespeare utiliza Margaret como representante dos Lancaster, e, com função córica, ela profetiza o fim de Ricardo. (N. E.)

115   Conta, não poupes nada: o que eu te disse
           Sustentarei diante do próprio rei,
           Ousarei, mesmo podendo ir pra Torre.
           É tempo de falar. Não tenho mágoas.

MARGARET
                    (À parte.)
           Fora, demônio! Eu as recordo todas:
120   Mataste meu marido, o rei Henrique,
           E meu filho Eduardo em Tewkesbury.

RICARDO
           Antes que fôsseis vós meus soberanos,
           Eu carreguei qual mula a causa dele.
           Fui destruidor de muitos adversários,
125   Fonte de paga para seus amigos;
           Por seu sangue real eu dei o meu.

MARGARET
                    (À parte.)
           E sangue bem melhor que o teu ou o dele.

RICARDO
           Naquele tempo, tu e o teu marido
           Éreis ligados à facção de Lancaster,
130   E tu, Rivers, também. O teu marido
           Não foi morto em batalha, em Santo Albano?[18]
           Compara o que foste e o que és
           Com tudo o que eu já fui e que hoje sou.

MARGARET
                    (À parte.)
           Um vilão assassino, o que és ainda.

RICARDO
135   Clarence desamparou o sogro, Warwick;[19]
           Virou traidor – que Jesus o perdoe!

MARGARET
                    (À parte.)
           Que Deus o vingue!

---

18 O primeiro marido de Elizabeth, Sir John Grey, morrera lutando pela facção Lancaster, na batalha de Santo Albano. (N. E.)
19 Clarence era casado com Isabel Neville, filha mais velha de Warwick e irmã de Lady Anne. O episódio em que Clarence trai Warwick está em *Henrique VI Parte 3*. (N. E.)

RICARDO

  Para lutar com o grupo de Eduardo;
  E como prêmio está encarcerado.
140   Quisera eu ser duro como Eduardo,
  Ou que ele fosse dócil como eu:
  Sou ingênuo demais para este mundo.

MARGARET

  (À parte.)
  Vai para o inferno, foge deste mundo,
  Gênio do mal! Pois o teu reino é lá.

RIVERS

145   Lord Gloucester, nesses dias agitados
  Em que nos quereis ver como inimigos,
  Seguíamos o rei, nosso soberano;
  Se fôsseis rei, a vós nós seguiríamos.

RICARDO

  Se eu fosse rei! Antes ser um mendigo:
150   Longe, longe de mim tal pensamento.

ELIZABETH

  Pouca ventura, como estás supondo,
  Terias como rei deste país –
  Como pouca podes supor em mim,
  Que me cabe por ser sua rainha!

MARGARET

  (À parte.)
155   Bem pouca é a ventura da rainha
  Pois eu o sou, e sempre em desventura.
  Não posso mais manter a paciência.

  (Avança.)

  Ouvi-me, maus piratas, que disputam
  O que de mim tiraram na pilhagem!
160   Qual de vós, ao fitar-me, não se agita?
  Será por ser rainha que curvai-vos,
  Ou tremeis ante aquela que banistes?
  Gentil vilão, não vás embora ainda!

RICARDO

  Que fazes, bruxa má, diante de mim?

MARGARET

165   Repito o que fizeste, depravado;
Isso farei antes de deixá-lo ir.

RICARDO

Não te baniram sob pena de morte?

MARGARET

Sim; mas achei mais dor no banimento
Do que na morte que me espera em casa.
170   Um marido e um filho tu me deves;
E tu, um reino. Obediência, todos:
A dor que tenho é, por direito, vossa;
E o prazer que usurpastes foi o meu.

RICARDO

A maldição que te lançou meu pai[20]
175   Quando coroaste sua altiva fronte
Com papel, e arrancaste de seus olhos
Rios de pranto; e então, para secá-los,
Deste ao duque um farrapo umedecido
Com o sangue puro do formoso Rutland.
180   Suas pragas, do fundo de sua alma,
Te denunciaram, sobre ti caíram;
E Deus, não nós, puniu teu rubro feito.

ELIZABETH

E assim o justo Deus trata o inocente!

HASTINGS

Matar um infante é crime mais que horrível;
185   E esse foi mais torpe do que todos.

RIVERS

Sabê-lo fez chorar até tiranos.

DORSET

Choveram juras por sua vingança.

BUCKINGHAM

Chorou Northumberland, que estava lá.

---

20 Em *Henrique VI Parte 1*, York vence o rei que o nomeia herdeiro da coroa. A Rainha Margaret não aceita que seu filho Edward seja preterido e continua a lutar contra os York. Finalmente, quando captura York, ela lhe oferece um lenço com o sangue de Rutland, filho mais novo de York, para secar-lhe as lágrimas; depois, lhe coroa a fronte com uma coroa de papel e, finalmente, Clifford o mata. (N. E.)

Margaret

    Rosnavam todos antes de eu chegar,[21]
190 Prontos a se esganarem uns aos outros,
    E agora voltam o ódio contra mim?
    Paira no céu a horrível maldição
    De York de modo tal que a própria morte
    De Henrique, a morte do meu belo Eduardo,
195 A perda do meu reino, o meu exílio,
    São o resgate de um fedelho ousado?
    Se é dado às maldições entrar no céu,
    Abri-vos, nuvens, ao meu brado de ódio!
    Que teu rei seja morto, não na guerra,
200 Mas pelo excesso, como assassinado
    Morreu o nosso, pra fazê-lo rei!
    Teu filho Eduardo, príncipe de Gales,
    Pelo meu Eduardo, que era o príncipe,
    Morra jovem, também pela violência!
205 Tu, rainha, por mim que fui rainha,
    Sobrevivas à glória, como eu mesma!
    Vivas muito a chorar pelos teus filhos!
    Vejas outra, como hoje vejo a ti,
    Coberta dos direitos que hoje gozas,
210 Como estás instalada tu nos meus!
    Morra tua alegria antes que morras;
    E após as longas horas de tristeza
    Morras não sendo mais mãe nem esposa,
    Não sendo mais rainha da Inglaterra!
215 Rivers e Dorset, fostes testemunhas,
    Assim como vós, Hastings, que meu filho
    Foi abatido por punhais sangrentos:
    Peço a Deus que nenhum de vós desfrute
    Uma vida normal, mas seja morto
220 Por qualquer acidente inesperado.

Ricardo

    Lançaste o feitiço, bruxa odiosa.

Margaret

    Eu não te esqueço, cão; espera e ouve:
    Se o céu possui alguma horrenda praga
    Que exceda estas que eu lanço sobre ti,
225 Guarde-a até que sazonem teus pecados
    E então derrame a sua indignação
    Sobre ti, destruidor da paz do mundo!

---

21 Margaret lança pragas sobre cada um dos presentes, as quais, ao fim da peça, se confirmarão. (N. E.)

Que o verme dos remorsos te roa a alma!
Que os amigos suspeites de traidores,
E tomes vis traidores por amigos!
Que o sono não te feche os olhos tristes,
Senão para algum sonho tormentoso
Que te amedronte como diabo horrendo!
Tu, cão maldito, assombração que ladra!
Tu, que foste marcado de nascença,
Escravo ignóbil, filho dos infernos;
Difamador do ventre em que pesaste,
Fruto odioso da ilharga de teu pai!
Trapo sem honra! Mais que abominável...

RICARDO
Margaret!

MARGARET
Ricardo!

RICARDO
Ah!

MARGARET
Não te chamei.

RICARDO
Peço perdão, então, pois pareceu-me
Que me chamavas de terríveis nomes.

MARGARET
E o fiz; mas não quero ter resposta.
Deixa que eu ponha um fim à minha praga!

RICARDO
O fim é meu, e esse fim é Margaret.

ELIZABETH
Rogaste a praga assim contra ti mesma.

MARGARET
Rainha de papel, por que espargir
Tanta doçura sobre a vil aranha
Cuja teia mortal te tem envolta?
Louca! Afasta espada que te mata.
Virá dia em que me quererás perto
Pra, juntas, maldizermos o sapo imundo.

HASTINGS
    Falsa agourenta, cessa a praga louca,
    Para teu mal, nos gastas a paciência.

MARGARET
255   Tristes de vós, que a minha já gastastes.

RIVERS
    Uma boa lição vos serviria.

MARGARET
    Pra me servir, eis a vossa lição:
    A rainha sou eu, e vós meus súditos.
    Vossa lição é o dever de servir.

DORSET
260   Não discutas com ela; ela é maluca.

MARGARET
    Calma, senhor marquês; és insolente:
    Teu recente brasão mal se conhece,
    E essa nova nobreza ainda não sabe
    O que é perdê-la, e ficar miserável.
265   Quem está no alto faz tremer os outros,
    Mas se cair por terra, está perdido.

RICARDO
    Que bom conselho! Ouve-o, marquês.

DORSET
    Ele vos toca tanto quanto a mim.

RICARDO
    E muito mais: mas eu nasci tão alto,
270   Que nosso berço, o topo do alto cedro
    Brinca com o vento e desafia o sol.

MARGARET
    E torna o sol em sombra; testemunho
    Disso é meu filho, hoje em sombria morte,
    Cujo brilho sem par teu ódio negro
275   Envolveu para sempre em negras trevas.
    Teu berço se formou por sobre o nosso:
    Deus, que o estás vendo, não suportes isso!
    O que o sangue ganhou assim se perca!

Buckingham
    Paz! Por vergonha, se não por piedade!

Margaret
280   Não me exijas vergonha nem piedade!
    Comigo foste sempre um impiedoso,
    Esquartejaste as minhas esperanças.
    A minha caridade é um ultraje,
    A vida, vergonha: nela vive meu ódio.

Buckingham
285   Mas chega! Chega!

Margaret
    Magnífico Buckingham, hei de beijar-te
    A mão, em sinal de leal amizade.
    Sejas feliz, co'a tua nobre casa!
    Teus trajes não manchaste com meu sangue,
290   Nem te incluo no alcance dessas pragas.

Buckingham
    Nem ninguém entre nós, porque essas pragas
    Nunca passam dos lábios que as proferem.

Margaret
    Eu creio que elas sobem para os céus
    Pra despertar de Deus o sono doce.
295   Oh Buckingham, teme o cão danado!
    Quando ele rosna, morde! e quando morde
    Seus dentes venenosos causam morte:
    Não te ligues a ele, foge dele;
    Pecado, morte e inferno estão com ele
300   E suas armas 'stão a seu serviço.

Ricardo
    Que tem ela a dizer, meu Lord Buckingham?

Buckingham
    Nada de sério, meu amável lord.

Margaret
    O quê, desdenhas o meu bom conselho?
    E agradas o demônio que te aponto?
305   Mas vais lembrar-te disso um outro dia,
    Quando ele te rasgar o coração.
    Então dirás que Margaret foi profética! –

                Que sejais todos alvos de seu ódio,
                Ele do vosso, e todos do de Deus!

                                                                    (Sai.)

         HASTINGS
310   Tenho o cabelo em pé de ouvir-lhe as pragas.

         RIVERS
                E eu também. Por que 'stá em liberdade?

         RICARDO
                Eu não a culpo. Pela mãe de Deus,
                Passou por muitos males; me arrependo
                Da parte pela qual fui responsável.

         ELIZABETH
315   Eu nunca lhe fiz mal, ao que me conste.

         RICARDO
                Mas foste quem lucrou co'os males dela.
                Eu fui ardente para promover
                Quem hoje é frio até para lembrá-lo.
                Quanto a Clarence, já foi recompensado;
320   Está bem pago pelos seus serviços;
                Que Deus perdoe os que causaram tudo.

         RIVERS
                É conceito cristão e virtuoso
                Rezar por todos que nos fazem mal.

         RICARDO
                E assim eu faço, sendo precavido –

                    (À parte.)

325   Se praguejasse, era contra mim.

                    (Entra CATESBY.)

         CATESBY
                Senhora, o rei vos chama com insistência;
                E a vós, Alteza, e a vós, meus nobres lords.

         ELIZABETH
                Eu já vou, Catesby. Vós vindes comigo?

Rivers
Assim que vós quiserdes.

(Saem todos, menos Ricardo.)

Ricardo
330 O mal que faço eu mesmo denuncio.
Esses erros secretos que eu espalho
Logo os faço pesar no ombro de outrem.
A Clarence – que de fato eu dei às trevas –
Pranteio junto a tolos que manobro,
335 Ou seja, Hastings, Derby, Buckingham;
E digo que a rainha e seus comparsas
É que instigam o rei contra o irmão.
Eles o creem; chegam a atiçar-me
Pra que me vingue em Rivers, Dorset, Grey:
340 Eu suspiro, co'um trecho da Escritura,
Digo que Deus nos pede o bem em troca
Do mal; e assim eu visto a vilania
Com farrapos que arranco à própria Bíblia.
Quanto mais peco, mais pareço santo.
345 Mas cuidado! Aí vêm os meus carrascos.

(Entram dois Assassinos.)

Então, meus decididos companheiros!
Ides agora despachar o caso?

1º Assassino
Queremos justamente o documento
Que nos permita entrar onde ele está.

Ricardo
350 Bem lembrado – eu o tenho aqui comigo.

(Dá-lhes a ordem.)

Quando acabarem, venham ter a Crosby.
E sejam rápidos na execução,
Dê ouvidos surdos para as suas queixas.
Conheço Clarence; suas belas falas,
355 Se ouvidas, ferem muito o coração.

2º Assassino
Qual, meu senhor, não somos de conversas.
Faladores não primam pela ação.
Vamos usar as mãos, e não as línguas.

RICARDO

    Seus olhos só têm pedras, não têm lágrimas:
360   São dos que eu gosto. Vamos ao serviço.
    Vamos, depressa.

AMBOS

        É pra já, senhor.

(Saem.)

CENA 4
A torre.

(Entram CLARENCE e o GUARDIÃO DA TORRE.)

GUARDIÃO

    Por que tendes um ar tão contristado?

CLARENCE

    Eu passei uma noite miserável,[22]
    Cheia de pesadelos e visões,
    E juro, pela minha fé em Cristo,
5   Que outro momento assim não passaria
    Nem para conquistar dias felizes –
    Tão cheia de terror foi esta noite.

GUARDIÃO

    Que pesadelo foi? Quereis contá-lo?

CLARENCE

    Sonhei que estava fora desta torre
10   E que embarcara pra ir à Borgonha,
    Em companhia de meu mano Gloucester,
    Que me induziu a ir para o convés.
    De lá olhávamos para a Inglaterra,
    E recordávamos duros momentos,
15   Durante as guerras entre York e Lancaster
    Que nos feriram. E entre os lentos passos
    Que dávamos, um pouco entontecidos,
    Pareceu-me que Gloucester tropeçou;
    E, ao cair, lançou-me para as águas,
20   Dentro do mar, revolto e encapelado.
    Meu Deus! Como é horrível afogar-se!
    Que ruído horrível de água em meus ouvidos!

---

22 O sonho de Clarence é uma das passagens mais admiradas da peça. O sonho profetiza sua própria morte de Clarence e antecipa também o pesadelo de Ricardo ao fim da peça. (N. E.)

  Que fantasmas de morte nos meus olhos!
  Julgava ver milhares de navios,
25   Muitos homens comidos pelos peixes,
  Âncoras, barras de ouro, muitas pérolas,
  Pedras preciosas, valiosas joias,
  Espalhadas no fundo do oceano;
  Algumas sobre crânios; e em buracos,
30   Que noutros tempos abrigavam olhos,
  Por ironia penetraram gemas
  Que brilham nas viscosas profundezas
  E zombam das ossadas espalhadas.

Guardião
  Mas pudestes assim, na hora da morte,
35   Pesquisar os segredos lá do fundo?

Clarence
  Penso que pude; em luta, muitas vezes,
  Pra libertar a alma. Mas as ondas
  Inundavam-me a alma e não deixavam
  Que ela buscasse a vastidão dos ares
40   Prendendo-a em meu corpo palpitante,
  Que se torcia pra lançá-la ao mar.

Guardião
  Mas não acordastes dessa agonia?

Clarence
  Não; meu sonho estendeu-se além da vida,
  E veio então a tempestade da alma!
45   Co'o barqueiro fatal da poesia
  Parece que cruzei o triste rio
  E entrei no reino da perpétua noite.
  Quem primeiro saudou minh'alma errante
  Foi meu sogro, o famoso e forte Warwick,
50   Que alto bradou: "Que pena por perjúrio
  Pode este reino dar ao falso Clarence?"
  E desapareceu. E então chegou
  Um vulto, como um anjo, todo louro,
  Salpicado de sangue, que gritava
55   "Clarence chegou; o falso, o ignóbil Clarence,
  Que me matou no campo junto a Tewkesbury:
  Fúrias, prendei-o! Dai-lhe mil tormentas!"
  Então uma legião de maus demônios
  Cercou-me e repetiu aos meus ouvidos

60 Gritos tão fortes que somente ouvi-los
Me despertou, e por um largo tempo
Fiquei certo de estar no próprio inferno,
Tal a impressão do horrível pesadelo.

GUARDIÃO
Não espanta que ele assim vos assustasse.
65 Eu sinto medo só de vos ouvir.

CLARENCE
Ó guardião, eu fiz, é certo, coisas
Que, agora, são provas contra minh'alma,
Por Eduardo, e assim ele me paga!
Oh Deus, se não Te aplacam minhas preces
70 E queres ser vingado em minhas faltas,
Lança Teu ódio apenas sobre mim;
Poupa minha mulher e os nossos filhos!
São inocentes. *(Para o guardião.)* Tu, fica ao meu lado;
Pesa-me a alma, e eu sinto-me dormir.

GUARDIÃO
75 Ficarei, meu senhor. Dormi tranquilo.

(CLARENCE adormece. Entra BRAKENBURY.)

BRAKENBURY
A dor quebra o descanso e as horas calmas,
Faz da noite manhã e do Sol, noite.
Os nobres só têm títulos por glória,
E honras externas por internos danos;
80 E por coisas somente imaginadas
Sentem um mundo de cuidados vãos.
Entre seus títulos e humildes nomes
Só há de diferença a externa fama.

(Entram os dois ASSASSINOS.)

1º ASSASSINO
Quem 'stá aqui?

BRAKENBURY
85 Que queres, camarada? E como chegaste até aqui?

2º ASSASSINO
Quero falar com Clarence, e cheguei aqui pelos meus próprios pés.

BRAKENBURY
Que explicação tão breve!

1º ASSASSINO
O que é sempre melhor que falar muito. Deixe-o ver nossas ordens e não fale mais.

(BRAKENBURY lê.)

BRAKENBURY
90 Este papel ordena que eu entregue
Em suas mãos o nobre duque Clarence.
Não falarei do que isto significa
Porque não quero culpa neste assunto.
Eis as chaves; ali o duque dorme.
95 Eu vou ao rei, comunicar a ele
Que me demito, e que lhes passo o cargo.

1º ASSASSINO
Faz bem, senhor; e passe muito bem.

(Saem BRAKENBURY e o GUARDIÃO.)

2º ASSASSINO
Como é, vamos apunhalá-lo enquanto dorme?

1º ASSASSINO
Não; depois dirá que fomos covardes, quando acordar.

2º ASSASSINO
100 Quando acordar? Está louco? Esse só vai acordar no Juízo Final.

1º ASSASSINO
Nesse caso, vai dizer que o apunhalamos enquanto dormia.

2º ASSASSINO
Essa palavra "Juízo" faz nascer uma espécie de remorso dentro de mim.

1º ASSASSINO
O que é isso, está com medo?

2º ASSASSINO
105 Não de matá-lo, pois tenho aqui a ordem para fazê-lo; mas de ser condenado aos infernos por fazê-lo, contra o que não há ordem que me defenda.

1º Assassino
Pensei que já estava resolvido.

2º Assassino
E estou, mas a deixá-lo viver.

1º Assassino
Então eu volto para contar ao duque de Gloucester.

2º Assassino
Espere um pouco; tenho esperança de que esse acesso de emoção desapareça logo. Em geral só aguenta até eu contar vinte.

1º Assassino
Como é que está se sentindo agora?

2º Assassino
Ainda estou sentindo uns restinhos de consciência dentro de mim.

1º Assassino
Lembre-se da recompensa depois do serviço.

2º Assassino
Raios! Ele morre: eu tinha esquecido a recompensa.

1º Assassino
Onde é que está sua consciência?

2º Assassino
Na bolsa do duque de Gloucester.

1º Assassino
Quer dizer que quando ele abrir a bolsa para nos dar recompensa, sua sua consciência aproveita e dá o fora.

2º Assassino
Pois que dê; hoje em dia quase ninguém se dá a esses luxos.

1º Assassino
E se ela volta?

2º Assassino
Não me meterei com ela: é coisa muito perigosa; faz o homem covarde; não se pode roubar, que ela o acusa; nem praguejar, que ela reclama; nem dormir com a mulher do vizinho, que ela descobre; é um espírito pudico e encabulado que cria tumultos no peito do ho-

mem, enche a gente de obstáculos; uma vez, me fez devolver uma bolsa cheia de ouro que eu havia encontrado por acaso; empobrece todo homem que a tem; é expulsa de vilas e cidades como perigosa; e todo homem que deseja viver bem aprende a confiar em si mesmo e a viver sem ela.

1º Assassino
Pelas chagas de Cristo, ei-la agora aqui, bem junto a mim, persuadindo-me a não matar o duque.

2º Assassino
Domina o demônio com o cérebro, e não acredite nele: ele só se mete em sua vida para fazê-lo sofrer.

1º Assassino
Sou resistente. Garanto que comigo não arranja nada.

2º Assassino
Falas como um bom homem que zela por sua reputação. Como é, vamos pôr mãos à obra?

1º Assassino
Acerte-o no coco com o punho de sua espada; e depois o jogamos no barril de vinho, no quarto ali ao lado.

2º Assassino
Que boa ideia! Fazer papinha dele.

1º Assassino
Cuidado! Mexeu-se!

2º Assassino
Ataque!

1º Assassino
Não, primeiro vamos argumentar com ele.

Clarence
(Despertando.)
Guardião? Dá-me um copo de vinho.

2º Assassino
Tereis bastante vinho, meu senhor.

Clarence
Por Deus, quem és?

2º Assassino

    Um homem, como vós.

Clarence

    Mas não, como eu, real.

2º Assassino

    Nem vós, como eu, leal.

Clarence

    Tendes voz de trovão, mas ar humilde.

2º Assassino

150   Minha voz é a do rei; o aspecto é meu.

Clarence

    Que fala mais sombria e mais letal!
    Teus olhos ferem: por que estás tão pálido?
    Quem vos mandou aqui? Por que viestes?

Ambos

    Para, para...

Clarence

    Matar-me?

Ambos

    É sim, é sim.

Clarence

155   Mal tendes coração para dizê-lo –
    Assim, não o tereis para fazê-lo.
    Em que, amigos, eu vos ofendi?

1º Assassino

    A nós não ofendestes, mas ao rei.

Clarence

    Dentro em breve estarei de bem com ele.

2º Assassino

160   Nunca, senhor. Prepare-se pra morrer.

Clarence

    Fostes chamados, dentre o mundo inteiro,

            Pra matar um inocente? Qual foi
            A ofensa e de que crime me acusam?
            Que justiça lançou o veredito
165   Sob o olhar de um juiz? Quem promulgou
            Essa amarga sentença contra Clarence?
            Antes que a lei me tenha condenado,
            Ameaçar-me de morte é ilegal.
            Ordeno, se sonhais com a redenção
170   Pelo sangue de Cristo derramado,
            Que partais já, sem pôr as mãos em mim.
            O ato que planejam é maldito.

    1º Assassino
            O que faremos é cumprindo ordens.

    2º Assassino
            E quem nos deu as ordens foi o rei.

    Clarence
175   Vassalo infiel! O grande Rei dos Reis
            Comanda nos preceitos da Sua Lei
            Que tu não matarás; queres então
            Desprezar Sua Lei pela de um homem?
            Cuidado, que Ele tem nas mãos vingança
180   Para ferir quem quebra a Sua Lei.

    2º Assassino
            É essa vingança que se aplica a vós
            Por ser perjuro e por assassinato.
            Tivestes sacramento pra lutar
            Por Lancaster nas guerras que passaram.

    1º Assassino
185   Traístes vossa jura e o próprio Deus,

            E com maldita espada de traidor
            Esquartejastes o filho do rei.

    2º Assassino
            Que deveríeis amar e defender.

    1º Assassino
            Como invocar a Deus contra nós dois,
190   Quando vós O traístes a tal ponto?

CLARENCE
E por quem pratiquei todo esse crime?
Pelo irmão Eduardo, em seu favor:
Não há de ser por isso que me mata,
Pois nisso é tão culpado quanto eu.
195 Se Deus quer ser vingado por tal ato
Sabei que Ele o fará publicamente,
Não Lhe tireis da mão essa disputa;
Ele não usa meios tortuosos
Para punir aqueles que O ofendem.

1º ASSASSINO
200 Quem vos deu um sangrento ministério
Quando o bravo e leal Plantageneta,
Flor da nobreza, foi por vós ferido?

CLARENCE
O amor de meu irmão, o diabo e a raiva.

1º ASSASSINO
O amor de vosso irmão, nosso dever
205 E teus erros mandam-nos matar-vos.

CLARENCE
Ó, se amais meu irmão, não me odieis;
Sou seu irmão e o amo ternamente.
Se fostes contratados por dinheiro
Voltai, que eu vos envio a Gloucester,
210 Que vos compensará por minha vida
Melhor que Eduardo pela minha morte.

2º ASSASSINO
'Stais enganado; Gloucester vos detesta.

CLARENCE
Ó não, ele me ama e me protege.
Ide mim a ele.

AMBOS
Nós iremos.

CLARENCE
215 Dizei-lhe: quando o príncipe de York,
Nosso pai, abençoou seus três filhos

           Com seu braço guerreiro vitorioso,
           E exortou-nos a amar-nos um ao outro,
           Nem pensou em possível divergência
220   Nessa amizade. Só de o recordar
           Gloucester terá vontade de chorar.

   1º Assassino
           Vai chorar pedra, como nos mandou.

   Clarence
           Mas que calúnia; ele é bom e suave.

   1º Assassino
           Se é, qual neve pra colheita.
225   Vamos, vós estais enganado.
           Foi ele quem nos mandou vir matá-lo.

   Clarence
           Não pode ser; quando eu lhe disse adeus
           Apertou-me nos braços soluçando
           E jurou que viria libertar-me.

   1º Assassino
230   É o que faz, livrando-vos da negra
           Escravidão da terra, e vos mandando
           Gozar as alegrias celestiais.

   2º Assassino
           Rezai a Deus, pois morrereis, senhor.

   Clarence
           Tens n'alma sentimento tão sagrado
235   Que me aconselhas fazer as pazes
           Com Deus, mas a própria alma tão cega
           Que entra com Deus em guerra, assassinando?
           Considerai, senhores, que o mandante
           Só pagará com ódio o vosso ato.

   2º Assassino
240   Que fazer?

   Clarence
                    Cedei, salvai vossas almas.

   1º Assassino
           Ceder é covardia efeminada.

CLARENCE
Aquele que não cede é fera ou demo.
Se acaso algum de vós fosse
Filho de um príncipe, como eu,
Estando preso, como estou agora,
Se vísseis dois carrascos como vós,
Não lutaríeis pela própria vida?
Como suplicaríeis complacência
Se estivésseis na minha situação!

(Para o 2º ASSASSINO.)

Amigo, há um vislumbre de piedade
Nos teus olhos. Se os olhos não são falsos,
Fica a meu lado e vem rogar comigo,
Como rogaríeis se fosse eu:
Que pobre não lamenta um pobre príncipe?

2º ASSASSINO
Olhai atrás de vós, senhor.

1º ASSASSINO
Toma! Toma!

(Apunhala-o.)

E se não for bastante,
Eu te afogo no barril de malvasia.[23]

(Sai com o corpo.)

2º ASSASSINO
Ato sangrento, e feito em desespero!
Com que prazer eu lavaria as mãos,
Como Pilatos, deste horrível crime!

(Entra o 1º ASSASSINO.)

1º ASSASSINO
Então? Que pensas? Por que não me ajudas?
Por Deus, direi ao duque como és mole!

2º ASSASSINO
Eu gostaria de dizer ao duque

---

23 Vinho doce e muito forte. (N. E.)

265 Que lhe salvara o irmão; podes dizer-lhe.
Guarda o dinheiro; estou arrependido
Da morte deste duque, e não o quero.

(Sai.)

1º Assassino
Pois eu não estou; podes partir, covarde.
Esconderei o corpo em qualquer canto,
Até que o duque ordene o seu enterro;
270 E fugirei assim que me pagar;
O crime fala, e eu não posso ficar.

(Sai.)

ATO 2

CENA 1
Londres. Um quarto no palácio.

(Clarinada. Entram o REI EDUARDO, doente, a RAINHA ELIZABETH, DORSET, RIVERS, HASTINGS, BUCKINGHAM, GREY e outros.)

EDUARDO
Hoje tive um bom dia de trabalho.
Vós, meus pares, segui co'a união.
Espero a cada dia uma embaixada
Do Redentor, para me redimir;
5 E assim minh'alma em paz irá aos céus,
Já que entre meus amigos fiz a paz.
Rivers e Hastings, apertai as mãos;
Não quero fingimento, mas amor.

RIVERS
Pelo céu, em minh'alma não há ódio.
10 E aqui juro a amizade do meu peito.

HASTINGS
Também eu, em verdade, juro o mesmo.

EDUARDO
Cuidado! Não zombeis diante do rei;
Senão, aquele que é o Rei dos Reis,
Punindo vossa oculta falsidade,
15 Fará de cada um o algoz do outro.

HASTINGS
Dependa a minha vida deste amor!

RIVERS
E do que tenho a Hastings viva eu!

EDUARDO
Senhora, vós não estais isenta nisso;
Nem tu, meu Dorset; Buckingham, nem tu;
20 Vós tomastes partido uns contra os outros.
Mulher, ame Hastings, e permita-lhe
Beijar-vos a mão, sem ressentimento.

ELIZABETH
>Sim, Hastings; nunca mais recordaremos
>Nosso ódio antigo, por teu bem e o meu!

EDUARDO
>Dorset, abraça-o; Hastings, sê amigo do marquês.

DORSET
>Este pacto de amor, aqui prometo,
>Será de minha parte inviolável.

HASTINGS
>E assim também eu juro.

>*(Abraçam-se.)*

EDUARDO
>Magnífico Buckingham, sela este pacto,
>Abraça os aliados da rainha,
>Faça-me feliz com essa união.

BUCKINGHAM
>*(Para ELIZABETH.)*
>Se acaso Buckingham voltar seu ódio
>A Vossa Graça, em lugar de estimar
>A vós e aos vossos, que me ponha Deus
>Com o ódio dos que eu quero que me amem!
>Que quando eu necessitar um amigo
>Pra pedir, certo que ele é meu amigo,
>Seja ele pra mim traidor e falso!
>É o que peço a Deus se eu for falso
>No zelo que prometo a vós e aos vossos.

>*(Abraçam-se.)*

EDUARDO
>Precioso agrado, excelente Buckingham,
>É o que dás ao meu fraco coração.
>Só falta agora aqui nosso irmão Gloucester
>Pra concluir a glória desta paz.

BUCKINGHAM
>Eis que nos chegam Ratcliffe e o duque.

>*(Entram RICARDO e SIR RICHARD RATCLIFFE.)*

Ricardo

Bons dias aos meus reis e soberanos,
Bons dias aos seus príncipes, bons dias.

Eduardo

Realmente feliz foi este dia
Em que exercemos pura caridade:
Demos paz a inimigos, em vez de ódio,
Demos amor, entre os irados pares.

Ricardo

Abençoado labor, meu soberano.
Se alguém, neste ambiente principesco,
Por desentendimento ou por suspeita
Errônea me tomou por inimigo;
Se involuntariamente eu, por acaso
Fiz qualquer coisa que ferisse o peito
De alguém aqui, desejo neste instante
Reconciliar-me à sua amiga paz:
Tenho horror de viver na inimizade,
Desejo o amor de todos que são bons.
Em primeiro lugar peço à rainha
A paz que pagarei com meus serviços;
De ti, meu nobre primo Buckingham,
Se alguma vez houve ódio entre nós dois,
De vós, Lord Rivers, e Lord Grey, de vós,
Que sem motivo algum me censurastes;
Duques, condes, ou lords, nobres senhores –
Não sei de nenhum filho da Inglaterra
Contra o qual em minh'alma haja rancores
Mais do que n'alma dum recém-nascido:
Dou graças a Deus por minha humildade.

Elizabeth

Que isto seja pra sempre consagrado:
Peço a Deus que as discórdias se resolvam
Meu soberano, eu peço a Vossa Alteza
Que tome nosso Clarence em Vossa Graça.

Ricardo

Então, senhora, o amor que eu ofereço
É pra ser desse modo escarnecido?
Quem ignora que o duque faleceu?

(Todos se espantam.)

Vos o injuriais, insultando seu corpo.

RIVERS
>Quem ignora que é morto? Quem o sabe?

ELIZABETH
>Ó céu que tudo vês, que mundo é este!

BUCKINGHAM
>*(Para Dorset.)*
>Estou tão pálido quanto os demais?

DORSET
>Estais, senhor, e ninguém há por perto
>Cujas faces não tenham descorado.

EDUARDO
>Clarence morreu? A ordem foi sustada.

RICARDO
>Morrera já, por vossa outra ordem,
>A que levara algum Mercúrio alado;
>O aleijão que tardou com a contraordem
>Só chegou para vê-lo sepultado.
>Deus queira que alguns outros, menos nobres,
>E que sempre escapam à suspeição,
>Iguais em ideias sangrentas, não no sangue,
>Mereçam nada menos do que Clarence.

(Entra STANLEY.)

STANLEY
>Uma graça, senhor, por meus serviços!

EDUARDO
>Peço-te paz, tenho a alma em dor profunda.

STANLEY
>Não me erguerei, senhor, sem ser ouvido.

EDUARDO
>Então diz, bem depressa, o que desejas.

STANLEY
>Clemência pro meu servo, que matou
>Hoje, de um golpe, um homem turbulento
>Que, há tempos, serviu o duque de Norfolk.

EDUARDO
Minha palavra mata meu irmão
E depois salva a vida desse escravo?
Meu irmão não matou ninguém; seu crime
105 É suposto, e puniu-o a amarga morte.
Quem me pediu por ele? Ou, quando irado,
Ajoelhou-se a meus pés, aconselhando-me?
Quem falou de amizade e amor fraterno?
Quem me lembrou que ele, contra Warwick,
110 Lutou por mim? Quem me contou a luta
No campo de batalha junto a Tewkesbury,
Quando Oxford me abateu e ele salvou-me,
E disse "Caro irmão, vive e sê rei"?
Quem me lembrou quando, ambos sobre o campo,
115 Gelados quase à morte, ele enrolou-me
Nas próprias vestes, e entregou o corpo
Nu e transido à fria e negra noite?
Tudo isso um ódio rude me arrancou
Da lembrança, e nenhum dos que aqui estão
120 Por piedade alertou minha memória;
Mas quando um rude carreteiro, um servo,
Comete, embriagado, um assassínio,
Ferindo a Lei de nosso Redentor,
Cai de joelhos a pedir perdão;
125 E eu, injustamente, devo dá-lo.
Mas pelo meu irmão ninguém falou
Nem mesmo eu, infeliz, disse a mim mesmo
Por ele uma palavra. O mais soberbo
Entre vós lhe deveis muito na vida;
130 Mas nenhum se bateu por sua vida.
Ó Deus, temo que agora a Tua justiça
Recaia sobre mim, e os meus, e os vossos.
Vem, Hastings, conduzir-me para o quarto.
Ah, pobre Clarence!

(Saem alguns com o Rei Eduardo e a Rainha Elizabeth.)

RICARDO
135 Isto é o fruto do ódio. Não notaste
Como o grupo culpado da rainha
Ficou branco ao saber do fim de Clarence?
Diante do rei, exigiram sua morte.
Deus o há de vingar. Vamos, senhores,
140 Dar ao rei nosso apoio e companhia.

BUCKINGHAM
>Estamos ao dispor de Vossa Graça.

(Saem.)

CENA 2
Um quarto no palácio.

(Entra a velha Duquesa de York com os dois filhos de Clarence.)

MENINO
>Vovó, dizei-nos, nosso pai 'stá morto?

DUQUESA
>Não, menino.

MENINA
>E por que é que chorais constantemente?
>Bateis no peito e murmurais chorando
>"Ó Clarence, ó meu filho desgraçado!"

MENINO
>Por que olhais pra nós ansiosamente
>Chamai-nos órfãos, pobres infelizes,
>Se o nosso nobre pai ainda está vivo?

DUQUESA
>Meus lindos netos, vocês dois se enganam;
>Eu lamento a doença do meu rei,
>Temo-lhe a morte, e não a de seu pai;
>Seria mágoa vã por quem já foi.

MENINO
>Então, vovó, concluís que está morto:
>O rei, meu tio, é o culpado disso:
>Deus há de castigá-lo; e eu, insistente,
>Hei de rogar em preces todo dia.

MENINA
>E eu também.

DUQUESA
>Calma, crianças, calma! O rei os ama.
>Inofensivos, puros, inocentes,
>Vocês não podem nem imaginar
>Quem causou a vil morte de seu pai.

MENINO

    Podemos, sim, vovó; o bom tio Gloucester
    Diz que o rei, por empenho da rainha,
    Inventou mil razões para prendê-lo.
    E falando-me assim ele chorava
    Me lamentava e me beijava a face;
    Pediu-me que o quisesse como a um pai,
    E disse que me amava como a um filho.

DUQUESA

    O embuste pode usar formas amáveis
    E a face da virtude esconde o vício!
    É meu filho; aí 'stá minha vergonha.
    De meu peito não herdou a maldade.

MENINO

    Achais que meu tio mentiu, vovó?

DUQUESA

    Sim, menino.

MENINO

    Não posso acreditar. Que ruído é esse?

(Entram a RAINHA ELIZABETH, com os cabelos soltos sobre as orelhas, RIVERS e DORSET, atrás dela.)

ELIZABETH

    Ó, quem me impedirá de lamentar-me,
    Chorar minha desgraça e atormentar-me?
    'Stou cheia de pavor contra minh'alma,
    Tornando-me inimiga de mim mesma.

DUQUESA

    Por que uma tal cena de impaciência?

ELIZABETH

    Pra falar de uma trágica violência.
    Teu filho Eduardo, o nosso rei, morreu![24]
    Por que crescem os galhos sem raízes?
    Por que não secam folhagens sem seiva?
    Pra viver, chora; pra morrer, sê breve
    Para que nossas almas, junto à dele,
    Qual alados vassalos o acompanhem
    Para o seu reino de perpétua noite.

---

24 Shakespeare comprime o tempo. Historicamente Eduardo morre cinco anos após Clarence. (N. E.)

DUQUESA

    Tenho tanto direito à tua mágoa
50   Quanto tinha o teu nobre e real marido!
    Eu chorei um marido bom e honrado
    E vivi de mirar suas imagens;
    Mas hoje dois espelhos que o mostravam
    Foram quebrados pela morte ignara.
55   E eu, por consolo, tenho um falso espelho
    Que fere refletindo-me a vergonha.
    Tu és viúva, mas também és mãe
    E guardas o conforto de teus filhos:
    Mas a morte arrancou-me o meu esposo
60   E tomou-me as muletas de meus braços –
    Clarence e Eduardo – ó, por que razão –
    Sendo tua dor metade da que eu sofro –
    Cabe a mim sufocar-te a queixa e o pranto?

MENINO

    Minha tia, não chorastes nosso pai;
65   Como podemos nós chorar convosco?

MENINA

    Nossa orfandade não vos trouxe pranto;
    Seja vossa viuvez também sem lágrimas.

ELIZABETH

    Não quero ajuda para os meus lamentos;
    Não sou estéril pra parir queixumes:
70   Todas as fontes correm aos meus olhos
    Para que eu, que nasci na lua de águas
    Espalhe o pranto meu e afogue o mundo.
    Ai, choro o meu marido, o meu Eduardo.

CRIANÇAS

    Ai! Pelo nosso pai, pelo Lord Clarence!

DUQUESA

75   Por ambos, ambos meus, Eduardo e Clarence!

ELIZABETH

    Que amparo tinha eu? Eduardo é morto.

CRIANÇAS

    Nós só tínhamos Clarence, que morreu.

DUQUESA
    Eu tinha os dois, apenas, e se foram.

ELIZABETH
    Nunca viúva sofreu perda tão dura!

CRIANÇAS
80   Nunca órfãos sofreram perda tão dura!

DUQUESA
    Nunca uma mãe sofreu perda tão dura!
    Ai de mim, sou a mãe dessas desgraças!
    Vossa dor se reparte, não a minha.
    Ela chora Eduardo, bem como eu;
85   As crianças, como eu, choram por Clarence;
    Eu choro por Eduardo, essas crianças, não —
    Todos três, sobre mim, três vezes triste,
    Derramai vossas lágrimas! Eu quero
    Nutrir com queixas esta imensa dor.

DORSET
90   Reconfortai-vos, mãe: Deus não aprova
    Que recebais seus atos com revolta.
    Em coisas deste mundo, é ingratidão
    Pagar de má vontade o que Ele empresta
    Com generosa mão; e, certamente,
95   É ainda pior opor-se aos céus que cobram
    A dívida real que concederam.

RIVERS
    Senhora, reflita, qual mãe zelosa,
    No vosso jovem filho: sim, chamai-o.
    E coroai-o; é o vosso consolo.
100   Enterrai vossa dor na tumba real
    E olhai com alegria o trono vivo.

(Entram RICARDO, BUCKINGHAM, STANLEY, HASTINGS, RATCLIFFE e outros.)

RICARDO
    Consolai-vos, irmã; todos sofremos
    Ao ver que se extinguiu a nossa estrela;
    Mas ninguém cura o mal por lamentá-lo.
105   Senhora minha, peço-vos perdão;
    Eu não vos vira; humilde, de joelhos
    Peço-vos bênção.

(Ajoelha-se.)

DUQUESA
    Deus te abençoe; e ponha no teu peito
    Caridade, obediência, amor, justiça.

RICARDO
110   Amém!

(Levanta-se. À parte.)

    E me transforme num bom velho
    Até a morte; essa é a ambição das mães.
    É um milagre que o não tenha dito.

BUCKINGHAM
    Tristes príncipes e infelizes pares,
    Que suportais o peso deste luto,
115   Regozijai-vos nesse mútuo amor:
    Conquanto esteja morta a real seara,
    Vemos madura a seara de seu filho.
    O rancor de feridos corações
    Foi recomposto, e sua novel paz
120   Deve ser preservada com carinho:
    Julgo por bem que, com pequeno séquito,
    Venha logo de Ludlow o jovem príncipe,
    Aqui pra Londres, para ser coroado.

RIVERS
    Por que com pouco séquito, meu lord?

BUCKINGHAM
125   Porque senão, indo um enorme séquito,
    A ferida recente, co'a malícia,
    Correria o perigo de se abrir.
    Estando o Estado ainda sem governo,
    Cada cavalo ostenta as próprias rédeas
130   E pode galopar para onde queira;
    Assim, com esse perigo, as aparências,
    Penso eu, devem ser bem resguardadas.

RICARDO
    O rei nos deu a paz entre nós todos;
    E esse acordo está firme e forte em mim.

RIVERS
135   Também em mim; creio que em todos nós:

>   Conquanto, sendo tudo tão recente,
>   Não deva parecer que há dissenções
>   Entre nós, como apraz a muita gente:
>   Por isso, penso como o nobre Buckingham,
> 140   Que é melhor pouca gente vir com o príncipe.

Hastings
>   'Stou de acordo.

Ricardo
>   Assim seja: decidamos quem vai.
>   Devem ir bem rápido para Ludlow.
>   Senhora, e vós, irmã – ireis conosco
> 145   Dar a vossa opinião neste assunto?

Elizabeth e Duquesa
>   De todo o coração.

>   *(Saem todos, menos Buckingham e Ricardo.)*

Buckingham
>   Senhor, seja quem for que vá co'o príncipe,
>   Por Deus, que não fiquemos para trás,
>   Pois aproveitarei a ocasião
> 150   Para, conforme o que já combinamos,
>   Separar os parentes da rainha do príncipe.

Ricardo
>   Ó meu sósia, meu conselho.
>   Oráculo, profeta! Caro primo,
>   Eu, qual criança, seguirei teus passos.
> 155   A Ludlow – não fiquemos para trás.

>   *(Saem.)*

CENA 3
Uma rua de Londres.

(Entram dois Cidadãos, que se encontram.)[25]

1º Cidadão
>   Bom dia, meu vizinho; vai correndo?

---

[25] A conversa entre os cidadãos, conquanto em nada contribua para avançar a ação, deixa claro que o povo sabe do risco que é ter um rei menino a frente do governo, bem como o quanto o duque de Gloucester é perigoso. Como os coveiros em *Hamlet* e os jardineiros em *Ricardo II*, os cidadãos têm uma visão clara do que acontece na corte. (N. E.)

2º CIDADÃO
   Eu juro que não sei o que há comigo:
   Ouviu a grande nova?!

1º CIDADÃO
                O rei morreu.

2º CIDADÃO
   Más notícias, por Deus; nunca vêm boas:
   Tenho medo que o mundo esteja louco.

   (Entra outro CIDADÃO.)

3º CIDADÃO
   Deus vos ajude.

1º CIDADÃO
             Deus vos dê bom dia.

3º CIDADÃO
   Inda corre a notícia do bom rei?

2º CIDADÃO
   É verdade, senhor; Deus nos ajude!

3º CIDADÃO
   Vamos ver este mundo perturbado!

1º CIDADÃO
   Não; Deus fará com que nos reine o filho!

3º CIDADÃO
   Ai da pátria que é reino de criança!

2º CIDADÃO
   No desta há esperança de governo;
   Na sua infância ampara-o um conselho
   E quando já for homem, por si mesmo,
   Sem dúvida ele será bom governante.

1º CIDADÃO
   Assim foi feito quando Henrique VI
   Foi sagrado em Paris aos nove meses.

3º CIDADÃO
   Ficou o Estado assim? Não, não, amigos;
   Deus sabe que o país naquele tempo

20 Teve um sábio conselho; e então o rei
Tinha virtuosos tios protegendo-o.

1º CIDADÃO
Or'essa; este também, por pai e mãe.

3º CIDADÃO
Melhor se fossem todos por seu pai
Ou nenhum existisse desse lado;
25 Pois todos desejarão ser mais próximos
E isso nos tocará, salvo se Deus
O impedir. Gloucester é perigoso!
E os filhos da rainha, e seus irmãos!
Se eles fossem mandados, não mandantes,
30 Esta nação podia florescer.

1º CIDADÃO
Vamos, nada de medos, pois que tudo
Se arranjará pela melhor maneira.

3º CIDADÃO
Se há nuvens, é prudente preparar-se
Para a chuva; se as folhas vão caindo
35 É o inverno; se o sol se põe, é noite.
Tempestades prometem destruição.
Talvez vá bem; mas se Deus assim quer,
É mais que espero, ou do que merecemos.

2º CIDADÃO
Eu vejo os corações cheios de medo:
40 Não se troca palavra com um só homem
Que não pareça ansioso e preocupado.

3º CIDADÃO
Em dias de mudança assim é a vida:
Por um divino instinto o nosso espírito
Adivinha o perigo; isso acontece
45 Quando a água cresce antes da tempestade.
Mas confiemos em Deus. Aonde vais?

2º CIDADÃO
Pois não fomos chamados pelos juízes?

3º CIDADÃO
Eu também; vou fazer-lhes companhia.

(Saem.)

CENA 4
Londres. Um aposento no palácio.

(Entram o Arcebispo de York, o jovem Duque de York, a Rainha Elizabeth e a Duquesa de York.)

ARCEBISPO
    Ontem à noite estavam em Stony Stratford,
    Hoje à noite estarão em Northampton;
    Amanhã ou depois aqui estarão.

DUQUESA
    Meu coração anseia ver o príncipe;
5   Já deve ter crescido muito mais.

ELIZABETH
    Dizem que não, e que meu filho de York
    Quase já o passou em crescimento.

YORK
    Ó mãe, eu não queria que assim fosse.

DUQUESA
    Por que, meu neto? É sempre bom crescer.

YORK
10   Uma noite, vovó, quando ceávamos,
    Tio Rivers admirou-se de como
    Cresci mais que meu irmão; tio Gloucester
    Disse: "As pequenas plantas são graciosas,
    As ervas mais daninhas são maiores".
15   Desde então eu quisera ser mais lento:
    As doces flores crescem devagar
    Enquanto as ervas más crescem depressa.

DUQUESA
    Talvez, porém jamais se deu com ele
    Aquilo que objetou para o seu caso:
20   Ele em criança sempre foi mirrado,
    Tão lento no crescer, tão vagaroso,
    Que, sendo assim, devia ser gracioso.

ARCEBISPO
    E certamente o é, minha senhora.

DUQUESA
    Espero-o, mas duvido, como mãe.

YORK
25 Se acaso disso me tivesse lembrado,
Teria escarnecido do meu tio
Sobre sua altura, como fez da minha.

DUQUESA
Como, meu jovem? O que lhe diria?

YORK
Dizem que ele cresceu tão de repente
30 Que já mordia um pão logo ao nascer;
Eu só ganhei um dente com dois anos:
Seria bem mordaz a brincadeira.

DUQUESA
E diga cá, quem lhe contou tal chiste?

YORK
Sua ama, minha vovó.

DUQUESA
35 Sua ama? Nasceste e já 'stava morta.

YORK
Se não foi ela, então não sei quem foi.

ELIZABETH
Não fale tanto. Tenha compostura.

DUQUESA
Não vos zangueis, senhora, co'o menino.

ELIZABETH
As paredes têm ouvido.

(Entra um MENSAGEIRO.)

ARCEBISPO
40 Um mensageiro. Que novas nos trazes?

MENSAGEIRO
São tão más notícias,
Senhor, que me faz mágoa só trazê-las.

ELIZABETH
E o príncipe?

MENSAGEIRO
　　　　　'Stá bem e com saúde.

DUQUESA
　　　　Que notícias, então?

MENSAGEIRO
45　　　　Lord Rivers e Lord Grey foram mandados
　　　　Presos, pra Pomfret, com Sir Thomas Vaughan.

DUQUESA
　　　　Mas quem os condenou?

MENSAGEIRO
　　　　　　　　　Os poderosos
　　　　Duques de Gloucester e de Buckingham.

ELIZABETH
　　　　Que ofensa cometeram?

MENSAGEIRO
　　　　　　　　Já vos disse
50　　　　Tudo o que sei e posso divulgar.
　　　　Por que foram os nobres condenados
　　　　Não pude conhecer, minha senhora.

ELIZABETH
　　　　Ai de mim, vejo a ruína desta casa!
　　　　O tigre avança sobre a frágil corça;
55　　　　A tirania atira-se e se arroja
　　　　Sobre o inocente trono que está vago:
　　　　Bem-vindos, sangue, destruição e morte!
　　　　Vejo, como num mapa, o fim de tudo.

DUQUESA
　　　　Malditos dias de disputa e ódio,
60　　　　Quantos de vós passastes aos meus olhos!
　　　　Meu marido morreu pela coroa;
　　　　Meus filhos, quantas vezes sacudidos
　　　　Pela sorte, vencendo ou derrotados,
　　　　Cabendo-me, por vez, rir ou chorar:
65　　　　E depois de seguros, superadas
　　　　As domésticas rixas, eles mesmos
　　　　Conquistadores, se guerrearam todos,
　　　　Irmão co'o próprio irmão, sangue com sangue,
　　　　Um contra o outro; ó coisa indigna e horrível:

70 Cessa de vez com isso, ultraje absurdo,
Ou deixa-me morrer, fugindo à morte!

ELIZABETH
Vem, meu filho; tomemos santuário.[26]
Senhora, adeus.

DUQUESA
Esperai, vou convosco.

ELIZABETH
Não há motivo.

ARCEBISPO
É bom irdes, senhora;
75 E levai vosso bens, vosso tesouro.
De minha parte, eu rendo a Vossa Graça
O selo de meu cargo; em vossas preces
Lembrai-me, como eu lembro a vós e aos vossos!
Vinde, eu vos levarei ao santuário.

(Saem.)

---

26 Qualquer um, até mesmo um criminoso, poderia recorrer à proteção da igreja – o "santuário" – para escapar da lei por quarenta dias. (N. E.)

ATO 3

CENA 1
Londres. Uma rua.

(Soam as trombetas. Entram o jovem Príncipe Eduardo, Ricardo, Buckingham, o Cardeal Bourchier, Catesby *e outros.)*

Buckingham
    Bem-vindo a Londres, vosso lar, meu príncipe.

Ricardo
    Bem-vindo, caro primo e soberano;
    A dura viagem fez-te melancólico.

Príncipe
    Não, tio; foram minhas aflições
5   Que a fizeram pesada e tediosa.
    Quero mais tios pra me receber.

Ricardo
    Doce príncipe, teus puros, verdes anos
    Não te mostraram todos os enganos
    Do mundo; inda não sabes distinguir,
10   Na aparência de um homem, o que de oculto;
    Só Deus sabe, lhe vai no coração.
    Esses tios que queres são nocivos;
    Deste ouvidos à sua fala suave,
    Mas não viste o veneno no seu peito:
15   Que Deus te livre dos falsos amigos!

Príncipe
    Falsos amigos! Nunca o foram eles!

Ricardo
    O prefeito de Londres vem saudar-te.

(Entram o Prefeito *e seu* séquito.*)*

Prefeito
    Deus vos abençoe com saúde e alegria!

Príncipe
    Meu lord, eu lhe agradeço, como a todos;

20   Pensei que minha mãe e o mano York
       Viessem encontrar-nos no caminho.

                              (Sai o Prefeito com séquito.)

       Que preguiçoso é Hastings, que não chega
       Para dizer-nos se eles vêm ou não!

       (Entra Lord Hastings.)

   Buckingham
       Ei-lo que chega, molhado de suor!

   Príncipe
25   Bem-vindo. Então, a minha mãe 'stá vindo?

   Hastings
       Por que razão Deus sabe, mas eu não,
       A rainha tua mãe e teu irmão
       Foram buscar asilo; o terno príncipe
       Quisera vir comigo ao vosso encontro
30   Mas vossa mãe à força o impediu.

   Buckingham
       Que decisão estranha e impertinente
       A dela! Cardeal, que Vossa Graça
       Faça com que ela mande o duque de York
       Juntar-se ao príncipe-irmão, neste momento.
35   Se ela negar, Lord Hastings, vá com ele
       E à força o arranque a seus ciumentos braços.

   Cardeal
       Lord Buckingham, se a minha humilde fala
       Consegue tirar York de sua mãe,
       Logo o trarei aqui; mas se inflexível
40   Ela for ao meu rogo, Deus me livre
       De infringir o sagrado privilégio
       Do santuário! Nada neste mundo
       Me faria incorrer em tal pecado.

   Buckingham
       Senhor, sois insensível e obstinado,
45   Cheio de cerimônia e tradição:
       Porém, dada a baixeza destes tempos,
       Fazê-lo vir não fere o santuário.
       Os benefícios são garantidos

               Aos que fizeram por necessitá-los
50   E aos que, co'argúcia, os solicitaram.
               Nenhum dos dois é o caso desse príncipe,
               Que não pode, portanto, ter direitos:
               Trazendo quem jamais devia entrar
               Não quebrais privilégio nem promessa.
55   Santuário, que eu conheço, é pra homens;
               Criança em santuário eu nunca vi.

   CARDEAL
               Desta vez convencestes meu espírito;
               Vamos, Lord Hastings, quereis vir comigo?

   HASTINGS
               Irei, senhor.

   PRÍNCIPE
60   Fazei-o o mais depressa que puderdes.

                                   (Saem o CARDEAL e HASTINGS.)

               Diz-me, tio Gloucester, vindo o nosso irmão,
               Até a coroação, onde pousamos?

   RICARDO
               Aonde preferir o real desejo.
               Por uns dois dias posso sugerir
65   Que Sua Alteza repouse na torre,
               Para depois fazer a sua escolha
               De um lugar que lhe dê maior prazer.

   PRÍNCIPE
               De todos, não gosto nada da torre.
               Foi Júlio César que a mandou erguer?[27]

   BUCKINGHAM
70   Foi ele que iniciou a construção;
               Que desde então, em várias outras eras,
               Foi sucessivamente reformada.

   PRÍNCIPE
               Isso consta de arquivos, ou é lenda
               Que passa de era em era, que ele a ergueu?

---

27 Os elisabetanos atribuíam a construção da Torre Branca a Júlio César ainda que ele tivesse vivido quase mil anos antes da construção da Torre de Londres no século XI. (N. E.)

BUCKINGHAM
75   Consta de arquivos, meu gracioso lord.

PRÍNCIPE
           Pois mesmo que não fosse registrado
           Eu penso que a verdade, sempre viva,
           Seria propagada pelos tempos
           Até o próprio dia do Juízo.

RICARDO
                 (À parte.)
80   Quem é sábio tão jovem morre cedo.

PRÍNCIPE
           Que dizes, meu tio?

RICARDO
           Que nunca morre a fama do que é sábio.
           (À parte.) Como o demônio da Iniquidade,[28]
           Eu brinco com o sentido do que digo.

PRÍNCIPE
85   Júlio César foi um homem famoso,
           Que com valor enriquecia o espírito,
           Do qual sempre nutriu o seu valor.
           Um vencedor assim não é vencido
           Pois se hoje é morto vive em sua fama.
90   E eu lhe garanto, primo Buckingham...

BUCKINGHAM
           Garante o quê, gracioso senhor?

PRÍNCIPE
           Se eu viver até de fato ser um homem
           Farei valer nosso direito à França[29]
           Ou morrerei soldado, sendo rei.

RICARDO
                 (À parte.)
95   Verão que chega logo, logo acaba.

BUCKINGHAM
           Em boa hora chega o duque de York.

---

28 O demônio da Iniquidade se refere ao Vício, personagem do drama medieval. (N. E.)
29 O direito sobre a França foi requerido e conquistado por Henrique V; em *Henrique VI, partes 1 e 2*, a França é perdida. (N. E.)

(Entram o Jovem York, Hastings e o Cardeal.)

PRÍNCIPE

Ricardo! Como vai, querido irmão?

YORK

Bem, meu senhor; assim devo chamá-lo.

PRÍNCIPE

Eu sei, irmão; pra sua e nossa dor.
Morreu quem soube usar tão bem o título
Que, morto ele, perde em majestade.

RICARDO

Como passa, meu primo, Lord de York?

YORK

Bem, caro tio. Vós a mim dissestes
Que a erva má tem fácil crescimento:
Meu irmão cresceu muito mais que eu.

RICARDO

É verdade, senhor.

YORK

Por isso é mau?

RICARDO

Ó meu primo, eu não devo dizer tal.

YORK

Então o considera mais que a mim.

RICARDO

Sendo o soberano, ele me governa.
Mas teu poder sobre mim é o de parente.

YORK

Meu tio, quer ceder-me esse punhal?

RICARDO

O meu punhal, priminho? Com prazer.

PRÍNCIPE

Mendiga, irmão?

YORK
De meu tio, que eu sei que me dará;
115 Sendo brinquedo, não lhe custa dar.

RICARDO
Presente maior daria ao primo.

YORK
Maior? Então é a espada que vai dar.

RICARDO
Daria, se não fosse tão pesada.

YORK
Vejo que vais fazer presentes leves;
120 Coisas pesadas negais ao pedinte.

RICARDO
É muito peso para Sua Graça.

YORK
É um peso que eu carrego com leveza.

RICARDO
Quer minha arma, meu pequeno lord?

YORK
Seria assim meu agradecimento.

RICARDO
125 Assim, como?

YORK
            Pequeno.

PRÍNCIPE
O duque de York é muito respondão;
Meu tio tem paciência em suportá-lo.

YORK
E mais ainda em ser o meu suporte.
O mano, tio, ri-se de nós dois:
130 Por ser eu pequenino como um mico
Acha que devo andar sobre os seus ombros.

Buckingham

(À parte, para Hastings.)
Com que agudeza raciocina ele!
Mitigando a chacota com seu tio,
Caçoa prontamente de si mesmo.
Tão vivo e tão criança, é formidável!

Ricardo

Quer prosseguir agora, meu senhor?
Eu e o meu caro primo Buckingham
Vamos ver sua mãe pra suplicar-lhe
Que na torre lhe dê as boas-vindas.

York

O que, senhor? Pretende ir para a torre?

Príncipe

Assim o quer o meu lord protetor.

York

Não dormiria tranquilo na torre.

Ricardo

O que poderia temer por lá?

York

Ora, o fantasma irado do tio Clarence:
Vovó me disse que o mataram lá.

Príncipe

Pois eu não temo tios falecidos.

Ricardo

Nem aqueles que vivem, eu espero.

Príncipe

Se estão vivos, não tenho que temê-los.
Vamos, senhor; co'o coração pesado,
Pensando neles, eu irei à Torre.

(Clarinada. Saem todos, menos Ricardo, Buckingham e Catesby.)

Buckingham

Não acha que esse York, tão falador,
Foi incensado pela mãe, astuta,
Pra que o escarnecesse desse modo?

RICARDO
Sem dúvida, é garoto perigoso,
Vivo, engenhoso, esperto, decidido,
É a mãe tal qual, da testa até os pés.

BUCKINGHAM
Deixa-os descansar. Catesby, vem cá.
Tu fazes parte a fundo, deste pacto,
E guardarás segredo deste intento.
Conheces as razões que nos norteiam:
Não julgas que será tarefa fácil
Trazer Lord Hastings para o nosso lado,
Que quer ver instalado o nobre duque
No trono real desta famosa ilha?

CATESBY
Ele amou tanto o pai quanto ama o príncipe;
Nada o fará voltar-se contra ele.

BUCKINGHAM
O que pensas de Stanley? Pode vir?

CATESBY
Ele fará em tudo como Hastings.

BUCKINGHAM
Então, faz o seguinte, caro Catesby:
Um pouco assim de longe, sonda Hastings.
Vê como ele recebe nossa ideia;
Convoca-o amanhã para ir à torre
Fazer os planos da coroação.
Se vês que está sensível ao projeto,
Dá-lhe coragem, mostra-lhe as razões;
Se o vires frio, avesso, sem vontade,
Mostra-te assim também; corta a conversa
E me informa da inclinação dele.
Pois amanhã teremos dois conselhos,
Nos quais também terás uma função.

RICARDO
Diga a Lord William que o saúdo e digo
Que o velho grupo de seus adversários
Em Pomfret amanhã será sangrado;
E pede-lhe que, alegre co'a notícia,
Dê outro doce beijo na senhora Shore.

BUCKINGHAM
　　　Bom Catesby, conduz firme esse negócio.

CATESBY
　　　Senhores meus, farei do meu melhor.

RICARDO
　　　Teremos logo uma palavra tua?

CATESBY
　　　Tereis, milord.

RICARDO
190　　Em Crosby com certeza hás de encontrar-nos.

　　　　　　　　　　　　　　　　　　(Sai CATESBY.)

BUCKINGHAM
　　　Amigo, o que então faremos nós
　　　Se Lord Hastings não entra no complô?

RICARDO
　　　Cortamos-lhe a cabeça – algo faremos.
　　　E olha, quando eu for rei, podes pedir-me
195　　O Condado de Hereford, mais os bens
　　　Que pertenciam a meu irmão, o rei.

BUCKINGHAM
　　　Reclamarei sem falta essa promessa.

RICARDO
　　　Que com prazer por mim será cumprida.
　　　Vamos logo cear, porque mais tarde
200　　É esta trama que vamos digerir.

　　　　　　　　　　　　　　　　　　(Saem.)

CENA 2
Diante da casa de Lord Hastings.

(Entra um MENSAGEIRO e para à porta de HASTINGS.)

MENSAGEIRO
　　　(Batendo.)
　　　Milord! Milord!

HASTINGS
          (De dentro.)
                    Quem bate?

MENSAGEIRO
          Alguém da parte de Lord Stanley.

HASTINGS
          (De dentro.)
          Que horas são?

MENSAGEIRO
                    Já bateram as quatro.

          (Entra HASTINGS.)

HASTINGS
          Lord Stanley não consegue dormir?

MENSAGEIRO
5   Assim creio, de acordo com o recado.
          Primeiro, ele ao senhor se recomenda.

HASTINGS
          E então?

MENSAGEIRO
                    Então ele o avisa que esta noite
          Sonhou que o javali cortou-lhe o elmo;
          E que, além disso, há hoje dois conselhos
10   E que em um deles podem ser tramadas
          Coisas que, no outro, a ambos farão mal.
          Assim, quer conhecer sua vontade –
          Se quer, como ele pensa, montar logo,
          Cavalgando os dois juntos para o norte,
15   Evitando o perigo que adivinha.

HASTINGS
          Vai, camarada: volta ao teu patrão;
          Diz-lhe que nada tema dos conselhos.
          A sua honra e a minha estão de um lado,
          E do outro lado o meu amigo Catesby;
20   Nada ali pode haver que nos atinja
          De que este não me dê conhecimento.
          Diz-lhe que seus receios são ingênuos,
          E quanto ao sonho, espanta-me que seja

    Tão fraco para crer em pesadelos.
25 Fugir do javali antes que ataque
    Seria incentivá-lo a perseguir-nos
    Quando talvez nem lhe ocorresse a ideia.
    Vai, diz ao teu senhor que venha ver-me,
    E iremos logo, juntos, para a torre,
30 Ver quão bem nos recebe o javali.

Mensageiro
    Eu irei repetir-lhe o que me diz.

                                                            (Sai.)

    (Entra Catesby.)

Catesby
    Bons dias, meu amigo e nobre lord!

Hastings
    Bom dia, Catesby; como madrugou!
    Que novidades, nesta terra inquieta?

Catesby
35 De fato o nosso mundo está sem calma
    E só se firmará, segundo eu penso,
    Se Ricardo ostentar o emblema real.

Hastings
    O emblema real? Tu falas da coroa?

Catesby
    Sim, meu bom lord.

Hastings
40 Antes ter a cabeça decepada
    Do que ver a coroa tão mal posta.
    Mas julgas tu que ele a tem em mira?

Catesby
    Por minha vida. E espera o teu apoio
    Para auxiliá-lo nessa magna empresa;
45 Para isso aqui te envia a boa nova –
    Que hoje mesmo serão decapitados
    Em Pomfret os parentes da rainha.

Hastings
    Não me causa desgosto tal notícia,

Porque eles sempre foram contra mim.
Mas dar meu voto pra coroar Ricardo,
Barrando os descendentes do meu rei,
Deus sabe que não o farei até a morte.

CATESBY
Deus te conserve nesse nobre espírito!

HASTINGS
Mas hei de rir daqui a doze meses –
Por viver pra poder ver a tragédia
De quem lançou meu amo contra mim.
Antes de envelhecer mais quinze dias
Enterrarei alguns que não esperam.

CATESBY
É terrível morrer, meu bom senhor,
Sem esperar, e sem 'star preparado.

HASTINGS
É monstruoso! Mas é o que acontece
Com Rivers, Vaughan, Grey, e outras pessoas
Que julgam 'star a salvo, qual nós dois –
Que, como sabes, somos estimados
Do magnífico Ricardo e de Buckingham.

CATESBY
Ambos fazem de ti grande conceito,
(À parte.) Tão grande que lhe querem a cabeça.

HASTINGS
Sei que fazem, e o tenho merecido.

(Entra STANLEY.)

Que é isso, homem, não trazeis a lança?
Temeis o javali e andais sem armas?

STANLEY
Bons dias, meu senhor; bons dias, Catesby.
Podeis brincar, mas pela Santa Cruz
Não me agradam conselhos divididos.

HASTINGS
Senhor, a minha vida me é tão cara
Como a vossa vos é; e nunca estive

Tão certo disso como estou agora:
Se não sentisse plena segurança
'Staria triunfante como estou?

STANLEY

Os nobres que partiram para Pomfret
80 Saíram tão seguros e contentes –
Não tendo mesmo nada a desconfiar;
E, contudo, depressa veio o raio.
Esse golpe de ódio me preocupa:
Oxalá o meu medo seja tolo!
85 Vamos à Torre? O dia já vai alto.

HASTINGS

Vamos, vamos. Sabeis já que esses lords
Hoje mesmo serão decapitados?

STANLEY

Leais, usavam as suas cabeças
Melhor que muitos outros, que os acusam,
90 Sabem usar, sequer, os seus chapéus.
Mas vamos, meu senhor, vamos embora.

(Entra um MENSAGEIRO.)

HASTINGS

Irei após falar co'este camarada.

(Saem STANLEY e CATESBY.)

Então, como vai para ti o mundo?

MENSAGEIRO

Melhor porque o senhor assim pergunta.

HASTINGS

95 Quanto a mim, vou melhor neste momento
Do que da última vez que nos vimos;
Eu ia prisioneiro para a torre,
Por sugestão de amigos da rainha.
Mas hoje – guarda isto para ti –
100 Hoje esses inimigos vão à morte,
E eu me sinto melhor do que nunca.

MENSAGEIRO
Deus o conserve assim!

HASTINGS
Obrigado, bebe co'isto à minha saúde.

(Dá-lhe uma bolsa com dinheiro.)

MENSAGEIRO
Muito obrigado a Vossa Senhoria!

(Sai.)

(Entra um PADRE.)

PADRE
105 Feliz encontro; folgo imenso em vê-lo.

HASTINGS
Obrigado, Sir John, de coração.
'Stou-lhe devendo pelo que me fez;
Venha sábado e hei de pagar-lhe a dívida.

(Segreda a seu ouvido. Entra BUCKINGHAM.)

PADRE
'Starei esperando Vossa Senhoria.

(Sai.)

BUCKINGHAM
110 Conversando com um padre, meu senhor?
Isso é pros amigos lá em Pomfret;
Não creio que se queira confessar.

HASTINGS
Tem razão; quando vi o santo homem
Esses nomes vieram-me ao espírito.
115 Vai dirigir-se à torre?

BUCKINGHAM
Sim, senhor; mas não posso demorar-me:
Eu voltarei antes do meu amigo.

HASTINGS
É possível; pois eu lá irei jantar.

BUCKINGHAM
              (À parte.)
       Cear também, embora não o saiba.
120   Vamos, então?

HASTINGS
              Estou ao seu dispor.

                              (Saem.)

CENA 3
Castelo de Pomfret.

(*Entra* SIR RICHARD RATCLIFFE, *com alabardas, conduzindo* RIVERS, GREY *e* VAUGHAN *para a morte.*)

RATCLIFFE
       Vinde, trazei aqui os prisioneiros.

RIVERS
       Sir Richard Ratcliffe, deixai que vos diga
       Que hoje aqui vereis morrer um súdito
       Por verdade, dever, e lealdade.

GREY
5   Deus guarde o príncipe de vossa corja!
       Sois todos gente vil e sanguinária.

VAUGHAN
       Vivereis pra chorar o que fazeis.

RATCLIFFE
       Depressa; vossas vidas terminaram.

RIVERS
       Ó Pomfret! Ó prisão sanguinolenta!
10   Fatal aos nobres pares da Inglaterra!
       Dentro destas muralhas criminosas
       Foi Ricardo Segundo trucidado;
       E para maior fama de teus crimes
       Nosso sangue inocente bebes hoje.

GREY
15   Cai sobre nós a maldição de Margaret,
       A que, qual louca, lançou contra Hastings,
       E contra nós, por termos assistido
       Ricardo, impune, assassinar seu filho.

Rivers

    Ela amaldiçoou Ricardo e Buckingham
    E depois Hastings. Ó lembrai-vos, Deus,
    De ouvir seus rogos contra eles também!
    E quanto à minha irmã e seus dois príncipes,
    Que vos baste, meu Deus, o nosso sangue
    Fiel, injustamente derramado.

Ratcliffe

    Apressai-vos; chegou a hora da morte.

Rivers

    Vamos, Grey, Vaughan, aqui nos abracemos;
    Adeus, até nos vermos lá no céu.

(Saem.)

CENA 4
Londres. A torre.

(Entram Buckingham, Stanley, Hastings, o Bispo de Ely, Ratcliffe, Lovell, com outros à mesa.)

Hastings

    Nobres pares, a causa deste encontro
    É marcarmos a nova coroação:
    Falai, por Deus – quando será o dia?

Buckingham

    'Stá tudo pronto para a cerimônia?

Stanley

    Tudo pronto, só falta a indicação.

Bispo

    Então julgo amanhã um belo dia.

Buckingham

    Alguém sabe o que pensa o protetor?
    Quem está mais perto do sereno duque?

Bispo

    Eu penso que ninguém mais que o senhor.

Buckingham

    Quem, eu, senhor? Eu lhe conheço o rosto;

               Mas ele não conhece meus sentimentos
               Mais do que eu os vossos; e quanto aos dele,
               Ignoro-os tanto quanto vós os meus.
               Lord Hastings, ele e vós são bons amigos.

       HASTINGS
15   Sou grato por saber que ele me estima;
               Mas sobre a coroação e seus projetos
               Eu não sondei su'alma, nem, acaso,
               Ele me disse o que sobre isso pensa.
               Mas vós, meus nobres lords, fixai o dia;
20   E vos darei meu voto pelo duque,
               O que será bem recebido, eu creio.

       BISPO
               Em boa hora eis que chega o duque.

                  (Entra RICARDO.)

       RICARDO
               Nobres primos e lords, muito bom dia.
               Dormi mais que devia, mas espero
25   Que minha ausência não tenha impedido
               As conclusões que deviam ser tomadas.

       BUCKINGHAM
               Se não viésseis assim, tão a propósito,
               Hastings faria aqui vosso papel,
               Votando, isto é, pela coroação.

       RICARDO
30   Ele, mais que ninguém, podia ousá-lo,
               Pois me ama e me conhece muito bem.
               Meu Lord de Ely, estive há pouco em Holborn,
               E vi lindos morangos em sua horta:
               Peço-lhe que me mande vir alguns.

       BISPO
35   Pois não, meu lord; de todo o coração.

                                                    (Sai.)

       RICARDO
               Meu primo Buckingham, uma palavra.

                  (Leva-o à parte.)

                Catesby sondou a Hastings sobre o caso,
                E viu que o nosso amigo é tão teimoso
                Que prefere perder sua cabeça
40   A consentir que o filho de seu senhor –
                Assim concebe a sua lealdade –
                Perca a realeza e o trono da Inglaterra.

BUCKINGHAM
                Sai um momento, que eu irei contigo.

                                    (Sai RICARDO, seguido por BUCKINGHAM.)

STANLEY
                Não marcamos ainda o grande dia:
45   Amanhã, a meu ver, é muito cedo;
                Pois nem eu mesmo estou tão preparado
                Quanto estaria, com mais algum tempo.

                    (Entra o BISPO DE ELY.)

BISPO
                Onde está milord, o duque de Gloucester?
                Já mandei vir pra ele estes morangos.

HASTINGS
50   Sua Graça 'stá hoje alegre e vivo;
                Há qualquer coisa que lhe dá prazer,
                Pois dá bom dia assim, tão animado;
                Não conheço ninguém na cristandade
                Que menos dissimule amor e ódio;
55   Pelo rosto se lê seu coração.

STANLEY
                O que sua face mostrou do coração,
                Conforme a alegria que hoje ostenta?

HASTINGS
                Ora, que não tem mágoa dos presentes;
                Pois, do contrário, logo o mostraria.

STANLEY
60   Eu rogo a Deus que não a tenha, crede.

                    (Entram RICARDO e BUCKINGHAM.)

RICARDO

Dizei-me, por favor, o que merece
Quem conspira, tramando a minha morte,
Com danada magia que consegue
Cercar meu corpo de infernal feitiço?

HASTINGS

65 A afeição que vos tenho, nobre lord,
Me anima a reclamar nesta assembleia
A punição dos culpados, sejam eles
Quem forem; só lhes cabe a própria morte.

RICARDO

Pois sejam vossos olhos testemunhas
70 Do mal que causam; vede este meu braço
Descarnado e murchando como um tronco;
É a mulher de Eduardo, essa megera,
Unida a Shore, canalha prostituta
Que, por bruxaria, assim me marcou.

HASTINGS

75 Se elas fizeram isso, caro lord...

RICARDO

"Se"? Protegendo a tua meretriz
Vens me falar de "se"? És um traidor.
Cortemos-lhe a cabeça, por São Paulo!
Não jantarei sem tê-lo conseguido.
80 Lovell e Ratcliffe, cumpri esta ordem.
Os outros, que me estimam, que me sigam.

(Saem todos, menos HASTINGS, LOVELL e RATCLIFFE.)

HASTINGS

Pobre Inglaterra! Não choreis por mim;
Pois, tolo, eu não fiz por evitá-lo.
Stanley sonhou com o javali quebrando
85 Nossos elmos; mas eu não quis fugir:
Três vezes meu cavalo tropeçou,
Quase caindo, ao avistar a torre,
Como se não quisesse aqui trazer-me.
Agora eu bem queria ter um padre;
90 E agora me arrependo de ter dito,
Triunfante, que o sangue do inimigo
Em Pomfret correria neste dia,
Estando eu seguro e garantido.

Ó Margaret! Tua horrível maldição
Pesa em minha cabeça desgraçada.

RATCLIFFE

Depressa, meu senhor; o duque espera.
Deve ser breve vossa paz com Deus,
Pois ele anseia por vossa cabeça.

HASTINGS

Ó graça transitória dos mortais,
Que ambicionamos mais do que a de Deus!
Quem põe sua esperança em seus favores
Vive qual marinheiro embriagado
Num mastro, sempre prestes a cair
Nas entranhas fatais do fundo oceano.

LOVELL

Vamos, de nada valem tais clamores.

HASTINGS

Sanguinário Ricardo! Pobre pátria!
Eu te predigo tempos mais nefandos
Que os de todos os séculos passados.
Levai-me à morte, e a ele a minha testa!
Vai morrer breve quem hoje dá festa.

(Saem.)

CENA 5
As muralhas da torre.

(Entram RICARDO e BUCKINGHAM, com péssimo aspecto e com armaduras amassadas.)

RICARDO

Primo, podes tremer, mudar de cor,
Sufocar pelo meio uma palavra,
Depois recomeçar, parar de novo,
Como se enlouquecesses de terror?

BUCKINGHAM

Posso imitar perfeitamente um trágico:
Falar pra trás, olhar todos os lados,
Tremer de medo ao ruído de uma palha,
Simular um terror o mais completo,
Fazer olhares vagos, falsos risos,

10 Tudo isso me obedece a qualquer hora
Para servir aos meus estratagemas.
Mas quê? Catesby saiu?

RICARDO

Saiu, e traz co'ele o senhor prefeito.

(Entram o PREFEITO e CATESBY.)

BUCKINGHAM

(Como se levasse um susto.)
Meu senhor prefeito...

RICARDO

15 Muita atenção com a ponte levadiça!

BUCKINGHAM

Ouço um tambor.

RICARDO

Catesby, vigia os muros!

(Sai CATESBY.)

BUCKINGHAM

Senhor prefeito, nós o trouxemos...

(Entram LOVELL e RATCLIFFE, com a cabeça de HASTINGS.)

RICARDO

Cuidado! Olhai atrás! É o inimigo!

BUCKINGHAM

Deus e a nossa inocência nos protejam!

RICARDO

20 Ratcliffe e Lovell! Esses são amigos!

LOVELL

Eis a cabeça do traidor ignóbil,
Hastings, de quem ninguém desconfiava.

RICARDO

Eu o estimava tanto que inda o choro.

Tomava-o pelo ser mais inocente
25 Que respirava neste mundo inteiro;
Fi-lo meu livro, onde minh'alma punha
Os seus mais reservados pensamentos;
Era tão hábil, encobrindo os vícios,
Tanta virtude apresentava a todos,
30 Que, não fora por seu crime indisfarçável –
Sua união com a mulher de Shore –
Viveria sem sombra e suspeita.

BUCKINGHAM
Ele foi traidor dissimulado.
Podereis supor, ou imaginar –
35 Se não tivéssemos ainda vida
Para contar – que esse sutil traidor
Tinha tramado, dentro do conselho,
Assassinar-me a mim e ao duque Gloucester?

PREFEITO
Como, ele assim fez?

RICARDO
40 Pensais que somos turcos infiéis?
Que iríamos agir sem os preceitos
Da lei, matando assim violentamente
Esse vilão, se a urgência do perigo,
A paz da pátria e a nossa segurança
45 Não exigissem essa execução?

PREFEITO
Agistes bem! Mereceu ele a morte.
Vossas Altezas foram precavidos
Dando esse exemplo aos vis conspiradores
Que pudessem fazer iguais violências.

BUCKINGHAM
50 Nunca olhei com bons olhos esse moço
Desde que se juntou à senhora Shore.
No entanto, não queríamos matá-lo
Antes que viésseis vê-lo no seu fim;
Mas o zelo apressado dos amigos
55 Fez mais depressa o que determinamos;
Pois seria bom se o tivésseis ouvido
Confessar a traição que preparava,
Os seus propósitos e as suas táticas,
Para poder tudo isso divulgar

60 Aos cidadãos, que estavam iludidos,
Interpretando mal os nossos atos
E lamentando a morte que lhe demos.

PREFEITO

Mas meu bom lord, essas palavras bastam:
É como se eu tivesse visto e ouvido.
65 Tende pois, meus amigos, a certeza
De que farei saber a toda gente
A justiça da vossa decisão.

RICARDO

Por isso desejávamos que o ouvísseis
Evitando a censura dos maldosos.

BUCKINGHAM

70 Mas, por haveres chegado assim tarde,
Crede nas intenções do que afirmamos:
E assim, senhor, aqui nos despedimos.

(Sai o PREFEITO.)

RICARDO

Acompanha-o, vá, meu primo Buckingham.
O prefeito com pressa se dirige
75 Ao Guildhall; no momento apropriado
Afirma serem bastardos os príncipes;
Diz que Eduardo assassinou um homem
Por ele dizer que faria de
Seu filho herdeiro da coroa real —
80 Referindo-se, é claro, à sua casa.
Fala de seus amores impudicos,
Da sua bestial concupiscência;
Que não poupava as filhas e as esposas
Dos seus criados, sempre que os seus olhos
85 Cobiçavam de súbito uma presa.
Podes mesmo fazer, se necessário,
Referências à honra da família;
Diz mais: que a minha mãe foi emprenhada
Desse sedento Eduardo quando York,
90 Meu nobre e real pai, estava ausente,
Guerreando na França; e computado
O tempo que a deixara, convenceu-se
De que não era sua essa criança,
Cujos traços não eram os seus traços.

95   Mas isso só refiras vagamente,
Pois, como sabes, minha mãe é viva.

BUCKINGHAM
Ficai tranquilo, primo; falarei
Como se o prêmio áureo que pleiteio
Fosse para mim próprio. Adeus, milord.

RICARDO
100   Se tiveres sucesso traz todos
Ao Castelo de Baynard; lá estarei
Na perfeita e louvável companhia
De santos padres e letrados bispos.

BUCKINGHAM
Já vou; lá pelas três ou quatro horas
105   Já terás notícias minhas do Guildhall.

(Sai.)

RICARDO
Vai, Lovell, vai depressa ao doutor Shaa.

(Para RATCLIFFE.)

Vai tu ao frade Penker. Peçam a eles
Que dentro de uma hora venham ter
Comigo no castelo de Baynard.

(Saem LOVELL e RATCLIFFE.)

110   Agora darei ordens reservadas
Pra que se escondam as crias de Clarence,
E pra deixar bem claro que ninguém
Pode chegar nem perto dos dois príncipes.

(Sai.)

CENA 6
Londres. Uma rua.

(Entra um ESCRIVÃO, com um papel na mão.)

ESCRIVÃO
Que bela letra usei na acusação[30]

---
30 O escrivão deixa claro que começou a transcrever a acusação contra Hastings muito antes que este fosse acusado ou preso. (N. E.)

             Do bom Lord Hastings, que irá ser lida
             Inda hoje em São Paulo. É muito estranho!
             Gastei onze horas para transcrevê-la,
5   Pois Catesby a mandou ontem à noite –
             E a minuta exigiu todo esse tempo.
             Contudo, há cinco horas, mais ou menos,
             Hastings ainda vivia em liberdade,
             Sem qualquer acusação ou suspeita.
10   Que mundo é o nosso! Quem será tão tolo
             Que não veja tão palpável artifício?
             Mas quem terá coragem pra dizê-lo?
             O mundo é mau; e tudo está perdido
             Se dizer a verdade é proibido.

                                                        (Sai.)

CENA 7
Castelo de Baynard.

(Entram Ricardo e Buckingham, e se encontram.)

RICARDO
             Então? Que diz o povo por aí?

BUCKINGHAM
             Pela sagrada santa mãe de Cristo,
             O povo está calado; nada diz.

RICARDO
             Tocaste na questão da bastardia?[31]

BUCKINGHAM
5   Toquei; e em seu amor com Lady Lucy,[32]
             E em seu contrato preparado em França;[33]
             Na sedenta ambição de seus desejos;
             Na violência exercida co'as mulheres;
             Na tirania com pequenas coisas;
10   Na própria bastardia do seu berço,
             Pois nasceu quando o pai 'stava na França,
             Não tendo o menor traço da família.
             E lembrei logo que, com sangue puro,
             És o retrato vivo de teu pai,
15   Na forma e na nobreza das ideias;

---

31 Refere-se à bastardia dos filhos de Eduardo. (N. E.)

32 Lady Lucy tivera um filho do Rei Eduardo, de modo que, se houvesse, de fato, como sugere Buckingam, um acordo ou contrato pré-nupcial entre os dois, o casamento de Elizabeth Grey seria inválido. (N. E.)

33 Eduardo enviou o Conde de Warwick para a França a fim de negociar seu casamento com Lady Bona, cunhada do rei francês; o episódio aparece em *Henrique VI, Parte 3*. (N. E.)

Recordei tuas vitórias na Escócia,
Teu batalhar na guerra, teu talento
Para guiar na paz; tua humildade;
Enfim, nada esqueci do que pudesse
Favorecer-te o plano; e, terminando,
Para encerrar com brilho o meu discurso,
Pedi que quem amasse a sua terra
Desse um viva a Ricardo, nosso rei!

RICARDO

E o fizeram?

BUCKINGHAM

Juro por Deus que não disseram nada;
Mas, como estátuas mudas, como pedras,
Olharam uns p'ros outros, muito pálidos.
Vendo isso, repreendi-os, perguntando
Ao prefeito as razões de tal silêncio.
Respondeu-me que o povo não costuma
Ouvir novas senão na voz do arauto.
Pois fiz com que ele repetisse tudo
E ele o fez, pondo sempre uma ressalva:
"Assim falou o duque", "o duque pensa"
Mas nada acrescentou que fosse seu.
Quando calou, alguns dos meus sequazes,
No fim da sala, erguendo seus bonés,
Gritaram "Viva o rei"! "Viva Ricardo!"
Então tomei vantagem desses poucos —
"Obrigado, senhores, bons amigos.
Esses aplausos e alegres gritos
Provam vosso juízo e amor ao duque."
E isso dizendo, retirei-me, e vim.

RICARDO

Mas que rochedos mudos! Não falaram?
Nem virão o prefeito e seus colegas?

BUCKINGHAM

Ele está aqui. Vê se te mostras tímido;
Não o receba... se não for vital!
Toma na mão um livro de orações,
Só entra acompanhado de dois padres,
Sobre o que vou fazer um bom sermão.
Não cedas facilmente ao nosso rogo;
Faz qual uma donzela: nega e aceita.

RICARDO
    Se tu te empenhas tanto em convencer-me
    Quanto eu em dizer não da minha parte,
55   'Stou certo que o sucesso será nosso.

BUCKINGHAM
    Agora, sobe. O prefeito já vem.

(Sai RICARDO.)

(Entram o PREFEITO, vereadores e cidadãos.)

    Sede bem-vindo, lord. Estou à espera,
    Porém o duque não quer ver ninguém.

(Entra CATESBY.)

    Que diz o duque ao meu pedido, Catesby?

CATESBY
60   Ele manda pedir, meu nobre lord,
    Que amanhã venha vê-lo, ou outro dia;
    Ele está com dois reverendos padres,
    Entregue às preces e à meditação;
    E nada há neste mundo que o desvie
65   Dos seus piedosos, santos exercícios.

BUCKINGHAM
    Volta, bom Catesby, ao nosso nobre duque:
    Diz-lhe que eu, o prefeito, e alguns senhores,
    Com altos desígnios sobre assunto sério,
    Que têm em vista o bem-estar geral,
70   Viemos ouvir-lhe a sábia opinião.

CATESBY
    Irei dizer-lhe imediatamente.

(Sai.)

BUCKINGHAM
    Não é nenhum Eduardo esse, milord!
    Não se acha recostado em leito escuso
    Mas de joelhos e em meditação;
75   Não goza com impudicas cortesãs
    Mas conversa com sábios e doutores;
    Não dorme, nem engorda o corpo mole
    Mas reza, reverenciando a alma serena.

>   Feliz seria a pátria se esse príncipe
> 80   Tomasse para si o seu governo;
>   Mas não creio que aceite a nossa ideia.
>
> PREFEITO
>   Deus não permita que ele diga não!
>
> BUCKINGHAM
>   É o que temo.
>
>   *(Entra CATESBY.)*
>
>   Eis que volta Catesby!
>   Então? O que responde Sua Alteza?
>
> CATESBY
> 85   O duque não compreende que motivo
>   Pode trazer aqui tão grande grupo
>   Sem que fosse avisado. E até receia
>   Que nutram maus desígnios contra ele.
>
> BUCKINGHAM
>   Lamento que o meu primo assim suspeite
> 90   De mim, que eu possa acaso ser-lhe adverso:
>   Por Deus, com nobres intenções viemos;
>   Assim, volta de novo em nosso nome.
>
>   *(Sai CATESBY.)*
>
>   Quando homens tão piedosos e devotos
>   'Stão com o rosário, é cruel interrompê-los,
> 95   Tão doce é a hora da meditação.
>
>   *(Entra RICARDO, ao alto, entre dois bispos. Volta CATESBY.)*
>
> PREFEITO
>   Mas vede, é o duque, entre dois sacerdotes!
>
> BUCKINGHAM
>   Dois esteios da fé de um bom cristão,
>   Que o defendem dos erros da vaidade.
>   E, vede, há um breviário em sua mão –
> 100   Verdadeiro ornamento de um devoto.
>   Plantageneta, bom e doce príncipe,
>   Prestai ouvidos ao nosso pedido;

                Perdoai termos vindo interromper
                O vosso ardente zelo de cristão.

    RICARDO
105   Milord, não há motivo pra desculpas:
                Eu é que deveria desculpar-me;
                Por estar tão entregue às minhas preces
                Fui descortês com essa visita amiga.
                Mas em que posso ser-vos agradável?

    BUCKINGHAM
110   Em uma ação que agradará a Deus
                Como aos homens de bem da nossa ilha.

    RICARDO
                Temo ter feito alguma grave ofensa
                Que esta cidade veja com maus olhos;
                E vindes censurar minha ignorância.

    BUCKINGHAM
115   Fizestes, meu senhor. Prouvera a Deus
                Que procurásseis reparar a falta.

    RICARDO
                Não seria cristão se o não fizesse.

    BUCKINGHAM
                Sabei que vosso crime é recusar
                O alto assento do trono majestático,
120   O cetro que empunharam vossos pais,
                Vosso direito antigo e hereditário,
                Glória real de uma real família,
                E entregar a um rebento de outro ramo,
                Poluído e bastardo, essa grandeza:
125   Enquanto vos quedais na indiferença,
                Adormecido em doces pensamentos
                Que interrompemos para o bem da pátria.
                Esta ilha nobre ignora as próprias forças,
                Sua face está marcada pela infâmia,
130   Seu trono real cheio de vis enxertos,
                E quase mergulhado na caverna
                Do esquecimento e da destruição.
                Para salvá-la nós solicitamos
                A Vossa Alteza que se dê o encargo
135   De governar esta terra como rei:
                Não como protetor ou substituto,

            Ou qual simples feitor de qualquer outro,
            Mas como sucessor do mesmo sangue,
            Por direito de herança e nascimento.
140   Para esse fim, vêm respeitosamente
            Estes vossos amigos verdadeiros,
            Segundo acordo com os cidadãos,
            Pedir-vos que atendais às nossas súplicas.

    RICARDO
            Não sei se ir-me embora sem falar-vos,
145   Ou se repreender-vos rudemente
            É o mais correto para mim e vós.
            Não respondendo, podereis supor-me
            Tão vaidoso que cale consentindo
            Suportar o supremo jugo de ouro
150   Que gentilmente vós me ofereceis;
            Por outro lado, se vos repreendo
            Parecerei ingrato aos bons amigos
            Que me trazem tal prova de afeição.
            Assim, não evitando responder-vos,
155   E não usando a outra alternativa,
            Quero dizer, definitivamente:
            Vossa amizade pede agradecimento,
            Mas não valho escolha tão grandiosa.
            Mesmo que não houvesse mil obstáculos,
160   E o caminho do trono fosse aberto
            Ao meu direito por meu nascimento,
            Eu sei que meu espírito é tão pobre,
            Tão grandes e sérios os meus defeitos,
            Que prefiro furtar-me a essa grandeza –
165   Não sendo barco afeito a tempestades –
            Do que expor-me a perder-me na tormenta
            E afogar-me nas ondas dessa glória.
            Mas, Deus louvado, eu não faço falta –
            Falta faria sendo eu necessário –
170   A árvore real deu real fruto
            Que, maduro com o passar do tempo,
            Há de bem ajustar-se ao trono real,
            Fazendo-nos felizes com seu reino.
            Deponho nele o que quereis em mim;
175   O direito e a missão de sua estrela,
            Que Deus me livre de lhe arrebatar.

    BUCKINGHAM
            Milord, isso é exagero de consciência;
            Vossos motivos, fracos e triviais,

| | Considerada a fundo a circunstância.
180 | Eduardo é filho de seu irmão:
| É verdade, mas não da esposa dele,
| Pois foi antes prometido a Lady Lucy,
| Como há de confirmar a vossa mãe;
| Depois, por um segundo compromisso,
185 | Uniu-se a Bona, irmã do rei de França.
| Traídas ambas, veio uma mendiga,
| Mãe tresloucada já de muitos filhos,
| Viúva de beleza fenescente
| Que mesmo no ocaso de seus dias
190 | Captou o cúpido olhar real
| E fê-lo rebaixar-se de seu nível,
| Caindo numa infame bigamia:
| Por ela, e no seu leito dissoluto,
| Teve esse filho, que chamamos príncipe.
195 | Denúncias mais amargas eu faria
| Se, por respeito a alguém que ainda vive,
| Não quisesse pôr termo à minha fala.
| Tomai, pois, meu senhor, nas mãos serenas
| O benefício desta dignidade;
200 | Se não para abençoar a vossa pátria,
| Ao menos para dar prosseguimento
| À nobreza ancestral e resguardá-la
| Da corrupção destes perversos tempos,
| Seguindo o curso da real linhagem.

PREFEITO
205 | Aceitai, meu senhor; o povo implora.

BUCKINGHAM
| Não recuseis a oferta da amizade.

CATESBY
| Dai-lhes prazer, seguindo a lei do trono!

RICARDO
| Ai de mim! Por que dai-me tais labores?
| Não nasci para o estado e a majestade.
210 | Eu vos suplico: não me julgueis mal.
| Não posso e nem desejo submeter-me.

BUCKINGHAM
| Se recusais – se por amor e zelo

                    Vos repugna usurpar de uma criança
                    O trono que ocupava vosso irmão –,
215   Co'a bondade dos vossos sentimentos,
                    A ternura amorosa e feminina
                    Com que cercais os membros da família,
                    Como a todos os mais, isso não importa:
                    Quer aceiteis ou não nosso pedido
220   Esse menino nunca será rei;
                    Colocaremos outro sobre o trono
                    Para desgraça e opróbio deste reino:
                    Com tal resolução nós vos deixamos.
                    Vamos! Por Deus, eu não insisto mais.

    RICARDO
225   Não blasfemeis, meu Lord de Buckingham.

                    (Saem BUCKINGHAM, o PREFEITO e os CIDADÃOS.)

    CATESBY
                    Chamai-os, caro príncipe. Atendei-os;
                    Se recusais, todos lamentaremos.

    RICARDO
                    Quereis impor-me um mundo de cuidados?
                    Pois bem; chamai-os. Eu não sou de pedra,
230   Cedo às vossas instâncias afetuosas,
                    Inda que contra a alma e a consciência.

                    (Voltam BUCKINGHAM e os outros.)

                    Meu primo Buckingham, senhores sábios,
                    Já que quereis lançar às minhas costas
                    Tão nobre fardo, embora eu não o queira
235   Devo ter paciência e resignar-me
                    A suportar o peso da missão.
                    Se a violência, a censura e o desvario
                    Resultarem da vossa imposição,
                    Essa ideia será minha desculpa
240   E levará as manchas e impurezas
                    Que possam marcar a minha atitude;
                    Pois Deus sabe, e vós mesmos podeis ver,
                    Como eu 'stou longe de aspirar a isto.

    PREFEITO
                    Bendito seja! Nós o atestaremos.

RICARDO

245   Atestando-o, afirmais a verdade.

BUCKINGHAM
        Então eu vos saúdo com este título:
        Viva Ricardo, verdadeiro rei!

TODOS
        Amém.

BUCKINGHAM
        Permitis amanhã ser coroado?

RICARDO

250   Quando vos aprouver, já que o quisestes.

BUCKINGHAM
        Amanhã, pois então, aqui estaremos.
        E assim, alegres, nós nos retiramos.

RICARDO
        (Para os bispos.)
        Voltemos aos deveres sacrossantos!
        Até breve, meu primo e meus amigos!

(Saem.)

ATO 4

CENA 1
Londres. Diante da torre.

(Entram, por um lado, a Rainha Elizabeth, a Duquesa de York e Dorset; do outro, Anne, duquesa de Gloucester, trazendo pela mão Lady Margaret Plantageneta, a jovem filha de Clarence.)

Duquesa
Quem nos encontra aqui? A minha neta,
Guiada pela tia Anne de Gloucester?
Creio que se dirigem para a torre,
Para cumprimentar os jovens príncipes.
Que prazer, minha filha.

Anne
                    Deus vos dê
Um dia bem feliz e bem alegre!

Elizabeth
O mesmo a ti, boa irmã! Onde vão?

Anne
Até a torre, levadas, eu creio,
Pelo mesmo motivo que o vosso,
O de congratular os jovens príncipes.

Elizabeth
Obrigada; podemos entrar juntas.
Mas eis que o comandante se aproxima.

(Entra Brakenbury.)

Meu comandante, pode me informar
Como se encontram meus queridos filhos?

Brakenbury
Muito bem, muito bem. Mas acontece
Que não posso deixar que os veja agora:
O rei o proibiu expressamente.

Elizabeth
O rei? Que rei?

BRAKENBURY

        O Lord Protetor.

ELIZABETH

    Deus me proteja de ele usar tal título!
    Quer pôr barreiras entre mãe e filhos?
    Sou sua mãe, quem não m'os deixa ver?

DUQUESA

    Eu sou mãe de seu pai; desejo vê-los.

ANNE

    E eu sua tia, que os quer qual mãe;
    Leve-me a vê-los; tomarei a culpa
    Em seu lugar, correndo todo o risco.

BRAKENBURY

    Não, senhora; não posso consentir;
    Estou comprometido em juramento.
    Rogo o vosso perdão, mas não consinto.

                                         (Sai.)

(Entra STANLEY.)

STANLEY

    Uma hora mais, e eu poderei saudá-la,
    Vossa Graça de York, qual mãe provecta
    E servidora de duas rainhas.

(Para ANNE.)

    Venha, senhora; levo-a pra Westminster,
    Para ser coroada com Ricardo.

ELIZABETH

    Por favor, afrouxai-me este vestido,
    Para que o coração, cheio de angústia,
    Tenha mais amplitude pra bater,
    Senão, vou desmaiar co'esta notícia.

ANNE

    Ó triste fado! Novidade horrível!

DORSET

    Coragem, minha mãe. Como se sente?

ELIZABETH

40 Ó Dorset, não me fales; vai-te, foge!
A morte e a destruição te estão no encalço;
O nome de tua mãe é malfadado
E lança maldição sobre seus filhos.
Se queres escapar, cruza estes mares,
45 Vai ter com Richmond, longe deste inferno;
Foge, eu te peço, da mansão sangrenta,
Pra que não cresça o número de mortos;
E morra eu cumprindo a maldição
De não ser mãe, mulher, e nem rainha!

STANLEY
50 Seu conselho, senhora, é nobre e sábio!

(Para Dorset.)

Aproveita a vantagem desta hora.
Terás carta minha para meu filho,
Em teu favor, ainda no caminho.
Não demora em partir, que é arriscado.

DUQUESA
55 Ó vento de miséria e de desgraça!
Ventre maldito o meu, berço da morte,
Que trouxe a este mundo o basilisco
Que mata com o veneno do olhar.

STANLEY
Vamos, senhora; fui mandado às pressas.

ANNE
60 Vou segui-lo sem gosto e sem vontade.
Prouvera aos céus que o áureo cinto real
Que vai cingir-me a fronte fosse um aro
De ferro em brasa, e me queimasse o crânio!
Que eu seja ungida com mortal veneno
65 E morra antes de ouvir: "Viva a rainha!".

ELIZABETH
Vai, pobre alma; não lhe invejo a glória;
Não se deseje mal, é o que lhe peço.

ANNE
Não? Por quê? Quando o que hoje é meu marido
Buscou-me no desfile funerário
70 De Henrique, tendo ainda mal lavadas

                As mãos do sangue do meu nobre esposo,
                Bem como o do bom rei que eu enterrava;
                Quando eu olhei o rosto de Ricardo,
                Foi este o meu desejo: "Sê maldito,
75   Por me tornar viúva inda tão moça!
                E, se casares, que te envolva o leito
                A tristeza, e a mulher que te receba
                Seja tão miserável por tua vida
                Como eu sou pela morte do meu amo!".
80   Antes que eu repetisse essas palavras,
                Em tão curto momento, meu espírito
                De mulher fez-se escravo de seus lábios
                Mentirosos, e tornou-se o próprio objeto
                Da minha maldição. Desde esse dia
85   Não mais meus tristes olhos repousaram,
                Pois nunca, nem uma hora, no seu leito,
                Pude gozar o doce bem do sono
                Sem despertar com tristes pesadelos.
                Ele me odeia também por meu pai Warwick
90   E sem tardar se livrará de mim.

    ELIZABETH
                Adeus, coitada! Como eu a lamento!

    ANNE
                Não mais do que eu lamento a sua sorte.

    DORSET
                Adeus, triste vítima da glória!

    ANNE
                Adeus, triste vítima sem ela!

    DUQUESA
95   *(Para Dorset.)* Vá ter com Richmond, e que Deus te guie!
                (Para Anne.) Vai com Ricardo, e os anjos a protejam!
                (Para Elizabeth.) Vai para o santuário, e que a acompanhem
                Bons pensamentos nesse seu sossego!
                Eu vou pra minha cova onde o repouso
100   E a paz hão de jazer sempre comigo.
                Vivi oitenta anos de tormento;
                Em cada hora, dez de sofrimento.

    ELIZABETH
                Olhemos um momento para a torre.
                Velhas pedras, velai pelas crianças

105 Que a inveja encarcerou entre esses muros,
Berço tão rude pra tanta beleza!
Babá cruel, maldoso companheiro,
Trata com amor os pobres filhos meus!
Louca de dor é que eu te digo adeus!

(Saem.)

CENA 2
Londres. Uma sala oficial no palácio.

(Fanfarra. Entram Ricardo, em grande pompa, coroado, Buckingham, Catesby, Ratcliffe, Lovell, um Pajem, e outros.)

Ricardo

Fiquem de lado. Primo Buckingham!

Buckingham

Meu bondoso soberano!

Ricardo

Dá-me tua mão.

(Fanfarra. Ricardo sobe ao trono.)

Por teu conselho e
Ajuda, 'stá Ricardo coroado;
5 Tais honras serão nossas um só dia?
Ou serão duradouras e felizes?

Buckingham

Permita Deus que durem para sempre!

Ricardo

Ah! Buckingham, agora vou pedir-te
A prova de que és mesmo ouro de lei;
10 O pequenino Eduardo inda está vivo.
Pensa agora o que eu quero te dizer.

Buckingham

Diga-o, meu adorado senhor.

Ricardo

Buckingham, eu quero ser o rei.

Buckingham

Mas já o é, meu glorioso amo.

RICARDO

Sou, é verdade. Mas Eduardo vive.

BUCKINGHAM

Certo, meu nobre príncipe.

RICARDO

     Ó desgraça
Que Eduardo esteja vivo! É a verdade!
Meu primo, tu não eras tão opaco:
Devo ser claro? Eu quero que os bastardos
Morram; e quero tudo bem depressa.
Que dizes tu? Fala depressa e claro.

BUCKINGHAM

Vossa Graça fará o que quiser.

RICARDO

Vejo que está gelado o teu afeto.
Diz: tu consentes que eles sejam mortos?

BUCKINGHAM

Um momento, senhor, dê-me uma pausa
Antes que eu manifeste a minha ideia:
Eu lhe darei depressa uma resposta.

(Sai.)

CATESBY

(À parte, para um outro.)
O rei está zangado, morde os lábios.

RICARDO

(À parte.)
Quero falar com loucos insensíveis,
Rapazes petulantes: não me agradam
Os que me dão olhares ponderados.
O duque está ficando ponderado!
Rapaz!

PAJEM

   Senhor?

RICARDO

    Tu conheces alguém que, corrompido
Pelo ouro, mate por interesse?

PAJEM

35   Eu conheço um fidalgo descontente
Cujas posses não são as que ambiciona;
O ouro será melhor que mil discursos
E, por dinheiro, fará qualquer coisa.

RICARDO

Como se chama?

PAJEM

Ele se chama Tyrrel.

RICARDO

40   Eu sei quem é. Corre a chamá-lo aqui.

(Sai o PAJEM.)

(À parte.) O grande e astucioso Buckingham
Não mais será meu caro conselheiro.
Ele me acompanhava sem cansaço;
Para agora pra respirar. Que seja.

(Para STANLEY, que entra.)

45   Então, Lord Stanley, quais as novidades?

STANLEY

Senhor, ouvi dizer que o marquês Dorset
Fugiu para poder ir ter com Richmond
No país que ele habita, além dos mares.

RICARDO

Vem aqui, Catesby; quero que espalhes
50   A notícia que Anne, minha esposa,
Está sofrendo de doença grave.
Vou dar ordens que fique confinada.[34]
Procura um nobre obscuro e empobrecido
Para casá-lo imediatamente
55   Co'a filha de Clarence; quanto ao filho,
É um tolo que eu não temo. 'Stás sonhando?
Digo de novo, vai lançar a nova
Que Anne, minha esposa, vai morrer.
Anda logo; eu assim mato esperanças
60   Que, mais tarde, me podem ser nocivas.

(Sai CATESBY.)

---

34 Ricardo planeja mandar matar sua esposa e se casar com Elisabeth, filha de seu irmão Eduardo IV, a fim de se legitimar no trono. (N. E.)

Devo casar co'a filha de meu irmão,
De outro modo o meu trono não tem base –
Matar seus dois irmãos e desposá-la!
É um meio duvidoso de vencer!
Mas estou tão manchado já de sangue
Que um pecado faz logo nascer outro:
A piedade não mora nestes olhos.

*(Entra o P*AJEM *com T*YRREL*.)*

Teu nome é Tyrrel?

TYRREL

James Tyrrel, meu senhor, um vosso servo.

RICARDO

De fato?

TYRREL

        Experimente, Majestade!

RICARDO

Ousarias matar um meu amigo?

TYRREL

Certamente o faria; mas prefiro
Matar dois inimigos de uma vez.

RICARDO

Então, isso farás: dois inimigos,
Ferozes inimigos do meu sono,
Que me perturbam o doce descanso,
Aqueles contra os quais em ti confio,
São os bastardos que hoje estão na torre.

TYRREL

Dai-me os meios de entrar, de ir até eles,
E estareis livre desses maus receios.

RICARDO

Tocaste ao meu ouvido doce música.
Aproxima-te, toma esta licença:
Agora chega o teu ouvido a mim.

(Segreda.)

85 É só isso. E depois de o teres feito
Eu serei teu amigo e protetor.

Tyrrel
Vou logo executar vossas ordens.

(Sai.)

(Entra Buckingham.)

Buckingham
Senhor, considerei em meu espírito
A última proposta que me fez.

Ricardo
Bem, não falemos nisso. Ouvi há pouco
90 Que Dorset fugiu pra encontrar Richmond.

Buckingham
Ouvi esse boato, meu senhor.

Ricardo
(Para Stanley.)
Vossa mulher é mãe dele. Cuidado!

Buckingham
Majestade, cobro o que me é devido,
E que foi garantido por sua honra:
95 O Condado de Hereford e os haveres
Que outrora prometeu seriam meus.

Ricardo
Olhai por vossa esposa, Milord Stanley:
Se ela levar bilhetes para Richmond
Sereis o responsável pelos mesmos.

Buckingham
100 O que diz Vossa Graça ao meu pedido?

Ricardo
Ouvi profetizar Henrique VI
Que seria rei o conde Richmond;
E este era então uma criança apenas.
Um rei? Talvez, talvez...

Buckingham
Meu soberano...

RICARDO
105 Por que não me diria o rei-profeta
Que um dia eu mesmo o havia de matar?

BUCKINGHAM
Milord, sua promessa do condado...

RICARDO
Richmond! Há pouco estive em Exeter,
E o prefeito, querendo ser amável,
110 Mostrou-me seu castelo, a que chamava
Rougemont: ao ouvi-lo estremeci,
Pois um bardo da Irlanda me dissera
Que eu morreria após ter visto Richmond.

BUCKINGHAM
Senhor!

RICARDO
Mas que horas são?

BUCKINGHAM
115 Ouso lembrar a Vossa Majestade
A promessa que me havia feito.

RICARDO
Mas que horas são?

BUCKINGHAM
'Stão batendo dez horas.

RICARDO
Pois que batam.

BUCKINGHAM
Mas por quê?

RICARDO
Porque exatamente como um tolo
120 Ficas aí soando as badaladas
Do teu pedido enquanto estou pensando.
Hoje não 'stou propenso a concessões.

BUCKINGHAM
Não diz se vai cumprir sua promessa?

RICARDO
És importuno. Não estou para isso.

(Saem todos, menos BUCKINGHAM.)

BUCKINGHAM
125 É assim, com recusas e desprezos,
Que recompensa a minha abnegação?
Foi para isso que o levei ao trono?
Ó Hastings, como penso em tua sina!
Embora o teu destino eu não mereça,
130 Eu fujo, enquanto tenho esta cabeça.

(Sai.)

CENA 3
O mesmo.

(Entra TYRREL.)

TYRREL
Consumou-se a sangrenta tirania,
O massacre mais torpe, o assassinato
Mais covarde já feito nesta terra.
Dighton e Forrest, a quem subornei
5 Para cumprir tal ato desumano,
Conquanto sejam vis cães sanguinários,
Deixaram-se tomar de compaixão,
E choravam contando a triste história.
Disse Dighton: "Já dormiam as crianças";
10 "Unidas", Forrest diz, "em mútuo abraço
Dos seus marmóreos braços inocentes.
Seus lábios eram, juntos, quatro rosas,
Que no auge da beleza se beijavam.
No travesseiro, um livro de orações,
15 O que quase me fez mudar de ideia.
Mas o demônio" – aqui calou-se Forrest –
E Dighton terminou: "Aniquilamos
O mais belo lavor da natureza
Jamais visto depois da criação".
20 Retiraram-se então com seus remorsos;
Nem podiam falar. E então deixei-os,
Para dar a notícia ao rei sangrento.

(Entra RICARDO.)

Ele aí vem. Saúde, ó soberano!

RICARDO

    Bom Tyrrel, são felizes tuas novas?

TYRREL

25   Se o que me encarregastes de fazer
    Vos dá felicidade, contentai-vos,
    Pois está feito.

RICARDO

    Tu mesmo os viste mortos?

TYRREL

    Vi, senhor.

RICARDO

    E enterrados também, Tyrrel?

TYRREL

    O capelão da torre os enterrou;
30   Mas onde, na verdade, eu não sei.

RICARDO

    Procura-me, bom Tyrrel, após a ceia,
    Pra contar-me os detalhes das suas mortes.
    E vai pensando o que de mim desejas,
    Que eu quero contentar tua vontade.
35   Adeus.

TYRREL

    Humildemente eu me despeço.

(Sai.)

RICARDO

    O filho do irmão Clarence eu prendi;
    A filha, casei com um tipo obscuro.
    Os filhos de Eduardo já não vivem,
    E Anne, minha mulher, deixou o mundo.
40   Richmond, eu sei, é forte candidato
    À mão de Elizabeth, minha sobrinha,
    E co'esta ligação visa a coroa.
    A ela irei, qual doce enamorado.

(Entra RATCLIFFE.)

Ratcliffe
    Senhor!

Ricardo
    Boas ou más notícias trazes
45   Para entrares assim tão rudemente?

Ratcliffe
    São más, senhor. Ely fugiu pra Richmond,
    E Buckingham, co'o apoio dos galeses,
    Está em campo, com crescente força.

Ricardo
    Ely com Richmond me perturba mais
50   Que Buckingham com tropa improvisada.
    Aprendi que a conversa pessimista
    Acarreta a demora e a indecisão,
    O que leva à impotência da miséria.
    Eu quero ter as asas expeditas
55   Como Mercúrio, o arauto de um rei!
    Marchemos: a bravura é meu escudo
    Quando os traidores ameaçam tudo.

(Saem.)

CENA 4
Diante do palácio.

(Entra a Rainha Margaret.)

Margaret
    Começa então a sorte a declinar
    E a mergulhar na podridão da morte.
    Por estes muros ando sempre à espreita
    Pra ver a decadência do inimigo.
5   Já presenciei o início da derrota
    E volto à França; espero que a sequência
    Seja igualmente amarga, negra, e trágica.
    Afasta-te, infeliz: quem vem aí?

(Entram a Rainha Elizabeth e a Duquesa de York.)

Elizabeth
    Ai meus pobres filhinhos! Ai, meus príncipes,
10   Tenros botões, flores ainda fechadas!
    Se voam vossas almas neste espaço
    Ainda livres da penumbra eterna,

                    Que abram sobre mim as frágeis asas
                    Pra inda ouvir meu lamento materno!

        MARGARET
                            (À parte.)
    15   Pairai para dizer-lhe que é direito
                    Que negra morte lhe varasse o peito!

        DUQUESA
                    Tanta miséria me perturba a fala!
                    Minha língua está muda e ressequida;
                    Por que morreste, Eduardo? Que desgraça!

        MARGARET
                            (À parte.)
    20   Se um Plantageneta a outro mata
                    A morte de um Eduardo o outro resgata.

        ELIZABETH
                    Ó Deus, por que abandonas os cordeiros
                    E os atiras às garras vis do lobo?
                    Dormias tu quando esse mal foi feito?

        MARGARET
                            (À parte.)
    25   E na morte de Henrique? E a do meu filho?

        DUQUESA
                    Morta viva, olho cego, espectro horrendo,
                    Vergonha deste mundo, alma penada,
                    Vida roubada à cova, testemunho
                    De tanto dia triste, busca agora
    30   Repouso para a tua inquietação
                    Na doce terra desta nobre pátria

                            (Senta-se no chão.)

                    Maculada com o sangue de inocentes.

        ELIZABETH
                    Por que me serve a terra de repouso
                    Em vez de me servir de sepultura?
    35   Meus ossos querem cova, não descanso.
                    Quem, senão eu, tem causas pra chorar?

                            (Senta-se no chão.)

MARGARET

(Adiantando-se.)
Se a dor mais velha é a que tem mais valia[35]
Dai-me a vantagem da prioridade.
Pois minha mágoa tem maior direito,
40   Se o sofrimento aceita companhia.

(Senta-se junto às outras.)

Pelos meus podeis ver os vossos males:
Eu tive Eduardo, e Ricardo o matou;
Eu tive Henrique, e Ricardo o matou
Tinhas Eduardo, Ricardo o matou;
45   Tinhas Ricardo, e Ricardo o matou.

DUQUESA

Tive Ricardo, a quem também mataste;
E Rutland, a quem tu também mataste.

MARGARET

Tiveste Clarence, e Ricardo o matou.
Do canil do teu ventre apareceu
50   Um cão danado que dá caça a todos
Até a morte; um infernal mastim
Que tem dentes agudos e olhos falsos,
Devorador de tenros cordeirinhos
Destruidor das belezas da vida;
55   Um tirano terrível desta terra,
Que se nutre do sangue dos que choram.
Teu ventre vomitou-o neste mundo
Para nos perseguir até o túmulo.
Ó justo Deus, que o bem e o mal repartes,
60   Como agradeço teres permitido
Que o sanguinário cão ferisse o fruto
Do corpo desta mãe e lhe infligisse
A mesma dor, unindo-a às outras mães!

DUQUESA

Ó esposa de Henrique, não triunfes
65   Da minha dor, pois Deus é testemunha
Que eu contigo chorei os que perdeste.

---

35 As mulheres na cena lamentam a morte dos filhos e dos maridos. Margaret, por sua idade e posição, tem a primazia no relato das perdas; seu filho Eduardo, príncipe de Gales, fora morto por Ricardo na batalha de Tewksbury; seu marido Henrique, preso e assassinado na Torre de Londres, também a mando de Ricardo; ambos os episódios estão na Parte 3 de *Henrique VI*. Quanto aos jovens príncipes Eduardo e Richard, filhos da rainha Elizabeth, são mortos a mando de Ricardo III. (N. E.)

MARGARET
Perdão: eu 'stou sedenta de vingança
E agora vou saciar os olhos tristes.
Teu Eduardo morreu, que o meu matou;
70   E pelo meu, morreu teu outro Eduardo;
Teu York foi de lambuja, pois nem juntos
Podiam igualar a perfeição
Da minha perda: assim morreu teu Clarence
Por ter apunhalado o meu Eduardo;
75   E as testemunhas desse drama trágico,
Os falsos Hastings, Rivers, Vaughan e Grey,
Cedo tombaram nas escuras covas.
Ricardo vive, embaixador do inferno;
Compra as almas na terra e as manda às trevas.
80   Mas vejo perto o triste fim que o espera:
Abre-se a terra, o inferno ferve, e os santos
Oram pra que daqui seja arrancado.
Ó Deus, corta-lhe a vida, eu te suplico
Pra eu viver e dizer "O cão está morto."

ELIZABETH
85   Tu predisseste que viria o tempo
Em que eu te pediria que ajudasses
A maldizer essa asquerosa aranha,
Esse sapo de dorso recurvado!

MARGARET
Chamei-te ladra, então, da minha glória
90   Rainha de papel, sombra sem cor;
Vã representação da minha vida;
Lisonjeira expressão de um triste espectro,
Erguida ao alto pra cair tão baixo;
Mãe de comédia de dois lindos anjos;
95   Um sonho do real; um sopro, um signo
Da dignidade; um pavilhão garboso
Servindo de alvo a perigosos tiros;
Rainha em fantasia, enchendo a cena.
Onde está teu marido? E os teus irmãos?
100   Onde estão teus dois filhos? E o teu garbo?
Quem se curva ao dizer "Salve a rainha"?
Onde se acham os nobres lisonjeiros?
Onde as tropas que guardam os teus passos?
Lembra tudo isso e vê o que és agora:
105   Foste esposa feliz, és triste viúva;
Alegre mãe, hoje não tens tal nome;
Aquela a quem pediam, é pedinte;
Em lugar da coroa de rainha

És hoje coroada de martírios;
A que me desprezou, hoje eu desprezo;
A que todos temiam, teme alguém;
A que mandava em todos, nada manda;
Assim mudou a roda da justiça
Deixando-te à mercê das circunstâncias,
Só tendo o pensamento do que foste
Para te torturar sendo o que és.
Usurpaste o lugar que me cabia;
Sabes hoje a extensão da minha dor?
Hoje teu colo altivo aguenta o jugo
Da metade da mágoa que eu carrego,
Da qual livro a cabeça fatigada
Para deixá-la inteira sobre ti.
Adeus, mulher de York; triste rainha:
Deixo a Inglaterra na desesperança
E de tua dor, hei de sorrir na França.

ELIZABETH
Mestra das pragas, fica um pouco ainda!
Me ensina a maldizer meus inimigos!

MARGARET
Afasta o sono à noite, passa o dia
Em jejum; pesa as mortas alegrias
Co'as mágoas vivas, pensa nos teus filhos,
Vendo-os mais lindos do que na verdade;
Julga o assassino ainda pior do que é:
Exaltando o passado, aumenta o ódio.
Isso te ensinará a praguejar.

ELIZABETH
Tenho palavras lentas, fica ainda
E ensina-me a excitá-la com as tuas!

MARGARET
Pesando o mal que tens e o bem que tinhas
Elas serão cortantes como as minhas.

(Sai.)

DUQUESA
Por que é a dor tão rica de palavras?

ELIZABETH
São advogadas vãs da dor perdida,

>   Herdeiras de alegrias não legadas,
>   Ofegantes patronas da miséria!
>   Deixemo-las sair em borbotão:
>   Só servem p'ra aliviar o coração.

DUQUESA

145   Se assim é, não te cales, vem comigo
        E em palavras amargas sufoquemos
        Meu filho odioso, que matou teus filhos.

> *(Ouve-se um tambor.)*

        É o seu tambor: não poupes teus clamores.

> *(Entram* RICARDO *e seu* SÉQUITO, *inclusive* CATESBY, *marchando, com tambores e trombetas.)*

RICARDO
        Quem me interrompe em minha expedição?

DUQUESA
150   Quem te devia ter interrompido –
        Te estrangulado no seu próprio ventre –
        Na sequência de crimes que fizeste.

ELIZABETH
        Esconde a tua fronte áurea coroa,
        Quando a devias ter marcado a ferro,
155   Rubra de sangue, se justiça houvesse,
        Co'a chacina do dono da coroa
        E as mortes de meus filhos e irmãos.
        Diz, vil escravo, onde estão meus filhos?

DUQUESA
        Onde está, sapo vil, teu irmão Clarence?
160   E Ned Plantageneta, seu filhinho?[36]

ELIZABETH
        Onde se encontram Rivers, Vaughan e Grey?

DUQUESA
        Onde está o bom Hastings?

---

36 Ned, ou Edward, é o filho de Clarence também morto por Ricardo. (N. E.)

RICARDO
Soem trompas, clarins; rufem tambores!
Que os céus não ouçam essas mentirosas
Que ofendem o ungido do Senhor!
Tocai! Rufai! Mais alto e mais vibrante!

(Fanfarras e rufares.)

Acalmai-vos; tratai-me com doçura
Ou o alarido e o estrépito da guerra
Abafarão vossos clamores loucos!

DUQUESA
És acaso meu filho?

RICARDO
Sim, graças a Deus, a meu pai e a vós.

DUQUESA
Pois ouve paciente minh'impaciência.

RICARDO
Senhora, herdei um pouco o vosso gênio;
E não sei suportar repreensões.

DUQUESA
Deixa que eu fale!

RICARDO
Sim, mas não escuto.

DUQUESA
Serei doce e serena em minha fala.

RICARDO
E breve, minha mãe, que tenho pressa.

DUQUESA
Tens pressa? Pois foi longa a minha espera
Que nascesses, em ânsias e agonias.

RICARDO
Mas não nasci, por fim, pra teu conforto?

DUQUESA
Não; pela Santa Cruz, tu não o ignoras;

Vieste tornar um inferno as minhas horas.
Sempre me foste um fardo bem pesado:
Criança, foste mau e malcriado;
Na escola, intolerável e violento,
Na juventude, audaz e turbulento;
Quando chegaste, enfim, a ser adulto,
Ficaste traiçoeiro e sanguinário,
Mais manso na aparência e, no entanto,
Mais perigoso no ódio e na vingança.
Podes dizer que eu tive um simples dia
Calmo e feliz na tua companhia?

RICARDO

Somente quando vós vos ausentastes
Para almoçar longe de mim. Portanto,
Se tão horrível sou aos vossos olhos,
Sigo a marcha, fugindo de ofender-vos.
Tocai, tambores.

DUQUESA

                Ouve-me falar.

RICARDO

Vossa fala é só fel.

DUQUESA

                Ouve o que digo,
Pois nunca mais eu falarei contigo.

RICARDO

E então?

DUQUESA

Ou morres, se assim for de Deus a ordem,
Sem voltar vitorioso desta guerra;
Ou eu, cheia de dor, velha e cansada,
Morro sem nunca mais te ver a face.
Assim, leva contigo a minha praga,
Que há de pesar-te mais nessa batalha
Que a pesada armadura que carregas!
Minhas preces serão pelo inimigo;
As almas dos meninos de Eduardo
Falem às almas desses adversários,
Prometendo sucessos e vitórias.
Morras em meio ao sangue, homem sangrento,
Seja horrendo o teu último momento.

(Sai.)

ELIZABETH
Com mais motivos, tenho menos força
Pra praguejar, por isso, digo amém.

(Vai saindo.)

RICARDO
Ficai; quero falar-vos um momento.

ELIZABETH
Não tenho mais nenhum filho real
Pra ainda ser por ti assassinado.
Minhas filhas serão piedosas freiras
E não rainhas tristes e chorosas;
Não são dignas, portanto, de ameaças.

RICARDO
Vós tendes uma filha, Elizabeth,
Virtuosa e linda, de uma graça régia.

ELIZABETH
Deve morrer por isso? Ó, que ela viva,
E eu corromperei suas maneiras,
Mancharei o cetim das suas faces.
Acusar-me-ei de infiel ao meu Eduardo,
Sobre ela lançarei o véu da infâmia.
Para que não a ameace a tua fúria,
Confessarei que ela é uma filha espúria.

RICARDO
Não mintais; ela é real princesa.

ELIZABETH
Para salvá-la negarei que o seja.

RICARDO
Seu nascimento é a sua salvação.

ELIZABETH
E por ele morreram seus irmãos.

RICARDO
Os astros eram contra as suas vidas.

ELIZABETH
Os maus amigos foram contra elas.

RICARDO
        Ninguém pode fugir ao próprio fado.

ELIZABETH
        Quando o crime e o mal vão lado a lado.
        Eles teriam morte menos triste
240   Se a tua vida fosse menos vil.

RICARDO
        Assim parece que matei meus sobrinhos.

ELIZABETH
        Sim, eles eram deveras sobrinhos
        Daquele que os privou da liberdade,
        Da coroa real, do bem da vida;
245   A mão de quem feriu seus tenros corpos[37]
        Era guiada pelo teu espírito:
        O punhal ficaria fraco e em dúvida
        Se não o afiasse a pedra da tua alma
        Para imolar meus débeis cordeirinhos.
250   Se o hábito da dor não a acalmasse,
        Eu não diria o nome dos meus filhos
        Sem ter as unhas dentro dos teus olhos;
        E neste ancoradouro da desgraça
        Como barca sem velas e sem remos,
255   Me despedaçaria contra as rochas
        Do teu horrível coração de pedra.

RICARDO
        Volte eu vencido desta dura guerra,
        Fracassado na luta sanguinária,
        Se o bem que vos desejo, como aos vossos,
260   Não for maior que o mal que vos causei!

ELIZABETH
        Que bem pode existir sob estes céus
        Que seja um bem para o meu coração?

RICARDO
        A glória em vossos filhos, nobre dama.

ELIZABETH
        Subindo ao cadafalso, sem cabeças?

---

37 Elizabeth fala como se as crianças tivessem sido apunhaladas; Tyrell e a duquesa indicam que foram sufocadas. (N. E.)

RICARDO
                Não; às maiores honras, dignidades,
                Aos fastos imperiais da humana glória.

ELIZABETH
                Não me embales a dor com essas falas.
                Diz-me que dignidade, que honraria
                Podes tu conceder a um de meus filhos?

RICARDO
                Tudo o que tenho, a minha própria vida,
                Eu quero oferecer à vossa estirpe;
                E nas ondas de vossa alma irada
                Afogarei as pérfidas lembranças
                Do que julgais que eu vos tenha feito.

ELIZABETH
                Sê breve; temo que esses bons propósitos
                Durem menos que o tempo de expressá-los.

RICARDO
                De toda a alma amo a vossa filha.

ELIZABETH
                Com a alma o crê a mãe da minha filha.

RICARDO
                Que credes vós?

ELIZABETH
                Que amas minha filha com toda a alma;
                Com todo o amor amavas seus irmãos.
                Com o mesmo amor eu te agradeço tudo.

RICARDO
                Não confundais, vos peço, o meu intento.
                Amo de coração a vossa filha:
                Vou fazê-la rainha da Inglaterra.

ELIZABETH
                E que rei lhe destina para esposo?

RICARDO
                Só pode ser o que a fará rainha.

ELIZABETH
>   Quem, tu?

RICARDO
>   Sim, eu; que pensais disso vós?

ELIZABETH
>   Como a conquistarás?

RICARDO
>   É o que pergunto,
>   Já que vós conheceis a vossa filha.

ELIZABETH
>   Queres sabê-lo?

RICARDO
>   É tudo o que desejo.

ELIZABETH
>   Manda a ela, por mão dos assassinos,
>   Dois pequeninos corações sangrentos,
>   Neles tendo gravado Eduardo e York;
>   Então seus olhos se encherão de lágrimas;
>   Oferece-lhe então – tal como outrora
>   A teu pai estendeu a cruel Margaret,
>   Rubro do sangue que vertera Rutland –,
>   Um lenço, que dirás ser encharcado
>   Do vivo sangue de seus dois irmãos;
>   E pede que com ele enxugue as lágrimas.
>   Se isso não inspirar o seu amor,
>   Manda-lhe a lista toda dos teus crimes:
>   Diz-lhe que foram mortos à tua ordem,
>   Clarence e Rivers, seus queridos tios;
>   E que igual sorte teve a tia Anne.

RICARDO
>   Zombais de mim; esse não é o modo
>   De vencer seu coração.

ELIZABETH
>   Não sei de outro,
>   A menos que, mudando teu aspecto,
>   Não sejais Ricardo, que isso tudo fez.

RICARDO
>   E se fiz o que fiz por amor a ela?

ELIZABETH
>Então só poderá ela odiar
>Quem com tanto sangue comprou o amor.

RICARDO
>Os homens fazem coisas impensadas,
>Das quais, mais tarde, muito se arrependem.
>Se aos vossos filhos eu tirei o reino,
>Como resgate dou-o à vossa filha.
>E se matei a flor do vosso ventre,
>Farei com ela nova dinastia.
>Doce é o nome de avó, bem pouco menos
>Que o dulcíssimo título de mãe;
>Os filhos de uma filha serão vossos
>Apenas em um grau mais afastado;
>Feitos de vossa carne e vosso sangue,
>Do vosso ser ainda serão parte;
>Terão custado menos sofrimentos,
>Padecidos por ela, em vez de vós.
>Com os filhos padecestes quando moça,
>Os meus consolarão o vosso ocaso.
>Chorais por vosso filho não ser rei,
>Mas vossa filha pode ser rainha.
>Não posso reparar tudo o que devo,
>Deveis, assim, tomar o que vos dou.
>O vosso Dorset, que com alma trêmula
>Foi viver descontente no estrangeiro,
>Chamado à pátria pela união que auguro
>Terá fortuna e grandes distinções:
>O rei, chamando esposa à vossa filha,
>Familiarmente o chamará de irmão.
>Vós sereis novamente mãe de um rei,
>E tereis as passadas desventuras
>Resgatadas por novas alegrias.
>Teremos muitos dias agradáveis:
>Vossas lágrimas vertidas outrora
>Tornar-se-ão pérolas do oriente,
>Cujo resgate e juros vos darão
>Felicidade já centuplicada.
>Ide pois, minha mãe, à vossa filha:
>Dai-lhe ânimo co'a vossa experiência;
>Preparai-a pra ouvir minhas palavras;
>Ponde em seu coração a fama ardente
>Da ambição de reinar; dizei-lhe mais
>Das doçuras da vida no himeneu:
>E logo que este braço tenha dado
>Castigo ao insensato Buckingham,

　　　　　　Coroado de louros voltarei
　　　　　　Para levar ao leito vossa filha
　　　　　　A quem darei as glórias da vitória,
　　　　　　Para reinar sobre este vencedor.

　　　ELIZABETH
360　　　　　Que lhe direi? Que o irmão de seu pai
　　　　　　Quer desposá-la? Ou dir-lhe-ei seu tio?
　　　　　　Ou que matou seus tios, seus irmãos?
　　　　　　Que título usarei para tornar-te –
　　　　　　Segundo Deus, a lei, a honra, e o amor –
365　　　　　Mais atraente à sua juventude?

　　　RICARDO
　　　　　　Dizei que esta união é a paz da ilha.

　　　ELIZABETH
　　　　　　Que ela deve comprar com longa guerra.

　　　RICARDO
　　　　　　Dizei que o rei nada lhe ordena, pede.

　　　ELIZABETH
　　　　　　Para obter o que nega o Rei dos reis.

　　　RICARDO
370　　　　　Dizei que ela será grande e potente.

　　　ELIZABETH
　　　　　　Para chorar depois, como sua mãe.

　　　RICARDO
　　　　　　Dizei que hei de adorá-la para sempre.

　　　ELIZABETH
　　　　　　E esse "sempre", quanto durará?

　　　RICARDO
　　　　　　Durante todo o tempo de sua vida.

　　　ELIZABETH
375　　　　　E quanto tempo vai durar-lhe a vida?

　　　RICARDO
　　　　　　Tanto quanto prouver ao céu e à terra.

　　　ELIZABETH
　　　　　　Quanto Ricardo e o inferno o permitirem.

RICARDO
>   Dizem que, sendo rei, sou seu escravo.

ELIZABETH
>   Mas ela, tua escrava, te despreza.

RICARDO
>   Usai em meu favor vossa eloquência.

ELIZABETH
>   Só o que é puro e simples persuade.

RICARDO
>   Contai-lhe então apenas que eu a amo.

ELIZABETH
>   Mentira simples não é bom estilo.

RICARDO
>   Vossas razões são vivas porém fracas.

ELIZABETH
>   Minhas razões são mortas e profundas,
>   Em fundas covas mortas: os meus filhos.

RICARDO
>   Não toqueis nessa corda, isso é passado.

ELIZABETH
>   Tocá-la-ei até que ela arrebente.

RICARDO
>   Por São Jorge, por Deus, pela coroa...

ELIZABETH
>   Profanados os dois; ela usurpada.

RICARDO
>   Eu juro...

ELIZABETH
>   Tu não tens mais juramentos:
>   Teu São Jorge perdeu a santidade.
>   Teu Deus, assim traído, não te escuta,
>   Tua coroa já não tem realeza.
>   Jura por algo em que creias ainda,
>   Coisa que inda não tenhas conspurcado.

RICARDO

    Pelo mundo...

ELIZABETH

                'Stá cheio dos teus crimes.

RICARDO

    Pela morte de meu pai.

ELIZABETH

                      Já o desonraste.

RICARDO

    Por mim mesmo.

ELIZABETH

                Não passas de um vilão.

RICARDO

400   Então por Deus.

ELIZABETH

                Por Deus é o mais errado.
    Se temesses quebrar um juramento
    Feito em Seu nome, não destruirias
    A conciliação do reino feita
    Pelo rei teu irmão, e nem terias
405   Assassinado assim os meus irmãos.
    Se o temesses quebrar, esse diadema
    Que te orna a testa agora adornaria
    A doce e tenra fronte de meu filho;
    E ambos os delfins estariam vivos,
410   Em vez de repousarem no chão poeirento:
    Teu perjúrio os tornou pasto dos vermes.
    Por que coisa, afinal, podes jurar?

RICARDO

    Pelo futuro.

ELIZABETH

                Que os teus crimes todos
    Antecipadamente já condenam;
415   Pois eu ainda tenho muitas lágrimas
    Por enxugar, durante muito tempo,
    Vertidas no passado, por teus erros.
    Vivem crianças cujos pais mataste,

E cuja adolescência sem um guia
Legará suas mágoas aos mais velhos.
Vivem os pais daqueles que mataste,
Velhas árvores secas, cujos dias
Finais serão só lágrimas e prantos.
Não jures pois pelo futuro, o fado
Far-te-á pagar os crimes do passado.

RICARDO
Se não for meu intento reformar-me,
Morra eu nessa luta que empreendo
Contra o inimigo hostil! Que eu me destrua,
Que o céu me vede as horas de alegria!
Dia, leva-me a luz; noite, o descanso!
Sejam-me hostis os astros da ventura,
Se co'o mais puro amor do coração,
O mais santo e sagrado pensamento,
Eu não amo a princesa vossa filha!
Nela está minha sorte, como a vossa;
Sem ela, para vós e para mim,
Para o país e para a cristandade,
Não há senão a morte e a ruína;
Isso só poderá ser evitado
Por este enlace, e só o será por ele.
Assim, querida mãe – assim vos chamo –
Sejais minha patrona junto a ela;
Pedi pelo que quero ser agora,
Não pelo que já fui; não pelos erros
Que cometi, mas pelo que desejo
E juro merecer: mostrai-lhe o ensejo
De esquecer mesquinhezas que odiamos
Para unir o país que tanto amamos.

ELIZABETH
Devo deixar assim tentar-me o demo?

RICARDO
Se o demônio vos tenta para o bem.

ELIZABETH
Posso esquecer quem sou e ser eu mesma?

RICARDO
Certo, se essa lembrança vos tortura.

ELIZABETH
Mas tu assassinaste meus filhinhos.

RICARDO

No ventre dessa filha hei de enterrá-los;
455   Onde, nesse recanto de delícias,
Eles renascerão p'ra teu consolo.

ELIZABETH

Ganharei minha filha ao teu desejo?

RICARDO

E sereis mãe feliz por tê-lo feito.

ELIZABETH

Eu vou. Mandai-me logo uma missiva
460   E por mim saberá do seu intento.

RICARDO

Levai-lhe o beijo do meu puro amor.
Até breve.

(Sai a RAINHA ELIZABETH.)

Mulher louca, inconstante!

(Entra RATCLIFFE, seguido por CATESBY.)

Então, quais as notícias?

RATCLIFFE

Majestade,
Na costa ocidental pode-se, ao longe,
465   Avistar uma esquadra poderosa:
Corre às praias enorme multidão
De equívocos amigos: homens rudes,
Desarmados e pouco preparados
Para detê-los; há muitas suspeitas
470   De que Richmond seja o chefe da esquadra,
E de que o inimigo espere apenas
Que Buckingham garanta o desembarque.

RICARDO

Mandemos um correio para Norfolk –
Tu, Ratcliffe, ou Catesby – onde está ele?

CATESBY

475   Aqui, senhor.

RICARDO
>   Vai logo ter co'o duque.

CATESBY
> Eu vou, Majestade, com toda a pressa.

RICARDO
> *(Para RATCLIFFE.)*
>
> E tu, Ratcliffe, parte já pra Salisbury,
> E quando lá chegares...
>
> *(Para CATESBY.)*
>
>   Preguiçoso,
> Que fazes tu aí, tolo e parado?

CATESBY
> Primeiro dizei vós, meu soberano,
> O que devo falar de vossa parte.

RICARDO
> Tens razão! Vais pedir-lhe que convoque
> A maior força que puder reunir
> E que vá logo encontrar-me em Salisbury.

CATESBY
> Já vou.
>
>   *(Sai.)*

RATCLIFFE
> Que devo fazer eu em Salisbury?

RICARDO
> Que havias de fazer sem que eu chegasse?

RATCLIFFE
> Vossa Alteza me mandou ir antes disso.
>
> *(Entra STANLEY.)*

RICARDO
> Mudei de ideia.

(Para Stanley.)

Que novas trazeis?

Stanley

Nem boas pra vos dar satisfação,
Nem tão ruins para que eu não as conte.

Ricardo

Um enigma! Não são boas nem más?
Por que fazeis rodeios e disfarces
Quando podeis contar de pronto os fatos?
Mais uma vez: que novas me trazeis?

Stanley

Richmond está nos mares.

Ricardo

Que se afunde
E que os mares o cubram no seu seio.
Por que se fez ao mar o renegado?

Stanley

Não sei, nobre senhor, porém suponho...

Ricardo

Supondes vós?

Stanley

Que haja sido estimulado por Dorset,
Buckingham e Morton, navegando
Para a Inglaterra em busca da coroa.

Ricardo

Estará vago o trono? O cetro largado?
O rei morreu? O império está sem dono?
Que herdeiro de York existe além de mim?
Quem reina aqui sem ser herdeiro de York?
Dizei-me, pois, que faz ele nos mares?

Stanley

Sem ser esse, não vejo outro motivo.

Ricardo

Sem ser para tornar-se vosso rei,
Não podeis ver, então, por que motivo

Viria ele. Quereis revoltar-vos
E fugir para ele? É o que suponho.

STANLEY

Não, meu senhor, não me penseis infiel.

RICARDO

515 Qual é vosso poder para detê-lo?
E os vossos companheiros e vassalos?
Não 'stão na costa ocidental acaso,
Ajudando os rebeldes na chegada?

STANLEY

Não; meus amigos acham-se no norte.

RICARDO

520 Frios amigos para mim. Que fazem
Eles no norte quando deveriam
Servir seu soberano no ocidente?

STANLEY

Não os foram chamar, rei poderoso:
Se Vossa Majestade o desejar
525 Chamarei meus amigos sem demora
Para encontrar-vos onde vós quiserdes.

RICARDO

Eu sei que desejais correr pra Richmond.
Não creio em vós.

STANLEY

                    Potente soberano,
Não duvideis da minha fiel estima:
530 Não sou e nem serei amigo falso.

RICARDO

Ide então convocar homens armados
Mas deixai para trás seu filho, George.
Sede valente e firme; do contrário,
Pouco segura está sua cabeça.

STANLEY

535 Procedei vós com ele como eu mesmo
Procederei com Vossa Majestade.

(Sai.)

(Entra um MENSAGEIRO.)

MENSAGEIRO
    Meu nobre soberano, em Devonshire –
    Segundo informação de bons amigos –,
    Sir Eduardo Courtney junto com o altivo
540   Bispo de Exeter, seu irmão mais velho,
    Com muitos outros homens 'stão em marcha.

(Entra o 2º MENSAGEIRO.)

2º MENSAGEIRO
    Em Kent, senhor, os Guilfords 'stão em armas;
    E a cada instante novos companheiros
    Aumentam mais a força dos rebeldes.

(Entra o 3º MENSAGEIRO.)

3º MENSAGEIRO
545   Senhor, as forças de Lord Buckingham...

RICARDO
    Fora, ave agourenta; só me trazem
    Contos de morte?

(Bate no MENSAGEIRO.)

    Toma esta lembrança
    Pra me trazeres novas mais alegres.

3º MENSAGEIRO
    As notícias que eu tenho para vós
550   São que, por uma súbita revolta
    Das águas, toda a tropa de Buckingham
    Dispersou-se e desfez-se com as enchentes;
    Ele mesmo perdeu-se e anda sozinho,
    Ninguém sabe por onde.

RICARDO
    Ó, perdoai-me:
555   Eis minha bolsa pra curar-te o golpe.
    Algum fiel amigo proclamou
    Que recompensarei quem o prender?

3º MENSAGEIRO
    Já foi lançada essa proclamação.

(Entra o 4º MENSAGEIRO.)

4º Mensageiro

    Sir Thomas Lovell e o marquês de Dorset
560   Em Yorkshire, como dizem, 'stão em armas.
    Mas trago um bom conforto a Vossa Alteza:
    A esquadra bretã foi dispersada
    Por uma tempestade. Os de Richmond
    Enviaram um barco para a praia
565   Perguntando se os homens que ali estavam
    Eram a seu favor ou contra eles;
    Respondeu-lhes alguém que tinham vindo
    Da parte de Lord Buckingham pra unir-se
    À força deles; mas, desconfiados
570   Voltaram, os que vinham, pra Bretanha.

Ricardo

    Marchemos, já que em armas nos achamos;
    Se não contra inimigos estrangeiros,
    Contra os traidores desta própria terra.

(Entra Catesby.)

Catesby

    Senhor, foi preso o duque de Buckingham;
575   É a nova melhor que aqui vos trago.
    Mas que o conde de Richmond com a sua tropa
    Poderosa invadiu a costa em Milford,
    É má notícia que deveis saber.

Ricardo

    Vamos a Salisbury! Enquanto estamos
580   Aqui falando, uma real batalha
    Poderia ser ganha ou ser perdida.
    Que alguém ordene que me tragam Buckingham
    A Salisbury; os mais, marchem comigo.

(Fanfarra. Saem todos.)

CENA 5
Um aposento na casa de Stanley.

(Entram Stanley e Sir Christopher Urswick.)

Stanley

    Eu peço, Urswick, que informe a Richmond
    Que na pocilga do vil javali
    Meu filho George está como refém:
    Se eu me rebelo, cai sua cabeça;

5 Essa ameaça detém minha adesão.
Ao seu senhor eu mando o meu saudar
E a nova: que a rainha, com alegria,
Concorda em dar-lhe a mão de Elizabeth.
Mas, diga-me, onde está agora Richmond?

Urswick
10 Em Pembroke, ou em Harfordwest, em Gales.

Stanley
Que homens ilustres ficam a seu lado?

Urswick
Sir Walter Herbert, militar famoso;
Sir Gilbert Talbot e Sir William Stanley;
Oxford, Pembroke temido, Sir James Blunt;
15 E Rice ap Thomas, com valentes tropas;
E muito mais, de nobre nome e fama,
Dirigem suas forças para Londres,
A menos que um exército os detenha.

Stanley
Volta a Richmond, a quem me recomendo:
20 As cartas que lhe mando em suas mãos
Fá-lo-ão conhecer meu intento. Adeus.

(Saem.)

ATO 5

CENA 1
Salisbury. Um local aberto.

(Entram o Xerife, com alabardas, e Buckingham, sendo conduzido para a execução.)

Buckingham
Não deixa o rei que eu lhe fale, então?

Xerife
Não, meu bom lord. Por isso, resignai-vos.

Buckingham
Hastings, os filhos de Eduardo, Rivers,
Grey, o bom rei Henrique, o belo Eduardo,
Mais Vaughan, e todos vós que perecestes,
Às mãos corruptas de um tirano injusto –
Se as vossas almas, através das sombras,
Contemplam o momento em que vivemos –
Vede como vingança a minha morte!
É dia de Finados, não é mesmo?

Xerife
É, meu senhor.

Buckingham
Pois, pro meu corpo é o dia do Juízo!
Este é o dia que, ao tempo de Eduardo,
Pedi que me coubesse se eu passasse
Por infiel aos seus filhos e à rainha;
Este é o dia em que desejei morrer
Pela traição do amigo mais querido;
Este dia soturno de Finados
É para mim o dia do castigo,
Para os meus erros, para as minha culpas.
Mas Deus, de quem zombei com essas preces
Fingidas, consentiu que elas valessem
E tornou realidade os falsos votos.
Assim faz Ele a espada dos malvados
Voltar-se contra o peito de seus donos.
A maldição de Margaret se abate
Sobre a minha cabeça. Ela dizia:
"Quando a dor te ferir o coração
Lembra que Margaret foi boa profeta."

30   Vamos! Levai-me ao cepo que redime;
Mal paga o mal, e o crime paga o crime.

(Saem.)

CENA 2
Planície perto de Tamworth.

(Entram RICHMOND, OXFORD, HERBERT, BLUNT e outros, com tambores e bandeiras.)

RICHMOND
Companheiros de armas, muito amados,
Feridos sob o jugo do tirano:
Cheguei até o coração da pátria
Marchando sem qualquer impedimento;
5   E encontramos aqui, do nosso pai Stanley,[38]
Cartas de estímulo e encorajamento.
O javali sangrento e usurpador
Que destruiu as vinhas e as colheitas
Sacia-se com sangue em vez de água,
10   E faz seu cocho em vossos próprios corpos.
Esse imundo chacal se encontra agora
No centro desta ilha, muito perto
Da cidade de Leicester, ao que ouvimos:
De Tamworth lá a marcha é só de um dia.[39]
15   Vamos com Deus, amigos corajosos,
Colher o fruto da perpétua paz,
Através da tragédia desta guerra.

OXFORD
Seja cada consciência mil espadas
Para lutar contra o assassino ignóbil.

HERBERT
20   'Stou certo que até mesmo os seus amigos
Virão para aumentar as nossas hostes.

BLUNT
Não tem amigos, só tem quem o tema;
Na hora do perigo, o deixarão.

RICHMOND
Deus nos guie na marcha que começa –

---
38 Pai usado como sentido de padrasto, pois Stanley era casado com a mãe de Richmond. (N. E.)
39 As cidades de Leicester e Tamworth, no centro da Inglaterra, eram próximas a Bosworth, onde se deu a batalha entre Ricardo e Richmond. (N. E.)

25 As asas da esperança vós tereis
    Que faz reis deuses e, de homens, reis.

                                                          (Saem.)

CENA 3
O campo de Bosworth.

*(Entra o R*EI *R*ICARDO*, armado, com o C*ONDE DE *S*URREY*, N*ORFOLK*, R*ATCLIFFE *e outros.)*

RICARDO

Aqui em Bosworth nós acamparemos.
Meu Lord Surrey, por que estais tão triste?

SURREY

'Stá mais alegre o coração que o rosto.

RICARDO

Meu Lord de Norfolk...

NORFOLK

                        Aqui, meu senhor.

RICARDO

5   Os golpes vão voar, não é verdade?

NORFOLK

Temos de dar e receber, senhor.

RICARDO

Ergam a tenda. Aqui dormirei hoje;

(Os soldados começam a armar a tenda.)

Mas aonde amanhã? Pouco me importa.
Foi calculada a soma dos traidores?

NORFOLK

10 Uns seis ou sete mil, talvez nem tanto.

RICARDO

As nossas tropas são três vezes isso.
Só o nome do rei é um baluarte
Que falta aos facciosos adversários.
Ergam a tenda! Nobres cavalheiros,
15 Vamos ver as vantagens do terreno;
Chamai homens de firme entendimento.

Não faltem disciplina nem apuro,
Pois amanhã será um dia duro.

(Saem.)

(Entram, do outro lado do campo, RICHMOND, SIR WILLIAM BRANDON, OXFORD, HERBERT, BLUNT e outros. Alguns soldados levantam a tenda de Richmond.)

RICHMOND

O sol caiu num horizonte de ouro
E o rasto do seu carro flamejante
Promete um lindo dia pra amanhã.
Sir William, levareis meu estandarte.
Dai-me pena e tinteiro em minha tenda:
Desenharei o esquema da batalha
Repartindo em perfeita proporção
Nossas pequenas forças. Meu Lord Oxford,
E vós, Sir William Brandon, e o amigo
Sir Walter Herbert, ficareis comigo;
O conde de Pembroke com a própria tropa.
Capitão Blunt, dizei-lhe que o saúdo,
E que às duas desta madrugada
Peço ao conde que venha à minha tenda.
Mais uma coisa, caro capitão:
Sabeis por onde acampa o Lord Stanley?

BLUNT

Se eu não tiver confundido suas cores
Co'as de outro – e eu bem sei que não me engano –
Seu regimento está a meia milha,
Pelo menos, ao sul da tropa real.

RICHMOND

Se for possível, sem correr perigo,
Caro Blunt, gostaria que lhe désseis
De minha parte estas preciosas notas.

BLUNT

Por minha vida, correrei o risco.
Meu senhor, boa-noite eu vos desejo.

RICHMOND

Boa noite, meu capitão.

(Sai BLUNT.)

Vinde, senhores, vamos entender-nos

Sobre os planos guerreiros de amanhã.
Entrai na minha tenda. O ar 'stá frio.

(RICHMOND, BRANDON, OXFORD e HERBERT *entram na tenda. Os outros saem. Entram* RICARDO, NORFOLK, RATCLIFFE, CATESBY *e outros.*)

RICARDO

Que horas são?

CATESBY

São horas de cear. São nove horas.

RICARDO

Não vou cear. Dai-me papel e tinta.
Meu elmo está mais cômodo? A armadura
Já 'stá completa e em minha tenda?

CATESBY

Está, senhor. Está tudo preparado.

RICARDO

Caro Norfolk, voltai às vossas tropas.
E atenção ao escolher as sentinelas.

NORFOLK

Já vou, senhor.

RICARDO

E levantai-vos cedo, gentil Norfolk.

NORFOLK

Sim, meu senhor. Garanto que o farei.

(*Sai.*)

RICARDO

Catesby?

CATESBY

Sim, meu senhor?

RICARDO

Manda um arauto
Ao encontro de Stanley. Eu lhe peço
Que traga suas tropas muito cedo –

Antes do sol nascer – se não deseja
Que o seu filho mergulhe em noite eterna.

(Sai Catesby.)

Dai-me um pouco de vinho e minha vela.
Amanhã vou montar o branco Surrey.
Que as lanças sejam fortes, porém leves.
Ratcliffe!

Ratcliffe

Meu senhor?

Ricardo

Viste o melancólico Lord Northumberland?

Ratcliffe

Ele em pessoa, mais o conde de Surrey
Percorreram as tropas, uma a uma,
Animando os soldados para a luta.

Ricardo

'Stou satisfeito. Dá-me agora o vinho:
Faltam-me o entusiasmo e a alegria
De espírito que sempre foram meus.

(É trazido o vinho.)

Deixai-o aí. Que é do papel e tinta?

Ratcliffe

'Stá tudo preparado, meu senhor.

Ricardo

Diz à guarda que esteja vigilante,
E deixa-me, Ratcliffe. Pelo meio
Da noite vem até a minha tenda
E ajuda-me a vestir minha armadura.
Deixa-me agora; quero ficar só.

(Saem Ratcliffe e os outros.)
(Ricardo entra em sua tenda.)
(Entra Stanley na tenda de Richmond.)

Stanley

Que a glória desça sobre a tua fronte!

RICHMOND

 Que toda a calma de uma boa noite
 Vele por ti, nobre padrasto e amigo.
85 Diz-me, como se encontra minha mãe?

STANLEY

 Em nome dela eu te abençoo, filho.
 Ela reza por ti, por tua glória:
 Mas basta sobre o assunto. As horas passam
 E no oriente a luz já se anuncia.
90 Prepara-te, o mais cedo que puderes,
 Para entrar em combate esta manhã;
 E põe tua fortuna sob o arbítrio
 Dos sangrentos azares de uma guerra.
 Eu, quanto possa – é menos do que quero –
95 Contemporizarei, enchendo as horas,
 Para te dar auxílio neste encontro
 De armas: mas não terei ação violenta
 Do teu lado, porque, se me descobrem
 Aqui, teu pobre irmão, o jovem George,
100 Será executado ante os meus olhos.
 Adeus. A urgência e a gravidade da hora
 Impedem que eu renove os meus protestos
 De amizade, e me entregue à dedicada
 Troca de votos e de amáveis falas
105 Tão gratas aos amigos que se encontram
 Depois de longo tempo separados:
 Deus nos dê ocasião desse convívio!
 Adeus, adeus, sê forte e sê feliz.

RICHMOND

 Senhores, conduzi-o ao regimento.
110 Eu vou tentar dormir porque receio
 Que o sono depois pese sobre mim,
 Quando deve ter asas para a glória.
 Uma vez mais, boa noite, meus amigos.

(Saem todos, menos RICHMOND.)

 Ó Deus, de quem me faço capitão,
115 Lança o divino olhar pras minhas tropas;
 Põe nestas mãos os raios de tua cólera,
 Para que elas esmaguem o inimigo,
 E abatam sua força usurpadora.
 Faz de nós teus ministros do castigo
120 Para que te exaltemos na vitória!
 Entrego-te minh'alma palpitante;

Acordado, dormindo ou fatigado,
Defende-me, senhor, a todo instante.

(Dorme.)
(Entra o Fantasma Do Príncipe Eduardo, *filho de* Henrique vi.*)*

Fantasma de eduardo
(Para Ricardo.*)*

Que eu pese esta manhã sobre tu'alma!
125   Recorda o jovem ser que apunhalaste
Em Tewkesbury; e, em desespero, morre!

(Para Richmond.)

Coragem, Richmond! As penadas almas
Dos nobres trucidados pelo monstro
Sanguinário e cruel, lutam por ti:
130   O herdeiro de Henrique te conforta.

(Sai.)

(Entra o Fantasma De Henrique VI.*)*

Fantasma de henrique vi
(Para Ricardo.*)*

Quando eu era mortal, meu corpo ungido
Foi por ti perfurado mortalmente;
Recorda-te da torre! Henrique Sexto
O exige agora: desespera e morre!

(Para Richmond.*)*

Virtuoso e santo, sê tu vencedor!
135   Eu, que predisse que serias rei,
Venho abençoar-te: vive e sê feliz!

(Sai.)

(Entra o Fantasma de Clarence.*)*

Fantasma de clarence
(Para Ricardo.*)*
Que eu pese em tu'alma esta manhã!
Eu, que fui afogado em vinho impuro,
140   Pobre Clarence, por ti levado à morte!

Amanhã, na batalha, pensa em mim,
Cai pela espada: desespera e morre!

(Para RICHMOND.)

Tu, que és o herdeiro da casa de Lancaster,
Os herdeiros de York rezam por ti!
Com o amor dos anjos, vive e sê feliz!

(Sai.)

(Entram os FANTASMAS DE RIVERS, GREY e VAUGHAN.)

FANTASMA DE RIVERS
(Para RICARDO.)
Que eu pese na tu'alma esta manhã!
Por Rivers, morto, desespera e morre!

FANTASMA DE GREY
(Para RICARDO.)
Pensa em Grey, e tua alma desespere!

FANTASMA DE VAUGHAN
(Para RICARDO.)
Pensa em Vaughan, e, temendo em tua culpa,
Perde tua espada: desespera e morre!

TODOS
(Para RICHMOND.)
Seguro de que os crimes de Ricardo
Matam-lhe a alma, acorda e vence o dia!

(Saem.)

(Entra o FANTASMA DE HASTINGS.)

FANTASMA DE HASTINGS
(Para RICARDO.)
Sanguinário e culpado, acorda e pensa
Em teus crimes. Encerra a tua vida
Na sangrenta batalha que te espera!
Pensa em Lord Hastings! Desespera e morre!

(Para RICHMOND.)

Alma quieta e sem mancha, acorda, acorda!
Arma-te e vai vencer pela Inglaterra!

(Sai.)

(Entram os Fantasmas de Eduardo e Ricardo, filhos de Eduardo IV.)

Fantasmas de eduardo e ricardo
    (Para Ricardo.)
    Sonha co'a morte destes jovens príncipes!
160   Que a nossa sombra pese no teu peito
    Como chumbo, e te arraste à ruína e à morte!
    Por teus sobrinhos, desespera e morre!

    (Para Richmond.)

    Dorme em paz e desperta na alegria!
    Anjos bons te protejam contra o monstro!
165   Vive e funda uma nova era de reis!
    Os filhos de Eduardo te abençoam.

(Saem.)

(Entra o Fantasma de Anne, mulher de Ricardo.)

Fantasma de anne
    (Para Ricardo.)
    Ricardo, tua pobre, triste esposa,
    Que contigo jamais dormiu tranquila,
    Vem perturbar-te o sono com remorsos;
170   Amanhã, na batalha, pensa em mim,
    E a tua espada cairá por terra.
    Eu te conjuro: desespera e morre!

    (Para Richmond.)

    Tu, alma santa, dorme sossegado;
    Sonha só com o sucesso e com a vitória!
175   Essa é a prece da esposa do inimigo!

(Sai.)

(Entra o Fantasma de Buckingham.)

Fantasma de buckingham
    (Para Ricardo.)
    Fui o primeiro a te instigar ao trono,
    E o último a sentir-te a tirania!
    Em meio da batalha pensa em Buckingham,
    E morre no terror dos teus pecados!
180   Teus sonhos sejam só de sangue e crime:
    Que a ti, no desespero, venha a morte!

(Para Richmond.)

Morri antes que viesse em teu auxílio;
Mas sê forte, não percas a esperança:
Deus e os anjos se empenham do teu lado;
185 Ricardo será morto e derrotado.

(Sai.)

(Ricardo acorda, assustado, de seus pesadelos.)

RICARDO
Dai-me um outro corcel! Limpai-me o sangue!
Piedade, meu Jesus! Era só sonho!
Não me aflijas, covarde consciência!
Há uma luz azulada! É meia-noite.
190 Gotas frias me cobrem todo o corpo.
A quem temo? A mim mesmo? Estou sozinho.
Ricardo ama Ricardo. Eu sou eu mesmo.
Há um assassino aqui? Não, sim, sou eu:
Devo fugir? De quem? Fugir de mim?
195 Qual a razão? Vingança? De mim mesmo?
Não, eu me amo. E por quê? Por algum bem
Que eu mesmo tenha feito à minha alma?
Ó não! Horror! Eu antes me detesto
Pelos crimes cruéis que cometi.
200 Sou vilão: porém minto, não o sou.
Elogia-te, tolo! Tolo, humilha-te!
Minha consciência tem mais de mil línguas,
E todas me condenam por vilão,
Criminoso, perjuro em alto grau,
205 Assassino, no mais horrível grau.
Os pecados, uns mais e os outros menos,
Levam-me ao foro, chamam-me culpado.
Eu desespero, mas ninguém me ama,
E se eu morrer ninguém me chorará.
210 Por que me chorariam, quando eu mesmo
Não tenho piedade por mim mesmo?
Pensei que as almas todas dos finados
Que eu matei tinham vindo à minha tenda,
E a cada qual me fazia uma ameaça
215 De vingar-se matando-me na luta.

(Entra Ratcliffe.)

RATCLIFFE
Meu senhor.

RICARDO
>	Quem 'stá lá?

RATCLIFFE
>	Sou eu. O galo que madruga na aldeia
>	Já duas vezes fez soar seu canto;
>	Vossos amigos põem as armaduras.

RICARDO
220	Ó Ratcliffe, tive um sonho tão horrível!
>	Que pensas – todos me serão fiéis?

RATCLIFFE
>	Sem dúvida, senhor.

RICARDO
>	 Ratcliffe, eu temo!

RATCLIFFE
>	Não temais, meu senhor, assombrações.

RICARDO
>	Pelo apóstolo Paulo, aquelas sombras
225	Causaram mais pavor ao meu espírito
>	Do que dez mil soldados adestrados
>	E comandados pelo forte Richmond.
>	Ainda não nasce o dia. Vem comigo;
>	Vamos fazer a ronda nas barracas
230	E ouvir se alguém pretende abandonar-me.

(Saem RICARDO e RATCLIFFE.)

(Entram os LORDES para encontrar RICHMOND, deitado em sua tenda.)

LORDES
>	Bom dia, Richmond!

RICHMOND
>	*(Acordando.)*
>	Bom dia, amigos e ativos senhores.
>	Perdoai o meu atraso preguiçoso!

LORDES
>	Como dormiu essa noite, senhor?

Richmond

235 Um sono co'os mais benfazejos sonhos
Que jamais me povoaram a cabeça;
Sonhei que as almas dos que foram vítimas
De Ricardo, vieram a esta tenda
E me prenunciaram a vitória.
240 Confesso que me sinto jubiloso
Apenas co'a lembrança desse sonho.
Mas que horas são, senhores?

Lordes

Já passam das quatro horas.

Richmond

Já são horas de armar-me e dar as ordens.

(Sai da tenda e ora junto a seus soldados.)

245 Caros compatriotas, já vos disse
Tudo o que o tempo agora não permite
Que eu repita: no entanto, recordai-vos –
Deus e a Justiça estão do nosso lado;
Preces de santos, votos de defuntos,
250 Qual baluartes vão à nossa frente.
À exceção de Ricardo, os que atacamos
Preferem que a vitória nos pertença:
Porque, afinal, quem é que eles seguem?
Um assassino, um homicida cruel;
255 Erguido em sangue, em sangue entronizado;
Que não olhou os meios da conquista
E aniquilou aqueles que o ajudaram;
Uma pedra vulgar que tira o brilho
Da coroa em que está encastoada;
260 Alguém que sempre quis negar a Deus.
Portanto, se esse herege combateis,
Deus vos conhecerá como soldados
Divinos; se lutais contra um tirano
Vós dormireis em paz vendo-o por terra;
265 Se lutais contra os rudes inimigos
Da pátria, ela dará em pagamento
De vossa devoção, a liberdade;
Se lutais na defesa das esposas,
Elas vos saudarão pela vitória;
270 Se livrais do cutelo vossos filhos,
Os filhos desses filhos louvarão
A vossa glória – orgulho da velhice.

>   Assim, por Deus, e pela vossa pátria
>   Ergam-se para a luta os estandartes,
> 275   Preparem-se as espadas com confiança.
>   Por mim, se fracassar nesta campanha,
>   Irei dormir na fria terra amiga:
>   Mas se vencer, os ganhos da vitória
>   Repartirei convosco, como irmãos.
> 280   Soai, tambores e clarins, com glória!
>   De Deus e de São Jorge é a vitória!

(Saem.)

(Entram RICARDO, RATCLIFFE, séquitos e tropas.)

RICARDO

Que diz Northumberland sobre esse Richmond?

RATCLIFFE

Que ele nunca exerceu o uso das armas.

RICARDO

Disse a verdade: e o que é que disse Surrey?

RATCLIFFE

285   Sorriu e disse: "Então, melhor para nós".

RICARDO

Estava certo; assim será, de fato.

(Soa um relógio.)

Que horas são? Dai-me aqui um calendário.
Alguém viu hoje o sol?

RATCLIFFE

                                Eu não, senhor.

RICARDO

O sol não quer brilhar; pois, pelo livro,
290   Devia há uma hora ter transposto
O oriente; é um dia negro para alguém.
Ratcliffe!

RATCLIFFE

           Senhor?

RICARDO
                    Hoje não teremos sol;
            O céu franze o sobrolho ao nosso exército.
            Eu preferia lágrimas de orvalho.
295   Não há sol hoje. E que me importa isso
            Mais do que a Richmond? Esse horrendo céu
            Que me escurece faz o mesmo a ele.

                    (Entra NORFOLK.)

NORFOLK
            Às armas! O inimigo avança em fúria!

RICARDO
            Vamos! Selem e armem meu cavalo!
300   Chamem Lord Stanley: que ele traga as tropas,
            Eu vou levar meus homens à planície.
            Esta será a ordem da batalha:
            Minha vanguarda vai ser uma linha
            Igualmente formada por infantes
305   E cavaleiros; bem no centro deles
            'Starão os arqueiros, e essas tropas mistas
            Terão em seu comando John de Norfolk,
            E Thomas Surrey; quando estiver feita
            Essa composição, segui-los-emos
310   Co'o corpo de batalha, que, nos flancos,
            Terá o grosso da cavalaria.
            Com isso, e com São Jorge, para a frente!
            Que pensais, Norfolk?

NORFOLK
            Boa linha, é certo. Boa direção.
315   Achei este papel na minha tenda.

                    (Mostra-lhe o papel.)

RICARDO
                    (Lê.)
            "Jóquei de Norfolk, não te excites na batalha,
            Pois teu patrão é vendido e canalha."
            Uma provocação dos inimigos!
            Ide, senhores, ao posto que vos cabe;
320   Não deixeis que bobagens nos assustem —
            Consciência é uma desculpa dos covardes
            Para enganar os fortes. Nossas armas

Sejam nossa consciência; a espada, a lei.
Marchemos juntos para o fado incerto;
Se não pro céu, pro inferno, que está perto.

(Ora junto a seus soldados.)

Que mais hei de dizer? Pensai naqueles
Contra quem lutarão: uns vagabundos,
Vilões e desertores, rebotalhos,
Escória de bretões, vis e covardes,
Que a terra saturada expele e incita
A riscos de aventuras e destruição.
Quando dormimos, trazem inquietude;
Se temos terras e abençoados lares,
Tentam raptar-nos tudo: lar e esposa.
E quem os guia? Um torpe aventureiro
Que há muito se abrigara na Bretanha
Às custas de um parente; um folgazão
Que nunca sentiu frio sobre a neve.
Vamos arremessá-los novamente
Ao mar, esses franceses arrogantes,
Esses mendigos cuja vida pesa,
E que, sem inventar esta campanha,
Famintos e sem forças, chegariam
À morte pelo próprio enforcamento;
Se temos de perder a liberdade,
Que nos conquistem homens de verdade,
E não esses bastardos da Bretanha
Que nossos pais bateram e espancaram
Na sua própria terra e, finalmente,
Deixaram como herdeiros da vergonha.
Virão eles gozar as nossas terras?
Violar nossas esposas, nossas filhas?
Atenção! Atenção! Ouço os tambores
Do inimigo. Lutai, nobres ingleses!
Bravos arqueiros, levantai as setas!
Esporeai os cavalos com bravura;
Entre rios de sangue galopando
Erguei ao firmamento vossa glória!

(Chega um Mensageiro.)

Que diz Lord Stanley? Vem com suas tropas?

Mensageiro
Não, meu nobre senhor; nega-se a vir.

RICARDO
    Caia então a cabeça de seu filho!

MENSAGEIRO
    O inimigo passou os alagados:
    Deixemos esse Stanley pra depois.

RICARDO
    Mil corações palpitam no meu peito:
365   Avancemos em cima do inimigo
    Inspirados na audácia de São Jorge!
    Aniquilemos qual feroz dragão!
    Avancemos! A glória nos espera!

(Saem.)

CENA 4
Outra parte do campo.

(Fanfarras e marchas. Entra NORFOLK com seus soldados; ao encontro dele vem CATESBY.)

CATESBY
    Socorro, Milord Norfolk! Vinde, vinde!
    O rei já fez proezas sobre-humanas,
    Arrostando o perigo a cada instante:
    Seu cavalo morreu, e ele prossegue
5   No combate, de pé, buscando o vulto
    De Richmond, desafiando a própria morte.
    Socorro, senão estamos derrotados!

(Saem NORFOLK e os soldados.)
(Fanfarras. Entra RICARDO.)

RICARDO
    Cavalo! Meu reino por um cavalo!

CATESBY
    Recua, senhor; vos darei um corcel.

RICARDO
10   Escravo, arrisco a vida neste jogo,
    E aceito a sorte que marcar o dado:
    Eu creio que há seis Richmonds neste campo,[40]

---

[40] Além de Richmond, outros cinco soldados se vestiam como ele, para enganar o inimigo. (N. E.)

E cinco eu já matei, em seu lugar.
Quero um cavalo em troca do meu reino!

(Saem.)

CENA 5
Outra parte do campo.

(Fanfarra, entram Ricardo e Richmond. Eles lutam. Ricardo é morto. Soa uma retirada, sai Richmond; o corpo de Ricardo é carregado para fora. Clarinada. Entram Richmond, Stanley, carregando a coroa, com outros nobres e soldados.)

Richmond
Sejam louvados Deus e as vossas armas!
Vencemos e o sangrento cão jaz morto.

Stanley
Ó bravo Richmond, tu foste um herói:
Eis a coroa que por tanto tempo
Ornou a fronte impura de Ricardo.
Arranquei-a da testa ensanguentada
Para adornar com ela a tua fronte;
Usa-a, defende-a, e cumpre um grande fado!

Richmond
Ó Deus do Céu, lança-nos tua bênção!
Dizei-me, o jovem George ainda está vivo?

Stanley
Vivo e seguro em Leicester, meu senhor,
Para onde, se te apraz, nós partiremos.

Richmond
Que grandes homens foram hoje mortos
De um lado e de outro?

Stanley
John, duque de Norfolk; Walter, Lord Ferrers;
Robert Brakenbury e Sir William Brandon.

Richmond
Que seus corpos tenham dignos funerais.
Proclamai meu perdão para os soldados
Que fugiram e queiram submeter-se.

	Depois, como fizemos juramento,
20	Uniremos as rosas branca e rubra.
	Que o céu sorria sobre essa união,
	Depois de ter chorado a inimizade.
	Que traidor não dirá comigo "Amém"?
25	A Inglaterra sofreu seus próprios erros;
	O irmão fez derramar sangue do irmão,
	O pai sacrificou o próprio filho,
	O filho massacrou o próprio pai:
	Tudo isso dividiu York e Lancaster.
30	Foi um horrível desentendimento;
	Unem-se agora Elizabeth e Richmond,[41]
	Legítimos herdeiros dessas casas,
	Em sagrada união, diante de Deus.
	E se tiverem filhos – Deus o queira –
35	Que eles leguem aos dias do futuro
	Uma paz de abundância e de fartura!
	Deus não permita que haja vis traidores
	Para fazerem esta pobre pátria
	Chorar de novo lágrimas de sangue!
40	Não vivam nesta próspera ventura
	Aqueles que conspiram nesta Terra!
	Curada a chaga, a paz é o nosso bem;
	Pra quem a preservar, Deus diga "Amém"!

(Saem todos.)

---

[41] O casamento de Elizabeth (York) e Richmond (Lancaster) termina a Guerra das Rosas, unindo-as na rosa branca e vermelha dos Tudors. (N. E.)

�# Eduardo III

Introdução
Liana Leão

O prestígio cultural de Shakespeare é indubitavelmente enorme. Atribuir mais uma peça ao Bardo suscita sempre intenso debate na academia e na imprensa, bem como movimentação no mundo editorial. Segundo a maioria dos especialistas, *Eduardo III* só entrou oficialmente para o cânone a partir do fim da década de 1990, o que explica por que, inicialmente, Barbara Heliodora recusou o convite do amigo e editor Sebastião Lacerda para traduzir a peça. Entretanto, como pesquisadora incansável, decidiu reler a peça, e emergiu da releitura convencida de que, apesar de não ter sido escrita inteiramente por ele, ali havia sim muito da mão de um Shakespeare ainda jovem, mas já revelando a promessa de se tornar um grande autor. Aos 91 anos, Barbara Heliodora concluiu sua tradução, a última antes de falecer, sem entretanto ter tido tempo de redigir uma introdução, como era seu costume. É essa a tarefa da qual aqui me ocupo.[1]

Eduardo III e a entrada no cânone

Registrada, em 1595, no *Stationers' Register* de Londres – associação que regulava os direitos de publicação na época – com o título *Um livro intitulado Eduardo III e o príncipe Negro, suas guerras com o rei João da França* (*A book Intitled Edward the Third and the blacke prince their warres wth kinge Iohn of Fraunce*), *Eduardo III* foi publicada como obra anônima duas vezes: no *sin quartos* de 1596 e de 1599, ambos pelo editor Cuthbert Burby. A falta de indicação sobre a autoria permitiu que, ao longo dos séculos, vários dramaturgos fossem aventados como autor único ou autor-colaborador, dentre eles Thomas Kyd, George Peele, Christopher Marlowe, Robert Greene, Michael Drayton, Robert Wilson e, também, William Shakespeare. O consenso hoje é que a peça tenha sido escrita ao menos em parte por Shakespeare, com a colaboração de outro dramaturgo.

Antes de adentrarmos a questão da autoria de Shakespeare, é importante esclarecer que colaboração autoral era prática usual, e que se estima que cerca de metade das peças escritas para o teatro público na época elisabetana-jaimesca era de autoria compartilhada, ainda que a maioria desses textos não tenha chegado até nós. E, considerando a grande inserção de Shakespeare no contexto teatral londrino no final do século XVI e no início do XVII, é difícil supor que o Bardo não tenha colaborado com outros dramaturgos.

Vale lembrar que o que se entende aqui por colaboração, no que diz respeito a Shakespeare, é que ele tenha escrito passagens ou cenas, interpolando suas contribuições em peças parcialmente escritas por outros dramaturgos, sem necessariamente ter ocorrido um processo de escritura conjunta das peças; exclui-se aqui, portanto, o sentido mais geral do fazer teatral como arte colaborativa, na qual inte-

---
[1] Agradeço à Prof. Dra. Marlene Soares dos Santos (Emérita - UFRJ), à Dra. Anna Stegh Camati (UFPR) e ao Prof. Dr. José Roberto OShea (UFSC) a leitura atenta e as inúmeras sugestões.

ragem autores e atores no processo de ensaios e apresentação do espetáculo. Cabe ressaltar, ainda, que nem todos os estudiosos concordam sobre quais peças do teatro elisabetano-jaimesco teriam sido escritas em colaboração; essas são questões que vêm sendo atualmente debatidas e investigadas.

Já está firmemente estabelecido que em 1603-1604 Shakespeare contribuiu com alguns trechos para *Sir Thomas More* (1593), na celebrada "Caligrafia D", em um manuscrito da peça em exposição no Museu Britânico; o autor principal seria Anthony Munday, e mais três outros dramaturgos – Thomas Dekker, Thomas Heywood e Henry Chettle – colaboraram.

Além dessa colaboração, no início de sua carreira, quando com 25 ou 26 anos chega a Londres, ele passa por um período de aprendizagem sobre o que vinha sendo feito em termos de teatro naqueles palcos. Era, provavelmente, proveitoso para um autor iniciante trabalhar com dramaturgos atuantes na cidade. Nessa época, consta que Shakespeare tenha colaborado com George Peele em *Titus Andronicus* (1592); com Thomas Nashe e outros dramaturgos em *Henrique VI Parte 1* (1591-2), *Parte 2* (1594) e, possivelmente, *Parte 3* (1595).

Em peças da maturidade, Shakespeare também dividiu a autoria com outros dramaturgos: Thomas Middleton em *Timon de Atenas* (1607-8); George Wilkins em *Péricles* (1607); e John Fletcher em *Henrique VIII* (1612-3) – que tinha o título de *Tudo é verdade* –, *Os dois primos nobres* (1612-3) e *Cardenio*, peça perdida baseada no famoso romance *Dom Quixote*, de Cervantes. Hoje é geralmente aceito, também, que na preparação do *Primeiro Fólio*, as peças *Macbeth* e *Medida por medida* tenham sido revisadas por Thomas Middleton.

Em relação a *Eduardo III*, o primeiro a apontar Shakespeare como autor foi Humphrey Moseley em seu catálogo de peças de 1656. Quase um século depois, em 1760, Edward Capell, o primeiro editor a publicar o texto após os *in-quartos* originais, o incluiu em uma seleção de peças antigas (*Prolusions; or, Select Pieces of Antient Poetry*). Capell destacou as cenas com a Condessa de Salisbury como exemplos tanto de tipo de verso quanto da composição de personagens característicos de Shakespeare. Em 1851, Henry Tyrrell incluiu *Eduardo III* em *As peças duvidosas de Shakespeare* (*The Doubtful Plays of Shakespeare*), posição reforçada com a publicação de uma obra do influente C. F. Tucker Brooke – *Shakespeare apócrifo: sendo uma coleção de quatorze peças atribuídas a Shakespeare* (*The Shakespeare Apocrypha: Being a Collection of Fourteen Plays Which Have Been Ascribed to Shakespeare*) – que estabelece, a partir de 1908, a peça como obra fora do cânone, atribuindo a peça a George Peele.

O argumento mais forte contra a autoria de Shakespeare era o fato de o texto não constar do *Primeiro Fólio* (1623), organizado pelos atores John Heminges e Henry Condell – que reuniu pela primeira vez 36 peças do dramaturgo – e nem nos fólios subsequentes do século XVII. Tampouco a autoria da peça havia sido atribuída a outro dramaturgo, como é o caso de *Dois primos nobres*, que também não consta do Fólio mas foi escrita em parceria com John Fletcher, cujo nome aparece impresso, antes do de Shakespeare, no frontispício do *in-quarto* do texto da peça, publicado em 1634. Outro fator que contribuiu para a dúvida quanto à autoria de *Eduardo III* foi o fato de a peça não ter sido mencionada por Francis Meres em seu livro de reflexões morais *Palladis Tamia* (1598) que arrolou a maioria das peças de Shakespeare publicada até aquele momento.

A investigação sobre a autoria se intensificou a partir da segunda metade do século XX e ganhou fôlego com estudiosos como Kenneth Muir e Richard Proudfoot que examinaram estruturas verbais, temáticas e estilísticas da peça, compararam-na com outras obras do autor e concluíram que Shakespeare poderia ser autor de pelo menos algumas cenas. Em 1996, Eric Sams, especialista nas primeiras peças de Shakespeare, propôs o Bardo como autor único.

Em 1998, o editor da peça para a *New Cambridge Shakespeare*, Giorgio Melchiori, fez uma apreciação bastante completa das investigações sobre a autoria e reafirmou a observação de E. K. Chambers de que a ausência da peça do *Primeiro Fólio* se deveria a uma razão política: a obra retratatava os escoceses de modo negativo em um momento em que o trono inglês era ocupado pelo rei escocês Jaime I. E de fato, fica fácil encontrar na peça passagens detratoras do rei David, seu compatriota, descrito como "traidor", "tirano", "ignóbil", "confiante e fanfarrão", e dos escoceses como "raposas ladras" que "galopam para Escócia com seu ódio".

Estudos comparativos de estilística, léxico, tipo de versificação e imagística prosseguiram, ampliados por sofisticadas técnicas de pesquisa computadorizada, de modo que hoje torna-se menos trabalhoso estabelecer a "impressão digital linguística" de cada autor. Entre os pesquisadores, destaca-se Brian Vickers que detectou duzentas e vinte metáforas e frases de três ou mais palavras características de Shakespeare, quando o número médio de frases coincidentes entre diferentes autores é de vinte ocorrências. Vickers defende a autoria parcial de Shakespeare, calculando-a em torno de 40% e estimando Thomas Kyd como provável colaborador. O consenso geral entre os pesquisadores, entretanto, é que pelo menos cinco cenas – 1.2, 2.1, 2.2, 4.4 e 4.5 – sejam da autoria de Shakespeare.

Na esteira desses resultados, surgiram novas edições que incluíram a obra, como o conceituado *Riverside Shakespeare* (1996, segunda edição), *As obras completas da Oxford* (2005, segunda edição), *The Norton Shakespeare* (2008, segunda edição; 2015, terceira edição) e a coletânea de peças *William Shakespeare & Others: Collaborative Plays* (2013), além da edição individual da *New Cambridge Shakespeare* (1998). É esperada para breve da edição *Arden Shakespeare*, que vem sendo preparada por Richard Proudfoot e Nicola Bennett.

Apesar de nenhuma peça em colaboração atingir a grandeza de obras sabidamente de autoria única, como *Hamlet, Rei Lear, Noite de Reis, Antônio e Cleópatra, Henrique IV partes 1 e 2, Otelo* ou *O conto do inverno*, é inegável que há muito de seu verso vibrante, de suas imagens concentradas e de seu diálogo vivo e complexo nesses novos acréscimos ao cânone, de modo que ganham os leitores e os espectadores. Que aqui se fique com a certeza que *Eduardo III* faz hoje parte do cânone e que foi, em parte, escrita por Shakespeare. Como jocosamente dizia Barbara Heliodora, "Shakespeare é um autor que continua publicando mesmo depois de morto".

Contexto histórico, fontes e enredo de *Eduardo III*

Escrita em algum momento entre 1588 – ano da vitória inglesa sobre a Armada Espanhola – e 1594, *Eduardo III* reflete o clima de conquista militar, de afirmação política e de identidade nacional que a Inglaterra vivia. A ideia de celebrar a nação e o heroísmo de seus monarcas era o que tornava, naquele momento, as peças históricas tão apreciadas, com destaque para os reis Henrique V e Eduardo III, já que ambos, em seus respectivos momentos históricos, transformaram a Inglaterra em grande potência militar. Eduardo venceu a Escócia bem como a França, a mais poderosa monarquia europeia da época. Triunfou sobre o exército francês tal qual, quase dois séculos depois, a Inglaterra triunfaria sobre a Invencível Armada. É a construção da figura desse monarca e de seu valoroso filho, o Príncipe Negro, que espelha e reforça o momento de nacionalismo que a Inglaterra vivia.

A peça trata das primeiras batalhas da famosa Guerra dos Cem Anos (1337-1453), do período que vai da declaração de guerra à França à vitória em Poitiers. Para reforçar a hipótese da autoria, ao menos parcial, de Shakespeare, vale sublinhar que *Eduardo III* aborda o reinado imediatamente anterior ao de Ricardo II, neto e herdeiro de Eduardo; anuncia, portanto, o imenso edifício das peças históricas que vai de *Ricardo II* a *Ricardo III*, abarcando o período de 1397 a 1485.

A fonte principal é *As crônicas da Inglaterra, Escócia e Irlanda*, (1586), de Raphael Holinshed, muito utilizada por Shakespeare, bem como *As crônicas da França* (1513), de Jean Froissart. Ele também faz uso de *O palácio dos prazeres* (1567), de William Painter – obra empregada como fonte do enredo de tragédias e comédias, como *Romeu e Julieta* e *Bem está o que bem acaba* – nas cenas dedicadas à paixão do rei pela Condessa de Salisbury.

No tratamento do material histórico e na recriação de personagens, *Eduardo III* segue estratégias de composição usuais para o gênero drama histórico. Eventos históricos são simplificados, condensados e reordenados, e o local e o tempo da ação são manipulados; por exemplo, o intervalo de tempo entre as batalhas de Sluys (1340), Crécy (1346), Calais (1347) e Poitiers (1356) é comprimido, e estas seguem-se por vezes em ordem inversa – a batalha naval de Sluys ocorre antes da batalha de Crécy. Além disso, criam-se cenas que não têm correspondentes históricos como, por exemplo, a entrega do rei David II a Eduardo feita por John Copeland após a batalha de Calais. Quanto às figuras históricas, essas podem ser suprimidas ou amalgamadas, de modo que melhor representem pontos de vista, encarnem nações e/ou determinados conflitos. Este é o caso dos dois monarcas franceses, Felipe VI e João II; na peça, os dois são amalgamados na figura de João, que passa a representar a França inimiga.

Em relação ao enredo, há dois fortes centros de interesse: a guerra e o amor. Para alguns estudiosos, o dilema espiritual do rei e as lutas políticas contra a Escócia e a França estão interligadas e se sobrepõem, havendo inclusive uma correspondência na apresentação da sacralidade dos juramentos: na guerra, os juramentos de Villiers e do príncipe Charles, e no amor, o de Warwick e o da condessa, sua filha, o que faz supor que haja uma mesma inteligência responsável pelo fio condutor de todo o enredo. Outros estudiosos, entretanto, veem política e paixão como estruturalmente dissociadas, e defendem que as cenas de amor sejam adições posteriores feitas por Shakespeare.

A peça abre-se com o tema da guerra: em uma conversa entre o rei Eduardo e Robert Artois, o exilado francês confirma o direito do monarca inglês à coroa da França. O direito de Eduardo vem de sua mãe, Isabella, filha do rei Felipe IV; o direito do monarca francês, João II, deriva de sua descendência de Carlos de Valois, irmão caçula de Felipe IV. Portanto, Eduardo precederia João II na sucessão, não fosse a lei sálica – amplamente discutida também em *Henrique V* – que proíbe a sucessão pela linha materna:

> Quando findou a linhagem do Belo,
> Ocultam o privilégio de sua mãe
> E, embora a próxima em sangue, proclamam
> Esse João de Valois como seu rei.
> A razão, dizem, é o reino da França,
> Tendo muitas linhagens principescas,
> Não devia admitir pra seu governo
> Senão o que vem de linha masculina; (1.1)

Chega, então, à corte um emissário francês, o Duque de Lorraine, que traz a ultrajante proposta de que Eduardo receba o ducado da Guienne em troca do reconhecimento de João II como monarca da França. Em uma passagem que lembra as célebres bolas de tênis que "se transformam" em balas de canhão de *Henrique V*, Eduardo responde que visitará a França, porém para conquistá-la.

A próxima cena trata de novos confrontos, agora contra a Escócia: Montague traz notícias da perda das cidades de Newcastle e de Berwick, e do cerco do rei David ao castelo da condessa de Salisbury. Assim, portanto, ficam espelhados dois planos de conflito político: em um, a Inglaterra está sendo invadida pela Escócia, em outro, ela vai invadir a França.

Para resolver os dois embates, o rei Eduardo parte para o castelo de Roxborough com o intuito de enfrentar os escoceses e, depois, lutar com os franceses. Quando o rei chega a Roxborough, os escoceses covardemente fogem; mas, ao invés de Eduardo seguir para a guerra, encanta-se pela bela esposa do conde de Salisbury. A condessa, livre do cerco político dos escoceses, torna-se, então, presa do cerco amoroso do soberano. Paixão e política se sobrepõem e o entrelaçamento desses enredos fica evidente no mónologo do rei:

> REI EDUARDO
> Minha luta de hoje não quer armas
> Senão as minhas, que captam o inimigo
> Em marcha de gemidos penetrantes;
> Meus olhos, setas; e os meus suspiros
> Hão de servir-me qual vento vantajoso,
> A empurrar-me a doce artilharia.
> Mas, ai, o sol ela rouba de mim,
> Pois ela é ele mesmo, e disso vem
> Erotismo que cega o poeta em guerra.
> Mas o amor tem olhos pra seus passos
> Até amor demais o deslumbrar. (2.1)

A peça investiga os limites das prerrogativas de um governante. De modo similar a Ricardo III, da peça homônima, e ao Duque Angelo, de *Medida por medida*, Eduardo utiliza-se de sua posição de poder para forçar a aquiescência sexual da condessa. Obriga Warwick, que lhe jura lealdade absoluta, a convencer a condessa, sua filha, a ceder ao seu desejo: "Vai até tua filha, e em meu lugar/ Ordena, persuade, ou a convence/ Ser minha amante, meu amor secreto" (2.2). Dividido entre o juramento de lealdade ao soberano e o amor à filha, Warwick medita sobre a corrupção do rei, a "tarefa maldita" imposta por um "rei sem limites":

> WARWICK
> Como começo essa triste tarefa?
> Não dizer filha, pois qual é o pai
> Que uma filha seduz pra tal proposta?
> "Mulher de Salisbury" – começo assim?
> Mas ele é meu amigo, e que amigo
> Maligna de tal modo uma amizade? –
> (à *filha*) Nem filha, nem mulher do meu amigo,
> Eu não sou Warwick como pensas tu,
> Mas advogado da corte do inferno,
> Cujo espírito mora em sua forma,
> Para trazer do rei uma mensagem.
> O grande Rei da Inglaterra te adora:
> E tem poder para tirar-te a vida,
> E pra tirar-te a honra; então consente
> Em empenhar a honra e não a vida;
> Honra se perde às vezes, e se retoma,
> Mas a vida, se vai, não volta mais. (2.1)

A condessa, corajosamente, resiste aos apelos do pai e às propostas do rei. Tal qual a casta Isabela de *Medida por medida*, e lembrando também a heroína do poema *O estupro de Lucrécia* (1594), a condessa prefere a morte ao adultério e rechaça o abuso da autoridade do rei: "Que eu morra, se o querer que ele proclama/ O exige, antes que eu consinta nisso/ E faça parte de sua alta luxúria" (2.2).

A chegada do príncipe de Gales parece resolver esse impasse, quando no rosto do filho Eduardo vê "o rosto da mãe, misto no dele" e "corrige o mau desejo" (2.2). O rei vacila em relação aos seus intentos e parece dominar os seus instintos como dominou a Escócia e dominará a França:

> REI EDUARDO
> Será todo o limite da Bretanha
> Derrotado por mim, e não consigo
> Dominar a mansão que sou eu mesmo?
> Com uma armadura de eterno
> Conquisto reis, e será que não posso
> Mandar em mim, servindo o inimigo? (2.2)

Entretanto, com a entrada da Condessa, a sua determinação se esvai e ele torna, novamente, a assediá-la: "Aí está; e esse sorriso dela/ Livrou a França, e deixou seu rei,/ O Delfim e os nobres todos livres." A condessa ameaça se suicidar se Eduardo não desistir de seu intento lascivo:

> CONDESSA
> Se se mover, ataco – fique, então,
> E ouça a escolha que a si ofereço:
> Ou jura abandonar sua corte infame,

> E nunca mais tentar me conquistar,
> Ou, pelo céu, esta faca pontuda
> Mancha este chão que o senhor quer manchar,
> Meu sangue casto. Jure, Eduardo, jure,
> Ou dou o golpe, e morro ante o senhor. (2.2)

O rei, então, é derrotado pela virtude da Condessa e forçado a fazer um juramento "Juro pelo poder que ora me dá/ Poder para eu sentir minha vergonha/ Que nunca mais eu abrirei os lábios/ Pra palavras que que a isto nos levaram." (2.2). Ao renunciar a Condessa, Eduardo torna-se vitorioso sobre si mesmo, e cresce moralmente.

E será sob a influência de outra mulher, a Rainha Philippa, que Eduardo se aprimorará como monarca, perdoando os burgueses de Calais e transformando-se na figura magnânima do final da peça:

> RAINHA
> Seja mais doce pra com os que se rendem!
> É glorioso determinar a paz,
> E os reis ficam mais próximos de Deus
> Se dão ao homem vida e segurança:
> Se é a sua intenção ser rei da França,
> Deixe-os viver pra chamá-lo de rei,
> Pois o que o aço corta e o fogo estraga
> É de reputação que não é nossa. (5.1)

São, portanto, duas mulheres que contribuem, decisivamente, para o aprimoramento de Eduardo: a Condessa, para o aprimoramento do homem, e a rainha, para o aprimoramento do monarca. A rainha exerce, ainda, um papel importante na guerra, quando "grávida, esteve sempre em armas" e venceu o rei da Escócia.

Após o interlúdio de amor, o enredo da guerra é retomado nos três atos remanescentes, que narram, mais do que propriamente encenam, as cenas de batalhas. O recurso à extensiva narração fica evidente, por exemplo, no longo trecho em que o marinheiro francês traz notícias da derrota em Sluys, com imagens anacrônicas que evocam a vitória sobre a Invencível Armada – a menção à formação naval em meia-lua, ao tipo de artilharia usada, e à nave inglesa Nonpareille, usada contra os espanhóis (3.1)

A sucessão de vitórias militares em Harfleur, Lo, Crotoy, Carentan, Poitiers, Calais e Crécy lembra as conquistas de *Henrique V*; as cenas alternam narrativas da perspectiva francesa e inglesa, recurso também utilizado naquela peça. Destaca-se o ponto de vista dos cidadãos comuns sobre a guerra, quando homens, mulheres e crianças abandonam suas casas, em medo e desespero, antecipando a derrota certa:

> 1º CIDADÃO
> [...]
> Aquele que não pega logo a capa
> Ao ver caírem as primeiras gotas,
> Pode bem, só por sua negligência,
> Ser encharcado quando não espera.
> Nós, que aqui temos tantos dependentes,

> Temos, com tempo, de pensar em todos,
> Não ficar sem poder, quando é preciso. (3.2)

Ao trazer a notícia da vitória do "rei conquistador" e "seu fogoso filho", o cidadão francês também denuncia a face horrenda da guerra, evocando incêndios, mortes e estupros perpetrados sobre a população em fuga:

> 3º FRANCÊS
> Fujam, patrícios, cidadãos da França!
> A doce paz, raiz da vida alegre,
> Expulsa, abandonou a nossa terra;
> Em seu lugar, a guerra destruidora
> Senta qual corvo sobre as suas casas,
> Correm morte e pecado em suas ruas,
> E deixam tudo em caos por onde passam;
> A sua forma acabo eu de ver
> Nessa linda montanha de onde venho.
> Por toda parte onde lancei o olhar,
> Cinco cidades pude ver em fogo,
> Trigo e vinhas queimando como em forno,
> E quando o fumo que escapava ao vento
> Deu uma trégua, eu pude entrever
> Os habitantes, fugindo do fogo,
> Cair aos montes em ponta inimiga.
> Por três caminhos as hostes da ira
> Seguem ritmada sua marcha trágica:
> À direita vem o rei conquistador,
> À esquerda o seu fogoso filho,
> No meio brilha a hoste popular;
> E eles conspiram, mesmo que distantes,
> Pra deixar desolado onde eles chegam.
> Portanto, cidadãos, se forem sábios,
> Vão procurar habitação mais longe.
> Aqui, terão abuso suas mulheres,
> Seu tesouro perdido ante os seus olhos;
> Abriguem-se; chegou a tempestade.
> Vão-se! Já ouço seus tambores.
> Temo sua queda, França! Ai!
> Sua glória hoje é um muro que cai. (3.2)

Persistem dúvidas sobre as cenas que relatam as batalhas, especialmente as do ato 3, serem da autoria de Shakespeare. Entretanto, deve-se ressaltar que ao celebrar a vitória "justa" de Eduardo sobre a França, fica também desenhada a face crua da guerra e seus efeitos sobre a população civil, um tema sempre caro ao poeta. Especialmente imagens como "armas mortais", "nuvens guerreiras", "bandeiras sangrentas", "o dia que beberá sangue", "a noite horrível ao meio-dia", "um medo mudo que cria a meia-noite" (4.4; 4.5) apontam para a presença da mão do poeta.

Destaca-se, ainda, como possivelmente de Shakespeare, a ironia com que o príncipe Eduardo recebe as mensagens dos arautos, que ecoa o desdém com que seu pai tratou as ameaças dos franceses. O príncipe manda de volta os ofensivos presentes enviados pelos filhos de João, primeiro, o "potrinho ágil" para a fuga e, depois, "um livro de orações" para rezar antes de morrer:

2º ARAUTO
O Duque da Normandia, meu senhor,
Por pena de seu perigo, tão jovem,
Manda por mim esse potrinho ágil,
Mais rápido do que jamais montou,
Para, com ele, o aconselha a fugir,
Ou a morte, por certo, o matará.

PRÍNCIPE
Pois leve a besta à besta que o mandou!
Eu não monto cavalo de covarde;
Que ele monte ele mesmo hoje o potrinho,
Pois mancharei meu cavalo com sangue,
E as esporas também, quando pegá-lo.
Diga isso a seu amo-menino, e vá-se embora. (4.4)

[...]

3º ARAUTO
Edward de Gales, Philip, o outro filho
Do Cristianíssimo Rei de França,
Vendo expirar-se o tempo do seu corpo,
Por caridade e por amor cristão,
Manda este livro cheio de orações
Às suas mãos, porque, neste momento,
Recomenda que sobre elas medite,
Fortalecendo sua alma pra viagem.
Fiz o que ele mandou, e agora volto.

PRÍNCIPE
Arauto de Philip, ele eu saúdo.
Todo bem que mandar aqui recebo,
Mas não acha que o menino, insensato,
Se feriu, pensando assim em mim?
Talvez não possa rezar sem esse livro,
Não o creio pastor improvisado.
Devolva então o livro de orações
Que a ele fará bem na adversidade.
Ele não sabe quais os meus pecados,
Ou que preces a mim podem valer.
Talvez ele ore hoje para Deus
Fazer com que eu escute as preces dele.
Diga isso ao nobre tonto, e pode ir. (4.4)

Diante da perspectiva de morte iminente, Audley consola o príncipe com reflexões densas e de pendor estóico, anunciando ideias e imagens que reaparecerão em obras da maturidade:

AUDLEY
Pois do momento em que começa a vida
Perseguimos o dia de morrer.
Nascemos, florescemos, procriamos,
Logo caímos, e assim como a sombra

> Segue o corpo, seguimos nós a morte.
> Por que temer a morte, se a caçamos?
> Podemos evitar o que tememos?
> E tendo medo, apenas ajudamos
> O que tememos a pegar-nos antes.
> Sem temer, não há posição tomada
> Que ultrapasse os limites do destino,
> Pois maduros ou podres nós caímos
> Ao ganhar a loteria do fado. (4.4)

Uma leitura atenta do texto, especialmente em uma edição de *Obras Completas* como esta, oferece o melhor meio de se examinar a pertinência da autoria de Shakespeare, ampliando a possibilidade de comparação entre as peças. Desnecessário dizer que seria injusto cotejar as imagens, o estilo e a linguagem de *Eduardo III* unicamente frente às obras-primas. Repetindo as palavras do primeiro editor da peça, Edward Capell, cabe ao "leitor formar sua própria opinião, guiado pelo que agora está diante dele".

Bibliografia:

Chambers, E. K., *William Shakespeare*, vol. I (Oxford, 1930).

Craig, Hugh e Kinney, Arthur. *Shakespeare, Computers and the Mystery of Authorship*, (Cambridge University Press, 2012).

Melchiori, Giorgio (ed.), King Edward III (Cambridge University Press, 1998).

Muir, Kenneth. *Shakespeare as Collaborator* (Routledge, reprint. 2005).

Proudfoot, Richard. "The Reign of king Edward The Third (1596) and Shakespeare". Shakespeare Lecture, Proceedings of the British Academy 71 (1985).

Sams, Eric. Shakespeare's 'Edward III': *an Early Play Restored to the Canon* (Yale University Press, 1996).

Vickers, Brian. "The Two Authors of Edward III", *Shakespeare Survey: Shakespeare's Collaborative Work*. Ed. Peter Holland. Vol. 67. (Cambridge University Press, 2014).

Lista de personagens

Os Ingleses
Rei Eduardo III
Rainha Philippa de Hainualt, sua mulher
Edward Príncipe de Gales, seu filho, o Príncipe Negro
Conde de Salisbury
Condessa de Salisbury, sua mulher
Conde de Warwick, pai da condessa
Sir William Montague, sobrinho de Salisbury
Conde De Derby
Lord Audley
Lord Percy
John Copland, cidadão, mais tarde Sir John Copland
Ludovico, secretário do rei Eduardo III
Dois Cidadãos
Um Arauto

Apoiadores dos ingleses
Robert, conde de Artois e duque de Richmond
Lord Mountford, duque da Bretanha
Gobin de Grace, prisioneiro francês

Os Franceses
Rei João
Príncipe Charles, duque da Normandia, filho mais velho do rei João
Príncipe Philip, filho mais moço do rei João
Duque De Lorraine
Villiers, nobre normando
O capitão de calais
Outro capitão
Marinheiro
Três arautos
Dois cidadãos de Crécy
Três outros franceses
Uma mulher com dois filhos
Seis cidadãos ricos de Calais
Seis franceses pobres de Calais

Apoiadores dos franceses
Rei da boêmia
Capitão polonês
Tropas dinamarquesas

Os escoceses
Rei David II, Bruce da Escócia

Sir William Douglas
Dois mensageiros
Lordes, atendentes, oficiais, soldados, cidadãos, servos etc.

A cena: Inglaterra, Escócia e na França.

ATO 1

CENA 1

(Entram o Rei Eduardo,[1] Conde Artois, Derby, o Príncipe de Gales, Audley, Warwick e outros.)

Rei Eduardo
Robert de Artois,[2] embora banido
De sua França nativa, aqui conosco
Hás de reter tua alta posição;
E aqui te faço agora conde Richmond.
Ora vejamos a nossa linhagem:
Quem há de suceder Felipe, o Belo?

Artois
Três filhos dele, sucessivamente,
Sentaram no real trono do pai,
Sem deixarem herdeiros de seu sangue.

Rei Eduardo
E não era irmã desses minha mãe?

Artois
Era, senhor, e somente Isabel
Foi, dentre todas, filha de Felipe,
Que seu pai tornou, depois, sua mulher,
E do fragrante jardim de seu ventre,
Sua pessoa, flor de nossa Europa,
É herdeira derivada da França.
Mas note o rancor de mentes rebeldes:
Quando findou a linhagem do Belo,
Ocultam o privilégio de sua mãe
E, embora a próxima em sangue, proclamam
Esse João de Valois como seu rei.
A razão, dizem, é o reino da França,
Tendo muitas linhagens principescas,
Não devia admitir pra seu governo
Senão o que vem de linha masculina;
É essa a base pr'esse seu desdém,
Cujo estudo elimina Sua Graça.

---
[1] Primogênito de Eduardo II e Isabel, filha de Philip IV, o Belo, da França; rei a partir de 1327. (N. E.)
[2] É quem instiga a guerra contra a França. (N. E.)

Rei Eduardo
      Mas hão de ver que essa forjada trilha
      É poeira de areia quebradiça.

Artois
30   É possível que julgue coisa horrenda
      Que eu, francês, é que descubra isso;
      Mas peço ao céu que me abençoe a jura:
      Não foi por ódio nem causa pessoal
      Mas amor ao país e ao direito
35   Que me levou a língua a aqui dizê-lo.
      O sangue o faz guarda de nossa paz,
      João de Valois vem por modo indireto.
      Não deve o súdito abraçar seu rei?
      Aonde estará mais nosso dever
40   Que se opondo ao orgulho de um tirano,
      Dando à pátria seu pastor verdadeiro?

Rei Eduardo
      O teu conselho, Artois, qual chuva fértil,
      Fez mais crescer a minha dignidade;
      E o fogoso vigor de tuas palavras
45   No peito engendra o calor da coragem,
      Perdido até aqui em ignorância,
      Mas que ora voa nas asas da fama,
      Mostrando a descendência de Isabel
      Capaz de dominar co'aço os teimosos
50   Que negam minha soberania em França.

         (Soa uma trompa.)

      Um mensageiro. De onde vem, Audley?³

         (Entra Lorraine, como mensageiro.)

Audley
      O duque de Lorraine, de além-mar,
      Pede com sua alteza conferência.

Rei Eduardo
      Que entre, senhores; quero as suas novas.
55   Diga, duque de Lorraine, por que veio?

---

3 Sir James Audley, um dos fundadores da Ordem das Jarreteiras, distingue-se na Batalha de Poitiers; é apresentado como mais velho que o Príncipe, porém historicamente eram contemporâneos. (N.E.)

LORRAINE

    O grande príncipe, rei João da França,
    Saúda Eduardo, e por mim ordena
    Que, se por sua generosidade
    Lhe foi dado o ducado de Guienne,
60   Deve hoje a ele humilde homenagem,
    E por isso eu aqui hoje o convoco
    A ir à França em quarenta dias,
    Pra lá, segundo o que é costumeiro,
    Lhe prestar juramento de vassalo,
65   Pois se não morre o título à província,
    E ele mesmo retomará a área.

REI EDUARDO

    Vejam, a ocasião se ri de mim;
    Mal penso em preparar-me para a França,
    E logo me convidam – com ameaças –
70   E até com multas se eu lá não for!
    Seria criancice recusar-me.
    Lorraine, leve a seu amo esta resposta:
    Planejo, como quer, ir visitá-lo –
    Mas como? Não disposto a me curvar,
75   Mas, qual conquistador, pr'ele curvar-se;
    'Stão descobertas suas manobras mancas,
    A luz tirou-lhe a máscara do rosto,
    Escurecendo essa sua arrogância.
    De mim ele comanda lealdade?
80   Diga-lhe que ele me usurpa a coroa,
    E deve ajoelhar-se onde ele pisa;
    Não é mero ducado que eu reclamo,
    Mas sim todo o domínio de seu reino,
    O qual, se ele recusa a me ceder,
85   Eu lhe tiro a plumagem emprestada
    E o mando nu para um mundo selvagem.

LORRAINE

    Então, Edward, ante todos os nobres
    Proclamo um desafio a esse seu rosto.

PRÍNCIPE

    Desafio, francês? O devolvemos
90   Até o fundo da goela do seu amo;
    E – seja dito então com reverência
    A meu pai e a todos esses lords –
    Eu considero essa mensagem obscena,
    E o que a manda um zangão preguiçoso

95   Que oculto penetrou no ninho da águia,
  Do qual o abalaremos com tais ventos
  Que hão de servir a outros como alerta.⁴

 Warwick
  Diga-lhe que tire sua capa de leão,
  Pois se encontra o real leão no campo
100   Este fará o seu orgulho em trapos.

 Artois
  O melhor conselho a dar a Sua Graça
  É que se entregue antes de forçado.
  A culpa arrependida é relevada,
  Não punição que por vingança é dada.

 Lorraine
105   Traidor degenerado, falsa víbora,
  Onde cresceu e passou sua infância?
  Também é parte da conspiração?

  (Puxa a espada.)

 Rei Eduardo
  (Puxando a espada.)
  Lorraine, veja o fio deste aço:
  O calor do desejo do meu peito
110   Pica e penetra mais do que esta lâmina;
  Que, com o rouxinol⁵ me hão de ferir,
  Toda vez que quiser me repousar,
  Até abrir na França as minhas cores.
  É a última resposta. Pode ir.

 Lorraine
115   Não isso, a nem a bravura inglesa
  Me aflige como o veneno deste outro:
  Que seja falso quem deve ser leal.

             (Sai.)

 Rei Eduardo
  Senhor,⁶ veleja agora a nossa nau,
  O desafio feito, chega a guerra,
120   Mas não tão rápido ela chega ao fim.

---

4 Historicamente, o príncipe Edward só tinha sete anos na ocasião desses acontecimentos. (N. E.)
5 Na época, era muito difundida a imagem de um rouxinol cantar apertando o bico contra uma trompa. (N. E.)
6 O rei evoca Deus. Em algumas edições, o texto é emendado como lords. (N. E.)

(*Entra* Montague.)

Mas por que vem Sir William Montague?
Que há com nossa liga com a Escócia?

Montague

Que brada e mal servida, grande rei:
O rei traidor, apenas informado
125 Que havia retirado as nossas tropas,
De imediato, esquecendo a sua jura,
Invadiu as cidades fronteiriças:
Ganhou Berwich, Newcastle foi perdida,
E o tirano agora sitiou
130 De Roxborough o castelo, lá prendendo
A condessa de Salisbury, pra morrer.

Rei Eduardo

Essa é a filha de Warwick, pois não é?[7]
Cujo marido[8] na Bretanha serve
Há muito pra firmar por lá lord Mountford.

Warwick
135 É, milord.

Rei Eduardo

David[9] ignóbil, só tens pra atormentar
Com tuas armas senhoras vulneráveis?
Mas eu farei encolher esses teus chifres!
Mas antes, Audley, deixo isto a teu cargo:
140 Convoca infantes pras guerras na França;
E, Ned, reúne os homens em armas,
De todos os condados traz um bando,
Que sejam todos soldados valentes
Que nada temem senão a desonra;
145 Toma cuidado, pois empreendemos
Guerra famosa, com grande nação.
Derby, tu serás nosso embaixador
Ao nosso sogro, o conde de Hainault:
Informa-o de nosso empreendimento,
150 E pede-lhe que com os aliados
Que em Flandres temos, convide também

---

7 Warwick, um dos fundadores da Ordem das Jarreteiras, na peça é o pai da condessa, porém historicamente não o era. (N. E.)
8 Salisbury recebe esse título em 1337, em reconhecimento por sua ação contra os escoceses. O Salisbury histórico morre em 1344, mas na peça o personagem vive mais tempo e incorpora as ações de Sir Walter de Manny. (N. E.)
9 Refere-se ao rei David (1318-71), que reina na Escócia a partir de 1329 e, historicamente, era casado com Joan, irmã de Eduardo III. (N. E.)

        O imperador alemão em nosso nome.
        Quanto a mim, enquanto assim se ocupam,
        Hei de, com as forças que hoje tenho em mãos,
155   Marchar e expulsar o escocês.
        Coragem, senhores: teremos guerras
        Por todo lado; e Ned, tu ora tens
        De esquecer teus estudos e teus livros,
        E pôr nos ombros peso de armadura.

Príncipe

160   Um som feliz pro meu jovem espírito,
        O tumulto da guerra e seus ruídos,
        Como na coroação de um rei
        Os clamores alegres de seu povo
        Quando bem alto clamam *Ave Cesar.*
165   Nessa escola de honra aprenderei
        Ou a levar à morte o inimigo,
        Ou dar o último alento em luta honrosa.

(Saem.)

CENA 2
(Entra a Condessa de Salisbury, ao alto.)

Condessa

        Como é em vão buscarem nos meus olhos
        Socorro vindo do meu soberano!
        Ah, primo Montague[10], temo lhe falte
        O alerta espírito pra solicitar
5   Em meu favor ao rei com veemência.
        Não lhe contas o sofrimento que é
        Ser cativa humilhada do escocês,
        Ou cortejada com juras desastradas
        Ou forçada por barbárie insultuosa;
10   Não lhe dizes o quanto, se ele vence,
        Seríamos, no Norte, debochados,
        E, em suas jigas[11] rudes, saltitantes,
        Urrar sua conquista e nossa perda,
        Até pro ar vazio e infrutífero.

(Entram, embaixo, o Rei David, e Douglas, que encontram Lorraine)

---

10 William Montague tem o mesmo nome do tio, o conde de Salisbury; era o capitão do castelo de Roxborough que foi cercado pelos escoceses em 1341. (N.E.)
11 Jiga é uma dança da época. (N. E.)

15   Tenho de me retirar; o fogo eterno
          Chega aos muros; eu me afasto um pouquinho
          E ouço a baboseira e a gabolice.

    REI DAVID
          Milord Lorraine, em nosso irmão da França
          Saudamos quem, em toda a cristandade
20   Mais reverenciamos e amamos.
          Quanto à embaixada, retorne e diga
          Que nós não conversamos com a Inglaterra,
          Fingimos paz ou temos armistício,
          Antes queimamos vilas na fronteira,
25   Com investidas para além de York;
          A tropa não tem tempo pra repouso,
          Nem a ferrugem tempo pra comer
          Os leves freios ou ágeis esporas,
          Nem pra despir suas cotas de malha,
30   Nem pousar nossos cajados escoceses
          E nem de nossos cinturões de couro
          Tirar adagas antes que seu rei
          Grite: "Basta! Piedade pra Inglaterra!".
          Adeus; e diga-lhe que nos deixou
35   Diante deste castelo, e no momento
          Em que ele caíra em nossas mãos.

    LORRAINE
          Retiro-me, e hei de transmitir
          Sua aceitável saudação ao rei.

                                                          (Sai.)

    REI DAVID
          Voltemos, Douglas, à nossa tarefa,
40   Fazendo a divisão do butim certo.

    DOUGLAS
          Senhor, só peço a dama, nada mais.

    REI DAVID
          Calma, pois a primeira escolha é minha,
          E o primeiro a reclamar por ela.

    DOUGLAS
          Então, senhor, que eu fique com as joias.

Rei David

45　Essas são dela, a ela pertencem,
　　E quem ficar com ela as pega, junto.

(Entra um Mensageiro, apressado.)

Mensageiro

　　Senhor, ao cavalgarmos na montanha
　　Em busca de butim, vindo pra cá,
　　Entrevimos vasta tropa de homens.
50　O sol nas armaduras nos mostrava
　　Campo de metal, floresta de pinhos
　　Que parecem, Alteza, vir pra cá:
　　Marcha fácil de quatro horas traz
　　Aqui até a retaguarda, Alteza.

Rei David

55　Pra trás, pra trás, é o rei da Inglaterra.

Douglas

　　Jammy,[12] rapaz, sele meu belo negro.

Rei David

　　Pretende lutar, Douglas? 'Stamos fracos.

Douglas

　　Eu sei, senhor; e é por isso que fujo.

Condessa

　　Senhor da Escócia, não come e não bebe?

Rei David

60　Ela debocha de nós; não o aturo.

Condessa

　　Diga, senhor, qual é que quer a dama,
　　E qual as joias? Garanto, senhores,
　　Não partem sem rachar este butim.

Rei David

　　Ouviu o mensageiro e a conversa,
65　E com o conforto faz pouco de nós.

---

[12] Nome comum na Escócia, usado quase como genérico. (N. E.)

(Entra outro Mensageiro.)

2º Mensageiro
    Meu bom senhor! Nós fomos surpreendidos!

Condessa
    Atrás do embaixador francês, milord,
    E diga que não ousa entrar em York,
    Use a desculpa que o cavalo manca.

Rei David
70   Ouviu isso também, é lamentável!
    Mulher, adeus. E embora eu não fique...

(Saem os Escoceses.)

Condessa
    Não é por medo, mas mesmo assim fogem...[13]
    Feliz conforto, bem-vindo a esta casa!
    O Escocês, confiante e fanfarrão,
75   Jurou ante o meu muro não fugir
    Ante o armado poder de nossa terra,
    Com o medo sem rosto que recua
    Foi-se daqui contra o vento nordeste,
    Com um mero relatório sobre armas.

(Entra Montague.)

80   Oh dia de verão! É o meu sobrinho!

Montague
    Como vai, tia? Não sou escocês,
    Vai fechar o portão para os amigos?

Condessa
    Como dizer bem-vindo, meu sobrinho,
    Que vem pra enxotar o inimigo?

Montague
85   O próprio rei vem aí, em pessoa:
    Desça, tia, para saudar sua alteza.

---

[13] A condessa completa com ironia a frase iniciada pelo rei David. (N. E.)

CONDESSA
>   Como hei eu de entreter sua majestade,
>   Mostrando meu dever e dignidade?

>   *(Ela sai ao alto.)*
>   *(Entram o Rei Eduardo, Warwick, Artois e outros.)*

Rei Eduardo
>   O quê, fugiram as raposas ladras,
>   Antes que lhe soltássemos os pés?[14]

Warwick
>   Sim, meu senhor; porém com a gritaria
>   Da caça já com os cães a persegui-la.

>   *(Entra a Condessa.)*

Rei Eduardo
>   Essa é a condessa, Warwick, não é mesmo?

Warwick
>   É; cuja beleza assusta os tiranos,
>   Ou como o vento mau a rosa, em maio,
>   Suja, seca, sombreia, e assim destrói.

Rei Eduardo
>   Já foi mais bela, Warwick, do que é?

Warwick
>   Senhor, ela não seria nada bela
>   Se ela estivesse aqui, pra manchá-la,
>   Como eu a vi no tempo em que era ela.

Rei Eduardo
>   Que estranho encanto teriam seus olhos
>   Quando excediam o excelso de agora,
>   Se em seu declínio podem atrair
>   Quais súditos meus olhos majestosos,
>   Que os olham com excessiva admiração?

Condessa
>   Com humilde dever eu me ajoelho
>   E com os joelhos curvo o coração,
>   Símbolo de obediência a sua alteza,

---

14 Expressão de caça; os cães eram retidos até o momento em que os caçadores quisessem. (N. E.)

           Com milhões de gratidão de súdita,
110   Pela sua presença só por próxima
           Expulsou meu perigo dos portões.

    REI EDUARDO
           Levante-se, senhora; trago a paz,
           Mesmo que seja comprada com a guerra.

    CONDESSA
           Não sua; os escoceses já se foram;
115   Galopam pra Escócia com seu ódio.

    REI EDUARDO
           Pra não ceder aqui a vil amor,
           Vamos nós persegui-los. Venha, Artois.

    CONDESSA
           Bom soberano, detenha-se um pouco;
           Deixe o poder de um grande soberano
120   Honrar nossa casa; o conde, na guerra,
           Ao sabê-lo há de sentir-se triunfante.
           Então, senhor, não poupe sua condição
           De estando aí não cruzar o portão.

    REI EDUARDO
           Perdão, condessa; não chego mais perto
125   Sonhei com traição, e sentir medo é certo.

    CONDESSA
           Traição daqui não vai se aproximar.

    REI EDUARDO
                (À parte.)
           Não mais que esse fascinante olhar,
           Que me envenena assim o coração,
           Sem cura por ciência ou por razão.
130   Ele não está ao sol só, afinal,
           E sua lua tira a luz de olho mortal;
           Duas estrelas diurnas posso ver
           Que mais que o sol fazem-me luz perder.
           Desejo contemplativo é desejar
135   Que possa a contemplação dominar.[15]
           Warwick, Artois, montem; vamos embora.

---

15 A referência é à doutrina de Platão, segundo a qual é necessário que a alma domine o desejo para, pela contemplação, alcançar a beleza ideal através da beleza mundana. (N. T.)

CONDESSA
        Que mais posso dizer ao soberano agora?

REI EDUARDO
        (À parte.)
        Pra que língua, se os olhos falam tanto,
        Falando mais que da oratória o encanto?

CONDESSA
140   Não seja sua presença sol de abril
        Que alegra a terra e logo vai, sutil;
        Não deixe mais alegre o muro externo
        Do que seria a honra ao lar interno.
        Nossa casa, senhor, qual camponês,
145   De forma rude e simples é cortês.
        Sem pretensão, por dentro é adornada
        Co'a riqueza do campo, que é ocultada.
        Onde do ouro a riqueza está deitada,
        Não tem flores o chão da natureza;
150   É infrutífero, estéril, tem dureza ;
        E onde a relva faz reconhecido
        O seu perfume multicolorido,
        Cave e veja que o produto cantado
        No esterco e no que é podre foi plantado.
155   Pra limitar essa comparação,
        Em que estado os muros 'stão:
        Bem melhor do que o que digo é, assim,
        Convencer-se por si, e não por mim.

REI EDUARDO
        (À parte.)
        Sábia e bela; que paixão pode ouvir
160   Se uma à outra de guarda vem servir?
        Condessa, meu labor me chama embora,
        Mas o adio, pra servir a senhora. –
        Senhores, hoje à noite aqui sou hóspede.

(Saem.)

ATO 2

CENA 1

(Entra Ludovico.)

LUDOVICO

Vejo o olho dele perdido no dela,
Seu ouvido a beber o que ela diz,
E paixões, que se alteram como nuvens
Que correm carregadas pelos ventos,
5 Nascer e morrer nas faces alteradas.
Quando ela cora, ele empalidece,
Como se a face dela, por encanto,
Atraísse o rubro do sangue dele;
E se por medo fica ela pálida,
10 A face dele se orna de escarlate,
Não vermelho oriental como o dela
Mas tijolo pra coral, vivo pra morto.
Por que imita ele o aspecto dela?
Ela cora por terna timidez,
15 Na sagrada presença de seu rei.
Mas ele, por vergonha do imoral,
De olhar onde não deve, sendo rei.
Se ela fica pálida, é temor
De não saber agir diante do rei.
20 Mas ele, é só por ter temor culpado,
Desse senil amor, sendo ele rei.
Adeus, guerra escocesa; temos, antes,
Um longo cerco inglês de amor mesquinho.
Lá vem sua alteza, a caminhar sozinho.

(Entra o Rei Eduardo.)

REI EDUARDO

25 Ficou mais bela desde que cheguei.
Cada palavra tem mais o som da prata,
E mais brilhante – que história estranha
Contou-me de David e os escoceses?
"Falou assim", diz ela, com sotaque,
30 Com os termos e os tons dos escoceses,
Mas melhor do que fala um escocês.
"E disse ela", agora qual si mesma,
Pois quem fala como ela? Porém ela
Do muro lança qual anjo celeste

35 Seu desafio ao bárbaro inimigo.
Quando fala de paz, a sua língua
Manda pra prisão a guerra; e da guerra
Tira César de sua tumba romana
Pr'ouvir a guerra dela embelezada;
40 Sem ser nela, a sabedoria é tola,
Sem ser nela, a beleza é uma calúnia,
Só há verão em seu aspecto alegre,
Só há frio de inverno em seu desdém.
Não condeno escoceses por cercá-la,
45 Pois é o tesouro desta nossa terra,
E são covardes todos que fugiram,
Quando um tesouro tal diz pra ficar.
Ludovico! Quero papel e pena.

Ludovico
Sim, meu senhor.

Rei Eduardo
50 Que os lords continuem com seu xadrez;
Eu quero andar e meditar sozinho.

Ludovico
Sim, meu soberano.

(Sai.)

Rei Eduardo
Esse homem é versado em poesia,
Com espírito forte e persuasivo;
55 Vou informá-lo da minha paixão,
Que ele há de sombrear com leve véu,
Além do qual a mais bela das belas
Verá que causa minha enfermidade.

(Entra Ludovico.)

Já tem papel e pena, Ludovico?

Ludovico
60 Tudo pronto, senhor.

Rei Eduardo
Senta comigo nesta sombra verde,
Dela faremos casa ou escritório:
Com ideias verdes, seja verde o acordo

Que delas nos alivia, ao expressá-las.
Invoque, Ludovico, musa de ouro
Que lhe conceda uma pena dourada
Que escreva suspiros por suspiros,
Cause gemidos ao falar de dor,
E ao falar de lágrimas as cerque
Antes como depois em tais lamentos
Que fariam pingar olho de um tártaro,
Nascer piedade no peito de cita,
Pois isso faz a pena do poeta.
Assim, se é poeta, faça assim,
E sua paga é o amor do soberano.
Pois se o toque harmônico das cordas
Fez ouvir os ouvidos do inferno,
Quão mais hão de poder sons de um poeta
Pra tentar e captar a mente humana?

LUDOVICO
A quem, senhor, dirijo o que escrevo?

REI EDUARDO
A uma que envergonha a sábia e a bela,
Cujo corpo é resumo ou um catálogo,
Que contém a virtude deste mundo.
"Melhor que bela", deve começar;
Pra belo encontre termo mais que belo;
E os ornamentos com que vai louvar
Devem voar mais alto que o louvor.
Não pense ser culpado em bajular,
Pois com dez vezes mais admiração,
Dez vezes mil o seu mérito excede
Sua arte pra louvar, e o que ela vale.
Comece; eu vou contemplar um pouco.
E não omita o quão apaixonado,
Triste de coração, quão ansioso
Me faz sua beleza.

LUDOVICO
            É pra mulher?

REI EDUARDO
Que outra beleza pode me vencer?
Sem ser mulher, quem saudamos assim?
Ou pensa que eu cantava o meu cavalo?

LUDOVICO
Que posição e títulos tem ela
100 É preciso que eu saiba, meu senhor.

REI EDUARDO
Sua posição é quase como um trono,
Minhas posses, um banco pra seus pés;
Pode julgar quais sejam os seus títulos
Só pela dimensão de seu poder.
105 Escreva, enquanto a vejo em pensamento.
[.......................................]¹⁶
Sua voz pra música ou pro rouxinol,
À música o alegre camponês
Compara quando fala da morena –
110 Por que falarei eu do rouxinol?
O rouxinol fala de mal adúltero,¹⁷
Cuja comparação é até satírica,
Pois pecado não seria tido
Como tal nela; seria virtude.
115 Seu cabelo, mais suave que a seda,
Espelho que bajula, faz mais belo
O âmbar amarelo – e esse espelho
Veio cedo demais; pois de seus olhos
Direi que captam o sol como espelho
120 De onde a quente reflexão então rebate
No meu peito e me queima o coração.
É um mundo de sons novos que minh'alma
Ora elabora em um baixo de amor!
Ludovico, mudou sua tinta em ouro?
125 Se não, escreve só com as maiúsculas
O nome da amada, e doura o papel.
Leia, senhor, leia,
Satura estes meus ouvidos ocos
Só com o ouvir da sua poesia.

LUDOVICO
130 Não terminei ainda as suas loas.

REI EDUARDO
Suas loas e meu amor não têm fim,
E alcançam tais extremos violentos
E só desprezam o que tem limite.

---

16 É geralmente aceita a afirmação de Moore Smith e Tucker Brooke de que nessa tirada do rei sobre o amor falta um ou mais versos para introduzir o catálogo das belezas da amante. (N. T.)
17 Refere-se ao mito de Filomel, transformada em rouxinol depois de ser violentada por Teseu. (N. E.)

                    Sua beleza só iguala o meu afeto;
135   A dela mais que mais, meu inda mais;
                    Ela tem pra louvar mais que o mar gotas,
                    Não, mais que gota, as areias da terra
                    A marcam na memória, grão a grão.
                    Como falar então de terminar
140   O que demanda eterna admiração?
                    Leia, eu quero ouvir.

        LUDOVICO
                    "Mais bela e casta que a casta Diana" –

        REI EDUARDO
                    O verso tem dois erros óbvios, crassos.
                    É, como a rainha da noite, pálida
145   Que vista no escuro parece luzir?
                    O que é ela, se o sol ergue a cabeça,
                    Senão tocha fraca, que vai-se e morre?
                    Meu amor olha o sol ao meio-dia,
                    E ainda brilha mais que o olho do céu.

        LUDOVICO
150   Qual é o outro erro, soberano?

        REI EDUARDO
                    Leia aí de novo.

        LUDOVICO
                            "Mais bela e casta" –

        REI EDUARDO
                    Eu não mandei falar de castidade,
                    Pra explorar a riqueza de sua mente,
                    A quero mais caçada do que casta.
155   Corte o verso da lua; não o quero,
                    A quero parecida com o sol.
                    Diga que seu esplendor é três do sol,
                    Que suas perfeições são como o sol,
                    Que gera doce frutos como o sol,
160   Que derrete o inverno como o sol,
                    Que torna alegre o verão como o sol,
                    Que deslumbra quem olha como o sol,
                    E que na semelhança com o sol
                    Seja livre e acessível como o sol
165   Que brilha na ervinha mais humilde

  Assim como na rosa perfumada –
  O que se segue, na linha da lua?

Ludovico
  "Mais bela e casta que a casta Diana,
  Mais ousada em constância"...

Rei Eduardo
170 Mais constante que quem?

Ludovico
        "...que Judite."

Rei Eduardo
  Que verso horrível; é juntar uma espada
  E a cortejo pra cortar-me a cabeça?
  Apague, Ludovico; vá adiante.

Ludovico
  É só o que eu já tinha feito.

Rei Eduardo
175 Muito obrigado, então; fez pouco mal –
  Mas o já feito é muito, muito mau.
  Não; que o capitão se gabe de guerra,
  O prisioneiro lamente, confinado,
  O doente melhor sente a voz da morte,
180 O faminto do gosto do banquete,
  O congelado das bênçãos do fogo,
  E toda dor do seu oposto alegre:
  O amor só soa bem em língua amante.
  Dê-me pena e papel, que escrevo eu.

    (Entra a Condessa.)

185 Mas chega o tesouro do meu espírito –
  Ludovico, não sabe planejar guerras:[18]
  Estas alas, os flancos e esquadrões
  Falam de sua falha disciplina;
  Melhor este pra cá, esse pra lá.

Condessa
190 Perdoem-me a ousadia, meus senhores;

---
[18] O rei finge discutir assuntos militares com Ludovico. (N. E.)

Mas chamem este intrusão de dever,
Pra ver como passa o meu soberano.

REI EDUARDO
    (Para Ludovico.)
Pode ir; replaneje, como eu disse.

LUDOVICO
Já vou.

(Sai.)

CONDESSA
195   Eu lamento encontrar meu senhor triste,
É a melancolia a sua companheira?

REI EDUARDO
Senhora, eu sou franco; não espalho
Flores de consolo em chão de vergonha;
Des'que cheguei, condessa, dói-me um mal.

CONDESSA
200   Deus não permita que na minha casa
Faça alguém mal ao soberano. Rei!
Diga-me a causa da contrariedade.

REI EDUARDO
Quão perto do remédio fico então?

CONDESSA
Tão perto quanto possa o meu poder
205   Empenhar-se na compra do remédio.

REI EDUARDO
Se é verdade, eu já tenho a minha cura:
Se engaja-se em trazer-me alegria,
'Stou alegre, condessa; se não, morro.

CONDESSA
Me engajo, rei.

REI EDUARDO
    Mas jure-o, condessa.

CONDESSA
210   Pelo céu, que o faço.

Rei Eduardo

    Então leve a si mesma para um canto
    E diga-se que há um rei que a adora;
    E está no alcance do poder que tem
    Fazê-lo ora feliz, e que jurou
215   Dar-lhe alegria com o poder que tem.
    Diga depois quando eu serei feliz.

Condessa

    Está feito, triplo amado soberano.[19]
    Pois o amor que o meu poder pode dar
    Há de ter, com a mais devota obediência:
220   Use-me como quiser pra prová-lo.

Rei Eduardo

    Ouviu dizer como eu a adoro.

Condessa

    Se é a beleza, tome-a se puder:
    Se pouca, eu a prezo muito menos.
    Se é a virtude, tome-a se puder,
225   Pois a virtude dada só aumenta.
    Seja o que for que eu lhe possa dar,
    E o senhor possa tomá-lo, é meu herdeiro.

Rei Eduardo

    É a sua beleza que eu quero gozar.

Condessa

    Se ela fosse pintada, eu arrancava,
230   E dela me livrava, para dá-la.
    Mas, senhor, ela é colada à minha vida:
    Tome uma ou ambas, pois é sombra humilde,
    Que perseguiu o sol do meu verão.

Rei Eduardo

    Mas pode inda emprestá-la, pr'eu brincar.

Condessa

235   Assim tão fácil quanto a minha alma
    Pode ser emprestada, e o corpo vivo,
    Ou se emprestando o corpo, lar da alma,
    Longe dela, reter ainda a alma.
    Meu corpo é seu jardim, sua corte, abadia

---

19 Shakespeare utiliza com frequência "triplo" como indicação de grau superlativo. (N. E.)

240   Ela, anjo puro, divino, sem mácula.
Se lhe empresto a casa, meu senhor,
Eu mato a alma e ela mata a mim.

REI EDUARDO
Então não jurou dar-me o que eu quisesse?

CONDESSA
E eu daria, senhor, o que eu pudesse.

REI EDUARDO
245   Não quero mais do que o que pode dar,
E nem imploro; compraria, antes,
Isto é, o seu amor; por esse amor
Em rica troca eu lhe daria o meu.

CONDESSA
Se não fossem sagrados os seus lábios,
250   'Staria profanando o nome amor.
Não pode dar o amor que me oferece,
É tributo de Cesar à rainha.
Nem posso eu dar o amor que a mim pede;
Pois Sarah deve amor a seu marido.
255   O falsário que estampa o seu carimbo
Morre, milord, e o senhor falseia a si,
E é traidor perante o rei do céu,
Gravando a si em metal proibido,
Esquecendo lealdade e jura feita?
260   Violando o sagrado matrimônio
Quebra honra maior do que si mesmo.
Ser rei é título bem mais recente
Que casamento; seu progenitor,
Único Adão reinante do universo,
265   Por Deus honrado como homem casado,
Mas não por ele ungido como rei.
Há penas pra quem quebra as suas leis,
Mesmo que não criadas por sua mão;
Quão mais por se infringir ato sacro
270   Da boca de Deus, selado com Sua mão?
Sei que meu rei, por palavra do marido –
Que ora o serve honrosamente na guerra –
Apenas testa a esposa de Salisbury,
Pra ver se ouve fala vil ou não.
275   Pra não sugerir culpa aqui ficando,
Da prova, soberano, eu me afasto.

(Sai.)

REI EDUARDO
A palavra é que abençoa a beleza,
Ou é o verbo o capelão do belo?
Qual beleza que o vento dá à vela,
E cresce a vela com o vento invisível,
Faz sua beleza à fala, a fala a ela.
Quem dera eu fosse abelha atrás de mel,
Pra colher desta flor pó de virtude,
E não da aranha invejosa peçonha,
E transformá-la em veneno mortal!
É dura a religião, doce a beleza –
Guardas firmes de bela tutelada.
Ah, que ela fosse como o ar para mim!
E é, pois quando eu desejo abraçá-la,
Eu faço isto, e só pego a mim mesmo.
Eu preciso gozá-la, pois não posso
Só com a razão fazer o amor sumir.

(Entra Warwick.)

Lá vem seu pai; vou trabalhar pra ele
Usar-me as cores no campo do amor.

WARWICK
Por que meu soberano está tão triste?
Posso, perdão, saber da sua dor,
E fazer meu melhor pra removê-la,
Aliviando a sua majestade?

REI EDUARDO
É uma oferta boa e voluntária,
Que já tinha a intenção de lhe pedir.
Mas, mundo, ama da bajulação,
Por que de ouro molhas a fala do homem,
Mas a seus corpos dás peso de chumbo,
Que impede o desempenho após a jura?
Se o homem fechasse o livro do seu peito
E sufocasse a língua quando fala
E diz mentiras que lá não estão

WARWICK
Que fique longe de minha honrosa idade
Dever ouro brilhante e entregar chumbo.
É cínica a velhice, não bajula.
Repito que, lhe conhecendo a dor,

E se por mim pode ser atenuada,
Meu próprio mal há de comprar seu bem.

Rei Eduardo
Isso é jura vulgar de homem falso,
Que nunca paga o preço da palavra.
Tu não ousas jurar o que me dizes;
E, sabendo minha condição de dor,
O vômito expelido co'a palavra
Engolirás, pra me negar ajuda.

Warwick
Juro que não, mesmo que sua majestade
Mande com a minha espada eu me matar.

Rei Eduardo
Digamos minha dor só ter remédio
Por tua vida e a honra arranhada;

Warwick
Se só tal perda lhe trará vantagens,
Eu julgarei que a mim ela traz bem.

Rei Eduardo
E podes renegar essa tua jura?

Warwick
Não posso, nem faria se o pudesse.

Rei Eduardo
Mas se o fazes, o que direi de ti?

Warwick
O que pode ser dito a um perjuro
Que quebra a garantia de uma jura.

Rei Eduardo
Que me dirás, de quem a jura quebra?

Warwick
Que ele quebrou sua fé com Deus e o homem,
E de ambos deve ter excomunhão.

Rei Eduardo
Que é aquele que comanda um homem
A perjurar em lei e religião?

Warwick
Que tem função do demo, não de homem.

Rei Eduardo
Função do inferno cumpras tu por mim,
Ou acabas com todas juras e ligas
De amor ou dever entre nós dois.
Portanto, Warwick, se inda és tu mesmo,
Amo e senhor de tua palavra e jura,
Vai até tua filha, e em meu lugar
Ordena, persuade, ou a convence
Ser minha amante, meu amor secreto.
Eu não admito que me dês resposta:
Tua jura quebra a dela, ou o rei morre.

(Sai.)

Warwick
Rei sem limites! Tarefa maldita!
É mesmo tentador errar eu mesmo,
Quando em nome de Deus me fez jurar
A quebrar jura que eu fiz por Deus.
E se eu jurar por minha mão direita
Cortar a mão direita? Mas mais certo
É profanar o ídolo que vencê-lo.
Mas não faço um ou outro. Honro a jura,
Diante de minha filha eu me desdigo
De todas as virtudes que ensinei.
Digo que esqueça seu marido Salisbury,
Se lembrar-se de abraçar o rei;
Digo que jura é fácil de quebrar,
Mas não de perdoar, quando é quebrada;
Que é verdadeira caridade amar,
Mas não real amor tal caridade;
Que a grandeza talvez cubra a vergonha,
Mas nem seu reino compra esse pecado;
Que é meu dever assim persuadi-la
Mas não o seu dar tal consentimento.

(Entra a Condessa.)

Aí vem ela; e nunca teve um pai
Contra uma filha embaixada tão má.

Condessa
Senhor meu pai, andei a procurá-lo.

370 Minha mãe e os nobres estão pedindo
Que fique perto de sua majestade
E faça tudo pra deixá-lo alegre.

Warwick
    (À parte.)
Como começo essa triste tarefa?
Não dizer filha, pois qual é o pai
375 Que uma filha seduz pra tal proposta?
"Mulher de Salisbury" – começo assim?
Mas ele é meu amigo, e que amigo
Maligna de tal modo uma amizade? –

    (Para a Condessa.)

Nem filha, nem mulher do meu amigo,
380 Eu não sou Warwick como pensas tu,
Mas advogado da corte do inferno,
Cujo espírito mora em sua forma,
Para trazer do rei uma mensagem.
O grande rei da Inglaterra te adora:
385 E tem poder para tirar-te a vida,
E para tirar-te a honra; então consente
Em empenhar a honra e não a vida;
Honra se perde às vezes, e se retoma,
Mas a vida, se vai, não volta mais.
390 O sol que seca o trigo serve a grama:
O rei não a desdenha e, sim, promove.
Diz o poeta que a lança de Aquiles
Trazia cura para o que feria;
Se o poderoso erra, ele conserta.
395 O leão serve bem goela sangrenta,
Mas agrada o que caça sendo terno
Pra com o vassalo que treme a seus pés.
O rei glorioso oculta a tua vergonha,
E os que olhando-o a perceberem,
400 Perdem a vista por olhar o sol.
Que mal fará ao mar gota de fel,
Se sua vastidão digere tudo
E o faz perder a força do veneno?
O bom nome do rei cobre o teu erro
405 E ao caldo azedo da condenação
Dá gosto açucarado, delicioso.
Além do mais, não há mal na coisa
Que é até vergonha não fazer.

Assim, em nome de sua majestade,
No pecado pus vestes virtuosas,
E aguardo tua resposta a seu pedido.

CONDESSA
Cerco antinatural! Infeliz eu
Que escapei dos perigos do inimigo
Pra ataque bem mais forte dos amigos!
Mas corromper o autor do meu sangue,
A ser agente escandaloso e vil?
Não espanta que os ramos apodreçam,
Se a raiz já está envenenada;
Ou se de lepra morra o recém-nato
Se a própria mãe envenenou o seio.
Que se permita ao pecado atacar
Que se liberte os jovens de suas rédeas;
Que se apaguem proibições da lei,
Cancelem-se as regras que prescrevem
Mal de vergonha ou pena por ofensa.
Que eu morra, se o querer que ele proclama
O exige, antes que eu consinta nisso
E faça parte de sua alta luxúria.

WARWICK
Agora falas como eu quis falar,
E as minhas palavras eu renego:
Túmulo honrado é muito mais prezado
Que o poluído quarto desse rei;
Maior o homem, maior é o gesto,
Bom ou mal a que ele se propõe;
Um grão sem nome, quando voa ao sol,
Nos mostra mais substância do que tem;
O lindo dia de verão se mancha
Com o lixo a que o sol dá o seu beijo;
É grande o golpe do machado grande;
O pecado é dez vezes mais pecado
Se cometido num local sagrado;
Um feito vil, por uma autoridade,
É pecado e malfeito; vista o mono
Com seda, e a beleza de seu traje
Faz crescer o desdém para com a fera.
Um campo de razões posso lembrar
Entre sua glória, filha, e tua vergonha:
O veneno é pior em taça de ouro;
O raio mostra mais escura a noite;

450	O lírio morto fede mais do que a erva má;
	A glória que se volta pro pecado
	Tem o triplo da vergonha do oposto.
	Me vou, deixando bênçãos no teu peito,
	Que se transformam só em maldições
455	Se tu mudasses o ouro de tua honra
	No negro da vergonha de tal leito.

CONDESSA

    Vou também: quando tenho a mente assim,
    Que o corpo afunde a alma em dor sem fim

CENA 2

(Entra por uma porta Derby, da França, por outra Audley, com um tambor.)

DERBY

    Bom encontro, triplo nobre Audley.
    Como vão o soberano e seus pares?

AUDLEY

    Não vejo sua alteza há quinze dias,
    Des'que mandou-me ao norte, buscar homens,
5   O que fiz, e os trago aqui comigo,
    Uma bonita tropa frente ao rei.
    Que novas do imperador, milord de Derby?[20]

DERBY

    Como as queremos, pois o imperador
    A sua majestade cede auxílio,
10   E faz do rei tenente-general
    De sua terras todas e domínios,
    Vias pras grandes fronteiras da França!

AUDLEY

    Deu pulos sua alteza com tais novas?

DERBY

    Não tive tempo ainda pra contá-las.
15   O rei está no quarto, insatisfeito,
    Por que não sei, porém foi dada ordem
    De só buscá-lo depois do jantar.

---

[20] Derby é bisneto de Henrique III, e feito conde de Derby em 1337 e, em 1351, duque de Lancaster. Foi fundador da Ordem das Jarreteiras. (N. E.)

A condessa de Salisbury, seu pai Warwick,
Artois, e todos, têm cenhos franzidos.

AUDLEY

Algo, na certa, não anda direito.

(Toque de trompas, fora.)

DERBY

Soam as trompas; o rei já foi visto.

(Entra o REI.)

AUDLEY

Aí vem sua alteza.

DERBY

Que tenha o soberano os seus desejos.

REI EDUARDO

Quem dera fosse bruxo, pra fazê-lo!

DERBY

Saúda-o o imperador.

(Apresentando cartas.)

REI EDUARDO

(À parte.)
      Não a condessa...

DERBY

E atendeu o preito de sua alteza...

REI EDUARDO

(À parte.)
Mentira, não atendeu; quem me dera.

AUDLEY

Todo o amor e dever ao lord meu rei.

REI EDUARDO

(À parte.)
Um ou nada é nada.
(Para AUDLEY.) Já tens novas?

AUDLEY
    Sim, meu senhor. Cavalos e infantes,
    Como mandou, trouxe aqui comigo.

REI EDUARDO
    Monte quem está a pé e podem ir,
    Segundo nossas ordens; partam logo.
35   Derby, já vejo o que pensa a condessa.

DERBY
    O que pensa a condessa, meu senhor?

REI EDUARDO
    O que pensa o imperador. Deixem-me só.

AUDLEY
    Que pensa ele?

DERBY
        É melhor deixá-lo.

(Saem AUDLEY e DERBY.)

REI EDUARDO
    Do excesso do coração fala a língua:
40   Condessa por imperador; será?
    Ela impera sobre mim – e por que não?
    Eu vassalo ajoelhado, que observa
    O prazer ou desprazer de seus olhos.

(Entra LUDOVICO.)

    Que diz a que é mais do que Cleópatra
45   Agora a César?

LUDOVICO
        Que até esta noite
    Responde a sua majestade.

(Rufam tambores, fora.)

REI EDUARDO
    Que bumbo ora trovoa e ordena marcha

      Assustando Cupido no meu peito?
      Pobre couro, que chora ao ser batido!
50   Vai impedir o trovão de pergaminho;
      E hei de ensinar-lhe ruídos mais doces
      Pro seio de uma ninfa celestial;
      Pois eu o usarei pra meu papel,
      Reduzindo-o de tambor que grita
55   A arauto e precioso mensageiro
      Entre uma deusa e um poderoso rei.
      Ensina a quem o toca o alaúde
      Ou enforca-o com a alça do tambor,
      Pois é ofensa à civilidade
60   Atordoar o céu com tal barulho.
      Anda.

(Sai Ludovico.)

      Minha luta de hoje não quer armas
      Senão as minhas, que captam o inimigo
      Em marcha de gemidos penetrantes;
65   Meus olhos, setas; e os meus suspiros
      Hão de servir-me qual vento vantajoso,
      A empurrar-me a doce artilharia.
      Mas, ai, o sol ela rouba de mim,
      Pois ela é ele mesmo, e disso vem
70   Erotismo que cega o poeta em guerra.
      Mas o amor tem olhos pra seus passos
      Até amor demais o deslumbrar. –
      E então?

(Entra Ludovico.)

Ludovico
      Senhor, esse tambor marcou a marcha
75   De seu filho, o bravo príncipe Edward.

(Sai.)

(Entra o Príncipe Edward.)

Rei Eduardo
      (À parte.)
      Vejo o menino. E o rosto da mãe,
      Misto no dele, corrige o mau desejo,
      Acusa o peito, repreende os olhos

                    Que, sendo ricos bastante por vê-la,
80   Olham pra outra; sendo o pior roubo
                    O que não tem pobreza pra ocultá-lo. –
                    Então, menino; quais as novas?

        Príncipe
                    Eu reuni, meu querido amo e pai,
                    A elite dos botões do sangue inglês
85   Pra ajudar-nos na França, e aqui vimos
                    Pra ter ordens de sua majestade.

        Rei Eduardo
                        (À parte.)
                    Eu continuo a vê-lo desenhar
                    O rosto de sua mãe, são dela os olhos,
                    Que, na esperança, fazem-me corar,
90   E evidenciam altas contra eles.
                    Luxúria é fogo, e o homem-tocha mostra
                    O fogo nele, mesmo não querendo.
                    Vão-se, trêmulas sedas da vaidade!
                    Será todo o limite da Bretanha
95   Derrotado por mim, e não consigo
                    Dominar a mansão que sou eu mesmo?
                    Com uma armadura de eterno
                    Conquisto reis, e será que não posso
                    Mandar em mim, servindo o inimigo?
100   Impossível. – Menino, avante, vamos!
                    Com a bandeira, o ar da França adoçamos.

                        (Entra Ludovico.)

        Ludovico
                    A condessa, senhor, co'alegre aspecto
                    Deseja acesso a vossa majestade.

        Rei Eduardo
                        (À parte.)
                    Aí está; e esse sorriso dela
105   Livrou a França, e deixou seu rei,
                    O delfim e os nobres todos livres. –
                    Dê-me licença, Ned; vá com os amigos.

                                            (Sai o Príncipe.)

                    Tua mãe é escura, e eu, como ela,

                Só me faz me lembrar de como é feia. –
110   Traga a condessa aqui, com a sua mão.

(Sai Ludovico.)

                E que ela expulse essa nuvens de inverno,
                Pois seu rosto embeleza céu e terra.
                É pecado maior retalhar homens
                Que abraço dado em um leito ilegal,
115   Como registram presentes
                Desde o ateu Adão na juventude.

(Entram Ludovico e a Condessa.)

                Companheira de minh'alma, agora chega
                Para expressar o sim celestial
                À minha objeção a seu amor?

Condessa
120   Meu pai com sua bênção comandou...

Rei Eduardo
                Que a mim cedesse.

Condessa
                Sim, meu senhor, no que lhe é devido.

Rei Eduardo
                E isso, meu amor, não será menos
                Do que é direito: amor por outro amor.

Condessa
125   Então erro por erro, ódio por ódio
                Mas já que sua majestade insiste,
                Minha recusa, o amor de meu marido,
                Seu alto posto, respeito por respeito
                Não podem me ajudar, e o seu poder
130   Derrota e acaba com tais condições,
                Obrigo o descontento a contentar-se,
                O que não quero obrigo-me a fazer,
                Se o senhor remover os empecilhos
                Que ficam entre o seu amor e o meu.

Rei Eduardo
135   Diga quais são, condessa, e os removo.

CONDESSA
>As vidas que atrapalham nosso amor,
>Meu soberano, eu quero sufocadas.

REI EDUARDO
>Que vidas?

CONDESSA
>Triplamente amado amo,
>Sua rainha, o meu marido Salisbury,
>Que, vivos, têm direito ao nosso amor,
>E só podemos dar com eles mortos.

REI EDUARDO
>Sua contraproposta é contra a lei.

CONDESSA
>Seu desejo também. Se pode a lei
>O impedir de executar a um,
>Que ela proíba a execução do outro.
>Não creio que me ame como diz,
>Se não cumprir aquilo que jurou.

REI EDUARDO
>Chega. Morrem rainha e seu marido.
>A senhora é mais bela do que Hero,
>Leandro, menos forte do que eu:
>Se ele nadou tal corrente por amor,
>Eu atravesso um Helesponto de sangue
>Para chegar a Hestos, à minha Hero.[21]

CONDESSA
>Fará mais, pois fará também um rio
>Com os corações dos que a nós separam,
>Entre os quais sua mulher e meu marido.

REI EDUARDO
>Sua beleza torna deles essa culpa,
>E terão testemunho de que morrem
>Por veredicto em que eu, juiz, condeno.

CONDESSA
>Falsa beleza, que corrompe juiz!

---

21 Alusão ao mito grego de Hero, sacerdotisa de Afrodite, que morava na torre de Sesto, e Leandro, da cidade de Abido. Leandro atravessava a nado o Helesponto , guiado pela luz que Hero acendia no alto da torre. Em uma noite de tempestade, a luz se apagou e Leandro, não encontrando o caminho, foi jogado nos rochedos; Hero jogou-se do penhasco. (N. E.)

>   Sob a corte suprema das estrelas
>   Pro júri universal nos conclamarem
>   Mal dessa monta nos fará tremer.

>   REI EDUARDO
>   Que diz o meu amor? 'Stá resolvida?

>   CONDESSA
> 165   Mas só a dissolver. Portanto, ouça:
>   Mantendo sua palavra, rei, sou sua.
>   Fique onde está – eu me afasto um pouco –
>   E veja como me ponho em suas mãos.
>   Eis minhas facas matrimoniais:[22]
> 170   Tome uma e mate a rainha com ela,
>   Deixe-me a procurá-la onde ela jaz;
>   Com a outra eu despacho o meu amor
>   Que agora dorme dentro do meu peito.
>   Mortos eles, então consinto amá-lo.
> 175   Não tente, rei lascivo, impedir-me:
>   Minha resolução tem mais agilidade
>   Que qualquer prevenção pra me salvar;
>   Se se mover, ataco – fique, então,
>   E ouça a escolha que a si ofereço:
> 180   Ou jura abandonar sua corte infame,
>   E nunca mais tentar me conquistar,
>   Ou, pelo céu, esta faca pontuda
>   Mancha este chão que o senhor quer manchar,
>   Meu sangue casto. Jure, Eduardo, jure,
> 185   Ou dou o golpe, e morro ante o senhor.

>   REI EDUARDO
>   Juro pelo poder que ora me dá,
>   Poder para eu sentir minha vergonha,
>   Que nunca mais eu abrirei os lábios
>   Pra palavras que a isto nos levaram.
> 190   Levante, nobre inglesa, a quem a ilha
>   Pode gabar-se mais do que os romanos
>   Puderam da que foi violentada,
>   E que tem inspirado tantas penas.
>   Que a minha falha seja a sua honra,
> 195   Que eras futuras hão de enriquecer.
>   Já despertei desse sonho sem mérito.
>   Warwick, meu filho, Artois e Audley,

---

22 Duas facas em uma bainha dupla usada pelas noivas. (N. T.)

Bravos guerreiros, onde é que ficaram?

(Entram todos.)

Warwick, eu o faço Guarda do Norte;
200 O príncipe e Audley vão pro mar,
Rápido pra Newhaven: lá me esperem.
Por Flandres, eu, Artois e Derby iremos
Saudar amigos, pedir o seu auxílio.
Esta noite não basta pra mostrar
205 Meu tolo cerco a amante fiel,
Mas antes que o sol doure o oriente,
O despertamos com toque marcial.

(Saem.)

ATO 3

CENA 1

*(Entram o R*ei João *da França, seus dois filhos,* Charles, *duque da Normandia, e* Philip, *duque de* Lorraine.*)*

Rei João

    Até a nossa esquadra de mil naus
    Ter devorado ao mar nosso inimigo,
    Acampemos, pra aguardar a vitória.
    Lorraine, qual o preparo de Eduardo?
5   Com o que ouviu estar ele fornecido
    De equipamento marcial pr'esta guerra?

Lorraine

    Sem querer dar inúteis garantias,
    E pra não perder tempo em circunstâncias,
    É dito com certeza, meu senhor,
10   Que está fortificado até em excesso,
    Seu povo corre alegre para a guerra
    Como se o convocassem pr'um triunfo.

Charles

    A Inglaterra só criava descontentes,
    Revoltosos traidores, sanguinários,
15   Perdulários e outros que só gozam
    Mudança e alteração no próprio estado;
    Será possível que agora estejam
    Tão fiéis a si mesmos?

Lorraine

    Menos os escoceses, que protestam
20   E por isso informei a Sua Graça
    Pra não guardar a espada ou ter acordos.

Rei João

    Aí há base pra mais esperança.
    Mas do outro lado, pensem nos amigos
    Que o rei Eduardo retém na Holanda,
25   Só entre epicuros beberrões –
    Cheios de espuma de cerveja dupla,
    Que bebem tudo onde quer que cheguem –
    Não pouco comprometem minha ira.

	Além disso, consta que o imperador
30	O instala em sua própria autoridade.
	Porém, quanto maior for o seu número,
	Maior glória se alcança com a vitória.
	Temos amigos e poder doméstico.
	O duro polonês, sueco guerreiro,
35	Rei da Boêmia e também da Sicília,
	Conosco hoje estão confederados,
	E, creio, que em marcha já para aqui.

(Tambores fora.)

Calma, ouço a música de seus tambores,
O que me faz pensar que já estão perto.

(Entram o rei da Boêmia com dinamarqueses, e um Capitão Polonês com soldados por outro lado.)

BOÊMIA

	Rei João de França, acordo e vizinhança
40	Pedem, estando em perigo um amigo,
	Que eu venha ajudar com minhas forças.

CAPITÃO POLONÊS

	E da grande Moscou, que assusta turcos,
	E da alta Polônia de homens bravos,
45	Trago estes homens pra lutar por si,
	Que de bom grado abraçam sua causa.

REI JOÃO

	Bem-vindo, rei Boêmio, como todos;
	Eu nunca esquecerei sua bondade.
	Além de fartos prêmios em coroas
50	Que devem receber do meu tesouro,
	Nos vem uma nação tola e orgulhosa
	Cujo butim trará um triplo ganho.
	Esperanças cumpridas, estou alegre:
	Por mar temos poder igual às forças
55	Às de Agamemnon aportando em Troia;
	Por terra, temos tropa igual a Xerxes,
	Que matava com rios sua sede.
	O cego Ned, um Bayard insensato,[23]
	Pr'alcançar nosso imperial diadema,

---

[23] Cavalo mágico de Carlos Magno, que se tornou proverbial para ousadia e precipitação. (N. E.)

60   Ou será engolido pelas ondas,
          Ou ao pisar em terra estraçalhado.

          (Entra um Marinheiro.)

    Marinheiro
          Perto da costa eu entrevi, senhor,
          Quando estava ocupado em minha guarda,
          Do rei Eduardo a orgulhosa armada
65   Que, quando primeiro a vislumbrei ao longe
          Parecia um bosque de pinhos secos,
          Mas, mais perto, seu aspecto glorioso
          Com flâmulas de seda colorida,
          Era mais campo de flores variadas
70   A adornar o peito nu da terra.
          Majestosa na ordem de seu curso,
          Formava os cornos de um arco lunar;[24]
          E no mastro da brava capitânia,
          Como em todas as aias de sua corte,
75   Uniam-se armas de França e Inglaterra,
          Quarteladas na arte dos arautos.
          Empurradas por uma brisa alegre,
          Araram o oceano para cá rápidas.

    Rei João
          Já colheram então a flor-de-lis?[25]
80   Eu espero que o mel ali colhido,
          Com a aranha que chegou depois,
          Tenha coberto de veneno as folhas.
          Mas onde a nossa esquadra? Que fizeram
          Pra velejar contra o bando de corvos?

    Marinheiro
85   Sabendo o que disseram os escoteiros,
          Levantaram logo âncora e, irados,
          Mal enfunaram os ventos suas velas,
          Partiram como o faz a águia faminta
          Que busca presa pra matar sua fome.

---

[24] A imagem parece ser uma evocação da "Invencível Armada" espanhola que atacou a Inglaterra em 1588, e dizem que formou suas naves como uma lua crescente. (N. E.)
[25] Imagem heráldica associada à monarquia francesa. (N. E.)

REI JOÃO

90 Tome por suas novas; volte ao barco;
Se sobrevive à guerra, volte aqui,
Para contar os detalhes da batalha.

(Sai o Marinheiro.)

No entanto, é melhor nos dispersarmos
Para vários locais, pra se desembarcam.
95 Em primeiro, o senhor e seus boêmios,
Formem suas tropas na direita baixa;
O meu filho mais velho, Normandia,
Com o auxílio desses moscovitas,[26]
Vá pra ponto mais alto, em outra parte;
100 Nesta costa do meio, entre um e outro,
Philip, meu caçula, e eu nos instalamos.
Vão, senhores, cada um pra seu dever,
A França, grande império, lá vão ser.

(Saem todos menos o Rei João e Philip.)

Ora diz-me, Philip, que pensas tu
105 Sobre esse desafio dos ingleses.

PHILIP

Digo que por mais que Eduardo queira,
Por claro que seja o seu *pedigree*,
O senhor tem a posse da coroa,
Que é o mais forte ponto em qualquer lei;
110 Se não tivesse, e se ele ganhasse,
Faço correr meu mais querido sangue,
Ou caço esses metidos para casa.

REI JOÃO

Falou bem, jovem! Pede pão e vinho,
Pr'alegrar o estômago comendo,
115 E, sérios, enfrentarmos o inimigo.

(Ouve-se a batalha, ao longe.)

Começa este pesado dia ao mar.
Lutem, franceses, quais ursos no campo
Que defendem filhotes nas cavernas.
Irada Nêmesis, guia o timão,

---

[26] Forças mercenárias da Polônia. (N. E.)

120   P'ra que o enxofre da batalha de sua ira
      Disperse e afunde a armada dos ingleses.

         (Tiros.)

   PHILIP
      Pai, como o som do tiro do canhão
      Qual música me ajuda a digestão!

   REI JOÃO
      Menino, agora escutas o trovão
125   Que é defender um reino soberano.
      A terra, com tremor ao abalar-se
      Ou quando forte exalação do ar
      Explode enfim no brilho dos raios,
      Não dá mais susto do que reis dispostos
130   A mostrar o rancor de bravos peitos.

         (Soa uma retirada.)

      É a retirada; um lado já perdeu.
      Se os franceses, Fortuna, vira agora,
      E muda assim os ventos contrários
      Que, com a vantagem de um céu favorável,
135   Vençam nossos homens, fujam os outros.

         (Entra um MARINHEIRO.)

      Treme o meu peito. Diz, pálido espelho,
      A quem pertence a honra deste dia?
      Conta, eu peço, se tens fôlego ainda,
      A triste narrativa da derrota.

   MARINHEIRO
                        Conto, senhor.
140   Meu soberano, a França foi vencida,
      E o vaidoso Eduardo triunfou.
      As armadas, cobertas de ferro,
      Quando eu vim informar a sua graça,
      Tinham calor de esperança e temor,
145   Ansiosas pra encontrar-se face a face,
      Juntaram-se ao fim. Seu capitânia
      Trocou tiros com o nosso capitânia.[27]
      Então, os outros, vendo esses dois

---

[27] A descrição da batalha naval segue as narrativas de Holinshed e Froissart. (N. E.)

	Dar mostra do que estava para vir,
150	Como dragões fogosos alçam voo,

        Dar mostra do que estava para vir,
150   Como dragões fogosos alçam voo,
        Se encontram, e do útero emitem
        Seus tristes embaixadores da morte.
        O dia começou a virar noite,
        E a escuridão envolveu tanto os vivos
155   Quanto os que estavam só recém sem vida.
        Não houve tempo para adeus de amigos,
        E se houvesse, era tanto o barulho
        Que igual seria serem surdos-mudos.
        Roxo era o mar, com os canais se enchendo
160   De entranhas que, sangrando de amputados,
        Enchiam até frestas das madeiras.
        Voa cabeça cortada de um tronco,
        Sobem pedaços de braços e pernas,
        E o pó do verão em rodamoinho
165   Os espalha em meio ao próprio ar.
        Viu-se então naus tontas, em pedaços
        Afundarem nos mares implacáveis,
        Até seus topos desapareceram.
        Foram tentadas todas as manobras,
170   E ora os efeitos de força e bravura,
        De determinação e covardia
        Se definiram: de um lado pela fama,
        Do outro, forçados a luta feroz.
        Fez muito Nonpareille, a brava nau;[28]
175   Também a Cobra Negra, a nau mais bela ,
        Mas tudo em vão: o sol, vento e maré,
        Revoltados, do lado do inimigo,
        Fomos forçados a ceder a eles,
        Que já desembarcaram. Essa é a história:
180   Sem razão, nós perdemos, vencem eles.

REI JOÃO
        Não resta nada pra nós senão, depressa,
        Fazer as nossas forças uma só,
        E, lutando, evitar que entrem mais.
        Vamos, Philip; partamos já, então,
185   A história me partiu o coração.

        (Saem.)

---

[28] A nave Nonpareille não é mencionada por Holinshed; trata-se da Armada Espanhola de 1588. (N. E.)

CENA 2

(Entram dois Franceses; uma mulher duas pequenas crianças encontram com eles e com outros Cidadãos.)

1º Francês
    Então, senhores, quais as novidades?
    Por que carrega essas coisas todas?
    Será quarto mês,[29] para que se mudem
    Levando assim malas e bagagens?

1º Cidadão
5   Quarto ou esquartejado, tenho medo.
    Não ouviu as notícias que hoje correm?

1º Francês
    Que notícias?

2º Cidadão
    Que a marinha francesa se afundou
    E que as tropas inglesas já chegaram.

1º Francês
10   E daí?

1º Cidadão
    Diz "e daí"? E não é pra fugir,
    Com a destruição tão perto assim?

1º Francês
    Calma, homem, estão bastante longe,
    E serão enfrentados, pra seu custo,
15   Antes de entrarem fundo pelo reino.

1º Cidadão
    Sei que a cigarra[30] gasta todo o tempo
    Em alegria, até que chega o inverno,
    E não tem tempo pra recuperá-lo
    Quando a cabeça tonta sente o frio.
20   Aquele que não pega logo a capa
    Ao ver caírem as primeiras gotas,
    Pode bem, só por sua negligência,
    Ser encharcado quando não espera.
    Nós, que aqui temos tantos dependentes,

---
29 Ao final de cada semestre é que terminavam contratos de ocupação, e esses dias eram marcados por mudanças. (N. T.)
30 Uso cigarra porque é ela a usada para a clássica fábula; no texto original está gafanhoto. (N. T.)

25　　　　　　　Temos, com tempo, de pensar em todos,
　　　　　　　　Não ficar sem poder, quando é preciso.

　　　1º Francês
　　　　　　　　Seu desespero prevê insucesso,
　　　　　　　　E julga que o país será vencido.

　　　2º Cidadão
　　　　　　　　Não sei. Melhor esperar o pior.

　　　1º Francês
30　　　　　　　Melhor lutar, e não, como o mau filho,
　　　　　　　　Abandonar parentes na tristeza.

　　　1º Cidadão
　　　　　　　　Chega! Aqueles que já tomaram armas
　　　　　　　　São pilhas de milhões, se comparados
　　　　　　　　Ao punhado que são os inimigos;
35　　　　　　　Vence na guerra o que age direito:
　　　　　　　　Eduardo é filho da irmã do rei morto,
　　　　　　　　João de Valois é três graus mais distante.

　　　Mulher
　　　　　　　　Além do mais, há uma profecia,[31]
　　　　　　　　Feita por certo homem que foi monge
40　　　　　　　E cujas previsões são confirmadas;
　　　　　　　　Diz ele agora, que em pouco tempo
　　　　　　　　Um leão que é nascido no Ocidente[32]
　　　　　　　　Vai arrancar daqui a flor-de-lis.
　　　　　　　　Ideias como essa, estou dizendo,
45　　　　　　　Entram em muito peito de francês.

　　　　　　　　(Entra outro Francês.)

　　　3º Francês
　　　　　　　　Fujam, patrícios, cidadãos da França!
　　　　　　　　A doce paz, raiz da vida alegre,
　　　　　　　　Expulsa, abandonou a nossa terra;
　　　　　　　　Em seu lugar, a guerra destruidora
50　　　　　　　Senta qual corvo sobre as suas casas,
　　　　　　　　Correm morte e pecado em suas ruas,
　　　　　　　　E deixam tudo em caos por onde passam;
　　　　　　　　A sua forma acabo eu de ver

---

31 Não há menção dessa profecia nas fontes para a peça; e, provavelmente, invenção do dramaturgo. As profecias eram usadas nas peças para criar suspense. (N. E.)
32 O leão rampante representa a Inglaterra e a flor-de-lis representa a França. (N. E.)

	Nessa linda montanha de onde venho.
55	Por toda parte onde lancei o olhar,
	Cinco cidades pude ver em fogo,
	Trigo e vinhas queimando como em forno,
	E quando o fumo que escapava ao vento
	Deu uma trégua, eu pude entrever
60	Os habitantes, fugindo do fogo,
	Cair aos montes em ponta inimiga.
	Por três caminhos as hostes da ira
	Seguem ritmada sua marcha trágica:
	À direita vem o rei conquistador,
65	À esquerda o seu fogoso filho,
	No meio brilha a hoste popular;
	E eles conspiram, mesmo que distantes,
	Pra deixar desolado onde eles chegam.
	Portanto, cidadãos, se forem sábios,
70	Vão procurar habitação mais longe.
	Aqui, terão abuso suas mulheres,
	Seu tesouro perdido ante os seus olhos;
	Abriguem-se; chegou a tempestade.
	Vão-se! Já ouço seus tambores.
75	Temo sua queda, França! Ai!
	Sua glória hoje é um muro que cai.

(Saem.)

CENA 3
(Entram o Rei Eduardo e o conde de Derby, com soldados e Gobin de Grace.)

Rei Eduardo
    Onde o hábil guia francês, a quem
    Devemos a travessia do Somme,
    Sabendo onde cruzar o estuário?

Gobin
    Aqui, meu bom senhor.

Rei Eduardo
5   Como te chamas? Diz-me o teu nome.

Gobin
    Gobin de Grace, se apraz sua excelência.

Rei Eduardo
    Então, Gobin, por serviço prestado,

Aqui te concedemos liberdade;
E, além desse bem, qual recompensa
Recebes quinhentos marcos em ouro.
Não sei como encontraria meu filho,
Que agora o meu peito sonha ver.

(Entra Artois.)

Artois
Boas novas, senhor; 'stá perto o príncipe,
E com ele Lord Audley e o resto,
A quem não vimos desde o desembarque.

(Entram o Príncipe Edward, Lord Audley e soldados.)

Rei Eduardo
Bem-vindo, e como vai, meu belo príncipe,
Desde que atingiu terras francesas?

Príncipe
Com sucesso, e dou graças aos céus.
Nós vencemos cidades muito fortes,
Como Harfleur, Lo, Crotoy e Carentan,
Outras nós arrasamos, e deixamos
Como campos abertos, com caminhos
Por onde progredimos solitários.
Mas perdoando os que se submeteram,
Pois quem despreza a paz oferecida
Paga a multa de uma vingança extrema.

Rei Eduardo
Ah, França, por que és tão resistente
Ao abraço bondoso de um amigo?
Queríamos tocar leve o teu peito,
Pisar, gentis, teu delicado solo,
Mas teu orgulho esperto e desdenhoso
Te fez, qual potro que inda não domaram,
Saltar, escoicear e empinar!
Mas diz-me, Ned, em teu curso guerreiro
Acaso viste o usurpador francês?

Príncipe
Sim, meu senhor; há menos de duas horas,
Com nada menos que cem mil guerreiros,
Em um lado da margem do rio,
Com outra multidão do outro lado.

40   Temi vencesse nossa pouca gente,
      Por sorte, vendo que se aproximava,
      Ele se retirou para Crécy
      Onde parece, dada a grande tropa,
      Ele pretende enfrentar-nos logo agora.

Rei Eduardo
45   Será bem-vindo. É o que nós queríamos.

(Entram o Rei João, O Príncipe Charles, Duque da Normandia, o Duque de Lorraine, o Rei da Boêmia, o jovem Príncipe Philip, e soldados.)

Rei João
      Eduardo, saiba que João, rei da França,
      Espantado que se meta em sua terra
      Matando, com suas técnicas tirânicas,
      Seus súditos fiéis, ferindo vilas,
50   Cospe-lhe o rosto e do seguinte modo
      O adverte contra a intrusão vaidosa:
      Primeiro, condeno qual fugitivo,
      Um pirata ladrão, calhorda vil
      Sujeito que não tem parada certa,
55   Ou que habita alguma terra estéril
      Onde não nasce erva fértil grão,
      Vivendo apenas de pequenos furtos;
      Depois, como quebrou sua palavra,
      Infringiu pacto solene comigo,
60   O digo falso e pernicioso;
      Por fim, como não gosto de lidar
      Com quem é tanto meu inferior,
      Pensando que sua sede é só por ouro,
      Seu trabalho temido e não amado,
65   Por conta de um aspecto como de outro,
      Aqui eu vim, e comigo aqui eu trouxe,
      Um mundo de tesouro, ouro e pérolas.
      Deixe agora de perseguir os fracos,
      E armado, ora em conflito com armados,
70   Deixe ser visto, com seus pequenos roubos,
      Que pode ganhar bem este butim.

Rei Eduardo
      Se bile e absinto tiverem gosto amargo
      Sua saudação é doce como o mel;
      Mas se um jamais teve tal propriedade,
75   O outro é instrumento de sarcasmo.
      Veja como eu encaro chistes pobres:

           Se os proclamou pr'atingir a minha fama,
           Desmerecer o nome do meu berço,
           Saiba que seu latido não me fere;
80   Se for pra divulgar diante do mundo,
           E com a falsa linha da rameira
           Pintar a sua causa má, disforme,
           Saiba que obra de falsário fana,
           E os defeitos, no fim, são todos vistos.
85   Porém, se a intenção foi provocar-me,
           Sugerindo que eu, por ter temor,
           Ou por ser negligente, o precisava,
           Lembre quão preguiçoso eu fui no mal,
           Em terra, não ganhei uma cidade,
90   Não consegui penetrar pela costa,
           E desde então só durmo bem tranquilo;
           Porém, se outro modo eu me ocupei,
           Pense, Valois, se o que ora eu pretendo,
           É lutar por furtos, ou pela coroa
95   Que está usando mas que eu juro ter –
           Ou um de nós em tumba há de caber.

   Príncipe
           De nossas mãos não espere ofensivas,
           Ou urros odientos de desprezo:
           Que as serpentes se arrastem em cavernas
100   E usem a língua; nós temos espadas
           Que argumentam pelas nossas causas.
           Em breve, e com licença de meu pai:
           Como todo o veneno de sua goela
           Consta de escândalo e pura mentira,
105   E a luta que buscamos clara e justa,
           Assim acabe a batalha de hoje –
           Que um de nós prospere com a vitória
           Ou tenha, maldito, vergonha eterna.

   Rei Eduardo
           Não se questiona nada mais, e eu sei
110   E ele, consciente, prova o meu direito.
           Assim sendo, Valois, vai resignar-se
           Antes que a foice penetre no trigo
           E a fúria, com o calor, se torne fogo?

   Rei João
           Eduardo, eu sei qual é o seu direito,
115   E antes que eu largue, covarde, a coroa
           Este campo será lago de sangue,
           E esta visão será de um matadouro.

Príncipe
E isso prova, tirano, o que é apenas:
Nem pai, rei ou pastor desse seu reino,
Mas quem lhe quer arrancar as entranhas
E como um tigre sugar o seu sangue.

Audley
Pares de França, por que seguem a ele,
Esse pródigo que lhes desgasta as vidas?

Charles
E a quem vamos seguir, velho impotente,
Senão o verdadeiro soberano?

Rei Eduardo
E o ofende por trazer no rosto
O caráter que o tempo gravou nele?
Tais graves sábios da experiência,
Como os carvalhos, ficam inamovíveis
Quando o vento destrói tronco mais moço.

Derby
Acaso alguém da casa de seu pai,
A não ser o senhor, foi rei um dia?
Eduardo, por sua linhagem materna,
Quinhentos anos ostentou seu cetro.
Julguem, conspiradores, pelo sangue,
Qual desses dois é o real soberano.

Philip
Arme a batalha, pai; não fale mais.
Ingleses gastam tempo com palavras
Para, com a noite, escapar sem luta.

Rei João
Nobres, povo querido, agora é hora
De sua força ser posta a real prova.
Portanto, amigos, em resumo pensem:
Lutam aqui por seu rei natural,
Aquele que combate um estrangeiro;
Aquele que os governa com clemência
E usa pra reinar freio gentil;
Se aquele contra quem lutam vencer,
Irá entronizar-se em tirania,
Fazê-los escravos, e com mão forte
Podar a sua doce liberdade.

	Então, protejam seu país e rei,
	Que a bravura de seus corações
	Apoie as suas mãos habilidosas,
	E expulsaremos logo os fugitivos.
155	O que é Eduardo, esse deus-de-barriga,[33]
	Um devasso que cultua a luxúria,
	Que esteve, há pouco, a morrer de amor?
	E o que é, pergunto, a guarda dele?
	São tais que, basta-lhes ficar sem carne,
160	E uns dias sem os seus colchões de plumas,
	Que logo ficam duros, entalados,
	Quais pangarés depois de galoparem.

Os Franceses

    Vive le Roi! Viva o rei João da França!

Rei João

    Pela planície de Crécy espalhem-se,
165   E Eduardo, se ousar, comece a luta.

    (Saem o Rei João, o Rei da Boêmia e todos os franceses.)

Rei Eduardo

    Nós logo o encontraremos, João de França. –
    Nobres ingleses, resolvamos o dia,
    Ou nos livrando dessas vis calúnias,
    Ou enterrados em nossa inocência.
170   Ned, por ser esta a primeira batalha
    Em que jamais lutou, em campo aberto,
    Em uso muito antigo dos guerreiros,
    Deve ser recebido cavaleiro,
    Na norma, nós lhe oferecemos armas.
175   Venham, arautos: tragam, sempre em ordem,
    Trajes solenes pra meu filho príncipe.

    (Entram quatro arautos trazendo uma armadura, um elmo, uma lança e um escudo.)

    Eduardo Plantageneta, em nome de Deus,
    Como seu corpo visto co'a armadura,
    Assim fique seu nobre coração cercado
180   Com a pedra de uma coragem sem par,
    Que jamais vil afeição o atinja.

---

[33] Termo então aplicado aos que se dedicavam exclusivamente ao ganho. (N. T.)

Bravo, lute e conquiste onde chegar.
Agora vão, nobres; honrem-no também.

Derby

Plantageneta, príncipe de Gales,
185 Como ponho elmo em sua cabeça,
Pra defender o quarto de seu cérebro,
Que Belona[34] permita às suas têmporas
Serem cobertas com os louros da vitória.
Bravo, lute e conquiste onde chegar.

Artois

190 Plantageneta, príncipe de Gales,
Receba a lança em sua mão viril,
Use-a à maneira de fogosa pena
Pra tirar sangue com feitos na França,
E inscrever feitos no livro da honra.
195 Bravo, lute e conquiste onde chegar.

Rei Eduardo

Só falta o título de cavaleiro,
Que terá quando vencer no campo.

Príncipe

Gracioso pai, e nobres corajosos,
As honras que me fazem só me animam
200 E estimulam minha força verde
Com sinais favoráveis do futuro.
Foram tais as palavras de Jacó,[35]
Quando deu suas bênçãos aos três filhos:
Se eu profanar os presentes que deram,
205 Ou não usá-los pra glória de Deus,
Pra proteger os órfãos e os pobres,
Ou pra trazer a paz à Inglaterra.
Sequem-me as juntas, tenha eu fracos membros,
E o coração, qual árvore sem seiva,
210 Dê-me lugar no mapa da infâmia.

Rei Eduardo

Vamos dispor assim as nossas tropas:
A tropa dianteira, Ned, é sua,
E pra honrar inda mais o seu espírito
O grave Audley irá equilibrá-la,

---

34 Deusa romana da guerra. (N. E.)
35 Antes de sua morte no Egito, Jacó abençoou os três filhos e profetizou o retorno deles à terra de seus pais. (N. E.)

215 Pra com juntas, coragem e experiência,
Não sejam inferiores a ninguém;
A tropa principal eu guio eu mesmo,
E Derby vem atrás, na retaguarda.
Disposta nessa ordem é a porfia,
220 Montemos, e que Deus nos dê o dia.

(Saem.)

CENA 4
(Alarma. Entram muitos franceses fugindo. Atrás deles o Príncipe Edward, correndo. Depois entram o Rei João e o Duque de Lorraine.)

Rei João

Diga, Lorraine, por que fogem os nossos?
Nós somos muitos mais do que o inimigo.

Lorraine

A tropa dos genoveses, senhor,
Que veio de Paris, muito cansada,
5 Reclamando de ser lançada logo,
Mal tomou o seu posto na vanguarda,
Retirou-se, e assustou todos os outros
Que, como eles, puseram-se a fugir.
Na pressa de ter fuga em segurança,
10 Houve mais mortes de pisoteados,
Mil vezes mais que pelo o inimigo.

Rei João

Que má fortuna! Temos de tentar,
Com bons conselhos fazê-los ficar.

(Saem.)

(Entram o Rei Eduardo e Audley.)

Rei Eduardo

Audley, enquanto o meu filho os persegue,
15 Por um momento vamos respirar.

Audley

Claro, senhor.

(Soa uma retirada.)

REI EDUARDO

    Justo céu, cuja providência oculta
    Nosso rude critério não entende,
    Que loas devemos à sua palavra,
20   Que hoje abriu nossa trilha pro direito,
    E fez cair esses pecaminosos.

(Entra Artois.)

ARTOIS

    Ajuda, rei Eduardo, pra seu filho!

REI EDUARDO

    Ajuda, Artois? O que, ele foi preso?
    Por forte golpe caiu do cavalo?

ARTOIS

25   Não, senhor; mas a fundo 'stá atacado
    Por franceses fugidos, que voltaram,
    E será impossível que ele escape
    Se sua alteza não lhe der ajuda.

REI EDUARDO

    Deixe-o lutar. Lhe demos armas hoje,
30   E ele luta pra ser cavaleiro.

(Entra Derby.)

DERBY

    O príncipe, senhor, o príncipe! Socorra-o!
    Mil inimigos o cercam agora.

REI EDUARDO

    Então mil honras ele há de ganhar,
    Se a bravura o livra do lugar.
35   Se não, o que fazer? Tenho mais filhos
    Que este, pra consolo na velhice.

(Entra Audley.)

AUDLEY

    Famoso Eduardo, peço permissão
    Pra conduzir a tropa que comando
    Pr'onde seu filho está para ser morto.
40   Massas francesas, grandes formigueiros,
    Ficam-lhe em torno, enquanto ele, leão,

>   Envolvido na teia dos que sobem,
>   Louco, puxando e rasgando o tecido,
>   Mas em vão, sem poder se libertar.

    Rei Eduardo

45   Audley, conforme-se; nem um só homem,
                    Sob pena de morte, vai socorrê-lo.
                    Este é o dia, por ordem do destino,
                    Que lhe amadurece a bravura, com ideias
                    Que, até mesmo com a idade de Nestor,
50   Ele há de saborear seu grande feito.

    Derby

                    Porém não vai viver para esse dia,

    Rei Eduardo

                    Então o seu louvor é o epitáfio.

    Audley

                    Meu senhor, é capricho exagerado
                    Deixar correr seu sangue, pra salvá-lo.

    Rei Eduardo

55   Não digam mais; ninguém pode saber.
                    Talvez já esteja ele morto ou preso,
                    Ou, qual falcão atingido no voo,
                    Com vida já sem forças para sempre.
                    Se nossas forças é que salvam Edward,
60   Ele vai esperar para sempre o mesmo;
                    Mas se ele mesmo se redime só,
                    Terá vencido, alegre, a morte e o medo,
                    E para sempre há de temer tais forças
                    Apenas como escravos ou bebês.

    Audley

65   Que pai cruel! Então, Edward, adeus.

    Derby

                    Espelho da cavalaria, adeus.

    Artois

                    Que a minha vida o salvasse da morte!

    Rei Eduardo

                    Calma, creio que escuto
                    Tristes trompas tocando retirada:

Não 'starão mortos todos que eram dele –
Alguns nos trarão novas, más ou boas.

(Entra o Príncipe Edward, em triunfo, trazendo da mão a lança entortada e o corpo do Rei da Boêmia, envolto em sua bandeira. Todos correm para abraçá-lo.)

AUDLEY
Bem-vindo Edward, vitorioso e vivo!

DERBY
Salve, príncipe!

REI EDUARDO
Meu Plantageneta!

PRÍNCIPE
(Ajoelha-se e beija a mão do pai.)
Cumpro primeiro esse dever que tenho,
De coração, milords, eu agradeço.
E vejam que, após o longo inverno,
Dura viagem por mares revoltos,
Golfos famintos de guerra, pedreiras,
Eu trago a carga ao porto desejado,
Ao prêmio da viagem, doce estio,
E apresento, com humilde dever,
Primeiro sacrifício desta espada,
Colhido a golpes às portas da morte:
O rei da Boêmia, pai, que eu matei.
Cujos milhares tinham me cercado,
Batendo em massa no amassado elmo,
Que seus martelos tinham por bigorna.
Sustentou-me uma coragem marmórea.
Quando os braços, cansados de dar golpes,
Como os contínuos golpes do machado
Que cortam todo um grupo de carvalhos
Cansavam-se, eu logo recorria
Ao que me deram e às minhas juras –
E outra coragem já me refrescava,
De modo que trinchei minha passagem
E pus para correr a multidão.
Assim fez Edward o que foi pedido,
Cumprindo assim dever de cavaleiro.

REI EDUARDO
Sim, foi digno, Ned, da cavalaria.
Por isso, com sua espada ainda quente

(A espada é trazida por um soldado.)

Com o sangue de quem lutou para arruiná-lo,
Levante, Edward, cavaleiro armado.
Cobriu-me neste dia de alegrias
E comprovou ser herdeiro de um rei.

PRÍNCIPE

105 Eis uma lista, meu senhor, de todos
Os inimigos mortos no combate:
Príncipes, onze; e oitenta barões,
Mais de cem cavaleiros, trinta mil
Simples soldados; e, dos nossos, mil.

REI EDUARDO

110 Graças a Deus. Espero, João da França,
Que ora saiba não ser devasso Eduardo,
Nem fraco, nem seus homens pangarés.
E por onde fugiu o rei medroso?

PRÍNCIPE

Para Poitiers, meu pai – com os filhos.

REI EDUARDO

115 Ned, continue com Audley a caçá-los;
Eu e Derby seguimos pra Calais,
Fechando com cerco essa cidade-porto.
Falta o tiro final, portanto ataque
Com afinco enquanto dura o jogo. –
120 O que é isso?

PRÍNCIPE

Um pelicano, senhor,
A ferir com o seu próprio bico o peito,
Pra alimentar sua nova ninhada
Com o sangue que sai de seu coração.
Diz *Sic et vos*: "Deve fazer o mesmo".[36]

(Saem.)

---

[36] A cena provavelmente se concluiu cinco linhas acima. A adição da passagem do pelicano, símbolo do autosacrifício, fica relacionada ao príncipe Negro e não a Sir William Pelham que, em 1356, captura o rei João em Poitiers. (N.E.)

ATO 4

CENA 1

(Entra Lord Mountford, com uma pequena coroa na mão, com ele, o Conde de Salisbury.)

MOUNTFORD

Se, Lord de Salisbury, por seu auxílio
Morreu meu inimigo, Charles de Blois,
E esteja eu de novo em plena posse
Do ducado da Bretanha, resolvi,
5   Por seu apoio e mais o do seu rei,
Jurar ser fiel a sua majestade,
E em sinal disso trago esta coroa,
Pra ser levada a ele, com a jura
De ser amigo pra sempre de Eduardo.

SALISBURY

10 Eu a aceito, Mountford; 'Spero em breve
Todo o domínio do reino da França
Se entregue à sua mão conquistadora.

(Sai Mountford.)

Se soubesse passar em segurança,
Ia encontrar Sua Graça em Calais,
15 Pra onde, sou informado por cartas,
Ele pretende levar sua tropa.
Deve ser isso. É política certa.
Alguém, ai! Podem trazer Villiers.

(Entra Villiers.)

Villiers, sabes que és meu prisioneiro,
20 E por resgate podia, querendo,
Exigir uns cem mil francos por ti,
Ou mantê-lo cativo em uma cela.
Mas, no caso, por um valor menor
Estarás quite comigo e com ti mesmo.
25 É assim: obtenhas-me um passaporte,
De Charles da Normandia, pra que eu
Sem problemas possa alcançar Calais,
Cortando as terras onde ele tem mando –
O que te é fácil conseguir, eu penso,

30 Já que te ouvi dizer, e muitas vezes,
Que ele e tu foram colegas outrora –
E com isso terás tua liberdade.
Que dizes? Empreendes a tarefa?

VILLIERS
Sim, mas eu tenho de falar com ele.

SALISBURY
35 E assim farás; monta e parte para lá.
Porém, antes de ir, hás de jurar
Que, se não alcançar o meu desejo,
Voltas pra cá, sempre meu prisioneiro,
Garantia bastante para mim.

VILLIERS
40 Milord, com essas condições concordo,
E eu as cumprirei sem falsidade.

(Sai.)

SALISBURY
                      Adeus, Villiers.
Por uma vez, confio em um francês.

(Sai.)

CENA 2
(Entram o REI EDUARDO e DERBY, com soldados.)

REI EDUARDO
Já que recusam a oferta feita,
E não abrem pra nós os seus portões,
Nós nos entrincheiramos a toda à volta,
E nem comida e muito menos homens
5 Poderão socorrer esses malditos:
Há fome onde não entra a nossa espada.

(Entram seis franceses pobres.)

DERBY
A promessa que os deixara soberbos
Retirou-se e partiu pr'outro lugar:
Hei de puni-los por sua teimosia. –
10 Mas que são tais escravos maltrapilhos?

REI EDUARDO
        Indague quem são. Parecem de Calais.

DERBY
        Malditas amostras de desespero,
        Quem são, seres vivos ou fantasmas
        Que a tumba deixam para andar na terra?

1º HOMEM POBRE
15   Não fantasmas, senhor, mas homens vivos,
        Muito pior do que na morte calma
        Somos desatinados habitantes
        Que há muito estão doentes e aleijados;
        Não sendo aptos, hoje, pra servir,
20   O capitão da cidade expulsou,
        Para poupar despesa com comida.

REI EDUARDO
        Ato de caridade, a ser louvado!
        Como esperam vocês, então, viver?
        Somos seus inimigos, e em tal caso,
25   Só podemos passá-los à espada,
        Pois recusaram paz oferecida.

1º HOMEM POBRE
        Se isso conceder-nos Sua Graça,
        A morte é tão bem-vinda quanto a vida.

REI EDUARDO
        Pobres homens, injustiçados, tolos,
30   Derby, veja que sejam acudidos,
        Mande que todos recebam comida,
        E dê a cada um cinco coroas.

(Saem DERBY e os franceses pobres.)

        Leão recusa presa que se entrega,
        E a espada de Eduardo se alimenta
35   Do que vil e teimoso se apresenta.

(Entra LORD PERCY.)

        Salve, Percy. Que novas da Inglaterra?

PERCY
        A rainha, senhor, vem encontrá-lo,

    Dela, como do lord vice-regente,
    Eu trago alegres novas de sucesso:
40 David da Escócia, ainda há pouco em armas,
    Julgando que teria mais sucesso
    'Stando fora do reino sua alteza,
    Graças ao bom trabalho de seus pares,
    E dos esforços da própria rainha
45 Que, grávida, esteve sempre em armas,
    Foi vencido, submetido e preso.

  Rei Eduardo
    De coração fico-lhe grato, Percy.
    E quem foi que o aprisionou no campo?

  Percy
    Um cidadão, senhor, nome John Copland,
50 Que desde então, apesar de o pedir a rainha,
    Recusa-se a entregar seu grande prêmio
    A ninguém, mas somente a Sua Graça,
    E a rainha ficou muito aborrecida.

  Rei Eduardo
    Bem, então mandarei um mensageiro
55 Pra de imediato trazer aqui Copland,
    Que consigo trará o preso rei.

  Percy
    A rainha, senhor, já está ao mar,
    E espera só o vento que a ajude
    A chegar a Calais, pra visitá-lo.

  Rei Eduardo
60 Ela será bem-vinda e, pra esperá-la,
    Finco meu pavilhão à beira-mar.

    (Entra um Capitão *francês.)*

  Capitão
    Os burgueses de Calais, senhor rei,
    Em conselho sincero decretaram
    À sua mão dar cidade e castelos,
65 Sob condição de conceder Sua Graça
    O benefício da vida e dos bens.

Rei Eduardo

                Ah, foi? Pois então que eles decretem
                Eleger o governo que quiserem!
                Não, senhor; diga-lhe que recusaram
70   Proclamada clemência principesca;
                Não a terão agora que a querem.
                Eu nada aceito senão fogo e espada,
                E não ser que, em dois dias, seis dos deles,
                Os ricos mercadores da cidade,
75   Nus, a não ser por camisas de linho,
                Cada um com uma canga no pescoço,
                 E prostrados, cederem, de joelhos,
                Dor ou forca, segundo o meu prazer;
                E assim pode informar a seus tais mestres.

(Saem todos menos o Capitão.)

Capitão

80   Isso é apoio de bastão partido.
                Não convencidos por João, o rei,
                Que sua tropa salvava a cidade,
                E não teríamos desafiado.
                Agora que já tudo está perdido
85   Melhor poucos, não todos, ver sofridos.

(Sai.)

CENA 3
(Entram o Príncipe Charles e Villiers.)

Charles

                Não sei por que me importunar, Villiers,
                Só por um nosso inimigo mortal.

Villiers

                Não só por ele, bom lord, mas porque
                Com isso fica pago o meu resgate.

Charles

5   O seu resgate, homem, pra que isso?
                Não está livre? Ou será que deve
                Tudo o que acaso é bom para o inimigo
                Ser aceito por nós, e respeitado?

VILLIERS

Não, senhor; a não ser que seja justo;
Pois vantagem e honra andam juntas,
E de outro modo o ato é escandaloso.
Esqueça discussões assim complexas;
Sua Alteza quer subscrever ou não?

CHARLES

Villiers, não vou e não posso assiná-lo;
Não vou fazer a vontade de Salisbury,
De pedir para si um passaporte.

VILLIERS

Isso pra mim é radical, milord:
Eu volto pra prisão de onde vim.

CHARLES

Voltar! Pois eu espero que não vá.
Que pássaro que escapou do caçador
Não cuida pra não ser preso de novo?
Ou quem é tão insensato e tão firme
Que, depois de atravessar golfo em perigo
Se expõe de novo a esse mesmo perigo?

VILLIERS

Ah, mas foi a minha jura, bom senhor,
Que em consciência não posso violar,
Ou daqui nada me arrancaria.

CHARLES

Sua jura? Isso o faz ficar aqui.
Não jurou obediência a seu príncipe?

VILLIERS

Em toda causa justa que ordenar.
Porém, persuadir ou ameaçar-me
Pra não cumprir a palavra que já dei
É ilegal, não preciso obedecer.

CHARLES

Então será legal homem matar,
Mas não quebrar a jura ao inimigo?

VILLIERS

Matar, senhor, se declarada a guerra,

        Pra lugar contra ofensas recebidas,
        É por certo legal e permitido;
        Mas, na jura, é preciso pensar bem
40   Como a fazemos, pois que uma vez feita,
        Nem por risco de morte a quebramos.
        Portanto, senhor, volto tão disposto
        Quanto quando voar pro paraíso.

CHARLES

        Espere, meu Villiers; sua mente honrada
45   É digna de uma eterna admiração.
        Seu pedido não será mais negado:
        E se antes o admirava qual Villiers,
        Agora o abraço como um outro eu.
        Fique, por seu senhor pra sempre amado.

VILLIERS

50   Humilde lhe agradeço. Tenho pressa
        Em enviar ao conde o passaporte,
        Para depois servir seus interesses.

CHARLES

        Vai, Villiers; e que Charles, ao precisar,
        Com soldados assim possa contar.

(Sai VILLIERS.)

(Entra o REI JOÃO.)

REI JOÃO

55   Charles, venha armar-se. Edward não sai,[37]
        Temos em mão o príncipe de Gales,
        Nós o cercamos, não pode escapar.

CHARLES

        E sua alteza ainda luta hoje?

REI JOÃO

        Claro, filho; ele tem quase oito mil,
60   Nós somos pelo menos trinta mil.

CHARLES

        Conheço profecia, meu senhor,
        Que diz qual o sucesso provável
        Que nos cabe nesta guerra ultrajante.
        Me foi trazida nos campos de Crécy

---

[37] Historicamente o príncipe Edward não foi cercado em Poitiers. (N. E.)

	Por um velho eremita do local:
65	*(Lê.)* "Quando ave fizer tua hoste tremer,
	E pederneira tuas linhas quebrar,
	Pensa em quem nada quis esconder
	Sobre o mau dia que está pra chegar,
70	Pois no final o teu pé tanto avança
	Na Inglaterra quanto inglês na França".[38]

Rei João

	Tudo isso me parece afortunado:
	É de todo impossível que umas pedras
	Se alcem pra quebrar as nossas linhas,
75	Ou que aves façam um de nós tremer.
	Não parece sejamos submetidos.
	Ou digamos que seja verdade: no fim,
	Como promete que os enxotaremos,
	Pisando sua terra qual a nossa eles,
80	Por tal vingança qualquer perda é pouco.
	Essas são tolas fantasias, sonhos:
	Caído o filho, uma vez, na armadilha,
	De qualquer modo pegamos o pai.

(Saem.)

CENA 4
(Entram o Príncipe Edward, Audley e outros.)

Príncipe

	'Stamos cercados por armas mortais
	E, Audley, sem ajuda, só com a morte
	É pago o preço pra vida mais doce.
	No campo de Crécy, nuvens guerreiras
5	Sufocando os franceses, dispersou-os,
	Mas hoje suas multidões se ocultam
	E mascaram o sol que queima e brilha,
	Dando-nos só a esperança do escuro
	E o terror cego da noite sem fim.

Audley

	O avanço repentino de poder
10	Que fizeram é fantástico, príncipe.
	À nossa frente, no vale, está o rei,
	Servido pelo que há em céus e terra,
	Com parte mais forte do que o nosso todo.

---

[38] O episódio dos corvos assustando o exército francês aparece em Holinshed e Froissart, mas refere-se à batalha de Crécy. (N. E.)

15 Seu filho, bravo duque da Normandia,
    Orna a montanha à nossa direita
    Com brilhante metal que faz a encosta
    Parecer uma mina de prata ou anel
    A cujo alto bandeiras, flâmulas
20 E bandeirolas que, em pleno ar,
    Encontram ventos que, vendo-as tão belas,
    Lutam pelo seu beijo. À nossa esquerda
    Está Philip, o mais moço do rei,
    Cobrindo a outra encosta de tal modo
25 Que suas lanças douradas parecem
    Árvores de ouro, folhas as flâmulas,
    E seus desenhos de heráldica antiga,
    Em quarteladas, frutos variados,
    Crescidos nos pomares de Hespérides.
30 Atrás de nós, ascende até alto,
    Pois, meia-lua aberta por um lado
    Nos cerca; às nossas costas ficam
    Os fatais arcos; e a tropa que está lá
    Comanda grosseiro Chatillon.
35 'Stamos assim: a fuga pelo vale
    O rei impede, e as colinas dos lados
    Têm real guarda feita por seus filhos,
    E atrás de nós está a morte certa,
    À paga de Chatillon, e a seu serviço.

    PRÍNCIPE
40 O nome morte é pior que os seus atos:
    A força em partes parece maior.
    A areia que seguro em minha mão
    É só um punhado de grãos dessa areia:
    O mundo inteiro – que é só uma força –
45 Num instante se pega e joga fora.
    Mas se eu conto um a um os grãos de areia
    O número domina-me a memória,
    E transforma a tarefa em mil milhões,
    Quando em resumo é apenas uma.
50 Unidades, esquadrões, regimentos,
    À frente, a cada lado, e até atrás.
    São uma força só. Quando de um homem
    Digo pé, mão, cabeça e forças mais,
    Sendo afinal apenas uma força,
55 Audley, então todas essas são uma,
    Que podemos chamar força de um homem.
    O que vai ter de ir longe, fala em milhas;
    Se disser passos, mata o coração;

                A inundação são pingos infinitos,
60   Mas sabe que a chamamos só de chuva.
                Só há uma França, só um rei da França:
                A França tem só um rei, e esse rei
                Só tem a forte legião de um rei,
                Como nós temos. Esqueça as proporções,
65   Um a um é igualdade.

                        (Entra um ARAUTO do rei João.)

    PRÍNCIPE
                Que novas, mensageiro? Seja breve.

    ARAUTO
                O rei da França, amo e soberano,
                Saúda Gales, o inimigo príncipe.
                Se conclamar cem homens bem nascidos,
70   Lords, cavaleiros, fidalgos ingleses,
                Que consigo se ajoelhem a seus pés,
                Ele recolhe as bandeiras sangrentas,
                E o resgate redime as vidas salvas;
                Se não, o dia beberá mais sangue inglês
75   Do que já viu correr terra britânica.
                O que responde a essa caridade?

    PRÍNCIPE
                O céu da França tem a caridade
                Que de mim tira orações submissas:
                Que dos meus lábios hálito tão vil
80   O de pedir caridade a um homem,
                Que Deus me livre. Diga ao seu rei
                Que minha língua de aço pede caridade
                Apenas a seu elmo de covarde.
                Minhas cores tão rubras quanto as dele,
85   Meus homens tão ousados e tão fortes:
                Ao seu rosto eu devolvo o desafio.

    ARAUTO
                Eu me vou.
                                                        (Sai.)

                        (Entra outro ARAUTO.)

    PRÍNCIPE
                Que novas traz agora?

2º ARAUTO

O duque da Normandia, meu senhor,
90 Por pena de seu perigo, tão jovem,
Manda por mim esse potrinho ágil,
Mais rápido do que jamais montou,
Para, com ele, o aconselhar a fugir,
Ou a morte, por certo, o matará.

PRÍNCIPE

95 Pois leve a besta à besta que o mandou!
Eu não monto cavalo de covarde;
Que ele monte ele mesmo hoje o potrinho,
Pois mancharei meu cavalo com sangue,
E as esporas também, quando pegá-lo.
100 Diga isso a seu amo-menino, e vá-se embora.

(Sai o 2º ARAUTO.)

(Entra outro ARAUTO.)

3º ARAUTO

Edward de Gales, Philip, o outro filho
Do cristianíssimo rei de França,
Vendo expirar-se o tempo do seu corpo,
Por caridade e por amor cristão,
105 Manda este livro cheio de orações[39]
Às suas mãos, porque, neste momento,
Recomenda que sobre elas medite,
Fortalecendo sua alma pra viagem.
Fiz o que ele mandou, e agora volto.

PRÍNCIPE

110 Arauto de Philip, ele eu saúdo.
Todo bem que mandar aqui recebo,
Mas não acha que o menino, insensato,
Se feriu, pensando assim em mim?
Talvez não possa rezar sem esse livro,
115 Não o creio pastor improvisado.
Devolva então o livro de orações
Que a ele fará bem na adversidade.
Ele não sabe quais os meus pecados,
Ou que preces a mim podem valer.
120 Talvez ele ore hoje para Deus
Fazer com que eu escute as preces dele.
Diga isso ao nobre tonto, e pode ir.

---

39 O episódio antecipa o presente do Delfim francês – as bolas de tênis – ao rei Henrique V. (N. E.)

3º ARAUTO

    Eu já vou.

                                                              (*Sai.*)

PRÍNCIPE

    Como os fazem confiantes os números!
125   Audley, soa as tuas asas de prata
    E mostra co'as marcas leitosas do tempo
    Quanto vale, em perigo, a experiência.
    Foste marcado por muitas batalhas,
    Golpes passados, com pena de ferro
130   Estão escritos em teu rosto honrado.
    Já estás casado com perigos tais,
    Mas o perigo me busca qual donzela:
    Ensina-me a agir em tais momentos.

AUDLEY

    Morrer é tão comum quanto viver:
135   Uma em escolha, a outra perseguida,[40]
    Pois do momento em que começa a vida
    Perseguimos o dia de morrer.
    Nascemos, florescemos, procriamos,
    Logo caímos, e assim como a sombra
140   Segue o corpo, seguimos nós a morte.
    Por que temer a morte, se a caçamos?
    Podemos evitar o que tememos?
    E tendo medo, apenas ajudamos
    O que tememos a pegar-nos antes.
145   Sem temer, não há posição tomada
    Que ultrapasse os limites do destino,
    Pois maduros ou podres nós caímos
    Ao ganhar a loteria do fado.

PRÍNCIPE

    Meu bom velho, milhares de armaduras
150   Puseram-me nas costas tuas palavras.
    Tu fizeste da vida um idiota,
    A buscar o que teme! E que vergonha
    É a vitória da morte assassina,
    Já que todas as vidas que flechou
155   A buscam, não ela a eles, e a humilham.
    Não darei um só *penny* pela vida,
    Nem meio *penny* pra evitar a morte,

---

[40] Até hoje não apareceu uma interpretação satisfatória para esse verso. (N. T.)

　　　　　Já que viver é só querer a morte,
　　　　　E a morte o nascer de nova vida.
160　　　Que venha a hora quando for mandada:
　　　　　Vida ou morte pra mim é indiferente,

(Saem.)

CENA 5
(Entram o Rei João e Charles.)

REI JOÃO

　　　　　Macula o céu escuro repentino,
　　　　　Ventos, com mede, entraram nas cavernas,
　　　　　As folhas não se movem, cala o mundo,
　　　　　Aves não cantam e os rios que correm
5　　　　Sequer murmuram saudações às margens;
　　　　　O silêncio, em suspenso, agora aguarda
　　　　　Venha dos céus alguma profecia.
　　　　　De onde vem esse silêncio, Charles?

CHARLES

　　　　　De olho arregalado e boca aberta
10　　　Os homens se olham, como se esperassem
　　　　　Fala do outro, mas ninguém diz nada:
　　　　　Um medo mudo cria a meia-noite
　　　　　E a fala dorme em regiões alertas.

REI JOÃO

　　　　　Como orgulhoso sol, em sua pompa,
15　　　Que olha mundo em seu dourado carro,
　　　　　De um momento pra outro se escondeu,
　　　　　E a terra embaixo ficou uma tumba,
　　　　　Negra, mortal, silente e inconfortável.

(Um clamor de corvos.)

　　　　　Que gritaria é essa que eu ouvi?

(Entra Philip.)

CHARLES
20　　　Eis meu irmão Philip.

REI JOÃO
　　　　　　　　　　Desatinado.
　　　　　Que horror nos prenuncia o teu aspecto?

PHILIP

Uma fuga! Uma fuga!

REI JOÃO

Fuga, covarde? Não há fuga, mentes.

PHILIP

Uma fuga...

REI JOÃO

25 Desperta os teus sentidos, e nos conta
A substância desse horrível medo
Com tal pavor impresso no teu rosto.
O que houve?

PHILIP

Uma revoada de corvos
A grasnar e voar por sobre as tropas,
30 Dividida em três ou quatro partes,
Como armamos os nossos pra batalha;
Quando chegavam veio uma neblina
Que escondia o chão de ar do céu
Criando ao meio-dia noite horrível
35 Sobre um mundo abalado e apavorado.
As nossas tropas largaram as armas
Ficando transformadas em estátuas,
Exangues, pálidas, olhando-se um ao outro.

REI JOÃO

Me lembro agora de uma profecia,
40 Mas não devo deixar entrar o medo.
Volte e encoraje as almas que se entregam,
Diga que os corvos, ao vê-los em armas,
Tantos belos e uns poucos famintos,
Só vieram cear com o que fizeram,
45 As entranhas daqueles que mataram;
Se algum cavalo deita pra morrer,
Antes de morto, aves de rapina
Ficam alertas esperando que morram:
Esses corvos esperam as carcaças
50 Dos ingleses marcados pra morrer,
Revoando, e gritam para nós
Que por tal carne devemos matá-los.
Vá; dê mais ânimo aos meus soldados,
Soem as trompas, e acabemos logo
55 Com o servicinho dessa fraude tola.

(Sai PHILIP.)

*(Mais ruído. S*ALISBURY *é trazido por um C*APITÃO *francês.)*

CAPITÃO

Quarenta cavaleiros, e mais esse,
A maior parte já morta ou fugida,
Tentaram muito quebrar nossas linhas,
Chegando até o príncipe cercado.
60 Co'eles faça o que quiser, majestade.

REI JOÃO

Pois qualquer tronco que encontrar, soldado,
De imediato humilhe com esse corpo,
É bom demais qualquer tronco francês
Para ser forca de ladrão inglês.

SALISBURY

65 Milord da Normandia, é o seu passe
Que me garante cruzar estas terras.

CHARLES

Villiers o conseguiu, não é assim?

SALISBURY

Conseguiu.

CHARLES

É válido, e tem mesmo o passe livre.

REI JOÃO

70 É livre pra passar até a forca,
Sem não ou impedimento,
Podem levá-lo.

CHARLES

Não me envergonhe, espero, majestade,
Quebrando assim o valor do meu selo.
75 Ele tem meu bom nome pra mostrar,
Que concedi com principesca mão;
E antes me deixar não ser mais príncipe
Do que quebrar minha jura de príncipe:
Imploro que o deixe ir em paz.

REI JOÃO

80 Tu e tua mão 'stão sob o meu comando.
Que jura tua não posso eu quebrar?
Qual dessas duas é a maior infâmia:

	Desobediência ao pai ou a ti mesmo?
	Mais forte que a palavra é o poder,
85	E homem algum quebra a sua palavra
	Se for acima do poder que tem.
	Quebra depende da alma consenti-lo,
	E se jurou sem ela consenti-lo
	Não é acusado de quebrar a jura.
90	Enforquem-no; tua força jaz comigo,
	A minha retenção é a tua escusa.

CHARLES

O quê, sou um soldado sem palavra?
Armas, adeus; e quem quiser que lute.
Não posso dar o cinto que ora uso,
95 Sem o controle de algum guardião,
Que diz não poder eu dar o que quero?
Por minh'alma, se o príncipe de Gales,
Desse a palavra que teriam passe
Seus cavaleiros no reino do pai,
100 O real rei, honrado o filho em armas,
Não lhes daria só salvo-conduto
Mas os festejaria, com os seus.

REI JOÃO

Tem base em precedente? Que assim seja.
Diga, inglês, qual a sua condição.

SALISBURY

105 Um conde inglês, prisioneiro aqui;
Quem me conhece chama-me de Salisbury.

REI JOÃO

Diga, Salisbury, pra onde se dirige.

SALISBURY

Pra Calais, onde está meu rei Eduardo.

REI JOÃO

Pra Calais, Salisbury? Pra Calais vá,
110 E diga ao rei que prepare uma tumba
Para enterrar seu filho, o negro Edward.[41]
E quando viajar daqui para o oeste,
A duas léguas há alta colina
Cujo cume parece estar no céu,

---

41 Edward, o filho mais velho de Eduardo III era chamado "The Black Prince" (O Príncipe Negro), ao que parece por usar uma armadura de cor preta. (N. E.)

115   Já que esconde no azul sua cabeça;
      Quando o seu pé alcançar o alto topo,
      Olhe pra trás, pra o humilde vale –
      Era humilde, mas agora brilha em armas –
      E veja o triste príncipe de Gales
120   Envolvido por ferro em círculo.
      Depois de o ver, vá logo pra Calais
      Dizer que foi sufocado, e não morto,
      E que esse não será todo o seu mal,
      E que eu o saudarei antes que espera.
125   Vá; só a fumaça de nossos canhões,
      Se a bala erra, sufoca o inimigo.

(Saem.)

CENA 6
(Entram o Príncipe Edward e Artois.)

ARTOIS

Como está Sua Graça; foi ferido?

PRÍNCIPE

Não, caro Artois, mas pó e fumaça
Me fazem respirar um ar mais fresco.

ARTOIS

  Respire, e volte a lutar. Os franceses
5 Ficaram assustados com os corvos,
  E com mais flechas na aljava veria
  Este ser mais um dia glorioso.
  Mais flechas, meu senhor; é o que pedimos.

PRÍNCIPE

   Calma, Artois. Pra que flecha emplumada
10 Se o nosso lado tem plumas de aves!
   Pra que lutar, suar, nos engajarmos,
   Se os corvos grasnam nossos inimigos.
   Vamos, Artois; o próprio chão se armou
   Com fogo de pedra que ordenou os arcos
15 A jogar fora as flechas enfeitadas
   E usar pedras! Vamos, Artois, vamos!

(Saem.)

(Alarma, entra o Rei João.)

REI JOÃO

As nossas multidões se atrapalham,
Assustadas, perdidas; medo célere
Zumbiu frio desânimo na tropa,
E a desvantagem do menor tropeço
Diz à alma medrosa pra fugir.
Eu, com espírito rígido de chumbo,
Recordo sem parar a profecia,
Que pedra nossa que arremessa inglês,
Se volta contra nós, e eu sinto a mancha
Da surpresa que traz fraqueza e medo.

(Entra Charles.)

CHARLES

Fuja! Há franceses matando franceses.
Os que ficam atiram nos que fogem,
Nossos tambores rufam desconsolo,
Trompas tocam vergonha e retirada;
O espírito do medo teme a morte
E, covarde, promove a confusão.

(Entra Philip.)

PHILIP

Fiquem sem olhos pra não ver vergonha!
Um venceu todos: o pobre David
Venceu com pedra esses grandes Golias,
Vinte magrinhos nus, com pederneiras
Fizeram recuar força possante,
Equipada e armada com o melhor.

REI JOÃO

Mort Dieu! Nos apedrejam e nos matam.
Quarenta mil velhotes experientes
Lapidados por quarenta escravos,

CHARLES

Quem dera a minha pátria fosse outra!
O dia foi deboche pr'os franceses,
E o mundo todo vai se rir de nós,

REI JOÃO

O quê? Não há mais esperança?

PHILIP

    Só de morte, o enterro da vergonha.

REI JOÃO

    Achemos nova forma. Um vigésimo
    Dos vivos são bastante pra acabar
    Com o punhado fraco de inimigos.

CHARLES

50   À carga, então. Se Deus não se opuser,
    Não perdemos o dia.

REI JOÃO

                Avante, então!

(Saem.)

(Entra AUDLEY, ferido, salvo por dois FIDALGOS.)

FIDALGOS

    Como está milord?

AUDLEY

             Como é possível
    Pra quem janta em banquete tão sangrento.

UM FIDALGO

    Espero, milord, que não seja mortal.

AUDLEY

55   Não importa se for; está feito o jogo,
    E, no pior, morre um homem mortal.
    Amigos, levem-me ao príncipe Edward,
    Pra, na rubra bravura de meu sangue,
    Saudando-o, o sirva inda uma vez.
60   Eu sorrirei que, na ferida aberta,
    É a colheita final de Audley em guerra.

(Saem.)

CENA 7

(Entra o PRÍNCIPE EDWARD, o REI JOÃO, CHARLES, todos com bandeiras desfraldadas. Soa uma retirada.)

PRÍNCIPE

João na França, que era João da França,
Suas bandeiras são presas das minhas,
E o vaidoso Charles da Normandia,
Que hoje mandou-me um potro pr'eu fugir,
Depende agora da minha clemência.
Não é vergonha que esses inglesinhos,
Que tão novos, mal valem uma barba,
No seio do seu reino assim pudessem
Com um pra vinte derrubá-los todos?

REI JOÃO

Sua sorte e não força nos venceu.

PRÍNCIPE

Prova que o céu apoia quem 'stá certo.

(Entra ARTOIS, com PHILIP.)

Vejam que Artois agora traz com ele
O antigo conselheiro da minh'alma.
Bem-vindo, Artois; e bem-vindo, Philip.
Qual de nós precisa preces agora?
Mas comprovou por si o que se diz:
Manhã muito brilhante traz mau dia.

(Soam trombetas. Entra AUDLEY)

Mas chega quem desencoraja mais.
Então mil homens armados da França
Marcaram morte pro rosto de Audley?
Fala tu, que olhaste a morte sorrindo,
E encarou a tumba tão alegre
Como se apaixonado por seu fim,
Que espada lhe marcou assim o rosto,
Ceifando amigo amado de minh'alma?

AUDLEY

Esse doce lamento por mim, príncipe,
É um triste dobrar pr'um moribundo.

PRÍNCIPE

Audley querido, se é o fim a minha fala,
Meu braço o leva à tumba. O que posso
Fazer-te pra viver, ou vingar morte?

          Se quer o sangue de reis prisioneiros
          Pra ficar forte, basta que o comande.
          Contigo eu bebo com ele a tua saúde.
          Se a honra te dispensa dessa morte,
35   A eterna honra do dia de hoje
          Compartilha comigo e vive, Audley.

     AUDLEY

          Vitorioso príncipe, que o é,
          César famoso que capturou reis,
          Pudesse eu ver meu senhor, seu real pai,
40   Entregava minh'alma este castelo,
          Meu tributo de carne, de bom grado,
          À escuridão final de pó e vermes.

     PRÍNCIPE

          Coragem, bravo, cujo orgulho de alma
          Não cede o forte só por uma brecha,
45   E nem se divorcia do terreno
          Só por um toque de espada francesa.
          Pra restaurar a tua vida, dou-te
          Três mil libras ao ano, na Inglaterra.

     AUDLEY

          Aceito o dado para pagar dívidas.
50   Os dois que me salvaram dos franceses
          Com bravura e arriscando as suas vidas:
          O que me deu a eles eu darei,
          Se assim o consentir, por mim, meu príncipe,
          Por última vontade e testamento.

     PRÍNCIPE

55   Famoso Audley, tenha então de mim
          Duplicado o que dei, para esses dois
          Gozarem-no pra sempre, com os seus.
          Cavalheiros, coloquem meu amigo
          Em liteira mais doce. E então iremos
60   Para Calais em marcha triunfal,[42]
          Até meu real pai, e qual prêmio da guerra,
          À França será dado o rei da França.

---

42 Quando da batalha de Poitiers, Eduardo III estava em Londres, e não em Calais. (N. E.)

ATO 5

CENA 1
(Entram o Rei Eduardo, a Rainha Philippa, Derby e soldados.)

Rei Eduardo
    Tenha mais calma, rainha Philippa:
    Se Colman não justificar seu erro,
    Meu ar sombrio prova o desprazer.
    E agora essa cidade relutante
5   Ataquem, pois não quer aqui ficar
    Só para ouvir adiamentos falsos.
    Matem todos, e fiquem com o butim.

(Entram seis Cidadãos, em camisa, com cordas de forca nos pescoços.)

1º Cidadão
    Piedade, rei Eduardo, bom senhor!

Rei Eduardo
    Vilões teimosos, pedem paz agora?
10   Sou surdo aos seus pedidos sem sentido,
    Rufem, tambores; puxem das espadas.[43]

1º Cidadão
    Tenha pena da cidade, grande príncipe,
    Ouça-nos, potente rei.[44]
    Apelamos pras promessas que fez:
15   Não acabaram os dois dias dados,
    E aqui estamos prontos a arcar
    Com a tortura, pena ou morte que queira,
    Des'que se salve a multidão com medo.

Rei Eduardo
    Eu prometi? Sim, confesso que o fiz;
20   Mas quero que os maiores cidadãos
    E homens dos mais ricos se submetam.
    É possível que sejam simples servos,
    Ou ladrões criminosos destes mares,
    Que, se apanhados, a lei executa,
25   Mesmo que nós não fossemos severos.
    Porém não podem assim enganar-nos.

---

[43] Eduardo não ordena que os tambores soem, mas antes reprova os cidadãos por haverem se recusado a se render. (N. E.)
[44] A linha, mais curta no original, é empregada para ênfase. (N. E.)

2º CIDADÃO

O sol, senhor, que se deita no oeste
Vê quão baixo chegou nossa miséria,
Mas na púrpura leste da manhã,
Quando éramos famosos nos saudava,
Se assim não for, que os demônios nos queimem.

REI EDUARDO

E se for, está valendo o nosso acordo –
Nós ocupamos a cidade em paz
E os senhores não pensem em remorso
Mas, declarada justiça imperial,
Seus corpos arrastados pelos muros
E a seguir esquartejados por aço.
É o seu destino. É só fazer, soldados.

RAINHA

Seja mais doce pra com os que se rendem!
É glorioso determinar a paz,
E os reis ficam mais próximos de Deus[45]
Se dão ao homem vida e segurança:
Se é a sua intenção ser rei da França,
Deixe-os viver pra chamá-lo de rei,
Pois o que o aço corta e o fogo estraga
É de reputação que não é nossa.

REI EDUARDO

Embora a experiência nos ensine
Que a paz tranquila nos traz alegria,
Quando os abusos ficam controlados,
É preciso que saibam que nós somos
Não só capazes de um tal controle
Mas também conquistar pela espada.
Venceu, Philippa; eu cedo ao seu pedido;
Que esses homens proclamem a clemência,
E que é terror pra si a tirania.

CIDADÃOS

Viva o rei, seja alegre o seu reinado!

REI EDUARDO

Vão-se embora; retornem à cidade,
E se a bondade paga o seu amor,
Reverenciem Eduardo como rei.

(Saem os CIDADÃOS.)

---

45 Como em *O mercador de Veneza*, na fala de Pórcia/Baltazar no tribunal, bem como em *Titus Andronicus*, na fala de Tamora, em sua misericórdia os reis se assemelham a Deus. (N. E.)

60		Quero novas de assuntos de além-mar.
		E que antes que este inverno se esgotasse
		Deixar a tropa, um pouco, aquartelada;
		Mas quem vem lá?

(Entram Copland e o Rei David.)

Derby
Senhor, é Copland, com David da Escócia.

Rei Eduardo
65 É o presunçoso fidalgo do Norte
Que recusou o seu preso à rainha?

Copland
Sim, meu senhor; um fidalgo do norte
Mas nunca presunçoso ou insolente,

Rei Eduardo
O que o fez então se obstinar
70 Em recusar o desejo da rainha?

Copland
Não por desobediência, grande lord,
Mas pelo o meu direito, e a lei das armas.
Fui eu, sozinho, que enfrentei o rei
E, soldado, não deixo escapulir
75 Nada da importância do que eu fiz.
E quando sua alteza chamou Copland,
Veio ele à França em perfeita humildade
Levantar o barrete da vitória,
Receber o imposto dessa carga,
80 O tributo do esforço destas mãos,
Que há muito já seriam recebidos,
'Stivesse sua alteza no local.

Rainha
Mas Copland desprezou ordem do rei
Esquecendo que eu agia em seu nome.

Copland
85 Respeito o nome, e mais a pessoa.
O nome terá sempre a lealdade,
Mas diante da pessoa eu me ajoelho.

REI EDUARDO
    Peço, Philippa, que esqueça o desgosto:
    Ele me agrada, gosto do que diz;
90   Quem haverá de tentar grandes feitos
    E esquecer a glória que há neles?
    Todos os rios correm para o mar,
    E lealdade de Copland pro rei.
    De joelhos; e se erga cavaleiro,
95   A quem, para viver, concede o rei
    Quinhentos marcos anuais, com os seus.

(Entra SALISBURY.)

    Salve, e que novas da Bretanha, Salisbury?

SALISBURY
    Alteza, conquistamos o país,
    E Charles de Mountfort, regente local,
100   Envia a sua alteza esta coroa,
    Qual símbolo de sua lealdade.

REI EDUARDO
    Obrigado por tudo, bravo conde,
    E pede agora o prêmio que é devido.

SALISBURY
    Senhor, junto a notícias tão alegres
105   Devo adotar de novo uma voz trágica,
    E cantar acidentes dolorosos.

REI EDUARDO
    Quê? Conhecemos derrota em Poitiers,
    Meu filho foi por muitos atacado?

SALISBURY
    Foi, senhor, e quando eu, sem valor,
110   Com mais quarenta cavaleiros fortes,
    Tendo salvo-condutos do delfim,
    Viajamos pra lá – ele em perigo –
    Uma tropa de lanceiros encontrou-nos,
    Surpreendeu e levou-nos para o rei,
115   Que por orgulho e sede de vingança
    Mandou que fossemos decapitados.
    Por certo morreríamos se o duque,
    Mais preso à honra que o irado pai,
    Não conseguisse a nossa liberdade.

120	Ao sairmos, gritou "Saúde o rei,
	Que ele prepare o funeral do filho;
	Hoje cortamos seu fio de vida,
	E antes que espera com ele estaremos,
	Pra acertar todo desprazer que deu".
125	Passamos, sem ousar dar-lhe resposta;
	Com peitos mortos, pálidos, perdidos,
	E afinal, ao subir uma colina,
	Da qual, embora já tristonhos antes,
	Com os olhos vimos que a ocasião
130	Triplicava o motivo da tristeza.
	De lá, senhor, pudemos vislumbrar
	Como, no vale, se punham as tropas:
	Os franceses formavam um anel,
	E a frente de todas as defesas
135	Era coberta por canhões brilhantes.
	Aqui, de um lado, 'stavam mil cavalos,
	Lá o dobro, em esquadrões com lanças,
	De um lado arcos, com flechas mortais,
	E no meio, como uma ponta estreita,
140	Entrada nos limites do horizonte,
	Como se fosse uma bolha no mar,
	Uma aveleira em floresta de pinhos,
	Ou urso preso ao cepo por correntes,
	O grande Edward, ainda alerta enquanto
145	Os cães franceses cheiravam-lhe a carne.
	Começou logo o fatídico dobre,
	Atiram os canhões tonitroantes
	Abalando até o monte em que ficavam.
	O toque de trombetas enche o ar,
150	Juntam-se as tropas e não mais podemos
	Discernir entre amigo e inimigo.
	Tão complexa era a negra confusão.
	Que os olhos se nublaram e os suspiros
	Tão negros quanto a fumaça da pólvora.
155	E assim, temo, infeliz lhe narrei
	A triste história da queda de Edward.

RAINHA

      Então é assim que me recebe a França?
      Esse o consolo que eu esperava ter,
      Ao encontrar o meu amado filho?
160 Querido Ned, quem dera que, no mar,
      Sua mãe fosse poupada dessa dor.

REI EDUARDO
    Console-se, Philippa: não há lágrimas
    Que o tragam de volta, se partiu.
    Console-se como eu, doce rainha,
165   Co'a esperança de terrível vingança.
    Diz ele que eu prepare o funeral?
    O farei, mas todo par de França
    Há de chorá-lo, e com pranto de sangue,
    Até ficarem secas suas veias.
170   Seus ossos serão pés pra sua eça,
    A terra que o cobrir, as suas cinzas,
    Os ais de moribundos os seus dobres,
    E em lugar de tochas, em sua tumba,
    Cento e cinquenta torres vão queimar,
175   Quando chorarmos nosso bravo filho.

(Após uma clarinada tocada fora, entra um ARAUTO.)

ARAUTO
    A alegria, senhor, ascende ao trono:
    O valoroso príncipe de Gales,
    Grande servo de Marte quando armado,
    Terror da França mas glória dos seus,
180   Cavalga triunfante, qual romano,
    E seguindo-o submisso, vem a pé
    O rei João da França, com seu filho,
    Presos, e cuja coroa ele traz
    Pra coroá-lo e proclamá-lo rei.

REI EDUARDO
185   Deixa o luto, Philippa; enxuga os olhos!
    Soem, clarins, salve Plantageneta!

(Entram o PRÍNCIPE EDWARD, o REI JOÃO, PHILIP, AUDLEY e ARTOIS.)

    Como o que foi perdido e, após, achado,
    Meu filho alegra o coração de pai,
    Por quem minh'alma há pouco se perdia.
190   Que este símbolo expresse-me a alegria.

(Beija-o.)

    Pois a paixão me impede de falar.

PRÍNCIPE
    Gracioso pai, receba este presente,

             Que é seu prêmio de conquista e de guerra,
             Obtido pondo em risco as nossas vidas,
 195   Com o preço mais alto pago até hoje.
             Instalada sua alteza no que é certo,
             Posso entregar aqui, em suas mãos,
             Os presos, alvo principal da luta.

     REI EDUARDO
             Manteve sua palavra, João de França,
 200   Pois prometeu encontrar antes comigo
             Do que esperava, e assim se deu.
             Se fizesse de início o que faz hoje,
             Quantas cidades ficavam intocadas,
             Que hoje são meras pilhas de pedras?
 205   Quantas vidas humanas pouparia,
             Que hoje se afundaram em seus túmulos?

     REI JOÃO
             Não fale, Eduardo, do irrevogável.
             Diga-me qual o resgate que exige.

     REI EDUARDO
             João, o resgate saberá mais tarde.
 210   Primeiro há de cruzar pra Inglaterra,
             Pra ver como é entretido por lá –
             Seja o que for, não pode ser tão mau
             Como quanto, na França, fomos nós.

     REI JOÃO
             Maldito! Disso eu já fora avisado,
 215   Porém interpretei mal o profeta.

     PRÍNCIPE
             E agora, pai, Edward faz um pedido
             A quem tem sido sempre o seu escudo:
             Que por favor escolha-me pra ser
             O instrumento pra mostrar seu poder;
 220   Conceda que, com muitos outros príncipes,
             Nascidos e criados nesta ilha,
             Fiquem famosos por suas vitórias;
             Por mim, as cicatrizes que eu ostento,
             As noites que passei em campo aberto,
 225   Os conflitos perigoso que tive,
             As ameaças que me foram feitas,
             Frio, calor, e o mais que desagrada,
             Quisera redobrado vinte vezes,

	Pra que tempos, mais tarde, quando lessem
230	As dores que passou minha juventude,
	Tivessem insuflada sua coragem,
	Não só nos territórios desta França,
	Mas na Espanha, Turquia e outros mais
	Que, ao provocar a ira da Inglaterra,
235	Ante os ingleses tremam e se vão.

Rei Eduardo
  Nobres ingleses, proclamo um repouso,
  Um armistício para nossas armas:
  Refresquem-se com espadas embainhadas,
  Vejam seus ganhos, e após respirar
240 Um dia ou dois nesta cidade-porto,
  Com Deus nós embarcamos pra Inglaterra
  Onde em momento feliz nós chegaremos,
  Três reis, dois princípßes, e uma rainha.

(Saem.)

ÍNDICE

Peças históricas

21	Rei João
117	Henrique IV – parte 1
231	Henrique IV – parte 2
357	Henrique V
479	Henrique VI – parte 1
587	Henrique VI – parte 2
711	Henrique VI – parte 3
833	Henrique VIII
953	Ricardo II
1055	Ricardo III
1209	Eduardo III

Copyright © 2016 by Global Editora
Copyright de tradução © by Barbara Heliodora

1ª edição, Nova Aguilar, São Paulo, 2016
2ª Reimpressão, 2024

Jefferson L. Alves – diretor editorial
Jiro Takahashi – editor executivo
Sebastião Lacerda – consultoria
Liana de Camargo Leão – organização
Flávio Samuel – gerente de produção
Jefferson Campos – assistente de produção
Fernanda Bincoletto – assistente editorial
Ana Lima Cecílio – preparação de texto
**Dayse de Camargo Costa, Luiz Maria Veiga e
Vítor Adriano Liebel** – revisão
Homem de Melo & Troia Design – projeto de design
Mayara Freitas, Rafael Ribeiro e Tathiana A. Inocêncio – editoração eletrônica

CIP-BRASIL. CATALOGAÇÃO NA PUBLICAÇÃO
SINDICATO NACIONAL DOS EDITORES DE LIVROS, RJ

Shakespeare, William, 1564-1616.
   Peças históricas / William Shakespeare ; tradução Barbara Heliodora. – São Paulo : Editora Nova Aguilar, 2016. – (William Shakespeare : teatro completo ; v. 3)

   ISBN 978-85-210-0117-1

   1. Shakespeare, William, 1564-1616 2. Teatro inglês I. Título. II. Série.

16-02521   CCDD-822.33

Índices para catálogo sistemático:
1. Teatro : Literatura inglesa   822.33

Obra atualizada conforme o
NOVO ACORDO ORTOGRÁFICO DA LÍNGUA PORTUGUESA

Editora
Nova Aguilar

Editora Nova Aguilar
Rua Pirapitingui, 111 – Liberdade
CEP 01508-020 – São Paulo – SP
Tel.: (11) 3277-7999
e-mail: novaaguilar@novaaguilar.com.br

Direitos reservados.
Colabore com a produção científica e cultural.
Proibida a reprodução total ou parcial desta obra sem a autorização do editor.
Impresso na Índia

Nº de Catálogo: **10027**